资治通鉴

全本全注全译

第十册

晋纪

[宋]司马光 编著
张大可 韩兆琦 等 注译

浙江人民出版社

浙江省版权局
著作权合同登记章
图字:11-2023-344号

图书在版编目（CIP）数据

资治通鉴全本全注全译. 第十册 / (宋) 司马光编著 ； 张大可等注译. -- 杭州 ： 浙江人民出版社, 2024. 10（2025. 6重印）.
ISBN 978-7-213-11675-9

Ⅰ. K204. 3

中国国家版本馆CIP数据核字第2024FV1076号

资治通鉴全本全注全译　第十册

ZIZHI TONGJIAN QUANBEN QUANZHU QUANYI

［宋］司马光　编著　　张大可　韩兆琦　等　注译

出版发行：浙江人民出版社（杭州市环城北路 177 号　邮编　310006）
市场部电话：（0571）85061682　85176516
选题策划：胡俊生
项目统筹：潘海林　魏　力
责任编辑：尚　婧
特约编辑：褚　燕
营销编辑：陈芊如
责任校对：汪景芬　王欢燕　杨　帆　何培玉
责任印务：程　琳　幸天骄
封面设计：北京之江文化传媒有限公司
电脑制版：北京之江文化传媒有限公司
印　　刷：浙江新华数码印务有限公司
开　　本：710 毫米 ×1000 毫米　1/16　　印　　张：40.5
字　　数：792 千字　　插　　页：4
版　　次：2024 年 10 月第 1 版　　印　　次：2025 年 6 月第 2 次印刷
书　　号：ISBN 978-7-213-11675-9
定　　价：124.00 元

目　录

卷第一百四　晋纪二十六

起柔兆困敦（丙子，公元三七六年），尽玄黓敦牂（壬午，公元三八二年），凡七年。

【题解】

本卷写东晋孝武帝太元元年（公元三七六年）至孝武帝太元七年（公元三八二年）共七年间的东晋及各国大事。主要写了秦主苻坚派其将军苟苌、毛盛等兵临西河，派使者召张天锡入朝，张天锡杀使者，派兵抵抗，秦兵遂数道进击，凉兵大败，张天锡素车白马，投降苟苌于军门，河西遂定；接着苻坚又派其将军苻融、俱难、邓羌等为救匈奴之刘卫辰部落而数道出兵讨伐代王什翼犍，而此时之代国正值内部纷争，什翼犍之子寔君弑其父，并杀诸弟，部众逃散，苻坚遂进兵讨杀了代国的乱臣寔君与其堂兄斤，分代地为两部，命刘库仁、刘卫辰分掌之。写了苻坚派苻丕、苟苌等多路出兵，攻克襄阳，俘获晋将朱序，苻坚任朱序为度支尚书，为日后朱序策应谢玄破秦埋下伏笔。写了苻坚派部将彭超围攻晋将戴逯于彭城，又派毛当、王显、俱难等进攻淮南，秦军连克盱眙、堂邑，晋军

【原文】

烈宗孝武皇帝上之中

太元元年（丙子，公元三七六年）

春，正月壬寅朔[①]，帝加元服[②]，皇太后下诏归政，复称崇德太后。甲辰[③]，大赦，改元。丙午[④]，帝始临朝。以会稽内史郗愔[⑤]为镇军大将军、都督浙江东五郡[⑥]诸军事，徐州刺史桓冲为车骑将军、都督豫、江二州之六郡[⑦]诸军事，自京口徙镇姑孰。谢安欲以王蕴为方伯[⑧]，故先解冲徐州[⑨]。乙卯[⑩]，加谢安中书监、录尚书事。

二月辛卯[⑪]，秦王坚下诏曰："朕闻王者劳于求贤，逸于得士[⑫]，斯言何其验[⑬]也。往得丞相[⑭]，常谓帝王易为[⑮]。自丞相违世[⑯]，须发中白[⑰]，每一念之，不觉酸恸[⑱]。今天下既无丞相，或政教沦替[⑲]，可分遣

接连败退，朝廷大惊。写了谢安推荐谢玄为将，谢玄奉命解彭城之围，救出了戴逯，又继而破毛当、俱难于三阿，又破毛当、俱难于盱眙，又破杀邵保于淮阴，又与戴逯、田洛追破毛当、俱难于淮北，致使彭超下狱自杀，俱难被削职为民，而谢玄则以破秦之功进号冠军将军，领徐州刺史。写了苻坚的堂兄弟幽州刺史苻洛因不满自己所受的待遇而勾结北海公苻重举兵造反，被秦将吕光、窦冲大破于中山，苻重被杀，苻洛被俘。写了秦将都贵派其部属阎振、吴仲进攻晋之竟陵郡，被桓冲的部将桓石虔、桓石民所破，阎振、吴仲身死，秦兵被杀七千，被俘上万人。写了苻坚命巴西、梓潼二郡密具舟师，为伐晋做准备。写了苻坚召集群臣共议伐晋之事，朱肜、慕容垂承旨赞成，权翼、石越、苻融、太子宏、沙门道安、苻坚之宠妃张氏、苻坚之幼子中山公诜皆于人前人后恳切劝阻，而苻坚执意不听等。

【语译】

烈宗孝武皇帝上之中

太元元年（丙子，公元三七六年）

春季，正月初一日壬寅，东晋为孝武皇帝司马昌明举行加冠典礼，皇太后褚氏下诏将朝政大权归还给皇帝，仍然称崇德皇太后。初三日甲辰，实行大赦，改年号为太元。初五日丙午，孝武皇帝司马昌明开始主持朝政。任命会稽内史郗愔为镇军大将军、都督浙江东部五郡诸军事，徐州刺史桓冲为车骑将军、都督豫、江二州六郡诸军事，桓冲的镇所从京口迁移到姑孰。谢安想任用皇后的父亲王蕴为州刺史，所以先解除了桓冲徐州刺史的职务。十四日乙卯，孝武皇帝加授谢安为中书监、录尚书事。

二月二十一日辛卯，秦王苻坚下诏说："我听说令君主最辛劳的事情是求取贤能之士，一旦得到贤才的辅佐，君主自己就可以变得清闲了，这话是何等的灵验。往常有丞相王猛作为助手，我常常觉得帝王当起来很容易。自从丞相去世之后，我的头发和胡须已经白了一半，每当思念起丞相，我都会不自觉地感到心酸和痛楚。如今天下已经没有了王猛这样的丞相，很可能造成政策、教化不能贯彻执行，可以分

侍臣周巡⑳郡县，问民疾苦。”

三月，秦兵寇南乡㉑，拔之，山蛮㉒三万户降秦。

夏，五月甲寅㉓，大赦。

初，张天锡之杀张邕㉔也，刘肃及安定梁景皆有功，二人由是有宠，赐姓张氏，以为己子，使预政事。天锡荒于酒色㉕，不亲庶务㉖，黜㉗世子大怀而立嬖妾㉘焦氏[1]之子大豫，以焦氏为左夫人㉙，人情愤怨。从弟从事中郎宪㉚舆榇切谏㉛，不听。

秦王坚下诏曰：“张天锡虽称藩受位㉜，然臣道未纯㉝，可遣使持节武卫将军武都[2]苟苌、左将军毛盛、中书令梁熙、步兵校尉姚苌等将兵临西河㉞，尚书郎阎负、梁殊奉诏征天锡入朝㉟，若有违王命，即进师扑讨㊱。”是时，秦步骑十三万，军司㊲段铿谓周虓曰：“以此众战，谁能敌之㊳！”虓曰：“戎狄以来，未之有也㊴。”坚又命秦州刺史苟池、河州刺史李辩、凉州刺史王统帅三州之众为苟苌后继。

秋，七月，阎负、梁殊至姑臧㊵。张天锡会官属谋之，曰：“今入朝，必不返，如其不从，秦兵必至，将若之何？”禁中录事㊶席仂曰：“以爱子为质，赂以重宝，以退其师，然后徐为之计，此屈伸之术㊷也。”众皆怒曰：“吾世事晋朝，忠节著于海内。今一旦委身贼庭㊸，辱及祖宗，丑莫大焉！且河西天险，百年无虞㊹。若悉㊺境内精兵，右招西域㊻，北引匈奴以拒之，何遽知其不捷也㊼！”天锡攘袂㊽大言㊾曰：“孤计决矣，言降者斩！”使谓阎负、梁殊曰：“君欲生归乎，死归乎？”殊等辞气不屈㊿，天锡怒，缚之军门，命军士交射(51)之，曰：“射而不中，不与我同心者也。”其母严氏泣曰：“秦主以一州之地，横制天下(52)，东平鲜卑(53)，南取巴、蜀，兵不留行(54)，所向无敌[3]。

别派遣侍臣前往各个郡县进行视察，访问民间疾苦。”

三月，秦国出兵进犯南乡，将南乡占领，居住在山区的三万户少数民族投降了秦国。

夏季，五月十五日甲寅，东晋实行大赦。

当初，凉王、西平公张天锡诛杀张邕的时候，刘肃和安定人梁景都立了功，二人因此而得到张天锡的宠信，张天锡赐他们姓张，并收养他们做了自己的义子，让他们参与朝政。张天锡把所有的时间和精力全部用到饮酒和声色上，不再亲自管理国家的各种政务，并废黜了世子张大怀，把自己最宠爱的小老婆焦氏所生的儿子张大豫立为世子，立焦氏为左夫人，人们心中遂对张天锡逐渐产生愤怒与怨恨。张天锡的堂弟、担任从事中郎的张宪抱定必死的决心，用车拉着棺材进宫进行规劝，也没能打动张天锡，张天锡依然我行我素。

秦王苻坚下诏说：“张天锡虽然向我们秦国称臣，成了我们的属国，接受了秦国给予的官职与爵号，然而在他的内心深处，并不是真心实意地臣服于我们，现在可以派遣担任使持节的武卫将军武都人苟苌、担任左将军的毛盛、担任中书令的梁熙以及担任步兵校尉的姚苌等率军前往凉州张氏政权的东部边境，尚书郎阎负、梁殊带着诏书前去征召张天锡到长安来，如果他违抗王命，拒不前来，就立即对他进行讨伐。”这时，秦国拥有步兵、骑兵总计十三万，担任军司的段铿对周虓说：“将如此强大的军队投入战场，谁能抵挡得住！”周虓答复说：“自从少数民族出兵征战以来，的确没有如此强大过。”苻坚又下令秦州刺史苟池、河州刺史李辩、凉州刺史王统率领秦州、河州、凉州三州人马作为苟苌的后继部队。

秋季，七月，阎负、梁殊来到了姑臧。张天锡召集起自己的僚属商议对策，张天锡说：“我如果前往秦国的都城长安朝见秦王，肯定就回不来了，如果不服从秦王的命令前往长安，秦国讨伐的大军立即就会来到，你们看该怎么办呢？”担任禁中录事的席仂说：“把你最喜爱的儿子送往长安去做人质，再拿出贵重的珍宝去贿赂他们，先使他们撤军，然后再慢慢地想办法，这就是大丈夫能屈能伸的策略。”众人全都大怒说：“我们世代尊奉晋朝，忠贞不渝的品节闻名于海内外。现在一旦送人到盗贼的朝廷去做人质，将会连累祖宗遭受侮辱，那可是奇大无比的丑事！而且河西凭借着天险，自从张氏政权创立以来，从来没有出过问题。如果出动全国的精兵，向西招集西域诸国的兵力、向北招集匈奴的兵力联合起来进行抗击，凭什么说我们就不能获取胜利！”张天锡也撸起袖子，情绪激昂地大声说：“我的主意已定，再敢提议投降的杀无赦！”于是，派人对秦国的使臣阎负、梁殊说：“先生愿意活着回去呢，还是愿意死着回去？”梁殊等说话的声音与面部表情没有任何服软的意思，张天锡大怒，便将他们捆绑在军营的大门之外，下令军士轮流向他们射击，并且说：“谁要是射不中，就是与我不一条心。”张天锡的母亲严氏哭着说：“秦国的君主凭借着一个州的土地，便能纵横驰骋、制服天下，向东平定了鲜卑人建立的燕国，向南攻取了巴、蜀，行进中所向披靡。

汝若降之，犹可延数年之命。今以蕞尔一隅[55]，抗衡大国，又杀其使者，亡无日[56]矣！”天锡使龙骧将军马建帅众二万拒秦。

秦人闻天锡杀阎负、梁殊，八月，梁熙、姚苌、王统、李辩济自清石津[57]，攻凉骁烈将军梁济于河会城[58]，降之。甲申[59]，苟苌济自石城津[60]，与梁熙等[4]会攻缠缩城[61]，拔之。马建惧，自杨非[62]退屯清塞[63]。天锡又遣征东将军常据[5]帅众三万军于洪池[64]，天锡自将余众五万，军于金昌城[65]。安西将军敦煌宋皓言于天锡曰：“臣昼察人事，夜观天文，秦兵不可敌也，不如降之。”天锡怒，贬皓为宣威护军。广武[66]太守辛章曰：“马建出于行陈[67]，必不为国家用。”苟苌使姚苌帅甲士三千为前驱。庚寅[68]，马建帅万人迎降，余兵皆散走。辛卯[69]，苟苌及常据战于洪池，据兵败，马为乱兵所杀，其属董儒授之以马。据曰：“吾三督诸军，再秉节钺[70]，八将禁旅[71]，十总外兵[72][6]，宠任[73]极矣。今卒困于此，此吾之死地也，尚安之乎[74]？”乃就帐免胄[75]，西向稽首，伏剑[76]而死。秦兵杀军司席仂。癸巳[77]，秦兵入清塞，天锡遣司兵[78]赵充哲帅众拒之。秦兵与充哲战于赤岸[79]，大破之，俘斩三万八千级，充哲死。天锡出城自战，城内又叛，天锡与数千骑奔还姑臧。甲午[80]，秦兵至姑臧。天锡素车白马[81]，面缚舆榇[82]，降于军门。苟苌释缚焚榇[83]，送于长安，凉州郡县悉降于秦。

九月，秦王坚以梁熙为凉州刺史，镇姑臧。徙豪右[84]七千余户于关中，余皆按堵如故[85]。封天锡为归义侯，拜北部尚书[86]。初，秦兵之出也，先为天锡筑第于长安，至则居之。以天锡晋兴[87]太守陇西彭和正为黄门侍郎，治中从事武兴苏膺、敦煌太守张烈为尚书郎，

你如果向秦国投降，还可能延长几年寿命；如今你想凭借着这么偏远角落里的一个小国，与强大的秦国抗衡，还杀死了秦国的使者，恐怕离灭亡没有几天了！”张天锡派遣担任龙骧将军的马建率领二万人马抵抗秦军。

秦国人听到张天锡杀死阎负、梁殊两位使者的消息，开始对张天锡采取军事行动，八月，已经兵临西河的秦国中书令梁熙、步兵校尉姚苌、凉州刺史王统、河州刺史李辩分别率军从清石津渡过黄河，攻击凉州骁烈将军梁济守卫的河会城，梁济向秦军投降。十七日甲申，秦国的使持节、武卫将军苟苌率军从石城津渡过黄河，与中书令梁熙等会合后开始攻击缠缩城，很快便攻克了缠缩城。张天锡派遣抵抗秦军的龙骧将军马建大为恐惧，根本没敢抵抗，便率军从杨非撤退到清塞城。张天锡又派征东将军常据率领三万军队进驻洪池岭，张天锡自己则率领着剩余的五万人马，进驻金昌城。担任安西将军的敦煌人宋皓向张天锡建议说：“我白天观察人情世故，夜晚观看天象变化，我认为秦军不可抵挡，不如向秦国投降。”张天锡大怒，立即把宋皓贬为宣威护军。担任广武太守的辛章说：“马建出身于职业军人，一定不肯为国家效力。”秦国的武卫将军苟苌令步兵校尉姚苌率领三千名士卒作为前锋。二十三日庚寅，西凉的龙骧将军马建率领一万人马迎接秦军，向秦军投降，其余的士兵全都四散逃走。二十四日辛卯，秦国的武卫将军苟苌与驻扎于洪池的西凉征东将军常据交战，常据所率领的军队被苟苌所率领的秦军打得大败，就连常据所骑的战马也被乱军砍死，常据的部将董儒把自己的坐骑让给常据。常据说：“我曾经三次统领全军，两次奉命率军出征，八次统领宫廷的警卫部队，十次统领京城以外的军队，我受到君主的宠爱与信任已经达到极点。而今最终被困在这里，这里就是我为国捐躯之地，我还能往哪里去呢？”于是返回军帐，摘下头盔，面朝西方磕头之后，拔出佩剑自杀而死。秦兵杀死了担任军司的席仂。二十六日癸巳，秦军进入清塞城，张天锡赶紧派遣担任司兵的赵充哲率领部众进行抵抗。秦军与赵充哲在赤岸展开激战，秦军将赵充哲军打得大败，这一仗，秦军俘虏、斩杀了西凉三万八千人，赵充哲也战死在疆场。张天锡只得亲自出城与秦军作战，而城内的守军又背叛了张天锡，张天锡率领着数千名骑兵逃回了都城姑臧。二十七日甲午，秦国大军进抵姑臧。张天锡用白马素车拉着棺材，自己双手捆绑在身后，亲自到秦军的大营门前投降。秦国使持节、武卫将军苟苌亲自为张天锡解开绑绳、烧毁了棺材，将张天锡送往秦国的京师长安，凉州所属的各郡县全部投降了秦国。

九月，秦王苻坚任命梁熙为凉州刺史，镇所设在姑臧。把凉州的七千多户豪门大族强行迁往关中，其余的居民全都安居如常。秦王封张天锡为归义侯，任命他为负责掌管北部地区少数民族事务的北部尚书。当初，秦国出兵之时，就先在长安为张天锡建造了宅第，所以张天锡到了长安，就有现成的住宅。秦国任用张天锡所任命的晋兴太守、陇西人彭和正为黄门侍郎，任用担任治中从事的武兴人苏膺、担任

西平[88]太守金城赵凝为金城太守，高昌杨幹为高昌[89]太守，余皆随才擢叙[90]。

梁熙清俭爱民，河右安之。以天锡武威太守敦煌索泮为别驾，宋皓为主簿。西平郭护起兵攻秦，熙以皓为折冲将军，讨平之。

桓冲闻秦攻凉州，遣兖州刺史朱序、江州刺史桓石秀与荆州督护桓罴游军沔汉[91]，为凉州声援。又遣豫州刺史桓伊帅众向寿阳，淮南太守刘波泛舟淮、泗[92]，欲桡秦[93]以救凉。闻凉州败没，皆罢兵。

初，哀帝减田租，亩收二升[94]。乙巳[95]，除度田[96]收租之制，王公以下，口税[97]米三斛，蠲在役之身[98]。

冬，十月，移淮北民于淮南。

刘卫辰[99]为代所逼，求救于秦。秦王坚以幽州刺史行唐公洛[100]为北讨大都督，帅幽、冀兵十万击代。使并州刺史俱难，镇军将军邓羌，尚书赵迁、李柔，前将军朱肜，前禁将军张蚝，右禁将军郭庆帅步骑二十万，东出和龙[101]，西出上郡，皆与洛会，以卫辰为乡导。洛，菁[102]之弟也。

苟苌之伐凉州也，遣扬武将军马晖、建武将军杜周帅八千骑西出恩宿[103]，邀[104]张天锡走路[105]，期会姑臧。晖等行泽中，值水失期，于法应斩，有司奏征下狱[106]。秦王坚曰："水春冬耗竭，秋夏盛涨，此乃苟苌量事[107]失宜，非晖等罪。今天下方有事，宜宥过责功[108]。"命晖等回赴北军[109]，击索虏[110]以自赎。众咸以为万里召将[111]，非所以应速[112]，坚曰："晖等喜于免死，不可以常事疑[113]也。"晖等果倍道疾驱，遂及东军[114]。

敦煌太守的张烈为尚书郎，任用担任西平太守的金城人赵凝为金城太守，任命高昌人杨幹为高昌太守，张天锡手下的其他官员则根据其实际才能予以选拔录用。

秦国担任凉州刺史的梁熙为人清廉节俭、爱护民众，河右地区的百姓都很乐于接受他的治理。梁熙任用在张天锡手下担任过武威太守的敦煌人索泮为别驾，任用宋皓为主簿。西平人郭护聚众起兵反抗秦国的统治，凉州刺史梁熙遂任用宋皓为折冲将军，令其讨灭郭护，宋皓率军很快将郭护的叛乱镇压下去。

东晋桓冲听到秦军攻打凉州的消息，遂派遣担任兖州刺史的朱序、担任江州刺史的桓石秀以及担任荆州督护的桓罴率领军队到汉水上游邻近凉州的地区进行一些示威性的活动，以声援凉州。桓冲又派担任豫州刺史的桓伊率领军队前往寿阳，派淮南太守刘波率领舰船在淮河、泗水之上往来巡视，骚扰秦国的东南边境，分散秦军进攻西凉的兵力，以解救凉州的危急。后来得知凉州已经败亡，遂将军队全部撤回。

当初，东晋哀帝司马丕在位时，减少了向农民征收田租，每亩地只收取二升。九月初八日乙巳，东晋政府废除了按照田亩数量征税的制度，改为按照人口进行征税，从王爵、公爵以下，每人每年要向国家缴纳稻米三斛，免除正在服役人员本身的税收。

冬季，十月，东晋将淮河以北的居民迁移到淮河以南。

匈奴部落首领刘卫辰实在无法忍受代国的逼迫，遂向秦国请求援救。秦王苻坚任命担任幽州刺史的行唐公苻洛为北讨大都督，率领幽州、冀州的十万兵马攻伐代国。又派担任并州刺史的俱难，担任镇军将军的邓羌，担任尚书的赵迁、李柔，担任前将军的朱肜，担任前禁将军的张蚝，担任右禁将军的郭庆率领步兵、骑兵二十万人，东部的从和龙出发，西部的从上郡出发，全都与幽州刺史、行唐公苻洛会合，任用刘卫辰为向导。苻洛是苻菁的弟弟。

秦国使持节、武卫将军苟苌在讨伐凉州的时候，派遣担任扬武将军的马晖、担任建武将军的杜周率领八千名骑兵向西迂回到恩宿，在张天锡从金昌逃回姑臧的必经之路截击张天锡，约定日期到姑臧会合。马晖等行进在大泽之中，因为遭遇大雨而延误了到姑臧会师的日期，按照军法应该斩首，有关部门遂给秦王苻坚上疏请求将马晖、杜周等逮捕入狱。秦王苻坚说："冬春季节，沼泽之中水位枯竭，而到了夏秋季节，水位猛涨，这是苟苌考虑问题不周到，而不是马晖等人的罪过。如今正在对天下用兵，应该宽恕他们的过错，责成他们立功报效。"于是令马晖等从西方前线返回，到北部讨伐代国的前线去，在攻取索头部落的战役中立功赎罪。众臣全都认为，从万里以外征调将领赶赴前线，不是应对突发事变的办法，秦王苻坚说："马晖等人正在庆幸自己被免死，所以不应该按照常情去怀疑他们的能力。"马晖等果然倍道兼程，急速前进，竟然追上了东讨大军。

十一月己巳朔[115]，日有食之。

代王什翼犍使白部、独孤部[116]南御秦兵，皆不胜；又使南部大人[117]刘库仁将十万骑御之。库仁者，卫辰之族，什翼犍之甥也。与秦兵战于石子岭[118]，库仁大败。什翼犍病，不能自将，乃帅诸部奔阴山[119]之北。高车杂种[120]尽叛，四面寇钞[121]，不得刍牧[122]，什翼犍复渡漠南[123]，闻秦兵稍退，十二月，什翼犍还云中[124]。

初，什翼犍分国之半以授弟孤[125]。孤卒，子斤失职怨望[126]。世子寔及弟翰早卒，寔子珪尚幼，慕容妃[127]之子阏婆、寿鸠、纥根、地干、力真、窟咄皆长，继嗣未定。时秦兵尚在君子津[128]，诸子每夜执兵警卫。斤因说什翼犍之庶长子寔君曰："王将立慕容妃之子，欲先杀汝。故顷来[129]诸子每夜戎服，以兵绕庐帐[130]，伺便将发[131]耳。"寔君信之，遂杀诸弟，并弑什翼犍。是夜，诸子妇及部人奔告秦军，秦李柔、张蚝勒兵[132]趋云中，部众逃溃，国中大乱。珪母贺氏以珪[133]走依贺讷。讷，野干[134]之子也。

秦王坚召代长史[135]燕凤，问其所以乱故，凤具以状对[136]。坚曰："天下之恶一也[137]。"乃执寔君及斤至长安，车裂之。坚欲迁珪于长安，凤固请曰："代王初亡，群下叛散，遗孙冲幼，莫相统摄[138]。其别部大人[139]刘库仁勇而有智，铁弗卫辰[140]狡猾多变，皆不可独任。宜分诸部为二，令此两人统之。两人素有深仇，其势莫敢先发[141]。俟其孙[142]稍

十一月己巳朔，发生日食。

代王拓跋什翼犍派遣鲜卑中的白部落与独孤部落向南去抵抗秦军，这两个部落都没有取胜；又派代国南方的匈奴部落首领刘库仁率领十万名骑兵去抵抗秦军。刘库仁是刘卫辰的同族，是代王什翼犍的外甥。他率领骑兵与秦军在石子岭展开会战，结果，刘库仁又被秦军打得大败。代王拓跋什翼犍当时正身患重病，不能亲自率军与秦军作战，于是只好放弃了都城盛乐，率领各部族逃往阴山以北。于是，敕勒等各部族全都背叛了拓跋氏，他们向四面八方进行抢夺抄掠，使拓跋什翼犍的部众根本无法进行正常的割草放牧生活，拓跋什翼犍只好又率领着自己的部众穿越大漠，回到了大漠以南，听说秦军已经逐渐撤退，十二月，代王拓跋什翼犍率众返回云中地区。

当初，代王拓跋什翼犍将代国的一半领土分给了自己的弟弟拓跋孤。拓跋孤去世之后，拓跋孤的儿子拓跋斤没有能继承到父亲拥有的一半国土和权位，因此对自己的伯父、代王拓跋什翼犍心怀怨恨。拓跋什翼犍的世子拓跋寔及其弟弟拓跋翰很早就死了，拓跋寔的儿子拓跋珪年纪还很小，慕容妃所生的儿子拓跋阏婆、拓跋寿鸠、拓跋纥根、拓跋地干、拓跋力真、拓跋窟咄都已长大，但代王拓跋什翼犍一直没有指定谁是合法继承人。当时，秦国的军队还在君子津，拓跋什翼犍的几个儿子每夜都手持兵器在拓跋什翼犍的身边担任警戒。拓跋斤趁机挑拨拓跋什翼犍的庶长子拓跋寔君说："君王准备立慕容妃所生的儿子为合法继承人，想先把你除掉。所以近来他们兄弟每夜都身穿军服、率领士兵围绕在君王大帐的周围，为的是寻找动手的机会。"拓跋寔君真就听信了拓跋斤的挑拨，于是杀死了自己的兄弟们，同时杀死了自己重病在身的父亲拓跋什翼犍。这一夜，代王拓跋什翼犍的各个儿媳妇以及一部分部众全都跑到秦军那里报告消息，秦国的尚书李柔、前禁将军张蚝等立刻带领兵马赶赴云中，代王拓跋什翼犍的部众四处溃逃，代国之内一片混乱。拓跋珪的母亲贺氏带着年幼的拓跋珪逃走，投奔了贺兰部落酋长贺讷。贺讷是贺野干的儿子。

秦王苻坚召见在代国拓跋什翼犍手下担任长史的燕凤，向他询问代国发生内乱的原因，燕凤便原原本本地把事情发展的状况向秦王苻坚讲述了一遍。苻坚说："对坏人的憎恨，普天之下都是一样的。"等到拓跋寔君与拓跋斤被秦军捉住，押送到长安之后，秦王苻坚便立即下令，用车裂的酷刑将二人处死。苻坚想把拓跋珪迁到长安，燕凤坚决请求说："代王拓跋什翼犍刚刚去世，他的部众或叛变或逃散，遗留下来的这个小孙子拓跋珪年纪还很小，各部落之间彼此独立，各自为政。代国其他部落首领刘库仁，不仅作战勇敢，而且很有智谋；而匈奴铁弗刘卫辰狡猾多变、诡计多端，这两个人都不能让他们单独接任代王。应该把代国一分为二，让这两个人分别统领。这两个人之间一向就有深仇大恨，让他们二人互相监视，谁也不敢首先发起攻击对方的战争。等代王拓跋什翼犍的孙子拓跋珪稍微长大一些之后，再把他拉出来，

长，引而立之，是陛下有存亡继绝[143]之德于代，使其子子孙孙永为不侵不叛之臣，此安边之良策也。”坚从之。分代民为二部，自河以东[144]属库仁，自河以西[145]属卫辰，各拜官爵，使统其众。贺氏以珪归独孤部[146]，与南部大人长孙嵩[147]、元佗等皆依库仁。行唐公洛以什翼犍子窟咄年长，迁之长安。坚使窟咄入太学读书[148]。

下诏曰：“张天锡承祖父之资，藉百年之业，擅命[149]河右，叛换偏隅[150]。索头世跨朔北[151]，中分区域[152]，东宾秽貊[153]，西引乌孙[154]，控弦[155]百万，虎视云中。爰命两师[156]，分讨黠虏[157]。役不淹岁[158]，穷殄[159]二凶。俘降百万，辟土九千[160]。五帝[161]之所未宾[162]，周、汉之所未至[163]，莫不重译来王[164]，怀风率职[165]。有司可速班功受爵[166]，戎士悉复之五岁[167]，赐爵三级[168]。”于是加行唐公洛征西将军，以邓羌为并州[169]刺史。

阳平国常侍[170]慕容绍私谓其兄楷[171]曰：“秦恃其强大，务胜不休[172]，北戍云中，南守蜀、汉[173]，转运万里，道殣相望[174]，兵疲于外，民困于内，危亡近矣。冠军叔仁[175]智度英拔[176]，必能恢复燕祚[177]，吾属但当爱身以待时耳。”

初，秦人既克凉州，议讨西障氐、羌[178]。秦王坚曰：“彼种落杂居[179]，不相统壹，不能为中国大患。宜先抚谕[180]，征其租税，若不从命，然后讨之。”乃使殿中将军张旬前行宣慰，庭中将军魏曷飞帅骑二万七千随之。曷飞忿其恃险不服，纵兵击之，大掠而归。坚怒其违命，鞭之二百，斩前锋督护储安以谢氐、羌[181]。氐、羌大悦，降附贡献者八万三千余落。雍州士族先因乱流寓[182]河西者，皆听还本[183]。

立为代王，这样一来，陛下就有使已经灭亡的代国再次复国、让已经灭绝的代国世袭得以延续的美德，他们的子子孙孙将永远成为对秦国不侵扰、不背叛的属国，这是安定边境的最好办法。”秦王苻坚采纳了他的意见。于是将故代国划分为两个部分：黄河以东地区归刘库仁统辖，黄河以西地区归刘卫辰统辖，对他们委任官职、分封爵位，让他们各自统领自己的部众。贺氏把拓跋珪送到鲜卑族独孤部落，与南部大人长孙嵩、元佗等全都依附于刘库仁。因为代王拓跋什翼犍的儿子拓跋窟咄年纪较大，秦国行唐公苻洛遂将拓跋窟咄迁往长安。秦王苻坚让拓跋窟咄进入太学读书。

秦王苻坚下诏说：“张天锡继承了祖先的基业，凭借着近百年治理凉州的功业，得以在河右地区发号施令、独霸一方，在一个偏僻的角落里飞扬跋扈。索头部落世世代代横跨朔方之北，将中国的北部边疆地区一分为二，他们东部与秽貊族接壤，西部与乌孙国接壤，能够挽弓射箭的战士多达一百万人，像猛虎一样控制着云中地区。于是我才派出两支部队，分别对占据河西地区的张氏政权、占据朔方以北地区的索头部落这两处狡猾的贼虏进行讨伐。战事不到一年的时间，便将二处凶顽全部彻底地予以消灭。俘虏与投降的有百万之众，拓展疆土九千里。黄帝、颛顼、帝喾、唐尧、虞舜时期没有臣服的部落，周朝、汉朝的势力所从来没有到达的地方，无不经过几层翻译前来朝见皇帝，向往我们的风俗教化，遵循我们的章程制度。有关部门应该赶紧依照功劳大小的次序，授予他们官职和爵位，所有出征的战士全部免除他们五年的赋税劳役，每个士卒都赐爵三级。”于是，加授行唐公苻洛为征西将军，任命邓羌为并州刺史。

在秦国担任阳平国常侍的慕容绍私下里对自己的哥哥慕容楷说：“秦国仗恃自己国家力量强大，无休止地追求克敌制胜，他们派军队北戍云中郡，南守蜀郡与汉中郡，民夫远行万里为戍守的军队运送粮秣，道上的死人一个接一个，士兵常年在外筋疲力尽，民众在内困苦不堪，我看秦国距离灭亡已经不远了。我们的叔父、担任冠军将军的慕容垂，才智与气度都超群出众，一定能够重建燕国，我们这些人应该爱惜自己的身体，等待时机的到来。”

当初，秦国人占领了凉州之后，就商议讨伐西部边境上的氐族人与羌族人。秦王苻坚说：“他们两个不同种族的部落杂居在一起，号令并不统一，不会给中原地区造成很大的祸患。应该先对他们进行安抚、教育，向他们征收租税，如果他们不听从命令，然后再讨伐他们。”于是派遣担任殿中将军的张旬前往氐人与羌人的聚居区进行宣传安抚，派担任庭中将军的魏曷飞率领两万七千名骑兵跟随前往。魏曷飞对那些氐人、羌人倚仗自己所处地势险要难攻而不肯服从命令感到非常愤怒，遂指挥士兵进行攻击，同时放纵士卒大肆劫掠，满载而归。秦王苻坚对魏曷飞违抗命令非常恼火，就令人抽了魏曷飞二百下皮鞭作为惩罚，同时将担任前锋督护的储安斩首，以此向遭受迫害的氐人、羌人谢罪道歉。氐人、羌人非常感动，向秦国投降归附的、纳贡的总计有八万三千多落。雍州士族因为逃避战乱而流浪寄居河西的，全都允许他们按照自己的心愿返回故乡。

刘库仁招抚离散，恩信甚著，奉事拓跋珪恩勤周备[184]，不以废兴易意[185]。常谓诸子曰："此儿[186]有高天下之志[187]，必能恢隆祖业，汝曹当谨遇之[188]。"秦王坚赏其功，加广武将军，给幢麾鼓盖[189]。

刘卫辰耻在库仁之下，怒杀秦五原[190]太守而叛。库仁击卫辰，破之，追至阴山西北千余里，获其妻子。又西击库狄部[191]，徙其部落，置之桑干川[192]。久之，坚以卫辰为西单于，督摄河西杂类，屯代来城[193]。

是岁，乞伏司繁卒，子国仁[194]立。

【段旨】

以上为第一段，写孝武帝太元元年（公元三七六年）一年间的大事。主要写了秦主苻坚派其将军苟苌、毛盛等兵临西河，派阎负、梁殊为使者，召张天锡入朝，张天锡杀使者，派兵抵抗；秦兵遂数道进击，凉兵大败，张天锡素车白马，投降苟苌于军门；苻坚以中书令梁熙为凉州刺史，河西遂定。接着又写了苻坚派其将军苻融、俱难、邓羌等为救匈奴之刘卫辰部落而数道出兵讨伐代王什翼犍，而代国此时正值内部纷争，什翼犍之子寔君弑其父，并杀诸弟，部众逃散，苻坚遂进兵讨杀了代国的乱臣寔君与其堂兄斤，分代地为两部，命刘库仁、刘卫辰分掌之；什翼犍之少子拓跋珪随其母逃依刘库仁，刘库仁善待之。此外还写了苻坚派将宣慰西障之氐、羌，因严厉惩罚了违命抄掠氐、羌的秦将，遂使氐、羌大悦，相继降附贡献于秦等。

【注释】

①正月壬寅朔：正月初一是壬寅日。②加元服：行加冠礼，以示成年。元服，即帽子。③甲辰：正月初三。④丙午：正月初五。⑤郗愔：郗鉴之子，郗超之父。⑥浙江东五郡：指会稽、东阳、临海、永嘉、新安五郡。⑦豫、江二州之六郡：指豫州的历阳、淮南、庐江、安丰、襄城和江州的寻阳六个郡。⑧方伯：镇守一方的高级地方军政长官，这里指州刺史。⑨解冲徐州：解除桓冲的徐州刺史职务。⑩乙卯：正月十四。⑪二月辛卯：二月二十一。⑫逸于得士：得了贤才之后，自己就可以变得清闲了。逸，清闲。⑬验：灵验；准确。⑭往得丞相：当初我得到了王猛丞相。往，当初、从前。丞

刘库仁招集安抚那些流离失散的部族，恩德和信誉非常显著，他对待拓跋珪关心、抚养得非常细心周到，没有因为拓跋氏的兴盛与衰微而改变他对代国宗室的态度。他常常对自己的儿子们说："拓跋珪这孩子有世人所没有的志向，必定能够恢复祖先的基业，并使之发扬光大，你们这些人要好好对待他。"秦王苻坚奖赏刘库仁的功劳，加授刘库仁为广武将军，并赏赐给他幢、麾、鼓、伞等作为出行时的仪仗。

刘卫辰以职位排在刘库仁之后为耻，一怒之下便杀死了秦国的五原太守，起兵叛变。刘库仁率众攻击刘卫辰，将刘卫辰打败，一直将刘卫辰追到了阴山西北一千多里远的地方，擒获了刘卫辰的妻子儿女。刘库仁又乘胜攻击了西部的匈奴族的库狄部落，把库狄部落强行迁移到桑干河流域的平原地带。过了很久之后，秦王苻坚才任命刘卫辰为西单于，统御河西各民族部落，进驻代来城。

这一年，鲜卑部落南单于乞伏司繁去世，他的儿子乞伏国仁即位。

相，指王猛。⑮常谓帝王易为：总是说皇帝容易做。谓，说、觉得。⑯违世：离世；去世。⑰须发中白：我的胡子、头发立刻变成半白了。⑱酸恸：伤心、悲痛。⑲或政教沦替：很可能造成政策、教化的不能贯彻实行。或，可能。沦替，荒废、停止。⑳周巡：普遍地巡视。㉑南乡：郡名，郡治在今河南淅川县西南。㉒山蛮：古代居住在今河南、湖北、陕西、重庆四省市交界处的少数民族。㉓五月甲寅：五月十五。㉔张天锡之杀张邕：事见本书前文卷一百一穆帝升平五年。㉕荒于酒色：沉迷于酒色。荒，沉迷、沉醉。㉖不亲庶务：不管国家的各种政务。㉗黜：废免。㉘嬖妾：受宠爱的小老婆。㉙左夫人：古代少数民族头领妃嫔的称号，地位与正妻同级，受宠在正妻之上。古时席位以左为尊。㉚从事中郎宪：张宪，张天锡的堂弟。㉛舆榇切谏：以车载棺进宫提意见，表示以死相谏。榇，棺材。㉜受位：指接受秦国给予的官职与爵号，意即降附称臣。㉝臣道未纯：不是一心一意地忠于君主。臣道，做臣子的义务、本分。㉞临西河：兵临凉州张氏政权的东部边境。西河，指今黄河流经甘肃、宁夏境内的河段，黄河以西是当时张氏政权的辖地。㉟征天锡入朝：叫张天锡到长安面见秦主苻坚。㊱扑讨：进攻；讨伐。扑，攻打。㊲军司：同"军师"，晋人为避司马师之讳而改。㊳以此众战二句：二句用齐桓公伐楚时语，见《左传》僖公四年，原文作"以此众战，谁能御之"。〖按〗周虓原是凉州张氏之臣，因其母被燕人所俘，而投降秦国，今秦国又出兵伐凉，故秦国的段铿向周虓如此夸口。㊴戎狄以来二句：自少数民族的出兵征战以来，的确没有见过。胡三省曰："周虓拘执于秦，其尊本朝之心，虽造次不忘也。"㊵姑臧：即今甘肃武威，当时凉州张氏政权的都城。㊶禁中录事：官名，张氏创置，总管禁中之事。㊷屈伸之术：当屈则屈，当伸则伸，即随机应变，临事制宜。㊸委身贼庭：指去秦国做人质。委身，以

身事人。㊹百年无虞：自张氏政权创立以来，从来没有出过问题。无虞，无忧。㊺悉：尽；全部出动。㊻右招西域：向西招集西域诸国的兵力。右，指凉州的西方。㊼何遽知其不捷也：怎么就知道我们打不赢呢。何遽，怎么就。㊽攘袂：撸袖出臂，激昂奋起的样子。袂，袖子。㊾大言：高声地说。㊿辞气不屈：说话的声音与面部表情没有任何服软的样子。㊿交射：轮流而射。交，轮番。㊿横制天下：强硬地制服了天下。横，顽强、强硬。㊿鲜卑：指燕国。㊿兵不留行：指攻伐顺利，所向披靡。留行，指行进中受阻。㊿蕞尔一隅：偏远角落的一个小国。蕞尔，细小的样子。隅，角落。㊿亡无日：离死没有几天。㊿清石津：渡口名，在今甘肃永靖北的黄河上。㊿河会城：在今甘肃永登南的湟水入黄河处。㊿甲申：八月十七。㊿石城津：渡口名，在今甘肃兰州西北的黄河上。㊿缠缩城：在今甘肃永登南。㊿杨非：地名，其地有杨非亭，在今甘肃永登西北的庄浪河西岸。㊿清塞：城名，在今甘肃古浪；或说在今青海大通西北。㊿洪池：洪池岭，山名，在今甘肃武威东南。㊿金昌城：在今甘肃永昌北、金昌西。㊿广武：凉州张氏所辖的郡名，郡治即今甘肃永登。㊿出于行陈：犹言行伍出身，出身于职业军人。行陈，同“行阵”，即“行伍”。㊿庚寅：八月二十三。㊿辛卯：八月二十四。㊿再秉节钺：意即两次奉命率军出征。再，两次。节钺，旌节与黄钺。旌节是皇帝授予大臣或使臣的一种信物，既证明其身份、爵位，又显示朝廷给予的尊荣。黄钺是皇帝授予军事统帅的一种大斧，表明他是奉命征讨，有生杀之权。㊿禁旅：即禁军、禁兵，皇帝的警卫部队。㊿十总外兵：十次统领京城以外的军队。总，统领。外兵，京畿以外的军队。㊿宠任：受宠信；受重用。㊿尚安之乎：我还逃到哪里去呢。安之，何往。㊿就帐免胄：走进军帐，脱去头盔。㊿伏剑：以剑自刎。㊿癸巳：八月二十六。㊿司兵：犹如后代的兵部尚书。㊿赤岸：一名河夹岸，在当时的枹罕县，今甘肃临夏西南。或说在今甘肃武威东南。㊿甲午：八月二十七。㊿素车白马：以白色为饰，表示自己知罪、请罪。㊿面缚舆榇：反缚双手，身后有车拉着棺材。〖按〗“素车白马，面缚舆榇”，是古代帝王向人投降的一种仪式，当年刘禅向魏人投降，孙皓向晋人投降，大体都是如此。㊿释缚焚榇：这也是古代接受帝王投降时所例行的一种程序。㊿豪右：豪门大族。㊿按堵如故：各就各位，照常从事各自的职业。按堵，也作“安堵”，意即各就各位。㊿北部尚书：官名，苻秦所置，掌管北部地区的少数民族。㊿晋兴：凉州张氏所辖的郡名，郡治在今青海民和西北。㊿西平：凉州张氏所辖的郡名，郡治即今青海西宁。㊿高昌：凉州张氏所辖的郡名，郡治在今新疆吐鲁番东南。㊿随才擢叙：根据才能选拔录用。叙，按等级次序晋升。㊿游军沔汉：派兵到汉水上游邻近凉州的地区进行一些示威性的活动。游军，巡行示威的军队。沔汉，即指汉水，其上游称沔水，下游称汉水。㊿淮、泗：指流经今安徽北部、江苏中部的淮水与泗水。㊿桡秦：骚扰秦国的东南边境，以牵扯进攻凉州的秦军兵力。桡，通“挠”，扰乱。㊿哀帝减田租二句：事见本书前文卷一百一哀帝隆和元年。㊿乙巳：九月初八。㊿度田：丈量田亩面积。㊿口税：每口人交税。⑱蠲在役之身：免除正在服役者的税收。蠲，免除。⑲刘卫辰：当时匈奴部落的头领。⑩行唐公洛：苻洛，苻坚的堂兄弟，封行唐公。行唐是县名，县治在今河北行唐东北。⑩和龙：即龙城，亦作黄龙城，前燕的故都，即今辽宁朝阳。⑩菁：苻菁，苻健之兄的儿子。苻健临死前，苻菁因谋反被杀。⑬恩宿：地名，在今甘肃永昌南。⑭邀：拦截；截击。⑮走路：败逃之路。恩宿在金昌与姑臧之间，为张天锡逃归姑臧的必经之路。⑯奏征下狱：给苻坚上书请求将马晖、杜周等调来送进监狱。征，召、叫来。⑰量事：考虑问题。⑱宥过责功：宽恕他们的过失，以取得他们的立功报效。宥，宽容、饶恕。责，取、要求。⑲回赴北军：从西方前线回来，到北部的前线去。⑩索虏：对代国的蔑称。代国是鲜卑拓跋氏所建，拓跋氏的习俗是编发为辫，故时人称之“索头”。⑪万里召将：调动万里以外的将军前往上任。⑫非所以应速：不是解决突发事变的办法。应速，应急。⑬不可以常事疑：不能按常情去怀疑他们的能力。⑭及东军：按时到达了东部的军营。马晖等原来是在河西走廊，现在要去陕、晋北部的北方前线，方向是自西而东，故谓伐代之军为“东军”。⑮己巳朔：此语有误，本年的十一月朔丁酉，无己巳日。应为十二月之误。己巳是十二月初四。“朔”字衍文。⑯白部、独孤部：都是鲜卑族的部族名，现居拓跋氏部下。⑰南部大人：位居代国南方的匈奴族头领。⑱石子岭：山名，在今内蒙古和林格尔西南。⑲阴山：横亘于今内蒙古境内的大山，在今临河、五原、包头、呼和浩特诸县市的北方。⑳高车杂种：原已归附于代国的西北地区的高车等各个少数民族。杂种，各个种族。㉑寇钞：也作“寇抄”，对代国进行攻劫掠夺。㉒不得刍牧：没法割草放牧。刍，喂牲口的草，这里用如动词。㉓复渡漠南：又穿越大漠，回到了大漠的南方。漠南，蒙古大沙漠以南地区。㉔云中：古郡名，约当今之内蒙古与其邻近的陕西、山西三省交界一带。其都城盛乐，在今内蒙古的和林格尔，即处于云中郡的境内。㉕分国之半以授弟孤：当初什翼犍之父死时，什翼犍正在后赵为人质，国人欲立什翼犍之弟孤，孤不从，乃入后赵为质，替换什翼犍回国为君。什翼犍即位后，遂分国之半以予孤。事见本书前文卷十八成帝咸康四年。㉖失职怨望：因丧失领地，不再有原来的“国之半”，不再有原来的实权而不满什翼犍。㉗慕容妃：前燕君主慕容皝之女。什翼犍为结援大国而娶燕主之女。见本书前文卷九十七康帝建元二年。㉘君子津：渡口名，在今内蒙古准格尔旗东北的黄河上，今称喇嘛湾。㉙顷来：近来；最近。㉚以兵绕庐帐：带兵围绕在什翼犍大帐的周围。庐帐，用毛毡做成的帐篷，犹今之蒙古包。㉛伺便将发：一有机会就将动手。发，发动、行动。㉜勒兵：此处意即带兵。勒，控制、统领。㉝以珪：带着年幼的慕容珪。㉞野干：贺野干，鲜卑贺兰部的酋长，代国的“东部大人”，拓跋珪的外祖父。事迹见本书卷一百三简文帝咸安元年。㉟代长史：代王什翼犍的文秘官员之长。㊱具以状对：把事情发展的状况向苻坚如实地讲了一遍。㊲天下之恶一也：对坏人的憎恨，普天下都是一样的。此用春秋时期卫人石祁子之言，见《左传》庄公十二年。恶，憎恨。㊳莫相统摄：各部落之间彼此独立，各自为政。统摄，统领、管辖。⑬⑨别部大人：其他部落的头领。⑭⓪铁弗卫辰：即刘卫辰，姓铁弗，南匈奴单于的后代，左贤王刘去卑的玄孙。北人称匈奴族父亲与鲜卑族母亲所生的儿子为“铁弗”，后遂用以为姓。⑭①其势莫敢先发：两人互相监视，谁也不敢首先发难进攻对方。⑭②其孙：指什翼犍之孙拓跋珪。⑭③存亡继绝：“存亡国，继绝世”的简称，意思是使行将灭亡的国家存在下来，让已经灭绝的世袭再延续下去。古代称这种行为是一种美德。⑭④河以东：黄河以东，指今山西之西北部和与之邻近的内蒙古一带地区。⑭⑤河以西：黄河以西，指今陕西之东北部和与之邻近的内蒙古一带地区。⑭⑥独孤部：鲜卑族部落之一。⑭⑦长孙嵩：什翼犍兄沙莫雄之子。雄为南部大人，后改名仁，生嵩。拓跋珪称帝后，因雄为曾祖父拓跋郁律的长子，便赐嵩为长孙氏。嵩后来位至北魏太尉，封北平王。此时似尚未有长孙氏。⑭⑧坚使窟咄入太学读书：上文说“寔君信之，遂杀诸弟”，似窟咄已被杀矣；此处又说“行唐公洛以什翼犍子窟咄年长，迁之长安。坚使窟咄入太学读书”，前后殊不相蒙。⑭⑨擅命：专命；得以发号施令。⑮⓪叛换偏隅：在一个偏僻的角落上飞扬跋扈。叛换，跋扈。偏隅，偏僻的角落，指凉州。⑮①朔北：朔方之北。朔方是古郡名，约当今陕西北部和与之邻近的内蒙古一带地区。⑮②中分区域：将大中国的北部边疆地区一分为二。⑮③东宾秽貊：东部与秽貊民族接壤。宾，连接。秽貊，也作“濊貊”，古民族名，居住在朝鲜国的北部和与之邻近的辽宁一带地区。⑮④西引乌孙：向西与乌孙国接壤。引，这里也是连接的意思。乌孙，古西域国名，在今新疆伊犁河流域。起先居于敦煌（今甘肃敦煌西）、祁连（今甘肃张掖西南）二郡间，后驱逐大月氏，而建立乌孙国。⑮⑤控弦：拉弓，这里引申指挽弓的战士。⑮⑥爰命两师：于是我派出两支军队。爰，于是。两师，指苟苌所率领的讨伐前凉张天锡之师和行唐公苻洛所率领的讨伐代国之师。⑮⑦黠虏：狡猾的敌人。⑮⑧役不淹岁：战争不到一年。淹，留、花费。⑮⑨穷殄：彻底消灭。穷，尽、全部。殄，灭、消灭。⑯⓪九千：指九千余里。⑯①五帝：我国传说中的五位上古帝王，据《世本·五帝谱》《史记·五帝本纪》，五帝指黄帝、颛顼、帝喾、唐尧、虞舜。⑯②所未宾：从来没能使其服从、归顺。宾，服、服从。⑯③所未至：从未达到过，指势力所未及。⑯④重译来王：经过几层翻译前来朝见皇帝。重译，极言其相隔道路之远，言语不通，需经多层翻译。来王，前来朝见皇帝。⑯⑤怀风率职：向往我们的风化、教化，遵循我们的章程制度行事。怀，向往。率，遵循。职，职责、义务。⑯⑥班功受爵：按照功勋的等级授予他们以爵位。班，排列。受，这里的意思同“授”。⑯⑦复之五岁：免除他们五年的赋税徭役。复，免除赋税徭役。⑯⑧赐爵三级：每个士兵都赐爵三级。秦汉时期这种奖励军功的爵位共有二十级，在战场上每杀一个敌人升一级。有了这种爵位，可以用来冲抵罪责、代替赋税，也可以卖钱花。⑯⑨并州：州治晋阳，在今山西太原西南。⑰ 阳平国常侍：苻融的侍从官员。苻融是苻坚之弟，被封为阳平公。常侍是帝王或王公的侍从官员。⑰ 其兄楷：慕容楷，慕容恪之子，日后的南燕君主。⑰ 务胜不休：无休止地追求克敌制胜。务，致力、追求。⑰ 蜀、汉：蜀郡与汉中郡。⑰ 道殣相望：道上的死人一个接一个。殣，通“墐”，路边的坟冢，这里即指路上的死人。⑰ 冠军叔仁：胡三省注，“仁”当作“父”。指慕容垂，慕容垂入秦后被封为“冠军将军”。慕容垂是慕容楷与慕容绍的叔父。⑰ 智度英拔：才智与气度都超群出众。⑰ 恢复燕祚：重建燕国。祚，福，这里即指国家政权。⑰ 西障氐、羌：西部边境上的氐族与羌族人。西障，西部边塞，这里指青海东部和与之邻近的甘肃一带地区。⑰ 种落杂居：两种不同种族的部落杂居在一起。⑱ 抚谕：安抚、教育。⑱ 以谢氐、羌：以此向氐、羌两族的人谢罪、道歉。⑱ 流寓：流浪寄居。⑱ 皆听还本：都允许他们按照自己的心愿归还本土。⑱ 恩勤周备：关心抚养得细心周到。《诗经·鸱鸮》有所谓“恩斯勤斯，鬻子之闵斯。”这里是错用其语以表现长辈抚育晚辈的慈爱与辛劳。⑱ 不以废兴易意：不因为代国的兴盛与衰微而改变对其宗室的态度。易意，改变态度。⑱ 此儿：指年幼的拓跋珪。⑱ 高天下之志：天下人所没有的志向，即称帝称王。⑱ 谨遇之：好好地对待他。⑱ 幢麾鼓盖：均为古代官僚贵族出行时仪仗队中的器物。幢是一种圆桶形的布制仪仗；麾是大将的指挥旗；盖是一种车上的大伞。⑲ 五原：郡名，郡治在今内蒙古包头西。⑲ 库狄部：当时匈奴族的部落名。⑲ 桑干川：桑干河流域的平原，指今山西应县、怀仁，与河北的阳原、涿鹿等一带地区。当时还有桑干县，在今河北蔚县北、阳原东。⑲ 代来城：在今内蒙古伊金霍洛旗西北，因从代国来的人居于此城，故名“代来”。又名“悦跋城”。⑲ 国仁：乞伏国仁，后来乘秦乱占据陇西一带称王，史称“西秦”。

【校记】

［1］焦氏：原无此二字。据章钰校，十二行本、乙十一行本皆有此二字，张敦仁《通鉴刊本识误》同，今据补。［2］武都：原无此二字。据章钰校，十二行本、乙十一行本皆有此二字，张瑛《通鉴校勘记》同，今据补。［3］所向无敌：原无此句。据章钰校，十二行本、乙十一行本皆有此句，张敦仁《通鉴刊本识误》、张瑛《通鉴校勘记》同，今据补。［4］等：原无此字。据章钰校，十二行本、乙十一行本、孔天胤本皆有此字，张敦仁《通鉴刊本识误》同，今据补。［5］常据：原误作“掌据”。今据严衍《通鉴补》改作“常据”。［6］十总外兵：原作“十总禁兵”，与上句“八将禁旅”义重。据章钰校，十二行本、乙十一行本、孔天胤本皆作“十总外兵”，当是，今据改。

【原文】

二年（丁丑，公元三七七年）

春，高句丽、新罗⑲⑤、西南夷⑲⑥皆遣使入贡于秦。

赵故将作功曹⑲⑦熊邈屡为秦王坚言石氏宫室器玩之盛，坚以邈为将作长史⑲⑧，领尚方丞⑲⑨[7]，大修舟舰兵器，饰以金银，颇极精巧。慕容农⑳⓪私言于慕容垂曰："自王猛之死，秦之法制，日以颓靡⑳①。今又重之以奢侈，殃将至矣。图谶之言⑳②，行当有验⑳③。大王宜结纳英杰以承天意⑳④，时不可失也[8]。"垂笑曰："天下事非尔所及⑳⑤。"

桓豁表兖州刺史朱序为梁州刺史，镇襄阳。

秋，七月丁未⑳⑥，以尚书仆射谢安为司徒，安让不拜，复加侍中，都督扬、豫、徐、兖、青五州诸军事。

丙辰⑳⑦，征西大将军、荆州刺史桓豁卒。冬，十月辛丑⑳⑧，以桓冲都督江、荆、梁、益、宁、交、广七州诸军事，领荆州刺史⑳⑨，以冲子嗣为江州刺史。又以五兵尚书王蕴㉑⓪都督江南诸军事，假节[9]，领徐州刺史，征西司马领南郡相谢玄㉑①为兖州刺史，领广陵相，监江北诸军事。

桓冲以秦人强盛，欲移阻江南㉑②，奏自江陵徙镇上明㉑③，使冠军将军刘波守江陵，谘议参军杨亮守江夏㉑④。

王蕴固让徐州，谢安曰："卿居后父㉑⑤之重，不应妄自菲薄㉑⑥，以亏时遇㉑⑦。"蕴乃受命。

初，中书郎郗超自以其父愔位遇㉑⑧应在谢安之右㉑⑨，而安入掌机权㉒⓪，愔优游散地㉒①，常愤邑㉒②形于辞色，由是与谢氏有隙。是时朝廷方以秦寇为忧，诏求文武良将可以镇御北方者，谢安以兄子玄应

【语译】

二年（丁丑，公元三七七年）

春季，高句丽国、新罗国以及西南各夷族部落全都派遣使者前往秦国的都城长安进献贡品。

故后赵担任将作功曹的熊邈多次在秦王苻坚面前提起后赵时期，石氏所修建的皇宫是多么的富丽堂皇，宫中的奇珍异宝多得无法计数，于是苻坚便任命熊邈为将作长史，兼任尚方丞，开始大规模地打造舟船，铸造兵器，而且在舟船、兵器上都用金银做装饰，工艺也极其精巧。慕容农私下里对自己的父亲慕容垂说："秦国自从丞相王猛死后，国家的法律制度一天比一天颓废、萎靡。如今再加上崇尚奢侈，灾祸恐怕就要发生。图谶上的预言，很快就要应验。大王您应该广泛地结纳英雄豪杰以顺应天意，时机是不应该失去的。"慕容垂笑着说："天下的事情不是你所能看清、所能办到的。"

东晋征西大将军桓豁上表举荐担任兖州刺史的朱序担任了梁州刺史，镇所设在襄阳。

秋季，七月丁未日，东晋朝廷任命担任尚书仆射的谢安为司徒，谢安辞让，没有接受这一任命，朝廷于是又加授谢安为侍中，都督扬、豫、徐、兖、青五州诸军事。

八月二十五日丙辰，东晋征西大将军、荆州刺史桓豁去世。冬季，十月十一日辛丑，朝廷任命桓冲为都督江、荆、梁、益、宁、交、广七州诸军事，兼任荆州刺史，任命桓冲的儿子桓嗣为江州刺史。同时任命五兵尚书王蕴为都督江南诸军事，持节，兼任徐州刺史，征西司马、兼任南郡国相的谢玄为兖州刺史，兼任广陵相，监管江北诸军事。

因为秦国势力强盛，东晋桓冲就想移守长江南岸的险要之地，于是奏请把自己的军政指挥所从江陵迁到上明，让担任冠军将军的刘波戍守江北的江陵，派担任谘议参军的杨亮守卫江夏。

王蕴坚决辞让徐州刺史职务，谢安说："你是皇后的父亲，地位很尊贵、重要，请不要毫无根据地看轻自己，以免辜负了这难得的机遇和朝廷对你的恩宠。"王蕴这才接受任命。

当初，东晋担任中书郎的郗超认为自己的父亲郗愔无论是地位还是待遇都应该在谢安之上，然而，谢安在朝廷之中执掌大权，而郗愔却一直悠闲无事地担任着闲散的职务，因此心中经常愤懑不平，并把这种愤懑不平的情绪从脸色、言辞中表现出来，从此跟谢安结下怨恨。当时，朝中官员正在为秦国势力不断强大而感到担忧，孝武皇帝司马昌明遂下诏征求文武双全、可以跟北方强敌对抗的大将之才，谢安遂举荐自己的侄子谢玄参加征聘。郗超得知这个消息以后，叹息着说："只有像谢安这

诏。超闻之，叹曰："安之明㉒³，乃能违众举亲㉒⁴，玄之才，足以不负所举㉒⁵。"众咸以为不然。超曰："吾尝与玄共在桓公府㉒⁶，见其使才㉒⁷，虽履屐间㉒⁸未尝不得其任，是以知之。"

玄募骁勇之士，得彭城刘牢之㉒⁹等数人。以牢之为参军，常领精锐为前锋，战无不捷，时号"北府兵"㉓⁰，敌人畏之。

壬寅㉓¹，护军将军、散骑常侍王彪之卒。初，谢安欲增修宫室，彪之曰："中兴之初，即东府㉓²为宫，殊为俭陋㉓³。苏峻之乱，成帝止㉓⁴兰台都坐㉓⁵，殆㉓⁶不蔽寒暑，是以更营新宫㉓⁷。比之汉、魏则为俭，比之初过江则为侈矣。今寇敌方强，岂可大兴功役，劳扰百姓邪?"安曰："宫室弊陋，世[10]人谓人无能。"彪之曰："凡任天下之重者，当保国宁家，缉熙政事㉓⁸，乃以修室屋为能邪?"安不能夺其议㉓⁹。故终彪之之世，无所营造。

十二月，临海㉔⁰太守郗超卒。初，超党于桓氏㉔¹，以父愔忠于王室，不令知之。及病甚，出一箱书授门生曰："公年尊㉔²，我死之后，若以哀惋害寝食㉔³者，可呈此箱。不尔，即焚之。"既而愔果哀惋成疾。门生呈箱，皆与桓温往反密计。愔大怒曰："小子死已晚㉔⁴矣!"遂不复哭。

三年（戊申，公元三七八年）

春，二月乙巳㉔⁵，作新宫，帝移居会稽王邸。

秦王坚遣征南大将军·都督征讨诸军事·守尚书令·长乐公丕㉔⁶、武卫将军苟苌、尚书慕容暐帅步骑七万寇襄阳，以荆州刺史杨安帅樊、邓㉔⁷之众为前锋，征虏将军始平石越㉔⁸帅精骑一万出鲁阳关㉔⁹，京兆尹慕容垂、扬武将军姚苌帅众五万出南乡㉕⁰，领军将军苟池、右将军毛当、强弩将军王显帅众四万出武当㉕¹，会攻襄阳。

样英明的人，才能够不顾舆论的压力举荐自己的侄子，而谢玄的才智也的确可以不辜负谢安的推举。”众人都不赞同郗超的意见。郗超说：“我曾与谢玄一道在桓温的部下当僚属，亲眼看到他在用人、发挥人的作用方面所表现出来的才干，即使是在极其细小的事情上，都能安排处理得恰到好处，就凭这一点，我就知道谢玄一定不会辜负谢安对他的举荐。”

谢玄招募骁勇的壮士，得到了彭城人刘牢之等几个人。于是，任命刘牢之为参军，刘牢之经常率领精锐部队充当先锋，每次作战，无不告捷，当时人都称他的部队为“北府兵”，而敌人则对北府兵十分畏惧。

十月十二日壬寅，东晋担任护军将军、散骑常侍的王彪之去世。当初，谢安想要扩建宫室，王彪之说：“晋元帝司马睿在江东称帝、定都建康初期，曾经把位于建康台城之东的官府当作皇宫，条件特别简陋。苏峻叛乱时，晋成帝司马衍就居住在御史台官员聚会议事的地方，几乎遮挡不住寒暑，所以才另外营建了一座宫殿。比起两汉、曹魏时期确实有些简陋，但比起初到江南之时已经奢侈了很多了。如今，敌寇的势力正在强大，我们怎么能大兴土木，劳苦百姓呢?”谢安说：“皇帝居住的宫殿破旧简陋，世人会认为我们无能。”王彪之说：“凡是担负天下重大责任的人首先想到的应该是保卫国家、安定社稷，处理好各项国家政务，怎么竟然把修筑皇宫看作是有才能呢?”谢安未能改变王彪之的意见。所以在王彪之活着的时候，什么工程也没有修建。

十二月，东晋担任临海太守的郗超去世。当初，郗超趋附、投靠桓氏家族，与桓温结成一党，因为自己的父亲郗愔忠于王室，所以一直瞒着父亲，没有让他知道。等到郗超病势沉重时，他拿出了一箱子信件交给自己的门生说：“我父亲年事已高，我死之后，如果我的父亲因为哀伤过度而妨碍了饮食起居时，你可以把这个箱子交给他。如果我父亲还能控制自己的哀伤，你就把这个箱子烧掉。”郗超死后，郗愔果然因为思念儿子，悲痛过度而病倒。郗超的门生便把郗超留给他的那个箱子呈送给郗愔，里面装的全都是郗超与桓温互相往来、密谋背叛司马氏的信件。郗愔看后不禁勃然大怒说：“这小子早就该死了!”于是不再为郗超之死而痛哭。

三年（戊申，公元三七八年）

春季，二月十七日乙巳，东晋开始建造新宫殿，孝武皇帝司马昌明暂时搬到会稽王府邸居住。

秦王苻坚派遣担任征南大将军、都督征讨诸军事、兼任尚书令的长乐公苻丕，担任武卫将军的苟苌，担任尚书的慕容暐率领七万名步兵骑兵大举进犯东晋所属的襄阳，任用担任荆州刺史的杨安率领樊城、邓县的军队作为前部先锋，担任征虏将军的始平郡人石越率领一万名精骑兵从鲁阳关出发，担任京兆尹的慕容垂、担任扬武将军的姚苌率领五万人马从南乡出发，领军将军苟池、右将军毛当、强弩将军王显率领四万人马从武当出发，各路人马到襄阳会师后，再向襄阳发动进攻。

夏，四月，秦兵至沔北㉜。梁州刺史朱序以秦无舟楫㉝，不以为虞㉞。既而石越帅骑五千浮渡㉟汉水，序惶骇，固守中城㊱。越克其外郭，获船百余艘以济余军。长乐公丕督诸将攻中城。

序母韩氏闻秦兵将至，自登城履行㊲，至西北隅㊳，以为不固，帅百余婢及城中女丁㊴筑邪城㊵于其内。及秦兵至，西北隅果溃，众移守新城，襄阳人谓之夫人城。

桓冲在上明拥众七万，惮秦兵之强，不敢进。

丕欲急攻襄阳，苟苌曰："吾众十倍于敌，糗粮㉑山积，但稍迁汉、沔之民于许、洛㉒，塞其运道㉓，绝其援兵，譬如网中之禽，何患不获，而多杀将士，急求成功哉㉔！"丕从之。慕容垂拔南阳，执太守郑裔，与丕会襄阳。

秋，七月，新宫成。辛巳㉕，帝入居之。

秦兖州刺史彭超请攻沛郡太守戴逯于彭城，且曰："愿更遣重将㉖攻淮南诸城，为征南棋劫之势㉗，东西并进，丹阳不足平也㉘。"秦王坚从之，使都督东讨诸军事。后将军俱难、右禁将军毛盛、洛州刺史邵保帅步骑七万寇淮阴[11]、盱眙㉙。超，越之弟㉚。保，羌㉛之从弟也。八月，彭超攻彭城。诏右将军毛虎生㉜帅众五万镇姑孰，以御秦兵。

秦梁州刺史韦钟围魏兴㉝太守吉挹于西城㉞。

九月，秦王坚与群臣饮酒，以秘书监朱肜为正㉟，命人人[12]以极醉为限㊱。秘书侍郎赵整作《酒德之歌》曰："地列酒泉，天垂酒池㊲。杜康妙识㊳，仪狄先知㊴。纣丧殷邦㊵，桀倾夏国㊶。由此言之，前危后则㊷。"坚大悦，命整书之以为酒戒。自是宴群臣，礼饮㊸而已。

夏季，四月，秦国的军队到达汉水以北。因为秦军没有舰船，所以东晋担任梁州刺史的朱序根本就没有采取有效的预防措施。不料，没过多久，秦国征虏将军石越就率领着五千名骑兵泅水渡过汉水，朱序这才感到事态的严重，不禁惶恐惊骇起来，赶紧部署兵力严格把守襄阳城的内城。秦国的石越率军攻克了襄阳城的外城，缴获了一百多艘船只，并用这些船只将其余留在汉水北岸的秦军全部运送到汉水以南。秦国的长乐公苻丕指挥诸将猛攻襄阳城的中城。

东晋梁州刺史朱序的母亲韩氏听到秦军即将攻城的消息，就亲自登城步行巡视，当她走到城西北角的时候，认为这里的城墙不够坚固，于是，就率领着一百多名婢女以及城中的成年妇女在中城的内侧加筑了一道斜城。等到秦兵攻城的时候，西北角的城墙果然崩塌，守城的晋军遂转移到韩氏夫人所筑的斜城之内继续防守，襄阳人都管这段城叫作夫人城。

东晋担任车骑将军的桓冲镇守上明，手下拥有七万兵众，却因为惧怕秦军的强大而不敢出兵救援襄阳。

秦国征南大将军、长乐公苻丕想要加紧攻取襄阳，担任武卫将军的苟苌说："我们的军队是东晋守卫襄阳军队的十倍，干粮等军需物品堆积如山，只要稍微将汉水、沔水流域的居民迁往许昌、洛阳，然后堵塞晋军运送粮食的通道，断绝晋军的援军，襄阳城就像扣在网中的飞鸟，何必担心不能将它擒获，而牺牲很多将士，急于追求成功呢!"苻丕听从了苟苌的意见。京兆尹慕容垂率军攻克了南阳，活捉了南阳太守郑裔，然后率军前往襄阳与苻丕等会师。

秋季，七月，东晋新建的皇宫落成。二十五日辛巳，孝武皇帝司马昌明入住新宫。

秦国担任兖州刺史的彭超率军攻打东晋沛郡太守戴逯所驻守的彭城，彭超说："希望朝廷再派遣大将攻打淮河以南的各城邑，与进攻襄阳的征南大将军苻丕相互呼应，使敌人顾此失彼，东西同时进攻，消灭东晋王朝是不太费事的。"秦王苻坚听从了彭超的建议，于是让彭超担任都督东讨诸军事。又派遣后将军俱难、右禁将军毛盛、洛州刺史邵保率领七万名步兵、骑兵进犯东晋的淮阴、盱眙。彭超是彭越的弟弟。邵保是邵羌的堂弟。八月，彭超率军攻打东晋的彭城。东晋孝武皇帝司马昌明下诏令担任右将军的毛虎生率领五万人马镇守姑孰，抵御秦军。

秦国梁州刺史韦钟率军把东晋担任魏兴郡太守的吉挹围困在西城。

九月，秦王苻坚与群臣在一起饮酒，任命担任秘书监的朱肜为监酒令，命令人人都要喝得大醉方休。担任秘书侍郎的赵整于是作了一首《酒德之歌》，歌词是："地上设有酒泉郡，天上有个酒池星。杜康善于酿美酒，仪狄酿酒技更高，酒能亡国大禹知。商纣饮酒丧殷邦，夏桀倾覆夏王朝。由此看来，前世覆亡因贪杯，后人借鉴远离酒。"苻坚听后非常高兴，立即让赵整将这首《酒德之歌》书写下来作为酒戒。从此以后设宴招待群臣，只是礼节性地喝一点，每人不超过三杯。

秦凉州刺史梁熙遣使入西域，扬秦威德。冬，十月，大宛㉘④献汗血马。秦王坚曰："吾尝慕汉文帝之为人，用千里马何为㉘⑤！"命群臣作《止马之诗》而反之㉘⑥。

巴西人赵宝起兵梁州㉘⑦[13]，自称晋西蛮校尉、巴郡㉘⑧太守。

秦豫州刺史北海公重㉘⑨镇洛阳，谋反。秦王坚曰："长史吕光㉙⓪忠正，必不与之同㉙①。"即命光收重㉙②，槛车㉙③送长安。赦之，以公就第㉙④。重，洛之兄也。

十二月，秦御史中丞李柔劾㉙⑤奏："长乐公丕等拥众十万，攻围小城，日费万金，久而无效，请征下廷尉㉙⑥。"秦王坚曰："丕等广费无成，实宜贬戮。但师已淹时㉙⑦，不可虚返，其特原之，令以成功赎罪。"使黄门侍郎韦华持节切让㉙⑧丕等。赐丕剑，曰："来春不捷，汝可自裁，勿复持面㉙⑨见吾也！"

周虓在秦，密与桓冲书，言秦阴计。又逃奔汉中，秦人获而赦之。

四年（己卯，公元三七九年）

春，正月辛酉[300]，大赦。

秦长乐公丕等得诏惶恐，乃命诸军并力攻襄阳。秦王坚欲自将攻襄阳，诏阳平公融以关东六州之兵会寿春，梁熙以河西之兵为后继。阳平公融谏曰："陛下欲取江南，固当博谋[301]熟虑，不可仓猝。若止取襄阳，又岂足亲劳大驾乎！未有动天下之众而为一城者，所谓以随侯之珠弹千仞之雀[302]也。"梁熙谏曰："晋主之暴，未如孙皓[303]，江山险固，易守难攻。陛下必欲廓清江表[304]，亦不过分命将帅，引关东之兵，南临淮、泗[305]，下梁、益之卒[306]，东出巴峡[307]，又何必亲屈鸾辂[308]，远幸沮泽[309]乎！昔汉光武诛公孙述[310]，晋武帝擒孙皓[311]，未闻二帝自统六师[312]，亲执枹鼓[313]蒙矢石[314]也。"坚乃止。

秦国担任凉州刺史的梁熙派遣使者进入西域，宣扬秦国的恩德和国威。冬季，十月，西域大宛国向秦国进献汗血马。秦王苻坚说："我曾经羡慕汉文帝刘恒的为人，要这样的千里马有什么用！"下令群臣写作《止马之诗》，将汗血马退回给大宛国。

秦国境内巴西郡人赵宝在梁州起兵反抗秦国的统治，赵宝自称是晋国的西蛮校尉、巴郡太守。

秦国担任豫州刺史的北海公苻重镇守洛阳，阴谋叛乱。秦王苻坚说："在苻重手下担任长史的吕光为人忠诚、正直，肯定不会与苻重同谋作乱。"于是命令吕光逮捕了苻重，吕光用囚车将苻重押送到京师长安。秦王苻坚赦免了苻重的死罪，免除了他的官职，只保留北海公的爵位，让他以公爵的身份回家赋闲。苻重是苻洛的哥哥。

十二月，秦国担任御史中丞的李柔弹劾长乐公苻丕等说："长乐公苻丕等拥有十万兵众，围攻一个小小的襄阳城，每日军费的开支需要一万两黄金，却久而无功，请将他们召回京城，交付廷尉进行审理、判罪。"秦王苻坚说："苻丕等耗费了国家大量的钱粮却没有一点成果，确实应该将他们贬官、杀戮；但军队已经花费了很长时间，总不能让大军空手而归，所以就特例原谅他们这一次，让他们争取立功赎罪。"于是，秦王苻坚派遣担任黄门侍郎的韦华手持符节前往襄阳，以秦王苻坚的口吻对苻丕等严加责备。赐给苻丕一把佩剑，说道："来年春天如果还不能传回捷报，你就用这把佩剑自杀，不要再厚着脸皮回来见我！"

投降秦国的周虓在秦国秘密写信给东晋担任车骑将军的桓冲，向桓冲透露秦国内部的秘密。接着又逃往汉中，秦国人将周虓捕获，但秦王苻坚仍然赦免了他。

四年（己卯，公元三七九年）

春季，正月初八日辛酉，东晋实行大赦。

秦国长乐公苻丕等接到秦王苻坚切责的诏书和用作自杀的佩剑后，非常惊慌恐惧，于是命令各军同心协力猛力攻打襄阳。秦王苻坚想要亲自攻取襄阳，遂下诏给阳平公苻融让他率领函谷关以东六个州的兵力前往寿春会合，令凉州刺史梁熙率领河西走廊的兵力作为后续部队随后进发。阳平公苻融谏阻说："陛下想要夺取江南，就一定要广泛听取意见，经过深思熟虑，不能仓促行事。如果只是攻取襄阳，哪里值得亲劳大驾呢！从来就没有听说过，倾尽全国的力量，只为夺取一座小城。这就是俗话所说的用宝贵的随侯之珠去弹射飞于千仞之上的麻雀。"凉州刺史梁熙也劝谏说："晋国孝武皇帝司马昌明的残暴程度，赶不上东吴时期的孙皓，而东晋江山形势险要坚固，易守难攻。陛下如果一定要消灭东晋王朝，也不过是分别派遣将领和统帅，率领着函谷关以东地区的部队南下淮河、泗水，下令梁州、益州地区的大军沿着长江东下巴东地区的三峡，又何必非得亲自屈尊车驾，远征那些池沼地带呢！从前，汉光武帝刘秀诛杀公孙述，晋武帝司马炎生擒吴主孙皓，都没有听说这两位皇帝亲自统帅六军，亲手拿着鼓槌擂动战鼓，亲自冒着刀锋箭雨向前冲杀。"苻坚这才停止。

诏冠军将军南郡相[315]刘波帅众八千救襄阳。波畏秦，不敢进。朱序屡出战，破秦兵，引退稍远，序不设备。二月，襄阳督护李伯护密遣其子送款于秦[316]，请为内应。长乐公丕命诸军进攻之。戊午[317]，克襄阳，执朱序，送长安。秦王坚以序能守节，拜度支尚书[318]，以李伯护为不忠，斩之。

秦将军慕容越拔顺阳[319]，执太守谯国丁穆。坚欲官之，穆固辞不受。坚以中垒将军梁成为荆州刺史，配兵一万，镇襄阳，选其才望[320]，礼而用之。

桓冲以襄阳陷没，上疏送章节[321]，请解职，不许。诏免刘波官，俄复以为冠军将军。

秦以前将军张蚝为并州刺史。

兖州刺史谢玄帅众万余救彭城，军于泗口[322]，欲遣间使[323]报戴逯而不可得。部曲将[324]田泓请没水[325]潜行趣彭城[326]，玄遣之。泓为秦人所获，厚赂之[327]，使云南军已败。泓伪许之，既而告城中[328]曰："南军垂至[329]，我单行来报，为贼所得，勉之[330]！"秦人杀之。彭超置辎重于留城[331]，谢玄扬声[332]遣后军将军东海[333][14]何谦向留城。超闻之，释彭城围，引兵还保辎重。戴逯帅彭城之众，随谦奔玄，超遂据彭城。留兖州治中徐褒守之，南攻盱眙。俱难克淮阴，留邵保戍之。

三月壬戌[334]，诏以"疆埸多虞[335]，年谷不登[336]，其供御所须[337]，事从俭约。九亲供给[338]，众官廪俸[339]，权[340]可减半。凡诸役费[341]，自非军国事要，皆宜停省。"

东晋朝廷下诏给冠军将军、担任南郡国国相的刘波，令他率领八千人马救援襄阳。刘波畏惧秦军势力强大，不敢前进。朱序屡次率军出城迎战秦军，将秦军一次次打败，于是秦军向后撤退到距离襄阳城稍远的地方，朱序因为秦军的后撤而放松了戒备。二月，东晋担任襄阳督护的李伯护暗中派自己的儿子前往秦军大营投递降书，请求做秦军的内应。秦国长乐公苻丕立即下令各军向襄阳城发起攻击。三月初六日戊午，秦军攻克了东晋的襄阳城，活捉了朱序，将朱序押送到秦国的都城长安。秦王苻坚认为朱序能坚守臣节，遂拜朱序为度支尚书，认为李伯护出卖祖国、为人不忠而将李伯护斩首。

秦国的将领慕容越率军攻陷了东晋所属的顺阳，活捉了担任太守的谯国人丁穆。秦王苻坚想要授予丁穆官职，丁穆严词拒绝，绝不接受。苻坚任命担任中垒将军的梁成为荆州刺史，拨给他一万名士卒，让他镇守襄阳，同时负责选拔襄阳城内那些有才干、有声望的人，对他们以礼相待，加以任用。

因为襄阳已经被秦军攻陷，东晋担任车骑将军的桓冲遂上疏给朝廷，把朝廷颁发给自己的印信和符节都送还朝廷，认为自己已经不配再担任此职、使用此物，请求朝廷解除他的职务，朝廷没有批准。朝廷下诏罢免冠军将军、南郡相刘波的官职，不久，又任命刘波为冠军将军。

秦国任命担任前将军的张蚝为并州刺史。

东晋担任兖州刺史的谢玄率领一万多人，前往救援彭城，谢玄将军队驻扎在泗口，准备派密使进入彭城通知戴逯，却找不到合适的人选。部曲将领田泓请求潜水而行，从水道偷偷地前往彭城，谢玄便派田泓为使者前往彭城。不料，田泓被秦军捉住，秦军用大量的钱财贿赂、收买田泓，让他告诉彭城中的人，说朝廷派来救援的军队已经被秦军打败。田泓假装答应了秦军的要求，等到面对彭城的守军时，田泓大声向守城的晋军喊话说："南方来的援军马上就到，派我前来报信，却被秦军捉住，你们要努力坚持住!"秦国人当场将田泓杀死。秦国兖州刺史彭超将所有粮草等军用物资全部放置在留城，东晋兖州刺史谢玄假称要派后将军东海人何谦率军攻击留城。彭超听到这个消息，赶紧解除了对彭城的包围，率领军队返回留城保护辎重。驻守彭城的沛郡太守戴逯率领着彭城的部众退出彭城，跟随着何谦投奔驻扎在泗口的谢玄，秦国兖州刺史彭超遂占据了彭城。彭超留下担任兖州治中的属官徐褒守卫彭城，自己则率领秦军继续南下攻取东晋的盱眙。秦国后将军俱难也率军攻克了淮阴，留下邵保戍守淮阴。

三月初十日壬戌，东晋孝武皇帝司马昌明下诏说："边境上有许多令人忧虑的事情，今年庄稼歉收，皇帝日常所用的一切物品，都应该本着勤俭节约的原则。对皇室各亲属的供应，众位官员的俸禄，暂时减少一半。其他各种徭役的花费，除非是军事需要，都应该简省或是停办。"

癸未[342]，使右将军毛虎生帅众三万击巴中[343]，以救魏兴。前锋督护赵福等至巴西[344]，为秦将张绍等所败，亡七千余人。虎生退屯巴东[345]。蜀人李乌聚众二万，围成都，以应虎生，秦王坚使破虏将军吕光击灭之。

夏，四月戊申[346]，韦钟拔魏兴，吉挹引刀欲自杀，左右夺其刀。会秦人至，执之，挹不言不食而死。秦王坚叹曰："周孟威[347]不屈于前，丁彦远[348]洁己于后，吉祖冲[349]闭口而死，何晋氏之多忠臣也！"挹参军史颖逃[15]归[350]，得挹临终手疏[351]，诏赠[352]益州刺史。

秦毛当、王显帅众二万，自襄阳东会俱难、彭超攻淮南。五月乙丑[353]，难、超拔盱眙，执高密内史毛璪之。秦兵六万围幽州刺史田洛于三阿[354]，去广陵百里[355]。朝廷大震，临江列戍，遣征虏将军谢石帅舟师屯涂中[356]。石，安之弟也。

右卫将军毛安之[357]等帅众四万屯堂邑[358]。秦毛当、毛盛帅骑二万袭堂邑，安之等惊溃。兖州刺史谢玄自广陵救三阿。丙子[359]，难、超战败，退保盱眙。六月戊子[360]，玄与田洛帅众五万进攻盱眙，难、超又败，退屯淮阴。玄遣何谦等帅舟师乘潮而上，夜焚淮桥[361]。邵保战死，难、超退屯淮北。玄与何谦、戴逯、田洛共追之，战于君川[362]，复大破之。难、超北走，仅以身免。谢玄还广陵，诏进号冠军将军，加领徐州刺史。秦王坚闻之，大怒。秋，七月，槛车征超下廷尉，超自杀，难削爵为民。以毛当为徐州刺史，镇彭城，毛盛为兖州刺史，镇湖陆[363]，王显为扬州刺史，戍下邳[364]。

谢安为宰相，秦人屡入寇，众心危惧[16]，边兵失利，安每镇之以和静[365]。其为政务举大纲，不为小察[366]。时人比安于王导，而谓其文雅过之。

四月初一日癸未，东晋派遣担任右将军的毛虎生率领三万人军队攻击巴郡，以缓解秦国梁州刺史韦钟对魏兴郡的军事压力。担任前锋督护的赵福等人率军到达巴西郡，被秦国将领张绍打败，损失了七千多人。毛虎生退守巴东郡。蜀地人李乌聚集起二万人包围了成都，响应东晋右将军毛虎生，秦王苻坚派担任破虏将军的吕光率军攻击包围成都的李乌，将李乌及其部众全部消灭。

夏季，四月二十六日戊申，秦国的梁州刺史韦钟攻陷了东晋的魏兴郡，担任魏兴太守的吉挹拔出佩刀就要自杀，他身边的人一见，赶紧把佩刀夺下。正巧秦军攻入，遂将吉挹活捉，吉挹从此既不说话也不吃东西，竟然绝食而死。秦王苻坚叹息着说："前有周虓不肯屈服，后有丁穆不肯做秦国的官员，如今吉挹又闭口不言、绝食而死，东晋为何会有这么多的忠臣！"在吉挹手下担任参军的史颖后来逃回东晋，把吉挹临终前亲手写给朝廷的书信呈递给朝廷，东晋孝武皇帝司马昌明下诏追赠吉挹为益州刺史。

秦国的右将军毛当、强弩将军王显率领二万人，从襄阳向东进发，与后将军俱难、兖州刺史彭超会合，然后继续率军深入，攻打东晋淮河以南的各个城邑。五月十四日乙丑，俱难、彭超率军攻占了东晋的盱眙，活捉了担任高密内史的毛璪之。秦国动用了六万大军包围了东晋幽州刺史田洛所驻守的三阿，三阿距离广陵只有一百里。东晋朝廷大为惊恐，遂沿着长江两岸部署军队严加防守，派遣担任征虏将军的谢石率领水军屯扎在涂中。谢石是谢安的弟弟。

东晋担任右卫将军的毛安之等人率领四万人屯驻在堂邑。秦国将领毛当、毛盛率领二万名骑兵袭击堂邑，东晋毛安之等大惊失色，四万大军竟然瞬时崩溃。东晋担任兖州刺史的谢玄率军从广陵前来救援三阿。五月二十五日丙子，秦国的俱难、彭超战败之后，退守盱眙。六月初七日戊子，谢玄与田洛率领五万人马进攻盱眙城，俱难、彭超再次战败，率领秦军撤退到淮阴据守。谢玄派遣何谦等率领水军舰船趁着涨潮的机会上岸袭击秦军，晋军在夜幕的掩护下，纵火烧毁了秦军在淮河上搭建的大桥。邵保在这次战役中阵亡，俱难、彭超遂撤退到淮河以北。东晋谢玄与何谦、戴逯以及田洛率领晋军共同追击秦军，与秦军在君川展开大战，再次将秦军打得大败。俱难、彭超向北逃走，仅仅保住一命。东晋谢玄返回广陵自己的镇所，朝廷下诏加授谢玄为冠军将军，兼任徐州刺史。秦王苻坚接到秦军战败的消息，非常震怒。秋季，七月，便用囚车将担任兖州刺史的彭超押回长安交付廷尉审判，彭超于是自杀。后将军俱难被免除官职，贬为平民。秦国任命毛当为徐州刺史，镇所设在彭城，毛盛为兖州刺史，镇所设在湖陆，王显为扬州刺史，镇守下邳。

东晋谢安担任宰相期间，秦国的军队多次进犯，边防部队交战失败，众心危惧，谢安每次都以平和宁静的心态稳定朝野之心。他处理政务的原则是，只把握方针、政策，而不苟求细节。当时的人都把谢安比作王导，而在艺文礼乐方面谢安更胜过王导。

八月丁亥[367]，以左将军王蕴为尚书仆射。顷之[368]，迁丹阳尹[369]。蕴自以国姻[370]，不欲在内，苦求外出，复以为都督浙江东五郡诸军事、会稽内史。

是岁，秦大饥。

【段旨】

以上为第二段，写孝武帝太元二年（公元三七七年）至太元四年（公元七三九年）共三年间的大事。主要写了苻坚派苻丕、苟苌等多路出兵，会攻晋将朱序于襄阳，朱序之母助其子谋划守城。写了苻丕攻克襄阳，俘获朱序，苻坚任朱序为度支尚书，为朱序日后策应谢玄破秦埋下伏笔。写了苻坚派彭超围攻晋将戴逯于彭城，又听彭超之请派毛当、王显率军会俱难等进攻淮南，秦军连克盱眙、堂邑，晋军接连败退，朝廷大惊。写了谢玄先任兖州刺史，监江北诸军事，时朝廷诏求良将御秦，谢安遂推荐了谢玄；谢玄在京口组建骁勇部队，人称“北府兵”。写了谢玄奉命解彭城之围，救出了戴逯，又进军涂中，继而破毛当、俱难于三阿，又破毛当、俱难于盱眙，又破杀邵保于淮阴，又与戴逯、田洛追破毛当、俱难于淮北；秦将彭超因建议进攻淮南，下狱自杀，秦将俱难被削职为民，而谢玄则以破秦之功进号冠军将军，领徐州刺史。此外还写了谢安为政的“务举大纲，不为小察”，在秦军逼近长江、人心惶惶的时候能“镇之以和静”的宰相之度等。

【注释】

⑲⑸高句丽、新罗：朝鲜族建立的两个古国名，高句丽的都城丸都，即今吉林集安，新罗的首都金城，即今韩国的庆州。⑲⑹西南夷：当时居住在今云南、贵州以及四川西部的各少数民族。⑲⑺将作功曹：朝官名，将作大匠的僚属。将作大匠是主管宫殿建筑的官员。⑲⑻将作长史：将作大匠属官，掌修建宗庙、路寝、宫室、陵园等事。晋朝将作大匠的僚属只有丞，长史为苻秦所置。⑲⑼领尚方丞：兼任尚方丞。领，兼任。尚方丞是尚方令的副职，上属于少府，是主管为宫廷制造器物的官员。⑳⓪慕容农：慕容垂之子，当时慕容垂父子正栖身于苻氏属下。⑳⓵日以颓靡：一天比一天颓废、萎靡。⑳⓶图谶之言：即前文所说的“甲申乙酉，鱼羊食人，悲哉无复遗！”见本书卷二十五孝武帝宁康二年。这些东西当然是出于后人的编造附会。⑳⓷行当有验：很快就要应验。行，将要。⑳⓸以承天意：以顺应天意。承，接受、顺应。⑳⓹非尔所及：不是你所能看清、所能办到的。及，至，这里指明白、理解。⑳⓺七月丁未：此语有误，七月朔癸亥，无丁未

八月初七日丁亥，东晋任命担任左将军的王蕴为尚书仆射。不久，又提升王蕴为丹阳尹。王蕴因为自己是皇后的父亲，不愿意留在朝廷，苦苦地请求到地方上去任职，于是，又改任王蕴为都督浙江东部五郡诸军事、会稽内史。

这一年，秦国遭遇大饥荒。

日。丁未应是八月十六。⑳⑦丙辰：八月二十五。⑳⑧十月辛丑：十月十一。⑳⑨领荆州刺史：兼任荆州刺史。㉑⓪王蕴：王蒙之子，孝武帝的岳父。㉑①征西司马领南郡相谢玄：谢玄是谢奕之子，谢安之侄，后来成为东晋名将。此时任征西将军桓豁的司马，兼任南郡国的相。传见《晋书》卷七十九。㉑②移阻江南：移守长江南岸的险要之地，以防备秦军沿长江南侧进攻建康城。阻，防守、驻兵。㉑③徙镇上明：把自己的军政指挥部迁到上明。上明在今湖北松滋西北的长江南岸。过去荆州刺史的州治江陵是在江北，现在桓冲要加强长江以南的防御，故将荆州治所移至江南的上明城。㉑④江夏：郡名，郡治安陆，在今湖北安陆东南。㉑⑤后父：王蕴为孝武帝皇后王氏之父。㉑⑥妄自菲薄：无根据地看轻自己。㉑⑦亏时遇：辜负朝廷的恩宠。亏，辜负。时遇，时机难得的宠遇。㉑⑧位遇：地位、待遇。㉑⑨谢安之右：谢安之上。古人尊右，以右为上。㉒⓪入掌机权：在朝内执掌大政，时谢安任司徒，为丞相之职。㉒①优游散地：悠闲无事地担任一种闲散职务，指为会稽内史。海西公太和四年，郗超篡改了其父给桓温的书信，桓温遂将郗愔改授为冠军将军、会稽内史。㉒②愤邑：愤恨抑郁。㉒③安之明：只有像谢安这样英明的人。㉒④乃能违众举亲：才能不顾舆论压力地举荐自己的亲属。乃，才。㉒⑤足以不负所举：的确也不能辜负谢安的举荐。㉒⑥共在桓公府：一道在桓温的部下当僚属。因桓温被封为南郡公，故敬称之为“桓公”。㉒⑦使才：犹言用人，发挥人的作用。㉒⑧虽履屐间：即使在一些极其细小的事情上。虽，即使。履屐，鞋子，皮制的叫履，木制的叫屐，这里用以比喻细小的事物。㉒⑨彭城刘牢之：相传是汉高祖刘邦的后代，东晋的猛将。传见《晋书》卷八十四。㉓⓪北府兵：晋人称京口为“北府”。谢玄破秦将俱难等，始兼领徐州，其所统之军号“北府兵”。㉓①壬寅：十月十二。㉓②东府：在建康台城东，是东晋简文帝为会稽王时的旧第，后为会稽王司马道子之宅。太元中，司马道子领扬州，以为治所。㉓③俭陋：同“简陋”。㉓④止：停留；居住。㉓⑤兰台都坐：官署名，御史台官员聚会议事的地方。兰台，即“御史台”。都坐，亦作“都座”，政事堂，魏晋时大臣商议政事的地方。㉓⑥殆：近于；几乎。㉓⑦更营新宫：另外建筑了一所宫殿，即建康宫。㉓⑧缉熙政事：处理好各种国家政务。缉熙，光明美好的样子。《诗经·敬之》：“日就月将，学有缉熙于光明。”后因以“缉熙”指光明，这里用如动词。㉓⑨夺其议：改变他的意见。夺，改变。㉔⓪临海：郡名，郡治在今浙江临海市东南。㉔①党于桓氏：趋附、投靠于桓氏家族。党，与……结

党，这里指趋附、投靠。㉒公年尊：我的父亲年纪大了。公，敬称其父。㉓若以哀惋害寝食：如果因为悲伤影响到了吃饭与睡眠时。害，妨碍。㉔死已晚：早就该死了。㉕二月乙巳：二月十七。㉖长乐公丕：苻丕，苻坚之子，被封为长乐公。㉗樊、邓：樊城、邓县。樊城即今湖北襄阳市樊城区，邓县在今樊城区北。㉘始平石越：始平郡人姓石名越。始平郡的郡治槐里，在今陕西兴平东南。㉙鲁阳关：一作鲁关，在鲁阳县，即今河南鲁山县西南，南召东北。㉚南乡：郡名，郡治在今湖北十堰市南。㉛武当：县名，县治在今湖北丹江口市西北。㉜沔北：汉水以北。㉝舟檝：泛指船只。檝，船桨。㉞不以为虞：不加戒备。虞，虑、提防。㉟浮渡：泅水而过。㊱中城：襄阳城的内城。内城称城，外城称郭。㊲履行：步行巡视。㊳西北隅：西北城角。㊴女丁：成年女子。㊵邪城：斜城，横斜于城中西北角的备用城墙城。㊶粮粮：干粮。㊷许、洛：许昌、洛阳。㊸塞其运道：断绝他们的运粮通道。㊹而多杀将士二句：语略不顺，意即何必为了急于求成而牺牲我们的将士呢。杀，牺牲。㊺辛巳：七月二十五。㊻重将：大将。㊼为征南棋劫之势：意即与进攻襄阳的征南大将军苻丕相互呼应，给敌人造成顾此失彼之状。征南，指苻丕。苻丕为秦征南将军。棋劫，围棋术语，又叫"劫争"。黑白双方在同一处各自围住对方一子。黑方如先提吃白方一子，白方须在他处下子，待黑方应后，才可在原处提回黑方一子，如此往复提吃。用来比喻攻敌一方，待敌应战，后再攻其另一方，使其首尾不能相顾而最后取胜的战术。㊽丹阳不足平也：消灭东晋王朝是不太费事的。丹阳，这里即指东晋的首都建康，因为当时的建康是在当时的丹阳县境内。不足，不用费力。㊾淮阴、盱眙：当时属于东晋的两个县名，淮阴县治即今江苏淮安市淮阴区西南的甘罗城，盱眙县治在今江苏盱眙东北。㊿超二句：前文叙事，苻坚之将有"石越"，不闻有"彭越"，此云"超，越之弟"，则"彭越"究系何人？留待知者。271 羌：邵羌。事见本书卷一百一海西公太和二年。272 毛虎生：东晋名将毛宝之子，名"穆之"，小字"虎生"。传见《晋书》卷八十一。273 魏兴：郡名，郡治在今陕西省白河北，当时属晋。274 西城：县名，县治在今陕西安康西北的汉江北岸。275 正：酒正，监酒的令官。276 以极醉为限：要喝得大醉方休。277 地列酒泉二句：地面上有酒泉郡，天空中有酒池星。二句是说人生喝酒的合理性。曹操当年曾因荒年而下令禁酒，孔融故意和他作对写《酒德颂》说："天垂酒星之耀，地列酒泉之郡。"事见《后汉书》卷七十《孔融传》及李贤注引《酒德颂》。赵整这里即化用其文。278 杜康妙识：杜康造酒的巧妙思想。杜康即夏朝的帝王少康，相传是古代造酒的发明者。《说文解字·巾部》："古者少康初作箕帚、秫酒。少康，杜康也。"279 仪狄先知：仪狄造酒的超人智慧。相传仪狄是大禹时期的做酒人。《战国策·魏策》："昔者帝女令仪狄作酒而美，进之禹，禹饮而甘之，遂疏仪狄，绝旨酒，曰：后世必有以酒亡其国者。"280 纣丧殷邦：《史记·殷本纪》说殷纣王作酒池肉林，为长夜之饮，最后招致亡国。281 桀倾夏国：《史记·夏本纪》有所谓"夏桀淫骄，乃放鸣条"，未言其有纵酒事。胡三省以司马迁之上述二语即"盖亦以酒也"，似乎勉强。㉘②前危后则：前世的覆亡，后世可以当作教训。则，法则、教训。㉘③礼饮：礼节性地喝一点。按《礼》："臣侍君宴，酒不过三爵。"三爵，即三杯。㉘④大宛：西域国名，国都贵山城，在今乌兹别克首都塔什干东南的卡赛散，属邑有大小七十余城。㉘⑤用千里马何为：《汉书·贾捐之传》云："（孝文时）有献千里马者，诏曰：'鸾车在前，属车在后，吉行五十里，师行三十里，朕乘千里马独先安之？'"而《史记·孝文本纪》不载。㉘⑥反之：将汗血马给大宛国退了回去。㉘⑦梁州：州治即今陕西汉中。㉘⑧巴郡：郡治江安，在今重庆市西北。㉘⑨北海公重：苻重。㉙⓪长史吕光：吕光是氐族人，苻坚的名将吕婆楼之子，为苻重任长史。㉙①与之同：与之同谋、同逆。㉙②收重：逮捕苻重。㉙③槛车：押送犯人的囚车。㉙④以公就第：以公爵的身份回家赋闲，即免去一切现有职务，而保留其北海公的爵位。㉙⑤劾：弹劾，起诉其罪过。㉙⑥征下廷尉：调进京城，交由廷尉审讯判罪。廷尉，国家的最高司法长官。㉙⑦淹时：花费了好长时间。淹，留、虚度。㉙⑧持节切让：以皇帝的口吻对之严厉斥责。持节，手执旌节，表明是以皇帝特使的身份。切，深切、痛切。㉙⑨持面：犹曰"忝颜"，不顾羞耻。㊱⓪正月辛酉：正月初八。㊱①博谋：集思广虑。㊱②以随侯之珠弹千仞之雀：极言其得不偿失、轻重失当。《庄子·让王》："今且有人于此，以随侯之珠，弹千仞之雀，世必笑之。是何也？则其所用者重，而所要者轻也。"随侯之珠，相传随侯路见一受伤之蛇，救而放之，其后此蛇遂衔一大珠以报随侯。说见《搜神记》。后世遂用以代指极其贵重的珠宝。千仞之雀，以言其飞得极高，此珠还未必打得上。㊱③孙皓：三国时吴国的末代之君，公元二六四至二八〇年在位。专横残暴，天纪四年（公元二八〇年）被晋所灭。事详《三国志·吴书·三嗣主传》。㊱④廓清江表：意即消灭东晋王朝。廓清，澄清，这里意即平定。江表，江外、江东。㊱⑤淮、泗：淮河、泗水，流经今安徽、江苏北部地区的两条河流，这里用以代指晋王朝的北境。㊱⑥下梁、益之卒：命令梁州（州治即今陕西汉中）、益州（州治即今四川成都）地区的大军沿长江东下。㊱⑦巴峡：巴东地区的三峡，即瞿塘峡、巫峡、西陵峡的合称。㊱⑧鸾辂：天子的车驾。鸾，车上的铃铛。㊱⑨远幸沮泽：远临沼泽地带。幸，指皇帝驾临某地。沮泽，水草丛生的沼泽，这里代指东晋所处的江南。㊲⓪汉光武诛公孙述：东汉刘秀即位之初，盘踞于四川的军阀公孙述还割据一方，不肯归服，于是刘秀遂派大将岑彭、吴汉等将其讨平。事见《后汉书·光武纪》。诛，讨伐。㊲①晋武帝擒孙皓：晋武帝是司马炎，在他即位的初期，吴主孙皓尚占据江南，司马炎派大将王濬、王浑等将其讨平。事见《晋书·武帝纪》。㊲②六师：也称"六军"，天子的军队。㊲③执枹鼓：意即亲自指挥作战。鼓是命令军队前进的器物。枹，鼓槌。㊲④蒙矢石：冒着刀锋箭雨向前冲。蒙，顶着、迎着。㊲⑤南郡相：南郡诸侯国的行政长官，位同太守。南郡的郡治江陵，原在今湖北江陵的西北方，前被桓冲迁到了长江南岸的上明城。㊲⑥送款于秦：送降书于秦，表示降服。款，真情实意，包括自己军方的重要情报等。㊲⑦戊午：三月初六。㊲⑧度支尚书：尚书台的属官，即后代所说的"户部尚书"，掌管全国的财政收支。㊲⑨顺阳：郡名，郡治酂县，在今湖北老河口市西北。[320]选其才望：选拔襄阳城内有才能、有名望的人。[321]送章节：把朝廷授予自己为官所用的印章和符节都送还朝廷，表示自己不配再任此官、再用此物。[322]泗口：泗水入淮水之口，在今江苏淮安市淮阴区北。[323]间使：密使。[324]部曲将：私人部队的将领。[325]没水：潜泳。[326]趣彭城：前往彭城。趣，意思同“趋”，前往。[327]厚赂之：用大量的钱财收买田泓。[328]告城中：向守彭城的军民喊话。[329]南军垂至：朝廷的援军马上就要到了。垂，即将。[330]勉之：犹言“努力坚持吧”。〖按〗田泓的行为恰如春秋时期的晋国使者解扬。楚军伐宋，宋求救于晋。晋使解扬赴宋，告以切勿降楚。中途被楚人所俘。楚人厚赂解扬，使之改劝宋人降楚。解扬伪应之。至登上楼车，乃向城中呼告了晋君的原话。事见《左传》宣公十五年。[331]留城：留县县城，在今江苏沛县东南。[332]扬声：扬言；假称。[333]东海：郡名，郡治在今山东临沂南。[334]三月壬戌：三月初十。[335]疆埸多虞：边疆上有许多可虑的事情，即敌兵入侵。疆埸，边境。虞，虑。[336]年谷不登：农业歉收。登，丰收。[337]供御所须：皇帝日常所用的物品。须，需要。[338]九亲供给：对皇室各亲戚的供应。九亲，九族，指父三族、妻三族、子三族。[339]廪俸：俸禄。[340]权：暂时。[341]役费：各种徭役的开销。役，如兴建宫室、建造园林等用人用钱的活动。[342]癸未：四月初一。[343]巴中：即巴郡，治所江州县，在今重庆市的西北部。[344]巴西：郡名，郡治阆中县，在今四川阆中西。[345]巴东：郡名，郡治鱼腹县，在今重庆市奉节东。[346]四月戊申：四月二十六。[347]周孟威：周虓，字孟威，被扣押在秦，但不忘晋室。[348]丁彦远：丁穆，字彦远，被秦所俘，而不为秦吏。[349]吉祖冲：吉挹，字祖冲。[350]逃归：指逃回晋朝。[351]手疏：亲手给朝廷写的信。[352]赠：追授吉挹官位。[353]五月乙丑：五月十四。[354]三阿：即今江苏金湖县东南的平阿西村，东晋于此侨置幽、冀、青、并四州。[355]去广陵百里：距离广陵只还有百数里。广陵即今江苏扬州。[356]涂中：地名，指今安徽、江苏境内滁水流域的滁州、全椒与六合一带。[357]毛安之：毛宝之子。[358]堂

【原文】

五年（庚辰，公元三八〇年）

春，正月，秦王坚复以北海公重为镇北大将军，镇蓟[371]。

二月，作教武堂于渭城[372]，命太学生明阴阳兵法[373]者教授诸将。秘书监朱肜谏曰：“陛下东征西伐，所向无敌，四海之地，什得其八，虽江南未服，盖不足言[374]。是宜稍偃武事[375]，增修文德。乃更[376]始立学舍，教人战斗之术，殆非所以驯致升平[377]也。且诸将皆百战之余，何患不

邑：郡名，郡治在今江苏南京市六合区北。㊾丙子：五月二十五。㊿六月戊子：六月初七。361淮桥：秦国为渡兵南下在淮河上架设的桥梁。362君川：水名，在今江苏盱眙东北六里，为君山之川。363湖陆：县名，县治在今山东鱼台东南六十里。364下邳：诸侯国名，国都下邳县，在今江苏睢宁西北的古邳镇东，自古为淮北战场。365镇之以和静：以自己之平和、宁静稳定朝野之心。366务举大纲二句：只把握方针、政策，而不苛求细节。小察，犹苛察，在细节上求全责备。367八月丁亥：八月初七。368顷之：没过多久。369丹阳尹：首都建康所在郡的行政长官。370国姻：皇帝的亲戚，王蕴为皇后之父。

【校记】

［7］尚方丞：原误作“将作丞”。据章钰校，十二行本、乙十一行本、孔天胤本皆作“尚方丞”，张敦仁《通鉴刊本识误》、张瑛《通鉴校勘记》同，今据校正。［8］也：原无此字。据章钰校，十二行本、乙十一行本、孔天胤本皆有此字，张敦仁《通鉴刊本识误》同，今据补。［9］假节：原无此二字。据章钰校，十二行本、乙十一行本、孔天胤本皆有此二字，张敦仁《通鉴刊本识误》同，今据补。［10］世：原作“后”。据章钰校，十二行本、乙十一行本、孔天胤本皆作“世”，今据改。［11］淮阴：原误作“淮阳”。今据严衍《通鉴补》改作“淮阴”。［12］命人人：原脱“命人”二字。据章钰校，十二行本、乙十一行本、孔天胤本皆有此二字，今据补。［13］梁州：原误作“凉州”。据章钰校，十二行本、乙十一行本、孔天胤本皆作“梁州”，当是，今据改。［14］东海：原无此二字。据章钰校，十二行本、乙十一行本、孔天胤本皆有此二字，张敦仁《通鉴刊本识误》同，今据补。［15］逃：原作“得”。据章钰校，十二行本、乙十一行本、孔天胤本皆作“逃”，张瑛《通鉴校勘记》同，今据改。［16］众心危惧：原无此四字。据章钰校，十二行本、乙十一行本、孔天胤本皆有此四字，张敦仁《通鉴刊本识误》同，今据补。

【语译】

五年（庚辰，公元三八〇年）

春季，正月，秦王苻坚再次任命北海公苻重为镇北大将军，镇守蓟城。

二月，秦国在渭城建造教武堂，令太学中通晓用阴阳学说解释用兵方略的学生为诸将领讲授这方面的课程。担任秘书监的朱肜劝谏说：“陛下东征西讨，所向无敌，四海之内的疆土，陛下已经占有了其中的八成，虽然长江以南的东晋还没有臣服，但已经不值得一提。现在应该稍微停止一些武力征讨，而在文化品德教育方面有所加强。然而兴建起学堂，让人教授军事上的战略技术，恐怕不是逐渐地实现和平的办法。再说诸将领都是身经百战，何必担心他们不懂得用兵打仗，反而要让他们去

习于兵，而更使受教于书生，非所以强其志气也。此无益于实而有损于名，惟陛下图之[378]。”坚乃止。

秦征北将军、幽州刺史行唐公洛勇而多力，能坐制奔牛[379]，射洞犁耳[380]。自以有灭代之功，求开府仪同三司[381]不得，由是怨愤。三月，秦王坚以洛为使持节[382]，都督益、宁、西南夷诸军事，征南大将军，益州牧，使自伊阙[383]趋襄阳，溯汉而上[384]。洛谓官属曰：“孤帝室至亲[385]，不得入为将相，而常摈弃边鄙[386]。今又投之西裔[387]，复不听过京师[388]，此必有阴计，欲使梁成[389]沈孤于汉水耳[390]。于诸君意何如[17]?”幽州治中平规[391]曰：“逆取顺守[392]，汤、武[393]是也。因祸为福[394]，桓、文[395]是也。主上虽不为昏暴，然穷兵黩武[396]，民思有所息肩[397]者，十室而九。若明公神旗一建[398]，必率土云从[399]。今跨据全燕，地尽东海，北总乌桓、鲜卑[400]，东引句丽、百济[401]，控弦之士不减五十余万，奈何束手就征[402]，蹈不测之祸乎！”洛攘袂大言[403]曰：“孤计决矣，沮谋[404]者斩！”于是自称大将军、大都督、秦王。以平规为幽州刺史，玄菟[405]太守吉贞为左长史，辽东太守赵赞为左司马，昌黎太守王缊为右司马，辽西太守王琳、北平太守皇甫杰、牧官都尉[406]魏敷等为从事中郎。分遣使者征兵于鲜卑、乌桓、高句丽、百济、新罗[407]、休忍[408]诸国，遣兵三万助北海公重戍蓟。诸国皆曰：“吾为天子守藩，不能从行唐公为逆。”洛惧，欲止，犹豫未决。王缊、王琳、皇甫杰、魏敷知其无成，欲告之，洛皆杀之。吉贞、赵赞曰：“今诸国不从，事乖本图[409]。明公若惮益州之行者，当遣使奉表乞留[410]，主上亦不虑不从[411]。”平规曰：“今事形已[18]露，何可中止！宜声言受诏[412]，尽幽州之兵，南出常山[413]，阳平公[414]必郊迎，因而执之，进据冀州，总关东之众以图西土，

接受那些书生的教育，这样做恐怕不利于增强他们的志气。这对于实际应用一点好处也没有，反倒有损于名声，希望陛下能够认真考虑。”苻坚于是下令停止。

秦国征北将军、幽州刺史行唐公苻洛作战勇猛，而且力大无比，能够很轻易地制服狂奔的牛，射箭的力量能够射穿犁铧上的铁镜。他自认为有灭亡代国的功劳，便要求朝廷加授自己开府仪同三司，而没有得到批准，苻洛因此心怀怨愤。三月，秦王苻坚任命苻洛为使持节，都督益、宁、西南夷诸军事，征南大将军，益州牧，令他率军从伊阙赶赴襄阳，然后沿着汉水逆流而上。苻洛对自己的僚属说：“我是与皇帝血缘关系最近的亲属，不仅不能入朝为将为相，反倒经常被抛弃到僻远的边境上。现在又把我投放到西南的蛮荒之地，还不准路过京师。其中一定有不可告人的阴谋，是想让梁成把我沉入汉水淹死罢了。你们有什么想法?”在苻洛的幽州刺史府中担任治中的平规说：“先用非法的、不正当的武装叛逆推翻自己的君主，夺取政权，再用符合仁义、顺乎民心的办法治理天下，达到巩固政权的目的，商汤、周武王就是这样做的。趁着国家内乱而夺取政权，齐桓公、晋文公就属于这一类。如今的君主虽然不算昏庸暴虐，然而他用尽全国兵力，无休无止地发动战争，百姓十户之中就有九户希望换一个能让他们休息一下、喘口气的君主。如果阁下将讨伐秦王苻坚的义旗一举，全国的民众必定如风起云涌一样纷纷起兵追随您。现在我们拥有古代燕国的全部疆土，向东一直延伸到大海边，向北调集乌桓、鲜卑两个部族的兵力，向东招引高句丽、百济两个小国的兵力，能够拉弓射箭的人不会少于五十多万，为什么要绑住自己的双手乖乖地听任别人的招呼，跳入那难以预测的灾祸之中呢!”苻洛于是撸起袖子大声地说：“我已经下定决心，谁敢阻止我的计划，我就将谁斩首!”于是，苻洛便自称大将军、大都督、秦王。任命平规为幽州刺史，任命担任玄菟太守的吉贞为左长史，任命担任辽东太守的赵赞为左司马，任命担任昌黎太守的王缊为右司马，任命担任辽西太守的王琳、担任北平太守的皇甫杰、担任牧官都尉的魏敷等为从事中郎。同时分别派遣使者前往鲜卑、乌桓、高句丽、百济、新罗、休忍等小国征兵，让他们出兵三万人协助北海公苻重守卫蓟城。诸小国都说：“我们是为秦国天子守卫边疆，不能跟随行唐公苻洛谋反。”苻洛此时感到有些害怕，就想停止谋反，但还没有最后拿定主意。昌黎太守王缊、辽西太守王琳、北平太守皇甫杰以及牧官都尉魏敷都知道苻洛不会成功，就准备向朝廷告发，苻洛就将他们全部杀死。玄菟太守吉贞、辽东太守赵赞说：“如今诸国都不肯服从我们，事情和我们原来的计划不相合。明公如果惧怕前往益州任职，应当派遣使者带着表章前往长安，请求继续留在幽州，也不必担心主上不接受明公的请求。”平规说：“如今叛变的行迹已经显露出来，怎么能半途而废！应该对外宣称奉了秦王调往益州的诏命，然后率领幽州的所有兵力，向南到常山郡去，担任冀州刺史的阳平公苻融必定出城到郊外迎接，我们趁机将阳平公苻融逮捕，夺取冀州，统领函谷关以东所有的兵力夺取关中地区，

天下可指麾而定[415]也。”洛从之。夏，四月，洛帅众七万发和龙[416]。

秦王坚召群臣谋之。步兵校尉吕光曰：“行唐公以至亲为逆，此天下所共疾[417]。愿假臣步骑五万，取之如拾遗[418]耳。”坚曰：“重、洛兄弟，据东北一隅[419]，兵赋全资[420]，未可轻也。”光曰：“彼众迫于凶威[421]，一时蚁聚[422]耳。若以大军临之，势必瓦解，不足忧也。”坚乃遣使让洛[423]，使还和龙，当以幽州永为世封[424]。洛谓使者曰：“汝还白东海王[425]，幽州褊狭[426]，不足以容万乘[427]，须王秦中[428]，以承高祖之业[429]。若能迎驾潼关[430]者，当位为上公[431]，爵归本国[432]。”坚怒，遣左将军武都窦冲及吕光帅步骑四万讨之。右将军都贵驰传诣邺[433]，将冀州兵三万为前锋，以阳平公融为征讨大都督。

北海公重悉蓟城之众与洛会，屯中山[434]，有众十万。五月，窦冲等与洛战于中山，洛兵大败，生擒洛，送长安。北海公重走还蓟，吕光追斩之。屯骑校尉石越自东莱[435]帅骑一万，浮海[436]袭和龙，斩平规，幽州悉平。坚赦洛不诛，徙凉州之西海郡[437]。

臣光曰：“夫有功不赏，有罪不诛，虽尧、舜不能为治，况他人乎？秦王坚每得反者辄宥之[438]，使其臣狃于为逆[439]，行险徼幸[440]。虽力屈被擒，犹不忧死[441]，乱何自而息哉！书曰：‘威克厥爱，允济。爱克厥威，允罔功[442]。’诗云：‘毋纵诡随，以谨罔极。式遏寇虐，无俾作慝[443]。’今坚违之，能无亡乎！”

朝廷以秦兵之退为谢安、桓冲之功，拜安卫将军，与冲皆开府仪同三司。

天下可以随着大旗所指而很快平定。”苻洛听从了平规的意见。夏季，四月，苻洛率领七万部众从和龙起兵，准备夺取秦国天下。

秦王苻坚召集群臣商议对策。担任步兵校尉的吕光说：“行唐公苻洛是皇室的至亲骨肉，却首先发动叛逆，这是天下人所共同痛恨的事情。希望陛下拨给我五万名步兵、骑兵，打败他就如同弯下腰从地上拾起一个被人遗失的东西一样容易。”秦王苻坚说：“苻重、苻洛兄弟，占据着国家东北的一角，那里的兵力和赋税全部被他掌控，不能太轻视他们。”吕光说：“他们手下的部众，都是在他凶恶气焰的威胁下，不得不跟随他们，就像一群蚂蚁暂时聚集在一起罢了。朝廷大军一旦出动，势必立时土崩瓦解，对于他们的叛逆不值得过分担忧。”秦王苻坚遂派遣使者前往责备苻洛，让苻洛返回和龙，如果苻洛遵从，秦王苻坚承诺幽州世世代代永远是他的封地。苻洛对使者说：“你回去以后，告诉东海王苻坚，就说幽州地方太偏远、狭小，容不下拥有万辆兵车的天子，我应该在关中地区称王称帝，继承高祖苻健的帝王大业。如果苻坚能够到潼关迎接我的车驾，我会封他最上等的公爵，让他以公爵的身份回到他自己的东海封国去。”秦王苻坚勃然大怒，立即派遣担任左将军的武都人窦冲以及步兵校尉吕光率领四万名步兵、骑兵前去讨伐苻洛。令担任右将军的都贵乘坐国家驿站的马车飞速赶往邺城，率领冀州的三万人军队充任先锋，任命阳平公苻融为征讨大都督。

秦国北海公苻重调集了蓟城的所有部队与苻洛会合在一起，屯扎在中山，他们拥有部众十万。五月，左将军窦冲等与叛将苻洛等在中山展开决战，苻洛的人马被朝廷军打得大败，苻洛被活捉，左将军窦冲等将苻洛押送京师长安。北海公苻重逃回蓟城，被步兵校尉吕光追上斩首。担任屯骑校尉的石越率领一万名骑兵，从东莱乘坐舰船，渡过渤海袭击苻洛的老巢和龙，斩杀了苻洛的主谋平规，幽州的叛乱被彻底镇压下去。秦王苻坚赦免了苻洛的死罪，把苻洛发配到凉州属下的西海郡。

司马光说：“对建立大功的人不予奖赏，对犯有大罪之人不诛杀，即使唐尧、虞舜在世也治理不好国家，何况是其他的君主呢？秦王苻坚每次生擒叛乱的人都给予宽宥，使得他的臣属根本不把叛逆当成一回事，勇于冒险去尝试，以求侥幸成功。即使失败被捉，也不用担忧会被杀死，如此的话，内乱怎么会停息呢！古文《尚书·胤征》说：‘如果法律的威严超过仁爱之心，就能获得成功。如果仁爱之心超过了法律的威严，就什么也办不成。’《诗经·民劳》上说：‘不要听信那些诡诈欺骗的话，以警惕行为不正的人。要防止行凶作乱，以避免邪恶的事情发生。’而秦王苻坚完全违背了这些教训，国家怎么能不灭亡！”

东晋朝廷认为秦兵的退却是担任尚书仆射的谢安与车骑将军桓冲的功劳，于是，加授谢安为卫将军，与桓冲全都享受开府仪同三司的待遇。

六月甲子[444]，大赦。

丁卯[445]，以会稽王道子为司徒，固让不拜[446]。

秦王坚召阳平公融为侍中、中书监、都督中外诸军事、车骑大将军、司隶校尉[447]、录尚书事；以征南大将军、守尚书令、长乐公丕为都督关东诸军事、征东大将军、冀州牧。坚以诸氐种类繁滋，秋，七月，分三原[448]、九嵕[449]、武都[450]、汧[451]、雍[452]氐十五万户，使诸宗亲[453]各领之，散居方镇[454]，如古诸侯。长乐公丕领氐三千户，以仇池氐酋[455]射声校尉杨膺为征东左司马，九嵕氐酋长水校尉齐午为右司马，各领一千五百户，为长乐世卿[456]。长乐[19]郎中令略阳垣敞为录事参军[457]，侍讲[458]扶风韦幹为参军事，申绍为别驾。膺，丕之妻兄也。午，膺之妻[20]父也。

八月，分幽州置平州[459]，以石越为平州刺史，镇龙城。中书令梁谠为幽州刺史，镇蓟城。抚军将军毛兴为都督河秦二州诸军事、河州刺史，镇枹罕[460]。长水校尉王腾为并州刺史，镇晋阳。河、并二州各配氐户三千。兴、腾并苻氏婚姻，氐之崇望[461]也。平原公晖为都督豫、洛、荆、南兖、[462]东豫、[463]扬[464][21]六州诸军事，镇东大将军，豫州牧，镇洛阳。移洛州刺史治丰阳[465]。钜鹿公睿为雍州刺史，镇蒲坂[22]。各配氐户三千二百。

坚送丕至灞上，诸氐[466]别其父兄，皆恸哭，哀感路人。赵整因侍宴，援琴[467]而歌曰:“阿得脂[468]，阿得脂，博劳[469]舅父是仇绥[470]，尾长翼短不能飞。远徙种人留鲜卑[471]，一旦缓急[472]当语谁[473]。”坚笑而不纳。

九月癸未[474]，皇后王氏崩。

冬，十月，九真[475]太守李逊据交州反。

秦王坚以左禁将军杨壁为秦州[476]刺史，尚书赵迁为洛州刺史，南巴校尉姜宇为宁州[477]刺史。

十一月乙酉[478]，葬定皇后[479]于隆平陵。

十二月，秦以左将军都贵为荆州刺史，镇襄阳[23]。置东豫州，以毛当为刺史，镇许昌。

六月十九日甲子，东晋实行大赦。

二十二日丁卯，东晋朝廷任命会稽王司马道子为司徒，司马道子坚决辞让，没有接受朝廷的任命。

秦王苻坚将阳平公苻融召回长安，任命他为侍中、中书监、都督中外诸军事、车骑大将军、司隶校尉、录尚书事；任命担任征南大将军、兼任尚书令的长乐公苻丕为都督关东诸军事、征东大将军、冀州牧。因为氐族各部落繁衍很快、人口众多，于是秦王苻坚在秋季七月，把三原、九嵕、武都、汧、雍城等地的氐族十五万户，由苻氏皇室的各位皇亲国戚分别统领，带往各督军、各州刺史的驻地居住，仿照古代分封诸侯国的制度。长乐公苻丕统领三千户氐人，任命仇池地区的氐族部落酋长、担任射声校尉的杨膺为征东左司马，任命九嵕氐族部落酋长、担任长水校尉的齐午为征东右司马，二人各自统领氐人一千五百户，在长乐公苻丕部下为卿，世代相承。任命在长乐公手下担任郎中令的略阳人垣敞为录事参军，任命担任侍讲的扶风人韦幹为参军事，任命申绍为别驾。杨膺是长乐公苻丕妻子的哥哥。齐午又是杨膺的岳父。

八月，将幽州划分出一部分，设置为平州，任命担任屯骑校尉的石越为平州刺史，镇所设在龙城。任命担任中书令的梁谠为幽州刺史，镇所设在蓟城。任命担任抚军将军的毛兴为都督河州、秦州二州诸军事、河州刺史，镇所设在枹罕。任命担任长水校尉的王腾为并州刺史，镇所设在晋阳。河州、并州各分配氐人三千户。河州刺史毛兴和并州刺史王腾与秦国王室有婚姻关系，又是氐人当中的高门望族。任命平原公苻晖为都督豫、洛、荆、南兖、东豫、扬六州诸军事，镇东大将军，豫州牧，镇所设在洛阳。将洛州刺史的治所迁移到丰阳。任命钜鹿公苻叡为雍州刺史，镇所设在蒲阪。每人都配给氐人三千二百户。

秦王苻坚为长乐公苻丕送行，一直送到灞上，随同苻丕等前往各地任职的那些氐族人，与自己的父兄告别时全都痛哭失声，哀痛之声，连过路的人都深受感动。担任秘书侍郎的赵整借着在旁边陪侍的机会，便拿过琴来一面弹琴一面歌唱，歌词说："阿得脂，阿得脂，博劳舅父是仇绥，尾长翼短不能飞。远徙同族人而留下鲜卑人，一旦有急事要和谁商量。" 秦王苻坚听后只是笑了笑，并没有采纳赵整的意见。

九月初十日癸未，东晋孝武皇帝司马昌明的皇后王氏去世。

冬季，十月，东晋担任九真郡太守的李逊占据着交州起兵叛乱。

秦王苻坚任命担任左禁将军的杨壁为秦州刺史，任命担任尚书的赵迁为洛州刺史，任命担任南巴校尉的姜宇为宁州刺史。

十一月十三日乙酉，东晋将孝武皇帝司马昌明的皇后王氏安葬于隆平陵。

十二月，秦国任命担任左将军的都贵为荆州刺史，镇所设在襄阳。秦国设置东豫州，任用毛当为东豫州刺史，镇所设在许昌。

是岁，秦王坚遣高密太守毛璪之等二百余人来归[480]。

六年（辛巳，公元三八一年）

春，正月，帝初奉佛法，立精舍[481]于殿内，引诸沙门[482]居之。尚书左丞王雅[483]表谏，不从。雅，肃之曾孙也。

丁酉[484]，以尚书谢石为仆射。

二月，东夷、西域六十二国入贡于秦。

夏，六月庚子朔[485]，日有食之。

秋，七月甲午[486]，交趾[487]太守杜瑗斩李逊，交州平。

冬，十月，故武陵王晞[488]卒于新安[489]，追封新宁郡王，命其子遵为嗣。

十一月己亥[490]，以前会稽内史郗愔为司空。愔固辞不起。

秦荆州刺史都贵遣其司马阎振、中兵参军吴仲帅众二万寇竟陵[491]，桓冲遣南平[492]太守桓石虔[493]、卫军参军桓石民等帅水陆二万拒之。石民，石虔之弟也。

十二月甲辰[494]，石虔袭击振、仲，大破之，振、仲退保管城[495]。石虔进攻之，癸亥[496]，拔管城，获振、仲，斩首七千级，俘虏万人。诏封桓冲子谦为宜阳侯，以桓石虔领河东太守[497]。

是岁，江东大饥。

【段旨】

以上为第三段，写孝武帝太元五年（公元三八〇年）、六年共两年间的大事。主要写了苻坚的堂兄弟幽州刺史苻洛因不满于自己所受的待遇，又怀疑苻坚对他的调动是欲杀之，因而勾结北海公苻重举兵造反；苻坚命部将吕光、窦冲率兵往讨，大破苻洛、苻重于中山，吕光追斩苻重，窦冲俘获苻洛。写了苻坚大肆封任苻氏的兄弟子侄及其姻亲，令其各自带领着一批享有特权的氐族人分别到各自的任地居住，有人对苻坚这种将氐族都派离京城，而将鲜卑人留在身边的做法深感不安。写了秦将都贵派其部属阎振、吴仲进攻晋之竟陵郡，被桓冲的部将桓石虔、桓石民所破，阎振、吴仲身死，秦兵被杀七千，被俘上万等。

这一年，秦王苻坚把高密内史毛璪之等二百多人送归东晋。

六年（辛巳，公元三八一年）

春季，正月，东晋孝武皇帝司马昌明开始信奉佛法，他在皇宫之内建造了精舍，供那些佛门的和尚居住。担任尚书左丞的王雅上表劝谏，孝武皇帝司马昌明根本听不进去。王雅是王肃的曾孙。

正月二十六日丁酉，东晋任命担任尚书的谢石为仆射。

二月，东夷、西域总计六十二个小国向秦国进贡。

夏季，六月初一日庚子，发生日食。

秋季，七月二十五日甲午，东晋担任交趾太守的杜瑗斩杀了李逊，交州平定下来。

冬季，十月，东晋被贬为平民的故武陵王司马晞在新安逝世，朝廷追封司马晞为新宁郡王，令司马晞的儿子司马遵继承他的爵位。

十一月己亥日，东晋任命前会稽内史郗愔为司空。郗愔坚决推辞，不肯就职。

秦国担任荆州刺史的都贵派遣在自己属下担任司马的阎振、担任中兵参军的吴仲率领二万名兵士进犯东晋的竟陵郡，东晋担任车骑将军的桓冲派遣担任南平太守的桓石虔、担任卫军参军的桓石民等率领二万名水军与陆军抵抗进犯竟陵的秦军。桓石民是桓石虔的弟弟。

十二月初八日甲辰，东晋南平太守桓石虔率军袭击秦军将领阎振和吴仲，将入侵的秦军打得大败，阎振、吴仲撤退到管城坚守。东晋桓石虔率军继续攻打，二十七日癸亥，攻克了管城，活捉了秦国司马阎振和中兵参军吴仲，斩杀了七千名秦军，俘虏了一万人。朝廷下诏封车骑将军桓冲的儿子桓谦为宜阳侯，任命桓石虔兼任河东太守。

这一年，东晋境内发生大饥荒。

【注释】

㊲①蓟：蓟县，即今北京市。㊲②渭城：即当年秦朝的国都咸阳，旧址在今陕西咸阳市渭城区，汉高祖元年（公元前二〇六年），改咸阳为新城；武帝元鼎三年（公元前一一四年）改名渭城。㊲③阴阳兵法：用阴阳学说解释用兵方略的法则。阴阳学说包括阴阳四时、八位、十二度、廿四时等数度之学和五德终始的五行之说。后世又有遁甲、六壬、择日、占星等。㊲④不足言：不值得一提，意思是用不着花力气去进行讨伐。㊲⑤是宜稍偃武事：这个时候应该稍稍停止一些武力征伐。是，此、这时候。偃，停止。㊲⑥乃更：结果反而。㊲⑦驯致升平：逐渐地实现和平；渐渐地过渡到太平。驯，逐渐。升平，太平。㊲⑧惟陛下图之：请陛下仔细考虑。惟，表示祈请的句首语词。㊲⑨坐制奔牛：很容易

地制服狂奔的牛。“坐”字极言其轻松不费力。㊳⓪射洞犁耳：能射穿犁铧上的铁镜。犁，耕地所用的犁铧，主要由两部分构成，一部分是套住犁脚的铁口，一部分是翻开硬土的犁镜，两部分都是用铸铁或钢制成。犁镜坚实光洁，是用以翻土的最重要的部件。洞，穿透。㊳①开府仪同三司：也简称“开府”，是朝廷授予大臣的一种特别权力与称号，内容主要有两点，其一是可以开设办公衙门，自己聘任僚属，此即所谓“开府”；其二是享用国家三公（丞相、太尉、御史大夫）的全副仪仗，即所谓“仪同三司”。三司，司徒、司马、司空，周代的三位最高朝官，与秦汉的丞相、太尉、御史大夫职务相同，故也称“三公”。㊳②使持节：朝廷授予大臣旌节的三种称号之一。最高者为“使持节”，外出后有生杀二千石以下官吏之权；其次为“持节”，有生杀无官位人员之权；其三为“假节”，有生杀犯令者之权。㊳③伊阙：也称“龙门”，在今河南洛阳南二十五里，其地两山对立如门，伊水从中流过，故称“伊阙”。㊳④溯汉而上：沿汉水逆流而上。㊳⑤帝室至亲：皇帝最近的亲属。苻洛为苻健、苻雄之兄的儿子。㊳⑥摈弃边鄙：被抛弃在边疆上。摈，排斥。边鄙，边疆。鄙，僻远的小城。㊳⑦西裔：西部边远的地方。㊳⑧不听过京师：不允许经过京城。听，允许。㊳⑨梁成：苻坚的部将，此时任荆州刺史，镇襄阳。苻洛沿汉水逆流西行，正需经过襄阳。㊴⓪沈孤于汉水耳：想让他们把我淹死在汉水中。沈，同“沉”。㊴①幽州治中平规：苻洛的僚属姓平名规，此时任“治中”之职。治中是刺史手下的高级僚属，全称“治中从事史”。㊴②逆取顺守：先以武力夺取政权叫“逆取”，然后行仁义以治理天下叫“顺守”。逆，指用非法的、不正当的手段。顺，指用符合仁义、顺乎民心的办法。《史记·郦生陆贾列传》：“陆生曰：‘居马上得之，宁可以马上治之乎？且汤武逆取而以顺守之，文武并用，长久之术也。’”㊴③汤、武：商汤和周武王，都是以武力推翻自己的君主夏桀和商纣而夺得天下。㊴④因祸为福：趁着国家内乱而夺取政权。㊴⑤桓、文：齐桓公与晋文公。齐桓公是杀了自己的兄弟公子纠而夺得政权；晋文公是趁其兄惠公刚死，杀死其侄怀公夺得政权。二人后来都成为名震天下的霸主。㊴⑥穷兵黩武：征讨不休，滥用武力。㊴⑦民思有所息肩：百姓们想换一位能让他们休息一下、喘口气的君主。息肩，撂下挑子喘口气。㊴⑧神旗一建：讨伐苻坚的大旗一旦举起。建，树立起来。㊴⑨率土云从：整个国内都会像风起云涌一样地跟随你。率土，率土之滨，指四境之内，即全国。㊵⓪北总乌桓、鲜卑：向北调集乌桓、鲜卑两个民族的兵力。总，调集。乌桓，鲜卑族的一个分支，当时居住在今辽宁西部一带地区。㊵①东引句丽、百济：向东招引高句丽、百济两个朝鲜族的小国。高句丽当时居住在今辽宁东南部和与之邻近的朝鲜北部地区；百济居住在今韩国的西部地区。㊵②束手就征：乖乖地听他招呼。就征，按着他的命令走。㊵③攘袂大言：撸起袖子大声说。㊵④沮谋：阻止我的计划。沮，瓦解。㊵⑤玄菟：郡名，郡治在今辽宁沈阳东。㊵⑥牧官都尉：主管养马、驯马的官员。㊵⑦新罗：朝鲜族的小国名，当时居住在今韩国的东南部，国都庆州。㊵⑧休忍：朝鲜古国名。㊵⑨事乖本图：形势和我们原来的计划不相合。乖，违背。㊶⓪乞留：请求留在幽州。㊶①主上亦不虑不从：词语生涩，似应作“亦不虑主上不从”，也不必担心主上不答应我们。主上，指苻坚。㊷声言受诏：假说是奉了皇帝的诏令。㊸南出常山：向南到常山郡去。常山郡的郡治真定，在今河北正定南。㊹阳平公：苻融，被封阳平公，时为冀州刺史，镇邺城。邺城在今河北临漳西南。㊺指麾而定：指指画画就能平定，极言其轻而易成。指麾，指点、挥手，皆不费力气的举动。㊻发和龙：从和龙出发。和龙，即龙城，本慕容氏燕国的都城，即今辽宁朝阳。时苻洛以幽州刺史镇和龙。㊼共疾：共同气愤；共同仇恨。㊽拾遗：弯腰拾起地上的东西，以言其非常容易。㊾据东北一隅：占据着东北一方。一隅，一角、一方。⑳兵赋全资：兵力和赋税全部被他掌控。资，占有、掌控。㉑彼众迫于凶威：他的部下都是被他的凶恶气焰所威胁。㉒一时蚁聚：像蚁群一样偶然地聚集在一起。一时，偶然，极言其临时、短暂。㉓让洛：谴责苻洛。让，责备。㉔世封：世世代代的封地。封，地界。㉕东海王：指苻坚，苻坚在夺取皇位之前被封为东海王。㉖褊狭：狭窄；狭小。㉗不足以容万乘：容不下一个皇帝。万乘，万辆兵车。春秋时期以万乘称周天子，以千乘称大国诸侯，后世遂以“万乘”代指皇帝。此处是苻洛自指。㉘王秦中：在秦中称王称帝。秦中，意同“关中”。㉙以承高祖之业：以继承高祖苻健的帝王大业。苻健庙号“高祖”。㉚若能迎驾潼关：你苻坚倘能到潼关迎接皇帝我。㉛当位为上公：当封你为上等的公爵。当时的公爵有“郡公”“县公”之分。㉜爵归本国：可以让你带着上公的爵位回到你的东海国去。㉝驰传诣邺：乘坐驿车飞快地前往邺城。传，驿车。㉞中山：诸侯国名，都城卢奴，即今河北定州。㉟东莱：郡名，郡治即今山东莱州。㊱浮海：乘船渡海。㊲徙凉州之西海郡：发配到凉州的西海郡。西海郡的郡治居延县，在今内蒙古额济纳旗东南的哈拉和图。㊳辄宥之：总是宽恕他们。宥，宽饶。㊴狃于为逆：习惯于造反。狃，习惯，不把……当作一件事。㊵行险徼幸：怀着侥幸心理去做冒险的事情。徼，邀取、搏取。㊶不忧死：不担心被杀。㊷威克厥爱四句：语出古文《尚书·胤征》，意思是说如果法律的威严能超过仁爱之心就必定能成功；如果仁爱之心超过法律的威严就什么也办不成。克，超过、压倒。厥，其。允济，一定能成功。罔，无、不。㊸毋纵诡随四句：语出《诗经·民劳》，意思是不要听信诡诈欺骗的话，以警惕行为不正的人。要防止行凶作乱，以避免邪恶的事情发生。毋，不要。纵，放任、听信。诡随，狡诈、欺骗。罔极，没有准则，肆意而为。式，发语词。遏，抑止。寇虐，行凶作乱。俾，使。慝，邪恶。㊹六月甲子：六月十九。㊺丁卯：六月二十二。㊻不拜：不接受任命。㊼司隶校尉：国家都城所在州的行政长官，位同州刺史；同时兼管对朝廷官员的检察与弹劾。㊽三原：县名，在今陕西淳化东。㊾九嵕：山名，在今陕西礼泉东北。㊿武都：古城名，在今甘肃陇南市武都区，是当时武都郡的郡治所在地。(451)汧：县名，县治在今陕西陇县东南。(452)雍：县名，县治在今陕西宝鸡市凤翔区西南。(453)诸宗亲：指苻氏皇室的各个皇亲国戚。(454)散居方镇：分散地居住在各督军、各州刺史的驻地。(455)仇池氐酋：仇池地区的氐族头领。仇池，地区名，在今甘肃成县境内。(456)为长乐世卿：在长乐公苻丕部下世代相承地为卿爵贵族。㊸录事参军：官名，为王公府、军府、州府的文秘总管，兼管举弹善恶。㊹侍讲：在帝王身边，为帝王读书、讲古的官员。㊺平州：州治即今辽宁义县，当时称作“龙城”，也曾是昌黎郡的郡治所在地。㊻枹罕：古城名，在今甘肃临夏的东北侧，当时为兴晋郡的郡治所在地。㊼崇望：高门望族。㊽南兖：州名，州治湖陆，在今山东鱼台东南。㊾东豫：州名，州治许昌，在今河南许昌东。㊿扬：州名，苻氏的扬州州治下邳，在今江苏邳州西南。465丰阳：县名，县治即今陕西山阳。466诸氐：指苻丕、苻融等接受任命前往各地任职的人。467援琴：拿过琴来。援，拉、拿。468阿得脂：声词，没有意义，如同现今歌曲中的“咿呼嗨、呀呼嗨”之类。469博劳：鸟名，也写作“伯劳”。因古代民歌有“东飞伯劳西飞燕”之语，于是后人多在送别诗中提到此鸟。470仇绥：不知何物。471远徙种人留鲜卑：把氐族的亲属都派往外地，而把慕容垂、慕容楷等鲜卑人都留在身边。种人，同一个民族的人。472缓急：偏义复词，即指危急之事。“缓”字无实义。473当语谁：该和谁商量。474九月癸未：九月初十。475九真：郡名，郡治清化，在今越南国境内，上属于交州。交州的州治龙编，在今越南河内东北。476秦州：州治上邽，今甘肃天水市。477宁州：苻氏的宁州州治，在今四川中江县。478十一月乙酉：十一月十三。479定皇后：即孝武帝的王皇后，谥曰定。480毛璪之等二百余人来归：上年五月，秦将俱难、彭超攻陷盱眙时，毛璪之等被俘。今秦主苻坚放其回归晋朝。481精舍：又称“精庐”，僧人修炼居住和讲习佛经之所。482沙门：僧人；和尚。483王雅：三国时期魏国经学家王肃的曾孙。484丁酉：正月二十六。485六月庚子朔：六月初一

【原文】

七年（壬午，公元三八二年）

春，三月[24]，秦大司农东海公阳498、员外散骑侍郎王皮、尚书郎周虓谋反。事觉，收下廷尉。阳，法之子。皮，猛之子也。秦王坚问其反状，阳曰：“臣父哀公499死不以罪，臣为父复仇耳。”坚泣曰：“哀公之死，事不在朕，卿岂不知之？”王皮曰：“臣父丞相，有佐命500之勋，而臣不免贫贱，故欲图富贵耳。”坚曰：“丞相临终托卿501，以十具牛502为治田之资503，未尝为卿求官。知子莫若父，何其明也！”周虓曰：“虓世荷504晋恩，生为晋臣，死为晋鬼，复何问乎！”先是，虓屡谋反叛，

是庚子日。㊻七月甲午：七月二十五。㊼交趾：交州境内的郡名，郡治也在龙编，南与九真郡相连。㊽故武陵王晞：司马晞，元帝司马睿之子，初封为武陵王，后被桓温所废，迁到新安监管。事见本书上卷简文帝咸安元年。㊾新安：郡名，郡治始新县，在今浙江淳安西北。㊿十一月己亥：此语有误，十一月朔戊辰，无己亥日。己亥应是十二月初三。491竟陵：郡名，郡治石城，即今湖北钟祥。492南平：郡名，郡治江安，在今湖北公安北，在竟陵郡的西南方，两郡相连。493桓石虔：桓豁之子，桓冲之侄。494十二月甲辰：十二月初八。495管城：古城名，在今湖北钟祥北，接宜城界。496癸亥：十二月二十七。497领河东太守：兼任河东太守。〖按〗此所谓"河东"乃侨置之郡，在今湖北松滋境内。

【校记】

［17］于诸君意何如：原无此句。据章钰校，十二行本、乙十一行本、孔天胤本皆有此句，张瑛《通鉴校勘记》同，今据补。［18］已：据章钰校，十二行本、乙十一行本、孔天胤本皆作"颇"。［19］长乐：据章钰校，此下十二行本、乙十一行本、孔天胤本皆有"国"字，张敦仁《通鉴刊本识误》同。［20］妻：据章钰校，十二行本、乙十一行本皆作"妃"。［21］扬：原误作"阳"。据章钰校，乙十一行本作"扬"，今据校正。［22］镇蒲坂：原无此句。据章钰校，十二行本、乙十一行本、孔天胤本皆有此句，张敦仁《通鉴刊本识误》、张瑛《通鉴校勘记》同，今据补。［23］襄阳：原误作"彭城"。今据严衍《通鉴补》改作"襄阳"。

【语译】

七年（壬午，公元三八二年）

春季，三月，秦国担任大司农的东海公苻阳、担任员外散骑侍郎的王皮、担任尚书郎的东晋降将周虓共同谋反。事情败露，被逮捕，交付给最高司法部门廷尉进行审理。苻阳是苻法的儿子。王皮是王猛的儿子。秦王苻坚问他们为什么要谋反，苻阳回答说："我的父亲苻法因为无罪而被杀，我要为自己的父亲报仇。"苻坚哭泣着说："你父亲的死，责任并不在我，你难道不知道吗？"王皮说："我的父亲王猛，身为丞相，有辅佐君主创立大业的功勋，而我作为他的儿子，竟然免不了忍受贫贱，所以我要图谋富贵。"秦王苻坚说："你的父亲临终之时将你托付给我，要求我给你十套耕牛作为种田的资本，并没有要你当官。知子莫如父，可见你的父亲是多么英明！"周虓说："我们周家，世世代代蒙受晋朝的恩德，我活着是东晋的臣民，死了也要做东晋的鬼魂，你何必再问呢！"在此之前，周虓多次企图谋反，秦王苻坚身边的人都主张

左右皆请杀之，坚曰：“孟威烈士，秉志[505]如此，岂惮死乎！杀之适足[506]成其名耳。”皆赦不诛，徙阳于凉州之高昌郡[507]，皮、虓于朔方[508]之北。虓卒于朔方。阳勇力兼人[509]，寻复徙鄯善[510]。及建元之末[511]，秦国大乱，阳劫鄯善之相欲求东归，鄯善王杀之[512]。

秦王坚徙邺铜驼、铜马、飞廉、翁仲[513]于长安。

夏，四月，坚以[25]扶风[514]太守王永为幽州刺史。永，皮之兄也。皮凶险无行[515]，而永清修[516]好学，故坚用之。以阳平公融为司徒，融固辞不受。坚方谋伐晋，乃以融为征南大将军、开府仪同三司。

五月，幽州蝗生，广袤千里[517]，秦王坚使散骑常侍彭城刘兰发幽、冀、青、并民扑除[518]之。

秋，八月癸卯[519]，大赦。

秦王坚以谏议大夫裴元略为巴西、梓潼[520]二郡太守，使密具舟师[521]。

九月，车师前部[522]王弥寘、鄯善王休密驮入朝于秦，请为乡导，以伐西域之不服者，因如汉法置都护[523]以统理之。秦王坚以骁骑将军吕光为使持节、都督西域征讨诸军事，与凌江将军姜飞，轻车将军彭晃，将军杜进、康盛等总兵[524]十万，铁骑五千，以伐西域。阳平公融谏曰：“西域荒远，得其民不可使，得其地不可食，汉武征之，得不补失[525]。今劳师万里之外，以踵[526]汉氏之过举[527]，臣窃惜之。”不听。

桓冲使扬威将军朱绰击秦荆州刺史都贵于襄阳，焚践[528]沔北屯田，掠六百余户而还。

冬，十月，秦王坚会群臣于太极殿，议曰：“自吾承业垂三十载，四方略定，唯东南一隅，未沾王化[529]。今略计吾士卒可得九十七万，吾欲自将以讨之，何如？”秘书监朱肜曰：“陛下恭行天罚[530]，必有征无

杀掉周虓，苻坚说：“周虓是一名刚烈之士，其立志如此，难道还会怕死吗！杀死他正好成就了他忠于东晋的名声。”所以此次谋反，苻坚又都赦免了他们，只是把苻阳流放到凉州的高昌郡，把王皮、周虓流放到朔方以北地区。周虓最后死在了朔方。苻阳的勇力一个人能顶别人两个，不久就又把苻阳放逐到西域的鄯善。等到建元末年，秦国大乱，苻阳劫持了鄯善国的丞相，要求返回东方的秦国，鄯善国王遂杀死了苻阳。

秦王苻坚把邺城石虎时期的铜骆驼、铜奔马、铜飞廉以及铜翁仲全都运到秦国的都城长安。

夏季，四月，秦王苻坚任命担任扶风太守的王永为幽州刺史。王永是王皮的哥哥。王皮为人凶恶阴险没有品行，而王永却操行廉洁美好，所以秦王苻坚重用他。任命阳平公苻融为司徒，苻融坚决辞让，不肯接受任命。苻坚此时正在谋划攻伐东晋，于是，便任命苻融为征南大将军、开府仪同三司。

五月，秦国幽州境内发生蝗灾，受灾面积上千里，秦王苻坚派遣担任散骑常侍的彭城人刘兰发动幽州、冀州、青州、并州的民众扑灭蝗虫。

秋季，八月十一日癸卯，东晋实行大赦。

秦王苻坚任命担任谏议大夫的裴元略为巴西、梓潼二郡太守，让裴元略秘密打造舟船，训练水军。

九月，西域车师前部王弥窴、鄯善国王休密驮前往秦国的都城长安朝见秦王苻坚，同时请求为秦国出兵西域充当向导，讨伐那些不肯归附的西域各国，希望秦王能像汉朝那样在西域设置都护，统领西域各国。秦王苻坚于是任命担任骁骑将军的吕光为使持节、都督西域征讨诸军事，与担任凌江将军的姜飞，担任轻车将军的彭晃，将军杜进、康盛等人，统领步兵十万、骑兵五千人讨伐西域。阳平公苻融劝阻说：“西域荒僻遥远，即使征服了那里的人，对我们也没有什么用处，得到了那里的土地，也不能耕种庄稼，汉武帝曾经征伐西域，结果是得不偿失。如今劳动军队远行万里之外，重蹈汉王朝的错误道路，我实在感到很惋惜。”秦王苻坚没有听从阳平公苻融的劝阻。

东晋车骑将军桓冲派遣扬威将军朱绰率军袭击秦国荆州刺史都贵所镇守的襄阳，朱绰率军焚烧、践踏了汉水以北秦军屯垦的农田，劫掠了六百多户居民而返。

冬季，十月，秦王苻坚在皇宫的太极殿召集群臣开会，苻坚议论说：“自从我继承大业到现在，已经将近三十年，四海之内，基本平定，只有东南一角，还没有接受天子的管理和教化。如今粗略地估算一下我国的兵力，大概有九十七万，我想亲自率领着去讨伐晋国，你们觉得如何？”担任秘书监的朱肜说：“陛下秉承天命，按照上天的旨意对东晋进行讨伐，大军一旦出动，必定用不着开战，东晋皇帝司马昌明

战[531]，晋主不衔璧军门[532]，则走死江海[533]。陛下返中国士民，使复其桑梓[534]。然后回舆东巡，告成岱宗[535]，此千载一时[536]也。”坚喜曰：“是吾志也。”

尚书左仆射权翼曰：“昔纣为无道，三仁在朝[537]，武王犹为之旋师[538]。今晋虽微弱，未有大恶，谢安、桓冲皆江表伟人，君臣辑睦[539]，内外同心。以臣观之，未可图也。”坚嘿然[540]良久，曰：“诸君各言其志。”

太子左卫率石越曰：“今岁镇守斗[541]，福德在吴，伐之，必有天殃。且彼据长江之险，民为之用，殆未可伐也。”坚曰：“昔武王伐纣，逆岁[542]违卜[543]。天道幽远[544]，未易可知。夫差、孙皓[545]皆保据江湖，不免于亡。今以吾之众，投鞭于江，足断其流[546]，又何险之足恃乎！”对曰：“三国之君[547]皆淫虐无道，故敌国取之，易于拾遗。今晋虽无德，未有大罪，愿陛下且按兵[548]积谷，以待其衅。”于是群臣各言利害，久之不决。坚曰：“此所谓筑室道旁[26]，无时可成[549]，吾当内断于心[550]耳。”

群臣皆出，独留阳平公融，谓之曰：“自古定大事者，不过一二臣而已。今众言纷纷，徒乱人意，吾当与汝决之。”对曰：“今伐晋有三难：天道不顺，一也；晋国无衅，二也；我数战兵疲，民有畏敌之心，三也。群臣言晋不可伐者，皆忠臣也，愿陛下听之。”坚作色曰：“汝亦如此，吾复何望！吾强兵百万，资仗[551]如山。吾虽未为令主[552]，亦非暗劣[553]。乘累捷[554]之势，击垂亡之国，何患不克！岂可复留此残寇，使长为国家之忧

不是口衔玉璧前往秦国大军的营门投降，就是离开东晋的京师建康，向着东南方向，沿着长江逃往大海，最终是死路一条。陛下让那些从中原地区逃亡到江南的百姓，重新返回自己的故乡。大获全胜之后，陛下就应该御驾东巡，登上泰山祭祀天地神灵，向上天报告统一全国的大业已经成功，这真是千载难逢的好机会，陛下一定不要错过。”秦王苻坚高兴地说：“这正是我的志向。”

担任尚书左仆射的权翼说：“从前，商纣王暴虐无道，只因为朝中还有微子、箕子、比干三个仁义之人存在，周武王姬发还是下令回师。如今东晋虽然势力衰弱，但没有大的罪恶和暴行，谢安、桓冲都是江东伟大的人物，他们君臣和睦，朝廷内外同心协力。以我看来，攻伐东晋不可能成功。”秦王苻坚沉默了许久，最后说：“你们大家都谈谈自己的志向。”

担任太子左卫率的石越说：“今年木星、土星正好运行到斗星的附近，象征着福德之运属于吴地的东晋，如果此时讨伐东晋，上天必定降大祸给秦国。再说，东晋坚守长江天险，民众又肯为司马氏效命，恐怕此时讨伐不是好时机。”秦王苻坚说：“从前，周武王姬发讨伐商纣王的时候，也曾经违背岁星所在不可伐的规律、没有按照用龟甲占卜的结果进行趋吉避凶。上天的旨意幽邃而深远，我们凡人很难搞明白。吴王夫差、吴主孙皓都曾把长江大湖当作保卫家国的天然屏障，然而最终仍然没有逃过灭亡的下场。现在凭借我们人众之多，只要让我们秦国的士卒将马鞭子投入长江，就完全可以截断江流，他们还有什么天险可以依靠呢！”石越继续反驳说：“商纣王、吴王夫差和吴主孙皓这三国国君都是荒淫残暴、昏庸无道的君主，所以敌对的国家消灭他们，才会像弯下腰从地上捡起东西一样容易。如今的东晋，虽然没有什么值得称道的恩德，但也没有什么滔天大罪，所以希望陛下还是暂且休兵，积草屯粮，等待东晋有机可乘之时再率军前去讨伐。”于是群臣纷纷发表自己的看法，分析利害得失，讨论了很久，也没有取得一致的意见。秦王苻坚说：“这就叫作在大路旁边盖房子，老是向过往的行人征求意见，根本就不可能得到一致的看法，房子是永远也盖不成的，还是由我自己来做决定吧。”

群臣全都离开了太极殿，秦王苻坚单独留下阳平公苻融，苻坚对苻融说：“自古以来，参与决定大事情的不过一两个大臣而已。如今在讨伐东晋的问题上，群臣议论纷纷，只能扰乱人心，我现在就与你来决定这件事。”苻融回答说：“现在讨伐东晋有三大困难：违背天意，这是第一点；现在讨伐东晋没有可乘之机，这是第二点；我军屡次出兵作战，士卒疲惫，民众都有惧敌之心，这是第三点。那些认为不可以攻伐东晋的大臣都是忠臣，希望陛下能够采纳他们的意见。”秦王苻坚立即翻了脸，说：“连你也是这样，我还能指望谁！我们有一百万强大的军队，辎重、武器堆积如山。我虽然算不上是一个贤明的君主，但也不是那种昏庸无能之辈。现在趁着屡次胜仗的威势，攻击一个快要灭亡的国家，何必担忧不能成功！怎么能让这个残破的

哉!”融泣曰:“晋未可灭,昭然甚明。今劳师大举,恐无万全之功。且臣之所忧,不止于此。陛下宠育[555]鲜卑、羌、羯[556],布满畿甸[557],此属皆我之深仇。太子独与弱卒数万留守京师,臣惧有不虞之变[558]生于腹心肘掖[559],不可悔也。臣之顽愚,诚不足采。王景略[560]一时英杰,陛下常比之诸葛武侯,独不记其临没之言[561]乎?”坚不听。于是[562]朝臣进谏者众,坚曰:“以吾击晋,校[563]其强弱之势,犹疾风之扫秋叶。而朝廷内外皆言不可,诚吾所不解也。”太子宏曰:“今岁在吴分[564],又晋君无罪,若大举不捷,恐威名外挫,财力内竭,此群下所以疑也。”坚曰:“昔吾灭燕,亦犯岁而捷,天道固难知也。秦灭六国,六国之君岂皆暴虐乎?”

冠军[565]、京兆尹慕容垂言于坚曰:“弱并于强[566],小并于大,此理势[567]自然,非难知也。以陛下神武应期[568],威加海外,虎旅百万,韩、白满朝[569],而蕞尔江南[570],独违王命,岂可复留之以遗子孙哉!诗云:‘谋夫孔多,是用不集[571]。’陛下断自圣心[572]足矣,何必广询朝众!晋武[573]平吴,所仗者张、杜[574]二三臣而已。若从朝众之言,岂有混壹之功乎[575][27]!”坚大悦,曰:“与吾共定天下者,独卿而已!”赐帛五百匹。

坚锐意[576]欲取江东,寝不能旦[577]。阳平公融谏曰:“‘知足不辱,知止不殆[578]。’自古穷兵极武,未有不亡者。且国家本戎狄[579]也,正朔[580]会不归人[581]。江东虽微弱仅存,然中华正统,天意必不绝之。”坚曰:“帝王历数[582],岂有常邪[583]!惟德之所在[584]耳。刘禅[585]岂非汉之苗裔邪?终为魏所灭。汝所以不如吾者,正病此[586]不达变通[587]耳。”

敌寇继续存在，使它长久成为国家的忧患!”苻融哭泣着劝谏说：“东晋不可灭，道理非常明显。如果劳师动众大举进攻东晋，恐怕没有绝对获胜的把握。而且我所担忧的，还不仅仅是能否大获全胜的问题。陛下所宠爱、信任的那些鲜卑人、羌族人、羯人遍布在京城内外，这些人都是与我们有着深仇大恨的人。让太子单独率领几万名老弱残兵留守京师，我担心万一在腹心之地或肘腋之间发生意想不到的突然事变，到那时后悔可就来不及了。我生性顽劣愚昧，意见确实不值得采纳。王猛可是一代豪杰，陛下常把他比作武侯诸葛孔明，难道就不记得他在临终之时说过的话了吗?”秦王苻坚依然没有采纳苻融的意见。当时，满朝文武上疏劝谏的人很多，苻坚说：“用我们的军队攻击东晋，比较双方实力的强弱，就如同秋风扫落叶一样。而朝廷内外的官员却都认为不能攻灭东晋，这确实让我不能理解。”秦国太子苻宏说：“今年岁星运行到吴地的分野，再说东晋的君主也没有什么大罪过，如果大举出兵却不能取胜，恐怕不仅在外有损于陛下的威名，国家内部的财力也将被消耗一空，这就是群臣所感到疑惑的地方。”苻坚说：“从前我们消灭燕国的时候，也是违背福星属燕的天象，结果还不是我们大获全胜，上天的旨意本来就难以理解。嬴秦灭掉了东方的齐、楚、燕、韩、赵、魏六个国家，这六个国家的君主难道都是暴虐之君吗?”

秦国担任冠军将军、京兆尹的慕容垂对秦王苻坚说：“弱国被强国吞并，小国被大国消灭，不论是从道理上来讲，还是从形势上分析，都是必然的规律，并不是什么令人难以理解的道理。陛下既有神武的主观条件，又能顺应客观的大好时机，声望和威势早就震动了海外，再加上百万雄师，像韩信、白起那样的良将充满朝堂，而一个小小的东晋王朝竟敢违抗王命，怎能不把它消灭，而将它遗留给子孙去解决呢!《诗经·小旻》上说：‘由于出主意的人太多，所以不能取得成功。’陛下自己决断就可以了，何必广泛地向满朝文武征询意见！晋武帝平定东吴的时候，所仰仗的不过是张华、杜预两三个大臣而已。如果当时听从了朝廷众臣的意见，岂能成功地统一天下!”秦王苻坚非常高兴地说：“能够与我一起平定天下的，只有你一个人而已!”于是赏赐给慕容垂五百匹帛。

秦王苻坚专心一意要攻取东晋，并为此急切得每晚睡不到天亮就醒。阳平公苻融劝谏苻坚说：“《老子》说‘知道满足的人就不会受屈辱，懂得适可而止的人就不会有危险’。自古以来，凡是穷尽全国的兵力、无休止地对外用兵，没有不导致灭亡的。再说，陛下原本是少数民族，中原地区历代王朝相互沿袭的华夏正统，绝对不会转移到我们夷狄人所建立的国家。远避江东的晋国虽然势力弱小、一脉仅存，然而属于中华正统，上天一定不会使它灭绝。”苻坚说：“帝王宝座的传承，岂有一成不变的！道德所在就是天意所在。后主刘禅难道不是蜀汉的后裔吗？但最终还是被魏国灭掉。你所以比不上我的原因，差就差在你不懂得灵活通变这一点上。”

坚素信重沙门道安[588]，群臣使道安乘间进言。十一月，坚与道安同辇游于东苑。坚曰："朕将与公南游吴、越，泛长江，临沧海，不亦乐乎？"安曰："陛下应天御世[589]，居中土[590]而制四维[591]，自足比隆尧、舜[592]，何必栉风沐雨[593]，经略遐方[594]乎？且东南卑湿，沴气易构[595]，虞舜游而不归[596]，大禹往而不复[597]，何足以上劳大驾也？"坚曰："天生烝民[598]而树之君[599]，使司牧[600]之。朕岂敢惮劳，使彼一方独不被泽[601]乎？必如公言，是古之帝王皆无征伐也。"道安曰："必不得已，陛下宜驻跸洛阳[602]，遣使者奉尺书[603]于前，诸将总六师[604]于后，彼必稽首入臣，不必亲涉江、淮也。"坚不听。

坚所幸张夫人谏曰："妾闻天地之生万物，圣王之治天下，皆因其自然而顺之，故功无不成。是以黄帝服牛乘马[605]，因其性[606]也。禹濬九川[607]，障九泽[608]，因其势[609]也。后稷播殖百谷，因其时[610]也。汤、武帅天下而攻桀、纣，因其心[611]也。皆有因则成，无因则败。今朝野之人皆言晋不可伐，陛下独决意行之，妾不知陛下何所因也。《书》曰'天聪明自我民聪明[612]'，天犹因民，而况人乎？妾又闻王者出师，必上观天道[613]，下顺人心。今人心既不然矣，请验之天道。谚云：'鸡夜鸣者不利行师，犬群嗥[614]者宫室将空，兵动马惊，军败不归。'自秋冬以来，众鸡夜鸣，群犬哀嗥，厩马[615]多惊，武库兵器自动有声，此皆非出师之祥也。"坚曰："军旅之事，非妇人所当预[616]也。"

坚幼子中山公诜最有宠，亦谏曰："臣闻国之兴亡，系[617]贤人之用舍[618]。今阳平公[619]，国之谋主[620]，而陛下违之，晋有谢安、桓冲，而陛下伐之，臣窃惑之。"坚曰："天下大事，孺子安知！"

秦刘兰讨蝗[621]，经秋冬不能灭。十二月，有司奏请[28]征兰下

秦王苻坚素来信任、尊崇佛教和尚道安，群臣于是便请托道安找机会劝谏秦王苻坚。十一月，秦王苻坚与道安和尚同乘一辆辇车在东苑游览。苻坚对道安说："我准备和你一道南游吴越，在长江上泛舟，前往观看苍茫的大海，岂不是一件令人快乐的事情?"道安趁机劝谏说："陛下上应天命，统治国家，位居中原而控制四方，国家的兴盛完全可以与古代圣王唐尧和虞舜统治时期相比美，何必非要冒着风吹雨淋，去经营那遥远的地方呢？而且东南方地势低洼、气候潮湿，瘴疠之气容易使人生病，虞舜南游巡狩，驾崩于苍梧之野，大禹东巡，至于会稽而不返，哪里值得亲劳圣驾呢?"苻坚说："上天降生了众多的民众，又为他们选择君主来统治他们。我岂敢害怕劳苦，而唯独使东南方的民众沐浴不到帝王的恩泽呢？如果确实像你所说的那样，自古以来的帝王全都没有征伐了。"道安说："如果非得征伐的话，陛下也应该把您的车驾停留在洛阳，派遣使者带着一封书信先行前往送达，使诸将统领六军紧随其后，东晋必定会俯首称臣，归降秦国，陛下根本用不着亲自去渡长江、过淮河。"秦王苻坚仍然不肯听从。

秦王苻坚最宠爱的张夫人劝谏苻坚说："我听说，不论是天地生育万物，还是圣王治理天下，都是因为顺应了自然发展的趋势，才取得了成功。所以，黄帝用牛驾车、用马为坐骑，这就是顺应牛能载重、马能致远的特性。大禹率人疏通了天下的河道，为各地的湖泽修好了堤岸，也是根据各自的地势。后稷播种百谷，是顺应春、夏、秋、冬的四季变化，百谷才能成熟。商汤率领天下攻击夏桀、周武王率领天下讨伐商纣，是顺应了天下民心。他们的成功都是有一定原因的，如果没有可以成功的因素在里面就会导致失败。如今不论是朝廷内外的官员还是市井中的小民百姓都认为不可以讨伐东晋，而陛下却一意孤行，决意要讨伐东晋，我不知道陛下顺应的是什么。《尚书》上说'上天的听觉灵敏、视觉灵敏，是因为与民心相通'，上天还要依靠民心，何况是人呢？我还听说，圣明的君主每次出兵，一定要观察人事之外的自然现象，下顺民心。如今人心已经不赞成伐晋，那就该验证一下人事之外的自然现象如何。俗话说：'鸡在半夜里鸣叫不利于出兵打仗，狗成群结队地狂吠，预示着宫室将要变成废墟，兵器自动发出声音、战马惊恐不安，预示出征的军队失败，不能回归。'自进入秋冬季节以来，很多鸡都在半夜里鸣叫，狗也成群结队地哀号不止，马棚里的战马惊恐不安，武库中的兵器自己就能发出声响，这些都不是出征的好预兆。"秦王苻坚说："出征打仗的事情，不是妇人所应该过问的。"

秦王苻坚最小的儿子、中山公苻诜最受苻坚的宠爱，苻诜也劝谏苻坚说："我听说，国家的兴盛或是败亡，取决于对贤能之人的意见是采用还是舍弃。如今阳平公苻融，是国家的主谋之人，而陛下却拒绝接受他的意见，东晋朝廷有谢安、桓冲那样的能臣，而陛下却要率军去讨伐东晋，我对此感到非常的疑惑不解。"苻坚说："天下大事，小孩子知道什么！"

秦国刘兰率人扑灭蝗虫，从秋天到冬天还是没能把蝗虫彻底扑灭。十二月，有

廷尉。秦王坚曰："灾降自天，非人力所能除。此由朕之失政，兰何罪乎！"

是岁，秦大熟[622]，上田亩收七十石，下者三十石。蝗不出幽州之境，不食麻豆[623]。上田亩收百石，下者五十石。

【段旨】

以上为第四段，写孝武帝太元七年（公元三八二年）一年间的大事。主要写了苻坚的堂兄弟苻阳与王猛之子王皮、东晋被俘之将周虓串联造反，事泄，三人都被流放，最后死在边裔。写了西域的车师、鄯善二王到秦国朝拜，自请愿为秦军向导以伐西域之不服者，苻坚于是命将出兵，苻融谏阻，苻坚不从。写了苻坚命巴西、梓潼二郡密具舟师，为伐晋做准备。写了苻坚召集群臣共议伐晋之事，朱肜、慕容垂承旨赞成，权翼、石越、苻融、太子宏、沙门道安、苻坚之宠妃张氏、苻坚之幼子中山公诜等皆于人前人后恳切劝阻，而苻坚执意不听等。

【注释】

⑱秦大司农东海公阳：苻阳，苻法之子，苻坚之侄，被封为东海公。⑲哀公：即苻法，被封为东海公，谥曰献哀。事见本书前文卷一百穆帝升平元年。㊿佐命：辅佐某人成就帝业。古称某人为帝曰"受命"。[501]托卿：把你托付给我。[502]十具牛：十套耕牛，十头牛与其相应的其他耕具。[503]治田之资：种田的资本。[504]荷：蒙；承受。[505]秉志：持志；坚守信念。[506]适足：正好可以。[507]高昌郡：郡治所高昌，在今新疆吐鲁番东南。[508]朔方：古郡名，郡治临戎县，在今内蒙古的磴口北，东汉以后废。[509]兼人：超人，一人等于别人两个。[510]鄯善：西域国名，国都伊循，在今新疆若羌东。[511]建元之末：指苻坚在位的末期。"建元"是苻坚的第三个年号，建元元年为公元三六五年。苻坚于其建元十九年伐晋兵败，建元二十年苻坚被姚苌派人勒死。[512]鄯善王杀之：此乃后话，史家为终言三人之死，故探后事言之。[513]铜驼、铜马、飞廉、翁仲：四者都是当年西晋皇宫门前的旧物，石虎为帝时将其由洛阳移往邺城之后赵宫门前。今苻坚又将其移至长安的苻氏宫前。飞廉，也写作"蜚廉"，神兽名，传说其状为鹿身、爵头、蛇尾、豹纹，有角，能致风气。翁仲，传说为秦始皇时期的巨人之名，镇守临洮，匈奴畏之。秦始皇遂以铜铸其像，置于宫门前。后人也称陵墓前的石人为"翁仲"。[514]扶风：也称"右扶风"，郡名，郡治设在长安城内。"右扶风""京兆尹""左冯翊"合称"三辅"，是长

关部门的官员奏请将刘兰召回京师长安，交付廷尉进行审理。秦王苻坚说：“蝗虫是上天降下来的灾害，不是靠人力所能消灭的。这都是因为我的过失所引起，刘兰有什么罪呢！”

这一年，秦国的粮食获得了空前的大丰收，上等农田每亩收获七十石粮食，最低等的也收获了三十石粮食。蝗虫始终没有离开幽州境内，而且这些蝗虫不吃五谷。在幽州，上等农田每亩收获上百石粮食，下等农田也能收获五十石粮食。

安城与其周围地区的三个郡级行政单位，其长官都相当于太守。⑮ 凶险无行：凶恶无德行。516 清修：指操行廉洁美好。517 广袤千里：言受灾的面积纵横千里。东西之长曰“广”，南北之长曰“袤”。518 扑除：扑打、灭除。519 八月癸卯：八月十一。520 巴西、梓潼：二郡名，巴西郡的郡治即今四川阆中，梓潼郡的郡治在今四川绵阳的东侧。521 密具舟师：秘密准备船只并训练水军。具，准备。522 车师前部：西域国名，也称“车师前国”，国都交河城，在今新疆吐鲁番的西北方。523 都护：官名，意即总监。汉宣帝时设西域都护，以统领西域诸国，为驻西域地区的最高长官。其后废置不常。524 总兵：犹言统兵。总，集合、统领。525 得不补失：即得不偿失，得到的抵不上失去的。汉武帝曾伐大宛，破楼兰，讨姑师、田车师，时人以为得不偿失。526 踵：追随；复蹈。527 汉氏之过举：汉武帝当年的错误行动。528 焚践：焚烧、践踏。529 未沾王化：没有接受天子的管理与教化。沾，润泽、蒙受。530 恭行天罚：恭敬地替老天爷讨伐有罪者。《尚书·甘誓》有所谓“今予惟恭行天之罚”。531 有征无战：出兵征讨而不用作战，以喻双方的道义与实力的相差悬殊。532 衔璧军门：指自动出降。古代帝王向人投降时，照例都是“面缚衔璧”“以组系颈”等，意思是表示服罪、请罪。军门，讨伐大军的营门。533 走死江海：向东、向南逃窜，沿江逃向大海，终归死路一条。534 使复其桑梓：让他们各自返回自己的故乡。桑、梓是古代住宅旁边常栽的树木，东汉以来用以代称故乡。535 告成岱宗：登泰山封禅，向上天报告成功。岱宗，即泰山，五岳之首。古人认为泰山最高，泰山顶离天最近，故统一天下、功成德就者的帝王都讲究登泰山举行封禅，如秦始皇、汉武帝等，都是如此。536 此千载一时：现在正是这种千载难逢的好时机。537 三仁在朝：朝廷上还有三个仁义之人存在，指微子、箕子、比干，都是殷纣王手下的忠义之臣。“三仁”的具体表现，见《史记·殷本纪》。538 旋师：回师，犹今言撤军。武王为“三仁”而旋师事，详《史记·周本纪》。539 辑睦：和睦。540 嘿然：同“默然”，沉默不语。541 岁镇守斗：今年木星、土星正好运行到斗宿的附近。岁，岁星，即木星。镇，镇星，即土星。守，这里即指运行到。斗，二十八宿之一，是吴、越两国及扬州的分星。古人认为“(岁星)其所居久，其国有德厚，五谷丰昌，不可伐”；“(镇星)所居之宿，国吉，得地及女子，有福，

不可伐”。㊿逆岁：逆着岁星所在的方向而行事，即俗所谓“太岁头上动土”。据《荀子·儒效》：“武王之诛纣也，行之日以兵忌，东面而迎太岁。”杨琼注云：“迎，谓逆太岁也。”又《尸子》下卷：“武王伐纣，鱼辛谏曰：‘岁在北方，不北征。’武王不从。”543违卜：逆着占卜所呈现的指示行动。据《史记·齐太公世家》：“武王将伐纣，卜龟，兆不吉，风雨暴至。群公尽惧，唯太公强之劝武王，武王于是遂行。”544天道幽远：老天爷的意思，世人是弄不清的。545夫差、孙皓：都是古代在晋朝所据地区建立国家的帝王，夫差是春秋时期的吴国君主，国都在今江苏苏州，被越王勾践所灭；孙皓是三国时期吴国的帝王，国都即东晋王朝的都城建康，被司马炎所灭。546投鞭于江二句：把我们秦国战士的马鞭扔到江中，就足以截断江流，以形容秦军的兵马之多。547三国之君：指商纣、夫差、孙皓。548按兵：止兵；休兵。549筑室道旁二句：意思是说，想在马路边上盖房子，老向过往的行人征求意见，那是永远也不可能得到一致的看法，房子是永远也盖不成的。两句出自《诗经·小星》：“如彼筑室于道谋，是用不溃于成。”郑玄《笺》云：“如当路筑室，得人而与之谋所为，路人之意不同，故不得遂成也。”550内断于心：我要自己做出决定。551资仗：指军用物资，如粮食、兵器等。552未为令主：说不上是一个贤明的君主。令，善、美好。这里只是一种故作客气的说法，不是真有自知之明。553亦非暗劣：也不能就说是一个昏愦的人。554累捷：连续胜利，势如破竹。555宠育：优待。556鲜卑、羌、羯：指慕容氏、姚氏、石氏等。557布满畿甸：遍布在都城周围。古代称天子直接管辖的地区为王畿，称京城四周之地为甸，犹今之所谓郊区。558不虞之变：意想不到的突然事变。559腹心肘掖：以喻自己的要害之处。掖，同“腋”。560王景略：即王猛，字景略。561临没之言：王猛临终遗言有所谓“晋虽僻处江南，然正朔相承，上下安和，臣没之后，愿勿以晋为图”。见本书卷一百三宁康三年。562于是：当时；这时候。563校：比较；衡量。564岁在吴分：岁星运行到吴地的分野。古人认为，伐这样的国家，对发动战争者不利。前之后赵伐燕，结果大败，形势与此相同。565冠军：即冠军将军。566弱并于强：弱国被强国兼并。下句句式同。567理势：道理形势。568神武应期：既有神武的主观条件，又能顺应客观的大好时机。569韩、白满朝：秦国有很多像韩信、白起一样的良将，布满朝廷。韩信是刘邦的名将，帮着刘邦灭了项羽；白起是秦昭王的名将，大破东方六国，为日后秦始皇的统一六国奠定了基础。570蕞尔江南：一个小小的晋王朝。蕞尔，形容极小的样子。571谋夫孔多二句：由于出主意的人太多，所以大功不成。孔，甚、很。是用，因此。集，成功。二语出自《诗经·小旻》。572断自圣心：犹言自己拿主意。573晋武：晋武帝司马炎。574张、杜：张华、杜预。张华字茂先，晋初任中书令，是协助司马炎定计灭吴的关键人物。传见《晋书》卷三十六。杜预字符凯，是统兵灭吴的主要将领。传见《晋书》卷三十四。575岂有混壹之功乎：混壹，统一天下。〖按〗以上慕容垂所言，是真情，还是假意，史未明言。以理推断，是慕容垂借刀杀人，借东晋以灭苻坚，为其重建燕国寻找机会。576锐意：意志坚决；专心一意。577寝不能旦：不到天亮就醒，极言其思虑之急切。578 知足不辱二句：语出《老子》第四十四章。意思是知道满足就不会受屈辱，懂得适可而止就不会有危险。579 国家本戎狄：皇帝您也是少数民族的人物。国家，这里即指苻坚本人。580 正朔：旧历每年的第一个月叫“正”，每个月的第一天叫“朔”。古时改朝换代，新王朝为表示自己的“应天承运”，总是要另改一种“正朔”。故“正朔”在这里即指中原地区历代王朝相互沿袭的一种华夏正统。581 会不归人：绝对不会转到夷狄的人。会，绝对、肯定。582 帝王历数：帝王的次序。历数，命定的次序。583 岂有常邪：哪里就那么一成不变呢。邪，同“耶”，疑问语气词。584 惟德之所在：就看谁有道德。585 刘禅：刘备之子，即“阿斗”，三国时期的蜀汉后主，被魏国所灭。586 正病此：差就差在这一点。病，差、坏。587 不达变通：不懂得灵活变通。变通，指事物的发展不拘常格。〖按〗以上诸人劝苻坚不要伐晋，当然有其合理性；但所取的论点、论据，多有荒谬，故苻坚之不取也。588 道安：东晋僧人，本姓卫。十二岁出家，受戒后游学至邺，师事佛图澄。后在襄阳立檀溪寺，铸佛像，宣扬佛法。苻坚攻取襄阳，送往长安。苻坚曾令内外学士，有疑都向他请教。曾编纂《综理众经目录》，确立僧尼戒规，主张僧侣以“释”为姓。弟子中以立净土宗的慧远最著。传见南朝梁释慧皎《高僧传》及《出三藏集记》。589 御世：统治国家。御，驾驭、统治。590 中土：中国；中原地区。591 四维：四隅；四角，亦即四方。592 比隆尧、舜：与尧、舜的政治相比美。隆，兴盛。593 栉风沐雨：以风梳发，以雨洗头，意同顶风冒雨。594 经略遐方：经营远方之地。经略，经营，此即发动战争以谋取。595 沴气易构：恶毒之气容易生成。沴气，这里即指瘴疠之气。构，生成。596 虞舜游而不归：传说虞舜南游巡狩，崩于苍梧，即今湖南宁远南的九嶷山一带。事详《史记·五帝本纪》。597 大禹往而不复：传说大禹东游，会诸侯于会稽，即今浙江绍兴东南的会稽山，最后死在那里。事详《史记·夏本纪》。598 烝民：众民。599 树之君：为他们设置国君。600 司牧：管理；统治。601 被泽：蒙受帝王的恩泽，即接受统治。602 驻跸洛阳：把您的车驾停驻在洛阳。跸，指帝王的车驾。603 奉尺书：手持书信一封，意即前往谕告。尺书，尺牍、信札。604 总六师：统领六军。六师，即六军。古时天子有六军，后作为军队的统称。605 服牛乘马：以牛驾车，以马为坐骑。服，拉车。606 因其性：顺着牛马的特性。因，顺、根据。607 濬九川：疏通天下的河道。濬，疏通。九是泛指多的意思。有人称“九川”指弱水、黑水、河水、漾水、江水、沇水、淮水、渭水、洛水。可备一说，未必合适。608 障九泽：为各地的湖泊都修好堤岸。障，堤岸，这里用如动词。有人据《周礼·夏官·职方》将“九泽”具体地指为扬州的具区、荆州的云梦、豫州的圃田、青州的望诸、兖州的大野、雍州的弦蒲、幽州的貕养、冀州的杨纡、并州的昭余祁。也可以姑备一说，未必合适。609 因其势：根据各自的地势。610 因其时：顺着春、夏、秋、冬四时。611 因其心：顺应着天下百姓的人心。612 天聪明自我民聪明：出自《尚书·皋陶谟》的皋陶之语。聪，谓听觉灵敏。明，谓视觉灵敏。意思是天的视听与民相通。613 天道：指人事之外的自然现象。614 群嘷：成群地号叫。615 厩马：马棚里的马。

厩，马棚。⑯预：参与；过问。⑰系：由于；决定于。⑱用舍：任用还是舍弃。⑲阳平公：指苻融，苻坚之弟。⑳谋主：主谋之人，犹言“智囊”。㉑讨蝗：灭蝗；扑打蝗虫。㉒大熟：大丰收。㉓麻豆：大麻与豆类，这里即泛指五谷。〖按〗胡三省对秦国的这种大丰收解释为：“物反常为妖：蝗之为灾尚矣，蝗生而不食五谷，妖之大者也。农人服田力穑，至于有秋，自古以来未有亩收百石、七十石之理，而亩收五十石、三十石亦未之闻也。使其诚有之，又岂非反常之大者乎？使其无之，则州县相与诬饰以罔上，亦不祥之大者也，秦亡宜矣。”〖按〗这种强词夺理地以“天变”预言人世之祸福，实属荒谬之极。如果秦国这时赤地千里，寸草不生，人皆饿死，人们会说这是老天爷发出的警告，董仲舒之流就是这样骗人的。现在秦国得到了丰收，分明表现了“天道”与“人道”的无关，而诡辩者又以一种“反常为妖”，大丰收也是“妖之大者也”来解释人事，真可谓“左右逢源”。历史家也偏偏相信这一套，将其写之入史，令人生大厌。

【校记】

［24］春，三月：原无此三字。据章钰校，十二行本、乙十一行本、孔天胤本皆有此三字，张敦仁《通鉴刊本识误》、张瑛《通鉴校勘记》同，今据补。［25］以：原脱，文义不明。胡三省注云：“当有‘以’字。”据章钰校，孔天胤本有“以”字，张敦仁《通鉴刊本识误》同，今据补。［26］筑室道旁：原作“筑舍道傍”。据章钰校，十二行本、乙十一行本皆作“筑室道旁”，今从改。孔天胤本“舍”亦作“室”。“傍”“旁”二字同。［27］乎：原无此字。据章钰校，十二行本、乙十一行本皆有此字，今据补。［28］请：原无此字。据章钰校，十二行本、乙十一行本皆有此字，张敦仁《通鉴刊本识误》、张瑛《通鉴校勘记》同，今据补。

【研析】

本卷写孝武帝太元元年（公元三七六年）至太元七年（公元三八二年）共七年间的各国大事。主要写了秦主苻坚派其将苟苌、毛盛等消灭了凉州的张天锡政权，又征服了西障地区的氐、羌二族，又派将军苻融、俱难、邓羌等打败了代王什翼犍等西征、北讨的胜利，又在内部平定了苻洛、苻重与苻阳、王皮等两次内乱后，遂西攻襄阳、竟陵，东攻彭城，中攻淮南等多路对晋王朝发动进攻。写了谢安治理朝政，巧妙运筹，首次将相和谐地在西线由桓冲指挥桓石虔、桓石民破杀了秦将阎振、吴仲，在东线由谢玄指挥田洛、何谦、戴逯等连续破秦兵于盱眙、淮阴，又破秦兵于淮北，开始了晋军在多条战线取得一系列胜利的前所未有的历史局面。但苻坚似乎并未注意到晋王朝这些政治与军事上的新特点、新气象，而不求知己知彼，一味蓄意发动对江南的战争，醉心于消灭晋王朝，而且为此竟达到了九牛拉不回的程度，为下卷的“淝水之战”做好了种种铺垫，其中应注意的大事有如下几件。

第一，对谢安的几次行动措施如何理解。王坦之、王彪之与谢安运用智慧，巧妙地挫败了桓温的阴谋，拥立孝武帝司马曜即位后，时司马曜十岁，王彪之主张设立“顾命大臣”，谢安则主张由“太后临朝”。粗看起来，像是谢安别有用心，企图自己把持朝政，但似乎不应做如此简单的理解。王夫之《读通鉴论》对此分析说：“安为大臣，任国之安危则任之耳，何假于太后？曰：晋之任世臣而轻新进也，成乎习矣……至穆帝之世，权归桓氏非一日矣，谢安社稷之功未著，而不受托孤之顾命，其兄万又以虚名取败，虽为望族，无异于孤寒……固群情之所不信；而乍秉大权，桓冲之党且加以‘专国自用’之名而无以相折，则奉母后以示有所承，亦一时不获已之大计也。或曰：安胡不引宗室之贤者与己共事，而授大政于妇人耶？曰：前而简文之辅政，其削国权以柔靡，已如此矣；后而道子之为相，其僭帝制以浊乱，又如彼矣。司马氏无可托之人，所任者适足以相挠，固不如妇人之易制也。此之谓反经而合道，又何妨哉?”苻坚之西征、北伐获胜后，“朝廷方以秦寇为忧，诏求文武良将可以镇御北方者，谢安以兄子玄应诏”。对于谢安这种“内不避亲”的做法，“众咸以为不然”。苻坚率大军伐晋，桓冲甚至说：“谢安石有庙堂之量，不闲将略。今大敌垂至，方游谈不暇，遣诸不经事少年拒之，众又寡弱，天下事已可知，吾其左衽矣！”只有郗超深信不疑，他说：“安之明，乃能违众举亲；玄之才，足以不负所举。”后来的事实证明，谢安的眼光的确为一般人所不具。宋代真德秀说：“夫采玉必于山，求珠必于渊，而求士必于国，立功必于贤。但人多以私意累之，于雠则弃，于亲则嫌。安也有见于此，而以玄应诏。昔者晋祁奚举其子祁午，狄仁杰举其子光嗣，脱然俗见之外。若赵充国于帝求取名将，而曰‘无逾老臣’，岂计较以赴功名之会，投立功之机，而忌以靖边之烈分与人哉？亦真见边事多艰，而不可以白面书生当之耳。是以予论之曰：奚也不知有子，但知有晋；杰也不知有子，但知有唐；赵充国不知有己，但知有汉；安也亦但知却秦难，曷计兄之子哉？其用心之公一也。”

第二，如何看待谢玄的几次初试牛刀。关于谢玄，《晋书》上说他“有经国才略”，但在军事方面有何积累，史无明文。他的同僚郗超说他“吾尝与玄共在桓公府，见其使才，虽履屐间未尝不得其任”。这是指谢玄能识别人才，能使用人才，能发挥人才的作用。谢玄于孝武帝太元二年（公元三七七年）被任为兖州刺史，领广陵相，监江北诸军事，从此管理军务。接着《通鉴》写了一段谢玄治军的故事，说：“玄募骁勇之士，得彭城刘牢之等数人。以牢之为参军，常领精锐为前锋，战无不捷，时号‘北府兵’，敌人畏之。”《晋书·刘牢之传》对此说：“太元初，谢玄北镇广陵，时苻坚方盛，玄多募劲勇，牢之与东海何谦、琅邪诸葛侃、乐安高衡、东平刘轨、西河田洛及晋陵孙无终等以骁猛应选。玄以牢之为参军，领精锐为前锋，百战百胜，号为‘北府兵’，敌人畏之。”这段叙述很重要，作为一名军事指挥员，手下没有自己得力的一支军队，没有一批得心应手的部将，是无法打败敌人的。像东晋此前率军北征的庾亮、殷浩、谢万等人，就完全不具备这种资质。在古代冷兵器而通信条件又极不发达的时代，一支小部队甚至某几个人的英勇顽强就可能影响一场大战争的胜败。《通鉴》在写前赵刘曜的失败与魏氏冉闵的某场胜利时就都有这样的例子。当秦将彭超围困戴逯于彭城，谢玄率军往救时，“彭超置辎重于留城，谢玄扬声遣后军将军东海何谦向留城。超闻之，释彭城围，引兵还保辎重，戴逯帅彭城之众，随谦奔玄”。这是谢玄的第一次略施小计，救戴逯出了彭城。当秦将彭超、俱难占领盱眙，进而围困三阿，毛盛、毛当又占领堂邑的时候，“谢玄自广陵救三阿。丙子，难、超战败，退保盱眙。六月戊子，玄与田洛帅众五万进攻盱眙，难、超又败，退屯淮阴。玄遣何谦等帅舟师乘潮而上，夜焚淮桥。邵保战死，难、超退屯淮北。玄与何谦、戴逯、田洛共追之，战于君川，复大破之。难、超北走，仅以身免”。气得苻坚大怒，彭超被下狱、自杀，俱难被削职为民。试想，自西晋灭亡以来，东晋什么时候曾有过如此势如破竹的胜利？曾有过如此激动人心的连珠一般的捷报频传？这是下卷“淝水大捷”的前奏曲，是谢玄的初试牛刀。

第三，如何理解苻坚伐晋决心的九牛难回。苻坚于孝武帝太元七年（公元三八二年）八月“以谏议大夫裴元略为巴西、梓潼二郡太守，使密具舟师”，准备伐晋。十月，苻坚遂在太极殿召集群臣让大家讨论伐晋的问题，在会上，除了朱肜、慕容垂是顺着苻坚的心思加以怂恿外，其他如权翼、石越、苻融、太子苻宏、沙门道安、苻坚之宠妃张氏、苻坚之幼子中山公苻诜皆于人前人后恳切劝阻，而苻坚执意不听。不要伐晋，这首先是王猛临死前向苻坚提出的劝告，苻坚当时并没有表示不赞成，为什么时隔七年，苻坚就变成这种样子了呢？存在决定意识，是因为在这七年中秦国与整个大中国的形势又发生了许多变化。太元元年，苻坚派苟苌、毛盛等灭了凉州的张天锡政权，平定了今甘肃一带地区；接着又派苻洛、俱难、邓羌等进攻代国，灭了拓跋氏政权，平定了今内蒙古与山西、陕西北部的一带地区；又讨伐西障氐羌，平定了今四川、甘肃、青海交界一带地区。这时秦国的疆域，东至现在的辽宁，西至现在的新疆，北至内蒙古，南至云南、贵州，整个四川、重庆市都属秦国。威力所及，当时东部境外的高句丽以及朝鲜境内的新罗、百济都向秦国进贡请服；西部连帕米尔高原以西的大宛都自动给苻坚送来了汗血马。苻坚的威名远播，几乎比当年的汉武帝还要强大。接着他又向晋王朝发动试探性的进攻，又攻取了今湖北境内的重镇襄阳，与江苏境内的彭城，亦即今之徐州。可以说，苻坚此时的势力，比起当年司马炎消灭东吴前的形势还要好。连司马氏这样一个可耻的家族、一个腐败可憎的政权当时都能灭掉东吴，而像苻坚这样一位顶天立地的英雄，一个如此巨大、如此强盛的国家，怎么就不能灭掉东晋这样一个让人瞧不起的政权呢？“小和尚动得，我动不得?”而且反对伐晋的言论中有一种口实是“天道不顺”；是“国家本戎狄也，正朔会不归人”；是“中华正统，天意必不绝之”。这种话让苻坚听了，不仅不能回心转意，反而会更加火上浇油。像司马氏这样的家族，难道也能“上应天命”？难道也应上承“正朔”，并进而获得“老天爷”的福佑？这“老天爷”究竟是什么东西！谁获得了胜利，谁就是“上应天命”，浩如烟海的历史不就是这样写下来的吗？

淝水之战，苻坚的确是失败了，其原因不是东晋不该打，或者说是不能打，而是苻坚自身方面的许多问题没有解决好。这些留待下卷再说。

卷第一百五　晋纪二十七

起昭阳协洽（癸未，公元三八三年），尽阏逢涒滩（甲申，公元三八四年），凡二年。

【题解】

本卷写孝武帝太元八年（公元三八三年）、太元九年共两年间的东晋及各国大事。主要写了桓冲率军进攻秦国占领的襄阳，同时派部将分别进攻涪城、沔北、武当、筑阳等地；苻坚派兵分援，桓冲等遂引兵退回。写了秦主苻坚发兵八十七万伐晋，而晋以谢石为大都督，以谢玄为前锋都督，率军八万以御之。写了谢玄的部将刘牢之率军直前，大破秦将梁成于洛涧，谢石、谢玄率晋军继进，与苻坚大军夹淝水而阵。谢玄遣使请秦军稍却，以待晋军渡河决战，苻坚许之。结果秦军一退不可复止，再加上朱序在秦军中煽动呼叫“秦军败矣”，秦军遂大奔而溃散。苻融驰骑略阵，被晋军射死，苻坚被流矢所伤。晋军渡河追击，秦兵死者什七八。独慕容垂部获全，苻坚前往投之。慕容垂将自己的三万人授予苻坚，自请为苻坚安抚河北。时值丁零翟斌起兵叛秦，慕容垂请兵往讨，至则被翟斌等拥立为盟主，慕容垂遂自称燕王，率兵攻邺，秦将苻丕拒守不下，慕容玮之

【原文】

烈宗孝武皇帝上之下

太元八年（癸未，公元三八三年）

春，正月，秦吕光发长安[①]，以鄯善王休密驮、车师前部王弥寘[②]为乡导。

三月丁巳[③]，大赦。

夏，五月，桓冲帅众十万伐秦，攻襄阳。遣前将军刘波等攻沔北诸城；辅国将军杨亮攻蜀，拔五城[④]，进攻涪城[⑤]；鹰扬将军郭铨攻武当[⑥]。六月，冲别将攻万岁[⑦]、筑阳[⑧]，拔之。

秦王坚遣征南将军钜鹿公叡[⑨]、冠军将军慕容垂等帅步骑五万救襄阳，兖州刺史张崇救武当，后将军张蚝、步兵校尉姚苌救涪城。叡军于新野[⑩]，垂军于邓城[⑪]，桓冲退屯沔南。秋，七月，郭铨及冠军将

弟慕容泓、慕容冲亦崛起于陕、晋地区，破杀了苻坚之子苻叡，慕容冲率兵进攻长安，而苻坚身边的慕容暐、慕容肃等因谋杀苻坚事泄，被苻坚所杀。写了依附于苻坚部下韬晦待时的姚苌率部叛变，逃向渭北，纠集西部羌豪，自称万年秦王；苻坚部下的陇西鲜卑乞伏国仁之叔在陇西反秦，苻坚派国仁率部往讨，国仁遂与其叔合兵反秦自立；苻坚的部将吕光为苻坚往讨西域，大破龟兹，降者三十余国，但此时已与苻坚断绝消息。写了晋将桓冲派部将攻拔秦之魏兴、上庸、新城三郡；杨佺期击走秦之梁州刺史；杨亮攻蜀，涪城的守将投降；晋将又收复襄阳、攻取鲁阳，荆州刺史桓石民将北戍洛阳；谢玄的部将刘牢之攻得谯城，进据碻磝，又进克鄄城，秦之徐州刺史弃城走；谢玄又派部将攻秦青州，刺史苻朗降晋，黄河以南大抵皆被晋军所收复等。

【语译】

烈宗孝武皇帝上之下

太元八年（癸未，公元三八三年）

春季，正月，秦国担任骁骑将军的吕光率领大军从秦国的都城长安出发，前往讨伐西域，令鄯善王休密驮、车师前部王弥窴为大军担任向导。

三月二十八日丁巳，东晋实行大赦。

夏季，五月，东晋车骑将军桓冲率领十万大军讨伐秦国，攻打襄阳。桓冲派遣担任前将军的刘波等率军攻取沔水以北的各城邑；派遣担任辅国将军的杨亮率军攻取蜀地，杨亮在攻克了五城之后，继续进军攻取涪城；派遣担任鹰扬将军的郭铨负责率军攻取武当。六月，桓冲属下的另一位将领率军一连攻克了万岁、筑阳。

秦王苻坚派遣征南将军钜鹿公苻叡、冠军将军慕容垂等率领着五万名步兵、骑兵救援襄阳，兖州刺史张崇率军救援武当，后将军张蚝、步兵校尉姚苌率军救援涪城。钜鹿公苻叡率军驻扎在新野，冠军将军慕容垂率军屯扎在邓城，东晋攻打襄阳的车骑将军桓冲将军队撤回到沔水以南驻扎。秋季，七月，东晋鹰扬将军郭铨与冠

军桓石虔败张崇于武当，掠二千户以归。钜鹿公叡遣慕容垂为前锋，进临沔水。垂夜命军士人持十炬⑫系于树枝，光照数十里。冲惧，退还上明⑬。张蚝出斜谷⑭，杨亮引兵还。冲表其兄子石民⑮领襄阳[1]太守⑯，戍夏口⑰。冲自求领江州刺史，诏许之。

秦王坚下诏大举入寇，民每十丁遣一兵，其良家子⑱年二十已下有材勇⑲者，皆拜羽林郎⑳。又曰："其以司马昌明㉑为尚书左仆射㉒，谢安为吏部尚书，桓冲为侍中。势还不远㉓，可先为起第㉔。"良家子至者三万余骑，拜秦州主簿㉕金城[2]赵盛之为少年都统㉖。是时朝臣皆不欲坚行㉗，独慕容垂、姚苌及良家子劝之。阳平公融言于坚曰："鲜卑㉘、羌虏㉙，我之仇雠㉚，常思风尘之变㉛以逞其志，所陈策画，何可从也！良家少年皆富饶子弟，不闲㉜军旅，苟为谄谀之言㉝以会陛下之意㉞耳[3]。今陛下信而用之，轻举大事，臣恐功既不成，仍有后患㉟，悔无及也。"坚不听。

八月戊午㊱，坚遣阳平公融督张蚝、慕容垂等步骑二十五万为前锋，以兖州刺史姚苌为龙骧将军、督益梁州诸军事。坚谓苌曰："昔朕以龙骧建业㊲，未尝轻以授人㊳，卿其勉之！"左将军窦冲曰："王者无戏言，此不祥之征㊴也。"坚默然。

慕容楷、慕容绍言于慕容垂曰："主上骄矜已甚，叔父㊵建中兴之业㊶，在此行也！"垂曰："然。非汝，谁与成之㊷？"

甲子㊸，坚发长安，戎卒六十余万，骑二十七万，旗鼓相望，前后千里。九月，坚至项城㊹，凉州之兵始达咸阳，蜀、汉之兵方顺流而下㊺，幽、冀之兵至于彭城，东西万里，水陆齐进，运漕㊻万艘。阳平公融等兵三十万，先至颍口㊼。

军将军桓石虔在武当联合打败了秦国张崇，劫掠了武当地区的二千户居民返回东晋境内。秦国征南将军、钜鹿公苻叡派遣冠军将军慕容垂为前锋，率军逼近沔水。夜间，慕容垂下令军士每人将十个火把绑在树枝上，火光照亮数十里。东晋车骑将军桓冲惧怕秦军人多势众，于是退回上明。秦国后将军张蚝率军从斜谷南下，东晋杨亮也率军撤回。车骑将军桓冲上表举荐自己的侄子桓石民兼任襄阳太守，戍守夏口。桓冲请求朝廷任命自己兼任江州刺史，孝武皇帝司马昌明下诏批准了桓冲的请求。

秦王苻坚准备出动大军入侵东晋，于是下诏，规定每十个成年男子中必须抽出一名当兵服役，凡是清白人家的子弟，并且年纪在二十岁以下、勇敢而且有才能的，一律任命为羽林郎。诏书中还说："任命东晋皇帝司马昌明为尚书左仆射，任命东晋担任司徒的谢安为吏部尚书，任命东晋担任车骑将军的桓冲为侍中。从目前的形势看，大军远征灭晋，用不了多久就能凯旋，现在就可以在京师预先为东晋皇帝司马昌明等人建造府第。"良家子弟多达三万人，秦王苻坚遂任命担任秦州主簿的金城人赵盛之为少年都统。此时，朝廷中的臣僚都不同意秦王苻坚御驾亲征，只有冠军将军慕容垂、步兵校尉姚苌以及那些前来投军的良家子弟鼓动秦王苻坚亲自率军出征。阳平公苻融对秦王苻坚说："慕容氏等鲜卑人、姚苌等羌人，都是我们的仇人，他们经常盼望着局势动荡和战乱，趁机实现他们报仇复国的野心，他们所谋划的计策，怎么能够听从呢！那些良家子弟都是出身于富豪之家，根本不懂军事，只是信口开河、故意向您说一些讨好的话，以迎合陛下的心思。现在陛下竟然信任他们、重用他们，非常轻率地发动如此大规模的军事行动，我担心不仅不能成功，反而会引发后患，到那时后悔可就来不及了。"苻坚还是坚持一意孤行，不听劝告。

八月初二日戊午，秦王苻坚派遣阳平公苻融统领后将军张蚝、冠军将军慕容垂等二十五万名步兵、骑兵为前锋，任命担任兖州刺史的姚苌为龙骧将军、督益州、梁州诸军事。苻坚对姚苌说："过去，我以龙骧将军的身份，建立了大业，所以我从来没有把龙骧将军的职位轻易地授予别人，现在授予你，你要好自为之！"左将军窦冲说："王者无戏言，这是不祥的征兆。"苻坚听了沉默无言。

慕容楷、慕容绍都来对慕容垂说："如今秦王苻坚骄傲自大，已经到了极点，叔父为我们重建国家，就在这次战役了！"慕容垂说："你们说得很对。如果没有你们，还有谁能帮着我干成这件大事呢？"

八月初八日甲子，秦王苻坚从京师长安出发，他亲自率领六十多万名步兵、二十七万名骑兵，旌旗招展、战鼓喧天，前后连绵一千里。九月，苻坚抵达项城，而从凉州出发的军队才刚刚到达咸阳，巴蜀、汉中的军队才刚刚进入汉水、长江，顺流东下，幽州、冀州的兵马抵达彭城，出征的部队东西绵延一万里，水军、陆军齐头并进，光是运送粮草的舰船就有一万艘。阳平公苻融等率领三十万人马，先期到达颍口。

诏以尚书仆射谢石㊽为征虏将军、征讨大都督，以徐、兖二州刺史谢玄为前锋都督，与辅国将军谢琰㊾、西中郎将桓伊㊿等众共八万拒之。使龙骧将军胡彬以水军五千援寿阳。琰，安之子也。

是时秦兵既盛，都下震恐。谢玄入，问计于谢安。安夷然(51)答曰："已别有旨(52)。"既而寂然(53)。玄不敢复言，乃令张玄重请(54)。安遂命驾(55)出游山墅(56)，亲朋毕集(57)，与玄围棋赌墅(58)。安棋常劣于玄，是日，玄惧，便为敌手而又不胜(59)。安遂游陟至夜(60)乃还。

桓冲深以根本(61)为忧，遣精锐三千入援[4]京师，谢安固却之(62)，曰："朝廷处分已定(63)，兵甲无阙(64)，西藩(65)宜留以为防。"冲对佐吏(66)叹曰："谢安石(67)有庙堂之量(68)，不闲将略(69)。今大敌垂至(70)，方游谈不暇(71)，遣诸不经事少年(72)拒之，众又寡弱，天下事(73)已可知，吾其左衽(74)矣！"

以琅邪王道子录尚书六条事(75)。

冬，十月，秦阳平公融等攻寿阳。癸酉(76)，克之，执平虏将军徐元喜等。融以其参军河南郭褒为淮南(77)太守。慕容垂拔郧城(78)。胡彬闻寿阳陷，退保硖石(79)，融进攻之。秦卫将军梁成等帅众五万屯于洛涧(80)，栅淮(81)以遏东兵(82)。谢石、谢玄等去洛涧二十五里而军，惮成不敢进。胡彬粮尽，潜遣使(83)告石等曰："今贼盛粮尽，恐不复见大军。"秦人获之，送于阳平公融。融驰使白秦王坚曰："贼少易擒，但恐逃去，宜速赴之。"坚乃留大军于项城(84)，引轻骑八千，兼道就融于寿阳。遣尚书朱序(85)来说谢石等，以为强弱异势(86)，不如速降。序私谓石等曰：

东晋孝武皇帝司马昌明下诏，任命担任尚书仆射的谢石为征虏将军、征讨大都督，任命担任徐、兖二州刺史的谢玄为前锋都督，与担任辅国将军的谢琰、担任西中郎将的桓伊等共率领八万人马抵抗秦军的入侵。派遣担任龙骧将军的胡彬率领五千名水军支援寿阳。谢琰是谢安的儿子。

当时，秦国的军队声势浩大，东晋京城中人心恐惧。谢玄临行前入朝，向担任司徒的谢安请教退敌之策。谢安神态安闲地回答说："皇帝已经另行做了安排。"说完之后就不再说话。谢玄自然不敢再问，于是就指使部将张玄再次去向谢安询问破敌方略。谢安没有答复，而是令下人准备好车马，然后登上车子前往山中的别墅游玩，所有的亲朋好友全都来了，谢安遂以山中别墅做赌注，与谢玄下围棋。谢安往常与谢玄下围棋常常输给谢玄，这一天，谢玄因为心里忧惧不安，所以开始时与谢安下成平手，后来又转为失败。谢安与谢玄下过棋之后，就起身登山游水去了，一直玩到天黑才返回。

车骑将军桓冲对京师的安危深感忧虑，于是便派遣三千名精兵前来援助京师，司徒谢安坚决地退回不要，谢安说："朝廷已经把各方面的事情都做了妥善的安排，兵器、铠甲都不缺少，这些精兵应该留在西部的国防前线，以加强那里的防御。"桓冲感慨地对自己的僚佐说："谢安石有朝廷大臣的气度，但却不懂得用兵作战的谋略。如今大敌将至，谢安却还在忙于游山玩水、与人清谈，派遣了一些没有作战经验的少年人去抵抗秦军，人数又少，力量又弱，国家未来的命运已经可想而知，看来我们即将国破家亡、沦于少数民族的统治之下，按照少数民族的生活习惯而改穿左边开襟的衣服了！"

东晋任命琅邪王司马道子为录尚书六条事。

冬季，十月，秦国的阳平公苻融等率领秦军攻打东晋的寿阳。十八日癸酉将寿阳攻克，秦军活捉了东晋负责守卫寿阳的平虏将军徐元喜等人。秦国阳平公苻融任命自己手下担任参军的河南人郭褒为淮南太守。秦国冠军将军慕容垂攻陷了东晋的郧城。东晋龙骧将军胡彬听到寿阳已经陷落的消息，便撤退到硖石据守，秦国阳平公苻融率军进攻硖石。秦国卫将军梁成等率领五万名秦军屯扎在洛涧，他们在淮水之上构筑栅栏，阻断从东方过来救援胡彬的晋军。东晋征虏将军、征讨大都督谢石和前锋都督谢玄等率领晋军在距离洛涧二十五里远的地方扎下营寨，因为惧怕秦国卫将军梁成而不敢进军。龙骧将军胡彬军中粮食已经吃光，于是秘密派使者向谢石等人报告说："现在秦军势力强盛，而我军中粮食又尽，恐怕此生难以相见了。"秦军将胡彬所派的使者抓获，送到了阳平公苻融面前。苻融立即派遣使者飞速向秦王苻坚报告说："东晋军队的人数很少，很容易将他们俘虏，只是担心他们逃走，我们应该立即向晋军发动进攻。"秦王苻坚于是将大军留在项城，只率领着八千名轻骑兵，日夜兼程赶往寿阳与苻融会合。他派遣担任尚书的朱序前往晋军中劝说谢石等人，认为秦军与晋军势力强弱相差悬殊，不如早点向秦国投降。而在私下里，朱序对谢石等人说：

“若秦百万之众尽至，诚难与为敌。今乘诸军未集，宜速击之。若败其前锋，则彼已夺气[87]，可遂破也。”

石闻坚在寿阳，甚惧，欲不战以老秦师[88]。谢琰劝石从序言。十一月，谢玄遣广陵相刘牢之[89]帅精兵五千趣洛涧，未至十里，梁成阻涧为陈[90]以待之。牢之直前渡水，击成，大破之，斩成及弋阳太守王咏。又分兵断其归津[91]，秦步骑崩溃，争赴淮水[92]，士卒死者万五千人，执秦扬州刺史王显等，尽收其器械军实。于是谢石等诸军水陆继进。秦王坚与阳平公融登寿阳城望之，见晋兵部阵[93]严整，又望八公山[94]上草木皆以为晋兵。顾谓融曰：“此亦勍敌[95]，何谓弱也！”怃然[96]始有惧色。

秦兵逼肥水而陈[97]，晋兵不得渡。谢玄遣使谓阳平公融曰：“君悬军深入[98]，而置陈逼水[99]，此乃持久之计，非欲速战者也。若移陈少[5]却[100]，使晋兵得渡，以决胜负，不亦善乎？”秦诸将皆曰：“我众彼寡，不如遏之，使不得上[101]，可以万全。”坚曰：“但引兵少却，使之半渡，我以铁骑[102]蹙而杀之[103]，蔑[104]不胜矣！”融亦以为然，遂麾兵使却。秦兵遂退，不可复止[105]，谢玄、谢琰、桓伊等引兵渡水击之。融驰骑略陈[106]，欲以帅退者[107]，马倒，为晋兵所杀，秦兵遂溃。玄等乘胜追击，至于青冈[108]。秦兵大败，自相蹈藉而死者蔽野塞川[109]，其走者闻风声鹤唳[110]，皆以为晋兵且至，昼夜不敢息，草行露宿[111]，重以饥冻[112]，死者什七八[113]。

“如果等秦国的百万之众全部抵达这里，晋军确实难以抵抗。现在应该趁着各路秦军还没有汇集的机会，赶紧出兵攻打；如果将秦军的前锋部队打败，秦军必然失去必胜的信心，下一步就有可能将秦军全部打败。”

东晋征虏将军、征讨大都督谢石得知秦王苻坚就在寿阳的消息，非常恐惧，就不想与秦军开战，而准备用拖延时间的办法把秦军拖得筋疲力尽、失去斗志。辅国将军谢琰劝说谢石听从朱序的意见，抓紧时机攻击秦军。十一月，东晋前锋都督谢玄派遣担任广陵相的刘牢之率领五千名精兵赶赴洛涧，刘牢之率领五千名精兵到达距离洛涧十里远的地方时，秦国卫将军梁成以洛水为屏障，摆开阵势，等待与晋军交战。刘牢之率领晋军勇往直前，抢渡洛涧，向梁成率领的秦军发起攻击，将秦军打得大败，杀死了秦军将领梁成和秦国弋阳太守王咏。刘牢之又分出一部分兵力截断了秦军逃回淮河北岸的渡口，秦军之中不论是步兵还是骑兵立即崩溃，争先恐后地跳入淮水之中，士卒死亡的有一万五千人，东晋军还擒获了秦国担任扬州刺史的王显等人，全部缴获了秦军的器械和辎重。于是，征虏将军、征讨大都督谢石等诸路抗秦的晋军，从水路、陆路同时向前推进。秦王苻坚与阳平公苻融登上寿阳城楼向远处眺望，看见晋军军容严整，又眺望八公山，以为山上的草木全都是晋国的军队。秦王苻坚对阳平公苻融说：“东晋也是强大的敌人，怎么能说他们弱小呢！”他怅然若失，脸上首次流露出恐惧的神色。

秦国的军队在紧靠淝水的地方布下阵势，晋国的军队因此无法渡过淝水。东晋前锋都督谢玄派使者对秦国的阳平公苻融说：“阁下孤军深入晋地，而把阵势列在淝水边上，看来是准备与晋国打一场持久战，而不是想与晋军速战速决了。如果把你们的军阵稍微向后退一点，使晋军得以渡过淝水，双方进行一场决战，以决定谁胜谁负，不是也很好吗？”秦国将领都说：“我们人多势众，晋军人少势弱，只要我们阻止他们，使他们无法上岸，就可以万无一失。”秦王苻坚却说：“我们只管率军向后稍微退却，等晋军渡过一半时，我们出动铁骑向他们冲杀过去，没有不大获全胜的道理！”阳平公苻融也很赞同苻坚的意见，于是指挥秦军向后撤退。出乎意料的是，秦军这一后退，竟然再也刹不住脚了，晋国的前锋都督谢玄、辅国将军谢琰、西中郎将桓伊等立即指挥晋军渡过淝水向秦军发起猛攻。秦国的阳平公苻融骑着战马往来奔驰，整顿军队，想使惊慌失措、一片混乱的秦军能够尽快地恢复秩序，回转身来迎战晋军，然而苻融座下的战马却突然倒地，结果苻融被随后冲杀上来的晋军杀死，秦军于是立即全军崩溃。东晋谢玄等乘胜追击，一直追到青冈。秦军于是大败，在争相逃命中，互相践踏而死的尸体，遮蔽了旷野、塞满了河流，那些有幸逃得性命的听到刮风的声音、鹤鸣的声音，都认为是东晋的追兵即将赶到，于是白天黑夜都不敢停下来休息。走的是草地，不敢走大路；露天而宿，不敢进入人家借宿，因为他们害怕被晋兵追上杀死，再加上饥饿寒冷，死亡的又有十分之七八。

初，秦兵少却，朱序在陈后呼曰："秦兵败矣！"众遂大奔。序因与张天锡、徐元喜皆来奔⑭。获秦王坚所乘云母车⑮，及仪服、器械、军资、珍宝、畜产不可胜计[6]。复取寿阳，执其淮南太守郭褒。

坚中流矢⑯，单骑走至淮北，饥甚，民有进壶飧⑰豚髀⑱者，坚食之，赐帛十匹，绵十斤。辞曰："陛下厌苦安乐⑲，自取危困。臣为陛下子，陛下为臣父，安有子饲其父而求报乎！"弗顾而去。坚谓张夫人曰："吾今复何面目治天下乎！"潸然⑳流涕。

是时，诸军皆溃，惟慕容垂所将三万人独全，坚以千余骑赴之。世子宝言于垂曰："家国倾覆，天命人心皆归至尊㉑。但时运未至，故晦迹㉒自藏耳。今秦主兵败，委身于我，是天借之便以复燕祚㉓，此时不可失也。愿不以意气微恩㉔忘社稷之重。"垂曰："汝言是也。然彼以赤心㉕投命于我㉖，若之何害之㉗？天苟弃之㉘，何[7]患不亡！不若保护其危以报德，徐俟其衅㉙而图之，既不负宿心㉚，且可以义取天下㉛。"奋威将军慕容德㉜曰："秦强而并燕，秦弱而图之，此为报仇雪耻，非负宿心也。兄奈何得而不取，释数万之众以授人㉝乎？"垂曰："吾昔为太傅㉞所不容，置身无所，逃死于秦。秦主以国士遇我㉟，恩礼备至。后复为王猛所卖㊱，无以自明，秦主独能明之，此恩何可忘也！若氐运必穷㊲，吾当怀集关东㊳，以复先业耳，关西会非吾有㊴也。"冠军行参军赵秋㊵曰："明公当绍复燕祚㊶，著于图谶㊷。今天时已至，尚复何待！若杀秦主，据邺都，鼓行而西㊸，三秦亦非苻氏之有也。"

当初，秦军在淝水河边稍微向后退却的时候，朱序趁机在秦军阵后高喊：“秦军已经失败了！”向后撤退的秦军听到之后立即向后狂奔。朱序因此与张天锡、徐元喜一道逃回了东晋。晋军缴获了秦王苻坚所乘坐的用云母做装饰的车子，以及衣服、器械、军用物资、珍宝、畜产，数量多得无法计数。随后又收复了寿阳，活捉了秦国守将、担任淮南太守的郭褒。

秦王苻坚被流矢射中，他单骑匹马逃到了淮河北岸，正感到饿得实在无法忍受的时候，有乡民给他送来一壶水泡饭，还有一些猪腿，苻坚吃过之后，便赏赐给那个乡民十匹丝绸、十斤棉花。乡民拒绝说：“陛下不愿意过安乐的生活，亲自率军伐晋，结果招致这样的危难困苦。我是陛下的子民，陛下就是我的君父，哪有儿子奉养父亲还要求回报的呢！”说完连头也不回就离开了。苻坚对自己最宠幸的张夫人说：“从今往后，我还有什么脸面治理天下呢！”说完，不觉流下泪来。

当时，秦国的各路军队全都溃不成军，只有冠军将军慕容垂所率领的三万军队仍然完整无损，秦王苻坚率领着一千多名骑兵前往投奔慕容垂。慕容垂的世子慕容宝向自己的父亲慕容垂建议说：“自从我们燕国被秦国灭掉之后，天命人心都把复国的希望寄托在父亲的身上。只是因为时机不到，所以才韬光养晦、自藏行迹。如今秦主苻坚已经兵败，他把自己的身家性命都托付给我们，这是上天给我们提供了便利，让我们得以重建燕国政权，这个机会一定不能错过。希望父亲不要意气用事，为了报答秦王苻坚对我们的那一点点恩惠而忘记了我们对国家社稷所肩负的重大责任。”慕容垂说：“你的话是对的。然而秦王苻坚怀着一颗真诚之心，在走投无路的时刻，前来投奔于我，以求得活命，我怎么能谋害他呢？如果上天真的抛弃了他，何必担心他不会灭亡！不如在他危难的时候保护他，以报答他过去对我们的恩德，以后再慢慢寻找可对他下手的机会策划举事，这样一来，既不辜负他平素对待我们的一片好心，还可以堂堂正正地夺取天下。”担任秦国奋威将军的慕容德说：“秦国在强盛的时候吞并了燕国，秦国衰弱的时候我们算计他，这是为国家报仇雪耻之事，并不违背我们知恩图报的本意。哥哥为什么眼见东西到手而不要，却要把数万精兵拱手让给他人呢？”慕容垂说：“过去我在燕国的时候，因为遭受太傅慕容评的迫害，在燕国无法安身，为了逃得性命才来到秦国。秦主苻坚像接待一国少有的杰出之士那样接待我，对我的恩宠、礼遇样样齐备。后来我又遭到王猛的算计，没有办法表明自己的清白无辜，只有秦王苻坚最能了解我、宽恕我，这样的大恩怎么能够忘记呢！如果作为氐族人的秦王苻坚，他的运命确实走到了尽头，我也应当安抚、招集函谷关以东的民众，以恢复、重建燕国祖先的大业，而函谷关以西之地绝对不应该属于我们所有。”在冠军将军慕容垂属下担任参军的赵秋说：“明公应当重建燕国政权，这在图谶上已经说得很明白。现在上天已经将机会送到眼前，明公还等什么呢！如果杀掉秦王苻坚，占据邺城，然后率领大军、擂起战鼓，公然向西行进，三秦之地也

垂亲党多劝垂杀坚，垂皆不从，悉以兵授坚。

平南将军慕容暐[144]屯郧城，闻坚败，弃其众遁去。至荥阳，慕容德复说暐起兵以复燕祚，暐不从。

谢安得驿书[145]，知秦兵已败，时方与客围棋，摄书[146]置床上[147]，了无喜色[148]，围棋如故。客问之，徐答曰："小儿辈遂已破贼。"既罢，还内[149]，过户限[150]，不觉屐齿之折[151]。

丁亥[152]，谢石等归建康，得秦乐工，能习旧声[153]，于是宗庙始备金石之乐[154]。

乙未[155]，以张天锡为散骑常侍，朱序为琅邪[156]内史。

秦王坚收集离散，比至洛阳，众十余万，百官、仪物、军容粗备[157]。

慕容农谓慕容垂曰："尊[158]不迫人于险[159]，其义声足以感动天地。农闻秘记[160]曰：'燕复兴当在河阳[161]。'夫取果于未熟与自落[162]，不过晚旬日[163]之间。然其难易美恶，相去远矣！"垂心善其言。行至渑池[164]，言于坚曰："北鄙[165]之民，闻王师[166]不利，轻相扇动[167]，臣请奉诏书以镇慰安集[168]之，因过谒陵庙[169]。"坚许之。权翼谏曰："国兵新破，四方皆有离心，宜征集名将，置之京师，以固根本，镇枝叶。垂勇略过人，世豪东夏[170]。顷[171]以避祸而来，其心岂止欲作冠军[172]而已哉！譬如养鹰，饥则附人[173]，每闻风飙[174]之起，常有陵霄[175]之志。正宜谨其绦笼[176]，岂可解纵，任其所欲哉！"坚曰："卿言是也。然朕已许之，匹夫犹不食言，况万乘[177]乎！若天命有废兴[178]，固非智力所能移[179]也。"翼曰："陛下重小信而轻社稷。臣见其往而不返，关东之乱，自此始矣！"

将不再属于苻氏所有。”慕容垂的亲友朋党多数都劝说慕容垂杀掉秦王苻坚，慕容垂谁也不听，他将自己手中的兵权全部交付给秦王苻坚。

担任平南将军的慕容暐率军屯扎在郧城，他听到秦王苻坚战败的消息，就抛弃了属下的士兵逃走了；当慕容暐来到荥阳的时候，慕容德又劝说慕容暐起兵恢复燕国，慕容暐也没有听从慕容德的意见。

东晋担任司徒的谢安得到了驿站传来的有关秦军失败的消息，当时谢安正在与客人下棋，他随手将书信装好，放在身边的凳子上，脸上一点也没有流露出高兴的神色，照常与客人下棋。当客人问起他时，谢安这才慢慢地回答说：“孩子们已经将入侵的秦国贼寇打败了。”下完棋，谢安回到里屋，在跨越门槛的时候，脚上穿的木屐被磕掉了木齿，谢安都没有发觉。

十一月初二日丁亥，谢石等人回到京师建康，他们擒获了秦国的乐工，这些乐工都能演奏当年西晋时期朝廷演奏的雅乐，于是皇家宗庙在祭祀时用钟、磬等乐器演奏雅乐的条件才开始齐备。

初十日乙未，东晋朝廷任命张天锡为散骑常侍，任命朱序为琅邪内史。

秦王苻坚招集起离散的残兵败将，等到达洛阳的时候，部众又达到了十多万，文武百官、仪仗器物、军队阵容才大体具备。

慕容农对慕容垂说：“父亲大人在秦王苻坚最危难的时候没有乘人之危加害于人，仁义的声誉完全可以感动天地。我听秘籍上记载说：‘燕国的复兴应该是在黄河以北。’摘取未成熟的果子与等待果子成熟后自然落地，从时间上看也不过就推迟个十天八天，然而获取过程中困难与容易的程度、果子滋味的甜美与苦恶，相差就很远了！”慕容垂心里很赞成慕容农的见解。大军行进到渑池的时候，慕容垂对秦王苻坚说：“北部边境地区的民众，听到朝廷的军队打了败仗，会很容易被煽动起来造反，我请求带着陛下的诏书前去安抚，稳定那里的局势，顺路去祭扫一下我家的祖坟与宗庙。”秦王苻坚答应了慕容垂的请求。担任尚书左仆射的权翼劝谏说：“国家的军队刚刚打了败仗，四面八方的人都有脱离秦国统治的心理，应该征召那些有名望的将领，安置在京师，以巩固国家的根本，然后再去镇压地方上的叛乱。冠军将军慕容垂的勇敢善战和政治谋略超过了一般人，世世代代都在中国东部称霸一方。前些年，慕容垂因为躲避燕国对他的迫害才来到秦国避祸，在他的心中怎么可能会满足于一个冠军将军的职位呢！这就好比养鹰，在它饥饿的时候，就来依附猎人，但每当听到大风响起的时候，总会有一飞冲天、凌云万里的冲动。所以应该抓紧看管，严防它逃走，怎么能解开绳索将它放走，听任它任意飞翔呢！”苻坚说：“你说得很对。然而我已经答应了他的要求，一个平民百姓说话还要信守诺言，何况是拥有万乘兵车的君主呢！如果上天真的要废掉我们苻氏而使慕容氏复兴，那就不是靠人的智慧和力量所能改变的。”权翼说：“陛下只重视那些小的信誉而轻视了国家社稷的安危。我已经预见到慕容垂将会去而不返，函谷关以东的大乱，从此就要开始了！”

坚不听，遣将军李蛮、闵亮、尹国[8]帅众三千送垂。又遣骁骑将军石越帅精卒三千戍邺，骠骑将军张蚝帅羽林五千戍并州⑱⓪，镇军将军毛当帅众四千戍洛阳。权翼密遣壮士邀垂⑱①于河桥⑱②南空仓中。垂疑之，自凉马台⑱③结草筏以渡。使典军程同衣己衣，乘己马，与僮仆趣⑱④河桥。伏兵发⑱⑤，同驰马⑱⑥获免。

十二月，秦王坚至长安，哭阳平公融[9]而后入，谥曰哀公。大赦，复死事者家⑱⑦。

庚午⑱⑧，大赦。以谢石为尚书令。进谢玄号前将军，固让不受。

谢安婿王国宝，坦之之子也。安恶其为人，每抑⑱⑨而不用，以为尚书郎⑲⓪。国宝自以望族，故事⑲①唯作吏部⑲②，不为余曹，固辞不拜，由是怨安。国宝从妹为会稽王道子⑲③妃，帝与道子皆嗜酒，狎昵邪谄⑲④。国宝乃谮安于道子，使离间之于帝。安功名既盛，而险诐求进⑲⑤之徒，多毁短安⑲⑥，帝由是稍疏忌之⑲⑦。

初开酒禁⑲⑧，增民税米⑲⑨，口五石。

秦吕光行越流沙⑳⓪三百余里，焉耆⑳①等诸国[10]皆降。惟龟兹王帛纯⑳②拒之，婴城⑳③固守，光进军攻之。

秦王坚之入寇也，以乞伏国仁⑳④为前将军，领先锋骑。会⑳⑤国仁叔父步颓反于陇西⑳⑥，坚遣国仁还讨之。步颓闻之，大喜，迎国仁于路。国仁置酒，大言⑳⑦曰："苻氏疲民逞兵⑳⑧，殆将亡矣！吾当与诸君共建一方之业⑳⑨。"及坚败，国仁遂迫胁诸部，有不从者，击而并之，众至十余万。

秦王苻坚没有采纳权翼的意见，而是派遣了将军李蛮、闵亮、尹国率领着三千人护送慕容垂。又派遣担任骁骑将军的石越率领三千名精兵戍守邺城，派骠骑将军张蚝率领五千名羽林军戍守并州，派担任镇军将军的毛当率领四千人马戍守洛阳。尚书左仆射权翼秘密地派遣勇士埋伏在河桥南部的一座空仓中准备袭击慕容垂。慕容垂心生疑虑，没敢走河桥，而是改变路线，自己扎了一个竹筏，从凉马台渡过黄河，到达北岸。他让担任典军的程同穿上自己的衣服，骑着自己的战马，带着自己的仆从侍卫朝着河桥的方向行进。权翼安排的伏兵突然从空仓中冲杀出来，程同骑马飞奔，总算逃得一命。

十二月，秦王苻坚回到京师长安，他先在长安城外哭祭了阳平公苻融，而后进入长安城中，赐阳平公苻融谥号为哀公。在秦国境内实行大赦，免除所有在淝水之战中阵亡者家属的赋税与差役。

十二月十五日庚午，东晋实行大赦。任用谢石为尚书令。提升谢玄为前将军，谢玄坚决辞让，没有接受。

东晋司徒谢安的女婿王国宝是王坦之的儿子。谢安厌恶王国宝的为人，每每压制他，该提升的时候也不提升，只让他当了个尚书郎。王国宝自认为出身于世家豪门，依照历来的规矩，世家豪门的子弟只做吏部郎，而不到其他各曹任职，因此坚决推辞，不肯接受任命，他对自己的岳父谢安非常不满意。王国宝的堂妹是会稽王司马道子的王妃，孝武皇帝司马昌明与自己的弟弟司马道子全都嗜好饮酒，而王国宝与司马道子关系亲密，行为不正当，常用一些花言巧语来向司马道子讨好。于是王国宝便在会稽王司马道子面前说谢安的坏话，想使会稽王司马道子离间孝武皇帝司马昌明与谢安之间的关系。谢安功劳既大，声望又高，而那些用心险恶、作风不正而又想加官进爵的人，多数都对谢安不满，一有机会，就说谢安的坏话，揭谢安的短处。孝武皇帝司马昌明于是对谢安逐渐地疏远、猜忌起来。

东晋开始宣布解除有关酿酒、饮酒的禁令，并增加人头税，每口人每年需要向朝廷缴纳五石米的赋税。

秦国吕光横渡三百多里的大沙漠，进入西域境内，焉耆等各国全部向秦国投降。只有龟兹国王帛纯率众抵抗，环城固守，不肯出降，吕光率领秦军攻打龟兹。

秦王苻坚率领百万之众入寇东晋的时候，任命陇西鲜卑部落首领乞伏国仁为前将军，负责统领先锋骑兵。刚好遇上此时乞伏国仁的叔父乞伏步颓在陇西起兵谋反，秦王苻坚遂改派乞伏国仁率众返回，前往陇西讨伐乞伏步颓。乞伏步颓听说前来讨伐的是自己的侄子乞伏国仁，非常高兴，便亲自到半路迎接。乞伏国仁摆上酒宴，大声宣告说："秦王苻坚将秦国的百姓役使得筋疲力尽，他不断使用武力，对外用兵，恐怕就要灭亡了！我要与各位一起建立一个独霸一方的国家政权。"等到秦王苻坚被东晋打得大败而回的时候，乞伏国仁遂胁迫各部落听命于自己，那些拒不服从的，就派军队前去攻击，将其吞并，很快，乞伏国仁的部众就发展到十多万人。

慕容垂至安阳[210]，遣参军田山修笺[211]于长乐公丕[212]。丕闻垂北来，疑其欲为乱，然犹身自迎之。赵秋劝垂于座取丕[213]，因据邺起兵，垂不从。丕谋袭击垂，侍郎天水姜让谏曰："垂反形未著，而明公[214]擅杀之[215]，非臣子之义。不如待以上宾之礼，严兵卫之[216]，密表情状[217]，听敕[218]而后图之。"丕从之，馆垂于邺西[219]。

垂潜与燕之故臣谋复燕祚。会丁零翟斌[220]起兵叛秦，谋攻豫州牧平原公晖[221]于洛阳，秦王坚驿书使垂将兵讨之。石越言于丕曰："王师新败，民心未安，负罪亡匿之徒，思乱者众。故丁零一唱[222]，旬日之中，众已数千，此其验[223]也。慕容垂，燕之宿望[224]，有兴复旧业之心。今复资[225]之以兵，此为虎傅翼[226]也。"丕曰："垂在邺如藉虎寝蛟[227]，常恐为肘腋之变，今远之于外，不犹愈乎[228]？且翟斌凶悖[229]，必不肯为垂下，使两虎相毙[230]，吾从而制之，此卞庄子之术[231]也。"乃以羸兵二千及铠仗之弊者给垂，又遣广武将军苻飞龙帅氐骑一千为垂之副。密戒飞龙曰："垂为三军之帅，卿为谋垂之将，行矣，勉之！"

垂请入邺城拜庙[232]，丕弗许，乃潜服[233]而入。亭吏[234]禁之，垂怒，斩吏烧亭而去。石越言于丕曰："垂敢轻侮方镇[235]，杀吏烧亭，反形已露，可因此除之。"丕曰："淮南之败[236]，垂侍卫乘舆[237]，此功不可忘也。"越曰："垂尚不忠于燕，安能尽忠于我！失今不取，必为后患。"丕不从。越退，告人曰："公父子好为小仁，不顾大计，终当为人禽[238]耳。"

垂留慕容农、慕容楷、幕容绍于邺，行至安阳之汤池[239]，闵亮、李

逃离虎口的慕容垂到达安阳，他派遣担任参军的田山写信给秦国镇守邺城的长乐公苻丕。长乐公苻丕听说慕容垂渡过黄河向北来到安阳的消息，就怀疑慕容垂准备发动叛乱，然而苻丕还是亲自前往迎接慕容垂一行。赵秋劝说慕容垂在与苻丕会谈时逮捕或刺杀苻丕，趁机夺取邺城，然后起兵反秦，慕容垂没有听从赵秋的建议。秦国长乐公苻丕密谋袭击慕容垂，在苻丕身边担任侍郎的天水人姜让劝阻说："慕容垂谋反的行迹还没有暴露出来，而明公擅自做主将他杀死，这超越了臣子的权限。不如以上宾之礼接待他，同时派军队严密地将他看管起来，再把慕容垂的一举一动都秘密奏报秦王苻坚，等接到秦王诏令之后再动手除掉慕容垂。"长乐公苻丕听从了姜让的建议，安排慕容垂等住进了邺城西边的宾馆。

慕容垂偷偷地与故燕国的臣僚密谋复兴燕国。恰好此时丁零部落首领翟斌起兵叛秦，密谋攻取秦国豫州牧、平原公苻晖的治所所在地洛阳，秦王苻坚派驿站传书给慕容垂，令他率众讨平发动叛变的丁零部落首领翟斌。秦国石越对长乐公苻丕说："国家的军队刚刚被东晋的军队打败，民心还没有安定下来，身负重罪、逃亡在外之徒，以及盼望天下大乱的人很多。所以丁零人一带头叛乱，只十来天的工夫，部众就达数千人，这就是最好的证明。慕容垂，是故燕国的皇室元勋，素有众望，又有兴复旧业的雄心。现在如果再为他提供兵马，就如同给猛虎插上翅膀一样。"长乐公苻丕说："慕容垂待在邺城，我心里觉得就像是坐在老虎身上、枕着蛟龙睡觉一样寝食难安，经常担心他会在我们的肘腋之下发动叛乱，现在借机把他打发得远远的，比让他留在邺城不是要好一点吗？再说丁零部落首领翟斌凶悍狂悖，一定不会甘心处在慕容垂之下，就让这两只老虎在争斗中互相消耗吧，我趁机控制他们双方，这就是当年卞庄子'一举两得'的战术。"于是便将两千名老弱羸兵以及破败不堪的铠甲兵器拨给慕容垂，又派遣担任广武将军的苻飞龙率领一千名氐人骑兵协助慕容垂。苻丕秘密告诫苻飞龙说："慕容垂是三军的统帅，而你是谋杀慕容垂的大将，去吧，你要好自为之!"

慕容垂向长乐公苻丕请求到邺城祭拜自己的祖庙，苻丕没有答应，慕容垂于是改扮成平民模样，内穿铠甲，进入邺城。邺城的一个小官吏亭长企图阻止慕容垂进入，慕容垂一怒之下，就杀死了亭吏，放火烧毁了亭吏的办公室而后离去。担任骁骑将军的石越对长乐公苻丕说："慕容垂竟敢如此藐视明公，不把明公放在眼里，他杀死亭吏、烧毁亭吏办公的地方，谋叛的行迹已经完全暴露出来，可以趁此机会将他除掉。"长乐公苻丕说："秦军在淮水以南遭遇失败的危急时刻，慕容垂把自己的三万兵马全部交给了皇上，保护了皇上，这样的大功劳我们不应该忘记。"石越说："慕容垂尚且不忠于自己的燕国，又怎么会忠于我们秦国呢！今天如果不除掉他，必将留下后患无穷。"苻丕还是没有接受石越的意见。石越从苻丕那里退出后，对别人说："长乐公父子都喜好小仁小义，而不顾及国家的大利益，最终必将被人所擒。"

慕容垂把慕容农、慕容楷、慕容绍留在邺城，自己走到安阳的汤池时，闵亮、

毗自邺来，以丕与苻飞龙所谋告垂。垂因激怒其众曰："吾尽忠于苻氏，而彼专欲图吾父子。吾虽欲已[240]，得乎？"乃托言兵少，停河内[241]募兵，旬日间，有众八千。

平原公晖遣使让垂，趣[242]使进兵。垂谓飞龙曰："今寇贼不远，当昼止夜行，袭其不意[243]。"飞龙以为然。壬午[244]，夜，垂遣世子宝将兵居前，少子隆勒兵从己，令氐兵五人为伍[245]，阴与宝约，闻鼓声，前后合击氐兵及飞龙，尽杀之，参佐[246]家在西者皆遣还；并以书遗秦王坚，言所以杀飞龙之故。

初，垂从坚入邺[247]，以其子麟屡尝告变于燕[248]，立杀其母，然犹不忍杀麟，置之外舍，希得侍见[249]。及杀苻飞龙，麟屡进策画，启发垂意[250]。垂更奇之，宠待与诸子均矣。

慕容凤[251]及燕故臣之子燕郡王腾、辽西段延等闻翟斌起兵，各帅部曲归之。平原公晖使武平武侯毛当[252]讨斌。慕容凤曰："凤今将雪先王之耻[253]，请为将军斩此氐奴[254]！"乃擐甲[255]直进，丁零之众随之，大败秦兵，斩毛当，遂进攻陵云台戍[256]，克之，收万余人甲仗。

癸未[257]，慕容垂济河[258]焚桥，有众三万，留辽东鲜卑可足浑谭[259]集兵于河内之沙城[260]。垂遣田山如邺，密告慕容农等，使起兵相应。时日已暮，农与慕容楷留宿邺中，慕容绍先出，至蒲池[261]，盗丕骏马数百匹以待农、楷。甲申晦[262]，农、楷将数十骑微服出邺，遂同奔列人[263]。

李毗从邺城赶来，将长乐公苻丕与广武将军苻飞龙的阴谋告诉了慕容垂。慕容垂于是激怒自己的部众说："我对秦国王室竭尽忠诚，而他们却专门要谋害我们父子。即使我不想动手，又怎么能够呢？"于是就借口兵力太少，停留在河内郡开始招兵买马，旬日之间就招募了八千人。

秦国平原公苻晖派遣使者前来责备慕容垂，并催促慕容垂赶紧进兵讨伐翟斌。慕容垂对同行的广武将军苻飞龙说："现在我们距离贼寇已经不远，应当白天隐蔽、夜晚行军，才能出其不意地打败贼寇。"苻飞龙也认为应该如此。十二月二十七日壬午夜间，慕容垂派世子慕容宝率领军队走在最前面，让最小的儿子慕容隆统帅兵马跟随在自己身边，然后将氐族士兵分为五人一队，化整为零，使其丧失协同作战的能力，并与慕容宝秘密约定，听到战鼓擂响，立即回军，与慕容垂所率军队前后夹击，于是将苻飞龙及其所率领的一千名氐人骑兵全部消灭，让秦王苻坚派给自己做僚佐的官员，凡是家在函谷关以西的，全部让他们返回老家；并写了一封书信给秦王苻坚，向他陈述自己所以杀掉广武将军苻飞龙的缘故。

当初，慕容垂跟随秦王苻坚一道攻灭燕国回到邺城的时候，曾经因为自己的儿子慕容麟屡次向燕国朝廷告发自己的行动过程，因而立即将慕容麟的生母杀死，然而却没忍心杀死自己的儿子慕容麟，他把慕容麟驱逐到外宅，不准回家，因此慕容麟很难见到自己的父亲，就更不用说在父亲跟前侍奉。等到除掉苻飞龙的时候，慕容麟多次向慕容垂进献计策，给了慕容垂很大的启发。慕容垂这才开始欣赏慕容麟的才能，也就像宠爱其他孩子一样宠爱慕容麟了。

慕容凤以及故燕国的臣民燕郡人王腾、辽西人段延等听到翟斌起兵反秦的消息后，立即率领自己的私人武装归附了翟斌。秦国平原公苻晖派遣武平武侯毛当率军讨伐翟斌。慕容凤对翟斌说："我今天要为先父慕容桓报仇雪耻，请让我为将军杀死这个氐奴！"于是，慕容凤披上铠甲，率领自己的部众长驱直入，丁零人紧随其后，于是大破秦军，杀死了秦将毛当，并乘胜进攻陵云台的守军，很快就将陵云台攻克，缴获了足够一万多人使用的铠甲和武器。

十二月二十八日癸未，慕容垂率军南渡黄河，过河之后便烧毁了渡河的桥梁，此时慕容垂已经拥有部众三万，他留下辽东的鲜卑部落首领可足浑谭戍守河内的沙城。又派遣田山返回邺城，秘密告诉留在邺城的慕容农等起兵响应自己的父亲。当时天色已晚，慕容农与慕容楷就留宿在邺城中，慕容绍先行离开邺城，前往蒲池，他盗取了长乐公苻丕的几百匹骏马，等待慕容农与慕容楷的到来。最后一天二十九日甲申，慕容农、慕容楷率领着数十名骑兵穿着平民的服装逃出邺城，与慕容绍会合后，一同投奔列人。

【段旨】

以上为第一段，写孝武帝太元八年（公元三八三年）一年间的大事。主要写了桓冲率军进攻秦国占领的襄阳，同时派部将分别进攻涪城、沔北、武当、筑阳等地；苻坚派苻叡、慕容垂救襄阳，派张崇、姚苌、张蚝等救涪城、武当，桓冲等引兵退回。写了秦主苻坚发兵八十七万伐晋，水陆并发，东西万里，苻融率兵三十万先抵颍口，而晋方以谢石为大都督，以谢玄为前锋都督，率军八万以御之。写了苻融攻克寿阳，俘获晋将徐元喜，苻坚引轻骑会苻融于寿阳，派前所俘获之晋将朱序往劝谢石降秦，致使朱序得以乘机与谢石等暗中通谋。写了谢玄派其部将刘牢之率军直前，大破秦将梁成于洛涧，秦军溃败；谢石、谢玄率晋军继进，与苻坚大军夹淝水而阵。谢玄遣使请秦军稍却，以待晋军渡河决战，苻坚许之。结果秦军一退遂不可复止，再加上朱序在秦军中煽动呼叫“秦军败矣”，秦军遂大奔而溃散。苻融驰骑略阵，被晋军射死，苻坚被流矢所伤。晋军渡河追击，秦兵自相蹈藉，蔽野塞川，重以饥冻，死者什七八，晋军遂乘势收复寿阳。写了秦之诸军皆溃，而慕容垂部三万人独全，苻坚前往投之，慕容氏子侄皆劝垂杀苻坚以恢复燕国之社稷，慕容垂不许，乃以三万人授苻坚，自请为苻坚安抚河北地区，并赴邺城拜祭先人之陵庙。写了慕容垂到达邺城，镇守邺城的苻坚之子苻丕感念慕容垂善待苻坚之德，时值丁零翟斌起兵叛秦，慕容垂遂向苻坚请求率兵往讨，苻丕也想借此机会以削弱慕容垂，遂授以羸兵两千，并派苻飞龙率氐兵同行以监视之；慕容垂托言兵少，停留河内募兵，很快壮大到八千人，并寻机杀了苻飞龙，渡黄河进兵洛阳。写了身为东晋首辅的谢安在淝水之战前的从容镇定，以及收到淝水之战捷报时的内心喜悦，而外表仍故意荣辱不形于色。写了谢安功名既盛，遂受到一些“险诐求进”之徒的诋毁，致使“帝由是稍疏忌之”等。

【注释】

①发长安：由长安出发，前往讨伐西域。②弥窴：车师前部王之姓名。窴，“填”的本字。③三月丁巳：三月二十八。④五城：县名，即今四川中江县。⑤涪城：县名，在今四川绵阳东北侧。⑥武当：县名，在今湖北十堰市郧阳区东南，十堰之东北。⑦万岁：城名，在今湖北谷城。⑧筑阳：县名，县治在今湖北谷城东。⑨钜鹿公叡：苻叡，苻坚之子，被封为钜鹿公。⑩新野：县名，即今河南新野。⑪邓城：县名，县治在今湖北襄阳市樊城区。⑫人持十炬：每个人将十个火把……持，将、把。⑬上明：军事据点名，在今湖北江陵的长江南岸。⑭出斜谷：自陕西经由斜谷进入四川。斜谷，山路名，是由今陕西眉县翻越秦岭进入汉中地区，再进入四川的山路之一。⑮石民：桓石民，桓豁之子，桓石虔之弟。⑯领襄阳太守：兼任襄阳太守。⑰夏口：汉水入长江之口，即

今湖北武汉之汉口。⑱良家子：清白人家的子弟。当时多用奴隶或犯罪的人当兵，故士兵的身份很低；如有清白人家的子弟自愿从军入伍，则在军中的身份较高，故史家特别标出。⑲材勇：身体的素质与勇武的程度。⑳羽林郎：皇帝的侍从人员，属羽林中郎将。㉑司马昌明：即东晋的皇帝司马曜，字昌明。㉒尚书左仆射：位同副丞相之职。苻坚准备灭晋后让晋朝的皇帝与谢安、桓冲等为仆射、为尚书、为侍中，都是故意做出的姿态，而实际上苻坚所灭之国，那些国家的君主与大臣也的确是都在秦国做了很大的官，如慕容暐、张天锡等都是如此。当然，这样做的主要目的是表现苻坚对东晋军事实力的藐视。㉓势还不远：从形势看，灭晋还师的日期不会很远。㉔可先为起第：指预先为司马曜等三人在长安修好府第等着。㉕秦州主簿：秦州刺史的高级僚属。㉖都统：意同都督，为军队的统领，苻秦始置。㉗不欲坚行：不想让苻坚亲自前去。㉘鲜卑：指慕容垂等鲜卑人。㉙羌虏：指姚苌等羌族人。㉚我之仇雠：慕容垂原为燕国人，姚苌的父兄原曾占据关中，上述地区后来都被苻坚所占，皆有灭国夺地之仇。㉛常思风尘之变：总是盼着局势动荡和战乱。风尘，以喻战乱。㉜不闲：不熟悉；不习惯。闲，通“娴”，熟习。㉝苟为谄谀之言：故意向您说一些讨好的话。苟，故意，言不由衷。㉞以会陛下之意：以迎合您的心思、口味。会，迎合。㉟仍有后患：反而会有后患。仍，乃，反而。㊱八月戊午：八月初二。㊲以龙骧建业：苻坚当初以龙骧将军的身份杀苻生，夺得秦国的政权。㊳未尝轻以授人：再没有授别人为此职。㊴此不祥之征：这是不吉祥的征兆，意思是姚苌亦将以“龙骧将军”称帝。㊵叔父：以称慕容垂。慕容楷、慕容绍皆慕容恪之子，慕容垂之侄，故称慕容垂为叔。㊶中兴之业：指重建自己的国家。前燕的亡国之君是慕容暐，其父曰慕容儁。慕容儁是慕容垂之胞兄。故称再建燕国之业曰“中兴”。㊷非汝二句：除了你，还有谁能帮着我干成这件大事呢。谁与，与谁一道，这里是客气的说法。胡三省曰：“至此，垂知坚必败，方与兄子明言之。”〖按〗本书上卷太元二年（公元三七七年）慕容垂之子慕容农对慕容垂说“自王猛之死，秦王法制，日以颓靡，今又重之以奢侈，殃将至矣，图谶之言，行当有验。大王宜结纳英杰以承天意，时不可失”时，慕容垂还在装傻地说：“天下事非尔所及！”现在则不再装了。㊸甲子：八月初八。㊹项城：项县县城，即今河南沈丘。㊺顺流而下：顺汉水、长江东下。㊻运漕：水路运送粮食的船只。㊼颍口：颍水入淮河之口，在今安徽颍上东南七十里。㊽谢石：谢安的小弟。传见《晋书》卷七十九。㊾谢琰：谢安之子。传见《晋书》卷七十九。㊿桓伊：桓景之子，东晋名将桓宣的族子。传见《晋书》卷八十一。51夷然：态度安闲的样子。52已别有旨：皇上已经有别的安排，意思是你不用担心。53寂然：不再说别的话。54重请：再次向谢安询问破敌方略，因为谢安是当朝宰相。55命驾：命令下人安排车马。56出游山墅：到山中的别墅游玩。57毕集：全都来了。毕，尽。58与玄围棋赌墅：与谢玄下围棋，以山间的别墅赌输赢。〖按〗详此处文意，应是谢安向谢玄挑战，说你要是赢了我，我把这套别墅给你。59便为敌手而又不胜：指开始时双方不分上下，到后来谢玄便输给了谢安。这几句的意思是表明谢玄的心情紧张，而谢安的心里平和。⑩游陟至夜：登山临水地一直玩到天黑。陟，登。这里是说谢安在出征的人士与在朝的人士面前充分地表现他的胸有成竹、临事不慌。与上卷所说的“谢安为宰相，秦人屡入寇，连兵失利，安每镇之以和静”意思相同。㉑根本：指京城的安危。㉒固却之：坚决地退回不要。㉓朝廷处分已定：朝廷已把各方面的事情都安排好了。处分，处理、安排。㉔兵甲无阙：兵器铠甲都不缺少。阙，同“缺”。㉕西藩：西部的国防前线。时桓冲为荆、江二州刺史，在京都建康以西，故称西藩。㉖佐吏：手下的僚属。㉗谢安石：谢安，字安石。㉘有庙堂之量：有朝廷大臣的气度。庙堂，宗庙与名堂，这里代指朝廷。量，气度、胸襟。㉙不闲将略：不懂用兵作战的谋略。不闲，不熟悉，不懂得。闲，通“娴”。㉚垂至：将至。㉛方游谈不暇：还在迷恋于游览与清谈。方，尚，还在。㉜不经事少年：没有经过大事的年轻人，指谢玄、谢琰等。㉝天下事：指晋王朝的前途、命运。㉞吾其左衽：我们将国破家亡，沦于外族的统治之下，接受外族的习惯服饰。左衽，我国古代某些少数民族服装前襟向左，是为左衽，不同于中原一带人民的右衽。㉟录尚书六条事：官名，位在“录尚书事”之下。㊱癸酉：十月十八。㊲淮南：郡名，郡治寿春，即今安徽寿县。㊳郧城：即今湖北安陆。㊴硖石：山名，在今安徽寿县西北的淮河两岸。六朝时两岸山上各筑有城，为淮南屏障。㊵洛涧：又名洛水、清洛河，源出于今安徽定远东南，西北流至淮南市东注入淮河。近数十年来，因下游流势不畅，中游壅为高塘湖、窑湖。其入淮之口称洛口。㊶栅淮：立木栅阻断淮河，以防晋兵乘船来攻。㊷东兵：指谢石、谢玄由东方前来的救胡彬之兵。㊸潜遣使：暗中派使者。㊹项城：即今河南项城。㊺朱序：原为晋王朝的梁州刺史，太元三年，秦破襄阳，被俘，苻坚任以为度支尚书。㊻强弱异势：双方的强弱之差不成比例，即悬殊太大。㊼夺气：丧气；失去信心、斗志。㊽以老秦师：通过持久消耗，使敌方变得疲惫懒散。老，疲惫懒散。㊾刘牢之：谢玄的重要部将，“北府兵”的统领者，时为广陵相。传见《晋书》卷八十四。广陵即今江苏扬州。㊿阻涧为陈：以洛水为屏障摆开阵势。阻，凭借、依托。(91)归津：回逃的渡口。(92)争赴淮水：争先恐后地往淮河里跳。(93)部阵：行列阵势。(94)八公山：山名，在今安徽寿县城北的淝水之北，以汉代淮南王刘安在此养士而得名。(95)勍敌：强大的敌人。(96)怃然：怅然失意的样子。(97)逼肥水而陈：紧靠肥水列开阵势。肥水，指今东淝河，源出今安徽肥西县西北，北流经寿县城东，又西北经八公山南入淮。近年下游壅为瓦埠湖。(98)悬军深入：远离根据地，深入敌方区域。(99)置陈逼水：把阵势列在淝水边上。(100)移陈少却：把你们的军阵稍微后退一点。(101)不得上：不能上岸。(102)铁骑：兵士与战马均披戴铁甲的骑兵。(103)蹙而杀之：围困、挤压，消灭他们。蹙，围逼、挤压。(104)蔑：无；没有。(105)不可复止：再也刹不住脚了。(106)驰骑略陈：乘马疾奔巡视军阵。略，巡视、整顿。(107)以帅退者：以组织军队有秩序地稍向后移。帅，组织、引导。(108)青冈：地名，在今安徽凤台西北。(109)蔽野塞川：遮蔽旷野，堵塞河流，极言死者之多。⑩ 风声鹤唳：风吹声与鹤叫声。唳，鸟叫。⑪ 草行露宿：涉草而行，不敢走大路；露天而宿，不敢进人家。极言其惧怕追兵。⑫ 重以饥冻：再加上挨饿受冻。重，又、再加。⑬ 什七八：十分之七八。⑭ 皆来奔：一道逃回晋王朝。⑮ 云母车：以云母为饰的车，帝王与王公之所乘。赵彦绘《续古今注》有所谓“石虎皇后乘辇，以纯云母代纱，四望皆通彻”。⑯ 流矢：无端飞来的乱箭。⑰ 壶飧：用壶盛的水泡饭。⑱ 豚髀：小猪的大腿。⑲ 厌苦安乐：不愿过安乐的生活。厌苦，厌恶、以……为苦。⑳ 潸然：流泪的样子。㉑ 皆归至尊：都归心于陛下您。至尊，至高无上的皇帝，这里指慕容垂。㉒ 晦迹：隐蔽形迹，不露声色。㉓ 天借之便以复燕祚：老天爷为我们提供方便，让我们重建燕国政权。复，恢复、重建。燕祚，燕国的宗庙社稷，亦即燕国政权。祚，福。㉔ 意气微恩：指对苻坚应讲的义气与应报的恩情。苻坚对慕容垂父子的恩情应该说是太大了。㉕ 赤心：真诚之心。㉖ 投命于我：在走投无路的时刻，投我以求活。投命，托命。㉗ 若之何害之：怎么能杀害他呢。㉘ 天苟弃之：如果老天爷真的是不再关照他了。㉙ 徐俟其衅：慢慢等待他的机会。衅，间隙、机会。㉚ 不负宿心：不辜负他平素对待我们的一片好心。宿，平素、一贯。㉛ 且可以义取天下：胡三省曰，“慕容垂此言，犹有君人之度”。㉜ 慕容德：慕容皝之子，慕容垂之弟，被苻坚封为奋威将军。㉝ 释数万之众以授人：指慕容垂想把他手下的三万人送给苻坚。㉞ 太傅：指慕容评。慕容垂被慕容评所害而离燕逃秦事，见本书卷一百二太和四年。㉟ 以国士遇我：像接待一国所少有的杰出之士那样接待我。遇，对待、接待。㊱ 复为王猛所卖：事见本书卷一百二太和五年。卖，欺骗、陷害。㊲ 若氐运必穷：如果苻坚政权的命运的确是完了。氐运，苻坚的命运，苻坚是氐族人。㊳ 怀集关东：收复关东。怀集，召集、团聚。关东，函谷关以东，指前燕慕容氏政权的故地。㊴ 会非吾有：绝对不应该是属于我。会，绝对、一定。㊵ 冠军行参军赵秋：慕容垂的僚属赵秋。时慕容垂被苻坚封为冠军将军，赵秋为之任代理参谋。行，代理。㊶ 绍复燕祚：重建燕国政权。㊷ 著于图谶：在图谶上已有明确的表现。即前文所说的“甲申乙酉，鱼羊食人，悲哉无复遗!”见本书卷二十五孝武帝宁康二年。这些东西当然是出于后人的编造附会。㊸ 鼓行而西：意即统率大军，公然西上。鼓行，擂鼓作乐而行，既表示其正义，又表现其强大无敌。㊹ 慕容暐：慕容垂之侄，前燕的末代君主。前燕被苻坚所灭后，慕容暐被封为平南将军。㊺ 驿书：通过驿站送来的文书，即谢玄等破秦的捷报。㊻ 摄书：把书信又装回信封。摄，收起。㊼ 置床上：放在身边的凳子上。㊽ 了无喜色：一点高兴的样子也没有。了无，丝毫没有。㊾ 还内：回到里屋。㊿ 过户限：迈过门槛的时候。151 不觉屐齿之折：没有发觉他脚下木屐的齿已被门槛碰断了。以上几句是写谢安当着客人的面看了捷报，故意装得平静如常；等到客人一走，谢安回身进入内屋的时候，这才迸发出喜悦之情，以至于连过门槛时屐齿被碰掉了都没有发觉。152 丁亥：十一月初二。153 旧声：指当年西晋朝廷演奏的雅声、雅乐。154 金石之乐：用钟、磬等乐器演奏的雅乐。永嘉乱后，西晋宫廷乐工、乐器散亡，东晋初只好将太乐署并入鼓吹署，此后则金石乐始齐备。⑮⑤乙未：十一月初十。⑮⑥琅邪：诸侯国名，都城原在今山东临沂北。此处朱序所任之琅邪乃指侨郡，在今江苏扬州内。⑮⑦粗备：大体具备。⑮⑧尊：犹今所谓“父亲大人”，对其父慕容垂的敬称。⑮⑨不迫人于险：不在人家危险的时候加害于人。⑯⓪秘记：指谶纬一类的书籍。⑯①河阳：黄河以北。⑯②取果于未熟与自落：以比喻用武力灭掉秦国，与等候秦国自己灭亡。⑯③晚旬日：推迟个十天八天。旬，十天。⑯④渑池：县名，县治在今河南渑池县西。⑯⑤北鄙：北部边境；北部地区。⑯⑥王师：敬称苻坚的军队。⑯⑦轻相扇动：会很容易地彼此煽动造反。扇动，同“煽动”，鼓动。⑯⑧安集：安抚；安定。⑯⑨因过谒陵庙：顺路去祭扫一下我家的陵墓与宗庙。陵庙，指慕容氏家族在邺城的陵墓与宗庙。邺城是慕容氏燕国的最后都城，在今河北临漳西南。⑰⓪世豪东夏：世世代代在东部中国称霸一方。豪，这里用如动词，称豪，称霸。东夏，即中国的东部。⑰①顷：前者；近些年。⑰②冠军：指慕容垂所任的冠军将军。⑰③饥则附人：饿了就来依附猎人，以求供养。俗语有所谓“饥附饱飏”就是指此而言。⑰④风飙：泛指大风。飙，暴风。⑰⑤陵霄：也作“凌霄”，冲上云霄，以比喻其气势才干不凡。⑰⑥谨其绦笼：加紧看管，严防逃走。绦，拴住鹰腿的绳子。笼，养鸟的笼子。⑰⑦万乘：代指皇帝。⑰⑧天命有废兴：命运该当苻氏废灭，慕容氏兴起。⑰⑨固非智力所能移：那就绝不是个人的智慧力量所能改变的。⑱⓪并州：州治晋阳，在今山西太原西南。⑱①邀垂：半路袭击慕容垂。⑱②河桥：黄河上的渡口名，也叫富平津，在今河南孟州西南的黄河上。⑱③凉马台：在富平津黄河南岸的桥西。⑱④趣：向；朝着……的方向走。⑱⑤发：发起攻击。⑱⑥驰马：驱马飞跑。⑱⑦复死事者家：免除所有在淝水之战中牺牲者家属的赋税与徭役。复，免除赋役。⑱⑧庚午：十二月十五。⑱⑨抑：压制；裁抑。指该提升而不提升。⑲⓪尚书郎：尚书令的部下，相当于后代的各部尚书。⑲①故事：按历来的规矩。⑲②唯作吏部：只作吏部郎。西晋尚书台设三十五曹，置尚书郎二十三人。东晋康帝、穆帝时仅有十八曹。其中吏部曹最重要，因而担任吏部郎的人，都是经过精心慎重挑选的，多是名门望族子弟。⑲③会稽王道子：司马道子，简文帝司马昱之子，孝武帝司马曜之弟。⑲④狎昵邪谄：王国宝与司马道子的关系亲昵，行为不正，常用一些花言巧语向司马道子买好。⑲⑤险诐求进：为人邪僻不正，又想升官进爵。⑲⑥毁短安：说谢安的坏话，揭谢安的短处。⑲⑦稍疏忌之：渐渐地疏远猜忌谢安。⑲⑧开酒禁：解除有关酿酒、饮酒的禁令。东汉末建安年间，曹操曾制定严厉的酒禁。⑲⑨增民税米：东晋咸和五年（公元三三〇年），成帝始度量百姓耕地，每亩收税米三升。哀帝减田租，每亩收二升。太元二年，孝武帝废除度田收租制，改用口税制，公、王以下，每口交税三斛。至此年又增税米，每口五石。⑳⓪流沙：指玉门关以西今新疆东部的沙漠地区。⑳①焉耆：西域国名，都城即今新疆的焉耆回族自治县。⑳②龟兹王帛纯：龟兹国的国王名帛纯。龟兹国的国都延城，即今新疆库车。⑳③婴城：环城。⑳④乞伏国仁：陇西鲜卑部落的头领。其父乞伏司繁为苻坚的镇西将军，驻守在勇士川，也称苑川，在今甘肃榆中大营川一带地区。其父死，国仁代统其众。㉕会：刚好；正碰上。㉖反于陇西：在陇西郡造反。陇西郡的郡治即今甘肃陇西县。㉗大言：大声。㉘疲民逞兵：疲劳百姓以兴兵逞能。㉙建一方之业：建立一个地方性的割据政权。㉚安阳：县名，县治在今河南安阳西南，北距邺城不远。㉛修笺：写信。笺是文体名，通常指写给贵族与上层官僚的短信。㉜长乐公丕：苻丕，苻坚之子，当时正统兵镇守邺城。㉝取丕：拘捕或刺杀苻丕。㉞明公：对权贵长官的敬称，这里称苻丕。㉟擅杀之：擅自做主将其杀害。㊱严兵卫之：派兵严密地将他看管起来。卫，这里是以保护的名义将其看管起来。㊲密表情状：把慕容垂的情况秘密地向苻坚报告。㊳听敕：接到皇帝的诏令。㊴馆垂于邺西：安排慕容垂住在邺城西部。㊵翟斌：丁零族部落首领。丁零原是贝加尔湖一带的游牧民族，后来迁到今河北定州一带，苻坚灭燕后，又将其迁至今河南渑池县一带。翟斌仕秦任卫军将军从事中郎。㊶平原公晖：苻晖，苻坚之子，苻丕之弟。时任豫州刺史，驻兵洛阳。㊷唱：倡导；带头做出动静。㊸验：证明。证明前句所谓“思乱者众”。㊹宿望：素有声望的人。㊺资：资助；提供。㊻为虎傅翼：意即为虎添翼。傅，通“附”，插上。㊼藉虎寝蛟：坐在老虎身上，睡在蛟龙身上，以比喻形势之极度危险。藉，坐在……之上。寝，睡在……之上。㊽不犹愈乎：不是更好一点吗。㊾凶悖：凶悍、狂悖。㊿相毙：相互争斗而疲惫。毙，同“敝”，疲惫。㉛卞庄子之术：卞庄子亦作管庄子、辨庄子，春秋时鲁国大夫。传说有两虎相斗，卞庄子欲刺虎，有人给他出主意说：“两虎相斗，必有一伤；等虎伤后再刺，可一举而得两虎。”于是后人遂将其用成一个比喻“一举两得”的典故。㉜拜庙：拜谒慕容氏的祖庙。㉝潜服：外披便服，内穿铠甲。㉞亭吏：地方上的基层小吏。县下有乡，乡下有亭。亭有亭长、三老、求盗。求盗的职责即缉捕坏人。㉟轻侮方镇：藐视苻丕，不把苻丕看在眼里。方镇，当时对刺史、督军这种方面大员的敬称。㊱淮南之败：即淝水之败。㊲侍卫乘舆：保护过皇上，指慕容垂将自己的三万兵马给了苻坚。乘舆，皇帝用的车子，后来用为皇帝的代称，这里指苻坚。㊳为人禽：被人所擒。禽，通“擒”。㊴汤池：地名，在安阳城外，即今河南安阳。㊵吾虽欲已：即使我想不动手。已，停止、不理睬。㊶河内：郡名，也是地区名，大体指今太行山以东的河南的黄河以北地区，包括上文所述的安阳、邺城在内。㊷趣：催促。㊸袭其不意：趁其不注意而袭击之。㊹壬午：十二月二十七。㊺令氐兵五人为伍：将氐兵化整为零，使其丧失协同作战的能力。㊻参佐：指苻坚派给慕容垂做僚属的官员。㊼垂从坚入邺：指跟随苻坚一道攻灭燕国政权时。事见本书前文卷一百二太和五年。㊽屡尝告变于燕：指慕容垂在受燕之朝廷迫害率众子侄向外逃跑时，慕容麟曾屡次向燕国朝廷告发慕容垂的活动过程，见本书卷一百二太和四年。㊾希得侍见：很难得到其父跟前。希，通“稀”。㊿启发垂意：打开慕容垂的思路，或提示其考虑未周的地方。㉛慕容凤：故燕宜都王慕容桓之子。桓为秦将朱嶷所杀。㉜武平武侯毛当：毛当是苻坚的重要部将，被封为武平侯，武侯的武字是死后的谥。㉝先王之耻：指其父慕容桓被苻坚所杀的仇恨。㉞氐奴：指毛当。㉟擐甲：披甲。㉖陵云台戍：秦国在陵云台所设置的军事据点。陵云台在今河南洛阳东北的洛阳故城内，是魏文帝曹丕黄初二年（公元二二一年）筑。㉗癸未：十二月二十八。㉘济河：渡过黄河，来到黄河以南，因其欲进攻洛阳。㉙辽东鲜卑可足浑谭：鲜卑族辽东部落头领，姓可足浑，名谭。㉚河内之沙城：在今河南沁阳东北。㉛蒲池：地名，在今河北临漳西南故邺城外。㉜甲申晦：十二月是小月，这个月的二十九日是甲申。㉝列人：县名，县治在今河北邯郸市肥乡区东北。

【校记】

[1] 襄阳：原作"襄城"。据章钰校，张敦仁《通鉴刊本识误》作"襄阳"，当是。今从改。[2] 金城：原无此二字。据章钰校，十二行本、乙十一行本、孔天胤本皆有此二字，

【原文】

九年（甲申，公元三八四年）

春，正月乙酉朔[264]，秦长乐公丕大会宾客，请慕容农不得，始觉有变。遣人四出求[265]之，三日，乃知其在列人已起兵矣。

慕容凤、王腾、段延皆劝翟斌奉慕容垂为盟主，斌从之。垂欲袭洛阳，且未知斌之诚伪，乃拒之曰："吾来救豫州[266]，不来赴君[267]。君既建大事[268]，成享其福，败受其祸，吾无预[269]焉。"丙戌[270]，垂至洛阳，平原公晖闻其杀苻飞龙，闭门拒之。翟斌复遣长史郭通往说垂，垂犹未许。通曰："将军所以拒通者，岂非以翟斌兄弟[271]山野异类[272]，无奇才远略，必无所成故邪？独不念将军今日凭[273]之，可以济大业[274]乎？"垂乃许之。于是斌帅其众来与垂会，劝垂称尊号。垂曰："新兴侯[275]，吾主也，当迎归返正[276]耳。"

垂以洛阳四面受敌，欲取邺而据之，乃引兵而东。故扶餘王余蔚[277]为荥阳太守，及昌黎鲜卑卫驹各帅其众降垂。垂至荥阳，群下固

张敦仁《通鉴刊本识误》同，今据补。[3]耳：原无此字。据章钰校，十二行本、乙十一行本、孔天胤本皆有此字，今据补。[4]援：原作“卫”。据章钰校，十二行本、乙十一行本、孔天胤本皆作“援”，今从改。[5]少：据章钰校，十二行本、乙十一行本、孔天胤本皆作“小”。[6]及仪服、器械、军资、珍宝、畜产不可胜计：原无此十五字。据章钰校，乙十一行本、孔天胤本皆有此十五字，张瑛《通鉴校勘记》同，今据补。[7]何：原作“不”。据章钰校，十二行本、乙十一行本、孔天胤本皆作“何”，今据改。[8]尹国：原作“尹固”。据章钰校，十二行本、乙十一行本皆作“尹国”，今据改。〖按〗《晋书》卷九《孝武帝纪》、卷一百二十三《慕容垂载记》亦作“尹国”，与十二行本合。[9]融：原无此字。据章钰校，十二行本、乙十一行本、孔天胤本皆有此字，今据补。[10]诸国：此下原有“等”字，涉上“等”字致衍。据章钰校，十二行本、乙十一行本皆无此“等”字，今据删。

【语译】

九年（甲申，公元三八四年）

春季，正月初一日乙酉，秦国长乐公苻丕大宴宾客，派人邀请慕容农，却不见慕容农前来赴宴，苻丕这才发觉事情有变。于是派人四处寻找，找了三天，才得知慕容农等在列人，已经起兵叛变了。

慕容凤、王腾、段延等都劝说翟斌尊奉慕容垂为首领，共同抗击秦军，翟斌听从了众人的意见，遂尊奉慕容垂为首领。慕容垂准备率军袭击洛阳，而且又不知翟斌等拥戴自己是真心还是假意，于是拒绝翟斌说：“我是前来救援担任豫州牧的平原公苻晖的，不是来与你会合攻打洛阳。你既然要反抗苻氏政权，自己称王，如果事情成功了，你就可以坐享其福，如果失败了，你将受到灾祸，我不参与，所以跟我没有一点关系。”正月初二日丙戌，慕容垂抵达洛阳，秦国平原公苻晖已经得知了慕容垂杀死苻飞龙的消息，因此紧闭城门，拒绝慕容垂入城。翟斌又派在自己属下担任长史的郭通前往劝说慕容垂，慕容垂还是没有答应。郭通说：“将军所以拒绝我们的建议，是不是认为翟斌兄弟是生活在山野之地的另一民族，又没有什么特殊的才能和深谋远虑，必定不会成功的缘故？难道将军就不想一想，今天依靠翟斌的力量，就可以成就称王称帝的大事业吗？”慕容垂这才答应做反秦的首领。于是翟斌率领自己属下的所有部众来与慕容垂会合，并劝说慕容垂称帝。慕容垂说：“被秦国俘虏后封为新兴侯的慕容暐，是我的主人，应当迎接慕容暐，恢复他的皇帝之位。”

慕容垂认为，洛阳四面八方都可能受到敌人的攻击，所以准备攻取邺城，作为根据地，于是便率军东进。先前曾经是扶餘王的余蔚此时正担任秦国的荥阳太守，他与昌黎郡的鲜卑人卫驹各自率领自己的部众投降了慕容垂。慕容垂抵达荥阳时，

请上尊号。垂乃依晋中宗故事[278]，称大将军、大都督、燕王，承制行事[279]，谓之统府[280]。群下称臣，文表奏疏，封拜官爵，皆如王者。以弟德为车骑大将军，封范阳王[281]，兄子楷[282]为征西大将军，封太原王[283]，翟斌为建义大将军，封河南王，余蔚为征东将军、统府左司马，封扶餘王，卫驹为鹰扬将军，慕容凤为建策将军，帅众二十余万，自石门[284]济河，长驱向邺。

慕容农之奔列人也，止于乌桓鲁利[285]家。利为之置馔[286]，农笑而不食。利谓其妻曰："恶奴[287]，郎[288]贵人，家贫无以馔之[289]，奈何？"妻曰："郎有雄才大志，今无故而至，必将有异[290]，非为饮食来也。君亟出[291]，远望以备非常。"利从之。农谓利曰："吾欲集兵列人以图兴复，卿能从我乎？"利曰："死生唯郎是从[292]。"农乃诣乌桓张骧[293]，说之曰："家王[294]已举大事，翟斌等咸相推奉[295]，远近响应，故来相告耳。"骧再拜曰："得旧主而奉之，敢不尽死！"于是农驱列人居民为士卒，斩桑榆为兵[296]，裂襜裳为旗[297]。使赵秋说屠各毕聪[298]，聪与屠各卜胜、张延、李白、郭超及东夷余和、敕勃[299]，易阳乌桓刘大[300]各帅部众数千赴之。农假[301]张骧辅国将军，刘大安远将军，鲁利建威将军。农自将攻破馆陶[302]，收其军资器械，遣兰汗[303]、段赞、赵秋、慕舆悕略取[304]康台牧马[305]数千匹。汗，燕王垂之从舅。赞，聪之子也。于是步骑云集，众至数万。骧等共推农为使持节、都督河北诸军事、骠骑大将军，监统诸将，随才部署[306]，上下肃然。农以燕王垂未至，不敢封赏将士。赵秋曰："军无赏，士不往。今之来者，皆欲建一时之功[307]，规万世之利[308]，宜承制封拜[309]，以广中兴之基[310]。"农从之。于是赴者相继，垂闻而善之。农西[11]招库傉官伟[311]于上党，东引乞特归[312]于东阿[313]，北召光烈将军平叡[314]及叡兄汝阳太守幼[315]于燕国，伟等皆应之。

所有部属都坚决请求慕容垂称帝称王。慕容垂遂依照晋中宗司马睿先称王，而后再过渡到称帝的做法，自称为大将军、大都督、燕王，暂时行使皇帝的职权，称之为统府。僚属全都向他称臣，一切文件奏疏，封官拜爵，全都跟帝王一样。慕容垂任命自己的弟弟慕容德为车骑大将军，封为范阳王，侄子慕容楷为征西大将军，封为太原王，翟斌为建义大将军，封为河南王，余蔚为征东将军、统府左司马，封为扶餘王，卫驹为鹰扬将军，慕容凤为建策将军，率领着二十多万部众，从石门渡过黄河，挥师直指邺城。

后燕慕容农在逃往列人的时候，住在乌桓人鲁利的家中。鲁利为慕容农摆上饭菜，慕容农笑了笑却没有吃。鲁利对自己的妻子说："你这可恶的婆娘，郎君是个尊贵的人，家里贫穷，没有什么可以用来招待客人的东西，你说怎么办?"鲁利的妻子说："郎君有雄才大志，今天无缘无故来到我们家里，必定有非同寻常的举动，肯定不是为了吃一顿饭而来。你赶紧出去放哨，以免发生意外之事。"鲁利听从了妻子的话，就到外面望风去了。得知这里确实安全无虞之后，慕容农才对鲁利说："我准备在列人招兵买马，以图重建燕国，你能不能跟随我?"鲁利说："不管是死是活，你怎么说我就怎么干，一切都听你的。"慕容农于是前往乌桓部落的小头领张骧的家中拜访，慕容农劝张骧说："我家的王爷已经举兵起事，丁零部落首领翟斌等人全都推戴他为首领，远近之人全都起兵响应，所以我来把这个消息告诉你。"张骧一再磕头说："能够再度侍奉旧时的主人，我怎么敢不尽死效忠!"于是，慕容农胁迫着列人的居民充当士卒，他们砍下桑木、榆木的枝干当作兵器，撕开衣服做旗帜。慕容农又派赵秋去游说匈奴族屠各部落首领毕聪。于是，毕聪与屠各人卜胜、张延、李白、郭超，以及东夷族的余和、敕勃，还有易阳县的乌桓人刘大等各自率领数千人赶来与慕容农会合。慕容农暂时任命张骧为辅国将军，任命刘大为安远将军，任命鲁利为建威将军。慕容农亲自率领着这支刚刚召集起来的军队攻破了馆陶，收缴了馆陶所有的军用物资和器械，又派遣兰汗、段赞、赵秋、慕舆悕夺取了康台牧场的数千匹马。兰汗是燕王慕容垂的表舅。段赞是段聪的儿子。于是步兵、骑兵就像云雾一起聚集一样，很快就发展到数万人。于是张骧等共同推戴慕容农为使持节、都督河北诸军事、骠骑大将军，统领诸将领。慕容农按照诸将的实际才能分派任务，全军上下秩序井然。因为燕王慕容垂还没有到达，所以慕容农不敢封赏将士。赵秋说："军中没有奖赏，将士就不会勇往直前地拼死杀敌。现在前来投效的人，都是希望能够建立名震一时的功劳，谋求一种可以传给子孙的长久利益，你应该以燕王慕容垂的名义分封、任命各个功臣将领，以壮大为重建燕国做贡献的力量。"慕容农采纳了赵秋的建议，于是前来报效的人络绎不绝，燕王慕容垂得知消息，认为慕容农干得很好。慕容农向西招引在上党的故燕国岷山公库傉官伟，向东招引在东阿的故燕国旧臣乞特归，向北招引在燕国的故燕国光烈将军平叡以及平叡的哥哥、故燕国汝阳

又遣兰汗等[12]攻顿丘[316]，克之。农号令整肃，军无私掠，士女喜悦。

长乐公丕使石越将步骑万余讨之。农曰："越有智勇之名，今不南拒大军[317]而来此，是畏王而陵我[318]也，必不设备，可以计取之。"众请治列人城[319]，农曰："善用兵者，结士以心[320]，不以异物。今起义兵，唯敌是求[321]，当以山河为城池，何列人之足治[322]也！"辛卯[323]，越至列人西，农使赵秋及参军綦毋滕[324]击越前锋，破之。参军太原赵谦言于农曰："越甲仗[325]虽精，人心危骇[326]，易破也，宜急击之。"农曰："彼甲在外，我甲在心[327]。昼战，则士卒见其外貌而惮之，不如待暮击之，可以必克。"令军士严备以待，毋得妄动。越立栅[328]自固，农笑谓诸将曰："越兵精士众，不乘其[13]初至之锐以击我，方更立栅，吾知其无能为也！"向暮[329]，农鼓噪出，陈于城西。牙门[330]刘木请先攻越栅，农笑曰："凡人见美食，谁不欲之，何得独请[331]？然汝猛锐可嘉，当以先锋惠汝[332]。"木乃帅壮士四百腾栅[333]而入，秦兵披靡[334]。农督大众随之，大败秦兵，斩越，送首于垂。越与毛当皆秦之骁将也，故秦王坚使助二子镇守[335]。既而相继败没，人情骚动，所在盗贼群起。

庚戌[336]，燕王垂至邺，改秦建元二十年为燕元年，服色[337]朝仪[338]皆如旧章[339]。以前岷山公库傉官伟为左长史[340]，前尚书段崇[341]为右长史，荥阳郑豁等为从事中郎。慕容农引兵会垂于邺，垂因其所称之官而

太守平幼，库傉官伟等人全都起兵响应。慕容农又派遣兰汗等率军攻取顿丘，兰汗很快将顿丘攻克。慕容农号令整齐、军纪严明，对人民的私有财产秋毫无犯，不论男女老少，无不欢欣鼓舞。

秦国长乐公苻丕派遣骁骑将军石越率领一万多名步兵骑兵讨伐慕容农。慕容农说："石越一向以有智谋和作战勇敢而闻名于世，现在他不南下抵抗我父王的大军却来这里，这是因为他惧怕我的父王，却来欺凌于我；他既然认为我好欺负，他的军中必定不会戒备，我们就可以用计来取胜。"众人都请求修筑列人城，以加强防御能力，慕容农说："善于用兵打仗的人，要用诚心去结纳将士，使将士心甘情愿为你去死力拼杀，而不是依靠城墙之类的其他东西。现在我们为了重建燕国而起兵反抗秦国，就应该想方设法主动去攻击敌人、消灭敌人的有生力量，所以应该把高山大河作为城池，一座小小的列人城哪里值得我们去修筑防守呢！"正月初七日辛卯，秦将石越率军抵达列人城西，慕容农派赵秋以及担任参军的綦毋滕率军攻击石越的前锋部队，将前锋部队打败。担任参军的太原人赵谦向慕容农建议说："石越军中的铠甲、武器虽然精良，然而军心离散，人人心怀恐惧，所以很容易将其打败，现在应该赶紧出兵攻击他。"慕容农说："石越军队的铠甲是穿在身上，而我军的铠甲则是穿在心里。如果白天与秦军交战，士卒看见对方装备精良，就会产生惧敌心理，不如等到夜幕降临以后再向秦军发起进攻，可以一战而胜。"于是命令军士严密戒备，等待下达作战命令，不要轻举妄动。石越在自己的军营四周竖起用来防卫的栅栏，慕容农笑着对属下的诸将说："石越所率领的既是精兵，人数又多，不趁着刚刚抵达，士气正旺的时候攻击我方，反而加紧修筑用来防御的栅栏，仅凭这一点，我就知道石越不会有什么作为了！"天色将晚，慕容农的军营之中擂响了战鼓，士兵呐喊着跑出营寨，在列人城西摆开阵势。担任牙门官的刘木请求率先攻打石越的营寨，慕容农笑着说："人一旦看到美味的食物，谁不想将它一口气吃到肚子里，怎么能让你一个人独享这份美差？然而，你的勇气可嘉，我就把这个先锋官让你来当。"刘木于是率领着四百名壮士，越过石越竖立的栅栏，冲进秦军的营寨，石越所率领的秦军就像草木随风倒伏一样，立即惊慌溃败。慕容农率领主力部队紧随刘木之后，也杀入秦军营垒，于是将秦军打得大败，斩杀了石越，并将石越的首级呈送给燕王慕容垂。石越与毛当都是秦国有名的勇将，所以秦王苻坚才派他们分别协助自己的两个儿子苻丕和苻晖镇守邺城和洛阳。没想到二人却相继战败而死，于是，人心开始骚动不安，各地盗贼蜂拥而起。

正月二十六日庚戌，后燕王慕容垂抵达故燕国都城邺城，将秦国建元二十年改为后燕国元年，官员的衣服颜色和朝廷的各种礼仪等都和以前慕容皝、慕容儁那个时期的规定一样。后燕王慕容垂任命故燕国岷山公库傉官伟为左长史，任命在以前燕国慕容儁时期担任尚书郎的段崇为右长史，任命荥阳人郑豁等为从事中郎。慕容农率领着自己的部众从列人前来邺城与慕容垂会合，燕王慕容垂依据慕容农在列

授之[342]。立世子宝为太子，封从弟拔等十七人及甥宇文翰[343][14]、舅子兰审皆为王，其余宗族及功臣封公者三十七人，侯、伯、子、男者八十九人。

可足浑谭集兵得二万余人，攻野王[344]，拔之，引兵会攻邺。平幼及其弟叡、规亦帅众数万会垂于邺。

长乐公丕使姜让诮让[345]燕王垂，且说之曰："过而能改[346]，今犹未晚也。"垂曰："孤受主上不世之恩[347]，故欲安全长乐公[348]，使尽众赴京师[349]，然后修复国家之业[350]，与秦永为邻好[351]。何故暗于机运[352]，不以邺城见归[353]？若迷而不复，当穷极兵势[354]，恐单马求生，亦不可得也。"让厉色责之曰："将军不容于家国，投命圣朝，燕之尺土，将军岂有分乎[355]！主上[356]与将军风殊类别[357]，一见倾心，亲如宗戚[358]，宠逾勋旧[359]，自古君臣际遇[360]，有如是之厚者乎！一旦因王师小败，遽有异图[361]。长乐公，主上元子[362]，受分陕之任[363]，宁可[364]束手输将军[365]以百城之地[366]乎！将军欲裂冠毁冕[367]，自可极其兵势[368]，奚更云云[369]！但惜将军以七十之年，悬首白旗[370]，高世之忠[371]，更为[372]逆鬼耳！"垂默然。左右请杀之，垂曰："彼各为其主耳，何罪！"礼而归之，遗丕书及上秦王坚表，陈述利害，请送丕归长安。坚及丕怒，复书切责[373]之。

鹰扬将军刘牢之攻秦谯城[374]，拔之。桓冲遣上庸太守郭宝[375]攻秦魏兴[376]、上庸[377]、新城[378]三郡，拔之。将军杨佺期[379]进据成固[380]，击秦梁州刺史潘猛，走之。佺期，亮之子也。

壬子[381]，燕王垂攻邺，拔其外郭[382]，长乐公丕退守中城[383]，关东六州[384]郡县多送任[385]请降于燕。

癸丑[386]，垂以陈留王绍[387]行冀州刺史[388]，屯广阿[389]。

人所任命的官职一一加以正式确认。立世子慕容宝为太子，封自己的堂弟慕容拔等十七人以及自己的外甥宇文翰、舅舅的儿子兰审都为王爵，其他的慕容氏家族和有功之臣被封为公爵的总共有三十七人，侯爵、伯爵、子爵、男爵总共八十九人。

可足浑谭召集了二万多名士兵，攻克了野王后，也率领着自己的部众来到邺城会合，平幼与他的弟弟平叡、平规也率领着数万人前来邺城与燕王慕容垂会合。

秦国的长乐公苻丕派姜让为使者来到邺城责备后燕王慕容垂，同时又劝说他：“有了过错如果能够改正，现在也还不算晚。”燕王慕容垂答复说：“我受到秦主苻坚给予的厚恩，我今生今世也报答不完，所以才打算保护长乐公苻丕的安全，使他能够率领自己属下的所有部众，平安返回秦国的京师长安，而后我要重建燕国，恢复祖先的大业，与秦国结成世代睦邻友好的国家。长乐公为何看不清目前形势的发展走向，不肯将邺城归还我们？如若再继续执迷而不知改悔，我就要倾尽全力对邺城发起进攻，到那时，长乐公恐怕想要单枪匹马逃命也是做不到的。”姜让立即神情严肃、厉声责备燕王慕容垂说：“将军因为在自己的祖国无法立足，所以才来投奔秦国，在燕国的土地上，能有一尺的土地是属于将军所有吗！秦王与将军风俗既不相同，又不属于同一个民族，却一见如故，诚心相待，亲密得就像一家人一样，对将军的恩宠远远超过了对秦国有功勋的旧臣，自古以来，君主与大臣的知心友好有如此深厚的吗！将军却因为秦国军队一次小小的失败，就立即产生叛逆之心。长乐公苻丕是秦王苻坚的嫡长子，接受了镇守一方的重任，他怎么会拱手把拥有一百座城池的冀州白白地奉送给将军呢！将军如果不顾一切地毁坏皇帝所赐予的冠冕，自然可以倾尽全力攻打，何必再多说什么呢！可惜的是，将军以七十岁的高龄，首级即将被高高地悬挂在大白旗上，原本对秦国忠心耿耿、名高出世的人，结果变成了谋逆之鬼！”燕王慕容垂默然无语。燕王身边的人都劝说燕王杀死姜让，燕王慕容垂说：“他也是为了效忠自己的主人，何罪之有！”按照礼节恭送姜让返回。随后慕容垂又写信给长乐公苻丕，并上疏给秦王苻坚，为他们分析利害关系，请求允许护送长乐公苻丕返回秦国的京师长安。秦王苻坚和长乐公苻丕看过燕王慕容垂的书信和表章，都非常愤怒，又回信对慕容垂严加责备。

东晋担任鹰扬将军的刘牢之率军攻打秦国占领下的谯城，并将谯城攻克。车骑将军桓冲派遣上庸太守郭宝率军攻打秦国的魏兴、上庸、新城三郡，这三个郡相继被郭宝攻克。东晋将军杨佺期率军向前推进，占据了成固之后，又攻击秦国的梁州刺史潘猛，将潘猛赶走。杨佺期是杨亮的儿子。

正月二十八日壬子，后燕王慕容垂开始率军攻打邺城，并很快占领了邺城的外城，长乐公苻丕撤退到中城防守。函谷关以东的幽州、并州、冀州、司州、兖州、豫州之内的各郡县，很多人都送人质给燕王慕容垂，请求投降燕国。

二十九日癸丑，后燕王慕容垂任命陈留王慕容绍为代理冀州刺史，率军屯扎在广阿。

丰城宣穆公桓冲[390]闻谢玄等有功[391]，自以失言[392]，惭恨成疾。二月辛巳[393]，卒。朝议欲以谢玄为荆、江二州刺史。谢安自以父子名位太盛，又惧桓氏失职怨望[394]，乃以梁郡太守桓石民[395]为荆州刺史，河东太守桓石虔[396]为豫州[397]刺史，豫州刺史桓伊[398]为江州刺史。

燕王垂引丁零、乌桓之众二十余万为飞梯[399]地道以攻邺，不拔，乃筑长围[400]守之，分处老弱于肥乡[401]，筑新兴城[402]以置辎重。

秦征东府官属[403]疑参军高泰[404]，燕之旧臣，有贰心。泰惧，与同郡虞曹从事[405]吴韶逃归勃海[406]。韶曰："燕军近在肥乡，宜从之。"泰曰："吾以避祸耳，去一君，事一君[407]，吾所不为也。"申绍[408]见而叹曰："去就以道[409]，可谓君子矣！"

燕范阳王德[410]击秦枋头[411]，取之，置戍而还。

东胡王晏[412]据馆陶，为邺中声援，鲜卑、乌桓及郡县民据坞壁[413]不从燕者尚众。燕王垂遣太原王楷与镇南将军陈留王绍讨之。楷谓绍曰："鲜卑、乌桓及冀州之民本皆燕臣，今大业始尔，人心未洽[414]，所以小异[415]。唯宜绥之以德[416]，不可震之以威。吾当止一处[417]，为军声之本[418]，汝巡抚民夷，示以大义，彼必当听从。"楷乃屯于辟阳[419]。绍帅骑数百往说王晏，为陈祸福，晏随绍诣楷降，于是鲜卑、乌桓及坞民降者数十万口。楷留其老弱，置守宰[420]以抚之，发其丁壮十余万，与王晏诣邺[421]。垂大悦，曰："汝兄弟才兼文武，足以继先王[422]矣！"

三月，以卫将军谢安为太保[423]。

东晋丰城宣穆公桓冲听说谢玄等在淝水打败了秦军，立了大功的消息，认为自己错误地估计了形势，说了“我其左衽矣”等不该说的话，不由得心生惭愧与悔恨，竟然因此而患病。二月二十七日辛巳，桓冲去世。朝廷议论，想让谢玄担任荆州、江州二州刺史。司徒谢安则自以为父子名望太高、权势太重，又担心桓氏家族会因为失去权位而产生怨恨，于是便任命担任梁郡太守的桓石民为荆州刺史，任命担任河东太守的桓石虔为豫州刺史，改任豫州刺史桓伊为江州刺史。

后燕王慕容垂率领着丁零人、乌桓人总计二十多万，采用搭设云梯、挖掘地道等各种方法攻打邺城，仍然不能将邺城攻克，于是就围着邺城修筑起一道长长的围墙，把邺城严密封锁，又把自己队伍中的老弱安置在肥乡，让他们修筑新兴城，用来储存武器、辎重。

因为担任参军的高泰是燕国的旧臣，秦国长乐公苻丕的征东将军府中的僚属于是便怀疑他对秦国怀有二心。高泰非常害怕，就与担任秦国虞曹从事的同乡吴韶一起逃回了勃海。吴韶说：“燕王慕容垂的军队就在肥乡，我们应该前去投奔他。”高泰说：“我们是为了躲避灾祸才逃离了征东将军府，刚离开了一个主子，转身就去侍奉另一个主子，我是不会这样做的。”故燕旧臣申绍看见高泰的这种态度，感叹地说：“不论是选择离开谁还是投奔谁，都有一定的原则，高泰可以称得上是一个正人君子！”

后燕范阳王慕容德率军攻取了秦国的枋头，他留下一部分军队负责防守，然后班师而回。

东胡人王晏聚众起兵，他据守馆陶作为邺城的声援，此时还有鲜卑人、乌桓人以及许多郡县的民众都修筑起堡寨进行自卫而不肯服从燕王慕容垂。燕王慕容垂于是派遣太原王慕容楷会同镇南将军、陈留王慕容绍出兵对这些不肯归服的进行讨伐。太原王慕容楷对陈留王慕容绍说：“鲜卑人、乌桓人以及冀州的民众，本来都是燕国的臣民，现在我们刚刚开始重新创立大业，他们还不理解我们、归心于我们，所以才与我们发生小的冲突。现在只能以恩德安抚他们，而不能用武力威势进行镇压。我准备停留在一个合适的地方，为我军大造声势、打好基础，你率领一部分兵力巡回安抚那些汉人和夷人，让他们明白我们的意图，他们必定会听从我们。”慕容楷于是驻扎在辟阳，慕容绍则率领着数百名骑兵前往游说王晏，详细地为王晏分析了祸福利害，王晏于是跟随着慕容绍前往驻扎在辟阳的慕容楷大营投降，那些鲜卑人、乌桓人以及修筑堡寨进行自卫的各地居民纷纷向燕军投降，总计投降的有数十万口。太原王慕容楷把老弱留在原地，并任命了郡守和县令对百姓进行安抚，征召了十多万名青壮年入伍，然后与王晏一同前往邺城。燕王慕容垂非常高兴地对慕容楷和慕容绍说：“你们兄弟二人文武兼备，完全可以继承你们的父亲太原王慕容恪的功勋事业！”

三月，东晋朝廷任命担任卫将军的谢安为太保。

秦北地长史慕容泓[424]闻燕王垂攻邺，亡奔关东，收集鲜卑，众至数千，还屯华阴[425]。败秦将军强永，其众遂盛，自称都督陕西[426]诸军事、大将军、雍州牧、济北王[427]，推[428]垂为丞相、都督陕东诸军事、领大司马、冀州牧、吴王。

秦王坚谓权翼曰："不用卿言[429]，使鲜卑至此。关东之地，吾不复与之争，将若泓何[430]？"乃以广平公熙[431]为雍州刺史，镇蒲阪[432]。征雍州牧钜鹿公叡[433]为都督中外诸军事、卫大将军、录尚书事，配兵五万，以左将军窦冲为长史，龙骧将军姚苌为司马，以讨泓。

平阳太守慕容冲[434]亦起兵于平阳[435]，有众二万，进攻蒲坂，坚使窦冲讨之。

库傉官伟帅营部[436]数万至邺，燕王垂封伟为安定王。

秦冀州刺史阜城侯定[437]守信都[438]，高城男绍[439]在国[440]，高邑侯亮[441]、重合侯谟[442]守常山[443]，固安侯鉴[444]守中山[445]。燕王垂遣前将军、乐浪王温[446]督诸军攻信都，不克。夏，四月丙辰[447]，遣抚军大将军麟[448]益兵助之。定、鉴，秦王坚之从叔[449]。绍、谟，从弟。亮，从子也。温，燕王垂之弟子也。

慕容泓闻秦兵且至[450]，惧，帅众将奔关东。秦钜鹿愍公叡粗猛轻敌，欲驰兵邀之。姚苌谏曰："鲜卑皆有思归之志，故起而为乱。宜驱令出关，不可遏也。夫执鼷鼠[451]之尾，犹能反噬[452]于人。彼自知困穷，致死于我[453]，万一失利，悔将何及！但可鸣鼓随之，彼将奔败不暇[454]矣。"叡弗从，战于华泽[455]，叡兵败，为泓所杀。苌遣龙骧长史赵都、参军姜协诣秦王坚谢罪，坚怒，杀之。苌惧，奔渭北马牧[456]，于是天水尹纬、尹详，南安庞演等纠扇羌豪[457]，帅其户口归苌者五万余家，推苌为盟主。苌自称大将军、大单于、万年秦王，大赦，改元白雀，以尹详、庞演为

在秦国担任北地长史的慕容泓听到燕王慕容垂率军攻打邺城的消息，立刻逃走，投奔函谷关以东，他在关东召集了数千名鲜卑人，然后返回关西，驻扎在华阴。他打败了秦将强永，声势越来越大，自称都督陕西诸军事、大将军、雍州牧、济北王，推举慕容垂为丞相、都督陕东诸军事、兼任大司马、冀州牧、吴王。

秦王苻坚对担任尚书左仆射的权翼说："当初没有听从你的意见，致使鲜卑人的叛乱达到这样大的规模。函谷关以东的土地，我可以抛给慕容垂，而慕容泓竟然占据了关中的华阴，自称济北王，我该怎么处置他呢?"于是任命广平公苻熙为雍州刺史，镇所设在蒲阪。将担任雍州牧的钜鹿公苻叡调回京师，担任都督中外诸军事、卫大将军、录尚书事，拨给他五万军队，以左将军窦冲为长史，龙骧将军姚苌为司马，令他们率军讨伐慕容泓。

秦国担任平阳太守的慕容冲也在平阳起兵，有二万人马，慕容冲率领着这些人马进攻蒲坂，秦王苻坚派长史窦冲率军讨伐慕容冲。

库傉官伟率领各少数民族部落的数万人抵达邺城，燕王慕容垂封库傉官伟为安定王。

秦国担任冀州刺史的阜城侯苻定镇守信都，高城男爵苻绍正在自己的封国高城境内，高邑侯苻亮、重合侯苻谟镇守常山，固安侯苻鉴守卫中山。燕王慕容垂派遣担任前将军的乐浪王慕容温率领各路人马攻打信都，没有攻克。夏季，四月初三日丙辰，燕王慕容垂又派遣担任抚军大将军的慕容麟率军前往信都增援慕容温。苻定、苻鉴都是秦王苻坚的堂叔。苻绍、苻谟是秦王苻坚的堂弟。苻亮是秦王苻坚的侄子。慕容温是燕王慕容垂的侄子。

占据华阴而自称都督陕西诸军事、大将军、雍州牧、济北王的慕容泓得知秦军即将前来讨伐的消息，非常恐惧，就准备率领自己的部众逃奔函谷关以东。秦国钜鹿愍公苻叡为人粗疏勇猛，轻视敌人，他想率军急速截击慕容泓。担任司马的姚苌劝阻说："鲜卑人都有回归关东的念头，所以才跟随慕容泓起兵叛乱。现在就应该驱逐他们离开关中，而不要强行去阻止他们。即使是抓住一只鼷鼠的尾巴，鼷鼠还要掉过头来咬你一口。那些思乡心切的鲜卑人，他们一旦觉得自己处于无路可逃的困境，必然会与我们死命相拼，我们万一失败，后悔可就来不及了！只要我们擂动战鼓，紧随在他们的后面，他们就会只顾逃命，无暇顾及其他了。"钜鹿公苻叡没有接受姚苌的建议，他率军与慕容泓在华阴境内的华泽展开大战，结果被慕容泓打败，钜鹿公苻叡被慕容泓杀死。姚苌立即派遣在龙骧将军府担任长史的赵都、担任参军的姜协前往京师长安，向秦王苻坚报告战况，并请求治罪，秦王苻坚接到报告，立即大怒，竟然将姚苌派去的使者杀死。姚苌非常恐惧，于是逃到了渭水北岸的牧马场，此时天水人尹纬、尹详，南安人庞演等纠集、煽动羌族人中的头面人物，各自率领家族人口投奔姚苌的就有五万多家，他们推戴姚苌为首领。姚苌于是自称大将军、大单于、万年秦王，并实行大赦，改年号为白雀，任命尹详为左长史，任命庞

左、右长史，南安[458]姚晃及尹纬为左、右司马，天水狄伯支[459]等为从事中郎，羌训[460]等为掾属，王据等为参军，王钦卢、姚方成等为将帅。

秦窦冲击慕容冲于河东，大破之。冲帅鲜卑骑八千奔慕容泓。泓众至十余万，遣使谓秦王坚曰："吴王已定关东，可速资备大驾[461]，奉送家兄皇帝[462]。泓当帅关中燕人翼卫乘舆[463]，还返邺都，与秦以虎牢[464]为界，永为邻好。"坚大怒，召慕容暐责之曰："今泓书如此，卿欲去者，朕当相资。卿之宗族，可谓人面兽心，不可以国士期[465]也!"暐叩头流血，涕泣陈谢。坚久之曰："此自三竖[466]所为，非卿之过。"复其位，待之如初，命暐以书招谕[467]泓、冲及垂。暐密遣使谓泓曰："吾笼中之人，必无还理；且燕室之罪人也，不足复顾。汝勉建大业，以吴王为相国，中山王[468]为太宰、领大司马，汝可为大将军、领司徒，承制封拜。听吾死问[469]，汝便即尊位[470]。"泓于是进向[471]长安，改元燕兴。

燕王垂以邺城犹固，会僚佐议之。右司马封衡请引漳水灌之，从之。垂行围[472]，因饮于华林园[473]。秦人密出兵掩之[474]，矢下如雨，垂几不得出。冠军大将军隆[475]将骑冲之，垂仅而得免。

竟陵[476]太守赵统攻襄阳，秦荆州刺史都贵奔鲁阳[477]。

五月，秦洛州刺史张五虎据丰阳[478]来降。

梁州[479]刺史杨亮帅众五万伐蜀，遣巴西[480]太守费统等[15]将水陆兵三万为前锋。亮屯巴郡[481]，秦益州刺史王广遣巴西太守康回[482]等拒之。

秦苻定、苻绍皆降于燕。燕慕容麟引兵西攻常山。

后秦王苌[483]进屯北地[484]，秦华阴、北地、新平、安定[485]羌胡降之者十余万。

六月癸丑[486]朔，崇德太后褚氏崩。

演为右长史，任命南安人姚晃为左司马，任命尹纬为右司马，任命天水郡的狄族人伯支等为从事中郎，任命羌族人训等为掾属，任命王据为参军，王钦卢、姚方成等都为将帅。

秦国窦冲在河东地区将慕容冲打得大败。慕容冲战败之后，便率领着八千名鲜卑族骑兵投奔了慕容泓。慕容泓的部众达到十多万人，他派遣使者对秦王苻坚说："吴王已经平定了函谷关以东地区，你要赶紧准备好帝王乘坐的车驾，恭恭敬敬地把我的皇帝哥哥慕容暐送出来。我要率领关中地区的燕国人护卫皇帝的车驾返回燕国的故都邺城，与秦国以虎牢关为界，永远结为睦邻友好的国家。"秦王苻坚大怒，立即将慕容暐召到跟前责备说："现在慕容泓的书信就是这样写的，你如果想要返回邺城，我一定会给你提供帮助。你的宗族，可以说是人面兽心，不能指望你们能够成为国家的杰出人物！"慕容暐在苻坚面前磕头流血，一面哭泣一面请求宽恕。过了好一会儿苻坚才对慕容暐说："这当然是慕容垂、慕容泓、慕容冲那三个小子干的事情，不是你的过错。"于是恢复了慕容暐的职位，对待他还像从前一样。苻坚让慕容暐写信给慕容泓、慕容冲和慕容垂，劝说他们归降。慕容暐秘密地派使者对慕容泓说："我现在是被关在笼子中的人，肯定没有活着回去的可能；再说，我是燕国皇室的罪人，不值得你们再牵挂我。你要努力创立大业，任用吴王慕容垂为丞相，任用中山王慕容冲为太宰、兼任大司马，你可以为大将军、兼任司徒，代表皇帝行使职权。一旦听到我死去的消息，你就立即即皇帝位。"慕容泓于是率军向秦国的都城长安发起进攻，改年号为燕兴。

后燕王慕容垂认为邺城仍然坚固难攻，于是便召集僚佐一起商议对策。担任右司马的封衡建议掘开漳河，引漳河水灌入邺城，慕容垂采纳了封衡的建议。后燕王慕容垂巡视燕军对邺城的包围情况，顺便在华林园设宴饮酒，却被秦军探明情况，秦军于是对华林园发动突袭，射过来的箭密集得就像下雨一样，慕容垂差一点被困在华林园中。担任冠军大将军的慕容隆率领着骑兵向秦军冲杀，慕容垂才侥幸免于被杀。

东晋竟陵太守赵统率领晋军攻打秦国统治下的襄阳，秦国担任荆州刺史的都贵放弃了襄阳逃奔鲁阳。

五月，秦国担任洛州刺史的张五虎献出丰阳，向东晋投降。

东晋担任梁州刺史的杨亮率领着五万名晋军攻取秦国占领下的巴蜀，杨亮派遣担任巴西太守的费统等人率领三万名水军、陆军担任前锋。杨亮率军屯驻在巴郡，秦国担任益州刺史的王广派遣担任巴西太守的康回等率军抵抗东晋的进攻。

秦国苻定、苻绍全都投降了后燕。后燕慕容麟率领着燕军向西攻取常山。

后秦王姚苌率军进驻北地，秦国的华阴、北地、新平、安定各郡的羌人、胡人向姚苌投降的有十多万人。

六月初一日癸丑，东晋崇德皇太后褚氏驾崩。

秦王坚自帅步骑二万以击后秦军于赵氏坞[487]，使护军将军杨璧等分道攻之。后秦兵屡败，斩后秦王苌之弟镇军将军尹买。后秦军中无井，秦人塞安公谷[488]、堰同官水[489]以困之。后秦人恟惧[490]，有渴死者。会天大雨，后秦营中水三尺，绕营百步之外，寸余而已。后秦军复振。秦王坚叹曰：“天亦佑贼乎?”

慕容泓谋臣高盖等以泓德望不如慕容冲，且持法苛峻[491]，乃杀泓，立冲为皇太弟[492]，承制行事，置百官，以盖为尚书令[493]。后秦王苌遣其[16]子嵩为质于冲以请和。

将军刘春[494]攻鲁阳，都贵奔还长安。

后秦王苌帅众七万击秦，秦王坚遣杨璧等拒之，为苌所败，获杨璧及右将军徐成、镇军将军毛盛等将吏数十人，苌皆礼而遣之[495]。

燕慕容麟拔常山，秦苻亮、苻谟皆降。麟进围中山。秋，七月，克之，执苻鉴。麟威声大振，留屯中山。

秦幽州刺史王永、平州[496]刺史苻冲帅二州之众以击燕。燕王垂遣宁朔将军[17]平规[497]击永，永遣昌黎太守宋敞逆战于范阳[498]，敞兵败，规进据蓟南[499]。

秦平原公晖帅洛阳、陕城之众七万归于长安。益州刺史王广遣将军王虬帅蜀汉之众三万北救长安[18]。

秦王坚闻慕容冲去长安浸近[500]，乃引兵归[501]，遣抚军大将军高阳公[19]方[502]戍骊山[503]，拜平原公晖为都督中外诸军事、车骑大将军、录尚书事，配兵五万以拒冲。冲与晖战于郑西[504]，大破之。坚又遣前将军姜宇与少子河间公琳帅众三万拒冲于灞上[505]，琳、宇皆败死，冲遂据阿房城[506]。

秦康回兵数败[507]，退还成都。

梓潼太守垒袭[508]以涪城来降。

荆州刺史桓石民据鲁阳，遣河南太守高茂北戍洛阳。

秦王苻坚亲自率领着二万名步兵、骑兵前往赵氏坞攻打后秦军，苻坚还派担任护军将军的杨壁等兵分几路同时攻打后秦军。后秦军屡次被打败，秦军斩杀了后秦王姚苌的弟弟、担任镇军将军的姚尹买。后秦军的驻地没有水井，秦军于是堵塞了安公谷向赵氏坞的流水，筑堤截断了同官河，准备将后秦军困死、渴死在赵氏坞。后秦军中于是人心惶恐，有人已经被渴死。恰好此时下了一场大雨，后秦军的营地中水深三尺，而围绕着营寨周边百步之外，只有一寸多深的雨水。后秦军的士气于是重新振作起来。秦王苻坚叹息了一声说："难道上天也保佑贼人吗？"

慕容泓的谋臣高盖等认为慕容泓的恩德与威望都比不上慕容冲，但执法严酷苛刻，于是便杀死了慕容泓，拥立慕容冲为皇太弟，代表皇帝行使职权，设置文武百官，任命高盖为尚书令。后秦王姚苌派遣自己的儿子姚嵩到慕容冲那里充当人质，请求与燕军和解。

东晋将军刘春率军攻打鲁阳，都贵又从鲁阳逃回了秦国的都城长安。

后秦王姚苌率领七万军队攻打秦国，秦王苻坚派遣护军将军杨壁等抵抗姚苌的进攻，被姚苌率军打败，姚苌活捉了秦国护军将军杨壁以及右将军徐成、镇军将军毛盛等将吏数十人，后秦王姚苌对他们以礼相待，遣送他们返回秦国。

后燕抚军大将军慕容麟率领燕军攻克了常山，秦国的高邑侯苻亮、重合侯苻谟全都投降了后燕。慕容麟乘胜进军，顺势包围了中山。秋季，七月，慕容麟攻克中山，活捉了苻鉴。慕容麟此时威名大振，遂留守中山。

秦国幽州刺史王永、平州刺史苻冲率领着幽州、平州的人马抗击后燕。后燕王慕容垂派遣担任甯朔将军的平规率军进击王永。秦将王永派昌黎太守宋敞到范阳迎战平规，宋敞被平规打得大败，平规遂占领了蓟城以南。

秦国平原公苻晖率领洛阳、陕城的七万兵众回到京师长安。益州刺史王广派遣将军王虬率领蜀汉众军三万人北上救援长安。

秦王苻坚得知慕容冲率领燕军越来越逼近长安的消息，便率领秦军从北地赵氏坞前线返回京师长安，他派遣担任抚军大将军的高阳公苻方戍守骊山，任命平原公苻晖为都督中外诸军事、车骑大将军、录尚书事，给他配备了五万兵力用以抵抗慕容冲。慕容冲率领燕军与秦国的车骑大将军苻晖在郑县西郊展开大战，将苻晖打得大败。秦王苻坚又派担任前将军的姜宇与自己最小的儿子、河间公苻琳率领三万名秦兵在灞上抵抗慕容冲，苻琳与姜宇全都兵败阵亡，慕容冲于是占领了阿房城。

秦国康回与东晋军交战，屡战屡败之后，便率军退回了成都。

秦国担任梓潼太守的垒袭献出涪城，向东晋投降。

东晋荆州刺史桓石民占据了秦国的鲁阳，他派遣河南太守高茂率军北上防守洛阳。

【段旨】

以上为第二段，写孝武帝太元九年（公元三八四年）上半年的大事。主要写了苻坚统治地区刀兵四起，四分五裂。先是丁零翟斌等拥立慕容垂为盟主，慕容垂乃自称燕王，分封子侄诸将，服色朝仪皆如旧章。写了慕容垂欲取邺城为根基，率大军攻邺，拔其外城，邺城守将苻丕退守内城；慕容垂筑长围以守之，引漳水以灌之。写了慕容垂之子慕容农在河北地区大规模发展，破杀秦国大将石越于列人城。写了慕容恪之子慕容楷、慕容绍在冀州、幽州一带绥集鲜卑、乌桓诸族，降者数十万口。写了慕容垂之子慕容麟破秦将苻鉴于中山，声威大震。写了慕容泓、慕容冲兄弟崛起于陕、晋地区，慕容泓破杀了苻坚之子苻叡；慕容泓被部下所杀后，慕容冲被拥立为首，慕容冲率兵进攻长安。写了依附于苻坚部下韬晦待时的姚苌在苻叡兵败被杀后逃向渭北，纠集西部羌豪，自称万年秦王，自立门户；苻坚派大兵往讨，被姚苌所破。姚苌移兵进屯北地郡，周围之羌胡多归之。写了苻坚政权的多方受敌，降燕、降晋的郡县接连不断，洛阳的守军孤立无援，只好西回长安。写了晋将刘牢之攻秦谯城，取之；桓冲派部将攻秦之魏兴、上庸、新城三郡，拔之；杨佺期进据城固，击秦之梁州刺史，走之；晋将杨亮起兵攻蜀，涪城的守将投降。写了晋将赵统收复襄阳，刘春攻取鲁阳，荆州刺史桓石民遣河南太守高茂北戍洛阳；以及桓冲自悔对谢玄初为将时的错误估计，惭恨成疾而卒等。

【注释】

㉖④正月乙酉朔：正月初一是乙酉日。㉖⑤求：寻找。㉖⑥救豫州：援救苻晖，时平原公苻晖为豫州牧，驻守洛阳。㉖⑦不来赴君：不是来与你会合以攻洛阳的。赴，投向、前来会合。㉖⑧建大事：指反击苻氏，自己称王。㉖⑨吾无预：我不掺和，与我无关。预，参与、过问。㉗⓪丙戌：正月初二。㉗①翟斌兄弟：指翟斌、翟檀诸人。㉗②山野异类：生活在山野之地的另一民族。异类，另一民族。㉗③凭：依靠。㉗④济大业：成大功。济，成就。大业，称帝称王的事业。㉗⑤新兴侯：慕容暐，原是前燕的末代皇帝，苻坚灭燕俘得慕容暐后，封之为新兴侯。㉗⑥返正：恢复他的皇帝之位。㉗⑦扶馀王余蔚：先曾为扶馀国国王的余蔚。扶馀是古国名，领土在今吉林与黑龙江境内。慕容氏建燕后，曾攻灭其国，余蔚在燕曾任散骑侍郎。太和五年（公元三七〇年），王猛攻燕邺城，余蔚率扶馀、高句丽及上党质子开邺都北门纳秦兵。余蔚在秦，被任为荥阳太守。㉗⑧晋中宗故事：晋元帝司马睿先称“晋王”，而后再过渡到称“皇帝”的旧有做法。晋元帝的庙号称“中宗”。司马睿如此行事，见本书卷九十建武元年。㉗⑨承制行事：暂时代行皇帝的职权。承制，秉承皇帝的意旨。㉘⓪统府：总统万机之府。㉘①封范阳王：前燕本封慕容德

为范阳王，今复其故。㉘² 兄子楷：慕容恪之子慕容楷。㉘³ 封太原王：前燕封慕容恪为太原王，今以其子楷袭其父之爵位。㉘⁴ 石门：地名，在今河南荥阳北的黄河边上。㉘⁵ 乌桓鲁利：乌桓人名叫鲁利。乌桓部落原本居住在今辽宁西部与内蒙古交界一带地区，前燕时期被慕容氏所征服；前燕灭，遂又落入前秦的统治下，有的居住在列人县，今河北肥乡东北。㉘⁶ 置馔：摆上饭菜。㉘⁷ 恶奴：鲁利骂其妻的话。㉘⁸ 郎：对男主人的尊称，此称其旧时的主子慕容农。㉘⁹ 无以馔之：没有什么可拿来招待。馔，原指饭菜，这里用如动词，请人吃。㉙⁰ 有异：有非同寻常的举动。㉙¹ 亟出：赶紧出去放哨。亟，意思同“急”，赶快。㉙² 唯郎是从：你怎么说我就怎么干，一切听你的。㉙³ 乌桓张骧：应是乌桓部落的小头领。㉙⁴ 家王：我们家的王爷，指慕容垂。慕容垂在前燕时被封吴王。“家”字也表示客气。㉙⁵ 推奉：推举以为首领。㉙⁶ 斩桑榆为兵：砍取桑树、榆树的枝干作为兵器。㉙⁷ 裂襜裳为旗：撕开衣服做旗帜。襜，遮前至膝的短衣，即围裙。裳，下衣，即裙子。㉙⁸ 屠各毕聪：匈奴人名叫毕聪。屠各是匈奴族的部落之一，前被燕国征服，后又被秦国征服。㉙⁹ 东夷余和、敕勃：东夷族的余和与敕勃二人。东夷在当时是泛指与今辽宁邻近的少数民族，即古代的朝鲜人与日本人。㉚⁰ 易阳乌桓刘大：易阳县的乌桓人名叫刘大。易阳是汉县名，县治在今河北邯郸东北、永年东南。㉚¹ 假：加；授予。㉚² 馆陶：县名，即今河北馆陶。㉚³ 兰汗：慕容垂之堂舅。㉚⁴ 略取：夺取。胡三省引杜预注：“不以道取曰略。”㉚⁵ 康台牧马：秦国在康台所驯养的马匹。康台是地名，在今河北邱县西。㉚⁶ 随才部署：按照才能分派任务。㉚⁷ 一时之功：名震一时的功勋。㉚⁸ 规万世之利：谋求一种可以传给子孙的长久利益，即封王封侯等。㉚⁹ 承制封拜：以帝王慕容垂的名义分封、任命各个功臣将领。㉛⁰ 广中兴之基：壮大为燕国中兴做贡献的力量。㉛¹ 库傉官伟：人名，姓库傉官，名伟，前燕慕容暐时期的旧臣，曾被封为岷山公。㉛² 乞特归：人名，亦前燕慕容暐时期的旧臣。㉛³ 东阿：县名，在今山东东阿西南。㉛⁴ 平叡：姓平，名叡，在前燕慕容暐时期曾被任为光烈将军。㉛⁵ 汝阳太守幼：平幼，平叡之兄，在前燕慕容暐时期曾被任为汝阳太守。汝阳郡的郡治在今河南商水县西北。㉛⁶ 顿丘：郡名，郡治在今河南浚县北。㉛⁷ 大军：指慕容垂统率的大部队。㉛⁸ 陵我：欺侮我。陵，欺侮。㉛⁹ 请治列人城：请修筑列人县的县城。治，修筑。㉜⁰ 结士以心：用诚心结交战士。㉜¹ 唯敌是求：要主动出击敌人，消灭敌人的有生力量。㉜² 何列人之足治：一个小小的列人县，哪里值得我们筑城防守呢。㉜³ 辛卯：正月初七。㉜⁴ 綦毋滕：姓綦毋，名滕。㉜⁵ 甲仗：兵器。㉜⁶ 危骇：畏惧；惊恐。㉜⁷ 我甲在心：我们的甲胄是靠着意志坚强。㉜⁸ 立栅：在军营四周扎起防卫用的栅栏。㉜⁹ 向暮：傍晚。㉝⁰ 牙门：即牙门将，以负责为主帅守卫军帐之门而得名。军门所以称为“牙门”，是因为其门前立有牙旗。㉝¹ 何得独请：怎么能让你一个人独享这一分美差。㉝² 当以先锋惠汝：我可以让你充当先锋官。惠，赐、赠。㉝³ 腾栅：翻越栅栏。㉝⁴ 披靡：像草木随风倒伏一样而惊慌溃败。㉝⁵ 助二子镇守：石越助苻丕镇守邺城，毛当助苻晖镇守洛阳。㉝⁶ 庚戌：正月二十六。㉝⁷ 服色：古代王朝所规定的不同于其他朝代的车马、服饰、祭牲的颜色。如夏尚黑，商尚白，周尚赤之类。㉝朝仪：朝廷的各种礼仪。㉞皆如旧章：都和以前慕容皝、慕容儁那个朝代的规定一样。㉟左长史：慕容垂的高级僚属，为慕容垂属下的诸史之长。㊱前尚书段崇：在慕容儁时期曾任尚书郎的段崇。㊲因其所称之官而授之：按照慕容农所任命的官职一一地加以正式确认。㊳宇文翰：姓宇文，名翰，慕容垂的外甥。㊴野王：县名，县治即今河南沁阳。㊵诮让：谴责。㊶过而能改：劝慕容垂仍回到苻坚属下。㊷不世之恩：今生今世所报答不完的恩情。㊸欲安全长乐公：想保护长乐公您的安全。㊹使尽众赴京师：让您把您部下的军队全部带回到长安去。京师，苻坚的都城长安。㊺修复国家之业：我要把我们从前燕家的大业建立好。㊻与秦永为邻好：与你们秦国永远成为睦邻友好的国家。㊼暗于机运：看不清目前形势的发展走向。机运，时机、运命。㊽不以邺城见归：不把邺城归还我们。邺城原来是燕国的都城。㊾当穷极兵势：我将不遗余力地发动进攻。㊿燕之尺土二句：在燕国的领土中，能有一尺属于你吗。分，同“份”。356主上：指苻坚。357风殊类别：风俗和民族都不一样。358亲如宗戚：亲密得如同一家、如同亲戚。359宠逾勋旧：你所受到的恩宠超过功勋旧臣。360自古君臣际遇：自古以来的君主与大臣的知心友好。际遇，彼此相知相合。361遽有异图：你立马就另有打算。遽，立即。362元子：皇帝的嫡长子。苻坚的嫡长子应为太子宏，姜让以“元子”称苻丕，不过是极言其地位之贵重。363受分陕之任：即接受重任，镇守一方。分陕，相传西周初期，周公姬旦与召公姬奭二人以陕县为界，周公管理陕县以东，召公管理陕县以西。后来遂常以“分陕”喻指管理一方的军政大员，如晋朝的刺史、督军等。364宁可：岂可；怎么能。365束手输将军：拱手将……送给你。输，奉送。366百城之地：时苻丕以冀州牧的身份镇守邺城，此即指冀州所属的诸郡县。367裂冠毁冕：毁坏皇帝所赐的冠冕，即指背叛王室。《左传》昭公九年，王使桓伯辞于晋，曰：“我在伯父，犹衣服之有冠冕，木水之有本原，民人之有谋主也。伯父若裂冠毁冕，拔本塞原，专弃谋主，虽戎狄，其何有余一人”？368自可极其兵势：你当然可以使出你军队的全部兵力。369奚更云云：何必再说什么。云云，如此如此，指慕容垂上面说的那些话。370悬首白旗：指战败后被斩首悬挂示众。《逸周书·世俘》载周武王灭殷后，斩纣之头悬挂于大白之旗。371高世之忠：你慕容垂本来是一个对秦国忠心耿耿、名高出世的人。372更为：结果变成。373切责：严厉谴责。374谯城：谯郡的郡治所在地，即今之安徽亳州。375上庸太守郭宝：郭宝所任之“上庸太守”实为虚名，因当时的上庸郡乃在苻坚的占领下。故此处的行文出现了“遣上庸太守郭宝攻秦魏兴、上庸、新城三郡”的奇怪说法。376魏兴：郡名，郡治西城，在今陕西安康西北的汉江北岸。377上庸：郡名，郡治上庸县，在今湖北竹山县东南。378新城：郡名，郡治房陵，即今湖北房县。379杨佺期：当时的勇将，与其父杨亮俱为桓冲的部下。传见《晋书》卷八十四。380成固：县名，县治在今陕西城固西北。381壬子：正月二十八。382外郭：外城。内城称“城”，外城称“郭”。383中城：即内城，大城中的小城。384关东六州：指

幽州、并州、冀州、司州、兖州、豫州六州。㉟送任：送出人质。古代与人结盟，常把儿子或兄弟派出做人质，故称“任子”，也称“质子”。㊱癸丑：正月二十九。㊲陈留王绍：慕容绍，慕容恪之子，慕容楷之弟，慕容垂之侄，被慕容垂封为陈留王。㊳行冀州刺史：代理冀州刺史。行，代理。㊴广阿：县名，县治在今河北隆尧东。隆尧、钜鹿和任县间原有广阿泽，清代划分为南泊、北泊，今已淤为平地。㊵丰城宣穆公桓冲：桓冲被封为丰城郡公，宣穆是其死后的谥。㊶谢玄等有功：指破苻坚于淝水事。㊷失言：说了错误估计形势的话。指淝水之战前他说谢玄等是“不经事少年”以及“吾其左衽矣”云云。㊸二月辛巳：二月二十七。㊹失职怨望：由于失去权位而产生怨恨。㊺桓石民：桓冲之弟桓豁的第三子，时为梁郡太守，梁郡的郡治原在今河南商丘的西南侧。桓石民的“梁郡”，侨设在今之扬州。㊻桓石虔：桓豁的长子，时为河东太守。河东郡的郡治原在今山西夏县西北，桓石虔的“河东”，侨设在今之扬州。㊼豫州：豫州州治是洛阳，在苻坚的占领区。这里所说的豫州仍是侨置州，寄设在今之扬州。以上三个侨置的州郡，可以说是靠近前线。㊽桓伊：桓宣的族子。桓宣是东晋名将，与桓冲等不是一族。传见《晋书》卷八十一。㊾飞梯：即“云梯”，从空中攻城的用具。㊿长围：在敌城之外再筑围墙，一方面防止敌人突围逃跑，一方面也是攻城者的防御工事。401肥乡：县名，县治在今河北邯郸市肥乡区西南二十二里。402新兴城：城名，在今河北邯郸市肥乡区东南。403征东府官属：征东将军府的僚属。苻丕当时为秦之征东将军。404高泰：前燕时的旧臣，慕容垂为前燕之车骑大将军时，高泰为之任从事中郎。垂奔苻秦后，慕容评以高泰为尚书郎。燕亡，高泰仕于秦。405虞曹从事：官名，秦征东将军苻丕的僚属，掌管所部的山林水泽。406勃海：郡名，郡治南皮县，在今河北南皮东北。407去一君二句：刚离开一个主子，转身就去侍候另一个主子。408申绍：前燕慕容暐时期的旧臣，曾为尚书左丞。409去就以道：离开谁、投奔谁，都有一定的原则。410范阳王德：慕容德，慕容皝之子，慕容垂之弟，在前燕时被封为范阳王。411枋头：也称淇门渡，在今河南浚县西南，为古淇水入黄河之口。桓温曾在此地败于前燕。412东胡王晏：东胡人王晏，当时之忠于苻氏者。413坞壁：村民、部落为了自卫而集结修筑的堡垒、据点。414未洽：还没有理解我们、归心于我们。415小异：小矛盾；小冲突。416绥之以德：以恩德安抚他们。绥，安抚。417止一处：停留在一个地方。418为军声之本：为我军大造声势、打好基础。419辟阳：汉代的辟阳县城，在今河北衡水市冀州区东南三十里。420守宰：太守与县令，这里泛指地方官。421诣邺：到达邺城城下。诣，到。422继先王：继承你们父亲太原王司马恪的功勋事业。慕容楷与慕容绍是亲兄弟，都是慕容垂之兄慕容恪的儿子。423太保：周代的三公之一，后代用以作为表示地位的一种尊称，不代表任何实权。424北地长史慕容泓：前燕皇帝慕容儁之子，慕容暐之弟。燕灭降秦后，被苻坚任为北地王的长史。北地是郡名，郡治即今陕西耀州。425华阴：县名，县治在今陕西华阴城东。426陕西：指陕县（今属河南三门峡市陕州区）以西地区。下文“陕东”，指陕县以东地区。427济北王：慕容泓在前燕时曾被封为济北王，领地济北郡，郡治在今山东泰安西北。㊽推：推举；推奉。㊾不用卿言：权翼前曾劝苻坚不要放慕容垂走。㊿将若泓何：关东之地可以抛给慕容垂，而慕容泓又在关中的华阴一带闹起来，这将对之如何处置。若……何，对之怎么办。431广平公熙：苻熙，苻坚之子，苻丕、苻晖之弟。432蒲阪：县名，县治即今山西永济西南的蒲州镇。433钜鹿公叡：苻叡，苻坚之子，苻熙之弟。434慕容冲：慕容儁之子，慕容暐之弟。435平阳：郡名，郡治在今山西临汾西南的金殿村。436营部：各少数民族部落的人。437阜城侯定：苻定，被封为阜城侯。438信都：即今河北衡水市冀州区，当时为信都郡的郡治所在地。439高城男绍：苻绍，被封为高城男。440在国：在所封之地，即高城县，在今河北盐山县东南。441高邑侯亮：苻亮，被封高邑侯。高邑即今河北高邑。442重合侯谟：苻谟，被封重合侯。重合是县名，在今山东乐陵西北。443常山：郡名，郡治元氏，在今河北元氏西北。444固安侯鉴：苻鉴，被封固安侯。固安即今河北固安。445中山：郡名，郡治即今河北定州。446乐浪王温：慕容温，被封为乐浪王，乐浪郡的郡治即今朝鲜平壤。447四月丙辰：四月初三。448抚军大将军麟：慕容麟，慕容垂之子。449从叔：堂叔。450且至：将至。451鼷鼠：一种小鼠。452反噬：回头咬。453致死于我：和我们拼命。454奔败不暇：只顾奔逃，无暇再顾及别的事。不暇，没有空闲，犹言“顾不上”。455华泽：华阴县之沼泽，在今陕西华阴东南。456渭北马牧：渭水北岸的牧马场。457纠扇羌豪：纠集、煽动羌族中的头面人物。豪，有势力、有影响的人物。458南安：郡名，郡治在今甘肃陇西县东南。459天水狄伯支：天水郡的狄族人名叫伯支。460羌训：羌族人名训。461资备大驾：准备好帝王乘坐的车驾。462家兄皇帝：指慕容暐。慕容暐是慕容泓之兄。463翼卫乘舆：护卫皇帝的车驾。464虎牢：虎牢关，在今河南荥阳西北的汜水镇，其西侧即秦汉时代的成皋城。465不可以国士期：不能指望你们能成为国士。国士，一国中的杰出之士，指能守信义而言。期，望，希望能成为。466三竖：谓慕容垂、慕容泓、慕容冲。竖，对人的蔑称，犹“小子”“奴才”。467招谕：招降、劝说。468中山王：谓慕容冲。469听吾死问：一旦听到了我死的消息。问，意思同“闻”，消息。470即尊位：即皇帝之位。471进向：意即进攻。472行围：巡视燕军对邺城包围的情景。行，巡视。473华林园：园林名，在今河北临漳西南的古邺城北，曹操始建，后赵扩建。园周数十里，起三观，建四门，构筑豪华。474掩之：突然袭击。475冠军大将军隆：慕容隆，慕容垂之子，慕容农之弟。476竟陵：晋郡名，郡治即今湖北钟祥。477鲁阳：县名，即今河南鲁山县。478丰阳：县名，县治即今陕西山阳。当时的丰阳即洛州的州治所在地。479梁州：原来的州治即今陕西汉中，在苻坚的管辖区内。杨亮所任的梁州刺史，治所侨置今湖北境内。480巴西：巴西郡原来的郡治在今四川阆中，费统所任太守的“巴西郡”乃侨设在湖北境内。481巴郡：郡治即今重庆市。482康回：康回所任太守的巴西郡，郡治即四川阆中。㊽㊳后秦王苌：称姚苌为后秦王，以别于苻坚的“前秦”。㊽㊴北地：郡名，郡治在今陕西铜川市耀州区东。㊽㊵新平、安定：二郡名，新平郡的郡治即今陕西彬州市，安定郡的郡治在今甘肃镇原东南。㊽㊶六月癸丑：六月初一是癸丑日。㊽㊷赵氏坞：地名，在今陕西铜川市耀州区。㊽㊸塞安公谷：堵住了安公谷向赵氏坞的流水。安公谷在今陕西铜川市。㊽㊹堰同官水：筑堤隔断了同官水，也不让它向赵氏坞流。同官水也在今陕西铜川市。㊾⓪恟惧：恐惧。㊾①苛峻：苛刻严酷。㊾②皇太弟：皇帝无子，立其弟为接班人，称皇太弟。当时燕国的皇帝名义上是慕容暐，但慕容暐身陷苻坚的掌握之中，故燕人立慕容冲为接班人，代行其职。㊾③尚书令：位同丞相。㊾④将军刘春：刘春是东晋的将军。㊾⑤遣之：遣之返回秦国。㊾⑥平州：州治即今辽宁朝阳。㊾⑦宁朔将军平规：平幼之弟，不是与苻洛同反的平规。㊾⑧范阳：诸侯国名，都城涿县，即今河北涿州。㊾⑨蓟南：蓟县城南。蓟县的县治即今北京市的西南部。⑤⓪⓪去长安浸近：离自己的都城长安越来越近。浸，渐。⑤⓪①乃引兵归：胡三省曰，“归自北地赵氏坞。使冲不逼长安，坚尚与苌相持，胜负之势未有所定也。冲兵既逼，坚不容不还长安，苌得收岭北以为资。坚、冲血战而苌伺其敝；坚死而鲜卑东出，苌坐而取关中。真所谓鹬蚌相持，渔人之利也”。⑤⓪②方：苻方，苻坚的部将。⑤⓪③骊山：山名，在当时长安城的东方，今西安临潼区的东南侧。⑤⓪④郑西：郑县城西，郑县县治在今陕西渭南市华州区北。⑤⓪⑤灞上：地名，在当时的长安城东南，今西安城东的灞水西侧。⑤⓪⑥阿房城：即阿房宫城，在当时长安城的西南方，今西安西郊的阿房村、古城村一带。⑤⓪⑦数败：屡次被晋将杨亮、费统等所败。⑤⓪⑧垒袭：秦将名。

【校记】

［11］西：原误作“间”。据章钰校，十二行本、乙十一行本、孔天胤本皆作“西”，张敦仁《通鉴刊本识误》同，今据改。［12］等：原无此字。据章钰校，十二行本、乙十一行本、孔天胤本皆有此字，今据补。［13］其：原无此字。据章钰校，十二行本、乙十一行本、孔天胤本皆有此字，张敦仁《通鉴刊本识误》同，今据补。［14］宇文翰：原误作“宇文输”。严衍《通鉴补》改作“宇文翰”，当是，今据校正。［15］等：原无此字。据章钰校，十二行本、乙十一行本、孔天胤本皆有此字，今据补。［16］其：原无此字。据章钰校，十二行本、乙十一行本皆有此字，今据补。［17］宁朔将军：原作“平朔将军”。据章钰校，十二行本、乙十一行本皆作“宁朔将军”，张敦仁《通鉴刊本识误》同，今据改。［18］益州刺史王广遣将军王虬帅蜀汉之众三万北救长安：原无此句。据章钰校，十二行本、乙十一行本、孔天胤本皆有此句，张敦仁《通鉴刊本识误》、张瑛《通鉴校勘记》同，今据补。［19］高阳公：原无此三字。据章钰校，十二行本、乙十一行本、孔天胤本皆有此三字，张敦仁《通鉴刊本识误》同，今据补。

【原文】

己酉[509]，葬康献皇后[510]于崇平陵。

燕翟斌恃功骄纵，邀求[511]无厌。又以邺城久不下，潜有贰心。太子宝请除之，燕王垂曰："河南之盟，不可负也。若其为难[512]，罪由于斌。今事未有形[513]而杀之，人必谓我忌惮其功能。吾方收揽豪杰，以隆大业[514]，不可示人以狭[515]，失天下之望也。藉[516]彼有谋，吾以智防之，无能为也。"范阳王德、陈留王绍、骠骑大将军农皆曰："翟斌兄弟恃功而骄，必为国患。"垂曰："骄则速败，焉能为患！彼有大功，当听其自毙[517]耳。"礼遇弥重。

斌讽丁零及其党请斌为尚书令。垂曰："翟王之功，宜居上辅[518]。但台既未建[519]，此官不可遽置[520]耳。"斌怒，密与前秦长乐公丕通谋，使丁零决堤溃水[521]。事觉，垂杀斌及其弟檀、敏，余皆赦之。斌兄子真夜将营众北奔邯郸，引兵还向邺围[522]，欲与丕内外相应，太子宝与冠军大将军隆击破之。真还走邯郸。

太原王楷、陈留王绍言于垂曰："丁零非有大志，但宠过为乱耳。今急之[523]则屯聚为寇，缓之则自散，散而击之，无不克矣。"垂从之。

龟兹王帛纯[524]窘急[525]，重赂狯胡[526]以求救。狯胡王遣其弟呐龙、侯将馗[527]帅骑二十余万，并引温宿、尉头[528]等诸国兵合七十余万以救龟兹。秦吕光与战于城西，大破之。帛纯出走，王侯降者三十余国。

【语译】

七月二十八日己酉，东晋将康献皇后安葬在崇平陵。

后燕翟斌倚仗自己率先起义，又推戴燕王慕容垂有功，遂日益骄横、放纵起来，而且贪求无厌。又因为对于邺城久攻不下，心中便暗暗另有打算。后燕王太子慕容宝建议燕王慕容垂除掉翟斌，燕王慕容垂说：“当初翟斌率军到洛阳与我相会的时候，我曾经与他盟过誓，我不能违背誓言。如果他发动叛变，那么罪责在翟斌。如今他还没有明显的犯罪表现，我就把他杀掉，别人一定会认为我嫉妒他的功劳、畏惧他的才能。我们现在正在招揽天下的英雄豪杰，以振兴我们重建燕国的大业，不能让人认为我们心胸太狭窄，待人不宽厚，使天下人对我们感到失望。假如翟斌有什么阴谋诡计，我们可以用智谋来防范他，他成不了什么大气候。”范阳王慕容德、陈留王慕容绍、骠骑大将军慕容农都说：“翟斌兄弟仗恃着当初拥戴的功劳，骄横无比，将来必定成为国家的祸患。”燕王慕容垂说：“骄傲就会加速自己的失败，哪里还能祸患别人呢！他确实立有大功，我们就听任他自取灭亡吧。”从此以后，对翟斌表现得更加尊重推崇。

后燕建义大将军、河南王翟斌暗示自己手下的丁零人及其党羽向燕王慕容垂请求任命翟斌为尚书令。燕王慕容垂说：“按照河南王翟斌所立下的功劳，是应该位居最高辅政大臣的地位。然而目前朝廷还没有正式建立，所以不能一下子就设置这个官职。”翟斌于是大怒，暗中与秦国长乐公苻丕相勾结，并准备派遣丁零人偷偷掘开漳河的堤坝，泄掉漳河水，以解除燕军用漳河水灌注邺城的危险。事情被察觉，燕王慕容垂遂杀死了翟斌以及翟斌的弟弟翟檀、翟敏，对其他的参与人员则全部赦免。翟斌的侄子翟真于深夜率领自己的部众向北逃往邯郸，又率众从邯郸返回到邺城的郊外，准备与秦国的长乐公苻丕里应外合攻击燕军，后燕太子慕容宝与担任冠军大将军的慕容隆联合将翟真打败。翟真又逃回了邯郸。

后燕太原王慕容楷与陈留王慕容绍对燕王慕容垂说：“丁零人没有称王称帝、夺取政权的大志向，只是因为对他们宠爱得有些过分，所以他们才恃宠而骄，导致谋乱。现在如果把他们逼得太急，他们就会聚集起来进行反抗，如果放松对他们的攻击，他们必将自行解散，等到他们解散之后再攻击他们，就没有不能取胜的道理。”燕王慕容垂听取了他们的建议。

地处西域的龟兹国国王帛纯处境非常危急窘迫，于是便用重金贿赂地处龟兹国西部的狯胡国，请求狯胡国出兵救援，狯胡国国王遂派遣自己的弟弟呐龙以及有侯爵身份的将领馗率领二十多万名骑兵，并联合了温宿、尉头等诸西域小国，总计出兵七十多万来救援龟兹国。秦将吕光在龟兹国首都屈茨城西与西域诸国联军展开大战，将西域联军打得大败。龟兹国王帛纯弃城逃走，那些王国、侯国向秦军投降的

光入其城，城如长安市邑，宫室甚盛。光抚宁㉙西域，威恩甚着，远方诸国，前世所不能服者，皆来归附，上㉚汉所赐节传㉛。光皆表而易之㉜，立帛纯弟震为龟兹王。

八月，翟真自邯郸北走，燕王垂遣太原王楷、骠骑大将军农帅骑追之。甲寅[20]，及于下邑㉝。楷欲战，农曰："士卒饥倦，且视贼营不见丁壮，殆有他伏。"楷不从，进战，燕兵大败。真北趋中山，屯于承营㉞。

邺中刍粮㉟俱尽，削松木以饲马。燕王垂谓诸将曰："苻丕穷寇，必无降理。不如退屯新城㊱，开㊲丕西归之路，以谢秦王畴昔㊳之恩，且为讨翟真之计㊴。"丙寅㊵夜，垂解围趋新城。遣慕容农徇清河、平原㊶，征督租赋。农明立约束㊷，均适有无㊸，军令严整，无所侵暴。由是谷帛属路㊹，军资丰给。

戊寅㊺，南昌文穆公郗愔㊻薨。

太保安奏请乘苻氏倾败，开拓中原。以徐、兖二州刺史谢玄为前锋都督，帅豫州刺史桓石虔伐秦。玄至下邳㊼，秦徐州刺史赵迁弃彭城走，玄进据彭城。

秦王坚闻吕光平西域，以光为都督玉门以西诸军事、西域校尉。道绝，不通。

秦幽州刺史王永求救于振威将军刘库仁，库仁遣其妻兄公孙希帅骑三千救之，大破平规于蓟南，乘胜长驱，进据唐城㊽，与慕容麟相持[21]。

九月，谢玄使彭城内史刘牢之攻秦兖州刺史张崇。辛卯㊾，崇弃鄄城㊿奔燕。牢之据鄄城，河南城堡皆来归附。

多达三十多个国家。秦国骁骑将军吕光进入屈茨城，屈茨城内非常繁华，街道市政就像秦国的京师长安一样，宫室也建造得非常雄伟盛大。吕光安抚、稳定西域各国，恩德与威望非常显著，远方的各国，包括以前从来没有被征服过的国家，全都前来归附，他们向吕光交上汉代颁发给他们用作凭证信物的符节和传。吕光上奏给秦国朝廷，然后给他们换成了秦国的信物，封龟兹国王帛纯的弟弟震为龟兹国王。

八月，后燕的叛将翟真从邯郸向北逃走，燕王慕容垂派遣太原王慕容楷、骠骑大将军慕容农率领骑兵追击翟真。初三日甲寅，追到下邑时，将翟真追上。慕容楷想要与翟真交战，骠骑大将军慕容农劝阻说："我们的骑兵又饥饿又疲倦，而且观察翟真军营之中，只看见老弱，而不见精壮，恐怕另有埋伏。"慕容楷没有听从慕容农的劝告，执意向翟军展开攻击，结果被翟真的军队打得大败。翟真乘胜向北进军中山，将军队驻扎在承营。

秦国邺城之中的粮食已经全部吃光，就连喂养马匹的草料也没有了，于是便砍削松木喂养马匹。燕王慕容垂对属下的诸将领说："秦国长乐公苻丕现在已经成了穷途末路的贼寇，但他必定不肯向我们投降。我们不如将军队暂时撤退到新城，为苻丕让开一条向西逃亡的道路，借以表达我们对秦王苻坚往日恩德的感激，同时也便于我们集中兵力对付翟真。"八月十五日丙寅晚上，燕王慕容垂解除了对邺城的包围，率领燕军开赴新城。慕容垂派遣骠骑大将军慕容农巡行清河、平原等地，同时督促为大军征收田赋租税。慕容农明确地规定了有关征税的各种章程，都要按照各地居民贫穷与富有的实际情况，征收不同的赋税，而且军纪严明，对居民不侵扰、不施暴。所以给燕军运送粮食、衣服的车辆不绝于道路，于是军中的物资给养十分充裕。

八月二十七日戊寅，东晋南昌文穆公郗愔去世。

东晋担任太保的谢安奏请孝武皇帝司马昌明，请求趁着秦国苻氏政权连连遭遇失败的机会，出兵开拓中原。于是任命担任徐、兖二州刺史的谢玄为攻打秦国的前锋都督，让他率领担任豫州刺史的桓石虔出兵讨伐秦国。谢玄率军抵达下邳，秦国担任徐州刺史的赵迁立即丢弃了彭城逃走，谢玄于是顺利地夺取了彭城。

秦王苻坚听到骁骑将军吕光平定西域的消息，遂任命吕光为都督玉门关以西诸军事、西域校尉。但因为通往西域的道路已经断绝，因此任命的诏书无法送达。

秦国担任幽州刺史的王永向振威将军刘库仁求救，刘库仁于是派遣自己的妻兄公孙希率领三千名骑兵救援王永，在蓟城之南打败了平规，并乘胜长驱直入，占领了唐城，和慕容麟相互对峙。

九月，东晋谢玄派遣彭城内史刘牢之率领晋军攻打秦国担任兖州刺史的张崇。十一日辛卯，秦国兖州刺史张崇丢弃了鄄城投奔了后燕。刘牢之遂占据了鄄城，黄河以南各地所建立的民间自卫军事据点全都纷纷归附了东晋。

太保安上疏自求北征。甲午[551][22]，加安都督扬、江等十五州[552]诸军事，加黄钺[553]。

慕容冲进逼长安，秦王坚登城观之，叹曰：“此虏何从出哉[554]？”大呼责冲曰：“奴何苦来送死？”冲曰：“奴厌奴苦[555]，欲取汝为代[556]耳！”冲少有宠于坚，坚遣使以锦袍称诏遗之[557]。冲遣詹事[558]称皇太弟令[559]答之曰：“孤今心在天下，岂顾一袍小惠！苟能知命[560]，君臣束手，早送皇帝[561]，自当宽贷苻氏以酬曩好[562]。”坚大怒曰：“吾不用王景略、阳平公之言[563]，使白虏[564]敢至于此！”

冬，十月辛亥朔[565]，日有食之。

乙丑[566]，大赦。

谢玄遣淮陵[567][23]太守高素攻秦青州[568]刺史苻朗，军至琅邪[569]，朗来降。朗，坚之从子也。

翟真在承营，与公孙希、宋敞遥相首尾。长乐公丕遣宦者冗从仆射清河光祚[570]将兵数百赴中山，与真相结。又遣阳平太守邵兴将数千骑招集冀州故郡县，与祚期会襄国[571]。是时，燕军疲弊，秦势复振，冀州郡县皆观望成败。赵郡人赵粟等起兵柏乡[572]以应兴。燕王垂遣冠军大将军隆、龙骧将军张崇将兵邀击兴，命骠骑大将军农自清河引兵会之。隆与兴战于襄国，大破之。兴走至广阿[573]，遇慕容农，执之。光祚闻之，循西山[574]走归邺。隆遂击赵粟等，皆破之，冀州郡县复从燕。

刘库仁闻公孙希已破平规，欲大举兵以救长乐公丕，发雁门、上谷、代郡[575]兵，屯繁畤[576]。燕太子太保慕舆句之子文、零陵公慕舆虔之子常时在库仁所，知三郡兵不乐远征，因作乱，夜攻库仁，杀之，窃

东晋担任太保的谢安上疏给孝武帝司马昌明，请求亲自率军北伐。九月十四日甲午，加授谢安为都督扬州、徐州、江州、南徐州、兖州、南兖州、豫州、南豫州、青州、冀州、幽州、并州、司州、荆州、雍州十五州诸军事，加授黄钺。

西燕皇太弟慕容冲率领燕军进逼秦国的都城长安，秦王苻坚登上长安城楼，向城外观看，然后叹息着说："这些贼虏是从什么地方冒出来的？"秦王大声呼喊慕容冲，责备他说："你这个奴才，何苦前来送死？"慕容冲回答说："因为我讨厌做奴隶的辛苦，所以才想把你推翻，让你来代替我做奴隶！"慕容冲从小就深受秦王苻坚的宠爱，所以秦王苻坚又派使者将锦袍送给慕容冲，说是秦王苻坚特别送给你的。慕容冲派遣手下担任詹事的人，以燕国皇太弟慕容冲的名义答复秦王的使者说："我现在的心思全在夺取天下，一件锦袍的小恩惠哪里值得我多看一眼！如果你真的是知天命、识时务的话，秦国的君臣就应该捆绑起双手，早早地把我们燕国的皇帝慕容暐送回燕国，我们自然会对苻氏宽大处理，以报答往日苻氏对我们的好处。"苻坚听后大怒说："我真后悔当初没有听从王猛以及阳平公苻融的忠告，才使这些鲜卑人猖狂到如此地步！"

冬季，十月初一日辛亥，发生了日食。

十五日乙丑，东晋实行大赦。

东晋前锋都督谢玄派遣担任淮陵太守的高素率领晋军进攻秦国的青州刺史苻朗，高素率众抵达琅邪的时候，秦国青州刺史苻朗立即向东晋投降。苻朗是秦王苻坚的侄子。

翟真驻守在承营，与公孙希、宋敞首尾相接，互相呼应。秦国长乐公苻丕派遣担任冗从仆射的宦官、清河人光祚率领数百名士兵赶赴中山，与翟真结盟。又派担任阳平太守的邵兴率领数千名骑兵前往冀州各郡县招集旧部，并与光祚约定前往襄国会合。当时，后燕的军队已经相当疲惫，而秦军的声势却又重新振作起来，冀州各郡县全都坐观成败。人们看到秦国士气复振，于是赵郡人赵粟等在柏乡聚众起兵，响应秦国阳平太守邵兴。燕王慕容垂派遣担任冠军大将军的慕容隆、担任龙骧将军的张崇率领燕军攻击邵兴，又命令担任骠骑大将军的慕容农率军从清河前往襄国与慕容隆等会合。慕容隆在襄国与秦将邵兴展开决战，慕容隆将邵兴打得大败。邵兴逃往广阿，正好遭遇慕容农率军从清河赶来，慕容农于是活捉了邵兴。秦国光祚听到阳平太守邵兴兵败被擒的消息，便沿着西侧的太行山跑回了邺城。后燕冠军大将军慕容隆遂乘胜进攻赵粟等，把他们全部打败，冀州各郡县再度归附于后燕。

秦国振威将军刘库仁闻听自己的妻兄公孙希已经打败燕国宁朔将军平规的消息，就想出动大军，南下救援秦国的长乐公苻丕，于是，刘库仁集结了雁门、上谷、代郡各郡的兵力，进驻繁畤。故燕国太子太保慕舆句的儿子慕舆文、零陵公慕舆虔的儿子慕舆常当时都在刘库仁的手下，他们知道雁门、上谷、代郡三个郡的士兵并不愿意跟随刘库仁远征，于是趁势作乱，在夜间对刘库仁发起攻击，将刘库仁杀死，

其骏马奔燕。公孙希之众闻乱自溃，希奔翟真。库仁弟头眷代领库仁部众。

秦长乐公丕遣光祚及参军封孚召骠骑将军张蚝、并州刺史王腾于晋阳以自救，蚝、腾以众少不能赴[577]。丕进退路穷，谋于僚佐。司马杨膺[578]请自归于晋[579]，丕未许。会谢玄遣龙骧将军刘牢之等据碻磝[580]，济阳太守郭满据滑台[581]，将军颜肱、刘袭军于河北[582]，丕遣将军桑据屯黎阳[583]以拒之。刘袭夜袭据，走之，遂克黎阳。丕惧，乃遣从弟就与参军焦逵请救于玄，致书称："欲假涂求粮[584]，西赴国难[585]，须援军既接[586]，以邺与之。若西路不通，长安陷没，请帅所领保守邺城[587]。"逵与参军姜让密谓杨膺[24]曰："今丧败如此，长安阻绝，存亡不可知，屈节竭诚[588]以求粮援，犹惧不获。而公豪气不除[589]，方设两端[590]，事必无成。宜正书为表[591]，许以王师之至，当致身南归[592]。如其不从[593]，可逼缚与之[594]。"膺自以力能制丕，乃改书[595]而遣之。

谢玄遣晋陵太守滕恬之渡河守黎阳。恬之，脩[596]之曾孙也。朝廷以兖、青、司、豫既平，加玄都督徐、兖、青、司、冀、幽、并七州诸军事。

后秦王苌闻慕容冲攻长安，会群僚议进止[597]，皆曰："大王宜先取长安，建立根本，然后经营四方。"苌曰："不然。燕人因其众有思归之心以起兵，若得其志，必不久留关中。吾当移屯岭北[598]，广收资实[599]，以待秦亡燕去，然后拱手取之[600]耳。"乃留其长子兴守北地，使宁北将军姚穆守同官川[601]，自将其众攻新平。

初，新平人杀其郡将[602]，秦王坚缺其城角以耻之。新平民望[603]深

窃取了刘库仁的骏马，投奔了后燕。刘库仁的妻兄公孙希的部众听到刘库仁军中起了内乱、刘库仁已经被杀的消息，立即崩溃，公孙希遂投奔了翟真。刘库仁的弟弟刘头眷接替了哥哥的职位，接管了刘库仁的部众。

秦国长乐公苻丕派宦官光祚和担任参军的封孚前往晋阳征召骠骑将军张蚝、并州刺史王腾，令他们率军来救，张蚝、王腾都以自己兵少，不能从命为由，回绝了苻丕的求救。苻丕进退无路，遂与自己的僚属商议出路。担任司马的杨膺建议归降东晋，苻丕不同意。正好此时东晋前锋都督谢玄派遣龙骧将军刘牢之等进驻碻磝城，济阳太守郭满占据了滑台，将军颜肱、刘袭率军从滑台渡过黄河，驻扎在黄河北岸，苻丕派遣将军桑据屯扎在黎阳以抗击晋军。东晋将领刘袭趁黑夜袭击桑据，将桑据赶走，趁势攻占了黎阳。苻丕此时非常恐惧，于是，派自己的堂弟苻就与担任参军的焦逵向东晋担任前锋都督的谢玄请求援救，他在写给谢玄的信中说："我请求阁下借给通道和支援粮草，使我能够撤向西方解救长安的危急，等到与西上的贵国援军会合后，我就让出邺城。如果通往西部长安的道路不通，秦国的京师长安已经陷落，也请求阁下率领自己的部下保卫邺城以抗击燕军。"焦逵与参军姜让秘密地对担任司马的杨膺说："如今秦国已经丧乱、败亡到如此地步，前往长安的道路又被截断，天王苻坚是死是活也不得而知。即使我们屈膝失节、诚心投降以求得东晋支持我们一些粮秣，恐怕还不能得到。而长乐公苻丕的狂傲之气一点没减，还提出了两条路，所以事情一定不会成功。应该端端正正地写一篇表章，答应等到东晋的大军抵达，当一齐委身归晋，随晋军回归江南。到时候，如果长乐公苻丕不同意我们的意见，我们就把他捆起来交给晋军。"杨膺自以为能够控制住长乐公苻丕，于是就将苻丕的书信改成了投降求援的奏章，然后派苻就与焦逵前往东晋谢玄的大营投递。

东晋谢玄派遣担任晋陵太守的滕恬之率军渡过黄河守卫黎阳。滕恬之是滕脩的曾孙。因为兖州、青州、司州、豫州已经被平定，东晋朝廷于是加授谢玄为都督徐州、兖州、青州、司州、冀州、幽州、并州七州诸军事。

后秦王姚苌听到燕国皇太弟慕容冲攻打秦国的京师长安，于是召开会议，与自己的僚属商讨是继续进军还是暂且停止进军的问题，众僚属都说："大王应该先夺取长安，建立根据地，然后再考虑向四面八方拓展地盘。"姚苌说："不是这个样子。燕国人利用了自己的部众人人想家思归的心理而起兵，如果他们的愿望得以实现，肯定不会长期停留在关中。我们应该把军队驻扎在九嵕山以北一带地区，大量地储备辎重粮草，等待秦国灭亡、燕人离去，然后就可以拱着双手、毫不费力地占有关中了。"于是留下自己的长子姚兴守卫北地郡，派担任宁北将军的姚穆守卫同官川，自己则亲自率领部众攻打新平郡。

当初，后赵石虎末年，新平人杀死了担任新平相的清河人崔悦，后来秦王苻坚下令拆毁了新平城墙的一角，让新平人记住杀死郡将是一种耻辱。新平郡中有声望的豪

以为病[604]，欲立忠义以雪[605]之。及后秦王苌至新平，新平太守南安苟辅欲降之，郡人辽西太守冯杰、莲勺令冯羽、尚书郎赵义、汶山太守冯苗谏曰："昔田单以一城存齐[606]，今秦之州镇，犹连城过百，奈何遽为叛臣乎！"辅喜曰："此吾志也。但恐久而无救，郡人横被无辜[607]。诸君能尔，吾岂顾生哉！"于是凭城固守。后秦为土山地道，辅亦于内为之，或战地下，或战山上，后秦之众死者万余人。辅诈降以诱苌，苌将入城，觉之而返。辅伏兵邀击，几获之，又杀万余人。

陇西处士王嘉隐居倒虎山[608]，有异术[609]，能知未然[610]，秦人神之。秦王坚、后秦王苌及慕容冲皆遣使迎之。十一月，嘉入长安。众闻之，以为坚有福，故圣人助之，三辅堡壁[611]及四山氐、羌[612]归坚者四万余人。坚置嘉及沙门道安于外殿，动静咨之[613]。

燕慕容农自信都西击丁零翟辽于鲁口[614]，破之。辽退屯无极[615]，农屯藁城[616]以逼之。辽，真之从兄也。

鲜卑在长安城中者犹千余人，慕容绍之兄肃与慕容暐阴谋结鲜卑为乱。十二月，暐白坚，以其子新昏[617]，请坚幸其家，置酒，欲伏兵杀之。坚许之，会天大雨，不果往[618]。事觉，坚召暐及肃。肃曰："事必泄矣，入则俱死。今城内已严[619]，不如杀使者驰出，既得出门，大众便集[620]。"暐不从，遂俱入。坚曰："吾相待何如，而起此意？"暐饰辞[621]以对。肃曰："家国事重，何论意气[622]！"坚先杀肃，乃杀暐及其宗族，城内鲜卑无少长男女皆杀之。燕王垂幼子柔养于宦者宋牙家为

绅深感这是新平郡的莫大耻辱，就想以自己的忠义行为来洗刷这种耻辱。等到后秦王姚苌率军前来攻取新平的时候，担任新平太守的南安人苟辅准备向后秦投降，新平郡人、担任辽西太守的冯杰，莲勺县令冯羽，尚书郎赵义，汶山太守冯苗全都劝阻说："从前田单凭借着一座即墨城就能打败燕军，重建齐国，如今秦国的州城府镇，连接起来仍然超过一百座，为什么要急急忙忙去当叛臣呢！"太守苟辅高兴地说："这正是我的志向。只是担心时间一久，外部没有援军相救，新平郡内的民众会无辜遭到残杀。诸位先生既然下决心守卫新平，我难道是贪生怕死之人吗！"于是登城固守。后秦王姚苌令军士在新平城外堆积土山、挖掘地道，以种种办法来攻打新平城，新平太守苟辅也在城内地下挖地道、地上堆土山，采取与后秦军针锋相对的作战策略，有时与后秦军战于地下，有时与后秦军战于土山之上，后秦军死了一万多人也没有攻克新平城。新平太守苟辅又用诈降计引诱后秦王姚苌上钩，姚苌中计，在准备进入新平城的时候才忽然发觉上当，于是立即率军返回。此时苟辅设下的伏兵已经向姚苌的军队发起攻击，几乎活捉了姚苌，这一仗又杀死了后秦军一万多人。

陇西隐士王嘉隐居在倒虎山，他有特异的本领，能预知未来，秦国人都把他当作神人一样看待。秦王苻坚、后秦王姚苌以及燕国皇太弟慕容冲全都派遣使者前往迎接他。十一月，王嘉进入秦国的都城长安。民众得知消息后，都认为秦王苻坚有福气，所以圣人才来帮助他，于是三辅地区的各个堡寨以及四周山区的氐族人、羌族人前来归顺秦王苻坚的就有四万多人。秦王苻坚把王嘉和佛门和尚道安安置在皇宫的外殿，自己将要有什么行动，都要事先向他们二人咨询。

后燕骠骑大将军慕容农率军从信都出发，向西攻打丁零族另一个部落首领翟辽所占据的鲁口，将鲁口攻克。翟辽退往无极驻守，慕容农率军逼近无极，驻扎在藁城。翟辽是翟真的堂兄。

在秦国的都城长安城中，还有数千名鲜卑人，后燕陈留王慕容绍的哥哥慕容肃，与故燕国皇帝慕容暐密谋，准备联络长安城中的鲜卑人发动武装暴动。十二月，慕容暐向秦王苻坚禀报，因为自己的儿子新婚，邀请苻坚到自己家中喝喜酒，准备在酒席宴上设伏兵将秦王苻坚杀死。苻坚一口答应前往，恰巧那天天降大雨，苻坚没有去成。而慕容暐谋杀苻坚的阴谋却被泄露出去，秦王苻坚于是召见慕容暐与慕容肃。慕容肃对慕容暐说："一定是走漏了风声，我们如果入宫，肯定一同被杀。现在长安城内已经戒严，不如现在杀掉使者，骑马冲出城去，一旦出了城门，人就会越聚越多。"慕容暐没有接受慕容肃的建议，慕容肃于是与慕容暐一同入宫。秦王苻坚对慕容暐和慕容肃说："我一向待你们怎样，而你们竟要设计谋杀我？"慕容暐编造谎言，不肯承认。慕容肃则回答说："这是关系复兴国家的大事，哪里还能顾及私人情谊！"秦王苻坚于是先杀死了慕容肃，随后杀死了慕容暐以及他们的家族，同时将长安城中所有的鲜卑人，不论男女老少，全部杀死。后燕王慕容垂的小儿子慕容柔因牙子，故得不坐[623]，与太子宝之子盛乘间[624]得出，奔慕容冲。

燕慕容麟、慕容农合兵袭翟辽，大破之，辽单骑奔翟真。

燕王垂以秦长乐公丕犹据邺不去，乃更引兵围邺，开其西走之路。焦逵见谢玄，玄欲征丕任子[625]，然后出兵。逵固陈丕款诚[626]，并述杨膺之意，玄乃遣刘牢之、滕恬之等帅众二万救邺。丕告饥，玄水陆运米二千斛[627]以馈之。

秦梁州刺史潘猛弃汉中，奔长安[628]。

【段旨】

以上为第三段，写孝武帝太元九年（公元三八四年）下半年的大事。主要写了丁零翟斌因自恃功大，要求无限，不能满足，遂欲勾结苻丕夹击慕容垂，事泄，被慕容垂所杀。写了翟斌之侄翟真、翟辽等与苻丕相勾结，被慕容隆、慕容农等大破之。写了匈奴部落刘库仁率北部兵南下救苻丕，被身边的慕舆文、慕舆常所杀，库仁之众遂被库仁之弟头眷所代领。写了苻坚部下的陇西鲜卑乞伏国仁之叔在陇西反秦，苻坚派国仁率部往讨，国仁遂与其叔合兵反秦自立。写了姚苌欲占据岭北的北地、安定、新平诸郡，在攻秦新平时，被新平守将打得大败。写了苻坚身边的慕容暐、慕容肃等谋杀苻坚事泄，被苻坚所杀。写了苻丕进退路穷，向谢玄假道借粮，谢玄运米两千斛以馈之。写了慕容垂久攻邺城不下，遂解开苻丕西归长安之路。写了苻坚的部将吕光自淝水之战前即为苻坚往征西域，焉耆诸国皆降，唯龟兹王帛纯婴城拒守，并联合西部的狯胡、温宿等国共抗吕光，吕光与战，大破之。写了龟兹王帛纯逃走，吕光立帛纯之弟为龟兹王，其他降者三十余国，吕光抚宁西域，威恩甚著，但此时已与苻坚断绝消息。写了晋将谢玄、桓石虔等北出伐秦，秦之徐州刺史弃城走，晋军占据彭城。写了刘牢之进据碻磝城，郭满占据滑台，刘袭进克黎阳，刘牢之又进克鄄城，河南城堡皆来归附。写了谢玄派部将高素攻秦青州，刺史苻朗降晋，秦之梁州刺史弃汉中，晋遂据有梁州之地等。

为早被宦官宋牙家收养为义子，所以没有受到牵连被杀死，慕容柔与后燕王太子慕容宝的儿子慕容盛趁机逃出长安城，投奔了皇太弟慕容冲。

后燕抚军大将军慕容麟与骠骑大将军慕容农合兵攻打丁零部落首领翟辽，将翟辽打得大败，翟辽单枪匹马投奔据守承营的堂弟翟真去了。

因为秦国长乐公苻丕仍然占据着邺城不肯离去，后燕王慕容垂于是再次率军包围了邺城，但依然为苻丕留出了一条向西逃走的通道。焦逵见到了谢玄，谢玄想让秦国长乐公苻丕送自己的儿子到晋国充当人质，然后再出兵相助。焦逵极力表明苻丕归降的诚意，并将苻丕妻兄杨膺的本意转述给谢玄，谢玄于是派遣彭城内史刘牢之、晋陵太守滕恬之等率领二万人马救援邺城。苻丕还向谢玄请求支援粮食，谢玄便从水路、陆路运送了二千斛米赠送给苻丕。

秦国担任梁州刺史的潘猛抛弃了汉中，逃回了京师长安。

【注释】

⑽己酉：七月二十八。⑽康献皇后：两次临朝称制的褚氏皇太后。康献二字是谥。⑾邀求：同“要求”，向慕容垂邀功请赏。⑿为难：叛变；作乱。⒀未有形：没有明显的犯罪表现。⒁以隆大业：以振兴我们的复国事业。⒂示人以狭：让人家看着我们心胸狭窄，待人不宽厚。⒃藉：即使；假使。⒄听其自毙：让他自取灭亡。⒅上辅：最高的辅政大臣，对宰相的尊称。⒆台既未建：朝廷既然尚未正式建立。当时对朝廷的中书省、尚书省等称台，故用“台”代指朝廷。慕容垂以慕容暐尚在，故自己未称尊号、未建朝廷。⒇不可遽置：不能一下子就设置这个官职。遽，立刻。㉑决堤溃水：当时慕容垂正引漳水灌邺城，翟斌要反帮苻丕，故欲决堤将水放走。㉒还向邺围：回兵指向包围邺城的燕军。㉓急之：对他们逼得太急。急，逼。㉔龟兹王帛纯：龟兹国的国王名叫帛纯。龟兹是西域古国名，位于天山南麓，国都延城，即今新疆库车。㉕窘急：被苻坚的部将吕光围困得非常危急。窘，无计可施。㉖狯胡：西域古国名，在龟兹国以西。㉗侯将馗：有侯爵身份的将军名馗。㉘温宿、尉头：皆西域国名。温宿，也称温肃，都城即今新疆乌什。尉头的都城在今新疆阿合奇东。㉙抚宁：安抚；稳定。㉚上：呈上让吕光看，表明他们历来与中原地区的政权亲善。㉛节传：都是汉代朝廷发给他们用作凭证的信物。节，符节，用竹木或金玉制成。传，也称“繻”“过所”，彼此往来的通告证。㉜表而易之：上表报告苻坚，都给他们换成了秦国的信物。易，更换。㉝及于下邑：追到下邑，追上了翟真。下邑，县名，县治在今安徽砀山县东。㉞承营：地名，在今河北定州东南。㉟刍粮：喂马的草与人吃的粮食。㊱新城：即肥乡的新兴城，在今河北邯郸市肥乡区东南。㊲开：给他们让开。㊳畴昔：过去；从前。㊴为讨翟真

之计：集中力量对付翟真。540 丙寅：八月十五。541 徇清河、平原：带兵巡行清河、平原二郡。徇，巡行。清河郡的郡治在今河北清河县东，平原郡的郡治在今山东平原县南。542 明立约束：明确订下各种章程。543 均适有无：都按照各地居民贫穷与富有的实际情况。544 谷帛属路：给慕容垂军队送粮、送衣的车子络绎不绝。帛，丝织物，这里即指衣物。属，连、连续不断。545 戊寅：八月二十七。546 郗愔：东晋名臣郗鉴之子，郗超之父。被封为南昌郡公，文穆二字是谥。传见《晋书》卷六十七。547 下邳：郡名，郡治即今江苏邳州。548 唐城：在今河北定州北十五里，相传唐尧曾都此，故名唐城，亦名尧城。549 辛卯：九月十一。550 鄄城：县名，县治在今山东鄄城北旧城集。551 甲午：九月十四。552 扬、江等十五州：指扬州、徐州、南徐州、兖州、南兖州、豫州、南豫州、江州、青州、冀州、幽州、并州、司州、荆州、雍州。553 加黄钺：授予黄钺。黄钺是黄色大斧，授予专征的大将，以象征他具有无上权威。554 何从出哉：是从哪里冒出来的呢。苻坚言此，表示后悔自己当初的养虎遗患。555 奴厌奴苦：由于我这个“奴”讨厌做奴隶的辛苦。556 欲取汝为代：想让你来代替我做奴隶。557 称诏遗之：说是皇帝特别送给你的。558 詹事：官名，为东宫诸官之长，也就是慕容冲的僚属之长。559 称皇太弟令：以燕国皇帝接班人的名义。560 苟能知命：如果你真是知天命、识时务。561 早送皇帝：早早地把我们的皇帝慕容暐送回燕国。562 以酬曩好：以报答你们过去对我们的旧好。酬，谢。曩好，旧恩。563 王景略、阳平公之言：王景略即王猛，阳平公即苻融，两人都曾多次劝苻坚及早除掉慕容氏诸人。见本书卷一百三宁康三年及卷一百四太元七年。564 白虏：秦人称鲜卑人为“白虏”。565 十月辛亥朔：十月初一是辛亥日。566 乙丑：十月十五。567 淮陵：郡名，郡治在今江苏盱眙西北。568 青州：州治广固城，在今山东淄博东。569 琅邪：郡名，郡治即今山东临沂。570 清河光祚：清河郡人姓光名祚。571 襄国：即今河北邢台，当年石勒曾用为后赵的都城。572 柏乡：县名，故城在今河北柏乡西南。573 广阿：城名，西汉时的广阿县治，在今河北隆尧东。574 循西山：顺着西侧的太行山。575 雁门、上谷、代郡：三郡名，雁门郡的郡治在今山西代县的西南侧，上谷郡的郡治在今河北怀来东南，代郡的郡治即今河北蔚县东北的代王城。576 繁畤：县名，县治在今山西浑源西南。577 蚝、腾以众少不能赴：胡三省曰：“秦以邓羌、张蚝为万人敌，是时邓羌死矣，张蚝卒，不能救秦之亡，是知徒勇无谋者，无益于成败之数也。”578 杨膺：苻丕的妃子之兄。579 自归于晋：前往投降东晋。580 碻磝：城名，在今山东茌平西南的古黄河南岸，当时为济北郡的郡治所在地。581 滑台：即今河南滑县东。582 河北：指滑台的古黄河的北岸。583 黎阳：县名，县治在今河南浚县东北。584 假涂求粮：借给通道与支援粮草。假，借。涂，同“途”。585 西赴国难：解救长安的危急。586 须援军既接：等与西上的援军会合后。须，等。接，连接、会合。587 保守邺城：谓固守邺城以抗燕军。588 屈节竭诚：放下架子，真诚投降。589 豪气不除：狂傲之气一点没减。590 方设两端：还提出了两条路。591 正书为表：端端正正地写一篇表章。正书，楷书。古时给皇帝上表，均写楷书，表示恭敬。592致身南归：一齐委身归晋。致身，委身。593如其不从：如果苻丕不同意。594逼缚与之：指用武力捆绑，将其交与东晋。595改书：改写了苻丕的书信。596脩：滕脩，三国时的吴国将领，孙皓亡国后，归顺晋朝。597议进止：商量应如何采取行动。进止，进还是止。598岭北：指九嵕山以北的新平郡、北地郡、安定郡一带地区。九嵕山在今陕西礼泉东北。599资实：指各种财物粮食。600拱手取之：不费任何力气地将地盘夺过来。拱手，极言其清闲不费力。601同官川：即前文所说的"同官水"，在今陕西铜川市附近。602新平人杀其郡将：新平郡人杀了其本郡的太守。郡将，指太守。据《晋书》卷一百一十四《苻坚载记下》，石虎末年，清河人崔悦为新平相，被郡人所杀。崔悦子液后来在苻坚手下做尚书郎，自表父仇不共戴天，请还冀州。苻坚怜悯他，为他处罚新平人，勒令不准做官，并拆毁新平城角以羞辱他们。603民望：谓郡中有声望的豪绅。604深以为病：深感到这是新平郡的莫大耻辱。病，羞耻。605雪：洗刷。606田单以一城存齐：战国时齐将田单坚守即墨，用火牛阵大破燕军，并进而收复失地，重建齐国的故事。见《史记·田单列传》。607横被无辜：无缘无故地被人残杀。横，无端、无辜。608倒虎山：山名，在今陕西渭南市东南。609异术：奇特的本领，指占卜、星相之术。610未然：尚未发生的事。611三辅堡壁：三辅地区的碉堡、坞壁。三辅指京兆尹、左冯翊、右扶风，是长安与其周围地区的三个郡级行政单位。堡壁，战时平民为自保而修筑的防御工事。612四山氐、羌：四周山区的氐族人、羌族人。613动静咨之：有什么行动都听取他们的意见。动静，偏义复词，这里指行动、活动。614鲁口：县名，即今河北饶阳。615无极：县名，即今河北无极。616藁城：藁县名，县治在今河北藁城西南。617新昏：同"新婚"。618不果往：没有去成。果，完成、实现。619已严：已经戒严。620大众便集：人便会越集合越多。621饰辞：编造谎言。622何论意气：哪里还顾得上讲私人情谊。意气，情谊，指苻坚厚待慕容氏的情意。623不坐：没有牵连被杀。624乘间：趁空子；趁机会。625征丕任子：要求苻丕派出儿子做人质。626款诚：恳挚忠诚。627二千斛：斛是容积名，一斛等于一石。628潘猛弃汉中二句：梁州地区于是又回归晋王朝。

【校记】

［20］甲寅：原无此二字。据章钰校，十二行本、乙十一行本、孔天胤本皆有此二字，张敦仁《通鉴刊本识误》、张瑛《通鉴校勘记》同，今据补。甲寅，八月初三。［21］与慕容麟相持：原无此句。据章钰校，十二行本、乙十一行本、孔天胤本皆有此句，张敦仁《通鉴刊本识误》、张瑛《通鉴校勘记》同，今据补。［22］甲午：原无此二字。据章钰校，十二行本、乙十一行本皆有此二字，张瑛《通鉴校勘记》同，今据补。［23］淮陵：原误作"阴陵"。〖按〗谢玄所遣高素为淮陵太守，事见《晋书》卷七十九《谢玄传》。胡三省注已言"阴陵"之误。［24］杨膺：原无"杨"字。据章钰校，十二行本、乙十一行本皆有"杨"字，张敦仁《通鉴刊本识误》同，今据补。

【研析】

本卷写孝武帝太元八年（公元三八三年）、太元九年共两年间的各国大事。主要写了苻坚率大兵伐晋，被晋将谢石、谢玄、刘牢之等大破于淝水，晋将乘胜收复了黄河以南与巴、蜀、梁州的部分地区，以及秦国统治下的各少数民族纷纷脱离苻坚，各自独立，北方又陷入严重混战的情景。其中可研究的主要是苻坚失败的教训。

苻坚失败的原因，武国卿《中国战争史》对此归纳了五条，今据之发挥归纳为如下四条。

第一，苻坚对基本战略形势估计的错误。他说：苻坚怀着统一全国的雄心壮志，发起淝水决战，当是顺乎历史潮流之举，应无可非议。苻坚发动灭晋战争的当时，并非不存在制胜的因素。假如苻坚能够得手，从而一举结束全国长期分裂混战的局面，不是对中国历史的巨大贡献吗？问题在于前秦是一个多部族组合而成的国家，部族之间的矛盾十分尖锐复杂，前秦虽然表面上统一了北方，但时间甚短，根基极不稳固；苻氏集团内部与其分封在外的少数公族时有叛离作乱，内部损耗严重；对伐晋之战，内部意见分歧，不能形成统一意志。若能按兵积谷，待以时日，等内部稳定，国富兵强，伺东晋形势之变而后起，再消灭晋朝也就在情理之中了。可惜苻坚太急于“混六合为一家”，于是应了古人“欲速则不达”这条古训，实在是太遗憾了。

第二，苻坚犯了骄傲轻敌的毛病。由于在此之前秦国取得的胜利太多、太容易，于是就使他不由地过高估计了自己，过低估计了敌人。他认为雄兵百万，军资如山，投鞭江水，可以断流，灭晋会如“急风之扫落叶”，大军一出，东晋非灭即降。怀着这种心态出兵作战，没有不失败的。当年刘邦率军五十六万被项羽三万人大破于彭城，就是因为开头刘邦胜利得太容易、太顺利，以至于头脑太昏昏然了。

第三，战略指挥上的失误。他几路进军，缺乏协调统一；尤其是他不听规劝，亲临战场，身中流矢，带伤而走，致使全军溃败。如果他坐镇长安，至少也是坐镇项城，那么即使某个局部遭到失败又有什么关系，哪至于一个战场的失败就导致整个政权的垮台呢？

第四，秦军在淝水岸边的主动后撤。这虽是偶发的原因，但却成了淝水大败的关键因素。《左传》里曾经写过宋襄公被楚军大破于泓水的故事，情节与此略同。都是由于他的思想过于麻痹，完全没有章法，故而造成了一退遂不可收拾。明代王志坚《读史商语》对此说：“淝水之战，说者以为秦之败由于退兵，不知古人用兵以佯北出奇者多矣，奚遽而败？苻氏之师一退而不可止，只为拥众太多耳。自古拥众太多，未有不败者。曹孟德之于吴，隋唐之于高丽，皆是也。以趾高气扬之苻坚而将百万，不败何待哉？”说来说去，还是由于苻坚一来太轻敌、太麻痹；二来是他不该亲临战场，不该让他来管这些具体的小事！

其实，东晋王朝能获得战争的胜利，恐怕连他们自己也没有想到竟如此容易。武国卿《中国战争史》说：“通观晋军的战略指导，除了谢安的强作镇静之外，本无任何高明之处。洛涧取胜，也全赖于猛将刘牢之的骁勇，夜袭成功。因此就战役指挥而言，似也平平。然而，晋军究竟出于何种考虑，建议让秦军后撤，以便在淝水以北决战，史书既对此无详细的记载，后人也难解其意。如果不是主观臆测，充其量晋军也不过欲重演韩信背水列阵的故技，以激励晋军自己拼死力战的斗志。不料秦军后撤时自乱军阵，前军主帅苻融被杀，苻坚又身中流矢，于是造成一着不慎，满盘皆输。这一结局，怕是连晋军自己也梦想不到的。”

关于谢玄战场取胜的问题我们后面再议，这里先谈一下桓冲。桓冲本来对谢玄为将甚为担心，待至淝水战胜后，桓冲深悔自己的失言，竟因愧怍致病而死，有些讨厌桓氏的人仍就此痛加诋毁。明代袁了凡为桓冲作盖棺的定论说：“史称桓冲闻玄等有功，自耻失言而卒，此非知幼子（桓冲字）之心者，夫以谋不逮人与功非己出为耻者，此出于私己之忮心，非忠臣徇国之经虑也。幼子之言偶不验，正国之福也，且耻之而死；假令晋亡，冲喜而生乎？凡人死生有时，岂必以耻故耶？桓元子（桓温字）耻襄邑之败而谋废立，披将盛威名以自封也。若幼子者平居则避贤以远势，不以身远阙廷为快；缓急则勤王以务本，不以互守境土为辞，故忘身以徇国者冲也，幸国之败以自信其言必非冲也。史之言近乎诬矣。”（《历史纲鉴补》引）综观桓冲的前前后后，似乎无可指责。此次迎战苻坚，谢安只部署了皖北一线，并未邀请桓冲从西线策应。但桓冲不计前嫌，淝水之战前先有荆襄、梁益的数路出师；淝水之战后，又有北伐宛洛与西进巴蜀的配合，桓冲何负于东晋皇室与辅臣谢安？前后两年内东晋王朝所呈现的全线出击形势是自其建立偏安王朝以来所未曾有过的。这不是出于朝廷的全面运筹，而是桓冲等西线诸将自觉行动的结果。

卷第一百六　晋纪二十八

起旃蒙作噩（乙酉，公元三八五年），尽柔兆阉茂（丙戌，公元三八六年），凡二年。

【题解】

本卷写孝武帝太元十年（公元三八五年）、十一年共两年间的东晋及各国大事。主要写了慕容冲即皇帝位于阿房城，即历史上所说的“西燕”，与苻坚残酷争夺长安城与其周围的地区，最后慕容冲围攻苻坚于长安，城中矢尽粮绝，苻坚突围入五将山；接着苻坚又在五将山被姚苌的军队所围，秦兵皆散，苻坚被姚苌所擒，最后被缢死于新平佛寺之中；苻坚的太子苻宏不能守长安，遂南逃至下辨，又辗转借道归降于晋。写了慕容冲被部下所杀，接着西燕政权又进行了一系列的杀主更立，最后拥立慕容垂的同族慕容永为西燕主，进驻于今山西长治地区的长子县。写了西燕人离开长安后，姚苌进据长安称帝，即历史上所谓的“后秦”，秦州一带地区为姚苌所有。写了苻坚之子苻丕据守邺城，慕容垂围攻邺城，双方残酷争夺达一年之久，苻丕向晋王朝求救，晋派刘牢之率军救邺，两次被慕容垂所败；苻丕见邺城难以再守，遂率众南下，往依由蓟城南逃壶关的秦将王永；苻丕调集各地的拥秦势力大会临晋，讨伐姚苌，后遂进驻于平阳；苻丕继而与慕容永作战失败，又欲袭取洛阳，被晋朝的洛阳守将破杀之；苻坚的族人苻登

【原文】

烈宗孝武皇帝中之上

太元十年（乙酉，公元三八五年）

春，正月，秦王坚朝飨群臣[①]。时长安饥，人相食，诸将归，吐肉以饲妻子[②]。

慕容冲[③]即皇帝位于阿房[④]，改元更始。冲有自得[⑤]之志，赏罚任情[⑥]。慕容盛[⑦]年十三，谓慕容柔[⑧]曰：“夫十人之长，亦须才过九人，然后得安。今中山王[⑨]才不逮人[⑩]，功未有成，而骄汰[⑪]已甚，殆难济乎[⑫]！”

被拥立为南安王，进攻秦州，大破姚苌；及听到苻丕被杀的消息后，苻登遂称帝于陇上，继续苻坚的前秦王朝；苻登立苻坚的木主于军中，凡事请之。写了燕王慕容垂即皇帝位于中山，即历史上所说的“后燕”。在此以前，燕将余岩叛燕据守令支，被慕容垂之子慕容农破杀之；慕容农又进击高句丽，收复了辽东、玄菟二郡，作品突出展现了慕容农治军、治民的卓越才华。写了秦将吕光自西域龟兹率军东归，攻杀了秦之凉州刺史梁熙，据姑臧自领凉州牧；而张天锡的儿子张大豫被王穆、秃发思复鞬所拥立，夺得一些地盘后进攻姑臧，被吕光打败。写了匈奴部落的刘库仁被其部下所杀，其弟头眷代立；头眷又被刘库仁之子刘显所杀。刘显又欲杀拓跋珪而未果，而贺讷与诸部大人共同拥立拓跋珪，拓跋珪即代王之位后重返盛乐，务农息民，国人安之；而拓跋珪的小叔窟咄在刘显的支持下与拓跋珪相争，拓跋珪向慕容垂求救，慕容麟与拓跋珪合兵大破窟咄，拓跋珪悉收其众。此外还写了东晋的名臣谢安病死等。

【语译】

烈宗孝武皇帝中之上

太元十年（乙酉，公元三八五年）

春季，正月，秦王苻坚在朝廷上宴请群臣。当时秦国的都城长安严重缺粮，百姓饥饿得已经到了人吃人的程度，诸将领回到家中，就把吃进肚里的肉食吐出来给自己的妻子儿女吃。

燕国慕容冲在阿房城即位为皇帝，改年号为更始。慕容冲当了皇帝，自以为很得意，于是无论是对臣属的奖赏还是处罚，全都凭着自己的感情和意愿。慕容盛当时才十三岁，他对慕容柔说：“即使做一个只管十个人的小官，他的才能也要超过其余的九个人，然后才能相安无事。如今的中山王慕容冲，论才能，不如别人，论功劳，也没有建立什么功业，却已经骄傲、奢侈到如此的程度，恐怕是难以成就大事吧！”

后秦王苌留诸将攻新平⑬，自引兵击安定⑭，擒秦安西将军勃海公珍⑮，岭北⑯诸城悉降之。

甲寅⑰，秦王坚与西燕主冲⑱战于仇班渠⑲，大破之。乙卯⑳，战于雀桑㉑，又破之。甲子㉒，战于白渠㉓，秦兵大败。西燕兵围秦王坚，殿中将军邓迈等[1]力战却之，坚乃得免。壬申㉔，冲遣尚书令高盖夜袭长安，入其南城，左将军窦冲、前禁将军李辩等击破之，斩首八百级，分其尸而食之。乙亥㉕，高盖引兵攻渭北诸垒，太子宏㉖与战于成贰壁㉗，大破之，斩首三万。

燕带方王佐㉘与宁朔将军平规共攻蓟㉙，王永㉚兵屡败。二月，永使宋敞烧和龙㉛及蓟城宫室，帅众三万奔壶关㉜。佐等入蓟。

慕容农引兵会慕容麟于中山㉝，与共攻翟真。麟、农先帅数千骑至承营㉞观察形势，翟真望见，陈兵而出。诸将欲退，农曰："丁零㉟非不劲勇，而翟真懦弱。今简㊱精锐，望真所在而冲之。真走，众必散矣。乃邀门而蹙之㊲，可尽杀也。"使骁骑将军慕容国帅百余骑冲之。真走，其众争门，自相蹈藉㊳，死者太半㊴，遂拔承营外郭㊵。

癸未㊶，秦王坚与西燕主冲战于城西㊷，大破之，追奔至阿城㊸。诸将请乘胜入城，坚恐为冲所掩㊹，引兵还。

乙酉㊺，秦益州刺史王广以蜀人江阳㊻太守李丕为益州刺史，守成都。己丑㊼，广帅所部奔还陇西㊽，依其兄秦州刺史统[2]，蜀人随之者三万余人。

刘牢之至枋头㊾，杨膺、姜让谋泄㊿，长乐公丕收杀之。牢之闻之，盘桓(51)不进。

秦平原悼公晖(52)数为西燕主冲所败，秦王坚让(53)之曰："汝，吾之才子也，拥大众与白虏小儿(54)战，而屡败，何用生为(55)！"三月，晖愤恚自杀(56)。

后秦王姚苌留下诸将继续攻打新平郡，自己则率领军队去攻取安定郡，他活捉了秦国担任安西将军的勃海公苻珍，于是九嵕山以北的各城镇全部投降了后秦。

二月初六日甲寅，秦王苻坚与西燕主慕容冲在仇班渠展开会战，秦军将慕容冲所率领的西燕军打得大败。初七日乙卯，双方又在雀桑开战，秦军再次将西燕军打败。十六日甲子，双方战于白渠，此次，秦军大败。西燕军趁势包围了秦王苻坚，秦国担任殿中将军的邓迈等拼死奋战，将西燕军打退，苻坚才得免于难。二十四日壬申，西燕主慕容冲派遣尚书令高盖率军在夜间袭击秦国的都城长安，高盖已经率军进入长安城的南城，被秦国的左将军窦冲、前禁将军李辩等率军击败，西燕被斩杀了八百人，这些人的尸体被分割后当作食物吃掉了。二十七日乙亥，西燕尚书令高盖又率军攻击渭水以北的秦国各营垒，秦国太子苻宏率领秦军在成贰壁迎战高盖，结果又大败高盖军，斩杀了西燕三万人。

后燕带方王慕容佐与宁朔将军平规一起联合攻打蓟城，秦国镇守蓟城的幽州刺史王永屡战屡败。二月，王永派昌黎太守宋敞烧毁了和龙与蓟城的宫室，然后率领三万部众逃往壶关。后燕带方王慕容佐进入蓟城。

后燕骠骑大将军慕容农率军前往中山与抚军大将军慕容麟会合，准备联合攻打翟真。慕容麟与慕容农先率领着数千名骑兵来到承营观察形势，翟真远远望见，立即列队而出。慕容农、慕容麟所率领的诸将就想撤退，慕容农说："丁零人并非不强劲、勇猛，而是他们的首领翟真性情懦弱。现在挑选一些精锐，向着翟真所在的位置冲杀过去。翟真一逃走，他属下的部众必定立即溃散。我们堵住他们的门口攻击他们，可以将他们全部消灭。"于是派遣担任骁骑将军的慕容国率领一百多名骑兵冲入翟真的大营。翟真果然退走，他的部众一齐向门口涌去，自相践踏，死亡了大半以上，燕军于是占领了承营的外城。

三月初六日癸未，秦王苻坚与西燕主慕容冲在长安城西再次展开激战，秦军将西燕军打得大败，秦军乘胜追击，一直将西燕军追到阿城。秦将全都要求乘胜进攻阿城，秦王苻坚害怕慕容冲设有伏兵，于是率军而回。

三月初八日乙酉，秦国担任益州刺史的王广任命担任江阳太守的蜀郡人李丕为益州刺史，令他负责守卫成都。十二日己丑，王广率领自己的部众跑回了陇西，投靠自己的哥哥、担任秦州刺史的王统，蜀郡人跟随王广一起前往陇西的有三万多人。

东晋龙骧将军、彭城内史刘牢之率领晋军抵达枋头，秦国长乐公苻丕的妻兄杨膺和担任参军的姜让准备逮捕长乐公苻丕，逼迫苻丕归降东晋的阴谋已经泄露，长乐公苻丕遂将杨膺和姜让逮捕起来杀死。东晋龙骧将军刘牢之得知消息后，在枋头徘徊不前。

秦国平原悼公苻晖多次被西燕主慕容冲所率领的西燕军打败，秦王苻坚于是责备苻晖说："你，是我最有才干的儿子，率领大军与鲜卑小儿慕容冲作战，竟然屡战屡败，活着还有什么用！"三月，平原公苻晖因为愤怒与怨恨，自杀身亡。

前禁将军李辩㊼、都水使者㊽陇西彭和正恐长安不守，召集西州㊾人，屯于韭园㊿。坚召之，不至。

西燕主冲攻秦高阳愍公方于骊山[61]，杀之；执秦尚书韦钟，以其子谦为冯翊[62]太守，使招集三辅[63]之民。冯翊垒主邵安民等责谦曰："君雍州望族[64]，今乃从贼，与之为不忠不义，何面目以行于世乎！"谦以告钟，钟自杀，谦来奔[65]。

秦左将军苟池、右将军俱石子与西燕主冲战于骊山，兵败，西燕将军慕容永斩苟池，俱石子奔邺。永，廆弟运[66]之孙。石子，难之弟[67]也。秦王坚遣领军将军杨定击冲，大破之，虏鲜卑万余人而还，悉坑之。定，佛奴之孙[68]，坚之婿[3]也。

荥阳人郑燮以郡来降[69]。

燕王垂攻邺，久不下，将北诣冀州[70]，乃命抚军大将军麟屯信都[71]，乐浪王温[72]屯中山，召骠骑大将军农还邺。于是远近闻之，以燕为不振，颇怀去就[73]。

农至高邑[74]，遣从事中郎眭邃近出，违期不还。长史张攀言于农曰："邃目下参佐[75]，敢欺罔[76]不还，请回军讨之。"农不应，敕备假版[77]，以邃为高阳[78]太守，参佐家在赵北[79]者，悉假署遣归[80]，凡举补太守三人，长史二十余人。退谓攀曰："君所见殊误[81]，当今岂可自相鱼肉[82]。俟吾北还[83]，邃等自当迎于道左[84]，君但观之。"

乐浪王温在中山，兵力甚弱，丁零四布，分据诸城。温谓诸将曰："以吾之众，攻则不足，守则有余。骠骑、抚军[85]，首尾连兵[86]，会须灭贼[87]，但应聚粮厉兵[88]以俟时[89]耳。"于是抚旧招新，劝课农桑[90]，

秦国担任前禁将军的李辩、担任都水使者的陇西人彭和正担心京师长安守不住，于是，便招集起西州人屯扎在韭园。秦王苻坚下诏征调他们，他们不肯奉诏前往。

西燕主慕容冲率领西燕军攻打秦国高阳愍公苻方所镇守的骊山，西燕军将苻方打败，不仅杀死了苻方，还活捉了秦国担任尚书的韦钟，慕容冲任命韦钟的儿子韦谦为冯翊太守，令他负责招降、安抚三辅的民众。左冯翊自卫堡寨的寨主邵安民责备韦谦说："先生出身于雍州有声望的世家大族，现在却投降了贼寇，跟他们一起做那些不仁不义的事情，还有什么脸面活在这个世界上！"韦谦将堡寨主邵安民责备自己的话告诉了自己的父亲韦钟，韦钟羞愧难当，便自杀了，韦谦也弃官而逃，前往建康投降了东晋。

秦国担任左将军的苟池、担任右将军的俱石子率领秦军与西燕主慕容冲在骊山展开激战，结果秦军战败，西燕将军慕容永杀死了左将军苟池，右将军俱石子逃往邺城投奔了长乐公苻丕。慕容永，是慕容廆弟弟慕容运的孙子。俱石子，是俱难的弟弟。秦王苻坚派遣担任领军将军的杨定率军攻打西燕主慕容冲，杨定将慕容冲所率领的西燕军打得大败，俘虏了一万多名鲜卑人凯旋，又将这些被俘虏的鲜卑人全部活埋。杨定是杨佛奴的孙子、苻坚的女婿。

荥阳人郑燮献出荥阳郡，投降了东晋。

后燕王慕容垂率领后燕军攻打邺城，却久攻不下，于是准备率军前往北方的冀州，他让担任抚军大将军的慕容麟率军驻扎在信都，令乐浪王慕容温率军驻扎在中山，将骠骑大将军慕容农召回邺城。远近的人知道了慕容垂准备撤离邺城的消息，便都认为后燕的实力已经不行了，于是很多人对是继续留在后燕还是离开后燕而犹豫不定。

后燕骠骑大将军慕容农率领燕军抵达高邑的时候，派遣担任从事中郎的眭邃到附近公干，已经超过了规定时间，眭邃还没有返回。担任长史的张攀对骠骑大将军慕容农说："眭邃是将军身边最亲近的属官，竟敢欺骗将军，不按时返回，请回军讨伐他。"慕容农没有理睬张攀，而是令人准备好封任官员的委任状，任命眭邃为高阳太守，自己属下的参佐，凡是家在赵郡以北的，全部临时委派他们返回自己的故乡一带任职，一共委派了三名太守、二十多名长史。事过之后，慕容农私下里对张攀说："你的见解非常错误，目前这种情况之下，我们内部怎能互相残杀。等我们再回到这个地区的时候，眭邃等人必然会在道左迎候我们，你就等着瞧好了。"

后燕乐浪王慕容温驻守中山，手下的兵力却很弱，丁零人分布四方，分别占据着中山境内的各个城池。慕容温对手下的诸将说："就凭我们现在的这点兵力，用来进攻敌人肯定是不够的，但是用来防守还是绰绰有余。骠骑大将军慕容农、抚军大将军慕容麟所率领的燕军，都在和敌军艰苦作战，肯定能把据守邺城的贼人苻丕消灭，所以我们应当聚集粮草、磨砺兵器以等待有利时机。"于是，安抚旧有部众、

民归附者相继，郡县壁垒争送军粮，仓库充溢。翟真夜袭中山，温击破之，自是不敢复至。温乃遣兵一万运粮以饷垂，且营中山宫室[91]。

刘牢之攻燕黎阳太守刘抚于孙就栅[92]，燕王垂留慕容农守邺围，自引兵救之。秦长乐公丕闻之，出兵乘虚夜袭燕营，农击败之。刘牢之与垂战，不胜，退屯黎阳。垂复还邺。

吕光以龟兹饶乐[93]，欲留居之。天竺沙门鸠摩罗什[94]谓光曰："此凶亡之地，不足留也。将军但[95]东归，中道[96]自有福地可居。"光乃大飨将士，议进止[97]。众皆欲还，乃以驼二万余头载外国珍宝奇玩，驱骏马万余匹而还。

夏，四月，刘牢之进兵至邺，燕王垂逆战[98]而败，遂撤围，退屯新城[99]。乙卯[100]，自新城北遁。牢之不告秦长乐公丕，即引兵追之。丕闻之，发兵继进。庚申[101]，牢之追及垂于董唐渊[102]。垂曰："秦、晋瓦合[103]，相待为强[104]，一胜则俱豪，一失则俱溃，非同心也。今两军相继，势既未合[105]，宜急击之。"牢之军疾趋[106]二百里，至五桥泽[107]，争燕辎重。垂邀击，大破之，斩首数千级。牢之单马走，会秦救至，得免。

燕冠军将军宜都王凤[108]每战奋不顾身，前后大小二百五十七战，未尝无功。垂戒之曰："今大业甫济[109]，汝当先自爱。"使为车骑将军德之副，以抑其锐[110]。

邺中饥甚，长乐公丕帅众就晋谷于枋头。刘牢之入屯[4]邺城，收

招徕新来归附的民众，鼓励、督促农民耕田种桑，于是前来归附的人络绎不绝，各郡县以及民间的自卫堡寨也都争先恐后地为燕军送来了军粮，仓库中储存的粮食多得都往外流。丁零首领翟真率领自己的部众趁黑夜袭击中山，慕容温率领燕军将翟真击败，从此以后，翟真再也不敢攻击中山。慕容温派遣一万名士兵运送粮食供给燕王慕容垂，他希望燕王慕容垂能把中山作为都城，于是开始在中山修筑宫室。

东晋龙骧将军、彭城内史刘牢之率领晋军攻击后燕黎阳太守刘抚所镇守的孙就栅，后燕王慕容垂留下骠骑大将军慕容农继续率军包围邺城，自己则亲自率军救援黎阳。秦国长乐公苻丕得知了后燕王慕容垂率军离开邺城往救黎阳的消息，便趁燕军兵力空虚的机会在夜间率领秦军袭击围困邺城的后燕军，被后燕骠骑大将军慕容农率军击败。东晋龙骧将军刘牢之率领晋军与后燕王慕容垂所率领的后燕军交战，不能取胜，遂退回黎阳坚守。后燕王慕容垂也率军返回邺城。

因为龟兹国物产丰富，生活安乐，秦国率军远征西域的骁骑将军吕光就准备长期定居龟兹。天竺国高僧鸠摩罗什对吕光说："这里是凶恶、死亡之地，不要长久留在这里居住。将军只管东归，途中自然会遇到好地方供将军居住。"吕光于是大摆酒宴招待属下众将士，与他们共同商议走还是不走。众人都希望返回东方，于是，用两万多头骆驼，满载着各国的奇珍异宝，连同一万多匹骏马踏上了东归之路。

夏季，四月，东晋龙骧将军、彭城内史刘牢之率领晋军挺进到邺城援救秦国长乐公苻丕，后燕王慕容垂率领后燕军迎战刘牢之，结果被刘牢之打败，于是解除了对邺城的包围，率军撤退到新城据守。初八日乙卯，慕容垂又从新城向北逃遁。刘牢之没有通知秦国邺城守将长乐公苻丕，就独自率领晋军追击后燕王慕容垂。长乐公苻丕得到消息，也出动秦军随后追击。十三日庚申，刘牢之率领晋军一直追到董唐渊，终于追上了慕容垂的军队。慕容垂对属下的将领说："秦国与东晋，只是临时勉强结合在一起，关系脆弱得很，他们互相依靠，看起来显得很强大，所以一方胜利，双方就都显得豪气冲天，但只要有一方失败，则双方都会溃散，因为他们并不是真正地团结一心来对抗我们。现在东晋与秦军虽然先后到达，但他们的力量并没有联合在一起，应该抓住机会赶紧出兵击败他们。"刘牢之率领晋军每天急行军二百里，到达五桥泽后，争相夺取燕军的粮草辎重。后燕王慕容垂率领大军截击晋军，将晋军打得大败，斩杀了数千人。刘牢之单枪匹马逃走，正遇上随后赶来的秦军相救，刘牢之才幸免于难。

后燕担任冠军将军的宜都王慕容凤每次作战都奋不顾身，前后参加了大大小小二百五十七场战斗，没有一次不取得成功。后燕王慕容垂告诫慕容凤说："现在燕国复国的大业即将成功，你要把爱惜自己的身体放在首要位置。"于是，便让慕容凤做车骑将军慕容德的副手，以抑制他的刚猛之气。

被后燕军长时间围困在邺城中的百姓已经饥饿到了极点，长乐公苻丕于是率领部众前往枋头，接收东晋援救的粮食。东晋龙骧将军刘牢之入驻邺城，他招集起四

集亡散，兵复少振⑪。坐军败⑫，征还。

燕、秦相持经年⑬，幽、冀大饥，人相食，邑落⑭萧条，燕之军士多饿死。燕王垂禁民养蚕，以桑椹⑮为军粮。

垂将北趣中山，以骠骑大将军农为前驱。前所假授吏⑯眭邃等皆来迎候，上下如初⑰，张攀[5]乃服农之智略。

会稽王道子⑱好专权，复为奸谄者⑲所构扇⑳，与太保安有隙，安欲避之。会秦王坚来求救，安乃请自将救之。壬戌㉑，出镇广陵之步丘㉒，筑垒曰新城而居之。

蜀郡太守任权攻拔成都，斩秦益州刺史李丕，复取益州。

新平粮竭矢尽㉓，外救不至。后秦王苌使人谓苟辅㉔曰："吾方以义取天下，岂雠忠臣邪？卿但帅城中之人还长安，吾正欲得此城耳。"辅以为然，帅民五千口出城，苌围而坑之，男女无遗，独冯杰子终㉕得脱，奔长安。秦王坚追赠辅等官爵，皆谥曰节愍侯，以终为新平太守。

翟真自承营徙屯行唐㉖，真司马鲜于乞杀真及诸翟，自立为赵王。营人共杀乞，立真从弟成为主，其众多降于燕。

五月，西燕主冲攻长安，秦王坚身自督战，飞矢㉗满体，流血淋漓。冲纵兵暴掠，关中士民流散，道路断绝，千里无烟。有堡壁三十余，推平远将军赵敖为主，相与结盟，冒难㉘遣兵粮助坚，多为西燕兵[6]所杀。坚谓之曰："闻来者率不善达㉙，此诚忠臣之义。然今寇难殷繁㉚，非一人之力所能济㉛也，徒相随入虎口，何益？汝曹宜为国自爱㉜，畜粮厉兵，以俟天时，庶几㉝善不终否㉞，有时而泰㉟也。"

处逃散的残兵败将，声势又稍微振作起来。因为与后燕军作战失败，东晋朝廷将刘牢之召回晋国。

后燕与秦国互相攻杀已经持续了一年的时间，此时，幽州、冀州遭遇了罕见的大饥荒，饥饿难忍的灾民便互相残杀吞食，城镇村落，一片萧条荒凉景象，后燕的军士饿死了很多人。后燕王慕容垂于是禁止民间养蚕，把桑树上结的桑葚当作军粮给军士充饥。

后燕王慕容垂准备前往北方的中山，任命骠骑大将军慕容农为前锋。此前慕容农以燕王慕容垂的名义暂时委任的高阳太守眭邃等全都前来迎候，慕容农与眭邃的上下级关系还同过去一样，长史张攀这才不得不佩服慕容农的智慧和谋略。

东晋会稽王司马道子喜好独断专行，又有那些奸佞、邪恶之徒从中挑拨、煽动，遂与担任太保的谢安发生了矛盾，谢安想要躲避司马道子。正好此时秦王苻坚派使者前来请求东晋出兵相救，谢安于是请求亲自率军援救秦国。四月十五日壬戌，谢安离开建康朝廷，进驻广陵郡的步丘，他率军在步丘修筑了一座名叫新城的堡垒，便驻扎下来。

东晋担任蜀郡太守的任权率军攻克了成都，杀死了秦国益州刺史李丕，收复了益州。

秦国新平城内已经粮食吃光、弓矢用尽，而外部又没有援军到来。后秦王姚苌于是派遣使者对苟辅说："我是凭借正义夺取天下，怎么会仇恨忠臣义士呢！你只管率领新平城中的人前往秦国的京师长安，我只想得到这座新平城。"新平太守苟辅认为后秦王姚苌说得在理，便完全相信了他，于是，率领着新平城中的五千人出城，没想到姚苌竟然派军将他们团团包围起来，最后将这五千人全部俘虏、活埋，男女老少没有留下一个人，只有冯杰的儿子冯终得以逃脱，奔往长安。秦王苻坚追赠新平太守苟辅等人官职与爵位，给他们的谥号都是节愍侯，任命冯终为新平太守。

丁零首领翟真从承营迁往行唐，在翟真属下担任司马的鲜于乞杀死了翟真以及那些翟姓人，自立为赵王。丁零部众联合起来反抗鲜于乞，将鲜于乞杀死，共同拥立翟真的堂弟翟成为首领，翟真的部众大多投降了后燕。

五月，西燕主慕容冲率领西燕军进攻秦国的京师长安，秦王苻坚亲自指挥军队作战，满身都被流矢射中，遍体鳞伤，鲜血淋漓。西燕主慕容冲放纵士卒肆意烧杀抢掠，导致函谷关以西地区的士民流离失所、四处逃散，道路断绝，千里之内不见人烟。还剩有三十多处自卫堡寨，他们共同推举担任平远将军的赵敖为盟主，互相结成联盟，然后派军队冒着生命危险护送军粮前往长安支援秦王苻坚。然而送粮的人途中多半都被西燕的军队所劫杀。秦王苻坚对他们说："我听说你们前来运送军粮，大多数人都不能安全到达，你们的行为确实是忠臣义举。然而现在贼寇造成的困难深重而繁多，不是靠少数人的力量所能克服、挽救的，你们白白地一个接一个地落入虎口，对局势有什么裨益呢？你们应该为了国家而保护好自己，要积蓄粮食，磨砺武器，等待上天赐予的有利时机，希望有善行的人不会永远倒霉下去，总会有时来运转的那一天。"

三辅之民为冲所略[136]者，遣人密告坚，请遣兵攻冲，欲纵火为内应。坚曰："甚哀[137]诸卿忠诚！然吾猛士如虎豹，利兵如霜雪[138]，困于乌合之虏，岂非天乎！恐徒使诸卿坐致[7]夷灭[139]，吾不忍也。"其人固请不已，乃遣七百骑赴之。冲营纵火者，反为风火所烧，其得免者什一、二，坚祭而哭之。

卫将军杨定与冲战于城西，为冲所擒。定，秦之骁将也。坚大惧，以谶书[140]云："帝出五将久长得[141]。"乃留太子宏守长安，谓之曰："天其或者欲导予出外[142]。汝善守城，勿与贼争利[143]，吾当出陇[144]收兵运粮以给汝。"遂帅骑数百与张夫人及中山公诜，二女宝、锦出奔五将山[145]，宣告州郡，期以孟冬[146]救长安。坚过袭韭园[147]，李辩奔燕，彭和正惭，自杀。

闰月[148]，以广州刺史罗友为益州刺史，镇成都。

庚戌[149]，燕王垂至常山[150]，围翟成于行唐。命带方王佐镇龙城。六月，高句丽[151]寇辽东[152]。佐遣司马郝景将兵救之，为高句丽所败。高句丽遂陷辽东、玄菟[153]。

秦太子宏不能守长安，将数千骑与母、妻、宗室西奔下辨[154]。百官逃散，司隶校尉权翼等数百人奔后秦[155]。西燕主冲入据长安，纵兵大掠，死者不可胜计。

【段旨】

以上为第一段，写孝武帝太元十年（公元三八五年）上半年的大事。主要写了慕容冲即皇帝位于阿房城，与苻坚残酷争夺长安城与其周围地区，其中有苻坚之子苻晖兵败自杀；慕容冲破杀苻方于骊山；秦将杨定大破慕容冲；慕容冲又破擒杨定；最后慕容冲围攻苻坚于长安，城外之秦人欲救之而不能，城中矢尽粮

那些被西燕主慕容冲劫持、俘虏到燕军中的三辅之民，派人秘密地告诉秦王苻坚，请求苻坚出兵攻击慕容冲，他们将在燕军中放火接应。秦王苻坚说："诸位对秦国的忠诚实在令我感激和心痛！然而我们的将领勇猛如虎豹、兵器磨砺得如同霜雪，锋利无比，却受困于这些毫无组织、毫无训练的乌合之众，难道不是天意吗！恐怕白白地让诸位遭受灭族性的屠杀，我不忍心这样做。"前来报信的人极力劝说苻坚出兵，苻坚于是派遣七百名骑兵杀入西燕军中。没料到那些在慕容冲军中放火接应的人，反而因为火势被风刮得烧向自己，绝大多数都被火烧死，逃出的只有十分之一二，秦王苻坚在长安城中哭祭这些忠魂。

秦国担任卫将军的杨定与西燕主慕容冲所率领的西燕军在长安城西展开激战，杨定兵败，被慕容冲的军队活捉。杨定是当时秦国一员有名的勇将。秦王苻坚非常恐惧，因为谶纬书上有这样的预言："皇帝如果能够到五将山上，就万事大吉了。"于是，便留下太子苻宏守卫京师长安，苻坚对苻宏说："上天大概想要引导我离开京城到外面去。你好好地守卫京师，不要与贼寇交战以决胜负，我准备前往陇山以西招募兵马、运送粮草给你。"遂率领着数百名骑兵与张夫人以及中山公苻诜，两个女儿苻宝、苻锦离开长安逃往五将山，他通告各州郡，约定在孟冬时节共同出兵救援长安。苻坚在途中袭击了韭园，李辩兵败投奔了西燕，彭和正则羞愧自杀。

闰五月，东晋朝廷改任担任广州刺史的罗友为益州刺史，镇所设在成都。

闰五月初四日庚戌，后燕王慕容垂率领后燕军抵达常山，将丁零首领翟成围困在行唐。慕容垂令带方王慕容佐镇守龙城。六月，高句丽出兵进犯辽东。后燕带方王慕容佐派遣担任司马的郝景率领一支燕军救援辽东，结果被高句丽打败。高句丽于是攻占了辽东、玄菟二郡。

秦国王太子苻宏无力守卫长安，他率领数千名骑兵与自己的母亲、妻子以及宗室向西逃往下辨。文武百官于是四处逃散，担任司隶校尉的权翼等数百人投奔了后秦姚苌。西燕主慕容冲率军进入长安城，放纵士兵大肆劫掠，长安城中被乱军杀死的人多得无法统计。

绝，苻坚突围出城入五将山；太子宏不能守长安，逃至下辨，后借道归晋；慕容冲进入长安，纵兵大掠，死者不可胜计。写了苻坚之子苻丕据守邺城，慕容垂围攻邺城，双方残酷争夺达一年之久；苻丕向晋王朝求救，晋派刘牢之率军救邺，慕容垂迎战失败；刘牢之不告知苻丕而单方追赶，被燕兵大破之；会秦救至，刘牢之单骑得免，后被朝廷召回。写了高句丽乘燕地大乱，打败慕容垂的守将慕容佐，而攻陷辽东、玄菟二郡等。

【注释】

①朝飨群臣：在朝廷上宴请群臣。②饲妻子：给妻子与儿女吃。③慕容冲：慕容儁之子，慕容暐之弟。④阿房：秦朝未修完的宫殿名，遗址在今陕西西安西郊的阿房村、古城村一带。⑤自得：自鸣得意。⑥赏罚任情：凭着个人的感情意愿对人进行赏赐或惩罚。⑦慕容盛：慕容垂之孙，慕容宝之子。⑧慕容柔：慕容宝之弟，慕容盛之叔。⑨中山王：慕容冲，在前燕时被封为中山王。⑩才不逮人：才能不如别人。不逮，不如、赶不上。⑪骄汰：傲慢；奢侈。⑫殆难济乎：恐怕是难以成功的吧。殆，恐怕、大概。济，成功。⑬新平：郡名，郡治即今陕西彬州。⑭安定：郡名，郡治在今甘肃泾川县北五里的泾河北岸。⑮勃海公珍：苻珍，被封为勃海公。⑯岭北：指九嵕山以北的新平郡、北地郡、安定郡一带地区。九嵕山在今陕西礼泉东北。⑰甲寅：二月初六。⑱西燕主冲：慕容冲在阿房称帝后，自己仍称“燕国”，历史上为与已被苻坚灭亡的“前燕”相区别，故称慕容垂所建立的燕国为“后燕”，称慕容冲这个政权叫“西燕”。⑲仇班渠：渠名，在今陕西西安西北。⑳乙卯：二月初七。㉑雀桑：地名，在今陕西西安西北。㉒甲子：二月十六。㉓白渠：渠名，汉代白公所凿。自今陕西礼泉西北的谷口引泾水东南流，经高陵和临潼的栎阳镇，至渭南县下邦镇南注入渭河。㉔壬申：二月二十四。㉕乙亥：二月二十七。㉖太子宏：苻宏，苻坚的太子。㉗成贰壁：地名，成贰是人名，关中大乱，立壁自保，因以为地名，在今陕西咸阳。㉘带方王佐：慕容佐，被封为带方王。带方，郡名，辖地约当今朝鲜境内的黄海南道、黄海北道一带地区。㉙蓟：县名，县治即今北京市的西南部。㉚王永：苻坚的部将，时为苻坚镇守蓟城。㉛和龙：也称龙城，即今辽宁朝阳，前燕前期的都城。㉜壶关：县名，因其山形似壶，设关于此，故名。县治在今山西长治东南。㉝中山：诸侯国名，都城即今河北定州。㉞承营：地名，在今河北定州东南，当时翟真率兵驻扎于此。㉟丁零：翟真所属的少数民族名，西汉时丁零族人活动在今俄罗斯的贝加尔湖附近，东晋时期有一支入居于河南的新安一带。㊱简：选拔；挑选。㊲邀门而蹙之：堵着门口攻击他。邀，拦截，这里指迎面。蹙，逼迫，这里即指攻击。㊳蹈藉：践踏。㊴太半：大半；三分之二。㊵外郭：外城。内城曰城，外城曰郭。㊶癸未：三月初六。㊷城西：指长安城西。㊸阿城：阿房宫旧址的城堡。㊹所掩：被其埋伏所袭击。掩，袭击。㊺乙酉：三月初八。㊻江阳：郡名，郡治即今四川泸州。㊼己丑：三月十二。㊽陇西：郡名，郡治在今甘肃陇西县的东南侧。㊾枋头：即今河南浚县西南的淇门渡，因当年曹操攻袁尚，曾在这里用枋木做堰，遏使淇水进入白沟，以供运输而得名。㊿谋泄：杨膺等拘捕苻丕，迫使其归顺东晋之谋。(51)盘桓：徘徊不前。(52)平原悼公晖：苻晖，苻坚之子，被封为平原公，悼字是谥。原统兵驻洛阳，因孤立难支而引兵退回长安。(53)让：责备。(54)白虏小儿：指慕容冲。秦人称鲜卑人为白虏。(55)何用生为：犹言还活着做什么。为字倒置，表示疑问。(56)愤恚自杀：胡三

省曰："坚怒责晖，欲其死战耳，岂意其自杀哉?"恚，愤怨。㊿李辩：李俨之子，陇西郡人。㊳都水使者：官名，掌舟楫航运之事，为总领各都水长之官。晋置都水台，有都水使者一人。㊴西州：西部之州，指陇山以西的秦州、凉州。㊵韭园：地名，在今陕西西安西。㊶骊山：山名，在当时的长安城东南方，今西安东北方的临潼区东南。㊷冯翊：也称左冯翊，郡治即今陕西之大荔。㊸三辅：长安与其邻近地区的三个郡，指京兆尹、左冯翊、右扶风。㊹雍州望族：雍州地区有声望的世家豪族。〖按〗韦氏为西汉丞相韦贤之后，曾出过七个宰相、五个公爵。韦氏祖居山东邹县，韦贤以后遂世代居住在长安西北方的平陵，属右扶风，上属于雍州。㊺来奔：奔来投降晋王朝。㊻廆弟运：慕容廆之弟慕容运。慕容廆是前燕政权的创立者，是慕容冲的曾祖父。传见《晋书》卷一百八。㊼难之弟：苻坚的名将俱难之弟。俱难的事迹见本书卷一百四太元三年。㊽佛奴之孙：据《北史》，杨定是佛奴之孙，其父曰"宋奴"。㊾以郡来降：以荥阳郡的整个地区投降晋王朝。荥阳郡的郡治即今河南荥阳东北的古荥镇。㊿冀州：州名，州治即今河北衡水市冀州区。(71)信都：即今河北邢台。(72)乐浪王温：慕容温，慕容垂之子，被封为乐浪王。乐浪是郡名，在今朝鲜国的北部，郡治在今平壤城南。(73)怀去就：意即去留不定，犹豫观望。(74)高邑：县名，县治在今河北柏乡北。(75)目下参佐：在身边眼皮下的一个属员。(76)欺罔：欺骗；违规。(77)敕备假版：下令准备好封任官员的委任状。敕，下令。假版，委任状。(78)高阳：郡名，郡治博陆县，在今河北蠡县南，今高阳的西南方。(79)赵北：赵郡以北，时赵郡的郡治在今河北赵县西南。(80)悉假署遣归：全部派他们回到故乡一带任职。假署，临时委任。(81)殊误：非常错误。(82)自相鱼肉：彼此把对方视为鱼肉，自相残杀。(83)俟吾北还：等我再回到这个地区来的时候。(84)道左：道旁。古代尚右，故以左为较低的地位。迎尊者均于道左。(85)骠骑、抚军：谓骠骑大将军慕容农、抚军大将军慕容麟。(86)首尾连兵：都在和敌军艰苦作战。(87)会须灭贼：一定能消灭敌人。会须，一定。(88)厉兵：磨砺兵器。(89)俟时：等待时机。(90)劝课农桑：勉励督促农民种好庄稼。课，督促、规定。(91)营中山宫室：希望慕容垂以中山为都城。营，修建、建造。〖按〗中山即今河北定州，其地有旧时诸侯国的宫室，兴建、修复都比较容易。(92)孙就栅：地名，孙就是前代人名，曾立栅于黎阳（今河南浚县）县界，今刘抚驻兵于此。(93)饶乐：富庶、快乐。(94)天竺沙门鸠摩罗什（公元三四四至四一三年）：古印度的和尚名鸠摩罗什，七岁随母出家，先后习小乘与大乘，讲佛学于西域诸国。吕光伐龟兹，随吕光东至凉州，居十八年；吕氏灭，遂东入长安，为姚兴国师，立译场于逍遥园，译经论七十四部，三百八十四卷。弟子道生、僧肇、道融、僧叡，世称"什门四圣"。著作有《大乘大义章》。传见梁慧皎《高僧传》二。(95)但：尽管。(96)中道：中途；沿途。指东归途中。(97)议进止：讨论走还是不走。(98)逆战：迎战。(99)新城：即肥乡的新兴城，在今河北邯郸市肥乡区东南。(100)乙卯：四月初八。(101)庚申：四月十三。(102)董唐渊：地名，又名"董塘陂"，在今河北曲周西北。魏、晋时导漳水入陂，为灌溉之利，今湮。(103)瓦合：意同"乌合"，临时勉强结盟，非有稳固根基。⑭相待为强：相互依靠而暂时强大。待，依靠。⑮势既未合：两支军队的力量并未联合一起。势，兵势、兵力。⑯疾趋：急行军。⑰五桥泽：泽名，在今河北临漳北。⑱宜都王凤：慕容凤，慕容垂之子，被封为宜都王。⑲甫济：就要成功了。甫，接近。⑳以抑其锐：因慕容德为人持重，故使凤居其下，望能得以稍抑他的刚猛之气。㉑少振：稍有振作，指军队的人数与士气都有所恢复。㉒坐军败：因为打了败仗。坐，因……而获罪。㉓经年：已过一年之久。上年正月慕容垂攻邺，至此已一年有余。㉔邑落：城镇与乡村。邑，乡镇。落，村落、居民点。㉕桑椹：桑树的果实，现作“桑葚”。㉖假授吏：以帝王的名义暂时委任的官吏。㉗上下如初：指慕容农与畦邃之间的上下级关系还跟过去一样。㉘会稽王道子：司马道子，简文帝司马昱之子，孝武帝司马曜之弟。㉙奸谄者：为人邪恶而又善于巴结奉承人的人。⑳构扇：挑拨；煽动。㉑壬戌：四月十五。㉒步丘：地名，在今江苏江都西北的邵伯镇。谢安镇广陵时，见步丘地势西高东低，遂筑堰阻隔，高下两利。民思其德，比为邵伯甘棠，故称邵伯埭。㉓新平粮竭矢尽：秦之新平郡自去年被姚苌所围攻，至今粮竭矢尽。㉔苟辅：苻坚的新平太守，上年曾大破姚苌于新平城下。㉕冯杰子终：冯杰之子冯终，冯杰上年曾鼓励太守苟辅坚守新平郡城。㉖行唐：县名，县治在今河北行唐东北。㉗飞矢：流矢；无目的飞来的箭。㉘冒难：冒着生命危险。㉙率不善达：大都来不到我们这里。率，一般、大都。不善达，不能完好地到达。㉚寇难殷繁：敌寇造成的困难沉重而繁多。㉛所能济：所能克服；所能挽救。㉜自爱：好好保护自己。㉝庶几：希望能；争取能。㉞善不终否：为善者不会总倒霉下去，总会有时来运转的一天。否，《易经》的卦名，显示的是一种天地隔阂、闭塞不通的征象，通常表示倒霉、走背字，运气不好。㉟有时而泰：到时候就能时来运转了。泰，《易经》卦名，显示的是一种上下交通、通行无阻的征象，引申为万事亨通、万事吉祥。㊱略：掠夺，这里指被劫持、俘获。㊲甚哀：很是感谢、心疼。㊳利兵如霜雪：极言武器之精良，兵刃锋利，寒光四射。㊴坐致夷灭：白白做出牺牲。夷灭，被人杀光。㊵谶

【原文】

秋，七月，旱，饥，井皆竭。

后秦王苌自故县[156]如新平。

秦王坚至五将山，后秦王苌遣骁骑将军吴忠帅骑围之。秦兵皆散走，独侍御十数人在侧。坚神色自若[157]，坐而待之，召宰人[158]进食。俄而忠至，执之，送诣新平，幽于别室[159]。

书：一种编造“预言”，蛊惑人心的迷信书。⑭帝出五将久长得：皇帝如能到五将山上，就一切大吉了。据《晋书·苻坚载记下》，此语出自《古符传贾录》。⑭欲导予出外：想引导我出城。导，引导、指引。⑭争利：争斗以决胜负。⑭出陇：到陇山以西。胡三省曰：“秦王坚始也禁人学谶，及丧败之极，乃欲用谶书，奔五将山以求免，其颠倒错缪甚矣。盖死期将至也。”⑭五将山：山名，说法不一，有说在今陕西岐山县东北，有说在礼泉县，有说在麟游县。⑭孟冬：冬季的第一个月，即阴历十月。⑭过袭韭园：路过韭园时，对韭园的守军李辩等发起攻击。因苻坚召之入长安，李辩等不至。⑭闰月：闰五月。⑭庚戌：闰五月初四。⑮常山：郡名，郡治在今河北正定东南。⑮高句丽：古国名，都城丸都，即今吉林集安。⑮辽东：郡名，郡治襄平，即今辽宁辽阳。⑮玄菟：郡名，郡治在今辽宁沈阳东。⑮下辨：地名，在今甘肃成县的西北侧，其地是武都郡的郡治所在地。⑮奔后秦：投降后秦主姚苌。〖按〗权翼本是姚苌之兄姚襄的僚属，姚襄被苻坚破杀后，权翼投降苻坚；今苻氏败亡，故权翼又归奔姚氏。

【校记】

［1］等：原无此字。据章钰校，十二行本、乙十一行本皆有此字，今据补。［2］依其兄秦州刺史统：原无此句。据章钰校，十二行本、乙十一行本、孔天胤本皆有此句，张敦仁《通鉴刊本识误》、张瑛《通鉴校勘记》同，今据补。［3］坚之婿：原无此三字。据章钰校，十二行本、乙十一行本、孔天胤本皆有此三字，张瑛《通鉴校勘记》同，今据补。［4］屯：原无此字。据章钰校，十二行本、乙十一行本皆有此字，今据补。［5］张攀：原作“李攀”。严衍《通鉴补》改作“张攀”，与上文相合，今据改。［6］兵：原无此字。据章钰校，十二行本、乙十一行本、孔天胤本皆有此字，今据补。［7］致：据章钰校，十二行本、乙十一行本、孔天胤本皆作“自”。

【语译】

秋季，七月，东晋遭遇大旱灾、大饥馑，因为久旱不雨，就连井水都枯竭了。

后秦王姚苌从故县前往新平。

秦王苻坚到达五将山，后秦王姚苌派遣担任骁骑将军的吴忠率领骑兵包围了五将山。秦王苻坚手下的秦兵全都逃散，苻坚身边只剩下十几个侍卫。苻坚仍然像平时那样，坐在那里等待后秦军队的到来，他吩咐掌管膳食的官员为自己端上饭菜。不一会儿，后秦骁骑将军吴忠率领后秦军冲到苻坚的跟前，将苻坚擒获，送往后秦王姚苌所在的新平，单独囚禁在一个房间里。

太子宏至下辨，南秦州[160]刺史杨璧拒之。璧妻，坚之女顺阳公主也，弃其夫从宏。宏奔武都，投氐豪强熙[161]，假道来奔[162]，诏处之江州[163]。

长乐公丕帅众三万自枋头将归邺城，龙骧将军檀玄[164]击之，战于谷口[165]。玄兵败，丕复入邺城。

燕建节将军余岩叛[166]，自武邑[167]北趣幽州[168]。燕王垂驰使敕幽州将平规曰："固守勿战，俟吾破丁零自讨之。"规出战，为岩所败。岩入蓟，掠千余户而去，遂据令支[169]。

癸酉[170]，翟成长史鲜于得[171]斩成出降，垂屠行唐[172]，尽坑成众[173]。

太保安有疾求还，诏许之。八月，安至建康[174]。

甲午[175]，大赦。

丁酉[176]，建昌文靖公谢安[177]薨。诏加殊礼，如大司马温故事。庚子[178]，以司徒琅邪王道子领扬州刺史、录尚书、都督中外诸军事，以尚书令谢石为卫将军。

后秦王苌使求传国玺于秦王坚曰："苌次应历数[179]，可以为惠[180]。"坚瞋目[181]叱之曰："小羌敢逼天子！五胡次序[182]，无汝羌名[183]。玺已送晋，不可得也。"苌复遣右司马尹纬[184]说坚，求为禅代[185]。坚曰："禅代，圣贤之事。姚苌叛贼，何得为之？"坚与纬语，问纬："在朕朝何官？"纬曰："尚书令史[186]。"坚叹曰："卿，王景略之俦[187]，宰相才也。而朕不知卿，宜其亡也。"坚自以平生遇苌有恩，尤忿之，数[188]骂苌求死。谓张夫人曰："岂可令羌奴辱吾儿[189]！"乃先杀宝、锦。辛丑[190]，苌

秦国太子苻宏率领属下的部众和宗室抵达下辨，担任南秦州刺史的杨璧拒绝接纳苻宏等人进入下辨城。杨璧的妻子是秦王苻坚的女儿顺阳公主，顺阳公主抛弃了自己的丈夫杨璧，跟随了自己的兄长苻宏。秦太子苻宏逃往武都，投奔氐族的豪绅强熙，又向当地的少数民族借路前来投降东晋，东晋孝武皇帝司马昌明下诏，将秦国王太子苻宏安置在江州。

秦国长乐公苻丕率领手下的三万名部众从枋头准备返回邺城，东晋龙骧将军檀玄率领晋军攻击苻丕，双方在谷口展开激战。檀玄被苻丕军打败，苻丕再次进入邺城。

后燕担任建节将军的余岩背叛了后燕王慕容垂，他率领自己的部众从武邑向北攻击幽州。燕王慕容垂派使者骑马飞速前往敕令担任幽州刺史的平规说："你应该坚守蓟城，不要与余岩交战，等我攻破丁零之后，我将亲自去讨伐余岩。"幽州刺史平规没有遵从慕容垂的敕令，仍然坚持出战，结果被余岩打败。余岩进入蓟城，掠夺了一千多户居民而后离去，进而又攻占了令支。

七月二十八日癸酉，丁零族部落首领翟成的长史鲜于得杀死了翟成，向后燕王慕容垂投降，慕容垂下令将行唐城中的人全部杀光，把翟成的部众全部活埋。

东晋担任太保的谢安因为患病，请求从驻地广陵的步丘返回京师，孝武皇帝司马昌明下诏批准了谢安的请求。八月，谢安回到京师建康。

十九日甲午，东晋实行大赦。

二十二日丁酉，东晋建昌文靖公谢安逝世。东晋孝武皇帝司马昌明下诏，给予谢安以特殊的待遇，与当年大司马桓温享受的待遇一样。二十五日庚子，任命担任司徒的琅邪王司马道子兼任扬州刺史、录尚书事、都督中外诸军事，任命担任尚书令的谢石为卫将军。

后秦王姚苌派人向被俘虏的秦王苻坚索取传国玉玺说："按照上天安排的次序，现在该轮到我姚苌称帝了，你可以把传国玉玺交给我。"秦王苻坚怒目圆睁，大声斥责说："你这小小的羌人，竟敢逼迫天子！五胡中可以称帝的名单里面，没有你这羌人姚苌的名字。传国玉玺已经送给东晋，你不可能得到它。"姚苌又派遣担任右司马的尹纬劝说秦王苻坚，请求他举行一个禅让仪式将帝位传给姚苌。苻坚说："实行禅让，那是圣贤之间的事情。姚苌只是一个叛变秦国的贼子，我如何能将帝位禅让给他？"苻坚趁机与尹纬拉起家常，苻坚询问尹纬说："你在我的朝廷中担任什么官职？"尹纬回答说："担任尚书令史。"苻坚叹息地说："你，是和王猛同一类型的人物，具有宰相的才能。而我竟然不知道你这个人，所以灭亡也是应该的。"秦王苻坚认为自己平生对待姚苌有恩，现在看到姚苌如此行径，所以非常愤恨，他屡次痛骂姚苌，以求一死。苻坚对张夫人说："岂能让这个羌人奴才侮辱了我们的女儿！"于是，便先行杀死了自己的两个女儿苻宝和苻锦。八月二十六日辛丑，后秦王姚苌派人将秦

遣人缢坚于新平佛寺，张夫人、中山公诜皆自杀，后秦将士皆为之哀恸。苌欲隐其名[191]，谥坚曰壮烈天王。

臣光曰："论者皆以为秦王坚之亡，由不杀慕容垂、姚苌故也。臣独以为不然。许劭[192]谓魏武帝[193]治世之能臣，乱世之奸雄[194]。使坚[195]治国无失其道，则垂、苌皆秦之能臣也，乌能[196]为乱哉！坚之所以亡，由骤胜而骄[197]故也。魏文侯[198]问李克[199]吴之所以亡[200]，对曰：'数战数胜[201]。'文侯曰：'数战数胜，国之福也，何故亡？'对曰：'数战则民疲，数胜则主骄，以骄主御疲民，未有不亡者也。'秦王坚似之矣。"

长乐公丕在邺，将西赴长安。幽州刺史王永在壶关[202]，遣使招丕，丕乃帅邺中男女六万余口西如潞川[203]，骠骑将军张蚝、并州刺史王腾迎之入晋阳[204]。王永留平州刺史苻冲守壶关，自帅骑一万会丕于晋阳[8]，丕始知长安不守，坚已死，乃发丧，即皇帝位。追谥坚曰宣昭皇帝，庙号世祖，大赦，改元大安。

燕王垂以鲁王和[205]为南中郎将，镇邺。遣慕容农出蠮螉塞[206]，历凡城[207]，趣龙城[208]，会兵讨余岩。慕容麟、慕容隆自信都[209]徇勃海、清河[210]。麟击勃海太守封懿，执之，因屯历口[211]。懿，放[212]之子也。

鲜卑刘头眷[213]击破贺兰部[214]于善无[215]，又破柔然于意亲山[216]。头眷子罗辰言于头眷曰："比来行兵[217]，所向无敌。然心腹之疾，愿早图之。"头眷曰："谁也？"罗辰曰："从兄显，忍人[218]也，必将为乱。"头眷不听。显，库仁之子也。

王苻坚勒死在囚禁他的新平佛寺之中，张夫人、中山公苻诜全都自杀身亡，后秦将士都为秦王苻坚落得如此下场而感到悲哀。姚苌打算掩盖自己杀害秦王苻坚的恶名，遂尊谥秦王苻坚为壮烈天王。

司马光说："评论家一致认为，秦王苻坚的灭亡，是因为没有杀死慕容垂和姚苌。只有我认为并非如此。东汉许劭曾经评论魏武帝曹操，认为如果曹操是生活在一个太平时代，一定能够成为一个治理国家的良臣；如果是生活于一个乱世，便是一个趁乱称帝称王的奸雄。假使苻坚治理秦国没有背离正道，那么慕容垂、姚苌就都是秦国的能臣，又岂能制造叛乱呢！苻坚之所以灭亡，是他屡次获得胜利之后，骄傲自大起来造成的。战国时期的魏文侯向自己的宰相李克询问吴王夫差为什么会亡国，李克回答说：'因为屡战屡胜。'魏文侯说：'屡战屡胜，那是国家的福分，怎么会导致亡国呢？'李克又回答说：'屡次出兵作战，国内的民众必然会疲惫不堪，屡次获胜，君主就会骄傲自满，以一个骄傲自满的君主来统治那些疲惫不堪的国民，国家不灭亡的事情是从来没有的。'秦王苻坚就与吴王夫差相类似。"

秦国长乐公苻丕在邺城，他准备放弃邺城向西撤回长安。担任幽州刺史的王永驻守壶关，他派遣使者邀请长乐公苻丕前往壶关，苻丕于是率领着邺城中的男女老少总计六万多口西行，前往潞州，担任骠骑将军的张蚝、担任并州刺史的王腾把苻丕迎进晋阳。王永留下平州刺史苻冲守卫壶关，自己率领一万骑兵在晋阳和苻丕相会，苻丕这才知道京师长安已经失陷，自己的父亲、秦王苻坚已经遇难，于是对外发布秦王苻坚逝世的消息，为苻坚主持丧礼，苻丕即位为秦国皇帝。追谥秦王苻坚为宣昭皇帝，庙号世祖，实行大赦，改年号为大安。

后燕王慕容垂任命鲁王慕容和为南中郎将，镇守邺城。派遣骠骑大将军慕容农率军从蠮螉塞出兵，历经凡城，奔赴龙城，汇集各路人马讨伐占据龙城的余岩。抚军大将军慕容麟、冠军大将军慕容隆率军从信都出发，夺取勃海、清河二郡。抚军大将军慕容麟率领燕军攻打勃海郡太守封懿，将封懿活捉，遂进驻历口。封懿是故燕国勃海太守封放的儿子。

秦国所属鲜卑部落首领刘头眷率领鲜卑人在善无击败了贺兰部落，又在意亲山打败了柔然。刘头眷的儿子刘罗辰对自己的父亲刘头眷说："近来出兵打仗，战无不胜，所向无敌。然而对于心腹中的疾患，希望能够早日铲除。"刘头眷不解地问："谁是心腹之患？"刘罗辰回答说："就是我的堂兄刘显，刘显是一个非常残忍的人，将来必定会制造祸乱。"刘头眷没有采纳儿子的意见将刘显除掉。刘显是刘头眷的哥哥刘库仁的儿子。

顷之，显果杀头眷自立。又将杀拓跋珪⑲，显弟亢泥妻，珪之姑也，以告珪母贺氏。显谋主⑳梁六眷，代王什翼犍之甥也，亦使其部人穆崇、奚牧密告珪，且以其爱妻、骏马付崇曰："事泄，当以此自明㉑。"贺氏夜饮显酒㉒，令醉，使珪阴与旧臣长孙犍、元他、罗结轻骑㉓亡去。向晨㉔，贺氏故惊厩中群马，使显起视之。贺氏哭曰："吾子适在此㉕，今皆不见，汝等谁杀之邪？"显以故不急追。珪遂奔贺兰部，依其舅贺讷㉖。讷惊喜曰："复国㉗之后，当念老臣！"珪笑曰："诚如舅言，不敢忘也。"

显疑梁六眷泄其谋，将囚之。穆崇宣言曰："六眷不顾恩义，助显为逆，我掠得其妻马，足以解忿㉘！"显乃舍之。

贺氏从弟外朝大人贺悦举所部以奉珪㉙。显怒，将杀贺氏。贺氏奔亢泥家，匿神车㉚中三日。亢泥举家㉛为之请，乃得免。

故南部大人长孙嵩㉜帅所部七百余家叛显，将[9]奔五原㉝。时拓跋寔君㉞之子渥亦聚众自立，嵩欲归[10]之。乌渥㉟谓嵩曰："逆父之子，不足从也，不如归珪。"嵩从之㊱。久之，刘显所部有乱，故中部大人庾和辰奉贺氏奔珪。

贺讷弟染干以珪得众心，忌之，使其党侯引七突㊲杀珪。代人尉古真㊳知之，以告珪，侯引七突不敢发㊴。染干疑古真泄其谋，执而讯㊵之。以两车轴[11]夹其头，伤一目，不伏㊶，乃免之。染干遂举兵围珪，贺氏出，谓染干曰："汝等欲于何置我㊷，而杀吾子乎？"染干惭而去。

九月，秦主丕以张蚝为侍中、司空㊸，王永为侍中、都督中外诸军

过了不久，刘显果然杀死了鲜卑部落首领刘头眷而接管了刘头眷的部众。刘显还准备杀死拓跋珪。刘显的弟弟刘亢坚的妻子是拓跋珪的姑姑，她偷偷地将刘显准备杀害拓跋珪的消息告诉了拓跋珪的母亲贺氏。刘显的主要谋臣梁六眷，是故代王拓跋什翼犍的外甥，他也派自己的部属穆崇、奚牧秘密地将消息报告给拓跋珪，并将自己的爱妻、骏马交给穆崇说："如果事情败露，就让他们来替我洗刷，证明我无罪。"拓跋珪的母亲贺氏摆下夜宴，邀请刘显饮酒，并将刘显灌醉，然后让自己的儿子拓跋珪偷偷地与故代王拓跋什翼犍的旧臣长孙犍、元他、罗结骑上快马轻装逃走。凌晨时分，贺氏令人故意使马厩中的马群惊恐不安，然后让刘显起身出去观看。贺氏假装大哭说："我的儿子刚才还在这里，现在却不见了人影，你们这些人中是谁杀死了我的儿子？"刘显因此而没有立即派人追赶。拓跋珪一行遂投奔了贺兰部落，依附自己的舅父贺讷。贺讷惊喜地说："你重建代国之后，可别忘记了你的老舅！"拓跋珪笑着说："如果真能像老舅说的那样，能够重建我的国家，我一定不敢忘记。"

刘显怀疑自己的智囊梁六眷泄露了自己准备杀死拓跋珪的消息，于是准备将梁六眷送进大牢关押起来。梁六眷的部下穆崇在大庭广众之中宣扬说："梁六眷这家伙是个忘恩负义的小人，他竟然帮助刘显行凶作恶，我已经把他的老婆、骏马弄到手，也算稍微解我一点心头之恨！"刘显听说之后，就把梁六眷释放了。

拓跋珪母亲贺氏的堂弟、在故代王拓跋什翼犍时期担任外朝大人的贺悦率领自己的部众脱离刘显，而追随了拓跋珪。刘显大怒，就要杀死拓跋珪的母亲贺氏。贺氏逃到了刘显弟弟刘亢坚的家中，她在供奉着神像的车子中隐藏了三天。刘亢坚全家出面为贺氏向刘显求情，刘显才放过了贺氏。

故代王拓跋什翼犍时期担任南部大人的长孙嵩率领自己的部众七百多家背叛了刘显，将要逃往五原。当时拓跋寔君的儿子拓跋渥也聚集起一部分人马自任为首领，长孙嵩准备投靠拓跋渥。长孙嵩的部下乌渥对长孙嵩说："拓跋渥是逆臣的儿子，他的父亲弑杀了代王什翼犍，所以拓跋渥不值得我们去追随，不如去依附拓跋珪。"长孙嵩听从了乌渥的建议。后来，刘显部落内部发生变乱，故代王拓跋什翼犍时期担任中部大人的庾和辰得以趁机保护着贺氏，投奔了拓跋珪。

因为拓跋珪深得部众的爱戴，拓跋珪的舅父贺讷的弟弟贺染干心里很嫉妒，于是指使自己的党羽侯引七突谋杀拓跋珪。故代国人尉古真得知消息后，立即告诉了拓跋珪，侯引七突因此没敢动手。贺染干怀疑是尉古真泄露了机密，就将尉古真抓起来进行拷问。他用两个车轴使劲夹尉古真的头，一只眼睛都被夹伤了，尉古真仍然没有承认，贺染干才没有杀死他。贺染干就准备亲自除掉拓跋珪，于是率军包围了拓跋珪的住处，拓跋珪的母亲贺氏挺身而出，她质问贺染干说："你们杀了我的儿子，准备置我于何地呢？"贺染干满脸惭愧地率军离开了拓跋珪的住地。

九月，秦主苻丕任命张蚝为侍中、司空，王永为侍中、都督中外诸军事、车骑

事、车骑大将军、尚书令，王腾为中军大将军、司隶校尉[244]，苻冲为尚书左仆射，封西平王。又以左长史杨辅为右仆射，右长史王亮为护军将军。立妃杨氏为皇后，子宁为皇太子，寿为长乐王，锵为平原王，懿为勃海王，昶为济北王。

吕光自龟兹还至宜禾[245]，秦凉州[246]刺史梁熙谋闭境[247]拒之。高昌[248]太守杨翰言于熙曰："吕光新破西域，兵强气锐，闻中原丧乱，必有异图。河西[249]地方万里，带甲[250]十万，足以自保。若光出流沙[251]，其势难敌。高梧谷口[252]险阻之要[253]，宜先守之而夺其水。彼既穷渴，可以坐制[254]。如以为远，伊吾关[255]亦可拒也。度此二厄[256]，虽有子房之策[257]，无所施矣！"熙弗听。美水令犍为张统[258]谓熙曰："今关中大乱，京师存亡不可知[259]。吕光之来，其志难测，将军何以抗[12]之？"熙曰："忧之，未知所出[260]。"统曰："光智略过人，今拥[261]思归之士，乘[262]战胜之气，其锋未易当[263]也。将军世受大恩[264]，忠诚夙著[265]，立勋王室，宜在今日。行唐公洛[266]，上之从弟，勇冠一时[267]。为将军计，莫若奉为盟主，以收众望，推忠义以帅群豪[268]，则光虽至，不敢有异心也。资其精锐[269]，东兼毛兴[270]，连王统、杨璧[271]，合四州之众[272]，扫凶逆[273]，宁帝室[274]，此桓、文之举[275]也。"熙又弗听，杀洛于西海[276]。

光闻杨翰之谋，惧，不敢进。杜进曰："梁熙文雅有余，机鉴[277]不足，终不能用翰之谋，不足忧也。宜及[278]其上下离心，速进以取之。"光从之。进至高昌，杨翰以郡迎降[279]。至玉门[280]，熙移檄[281]责光擅命还师。以子胤为鹰扬将军，与振威将军南安[282]姚皓、别驾卫翰[283]帅众五万，拒光于酒泉[284]。敦煌[285]太守姚静、晋昌[286]太守李纯以郡降光。

大将军、尚书令，王腾为中军大将军、司隶校尉，苻冲为尚书左仆射，封为西平王。又任命担任左长史的杨辅为右仆射，担任右长史的王亮为护军将军。立王妃杨氏为皇后，立自己的儿子苻宁为皇太子，封苻寿为长乐王，苻锵为平原王，苻懿为勃海王，苻昶为济北王。

秦国骁骑将军吕光从西域的龟兹国返回秦国，途中抵达宜禾，秦国担任凉州刺史的梁熙密谋关闭边界，拒绝吕光入境。担任高昌太守的杨翰向梁熙建议说："骁骑将军吕光刚刚平定了西域各国，兵强马壮，士气正盛，他听说中原地区遭遇死丧祸乱，一定有发动叛变的图谋。黄河以西地方万里，武装部队十万人，完全可以保护自己，另开局面。如果吕光继续东下，走出流沙地带之后，凭借他的势力，恐怕没有人能胜过他。高梧谷口是最险峻的要塞，应该先派大军守住此处，然后切断水源。吕光的军队一旦陷入饥渴难忍的困境，就可以很容易将他们制服。如果认为高梧谷口距离太远，还可以利用伊吾关进行抵抗。如果让吕光通过了这两处险要的关口，即使有张良那样的谋略，恐怕也无计可施了！"梁熙没有听从杨翰的建议。担任美水县令的犍为郡人张统对凉州刺史梁熙说："如今关中大乱，京师长安是存是亡都不得而知。吕光此次从西域回来，其志向如何还很难预料，将军准备怎样与他抗衡？"梁熙说："我正在为此事发愁，还没有想出对付的办法。"张统说："吕光的智勇和谋略都超过了一般人，如今拥有一支急于返乡的军队，凭借着西域战胜的威势，其锋芒必定不可阻挡。将军世受苻氏的大恩，对苻氏的忠诚早就尽人皆知，为王室建立功勋的机会，就在今天。行唐公苻洛，是天王苻坚的堂弟，其勇猛在当今位居第一。我从将军的角度考虑，不如尊奉行唐公苻洛为盟主，以争取民心，以你的忠义之心，给各路贤豪做出表率，即使吕光到来，他也不敢对秦国存有二心。然后借助吕光这支精锐的部队，向东联合河州刺史毛兴，再联合秦州刺史王统、南秦州刺史杨壁，把凉州、河州、秦州、南秦州四个州的兵力集中起来，扫灭一切与秦国势力作对的人，稳固苻秦政权，这可是齐桓公、晋文公一样的壮举。"梁熙不仅没有听从，反而派人将行唐公苻洛杀死在西海。

秦国骁骑将军吕光听到高昌太守杨翰为凉州刺史梁熙所献的计策，心里非常恐惧，因而不敢继续东进。担任秦国辅国将军的杜进对吕光说："凉州刺史梁熙文雅有余，而随机应变的智谋不足，他肯定不会采用杨翰的计策，将军不必为此担忧。现在应该趁着他们上下离心的机会，加速前进夺取凉州。"吕光听从了杜进的建议。他率领征西大军迅速东进，大军抵达高昌的时候，高昌太守杨翰献出高昌郡，向吕光投降。吕光的大军抵达玉门的时候，凉州刺史梁熙才发布通告，谴责吕光在没有朝廷诏令的情况下擅自从西域撤军而回。任命自己的儿子梁胤为鹰扬将军，与担任振威将军的南安郡人姚皓、担任别驾的卫翰一起率领五万人马，前往酒泉郡阻截骁骑将军吕光所率领的征西军。秦国担任敦煌太守的姚静、担任晋昌太守的李纯都献出

光报檄[287]凉州，责熙无赴难之志[288]，而遏归国之众[289]，遣彭晃、杜进、姜飞为前锋，与胤战于安弥[290]，大破，擒之。于是四山胡、夷皆附于光。武威太守彭济执熙以降，光杀之。

光入姑臧，自领凉州刺史，表杜进为武威太守，自余[291]将佐各受职位。凉州郡县皆降于光，独酒泉太守宋皓、西郡太守索泮[292][13]城守不下[293]。光攻而执之，让泮曰："吾受诏平西域，而梁熙绝我归路，此朝廷之罪人，卿何为附之？"泮曰："将军受诏平西域，不受诏乱凉州，梁公何罪而将军杀之？泮但苦[294]力不足，不能报君父[295]之仇耳，岂肯如逆氐彭济[296]之所为乎！主灭臣死，固其常也。"光杀泮及皓。

主簿尉祐奸佞倾险[297]，与彭济同[14]执梁熙，光宠信之。祐谮杀[298]名士姚皓等十余人，凉州人由是不悦。光以祐为金城[299]太守，祐至允吾[300]，袭据其城以叛。姜飞击破之，祐奔据兴城[301]。

乞伏国仁[302]自称大都督、大将军、单于、领秦河二州牧，改元建义，以乙旃童埿为左相，屋引出支为右相，独孤匹蹄为左辅，武群勇士为右辅，弟乾归为上将军。分其地置武城等十二郡[303]，筑勇士城[304]而都之。

秦尚书令、魏昌公纂[305]自关中奔晋阳。秦主丕拜纂太尉，封东海王。

冬，十月，西燕主冲遣尚书令高盖帅众五万伐后秦，战于新平南，盖大败，降于后秦。初，盖以杨定[306]为子，及盖败，定亡奔陇右，复收集其旧众。

苻定、苻绍、苻谟、苻亮闻秦主丕即位，皆自河北遣使谢罪[307]。中山太守王兖，本新平氐也，固守博陵[308]，为秦拒燕。十一月，丕以兖为平州刺史，定为冀州牧，绍为冀州都督，谟为幽州牧，亮为幽、平二州都督，并进爵郡公。左将军窦冲据兹川[309]，有众数万，与秦州刺史王

自己镇守的城池，投降了吕光。吕光也以发布通告的形式回复凉州刺史梁熙，责备梁熙不仅自己没有奔赴国难的志向，对于想要回去救国的众人反而加以阻挡，他派遣彭晃、杜进、姜飞为前锋，与梁熙的儿子梁胤在安弥交战，彭晃等人大败梁胤军，活捉了梁胤。于是四周山区的胡人、夷人全都归附了吕光。秦国担任武威太守的彭济逮捕了凉州刺史梁熙，向吕光投降，吕光杀死了梁熙。

秦国骁骑将军吕光进入姑臧，亲自兼任了凉州刺史，并上表给朝廷，举荐杜进为武威太守，其他将佐全都委任了官职。凉州郡县此时全部投降了吕光，只有担任酒泉太守的宋皓、担任西郡太守的索泮坚守城池，不肯投降。吕光率军攻破城池，将他们活捉，吕光责备索泮说:“我接受秦王苻坚的诏命率军平定西域，而凉州刺史梁熙竟然断绝我们的归路，他是朝廷的罪人，你为何要依附于他?”索泮回答说:“将军接受诏命去平定西域，不是接受诏命来扰乱凉州，梁熙何罪之有，而将军竟然杀死了他？我只是苦于自己的力量不足，不能为君父报仇罢了，又岂能像氐人逆贼彭济那样投降于你呢！主人灭亡，臣属死节，本来就很正常。”吕光遂杀死了索泮和宋皓。

担任主簿的尉祐是一个奸佞阴险的人，因为他与彭济一同发动兵变抓获了梁熙，吕光遂特别信任他。由于尉祐的挑拨、诬陷，吕光冤杀了十多位像姚皓那样的知名人士，凉州人对此很不满意。吕光任用尉祐为金城太守，尉祐抵达允吾之后，立即袭击、占领了允吾城，背叛了吕光。吕光属下的将领姜飞率军击败尉祐、攻克了允吾城，尉祐逃往兴城据守。

陇西鲜卑首领乞伏国仁自称大都督、大将军、单于，兼任秦州、河州二州牧，改年号为建义，任命乙旃童埿为左相，任命屋引出支为右相，任命独孤匹蹄为左辅，任命武群勇士为右辅，任命自己的弟弟乞伏乾归为上将军。将自己占据的地盘划分，设置为武城、武阳、安固、武始、汉阳、天水、略阳、漒川、甘松、匡朋、白马、苑川十二个郡，修建勇士城作为自己的都城。

秦国担任尚书令的魏昌公苻纂从关中逃奔晋阳。秦主苻丕任命苻纂为太尉，封其为东海王。

冬季，十月，西燕主慕容冲派遣尚书令高盖率领五万军队攻打后秦，与后秦军在新平城南展开激战，高盖所率西燕军被后秦军打得大败，高盖投降了后秦。当初，高盖认杨定为义子，等到高盖失败投降，杨定逃亡，投奔了陇右，他在陇右重新招集自己的旧部。

归降了后燕的苻定、苻绍、苻谟、苻亮等听到秦主苻丕在晋阳即皇帝位的消息，全都从河北派使者到晋阳向秦主苻丕承认自己投降后燕的错误。担任中山太守的王兖，原本是新平郡的氐族人，他固守博陵，为秦国抵抗后燕。十一月，秦主苻丕任命王兖为平州刺史，任命苻定为冀州牧，任命苻绍为冀州都督，苻谟为幽州牧，苻亮为幽州、平州二州都督，全都进爵为郡公。担任左将军的窦冲据守兹川，拥有部众数

统、河州刺史毛兴、益州刺史王广、南秦州刺史杨璧、卫将军杨定皆自陇右遣使邀丕共击后秦。丕以定为雍州牧，冲为梁州牧，加统镇西大将军，兴车骑大将军，璧征南大将军，并开府仪同三司[310]，加广安西将军，皆进位州牧。

杨定寻徙治历城[311]，置储蓄[312]于百顷[313]，自称龙骧将军、仇池公，遣使来称藩[314]。诏因其所号假之[315]。其后又取天水[316]、略阳[317]之地，自称秦州刺史、陇西王。

绎幕[318]人蔡匡据城[319]以叛燕，燕慕容麟、慕容隆共攻之。泰山太守任泰[320]潜师[321]救匡。至匡垒南八里，燕人乃[322]觉之。诸将以匡未下，而外敌奄至[323]，甚患之。隆曰："匡恃外救，故不时下[324]。今计泰之兵不过数千人，及其未合[325]，击之，泰败，匡自降矣。"乃释匡击泰，大破之，斩首千余级。匡遂降，燕王垂杀之，且屠其垒[326]。

慕容农至龙城[327]，休士马十余日。诸将皆曰："殿下之来，取道甚速。今至此久留不进，何也？"农曰："吾来速者，恐余岩过山钞盗[328]，侵扰良民[329]耳。岩才不逾人，诳诱饥儿，乌集为群[330]，非有纲纪[331]。吾已扼其喉[332]，久将离散，无能为也。今此田善熟[333]，未取而行，徒自耗损[334]。当俟收毕[335]，往则枭[336]之，亦不出旬日耳。"顷之，农将步骑三万至令支。岩众震骇，稍稍[337]逾城归农。岩计穷出降，农斩之。进击高句丽，复辽东、玄菟二郡。还至龙城，上疏请缮修陵庙[338]。

燕王垂以农为使持节、都督幽平二州北狄诸军事、幽州牧，镇龙城。徙平州[339]刺史带方王佐镇平郭[340]。农于是创立法制，事从宽简，清刑狱，省赋役，劝课农桑，居民富赡[341]，四方流民前后至者[15]数

万人，他与秦州刺史王统、河州刺史毛兴、益州刺史王广、南秦州刺史杨璧、卫将军杨定全都从陇右派遣使者邀请秦主苻丕出兵，共同袭击后秦。秦主苻丕遂任命卫将军杨定为雍州牧，左将军窦冲为梁州牧，加授秦州刺史王统为镇西大将军，加授河州刺史毛兴为车骑大将军，南秦州刺史杨璧为征南大将军，全都享有开府仪同三司的权力和待遇，加授益州刺史王广为安西将军，凡是原来担任州刺史的，全都进位为州牧。

没过多久，卫将军、雍州牧杨定便将治所迁徙到历城，他把自己的所有储备全都安置在百顷，自称龙骧将军、仇池公，然后派遣使者来到建康，向东晋称臣，愿做东晋的藩属国。东晋孝武皇帝司马昌明下诏，依照杨定自称的爵号对杨定加以任命。后来，杨定又攻取了天水、略阳，自称秦州刺史、陇西王。

后燕绎幕县人蔡匡占据绎幕背叛了后燕，后燕抚军大将军慕容麟、冠军大将军慕容隆共同攻伐蔡匡。东晋担任泰山太守的任泰秘密出兵救助蔡匡。当任泰率军抵达蔡匡营垒以南八里远的地方时，才被后燕军发现。因为还没有攻破蔡匡，而外面东晋的援军又突然到来，后燕诸将心里都很担忧。冠军大将军慕容隆说：“蔡匡因为仗恃外有援军，所以没有立即向我们投降。现在我们估计，任泰的援军不过几千人，趁着他们还没有与蔡匡会合，立即向他发起攻击，只要任泰军一败，蔡匡自然就会向我们投降。”于是暂且放弃对绎幕城的攻击，而将兵力集中对付任泰，很快将任泰所率领的援军打败，斩杀了一千多人。蔡匡果然向后燕军投降，后燕王慕容垂杀死了蔡匡，杀光了绎幕城中所有的人。

后燕骠骑大将军慕容农率军抵达龙城，他在龙城让人马休息了十多天。慕容农手下的诸将都说：“殿下北上龙城时，一路行军神速。现在到了龙城，却久留不进，这是为什么？”慕容农回答说：“我们路上急速行军，是因为担心余岩会越过白狼山来袭击我们，侵害掠夺老百姓。余岩没有超越常人的才智，只不过诱骗那些饥饿的民众，就像一群乌鸦为了食物而聚集到一起，没有章程法度，没有经过军事训练。我们现在已经控制了余岩从令支通往辽西、辽东的重要通道，不久他的部众就会自行离散，不用担心余岩会有什么作为。这些农田里的庄稼容易成熟，如果不把庄稼收获完就走，只会白白地让它损失掉。应当等庄稼收获完毕，变成我们的军粮，再去消灭余岩，也不过再等十天八天而已。”不久，慕容农率领步兵、骑兵三万人抵达余岩的老巢令支。余岩的部众非常震惊害怕，逐渐有人翻过城墙来归顺慕容农。余岩束手无策，只得出城向慕容农投降，慕容农将余岩斩首。乘胜率军进攻高句丽，收复了辽东、玄菟二郡。然后返回到龙城，上疏给燕王慕容垂，请求修缮埋葬在龙城的祖先的陵寝和祭庙。

后燕王慕容垂任命骠骑大将军慕容农为使持节、都督幽平二州北狄诸军事、幽州牧，镇所设在龙城。将平州刺史、带方王慕容佐的治所迁往平郭。慕容农在龙城开始制定法律制度，执行政令从宽从简，司法公正严明，注重减轻人民的赋税徭役，鼓励农民种田植桑，居民的生活逐渐富足起来，四面八方的灾民前后投奔龙城的有

万口。先是[342]，幽、冀流民多入高句丽，农以骠骑司马范阳庞渊为辽东[343]太守，招抚之。

慕容麟攻王兖于博陵，城中粮竭矢尽，功曹张猗逾城出，聚众以应麟。兖临城数之曰："卿是秦民，吾是卿君，卿起兵应贼，自号'义兵'，何名实之相违也！古人求忠臣必于孝子之门[344]，卿母在城，弃而不顾，吾何有焉[345]？今人[346]取卿一切之功[347]则可矣，宁能忘卿不忠不孝之事乎！不意中州[348]礼义之邦，乃有[349]如卿者也！"十二月，麟拔博陵，执兖及苻鉴，杀之。昌黎太守宋敞帅乌桓、索头[350]之众救兖，不及[351]而还。秦主丕以敞为平州刺史。

燕王垂北如中山，谓诸将曰："乐浪王招流散[16]，实仓廪[352]，外给军粮，内营宫室，虽萧何[353]之功[17]，何以加之！"丙申[354]，垂始定都中山。

秦苻定据信都以拒燕。燕王垂以从弟北地王精为冀州刺史[355]，将兵攻之。

拓跋珪从曾祖纥罗[356]与其弟建及诸部大人[357]共请贺讷推珪为主。

【段旨】

以上为第二段，写孝武帝太元十年（公元三八五年）下半年的大事。主要写了秦王苻坚被姚苌的军队围困于五将山，秦兵皆散，苻坚被姚苌所擒，姚苌向苻坚索要传国玉玺，苻坚不给；姚苌请苻坚向他进行禅让，苻坚不答应，最后被缢死于新平佛寺之中；苻坚的太子苻宏不能守长安，遂南逃至下辨，又辗转借道归降于晋。写了燕将余岩叛燕据守令支，被慕容垂之子慕容农破杀之；慕容农又进击高句丽，收复了辽东、玄菟二郡，作品突出地展现了慕容农治军、治民的卓越才华。写了慕容垂之子慕容温据守中山，保境安民，建成根据地，慕容垂遂定中山为都城。写了后秦主姚苌攻取了安定、新平二郡，岭北诸城皆降之；慕容冲派兵讨姚苌，被姚苌所败。写了秦将吕光自西域龟兹率军东归，攻杀了秦之凉州刺数万人。在此之前，幽州、冀州的灾民大多都进入高句丽，慕容农遂任命担任骠骑司马的范阳人庞渊为辽东太守，负责招抚那些灾民。

后燕抚军大将军慕容麟率军攻打占据博陵的王兖，博陵城中的粮食吃光了，弓矢用光了，担任功曹的张猗翻越城墙逃出城外，他召集民众，起兵响应慕容麟。王兖站在城楼上责备张猗说："你是秦国的子民，我是你的君长，你却起兵响应贼寇，还自称是'义兵'，为何名号和实际竟然如此相悖！古代人一定在孝子中间寻求忠臣，你的母亲还在城中，你却丢下她不管，我还能对你说什么呢？燕国人现在只看到你眼前的功劳而不顾其他任何事，这是可以的，但是，他们岂能忘记你背叛国家、抛下母亲不管的事情！我没有料到，在中原这样讲究礼义的地区，竟然会有像你这样的不忠不孝之人！"十二月，后燕抚军大将军慕容麟攻陷了博陵，活捉了王兖和苻鉴，将他们一同斩首。担任昌黎太守的宋敞率领着乌桓部落和索头部落的兵众赶来救援王兖，还没有到达，得知博陵已经被燕军攻陷、王兖等被杀的消息，遂率军而回。秦主苻丕任命宋敞为平州刺史。

后燕王慕容垂向北抵达中山，他对属下的将领说："乐浪王慕容温招集、安抚那些流散人士，让仓廪中堆满粮食，对外供给军队给养，在内营造宫室，即使是汉丞相萧何的功劳，又怎能超过他！"十二月二十三日丙申，后燕王慕容垂决定把中山作为燕国的都城。

秦国冀州牧苻定据守信都，抗拒后燕。后燕王慕容垂任命自己的堂弟北地王慕容精为冀州刺史，令他率领燕军攻取信都。

拓跋珪的堂曾祖拓跋纥罗与他的弟弟拓跋建以及各部落的首领共同向贺兰部落首领贺讷请求拥戴拓跋珪为首领。

史梁熙，据姑臧自领凉州牧，又一个新的割据政权行将建立。写了陇西鲜卑头领乞伏国仁占据秦州、河州，建都勇士城，又一个新的割据政权，即所谓"西秦"俨然建立。写了匈奴部落的刘库仁被部下所杀，其弟头眷代立；头眷又被刘库仁之子刘显所杀，刘显又欲杀拓跋珪而未果，而贺讷与诸部大人共同拥立拓跋珪，为日后拓跋珪的雄起复国埋下了伏笔。此外还写了东晋的名臣谢安病死等。

【注释】

⑯故县：地名，汉安定郡有安定县，东汉、西晋立，故称其城曰故县，在今甘肃泾川县北五里。⑰自若：犹言自如，和平时一样。⑱宰人：掌管膳食之官。⑲幽于别室：囚禁于别的房间。⑳南秦州：州名，州治在今甘肃成县西，其地也是仇池郡的郡治所在

地。离前文所说的“下辨”相隔不远。⑯ 氐豪强熙：氐族的豪绅名叫强熙。⑯ 假道来奔：向当地的少数民族借路前来投奔晋王朝。〖按〗当时的武都郡距晋朝所辖的梁州，即今汉中，相隔不远。⑯ 江州：州名，州治即今江西九江市。⑯ 檀玄：晋将，号为龙骧将军。刘牢之因与慕容垂作战失败被召回朝后，檀玄代刘牢之驻守鄄城。⑯ 谷口：地名，在枋头，即今河南浚县西南的淇门渡西。⑯ 余岩叛：谓叛变慕容垂，投向秦国。⑯ 武邑：即今河北武邑。⑯ 北趣幽州：向北攻击慕容垂的部将平规所占据的幽州。幽州的州治蓟县，即今北京市的西南部。⑯ 令支：县名，县治在今河北迁安西。⑰ 癸酉：七月二十八。⑰ 鲜于得：姓鲜于，名得。⑰ 屠行唐：杀光了行唐全城的百姓。⑰ 尽坑成众：全部活埋了翟成的部下。⑰ 安至建康：谢安由广陵之步丘回到建康。⑰ 甲午：八月十九。⑰ 丁酉：八月二十二。⑰ 建昌文靖公谢安：谢安被封为建昌郡公，文靖是其死后的谥。《谥法》：“柔德安众曰靖……宽乐令终曰靖。”⑰ 庚子：八月二十五。⑰ 苌次应历数：按次序我姚苌应该为帝。次，按次序。应历数，上应历数，符合老天爷排好的历代帝王的顺序。⑱ 可以为惠：可以给我。惠，赠予，向人讨要的客气说法。⑱ 瞋目：睁大眼睛。⑱ 五胡次序：五胡中可以称帝的名单，指当时谶文的说法。五胡，指匈奴、羯、鲜卑、氐、羌。⑱ 无汝羌名：没有你这个小羌的名字，也是指当时谶文的说法而言。据《晋书·苻坚载记下》，坚瞋目叱苌曰：“……图纬符命，何所依据？五胡次序，无汝羌名。违天不祥，其能久乎？”⑱ 尹纬：原在苻坚王朝任小吏，现在姚苌部下任左司马。⑱ 求为禅代：请求苻坚举行一个将帝位传给他的仪式。古代将帝位传授于人称“禅让”，也称“禅代”。凡是经“禅让”得到的政权，就可以得到全国臣民的承认。⑱ 尚书令史：尚书省里的文秘小吏，秩二百石。⑱ 王景略之俦：是和王猛同一个水平的人物。王猛，字景略，苻坚前半世的谋士与元勋。俦，类、同一水平。⑱ 数：屡次。⑱ 吾儿：谓其女苻宝、苻锦。⑲ 辛丑：八月二十六。⑲ 隐其名：掩盖自己杀害苻坚的恶名。⑲ 许劭：字子将，东汉汝南平舆人，与从兄许靖有名于世，喜评论人物，每月更换品题，被称为“月旦评”。传见《后汉书》卷六十八《郭符许列传》。⑲ 魏武帝：指曹操。其子曹丕篡汉称帝后，追谥曹操称“魏武帝”。⑲ 治世之能臣二句：如果让他生于太平时代，就能成为一个良臣；如果让他生于乱世，便能趁乱称帝称王。《后汉书》记此二语作“清平之奸贼，乱世之英雄”，意思正好相反。⑲ 使坚：假使苻坚。⑲ 乌能：岂能；焉能。⑲ 骤胜而骄：屡次胜利，从而产生骄傲。骤，屡屡。⑲ 魏文侯：战国初期最有作为的政治家，魏国的建立者，公元前四四五至前三九六年在位。事迹详见《史记·魏世家》。⑲ 李克：战国初期的魏国名臣，曾协助魏文侯灭中山，向文侯提出选拔相国的标准与赏罚群臣的原则。著有《李克》七篇，已佚，有清马国翰辑本。有说李克和李悝是一个人。事迹散见于《史记》。⑳ 吴之所以亡：吴王夫差为什么会亡国。吴王夫差是春秋末期吴国的君主，被越王勾践所灭。事见《史记·吴太伯世家》。⑳ 数战数胜：屡战屡胜。数，屡。⑳ 壶关：县名，也是要塞名，在今山西长治北。⑳ 潞川：又名“潞水”，今称浊漳水，为漳河上源之一，流经今山西东南部。⑳晋阳：古城名，在今山西太原西南，当时为并州的州治所在地。㉕鲁王和：慕容和，慕容垂之侄。㉖蠮螉塞：即今之居庸关，在今北京市西北，八达岭的东南方。㉗凡城：古城，在今河北平泉西南。㉘龙城：也称和龙，前燕早期的都城，即今辽宁朝阳。㉙信都：即今河北衡水市冀州区。㉚徇勃海、清河：横扫勃海、清河二郡。徇，略地，带兵一扫而过。勃海郡的郡治在今河北沧州西南，清河郡的郡治在今河北清河县东。㉛历口：地名，在今河北景县西南，为清河（今名清凉江）上的渡口。因渡口处有历城亭，故名历口。㉜放：封放，是燕国重臣封奕的堂兄弟，被慕容儁任命为渤海太守。㉝刘头眷：刘库仁之弟，原为匈奴部落的头领，此处又称之为鲜卑人，《通鉴》自相矛盾。㉞贺兰部：鲜卑族的另一部落名。㉟善无：秦汉县名，县治在今山西右玉东南。㊱意亲山：又名“意辛山”，在今内蒙古二连浩特西南。㊲比来行兵：近来用兵。㊳忍人：残忍的人。㊴拓跋珪：鲜卑拓跋氏代国君主什翼犍之孙，其父早死。什翼犍被叛乱分子所杀，代国大乱，遂被苻坚乘机所灭，年幼的拓跋珪随其母贺氏逃出，投靠在刘库仁部下暂居。事在本书卷一百四太元元年。㊵谋主：犹言“智囊”，为之出谋划策的人。㊶以此自明：以此证明自己无罪，洗清自己。㊷夜饮显酒：夜间置酒请刘显饮。㊸轻骑：轻装骑马。㊹向晨：犹凌晨、黎明、天色将明。㊺适在此：刚才还在这里。适，刚才。㊻贺讷：代国的东部大人贺野干之子。㊼复国：重建代国。㊽解忿：解恨。㊾举所部以奉珪：带领他的所有部众都听从拓跋珪。㊿神车：供奉神像的车子。古代游牧民族逐水草而居，故把神像安置在车中供奉。㉛举家：全家。㉜故南部大人长孙嵩：长孙嵩是拓跋珪祖父什翼犍之兄沙莫雄之子，旧曾被什翼犍任以为南部大人。太元元年贺氏带领其子珪与长孙嵩、元佗等一道投依刘库仁。㉝五原：郡名，郡治九原县，在今内蒙古包头西北。㉞拓跋寔君：什翼犍的庶长子，太元元年弑其父作乱，被苻坚所杀。㉟乌渥：长孙嵩的部下。㊱嵩从之：长孙嵩从此遂为拓跋珪佐命功臣。㊲侯引七突：人名。㊳尉古真：姓尉，名古真。㊴不敢发：不敢动手。㊵讯：审讯；拷问。㊶不伏：不承认；不认罪。㊷汝等欲于何置我：你们打算如何安置我。此句与下句相连，意思是：你们杀了我的儿子，准备置我于何地呢。贺氏所以如此说话，因为她与贺讷、贺染干都是兄妹关系。㊸以张蚝为侍中司空：时张蚝、王腾等为秦驻守晋阳，即今山西太原西南。㊹司隶校尉：国家都城所在州的行政长官，同时有弹劾朝廷百官的职权。㊺宜禾：县名，县治在今甘肃瓜州南。㊻凉州：州治即今甘肃武威。㊼闭境：关闭国境，不使其入境。㊽高昌：郡名，郡治在今新疆吐鲁番东南。㊾河西：黄河以西，这里即指凉州，今甘肃走廊一带地区。㊿带甲：意即拥有披甲的士兵。㉛出流沙：向东越过今新疆东部的沙漠地带。今新疆吐鲁番以东至玉门关有沙漠称白龙堆，亦称流沙。㉜高梧谷口：地名，在高昌郡的西界，即今新疆吐鲁番西。㉝险阻之要：是形势险峻的要塞。㉞坐制：坐着制服，极言其易。㉟伊吾关：关名，在伊吾县，今甘肃瓜州北。㊱度此二厄：敌人一旦渡过这两处险要的关口。㊲子房之策：张良一样的谋略。张良字子房，是汉高祖刘邦的主要谋士。在楚汉战争中运筹帷幄，屡出奇计，为刘邦消灭项羽立下了重要功勋。汉朝建立，封留侯。传见《史记·留侯世家》。被后人称为谋略之士的代表。㉘美水令犍为张统：张统是犍为郡人，此时任美水县令。犍为郡的郡治即今四川宜宾。美水县的县治不详，但美水是黄河的支流，在今内蒙古鄂克托境内。㉙京师存亡不可知：长安已陷，而凉州不知，道梗故也。㉚未知所出：不知道用什么办法。㉛拥：拥有；掌握。㉜乘：凭借。㉝其锋未易当：其势头不好抵挡。锋，锋芒、锐气，亦即势头。㉞世受大恩：受苻氏的大恩。㉟忠诚夙著：对苻氏的忠诚早就人所共知。夙，平素。著，明显。㊱行唐公洛：苻洛，苻坚的堂兄弟，被封为行唐公。太元五年在幽州谋反，被秦将窦冲擒获。苻坚赦之不诛，徙凉州西海郡。㊲勇冠一时：苻洛勇而多力，能坐制奔牛，射洞犁耳。冠，位居第一。㊳推忠义以帅群豪：以你的忠义之心，给各路贤豪做出表率。帅，给……做表率。㊴资其精锐：凭借着吕光这支精锐的部队。资，凭借、借用。㊵东兼毛兴：向东联合河州刺史毛兴的势力。河州的州治即今甘肃临夏。㊶连王统、杨璧：再联合秦州刺史王统、南秦州刺史杨璧的兵力。秦州的州治即今甘肃天水市；南秦州的州治仇池，在今甘肃成县西。㊷合四州之众：把四个州的兵力联合起来。四州指凉州、河州、秦州、南秦州。㊸扫凶逆：荡平一切与秦国势力作对的人，主要指慕容垂、慕容冲、姚苌等。㊹宁帝室：稳定苻秦政权。㊺桓、文之举：齐桓公、晋文公一样的壮举。齐桓公、晋文公都是春秋时期的霸主，其主要功业是挟天子以令诸侯，并倡导尊王攘夷等，对稳定当时的秩序起了一定作用。㊻西海：郡名，郡治居延县，在今内蒙古额济纳旗东南。㊼机鉴：随机应变，根据事物变化迅速做出决断。㊽及：趁着。㊾杨翰以郡迎降：梁熙不能用杨翰之谋，翰遂恨而降于光。㊿玉门：县名，县治在今甘肃玉门西北的赤金堡。㉛移檄：发通告予以谴责。檄，文体名，公开谴责并晓谕天下闻知。㉜南安：郡名，郡治在今甘肃陇西县东南。㉝别驾卫翰：梁熙的僚属姓卫名翰。别驾是刺史的高级僚属，随刺史出行时能单独乘坐一辆车。㉞酒泉：郡名，郡治福禄县，即今甘肃酒泉。㉟敦煌：郡名，郡治敦煌县，在今甘肃敦煌西。㊱晋昌：郡名，郡治在今甘肃瓜州东南的锁阳城。㊲报檄：对梁熙的指责做出反应的檄文。报，回答。㊳无赴难之志：没有奔赴国难的思想。㊴遏归国之众：有人想回去救国，他反而挡着不让回去。遏，阻挡。归国之众，吕光等人自指。㊵安弥：县名，县治在今甘肃酒泉东。㊶自余：其余；其他。㊷西郡太守索泮：西郡的郡治在今甘肃永昌西北、山丹东南。索泮，字德林，敦煌人，世为冠族。张天锡时曾为中垒将军、西郡太守，政务宽和。苻秦时，拜别驾。㊸城守不下：坚守城池不投降。㊹但苦：只是苦于。㊺君父：这里即指其主官凉州刺史梁熙。僚属可对主官称“君”。事君如事父，故称梁熙曰“君父”。㊻逆氐彭济：彭济是氐族人，故索泮骂之“逆氐”。㊼奸佞倾险：奸诈巧媚，邪恶阴险。㊽谮杀：说坏话，挑动其上司杀人。㊾金城：郡名，郡治在今甘肃兰州西北侧。㊿允吾：城名，在今甘肃永靖西北的湟水南岸。㉛兴城：城名，在允吾城西，今青海循化北的黄河北岸。㉜乞伏国仁：陇西鲜卑首领乞伏司繁之子，西秦政权的建立者，公元三八五至三八八年在位。国都勇士城。传见《晋书》卷一百二十五。㉚③武城等十二郡：指武城、武阳、安固、武始、汉阳、天水、略阳、湿川、甘松、匡朋、白马、苑川。㉚④勇士城：勇士川（苑川）的西城，在今甘肃榆中的大营川地区。㉚⑤魏昌公纂：苻纂，苻坚的同族，被封为魏昌公。㉚⑥杨定：陇西氐族人，佛奴之子，宋奴之孙。宋奴是故仇池公杨毅之弟，苻坚的女婿。太元十年在长安城西被慕容冲所俘获。㉚⑦谢罪：谢降燕之罪。㉚⑧博陵：诸侯国名，都城即今河北安平。㉚⑨兹川：又名“霸川”“霸水”，源出陕西蓝田东倒谷中，经西安东，过灞桥，北流注入渭河。㉛⓪开府仪同三司：加官名，使用三公的仪仗，享受国家三公礼遇。㉛①治历城：以历城为其首埠，为其办事衙门的所在地。历城在今甘肃西和北。㉛②储蓄：指积贮备用的粮草物资。㉛③百顷：即仇池山，在今甘肃成县西。东汉建安以后，世代为氐族杨氏所据。㉛④来称藩：来向晋王朝称臣，愿做晋王朝的藩国。㉛⑤因其所号假之：按其原有的官号又加封了一遍。假，加、授予。㉛⑥天水：郡名，郡治上邽，即今甘肃天水市。㉛⑦略阳：郡名，郡治临渭县，在今甘肃秦安东南八十里。㉛⑧绎幕：县名，县治在今山东平原县西北。㉛⑨据城：占据绎幕县城。㉜⓪泰山太守任泰：东晋的泰山太守，泰山郡的郡治在今山东泰安东南。㉜①潜师：秘密进军。㉜②乃：才。㉜③外敌奄至：指晋军突然到来。奄，突然。㉜④不时下：不立即投降。时，及时、立即。㉜⑤未合：未与蔡匡会合。㉜⑥屠其垒：杀光了其城内的人。垒，城堡。㉜⑦龙城：又称“和龙”“黄龙城”，即今辽宁朝阳，是慕容皝等前燕的都城，后来慕容垂的后燕也都于此。㉜⑧过山钞盗：翻越白狼山来袭击我们。白狼山，即今辽宁喀喇沁左翼蒙古族自治县东的白鹿山，余岩当时驻兵于令支县（今河北迁安西），在白狼山南。钞盗，抢掠，这里即指袭击。㉜⑨侵扰良民：当时这些少数民族军队多为兵民一起，男女老幼都跟随军队行动。㉝⓪乌集为群：像乌鸦一样地临时凑合在一起，即所谓“乌合之众”。㉝①非有纲纪：没有章程法度。㉝②扼其喉：控制了他们的出入通道。指慕容农进据龙城，控制了余岩从令支通往辽西、辽东的通道。㉝③此田善熟：这里的土地容易收成。熟，丰收。㉝④徒自耗损：白白地损失掉。㉝⑤收毕：收割完毕，成了自己的军粮。㉝⑥枭：取其首，这里即指“征讨”“消灭”。㉝⑦稍稍：渐渐。㉝⑧缮修陵庙：修补龙城往日的陵园。前燕慕容皝以前的君主都葬在龙城。陵庙，古代陵园的建制通常都是前有祭庙，后为陵墓。㉝⑨平州：州治昌黎，即今辽宁义县。㉞⓪平郭：县名，在今辽东半岛的盖州西南。㉞①富赡：富足。㉞②先是：在此以前。㉞③辽东：郡名，郡治即今辽宁辽阳。㉞④求忠臣必于孝子之门：东汉韦彪之言。㉞⑤吾何有焉：我还能对你说什么呢。㉞⑥今人：谓燕人。㉞⑦一切之功：只看你眼前的功劳而不顾其他任何事。一切，只看眼前、只取这一点。㉞⑧中州：中原；中国；华夏地区。㉞⑨乃有：竟然有。㉟⓪索头：鲜卑族的拓跋氏部落，因其男人习惯梳辫子，故人称之为“索头”。㉟①不及：没赶上，指还没到达，那里的事情就结束了。㉟②实仓廪：让仓库里堆满粮食。㉟③萧何：西汉的开国功臣，楚汉战争中，为刘邦留守关中，输送士卒粮饷，支援

前方作战，对刘邦战胜项羽起了重要作用。事迹详见《史记·萧相国世家》。㉞丙申：十二月二十三。㉟冀州刺史：冀州的州治即所谓“信都”，今河北之冀州，当时正被苻定所占领。慕容垂任慕容精为冀州刺史，盖令其自往取之。㊱纥罗：什翼犍之父代王郁律之弟，拓跋珪的堂曾祖。㊲诸部大人：各部落的头领。

【校记】

[8]王永留平州二句：原无此二句。据章钰校，十二行本、乙十一行本、孔天胤本皆有此二句，张敦仁《通鉴刊本识误》、张瑛《通鉴校勘记》同，今据补。[9]将：原无此字。据章钰校，十二行本、乙十一行本、孔天胤本皆有此字，张敦仁《通鉴刊本识误》同，今据补。[10]归：原作“从”。据章钰校，十二行本、乙十一行本、孔天胤本皆作

【原文】

十一年（丙戌，公元三八六年）

春，正月戊申㊳，拓跋珪大会于牛川㊴，即代王位，改元登国。以长孙嵩为南部大人，叔孙普洛为北部大人，分治其众。以上谷张衮为左长史，许谦为右司马，广宁王建㊵、代㊶人和跋、叔孙建、庾岳等[18]为外朝大人㊷，奚牧为治民长㊸，皆掌宿卫㊹及参军国谋议。长孙道生、贺毗等侍从左右，出纳教命㊺。王建娶代王什翼犍之女。岳，和辰之弟。道生，嵩之从子㊻也。

燕王垂即皇帝位㊼。

后秦王苌如安定㊽。

南安秘宜㊾帅羌、胡五万余人攻乞伏国仁，国仁将兵五千逆击，大破之，宜奔还南安。

鲜于乞之杀翟真㊿也，翟辽奔黎阳[371]，黎阳太守滕恬之[372]甚爱信之。恬之喜畋猎，不爱士卒，辽潜施奸惠[373]，以收众心。恬之南攻鹿鸣城[374]，辽于后闭门拒之。恬之东奔鄄城[375]，辽追执之，遂据黎阳。豫州[376]刺史朱序遣将军秦膺、童斌与淮、泗诸郡[377]共讨之。

秦益州牧王广[378]自陇右引兵攻河州牧毛兴[379]于枹罕，兴遣建节将

“归”，张敦仁《通鉴刊本识误》同，今从改。[11] 轴：原作“轮”。据章钰校，十二行本、乙十一行本、孔天胤本皆作“轴”，张敦仁《通鉴刊本识误》同，今据改。[12] 抗：据章钰校，乙十一行本作“拒”。[13] 索泮：原误作“宋泮”。据章钰校，十二行本、乙十一行本、孔天胤本皆作“索泮”，张敦仁《通鉴刊本识误》、张瑛《通鉴校勘记》同，今据改。索泮传见《晋书》卷一百一十五。[14] 同：原作“俱”。据章钰校，乙十一行本、孔天胤本皆作“同”，张敦仁《通鉴刊本识误》同，今据改。[15] 前后至者：据章钰校，十二行本、乙十一行本、孔天胤本皆作“至者前后”。[16] 流散：原作“流离”。据章钰校，十二行本、乙十一行本、孔天胤本皆作“流散”，今从改。[17] 之功：据章钰校，十二行本、乙十一行本、孔天胤本皆无此二字。

【语译】

十一年（丙戌，公元三八六年）

春季，正月初六日戊申，拓跋珪在牛川召开索头部落大会，即位为代王，改年号为登国。代王拓跋珪任命长孙嵩为南部大人，任命叔孙普洛为北部大人，分别统领他们的部众。任命上谷人张衮为左长史，许谦为右司马，任命广宁郡人王建、代郡人和跋、叔孙建、庾岳等为外朝大人，任命奚牧为治民长，全都负有守卫宫廷以及参与谋议、决定国家军政大事的责任。长孙道生、贺毗等担任左右侍从，负责把君主的诏令向下传达、把下面的意见向君主禀报。外朝大人王建娶了故代王拓跋什翼犍的女儿为妻。庾岳是庾和辰的弟弟。长孙道生是长孙嵩的侄子。

后燕王慕容垂在中山即位为后燕皇帝。

后秦王姚苌从新平郡前往安定郡。

秦国南安郡人秘宜率领着五万多名羌人、胡人攻击乞伏国仁，乞伏国仁率领着五千人马迎战秘宜，将秘宜打得大败，秘宜率领着残兵败将逃回了南安。

在鲜于乞斩杀丁零首领翟真的时候，翟辽逃往黎阳，东晋担任黎阳太守的滕恬之非常喜欢他、信任他。滕恬之喜欢打猎，却不知道爱惜士卒，翟辽便暗中施展自己的奸谋，用小恩小惠来收买人心。后来，滕恬之率领晋军向南攻取鹿鸣城，翟辽留守后方，他关闭了黎阳城门，拒绝滕恬之返回黎阳。滕恬之只得放弃黎阳，向东逃往鄄城，翟辽随后追赶，将滕恬之抓获，遂占有了黎阳城。东晋担任豫州刺史的朱序派遣将军秦膺、童斌联合淮河、泗水沿岸的各郡共同出兵讨伐翟辽。

秦国担任益州牧的王广从陇右率军去攻打秦国担任河州牧的毛兴所据守的枹罕，

军卫平帅其宗人一千七百夜袭广，大破之。二月，秦州牧王统遣兵助广攻兴，兴婴城自守。

燕大赦，改元建兴，置公卿尚书百官，缮宗庙、社稷。

西燕主冲乐在长安，且畏燕主垂之强，不敢东归。课农筑室，为久安之计，鲜卑咸怨之[379]。左将军韩延因众心不悦，攻冲，杀之，立冲将段随为燕王，改元昌平。

初，张天锡之南奔[380]也，秦长水校尉王穆匿其世子大豫，与俱奔河西，依秃发思复鞬[381]，思复鞬送于[19]魏安[382]。魏安人焦松、齐肃、张济等聚兵数千人迎大豫为主，攻吕光昌松郡[383]，拔之，执太守王世强。光使辅国将军杜进击之，进兵败，大豫进逼姑臧。王穆谏曰："光粮丰城固，甲兵精锐，逼之非利。不如席卷岭西[384]，砺兵[385]积粟，然后东向与之争，不及期年[386]，光可取也。"大豫不从，自号抚军将军、凉州牧，改元凤凰。以王穆为长史，传檄郡县。使穆说谕[387]岭西诸郡，建康[388]太守李隰、祁连都尉[389]严纯皆起兵应之，有众三万，保据杨坞[390]。

代王珪徙居定襄之盛乐[391]，务农息民[392]，国人悦之。

三月，大赦[393]。

泰山太守张愿以郡叛降翟辽。初，谢玄欲使朱序屯梁国[394]，玄自屯彭城，以北固河上，西援洛阳。朝议以征役[395]既久，欲令玄置戍[396]而还。会翟辽、张愿继叛，北方骚动。玄谢罪，乞解职。诏慰谕[397]，令还淮阴。

燕主垂追尊母兰氏[398]为文昭皇后，欲迁文明段后[399]，以兰氏配享

河州牧毛兴派遣担任建节将军的卫平率领着他的一千七百名族人在夜间偷袭益州牧王广，将王广军打得大败。二月，担任秦州牧的王统派兵协助王广攻击毛兴，毛兴遂在枹罕城四周布防坚守。

后燕实行大赦，改年号为建兴，开始设置公卿、尚书、文武百官，修缮皇家宗庙、祭祀天地神灵的社稷坛。

西燕主慕容冲乐意将都城建在长安，而且惧怕后燕主慕容垂的强大，不敢返回东方燕国故地。于是便鼓励士卒种田务农，修建家室，做长久居留的准备，那些鲜卑人因为不能返回东方的燕国故地而对西燕主慕容冲产生怨恨。在慕容冲手下担任左将军的韩延便利用民众心中对慕容冲的不满情绪，率众攻击慕容冲，将慕容冲杀死，然后推戴慕容冲手下的将领段随为燕王，改年号为昌平。

当初，西平公张天锡向南逃奔东晋的时候，秦国担任长水校尉的王穆将张天锡的世子张大豫隐藏起来，后来与张大豫一同逃往河西，依附于鲜卑部落首领秃发思复鞬，秃发思复鞬将他们送往魏安郡。魏安郡人焦松、齐肃、张济等聚集起数千名士兵迎接张大豫，拥戴张大豫为盟主，攻击吕光管辖之下的昌松郡，将昌松郡攻克，活捉了昌松郡太守王世强。吕光派遣担任秦国辅国将军的杜进率军反击，不料杜进的军队又被打败，张大豫于是率军进逼姑臧。秦国长水校尉王穆劝谏张大豫说："吕光所据守的姑臧城城池坚固，城内粮食充足，武器锋利，军队训练有素，进逼得太紧，恐怕对我们没有什么好处。不如攻取岭西的张掖、酒泉、晋昌等各郡，磨快刀枪、积屯粮草，然后再向东与吕光争夺姑臧，用不了一年的时间，就可以击败吕光，占有姑臧。"张大豫没有听从王穆的意见，他自称抚军将军、凉州牧，改年号为凤凰。任用王穆为长史，各郡县发布通告。又派长史王穆前往岭西去游说各郡归附，建康郡太守李隰、祁连郡都尉严纯全都起兵响应张大豫，他们拥有部众三万，据守杨坞。

代王拓跋珪迁都于定襄郡的盛乐城，他在盛乐推广农耕，让百姓得到休息，因此代国人都对他很满意。

三月，东晋实行大赦。

东晋泰山郡太守张愿背叛了东晋，他将泰山郡献给丁零部落首领翟辽，向翟辽投降。当初，东晋担任卫将军的谢玄准备让豫州刺史朱序率军屯驻梁国，谢玄自己率军屯驻在彭城，以便随时支援北方黄河沿岸的守军，向西声援洛阳。而朝廷中的大臣们经过商议，认为大军征战的时间太久，民众所承担的劳役太重，所以想让谢玄留下一部分军队戍守，然后率领大军返回。正遇上丁零部落首领翟辽、泰山郡太守张愿相继叛乱，北方地区骚动不安。谢玄于是向朝廷请罪，请求解除自己的职务。朝廷下诏对谢玄进行好言抚慰，让他仍旧返回淮阴。

后燕主慕容垂追尊自己的母亲兰氏为文昭皇后，并准备把文明皇后段氏的牌位从太庙中移出来，而将自己的生母兰氏的牌位安置在慕容皝牌位的旁边，随同先帝

太祖[401]。诏百官议之，皆以为当然。博士刘详、董谧以为："尧母为帝喾[402]妃，位第三[403]，不以贵陵姜原[404]。明圣之道[405]，以至公为先[406]，文昭后宜立别庙[407]。"垂怒，逼之[408]，详、谧曰："上所欲为，无问于臣。臣按经奉礼[409]，不敢有贰[410]。"垂乃不复问诸儒，卒[411]迁段后，以兰后代之。又以景昭可足浑后[412]倾覆社稷[413]，追废之。尊烈祖[414]昭仪段氏[415]为景德皇后，配享烈祖。

崔鸿曰："齐桓公[416]命诸侯无以妾为妻[417]。夫之于妻，犹不可以妾代之，况子而易其母乎?《春秋》所称'母以子贵'者[418]，君母[419]既没，得以妾母为小君[420]也。至于享祀宗庙[421]，则成风终不得配庄公[422]也。君父之所为，臣子必习而效之，犹形声之于影响[423]也。宝之逼杀其母[424]，由垂为之渐[425]也。尧、舜之让犹为之、哙之祸[426]，况违礼而纵私者乎！昔文姜得罪于桓公[427]，《春秋》不之废[428]。可足浑氏虽有罪于前朝，然小君之礼成[429]矣。垂以私憾[430]废之，又立兄妾之无子者[431]，皆非礼也[432]。"

刘显自善无南走马邑[433]，其族人奴真帅所部请[20]降于代。奴真有兄犍，先居贺兰部，奴真言于代王珪，请召犍而以所部让之，珪许之。犍既领部，遣弟去斤遗贺讷金马。贺染干[434]谓去斤曰："我待汝兄弟厚，汝今领部，宜来从我。"去斤许之。奴真怒曰："我祖父以来，世

慕容皝一道享受后代的祭祀。于是下诏让百官商议此事，大家全都认为应该这样做。而博士刘详、董谧却认为：“尧帝的母亲是帝喾的妃子，在帝喾的妃子中排名第三，她并没有因为自己是尧帝的生母而凌驾于帝喾的元妃姜原之上。至高无上的道德准则，首先讲究的是大公无私，所以应该为文昭皇后另行建立祭庙供奉。”后燕主慕容垂非常恼怒，就给他们施加压力，逼迫他们改变主意，刘详、董谧说：“陛下如果非得要这样做，就不要征询我们的意见。我们是遵奉圣人的经典、固有的礼节行事，不敢再有别的说法。”慕容垂于是不再征求那些儒家学者的意见，终于把段氏皇后的牌位从宗庙中迁出，而让自己的生母文昭皇后兰氏的牌位取代了段氏皇后的位置。又因为故燕主慕容儁的皇后可足浑氏干预朝政，倾覆了燕国政权，于是追究她的罪行，废掉了可足浑氏的皇后名号，将她贬为平民。追尊故燕王慕容儁的昭仪段氏为景德皇后，让她在太庙中取代了可足浑氏的位置，随同景德皇帝慕容儁一同享受祭祀。

崔鸿说：“齐桓公下令各诸侯，不能把妾扶正为妻室。丈夫对于妻子，尚且不能以妾代替，何况是儿子，又怎么可以改变自己嫡母的地位呢?《春秋》上所说的‘母以子贵’，意思是国君的嫡母如果已经去世，才可以称自己的生母为小君。至于死后谁应该陪同父亲在太庙中享受祭祀的问题，则鲁庄公的妾成风，最终也没有因为自己的儿子成为鲁国的国君鲁僖公，而以小君的名义进入太庙配享鲁庄公。君父的所作所为，臣子一定会学习效法，就如同有什么形状的物体就一定会有什么样的影子，有什么声音必定有什么回响一样。日后慕容垂的儿子慕容宝逼死了自己的母亲，就是因为当初慕容垂改变自己生母的地位而开的头。仿效尧帝、舜帝禅让那样的好事，尚且能引出后代燕国丞相子之与燕王哙那样的灾难，何况是违背礼法而出于个人的私心呢！春秋时期，文姜与自己的哥哥齐襄公私通，导致自己的丈夫鲁桓公被齐襄公所杀，但孔子写《春秋》并没有因此而否定她的夫人地位。可足浑氏虽然在故燕国时期犯有罪过，然而她作为慕容儁的正式皇后，是名正言顺的。慕容垂因为个人的怨恨而将可足浑氏废黜，又立兄长慕容儁从没生育过儿子的小妾为景德皇后，让她配享景德皇帝慕容儁，这些都是违背礼法规定的。”

鲜卑族部落首领刘显率领部众从善无向南迁徙，前往马邑，他的族人中有一个名叫刘奴真的人，率领自己的部下向代国请求归降。刘奴真有一个哥哥名叫刘犍，早先曾经在贺兰部落居住，刘奴真就向代王拓跋珪请求召回刘犍，自己情愿把属下的部众让给哥哥刘犍统领，代王拓跋珪答应了刘奴真的请求。刘犍回到代国接管了其弟刘奴真的部众之后，就派自己的弟弟刘去斤带着黄金和骏马前往贺兰部落，送给贺兰部落首领贺讷。贺讷的弟弟贺染干趁机对刘去斤说：“我对你们弟兄情义深厚，你现在已经成为鲜卑的一个部落首领，就应该前来跟随我。”刘去斤答应了贺染干的

为代忠臣，故我以部让汝等，欲为义也。今汝等无状[435]，乃谋叛国，义于何在[436]！”遂杀鞬及去斤。染干闻之，引兵攻奴真，奴真奔代。珪遣使责染干，染干乃止。

西燕左[21]仆射慕容恒、尚书慕容永袭段随，杀之，立宜都王[437]子颤为燕王，改元建明，帅鲜卑男女四十余万口去长安而东。恒弟护军将军韬诱颤，杀之于临晋[438]。恒怒，舍韬去。永与武卫将军刁云帅众攻韬，韬败，奔恒营。恒立西燕主冲之子瑶为帝，改元建平，谥冲曰威皇帝。众皆去瑶奔永，永执瑶，杀之，立慕容泓子忠为帝，改元建武。忠以永为太尉，守[439]尚书令，封河东公。永持法宽平，鲜卑安之。至闻喜[440]，闻燕主垂已称尊号，不敢进，筑燕熙城[441]而居之。

鲜卑既东，长安空虚。前荥阳太守[22]高陵赵谷[442]等招杏城卢水胡郝奴[443]帅户四千入于长安，渭北皆应之，以谷为丞相。扶风王骥[444]有众数千，保据马嵬[445]，奴遣弟多[446]攻之。夏，四月，后秦王苌自安定伐之，骥奔汉中。苌执多而进，奴惧，请降，拜镇北将军、六谷大都督[447]。

癸巳[448]，以尚书仆射陆纳[449]为左仆射，谯王恬[450]为右仆射。纳，玩之子也。

毛兴袭击王广[451]，败之，广奔秦州。陇西鲜卑匹兰执广送于后秦。兴复欲攻王统于上邽，枹罕诸氐皆厌苦兵事，乃共杀兴，推卫平[452]为河州刺史，遣使请命于秦[453]。

燕主垂封其子农为辽西王[454]，麟为赵王[455]，隆为高阳王[456]。

代王珪初改称魏王。

张大豫自杨坞进屯姑臧城西，王穆及秃发思复鞬子奚于帅众三万

要求。刘奴真得知消息后，愤怒地对刘鞬兄弟说："自从我们的祖父以来，几代人都忠实于代国，所以我才把部众让给你等统领，就是希望你们能为代国效力。如今你们这样不讲道理，竟然想要叛国谋反，义在哪里！"于是杀死了刘鞬和刘去斤。贺染干听到刘鞬兄弟被刘奴真杀死的消息，就率军攻击刘奴真，刘奴真逃奔代国。代王拓跋珪派遣使者前往贺兰部落责备贺染干，贺染干才停止攻打刘奴真。

在西燕担任左仆射的慕容恒、担任尚书的慕容永率人袭击了西燕王段随，将段随杀死，然后拥立宜都王慕容恒的儿子慕容𫖮为燕王，改年号为建明，西燕王慕容𫖮率领着四十多万口鲜卑族的男男女女离开长安，踏上了返回东方故土的道路。仆射慕容恒的弟弟、担任护军将军的慕容韬把燕王慕容𫖮引诱到临晋，将慕容𫖮杀死。慕容恒非常愤怒，就抛下慕容韬离开了。担任尚书的慕容永与担任武卫将军的刁云率众攻击慕容韬，慕容韬被打败之后，就逃往慕容恒的大营。慕容恒又拥立西燕主慕容冲的儿子慕容瑶为皇帝，改年号为建平，给慕容冲的谥号为威皇帝。众人全都离开慕容瑶，投奔了慕容永，慕容永捉住慕容瑶，将慕容瑶杀死，然后拥立慕容泓的儿子慕容忠为皇帝，改年号为建武。慕容忠任命慕容永为太尉，兼任尚书令，封为河东公。慕容永执法宽大公平，鲜卑人都很拥护他。慕容忠率领鲜卑人到达闻喜县，听到后燕主慕容垂已经建国称帝，遂不敢继续东进，就在闻喜修筑起燕熙城，然后居住下来。

鲜卑人东去之后，长安城已经变成了一座空城。前荥阳太守高陵人赵谷等招请居住在杏城的卢水匈奴部落首领郝奴率领四千户入住长安，渭水以北的民众也纷纷响应，郝奴任命赵谷为丞相。扶风人王驎手下拥有数千人，占据马嵬，郝奴派自己的弟弟郝多率军攻击王驎。夏季，四月，后秦王姚苌率军从安定南下，攻打王驎，王驎逃往汉中。后秦王姚苌活捉了郝多，乘胜向长安进发，占据长安的郝奴非常害怕，于是请求投降，后秦王姚苌任命郝奴为镇北将军、六谷大都督。

四月二十二日癸巳，东晋任命担任尚书仆射的陆纳为左仆射，任命谯王司马恬为右仆射。陆纳是陆玩的儿子。

秦国担任河州牧的毛兴率军袭击秦国益州牧王广，将王广打败，王广逃往秦州。陇西的鲜卑人匹兰捉住了王广，并将王广献给了后秦王姚苌。毛兴还想攻击秦州牧王统所据守的上邽，而毛兴所占据的枹罕城中那些氐人全都不堪忍受连年战争带给他们的痛苦，于是共同杀死了毛兴，推举担任建节将军的卫平为河州刺史，然后派遣使者前往晋阳，请求秦主苻丕委任卫平为河州刺史。

后燕主慕容垂封自己的儿子慕容农为辽西王，封慕容麟为赵王，封慕容隆为高阳王。

代王拓跋珪开始改称魏王。

张大豫率领部众从所据守的杨坞出发，推进到姑臧城西驻扎，王穆以及秃发思

屯于城南，吕光出击，大破之，斩奚于等二万余级。

秦大赦，以卫平为抚军将军、河州刺史，吕光为车骑大将军、凉州牧。使者皆没于后秦[457]，不能达。

燕主垂以范阳王德为尚书令，太原王楷为左仆射，乐浪王温为司隶校尉。

后秦王苌即皇帝位于长安，大赦，改元建初，国号大秦[458]，追尊其父弋仲为景元皇帝，立妻蛇氏为皇后，子兴为皇太子，置百官。苌与群臣宴，酒酣，言曰："诸卿皆与朕北面秦朝[459]，今忽为君臣，得无耻乎[460]？"赵迁曰："天不耻以陛下为子，臣等何耻为臣？"苌大笑。

魏王珪东如陵石[461]，护佛侯部帅侯辰[462]、乙佛部帅代题[463]皆叛走。诸将请追之，珪曰："侯辰等累世服役[464]，有罪且当忍之。方今国家草创，人情未壹，愚者固宜前却[465]，不足追也！"

六月庚寅[466]，以前辅国将军杨亮为雍州刺史，镇卫山陵[467]。

荆州刺史桓石民遣将军晏谦击弘农[468]，下之。初置湖、陕二戍[469]。

西燕刁云等杀西燕主忠，推慕容永为使持节、大都督中外诸军事、大将军、大单于、雍秦梁凉四州牧、录尚书事、河东王，称藩于燕[470]。

燕主垂遣太原王楷、赵王麟、陈留王绍、章武王宙攻秦苻定、苻绍、苻谟、苻亮等。楷先以书与之，为陈祸福，定等皆降。垂封定等为侯，曰："以酬秦主之德[471]。"

秦主丕以都督中外诸军事、司徒、录尚书事王永为左丞相，太尉、东海王纂[472]为大司马，司空张蚝为太尉，尚书令咸阳徐义为司空，司隶校尉王腾为骠骑大将军、仪同三司。永传檄四方[473]公侯、牧守、垒

复鞬的儿子秃发奚于率领三万部众屯扎在姑臧城南，吕光率众出击，大败张大豫军，斩杀了包括秃发奚于在内的二万多人。

秦国实行大赦，秦主苻丕任命卫平为抚军将军、河州刺史，任命吕光为车骑大将军、凉州牧。但苻丕派往枹罕、姑臧的使者都在途中被后秦所俘虏，没有能够将秦主苻丕的任命送达卫平和吕光。

后燕主慕容垂任命范阳王慕容德为尚书令，任命太原王慕容楷为左仆射，任命乐浪王慕容温为司隶校尉。

后秦王姚苌在长安即皇帝位，实行大赦，改年号为建初，国号大秦，追尊自己的父亲姚弋仲为景元皇帝，立自己的妻子蛇氏为皇后，立儿子姚兴为皇太子，设置文武百官。大秦皇帝姚苌与属下的群臣一起饮宴，酒兴正浓的时候，姚苌对群臣说："诸位爱卿都曾经与我一起面朝北臣属于苻氏所建立的秦国，今天我们之间竟然变成了君臣关系，你们难道不感到耻辱吗?"赵迁说:"上天不认为陛下做他的儿子是耻辱，我们怎么会把做陛下的臣属看作耻辱呢?"姚苌听了不禁放声大笑。

北魏王拓跋珪从都城盛乐前往东边的陵石，护佛侯部落的首领侯辰、乙佛部落的首领代题全都背叛魏国，率领着自己的部落逃走。诸将向魏王拓跋珪请求出兵追击他们，拓跋珪说:"侯辰等人世代都为我们效劳出力，就是有罪我们也应当忍让他们。如今国家刚刚建立，人心并不统一，那些愚昧、看不清形势的人往往会忽而前来归附，忽而退却叛变，不必出兵追赶!"

六月二十日庚寅，东晋任命前辅国将军杨亮为雍州刺史，向北进驻洛阳，以守卫西晋诸位皇帝的陵墓。

担任荆州刺史的桓石民派遣将军晏谦率军攻打弘农郡，将弘农郡攻克。东晋首次在湖县、陕县设置军事据点进行防守。

西燕担任武卫将军的刁云等杀死了西燕主慕容忠，推戴慕容永为使持节，大都督中外诸军事，大将军，大单于，雍、秦、梁、凉四州牧，录尚书事，河东王，向建都于中山的后燕慕容垂政权称臣，愿意做后燕的附属国。

后燕主慕容垂派遣太原王慕容楷、赵王慕容麟、陈留王慕容绍、章武王慕容宙率领燕军攻打秦国的冀州牧苻定，冀州都督苻绍，幽州牧苻谟，幽、平二州都督苻亮等。太原王慕容楷先写信给他们，为他们分析祸福、利害，苻定等于是全部向后燕投降。后燕主慕容垂将苻定等全都封为侯爵，慕容垂说:"我这样做是为了报答当年秦王苻坚对我的厚恩。"

秦主苻丕任命担任都督中外诸军事、司徒、录尚书事的王永为左丞相，任命担任太尉的东海王苻纂为大司马，任命担任司空的张蚝为太尉，任命担任尚书令的咸阳人徐义为司空，任命担任司隶校尉的王腾为骠骑大将军、仪同三司。左丞相王永向四方各地的秦国残余势力发布通告，号召四方的公爵侯爵、州牧郡守、民间的自

主、民豪，共讨姚苌、慕容垂，令各帅所统以孟冬上旬[474]会大驾于临晋[475]。于是天水姜延、冯翊寇明、河东王昭、新平张晏、京兆杜敏、扶风马朗、建忠将军高平牧官都尉扶风王敏[476]等咸承檄[477]起兵，各有众数万，遣使诣秦。丕皆就拜[478]将军、郡守，封列侯。冠军将军邓景拥众五千据彭池[479]，与窦冲为首尾[480]，以击后秦。丕以景为京兆尹。景，羌[481]之子也。

后秦主[23]苌徙安定五千余户于长安。

秋，七月，秦平凉太守金熙、安定都尉没弈干与后秦左将军姚方成战于孙丘谷[482]，方成兵败。后秦主苌以其弟征虏将军绪为司隶校尉，镇长安，自将至安定，击熙等，大破之。金熙本东胡[483]之种，没弈干，鲜卑多兰部帅也。

枹罕诸氐以卫平衰老，难与成功，议废之。而惮其宗强，累日[484]不决。氐啖青谓诸将曰："大事宜时定[485]，不然变生。诸君但请卫公为会[486]，观我所为。"会七夕大宴[487]，青抽剑而前曰："今天下大乱，吾曹休戚同之[488]，非贤主不可以济大事。卫公老，宜返初服[489]以避贤路[490]。狄道长苻登[491]虽王室疏属[492]，志略雄明，请共立之[493]，以赴大驾[494]。诸君有不同者，即下异议[495]。"乃奋剑攘袂[496]，将斩异己者。众皆从之，莫敢仰视。于是推登为使持节、都督陇右诸军事、抚军大将军、雍河二州牧、略阳公[497]，帅众五万，东下陇[498]，攻南安[499]，拔之，驰使请命于秦。登，秦主丕之族子也。

秘宜与莫侯悌眷[500]帅其众三万余户降于乞伏国仁。国仁拜宜东秦州刺史，悌眷梁州刺史。

己酉[501]，魏王珪还盛乐，代题复以部落来降。十余日，又奔刘显，珪使其孙倍斤[502]代领其众。刘显弟肺泥帅众降魏。

八月，燕主垂留太子宝守中山，以赵王麟为尚书右仆射，录留

卫武装首领、英雄豪杰，共同起兵讨伐后秦主姚苌、后燕主慕容垂，让他们各自率领自己的部众，在本年度农历十月的上旬全都前往临晋与秦主苻丕会师。于是天水人姜延、冯翊人寇明、河东人王昭、新平人张晏、京兆人杜敏、扶风人马朗以及担任建忠将军、高平牧官都尉的扶风人王敏等在接到秦国左丞相王永的通告后纷纷起兵，他们每人拥有武装部众数万人，全都派使者前往秦国晋见秦主苻丕。苻丕把这些人全都任命为将军、郡守，封为列侯。担任冠军将军的邓景拥有五千名部众据守彭池，他与据守兹川的左将军窦冲首尾相连接，合力攻打后秦。秦主苻丕任命邓景为京兆尹。邓景是秦国名将邓羌的儿子。

后秦主姚苌将安定郡的五千多户居民迁徙到都城长安。

秋季，七月，秦国担任平凉太守的金熙、担任安定都尉的没弈干与后秦担任左将军的姚方成在孙丘谷交战，后秦的姚方成战败。后秦主姚苌任命自己的弟弟、担任征虏将军的姚绪为司隶校尉，镇守都城长安，姚苌亲自率领后秦军抵达安定，攻击秦国的平凉太守金熙等，将金熙打得大败。金熙原本是居住在辽东地区的鲜卑人，没弈干是鲜卑族多兰部落的首领。

秦国枹罕地区的各氐人部落首领认为担任河州刺史的卫平年纪衰老，跟随他很难获得成功，遂商议将卫平废掉。但又惧怕卫平家族势力强大，于是一连商议了几天也不能做出决定。氐人啖青对诸将说："废立这样的大事应该及早做出决定，不然的话，变乱必定会发生。诸位将军只管邀请卫公出席会议，下面的事情就看我的了。"当时正赶上有七月初七的盛大节日宴会，宴会期间，啖青突然拔出佩剑逼近卫平的面前说："如今天下大乱，我们这些人应该有福同享，有难同当，没有一个英明贤能的首领就不可能成就大事。卫公年纪已老，应该脱掉官服，回去穿原来的衣服，为贤能的人让路。狄道县令苻登虽然与秦王室的血缘关系比较疏远，然而志气豪迈、谋略过人，请共同拥立苻登为河州刺史，率军奔赴临晋与秦主苻丕会合。在座的诸位如果有谁不赞同，就请立即说出你们的不同意见。"说完之后，啖青便举起佩剑、撸起袖子，做出一副立即可以将反对者斩首的架势。众人只好全部服从，没有人敢抬头看他一眼。于是推举苻登为使持节，都督陇右诸军事，抚军大将军，雍、河二州牧，略阳公，苻登率领五万部众从陇山出发，向东攻打南安，将南安攻克，然后派使者请求秦主苻丕的批准。苻登是秦主苻丕的远房堂侄。

南安秘宜与莫侯悌眷率领属下的三万多户投降了乞伏国仁。乞伏国仁任命秘宜为东秦州刺史，任命莫侯悌眷为梁州刺史。

七月初十日己酉，北魏王拓跋珪从陵石返回都城盛乐，代题又率领着自己的部众来投降魏国。过了十多天，又去投奔了刘显，拓跋珪让代题的孙子倍斤代替代题统领乙佛部落。刘显的弟弟刘肺泥率众投降了魏国。

八月，后燕主慕容垂留下太子慕容宝守卫都城中山，任命赵王慕容麟为尚书右

台[503]。庚午[504]，自帅范阳王德等南略地[505]，使高阳王隆东徇平原[506]。丁零鲜于乞保曲阳[507]西山，闻垂南伐，出营望都[508]，剽掠[509]居民。赵王麟自出讨之，诸将皆曰："殿下虚镇[510]远征，万一无功而返，亏损威重[511]，不如遣诸将讨之。"麟曰："乞闻大驾在外[512]，无所畏忌，必不设备，一举可取，不足忧也。"乃声言至鲁口[513]，夜，回趣乞[514]，比明，至其营，掩击[515]，擒之。

翟辽寇谯[516]，朱序击走之。

秦主丕以苻登为征西大将军、开府仪同三司、南安王、持节、州牧、都督，皆因其所称而授之。又以徐义为右丞相。留王腾守晋阳，右仆射杨辅戍壶关。帅众四万，进屯平阳[517]。

初，后秦主苌之弟硕德统所部羌居陇上[518]，闻苌起兵，自称征西将军，聚众于冀城[519]以应之。以兄孙详为安远将军，据陇城[520]，从孙训为安西将军，据南安之赤亭[521]，与秦秦州刺史王统[522]相持。苌自安定引兵会硕德攻统，天水屠各[523]、略阳羌胡应之者二万余户，秦略阳太守王皮降之。

初，秦灭代，迁代王什翼犍少子窟咄于长安，从慕容永东徙，永以窟咄为新兴[524]太守。刘显遣其弟亢埿迎窟咄，以兵随之，逼[525]魏南境，诸部骚动。魏王珪左右于桓等与部人谋执珪以应窟咄，幢将代人莫题[526]等亦潜与窟咄交通。桓舅穆崇告之[527]。珪诛桓等五人，莫题等七姓悉原不问[528]。珪惧内难[529]，北逾阴山[530]，复依贺兰部。遣外朝大人辽东安同[531]求救于燕，燕主垂遣赵王麟救之。

九月，王统以秦州降于后秦。后秦主苌以姚硕德为使持节、都督陇右诸军事、秦州刺史，镇上邽[532]。

仆射，主管朝廷的留守事务。初一日庚午，后燕主慕容垂亲自率领范阳王慕容德等南下扩展地盘，派高阳王慕容隆率军东下夺取平原郡。丁零部落首领鲜于乞据守着曲阳城及以西的山区，他听到后燕主慕容垂亲自率军南下的消息，也率军而出，在望都县扎下营寨，他大肆劫掠当地的居民。后燕赵王慕容麟亲自率军讨伐鲜于乞，慕容麟属下的诸将都说："殿下把守卫京师的军队全部调去攻打鲜于乞，将造成京师兵力空虚，万一无功而返，恐怕对殿下的威望有损，不如派遣诸将前往讨伐。"慕容麟说："鲜于乞听说皇帝率军离开京师远征在外，才无所顾忌，他们一定不会戒备，可以一举成功，用不着担忧。"慕容麟率军离开中山，扬言要到鲁口去，夜间，慕容麟掉头而回，径直奔向鲜于乞所率领的丁零人的营地，等到天明时分，已经逼近了丁零人的军营，并突然发起攻击，活捉了鲜于乞。

翟辽率领部众入侵东晋的谯城，被朱序击退。

秦主苻丕任命苻登为征西大将军、开府仪同三司、南安王、持节、州牧、都督，都是按照苻登的自称官职而加以任命。又任命担任司空的徐义为右丞相。留下骠骑大将军王腾守卫京师晋阳，令担任右仆射的杨辅戍守壶关。苻丕自己则率领着四万人马进驻平阳。

当初，后秦主姚苌的弟弟姚硕德率领着自己的羌人部众居住在陇上，当他听到姚苌起兵叛离秦国的消息后，便自称征西将军，在冀城聚集兵众起来响应自己的兄长。他任命兄长的孙子姚详为安远将军，据守陇城，任命堂孙姚训为安西将军，据守南安的赤亭，与秦国担任秦州刺史的王统对峙。后秦主姚苌亲自从安定率军赶来与姚硕德会合，联合攻击王统，天水郡的匈奴屠各部落、略阳一带的羌人部落、胡人部落起兵响应姚氏的多达两万多户，秦国担任略阳太守的王皮也投降了后秦。

当初，秦国灭掉了代国，将代王拓跋什翼犍的小儿子拓跋窟咄送到了当时秦国的都城长安，后来拓跋窟咄跟随西燕河东王慕容永迁往东方，慕容永任命拓跋窟咄为新兴郡太守。刘显派自己的弟弟刘亢埿迎接拓跋窟咄，另派大军紧随其后，想将拓跋窟咄护送回魏国，以取代拓跋珪，大军逼近魏国的南部边境，因而引起魏国内部各部落的骚动不安。在魏王拓跋珪身边担任侍从的于桓等人与部众密谋，准备逮捕拓跋珪以响应拓跋窟咄，担任幢将的代国人莫题等也暗中与拓跋窟咄相勾结。于桓的舅舅穆崇将于桓等人的阴谋报告给魏王拓跋珪。拓跋珪诛杀了于桓等五个人，而对准备背叛自己的莫题等七个姓氏的人全部予以赦免，不再追究。拓跋珪对内部的叛乱感到非常恐惧，于是放弃了都城盛乐，向北越过阴山，再次依附于舅父的贺兰部落。同时派遣担任外朝大人的辽东郡人安同向后燕求救，后燕主慕容垂派遣赵王慕容麟率军援救拓跋珪。

九月，秦国担任秦州刺史的王统献出秦州，投降了后秦。后秦主姚苌任命自己的弟弟姚硕德为使持节、都督陇右诸军事、秦州刺史，镇所设在上邽。

吕光得秦王坚凶问[533]，举军缟素[534]，谥曰文昭皇帝。冬，十月，大赦，改元大安[24]。

西燕慕容永遣使诣秦主丕求假道东归，丕弗许，与永战于襄陵[535]，秦兵大败，左丞相王永、卫大将军俱石子皆死。初，东海王纂自长安来，麾下壮士三千余人，丕忌之。既败，惧为纂所杀，帅骑数千南奔东垣[536]，谋袭洛阳。扬威将军冯该[537]自陕邀击之，杀丕，执其太子宁、长乐王寿，送建康，诏赦不诛，以付苻宏[538]。纂与其弟尚书永平侯师奴[539]帅秦众数万走据杏城，其余王公百官皆没于永。永遂进据长子[540]，即皇帝位，改元中兴。将以秦后杨氏[541]为上夫人，杨氏引剑[542]刺永，为永所杀。

甲申[543]，海西公奕[544]薨于吴。

燕寺人[545]吴深据清河[546]反。燕主垂攻之，不克。

后秦主苌还安定。

秦南安王登既克南安，夷、夏归之者三万余户。遂进攻姚硕德于秦州，后秦主苌自往救之。登与苌战于胡奴阜[547]，大破之，斩首二万余级。将军啖青射苌，中之。苌创重[548]，走保上邽，姚硕德代之统众。

燕赵王麟军未至魏，拓跋窟咄稍前逼魏王珪，贺染干侵魏北部以应之。魏众惊扰，北部大人叔孙普洛亡奔刘卫辰。麟闻之，遽遣[549]安同等归。魏人知燕军在近，众心少安。窟咄进屯高柳[550]，珪引兵与麟会击之。窟咄大败，奔刘卫辰，卫辰杀之。珪悉收其众，以代人库狄干为北部大人。麟引兵还中山。

刘卫辰居朔方[551]，士马甚盛。后秦主苌以卫辰为大将军、大单于、河西王、幽州牧，西燕主永以卫辰为大将军、朔州牧。

秦国担任凉州刺史的吕光得知秦王苻坚已经遇难的消息后，全军上下全都为秦王苻坚披麻戴孝，为秦王苻坚上谥号为文昭皇帝。冬季，十月，吕光下令实行大赦，改年号为大安。

西燕慕容永派人向秦主苻丕请求借道，使自己能够返回东方的故土，遭到秦主苻丕的拒绝，苻丕率军与慕容永在襄陵展开决战，秦军被西燕军打得大败，秦国担任左丞相的王永、担任卫大将军的俱石子全都战死。当初，东海王苻纂逃出故都长安前来投奔的时候，手下还拥有三千多名勇士，秦主苻丕因此对东海王苻纂心存畏忌。打了败仗后，苻丕惧怕苻纂趁机将自己杀死，于是率领数千名骑兵向南逃往东垣，准备攻取洛阳。东晋扬威将军冯该从陕城出兵截击，杀死了秦主苻丕，活捉了苻丕的太子苻宁、长乐王苻寿，将他们押送京城建康，东晋孝武帝司马昌明下诏赦免了他们的死罪，将他们交付给苻宏。秦国东海王苻纂与自己的弟弟、担任尚书的永平侯苻师奴率领数万名秦国人跑到杏城坚守，其他的秦国王爵、公爵、文武百官，全都落入了西燕慕容永之手。西燕慕容永遂率领自己的部属进驻长子，即位为皇帝，改年号为中兴。慕容永准备把秦主苻丕的皇后杨氏封为上夫人，杨氏抽出佩剑刺杀慕容永，被慕容永杀死。

十月十六日甲申，东晋海西公司马奕在吴县去世。

后燕宦官吴深占据清河造反。后燕主慕容垂率军攻伐吴深，没有获胜。

后秦主姚苌从上邽返回安定。

秦国南安王苻登攻占了南安之后，夷族、汉族归附于他的有三万多户，苻登于是率军进攻后秦秦州刺史姚硕德所镇守的秦州，后秦主姚苌亲自率军前往秦州增援姚硕德。秦国南安王苻登与后秦主姚苌在胡奴阜展开大战，苻登所率领的秦军大败姚苌的后秦军，斩杀了两万多人。苻登手下的将军啖青箭射后秦主姚苌，射中了。姚苌身负重伤，投奔上邽疗养，姚硕德代替姚苌接管了他的部众。

后燕赵王慕容麟还没有赶到魏国，拓跋窟咄所率的大军已经逐渐向前逼近魏王拓跋珪，贺兰部落的贺染干又率众侵入魏国的北部以响应拓跋窟咄。魏国的民众就更加惊惶恐惧，北部大人叔孙普洛逃奔了匈奴部落首领刘卫辰。慕容麟得知这一情况，立即打发安同等赶紧返回魏国。魏国人知道后燕的援军即将到达，民心才稍微安定下来。拓跋窟咄率军进驻高柳，拓跋珪率军与慕容麟会合后，合力攻击拓跋窟咄。拓跋窟咄被魏、燕联军打得大败，投奔刘卫辰，刘卫辰杀死了他。北魏王拓跋珪全部接管了拓跋窟咄的部众，然后任命代国人库狄干为北部大人。后燕赵王慕容麟完成了救援任务，率领后燕军返回后燕的都城中山。

匈奴部落首领刘卫辰居住在朔方郡，兵强马壮，势力强盛。后秦主姚苌任命刘卫辰为大将军、大单于、河西王、幽州牧，西燕主慕容永任命刘卫辰为大将军、朔州牧。

十一月，秦尚书寇遗奉勃海王懿、济北王昶[552]自杏城奔南安，南安王登发丧行服[553]，谥秦主丕曰哀平皇帝。登议立懿为主。众曰："勃海王虽先帝之子，然年在幼冲，未堪多难。今三虏[554]窥觎[555]，宜立长君[556]，非大王不可。"登乃为坛于陇东[557]，即皇帝位，大赦，改元太初，置百官。

慕容柔、慕容盛及盛弟会[558]皆在长子，盛谓柔、会曰："主上已中兴幽、冀[559]，东西未壹[560]，吾属居嫌疑之地[561]，为智为愚[562]，皆将不免[563]。不若以时[564]东归，无为坐待鱼肉[565]也。"遂相与亡归燕。后岁余，西燕主永悉诛燕主儁及燕主垂之子孙，男女无遗。

张大豫自西郡[566]入临洮[567]，掠民五千余户，保据俱城[568]。

十二月，吕光自称使持节、侍中、中外大都督、督陇右·河西诸军事、大将军、凉州牧、酒泉公。

秦主登立世祖神主[569]于军中，载以辎軿[570]，建黄旗青盖[571]，以虎贲[572]三百人卫之。凡所欲为，必启主[573]而后行。引兵五万，东击后秦，将士皆刻鉾、铠为"死""休"字[574]。每战以剑矟[575]为方圆大阵，知有厚薄[576]，从中分配[577]。故人自为战，所向无前[578]。

初，长安之将败[579]也，中垒将军徐嵩、屯骑校尉胡空各聚众五千，结垒自固[580]。既而受后秦官爵[581]，后秦主苌以王礼葬秦主坚于二垒之间。及登至，嵩、空以众降之，登拜嵩雍州刺史，空京兆尹，改葬坚以天子之礼。

乙酉[582]，燕主垂攻吴深垒[583]，拔之，深单马走。垂进屯聊城[584]之逄关陂[585]。初，燕太子洗马[586]温详来奔，以为济北太守，屯东阿[587]。燕主垂遣范阳王德、高阳王隆攻之，详遣从弟攀守河南岸、子楷守碻磝[588]以拒之。

燕主垂以魏王珪为西单于，封上谷王。珪不受。

十一月，秦国担任尚书的寇遗护送勃海王苻懿、济北王苻昶从杏城投奔南安，南安王苻登为秦主苻丕穿上孝服，为苻丕上谥号为哀平皇帝。苻登提议拥立勃海王苻懿继承帝位。众人都说："勃海王苻懿虽然是先帝苻丕的儿子，然而年纪尚幼，没有能力承担太多的灾难。如今后秦的姚苌、西燕的慕容永、后燕的慕容垂全都在旁虎视眈眈、伺机而动，所以应该拥立年长的君主，除非是南安王，其他人都不行。"南安王苻登遂在陇东郡筑起高坛祭告天地，即位为皇帝，实行大赦，改年号为太初，设置文武百官。

慕容柔、慕容盛以及慕容盛的弟弟慕容会此时全都在长子，慕容盛对慕容柔、慕容会说："主上已经在东方的幽州、冀州一带称帝，东西两个慕容氏政权没有实现统一，我们这些人因为血缘关系而处在一种受人怀疑猜忌的环境中，不论我们如何表现，最后都难逃一死。不如寻找机会早日东归，不要待在这里像鱼肉一样等着受人宰割。"于是便一同逃归后燕。过了一年多，西燕主慕容永果然把故燕主慕容儁以及后燕主慕容垂的子孙，不论男女老少全部杀掉，一个也没有留下。

张大豫率领着残部从西郡进入临洮，劫持了五千多户居民，占据俱城进行坚守。

十二月，秦国凉州刺史吕光自称使持节、侍中、中外大都督、督陇右·河西诸军事、大将军、凉州牧、酒泉公。

秦主苻登在军营之中供奉着秦世祖苻坚的牌位，牌位用一辆四面都有帐幔的车子拉着，车上插着黄色的旌旗与青色的大伞，由三百名勇士组成的仪仗队护卫。苻登想要做什么事，一定要先向苻坚的牌位禀告，然后再去实行。苻登率领着五万人马向东攻击后秦，将士们都在自己的头盔和铠甲上刻上"死""休"的字样，以表达报仇雪恨、至死方休的决心。每次作战，都用短剑、长矛布成方形大阵或圆形大阵，一旦发现哪里有薄弱环节，就随时加以调配。所以都能人自为战，所向无敌。

当初，秦国的都城长安即将陷落之时，秦国担任中垒将军的徐嵩、担任屯骑校尉的胡空各自聚集起五千人马，构筑堡垒以加强防卫。后来徐嵩、胡空全都投降了后秦，接受了后秦所任命的官爵，后秦主姚苌以埋葬王者的礼仪把秦王苻坚安葬在徐嵩、胡空所构筑的两个堡垒之间。等到苻登率领大军抵达时，徐嵩、胡空又率领着自己的部众投降了苻登，苻登任命徐嵩为雍州刺史，任命胡空为京兆尹，重又按照埋葬皇帝的礼仪将秦王苻坚另行安葬。

十二月十八日乙酉，后燕主慕容垂率军攻打占据清河叛变的宦官吴深，将吴深所据守的清河攻占，吴深单身独骑逃走。后燕主慕容垂进入聊城的逢关陂屯扎。当初，后燕担任太子洗马的温详前来投奔东晋，东晋任命温详为济北太守，率军屯扎在东阿。后燕主慕容垂派范阳王慕容德、高阳王慕容隆率军攻打屯扎在东阿的温详，温详派堂弟温攀守卫黄河南岸，儿子温楷守卫碻磝城，抗击后燕的进攻。

后燕主慕容垂封北魏王拓跋珪为西单于、上谷王。拓跋珪没有接受慕容垂的官职和封爵。

【段旨】

以上为第三段，写孝武帝太元十一年（公元三八六年）的大事。主要写了西燕主慕容冲被部下所杀，继而发生了一系列杀主更立后，西燕人离开长安，最后拥立慕容垂的同族慕容永为西燕主，进驻于长子。写了西燕人离开长安后，姚苌进据长安称帝，即历史上的所谓“后秦”，秦州一带为姚苌所有。写了苻丕调集各地的拥秦势力大会于临晋，讨伐姚苌，结果未战，遂进驻平阳；继而与慕容永作战失败；又欲袭取洛阳，被晋王朝的洛阳守将破杀之，部众尽没于慕容永。写了苻坚的族人苻登被拥立为南安王，进攻秦州，大破姚苌；及听到苻丕被杀的消息后，苻登遂称帝于陇上，继续苻坚的前秦王朝。苻登立苻坚的木主于军中，凡事请之。写了燕王慕容垂即皇帝位于中山，即历史上所说的“后燕”。写了张天锡之子张大豫被王穆、秃发思复鞬等拥立，夺得一些地盘后进攻姑臧，被吕光打败。写了拓跋珪即代王位，重返盛乐，务农息民，国人安之；而拓跋珪的小叔窟咄在匈奴部落刘显的支持下与拓跋珪相争，拓跋珪退到阴山以北，向慕容垂求救，慕容麟与拓跋珪合兵大破窟咄，拓跋珪悉收其众。写了晋将杨亮以雍州刺史进驻洛阳，桓石民派将收复弘农，置湖、陕二戍以及丁零翟辽袭取黎阳郡，泰山郡降之，又进攻谯郡，被晋将朱序击退等。

【注释】

㊳㊽正月戊申：正月初六。㊳㊾牛川：水名，即今内蒙古乌兰察布市境内的塔布河。㊱㊿广宁王建：广宁郡人王建。广宁郡的郡治即今辽宁北镇。361代：代郡，郡治即今河北蔚县东北的代王城。362外朝大人：官名，拓跋珪置，无常员。以鲜卑贵族、外戚以及勋臣充任。平时出入禁中，参与谋议，决定军国大事，亦常受诏命出使。363治民长：官名，拓跋珪置，掌民事。364宿卫：守卫宫廷。365出纳教命：把帝王的诏命向下宣告，把下面意见向帝王禀报，即今所谓“传达”。教命，泛指帝王的各种命令。366嵩之从子：长孙嵩的侄子。367即皇帝位：即皇帝位于中山，即今河北定州。368如安定：由新平到安定郡去。安定郡的郡治在今甘肃泾川县北。369南安秘宜：南安郡人姓秘名宜。南安郡的郡治在今甘肃陇西县东南。370鲜于乞之杀翟真：事见本书之上年四月。371黎阳：郡名，治所黎阳县，在今河南浚县东北。372滕恬之：当时为东晋的黎阳太守。373潜施奸惠：暗中对人施以小恩小惠，以收买之。374鹿鸣城：在今河南浚县东南。375鄄城：县名，县治即今山东鄄城北之旧城集。376豫州：州治即今河南洛阳。377淮、泗诸郡：淮河、泗水沿岸的各郡，诸如彭城郡、下邳郡、汝南郡、新蔡郡等。378秦益州牧王广：王广是秦政权的益州刺史，本来是在成都，上年晋兵逼近成都时，他推荐蜀人李丕任益州刺史，守成都，而自己则率其部众回到了他的故乡陇西，投靠秦州刺史王统。379河州牧毛兴：秦政

权的地方官。河州的州治枹罕，即今甘肃临夏。⑳咸怨之：怨其不回燕国旧地。㉛张天锡之南奔：太元八年（公元三八三年），苻坚于淝水之败时，张天锡与朱序等一道逃回晋王朝。事见本书上卷。㉜秃发思复鞬：河西地区的鲜卑部落头领，秃发推斤之子，秃发乌狐之父。日后南凉政权的创立者。传见《晋书》卷一百二十六。㉝送于魏安：将张大豫送到了魏安郡。魏安郡的郡治在今甘肃古浪东。㉞昌松郡：郡治昌松县，在今甘肃武威东南。㉟岭西：指西郡以西的张掖、酒泉、建康、晋昌等郡地区。㊱砺兵：磨快刀枪。㊲期年：周年；满一年。㊳说谕：游说劝说。㊴建康：郡名，郡治在今甘肃酒泉东南。㊵祁连都尉：祁连郡的武官。祁连郡的郡治在今甘肃祁连东北。㊶杨坞：地名，在姑臧城西，即今甘肃武威西，其地有堡坞。㊷盛乐：城名，即今内蒙古和林格尔西北二十里的土城子。㊸息民：让百姓得到休息。㊹大赦：指晋王朝实行大赦。㊺梁国：诸侯国名，都城在今河南商丘城南。㊻征役：指征战和劳役。㊼置戍：只留下一些小部队的防守据点。㊽慰谕：用好话安慰。㊾兰氏：慕容皝之妃。皝谥文明皇帝，故垂追尊自己的生母兰氏为文昭皇后。⑩迁文明段后：从太庙里移出文明段皇后的神牌。段氏原为皇后，故用其夫之谥相称，并在太庙配享于慕容皝。段皇后是慕容儁的生母。现慕容垂为帝，欲提高其生母的地位，故改尊其生母为慕容皝的皇后，以配享其父。⑪配享太祖：随同慕容皝一道享受祭祀。太祖，慕容皝的庙号。⑫帝喾：传说中的五帝之一，尧的父亲。⑬位第三：在帝喾的妃子里名列第三。⑭不以贵陵姜原：不因为自己是帝尧的生母，而凌驾于帝喾的元妃（正妻）姜原之上。陵，凌驾、超越、高出居上。姜原，也作"姜嫄"，传说为有邰氏女，帝喾的元妃，生子曰后稷，为周民族的始祖，也是古代的农神。⑮明圣之道：至高无上的道德准则。⑯以至公为先：首先讲究的是大公无私。⑰文昭后宜立别庙：慕容垂的生母不能配享太祖慕容皝，应该给她另外立庙供奉。⑱逼之：逼迫他们改变意见。⑲按经奉礼：我们是遵奉圣人的经典、固有的礼节行事。⑳不敢有贰：不敢再有别的说法。贰，两样、不一致。㉑卒：终于。㉒景昭可足浑后：慕容儁的皇后，慕容暐的生母，在慕容暐为帝时干预朝政。因慕容儁谥景昭皇帝，故可足浑后谥景昭皇后。㉓倾覆社稷：慕容恪死后，可足浑后与慕容评专权，逼走慕容垂，败乱燕政，招致国家被苻坚所灭。㉔烈祖：慕容儁庙号烈祖。㉕昭仪段氏：昭仪是妃嫔的称号，地位与丞相相同。段昭仪是慕容儁之妃。㉖齐桓公：春秋时期的齐国诸侯，著名的五霸之一。事迹详见《史记·齐太公世家》。㉗无以妾为妻：不能把小妾扶正为妻室。这条规定见《孟子·告子下》。据说齐桓公在召集各国诸侯在葵丘会盟时，曾命令各国诸侯，要"诛不孝，无易树子，无以妾为妻"，但《史记》不载此事。㉘《春秋》所称"母以子贵"者：孔子之《春秋》无"母以子贵"之语，此语当出自《春秋公羊传》隐公元年。《春秋公羊传》云："桓何以贵？母贵也。母贵则子何以贵？子以母贵，母以子贵。"㉙君母：老国君的正妻。古代国君的儿子们不仅正妻所生的儿子称正妻曰母，其他姬妾所生的儿子也都得称父亲之正妻曰母。㉚得以妾母为小君：古代的帝王或诸侯，如果这个男人是姬妾所生，而老帝王或老诸侯的正妻又已经死了，那么这个由姬妾生的帝王或诸侯，可以把生他的这位姬妾称为“小君”。小君，原本是古人对诸侯正妻的称呼，只有在上述特定的情况下，姬妾才能享受这种类似父亲的正妻的称号。㉑享祀宗庙：至于死后谁应该陪同父亲享受祭祀于太庙的问题。㉒成风终不得配庄公：这位生了帝王或诸侯的姬妾还是不能以“小君”的名义供入太庙，还是只能把先前那位正妻供入太庙为其丈夫当配享。成风，是春秋时期鲁庄公的姬妾，是鲁僖公生母，鲁庄公的正妻名为哀姜。鲁僖公即位后，想做些改变，请示齐桓公，结果仍只能以哀姜配享庄公，而僖公的生母成风仍未能配享庄公。㉓犹形声之于影响：就如同有什么形状、声音，就有什么影子与回声一样。㉔宝之逼杀其母：日后慕容垂的儿子慕容宝逼死了他的母亲。慕容宝是慕容垂的次子，在长子慕容令死后被立为太子。慕容垂的第一个王后是段末柸之女，生了慕容令、慕容宝，升平二年（公元三五八年）段氏被燕主慕容儁及其后可足浑氏害死。慕容垂接着又娶段氏的妹妹为继室，生子慕容朗与慕容鉴。由于第二个段氏曾劝慕容垂废掉太子宝，故太子宝登基后，于太元二十一年逼着段氏自杀了。事见后文。㉕由垂为之渐：慕容宝这种逼着段后自杀的情形，就是当初慕容垂想改变其生母地位开的头。渐，开头、苗头。㉖尧、舜之让犹为之、哙之祸：尧舜禅让那样的好事，尚且能引出后代燕国丞相子之与燕王哙那样的灾难。尧死前把帝位让与舜的故事被儒家传为美谈，见《史记·五帝本纪》；战国时燕国的阴谋家丞相子之哄骗燕王哙把燕国政权“让”与他，而引发燕国大乱，以致险些国家灭亡的故事，见《史记·燕召公世家》。㉗文姜得罪于桓公：文姜与其兄齐襄公私通，导致了其丈夫鲁桓公被齐襄公所杀。事见《史记·鲁周公世家》。文姜是春秋时齐僖公之女，齐襄公之妹，嫁与鲁桓公为夫人。鲁桓公是鲁国的国君，公元前七一一至前六九四年在位。㉘《春秋》不之废：孔子写《春秋》仍没有废弃她。《春秋》鲁庄公二十一年书文姜之死曰“夫人姜氏薨”，二十二年书曰“葬我小君文姜”。可见《春秋》还是把文姜当作鲁桓公的夫人来叙述的。㉙小君之礼成：可足浑氏作为慕容儁的正式皇后，是名正言顺的。㉚私憾：个人的怨恨。指慕容垂的第一个王后段氏被可足浑氏诬陷迫害致死，又进谗言于慕容暐，致使慕容垂流落于国外。㉛兄妾之无子者：即前文所说的“昭仪段氏”，慕容儁的嫔妃，无子。㉜皆非礼也：以上崔鸿的评论文字，见于《十六国春秋》，作者崔鸿，是北魏时期的史学家，字彦鸾，仕魏为中散大夫。所著《十六国春秋》原书今已佚，仅存清人汤球的《十六国春秋辑补》。㉝南走马邑：畏代国之威胁，且惧其报昔日之仇。马邑，县名，即今山西朔州。㉞贺染干：贺讷之弟。㉟无状：无礼；不讲道理。㊱义于何在：义在哪里，意不讲正义。㊲宜都王：慕容桓，慕容皝之子，慕容儁之弟，前燕时被封为宜都王。㊳临晋：县名，即今陕西大荔。㊴守：代理。由官阶低的人代理高的职位叫守。㊵闻喜：县名，即今山西闻喜。㊶燕熙城：城名，在今山西闻喜北。㊷荥阳太守高陵赵谷：荥阳太守赵谷是高陵人。高陵，县名，县治在今陕西西安市高陵区西南一里。㊸杏城卢水胡郝奴：居住在杏城的卢水胡人部落，其头领名叫郝奴。杏城，古城名，在今陕西黄陵西南。卢水胡，匈奴族的一个分支。㊹扶风王骕：扶风人姓王名骕。扶风郡的郡治在今陕西眉县东。㊺马嵬：地名，即今陕西兴平西的马嵬坡。㊻弟多：郝奴的弟弟郝多。㊼六谷大都督：官名。六谷，疑指陕西长安的子午谷、梓谷、石鳖谷和户县的甘谷、赤谷、涝谷。㊽癸巳：四月二十二。㊾陆纳：陆玩之子，陆晔之侄，东吴以来的江东士族，为人贞厉绝俗，对东晋的腐朽强烈不满。传见《晋书》卷七十七。㊿谯王恬：司马恬，司马懿之弟司马孚的后代，司马无忌之子，司马休之之父。传见《晋书》卷三十七。(451)毛兴袭击王广：毛兴、王广，与下文所说的王统，都是前秦苻氏的将领，毛兴为河州刺史，王广为益州刺史，王统为秦州刺史，三人彼此相攻。(452)推卫平：因卫平是当地的强族，故推之。(453)请命于秦：请命于寄居壶关的苻坚之子苻丕。(454)辽西王：辽西郡王。辽西郡的郡治在今河北昌黎北。(455)赵王：赵郡王。赵郡的郡治在今河北赵县西南。(456)高阳王：高阳郡王。高阳郡的郡治在今河北高阳西南。(457)皆没于后秦：都被姚苌的部下俘获而去。没，沉没，被扣押起来。(458)国号大秦：历史上称为"后秦"。(459)北面秦朝：曾向秦朝称臣。古代臣见君，君面朝南坐，群臣面北叩见。(460)得无耻乎：难道不感到耻辱吗。(461)陵石：地名，在当时的盛乐城东。(462)护佛侯部帅侯辰："护佛侯"部落的头领名叫"侯辰"。部帅，部落头领。(463)乙佛部帅代题："乙佛"部落的头领名叫"代题"。(464)累世服役：世代为我们效劳出力。(465)愚者固宜前却：看不清形势的人，忽而向前，忽而后退，是理所当然的。前却，指叛服无常。(466)六月庚寅：六月二十。(467)以前辅国将军二句：东晋的雍州刺史本来驻兵于襄阳，今则遣杨亮以雍州刺史的身份向北进驻到洛阳，以守卫西晋诸帝的陵墓。山陵，以称帝王的陵墓。(468)弘农：郡名，郡治弘农县，即今河南灵宝东北的函谷关故城。(469)初置湖、陕二戍：首次在湖县、陕县建立了两个防守据点。湖县的县治在今河南灵宝西北，陕县的县治在今河南三门峡市西。(470)称藩于燕：向建都于中山慕容垂的后燕政权称臣。藩，大国中的小国诸侯。(471)以酬秦主之德：以报答苻坚当年对自己的好处。酬，答谢。德，恩情。(472)东海王纂：苻纂，苻坚之侄。(473)传檄四方：发通告给四方各地的秦国残余势力。檄，檄文、通告天下以讨伐某人的文告。(474)孟冬上旬：农历十月的前十天。孟冬，冬季里的第一个月。(475)会大驾于临晋：指前秦残存的各路兵马，一齐与苻丕相会于临晋关。大驾，天子的车驾，这里即指在壶关称帝的苻丕。临晋，即今陕西大荔。(476)建忠将军高平牧官都尉扶风王敏：赐号为"建忠将军"，实任为"高平牧官都尉"的扶风人姓王名敏。(477)承檄：响应通告。承，接受、奉行。(478)就拜：派人前往予以委任。(479)彭池：胡三省注以为当作"彪池"。彪池，地名，在今陕西西安城西。当时窦冲据兹川（灞水），在今西安东南，与邓景正相首尾。(480)为首尾：首尾相连接。(481)羌：邓羌，苻坚部下的名将，在灭前燕过程中有大功。(482)孙丘谷：地名，在今甘肃平凉东南，当时属陇东郡，东离安定郡治不远。(483)东胡：秦称辽东鲜卑为东胡。(484)累日：一连多日。(485)宜时定：应该赶紧决定。时，当时、及时。(486)请卫公为会：请卫平来参加会议。(487)会七夕大宴：当时正赶上七月初七的盛大宴会。七夕，节日名，相传是天上牛郎会织女的日子，同时也是古代青年女子向织女学习手工技巧的日子。㊽吾曹休戚同之：我等应该有福同享，有难同当。吾曹，我等。休戚，享福或受罪。㊾返初服：脱掉官服，回去穿原来的衣服，指辞去官职，回到原来的岗位上去。㊿避贤路：为贤者让路。(491)狄道长苻登：狄道县的县长苻登，字文高，苻坚的同族孙辈，后成为前秦国君，公元三八六至三九四年在位。传见《晋书》卷一百一十五。(492)王室疏属：前秦皇帝血缘疏远的同族。(493)请共立之：请一同立他为河州刺史。(494)以赴大驾：以率众奔赴临晋与秦主苻丕会合。(495)即下异议：请马上说出你们的不同意见。下，说出。(496)奋剑攘袂：举起宝剑，撸起袖子。(497)略阳公：略阳郡公。略阳郡的郡治在今甘肃天水市东北。(498)东下陇：下陇山而东出。陇山在甘肃与陕西的交界处。(499)南安：郡名，郡治在今陇西县城的东北侧。(500)秘宜与莫侯悌眷：二人原皆前秦之将领。莫侯悌眷，姓莫侯，名悌眷。(501)己酉：七月初十。(502)倍斤：代题之孙。(503)录留台：总领朝廷的留守事务。台，晋、宋间谓朝廷禁省为台，称禁城为台城。天子外出，在台城置官留守，称留台。(504)庚午：八月初一。(505)南略地：向南开拓地盘。(506)东徇平原：向东略取平原郡。平原郡的郡治在今山东平原县南。徇，意思同巡，亦即略地，带兵一走而过，不用打大仗，即将地盘据为己有。(507)保曲阳：在曲阳据城而守。曲阳，县名，在中山（即今河北定州）之西，县治即今河北曲阳。(508)出营望都：出兵在望都扎营。望都，县名，即今河北望都，在当时中山的东北方。(509)剽掠：抢劫。(510)虚镇：使所镇之城（中山）变得空虚。(511)亏损威重：对你的名声有损。(512)大驾在外：指慕容垂不在中山。(513)声言至鲁口：扬言要到鲁口去。鲁口，城名，即今河北饶阳，在中山的东南方。(514)回趣乞：转头向鲜于乞杀去。趣，同“趋”，奔向。(515)掩击：突然发起攻击。(516)寇谯：自黎阳入侵谯郡。谯郡的郡治即今安徽亳州。(517)平阳：古城名，即今山西临汾的城西部，刘渊、刘聪时期的都城。(518)陇上：陇坂或陇山之上。(519)冀城：城名，故冀县的县治，在今甘肃天水市西北。(520)陇城：城名，故陇县的县治，在今甘肃秦安县北。(521)赤亭：地名，在今甘肃陇西县西。姚苌之父姚弋仲就是南安赤亭的羌族人。(522)王统：当时驻兵上邽县，在今甘肃天水市西南。(523)天水屠各：天水郡的匈奴部落之一。(524)新兴：郡名，郡治即今山西忻州。(525)逼：靠近；迫近。(526)幢将代人莫题：拓跋珪的亲兵头领是代郡人，名叫莫题。当时魏国禁卫军的将领有内幢将、羽林幢将、虎贲幢将，合称三郎幢将，平时率三郎卫士执仗宿直禁中，战时亦从征出战。(527)告之：告发了于桓。(528)悉原不问：全部赦免，不加追问。(529)内难：内部叛乱。(530)北逾阴山：向北退到了阴山以北。阴山是今内蒙古境内东西走向的大山，横亘在今呼和浩特、包头、临河诸城市的北方。(531)辽东安同：辽东郡人姓安名同。(532)上邽：即今甘肃天水市。(533)凶问：死的消息。(534)举军缟素：全军披麻戴孝。缟素，白色的丧服。(535)襄陵：县名，县治即今山西临汾东南的古城庄。536 东垣：地名，在今河南新安东。537 冯该：东晋的将领。538 以付苻宏：把他们几个人交给了苻宏。苻宏是苻坚的太子，太元十年离开长安，投奔了东晋，东晋将其置于江州刺史桓玄部下。539 永平侯师奴：苻师奴，苻纂之弟，被封为永平侯。540 长子：县名，县治在今山西长子西南。541 秦后杨氏：苻丕的皇后。542 引剑：拔剑。543 甲申：十月十六。544 海西公奕：司马奕，成帝司马衍之子，哀帝司马丕之弟，曾继晋哀帝在位五年，被桓温所废，称海西公，至此死。545 燕寺人：燕国的太监。546 清河：郡名，郡治在今河北清河县东南。547 胡奴阜：地名，在今甘肃天水市西。548 创重：伤势严重。549 遽遣：赶紧打发。遽，迅即。550 高柳：县名，故治在今山西阳高西北。551 朔方：古郡名，郡治在今内蒙古乌拉特前旗南。552 勃海王懿、济北王昶：皆苻丕之子。553 发丧行服：指哭吊苻丕。行服，穿孝服。554 三虏：谓姚苌、慕容垂、慕容永。555 窥觎：伺隙而动。556 长君：年长的君主。557 为坛于陇东：在陇东郡筑坛以祭告天地。陇东郡的郡治泾阳县，在今甘肃平凉西北。558 慕容柔、慕容盛及盛弟会：三人皆慕容垂之孙。慕容盛与慕容会皆太子宝之子。559 中兴幽、冀：在幽州、冀州一带即位称帝。560 东西未壹：两个政权没有统一。东谓燕王慕容垂，西谓西燕主慕容永。561 居嫌疑之地：生活在被人（指慕容永等）怀疑猜测的环境中。562 为智为愚：意思是不论如何表现。563 皆将不免：最后都将是不免一死。564 以时：及时；寻找时机。565 坐待鱼肉：像鱼肉一样地等着让人家宰割，以比喻毫无反抗的可能。566 西郡：郡治在今甘肃山丹东南，武威西北。567 临洮：县名，即今甘肃岷县。568 保据俱城：坚守俱城。俱城在临洮县，即今甘肃岷县境内。保据，依托、据守。569 世祖神主：苻坚的牌位。苻坚庙号世祖。神主即牌位。570 载以辎軿：用一辆轿车拉着。辎軿，有篷盖、有帷幕的车子。571 建黄旗青盖：车上竖有黄色的旌旗与青色的大伞。盖，大伞。572 虎贲：由勇士组成的仪仗队。573 必启主：一定要先向苻坚的神主禀告。574 皆刻鉾、铠为"死""休"字：都在自己所戴的头盔与所穿的铠甲上刻着"死"字或"休"字，以表示有死无回的决心。鉾，同"鍪"，头盔。也有说"鉾"即古"矛"字。575 矟：同"槊"，丈八长矛。576 知有厚薄：一旦发现哪里有薄弱环节。厚薄，偏义复词，这里即指薄弱。577 从中分配：随时加以调配。578 所向无前：不论打到哪里，都无人敢居其前，即所向无敌。579 长安之将败：指苻坚的守长安将败时。580 结垒自固：构筑堡垒以加强防守。581 受后秦官爵：后来投降了姚苌，做了姚苌的官。582 乙酉：十二月十八。583 攻吴深垒：当时吴深正据清河郡以叛燕。584 聊城：县名，县治在今山东聊城西北。585 逢关陂：在当时的聊城县，即今山东聊城境内。586 太子洗马：官名，太子的侍从官员，出行时充当先遣队。587 东阿：县名，县治即今山东阳谷东北的阿城镇。588 碻磝：城名，在今山东茌平西南古黄河的碻磝津南岸，东晋、南北朝时为军事要地。

【校记】

［18］等：原无此字。据章钰校，十二行本、乙十一行本、孔天胤本皆有此字，张敦仁《通鉴刊本识误》同，今据补。［19］于：原无此字。据章钰校，十二行本、乙十一行本、孔天胤本皆有此字，张敦仁《通鉴刊本识误》同，今据补。［20］请：据章钰校，十二行本、乙十一行本、孔天胤本皆无此字。［21］左：原无此字。据章钰校，十二行本、乙十一行本、孔天胤本皆有此字，张敦仁《通鉴刊本识误》同，今据补。［22］太守：原无此二字。据章钰校，十二行本、乙十一行本、孔天胤本皆有此二字，张敦仁《通鉴刊本识误》同，今据补。［23］后秦主：原作“后秦王”。据章钰校，乙十一行本、孔天胤本皆作“后秦主”，张敦仁《通鉴刊本识误》、张瑛《通鉴校勘记》同，今据改。〖按〗本书上下文皆称后秦主。［24］大安：据章钰校，孔天胤本作“太安”。〖按〗《晋书》卷一百二十二《吕光载记》云吕光“建元曰太安”，《太平御览》卷一百二十五引《后凉录》《通鉴》卷一百六作“大安”。苻丕年号有“太安”，此时吕光尚用苻丕年号，吕光年号始于麟嘉，见载《魏书》吕光本传。

【研析】

本卷写孝武帝太元十年（公元三八五年）、十一年共两年间的各国大事。主要写了秦主苻坚之死，苻坚之族人苻登继苻丕之死而称帝，继称“前秦”，以及后燕主慕容垂、西燕主慕容永、西秦乞伏国仁、凉州吕光、塞北之拓跋珪政权纷纷称王称帝，等等，其中值得议论的首先是如何认识苻坚其人与对苻坚如何评价。

苻坚是整个魏晋南北朝三百多年中的最伟大的英雄，前秦是整个魏晋南北朝三百多年中的势力最强大、幅员最辽阔的国家。它西起帕米尔高原，东至大海，北到大漠以北，南达淮河流域，西南直达四川、云南。苻坚的文化修养、苻坚的人格魅力、苻坚所推行的政策等都远比曹操更可爱，至于司马懿、司马炎、司马睿之流更无法望其项背。武国卿《中国战争史》将苻坚的优长之处归纳了三点：一是政治上相对的清明与进步，这主要指发展生产，劝课农桑，恢复社会经济，比较受人拥护，致使前秦政治一直沿着良性循环的轨道向前滑行，为其他诸国所难以企及；二是前秦统治集团有比较强的凝聚力，它对待上层内部的叛乱采取了尽可能宽宥的政策，这与西晋的八王之乱、匈奴刘氏的前赵、石虎羯人的后赵等相比都大为不同，这就使前秦统治集团减小了矛盾，能比较齐心协力地对付外部敌人；三是苻坚常能虚心纳谏，吸收并发挥了其统治集团的集体智慧优势。苻坚确系中国古代历史上不太多见的开明豁达之君，他对谋士王猛的建议几乎言听计从，他对俘获、投降的贤能之士也都诚心诚意地加以选用，这对前秦网罗天下贤士起了重要的作用。前燕的慕容垂父子是当时名冠天下的勇略将帅，降秦后，前秦的朝臣，甚至连王猛都劝苻坚将其杀掉，以绝后患；但苻坚始终坚持委以重任，表现了苻坚用人不疑的非凡气度。至于淝水之战后慕容垂又叛离了前秦，这是形势发展所导致的结果，后代史书因此指责苻坚，就未免显得过于幼稚了。

苻坚统一西域，在当时也曾遭到很多人的反对，他们说西域路途遥远，人烟稀少，土地荒凉，取之得不偿失等。苻坚断然拒绝，毅然向西域进军，终于重新统一了西域地区，为中国历史的发展做出了名垂青史的贡献。时至今日，如果还有人说苻坚这是好大喜功，则无疑是颠倒了是非曲直，实有为之正名的必要。

明代张大龄《玄羽外编》论苻坚说："背列草付，天启龙骧，九州之地，遂有其八。海峤献琛，越裳重译，黎庶乐业，髦俊登庸，礼备乐和，辟雍弘化，开辟以来，胡运之盛未有若斯者也。是何成功之速哉？有王景略为之辅耳。景略之才不下管葛，而坚举国听之，间者必死。虽名为君臣，实肝胆肺腑，故景略得以尽其才；而坚亦勤政爱民，仁恕恭俭。景略死而坚渐骄，伐晋之举，急于混一。说者咸谓'鲜卑西羌未之早除'，不知景略若在，苌等几上之肉，何能为哉？故景略之存亡，则苻氏之兴衰也。彗扫东井，天意谴告；鱼羊食人，神语谆谆，若有所以仁爱之者。盖坚平生未有过举，皇穹或不欲遽弃之乎？"其对苻坚的赞许溢于言表。

其实《晋书》与《通鉴》的作者也是在尽一切力量以表现他们对苻坚的惋惜之情，如《通鉴》写慕容冲攻长安："秦王坚身自督战，飞矢满体，流血淋漓。冲纵兵暴掠，关中士民流散，道路断绝，千里无烟。有堡壁三十余，推平远将军赵敖为主，相与结盟，冒难遣兵粮助坚，多为西燕兵所杀。坚谓之曰：'闻来者率不善达，此诚忠臣之义，然今寇难殷繁，非一人之力所能济也，徒相随入虎口，何益？汝曹宜为国自爱，畜粮厉兵，以俟天时，庶几善不终否，有时而泰也。'"又有"三辅之民为冲所略者，遣人密告坚，请遣兵攻冲，欲纵火为内应。坚曰：'甚哀诸卿忠诚！然吾猛士如虎豹，利兵如霜雪，困于乌合之虏，岂非天乎！恐徒使诸卿坐致夷灭，吾不忍也。'"云云，都表现了苻坚的得人拥护，愿为效死，而苻坚则是出于仁爱，反而叫人们不要为救他而冒险送命。最后当苻坚在五将山被姚苌所俘，姚苌向苻坚要传国玉玺，请求苻坚给他行个传国仪式，苻坚都骂而不应；最后又为了不让自己的两个女儿受侮辱而杀了她们，苻坚死后他的张夫人与儿子中山公苻诜也都相继自杀，情形惨烈得连他的敌人"后秦将士皆为之哀恸"。这和被北方民族所俘去的那些晋朝皇帝与不胜指数的王公大臣相比，其气节有着何等的不同！

本卷中还写了东晋名臣谢安的死。对于谢安，人们也有着不同的评价。明代袁俊德说："谢安赌墅，群诩为'运筹帷幄，不动声色'。然八公之胜，非朱序自败乃公事，则晋军几至不振，又何成算之可称？读书而不具卓识，随人是非者多矣。"王阳明也说："夫临事而惧，用师之要。当苻秦入寇，重兵压境，此何等时也？乃命为游墅，围棋决赌，桓冲之援则拒之，幼度（谢玄之字）之请则寂然，任军国重寄者果若兹乎？向非朱序反间、秦兵稍却，何能奏淮淝之捷耶？太史公谓霍去病不至困绝，以为有‘天幸’，余于安亦以为然。”这都是否定谢安的。明代胡致堂说：“苻坚南伐，人人惴恐，安石独否，所谓明之者矣。安石何明乎？晋室虽微，正朔所在，君不失道，人心所归，将相调和，士卒豫附，加以长江之限，主客殊势。以此待敌，胜负已分。又加苻坚志骄气盈，贪欲无厌，方将陵跨江淮，为石勒、刘曜之事，于理逆矣。正使强弱相悬，直当以宗社存亡为决，此安石了了于方寸者。所以处置优游，静而不扰欤。史称其矫情镇物者，夫惟言语可以修饰而出之，若情与貌，不可矫也。矫情于内，则貌形于外；饰貌于外，则情动于中，不能相应也。使安石而矫情，则与玄赌墅，棋必不胜。玄宜胜而负，安石宜负而胜，安石之天定矣，识者固知其必胜也。”袁了凡曰：“秦兵逼淮水矣，谢安命驾围棋，夷无惧色；及驰书捷报矣，又摄书棋围，了无喜色，岂轻国之安危，能恝无喜惧耶？安盖心筹之，特不色露耳。彼坚拥百万貔虎，咆哮而来，将以气吞江左；安且冥测天时，显察人事，知无足秦虞也；特小国当锐师，弱主御骄士，兵骤其气则我必衰，人生其心则变必作。故特示之整以外降敌气，予之暇以内镇物情，斯其算也。夫弈者当局昏而旁观了，安则身当兵局而心则旁观国势，故其区画精、指挥当，能临大变而不慑，履成功而不居也。”王阳明似乎贬之过低，而袁了凡则又似乎过于神化了。但谢安作为一个国家的主心骨，只有如此表现，才能使前方后方沉下心来，冷静地处理各自应该处理的事情，其谁曰不宜？其谁曰不重要？当然，谢安如此表现，又有其东晋人的极大的时代特点，换个时代，不管是管仲、诸葛亮、魏徵、寇准，谁都不会有如此夸张的表现。

卷第一百七　晋纪二十九

起强圉大渊献（丁亥，公元三八七年），尽重光单阏（辛卯，公元三九一年），凡五年。

【题解】

本卷写孝武帝太元十二年（公元三八七年）至太元十六年共五年间的东晋与各国的大事。主要写了后燕主慕容垂在慕容农、慕容隆、慕容楷等人的辅佐下南破东晋兖州、青州境内的郡县，前降晋之秦臣光祚、朱肃等皆折而降燕。写了慕容隆打败叛燕的齐涉、张愿于魏郡、平原郡；慕容楷破翟辽于徐州，翟辽请降于后燕；慕容隆大破变民首领许谦、张申、王祖、吴柱等。写了匈奴刘显地广兵强于马邑，但内部矛盾分裂，被慕容楷、慕容麟等大破，刘显败投于号称西燕的慕容永；慕容垂又派将击破贺兰部的贺染干与贺讷，突出表现了后燕的政情稳定，与慕容农、慕容隆兄弟的才干喜人。写了后秦主姚苌与前秦主苻登在陕、甘邻近

【原文】

烈宗孝武皇帝中之下

太元十二年（丁亥，公元三八七年）

春，正月乙巳①，以朱序为青、兖二州②刺史，代谢玄镇彭城③。序求镇淮阴④，许之。以玄为会稽内史⑤。

丁未⑥，大赦。

燕主垂观兵河上⑦，高阳王隆⑧曰："温详⑨之徒，皆白面儒生，乌合为群，徒恃长河⑩以自固，若大军济河，必望旗震坏，不待战也。"垂从之。戊午⑪，遣镇北将军兰汗⑫、护军将军平幼⑬于碻磝⑭西四十里济河，隆以大众陈于北岸。温攀、温楷⑮果走趣城⑯。平幼追击，大破之。详夜将⑰妻子奔彭城，其众三万余户皆降于燕。垂以太原王楷⑱为兖州刺史，镇东阿。

地区的反复较量，姚苌破杀秦将徐嵩，掘墓鞭挞苻坚的尸体；又大破前秦将领魏褐飞，破杀反复之将苟曜，以诚接纳秦之降将强金槌，并畅论自己与兄姚襄之为人。写了吕光集团打败张大豫的复国势力，平定境内诸郡的叛乱，日益强大于凉州。写了乞伏国仁攻破邻近的鲜卑部落，又击破秦将没弈干，吐谷浑部落前来归附。写了魏王拓跋珪大破柔然、大破刘卫辰，卫辰死，诸部皆降，“国用由是遂饶”。写了晋将朱序镇守洛阳，连续打败慕容永与翟辽的进攻；刘牢之破翟钊、翟辽于鄄城、滑台；但东晋皇帝沉湎酒色，司马道子、王国宝专权，朝纲日益腐败等。

【语译】

烈宗孝武皇帝中之下

太元十二年（丁亥，公元三八七年）

春季，正月初八日乙巳，东晋任命朱序为青、兖二州刺史，代替谢玄镇守彭城。朱序请求驻守淮阴，朝廷同意了朱序的请求。朝廷任命谢玄为会稽内史。

初十日丁未，东晋实行大赦。

后燕主慕容垂到黄河边向东晋王朝炫耀武力，高阳王慕容隆说：“像东晋济北太守温详那样的人，不过是一个面皮白嫩的书生，如同乌鸦争食一样聚集起一群人，只是仗恃着黄河天险才得以自保，如果我们的大军渡过黄河，他们必定望风披靡，根本等不到我们攻打，就会自行溃败。”后燕主慕容垂听从了高阳王慕容隆的意见。正月二十一日戊午，燕主慕容垂派遣担任镇北将军的兰汗、担任护军将军的平幼在碻磝城以西四十里远的地方渡河，高阳王慕容隆率领大军列阵于黄河北岸。东晋将领温攀、温楷果然放弃了自己的阵地逃回东阿城。后燕护军将军平幼率领燕军随后追击，将温攀、温楷打得大败。东晋济北太守温详带着妻子连夜逃奔彭城，他手下的三万多户部众全部投降了后燕。后燕主慕容垂任命太原王慕容楷为兖州刺史，镇守东阿。

初，垂在长安，秦王坚尝与之交手语⑲。垂出[1]，冗从仆射光祚言于坚曰："陛下颇疑慕容垂乎？垂非久为人下者也。"坚以告垂。及秦主丕⑳自邺奔晋阳㉑，祚与黄门侍郎㉒封孚、钜鹿㉓太守封劝㉔皆来奔㉕。劝，奕之子也。垂之再围邺㉖也，秦故臣西河朱肃等各以其众来奔。诏以祚等为河北诸郡太守，皆营㉗于济北、濮阳㉘，羁属温详㉙。详败，俱诣燕军降。垂赦之，抚待如旧。垂见光祚，流涕沾衿，曰："秦王㉚待我深，吾事之亦尽㉛，但为二公㉜猜忌，吾惧死而负之㉝。每一念之，中宵㉞不寐。"祚亦悲恸。垂赐祚金帛，祚固辞。垂曰："卿犹复疑邪？"祚曰："臣昔者惟知忠于所事，不意陛下至今怀㉟之，臣敢逃其死！"垂曰："此乃卿之忠，固吾所求也，前言戏之耳。"待之弥厚，以为中常侍㊱。

翟辽㊲遣其子钊寇陈、颍㊳，朱序遣将军秦膺击走之。

秦主登立妃毛氏㊴为皇后，勃海王懿㊵为太弟㊶。后，兴之女也。遣使拜东海王纂㊷为使持节、都督中外诸军事、太师，领大司马，封鲁王。纂弟师奴为抚军大将军、并州牧㊸，封朔方公。纂怒谓使者曰："勃海王，先帝之子，南安王㊹何以不立而自立乎？"长史㊺王旅谏曰："南安已立，理无中改。今寇虏未灭，不可宗室之中自为仇敌也。"纂乃受命。于是㊻卢水胡彭沛谷㊼、屠各董成㊽、张龙世、新平羌雷恶地㊾等皆附于纂，有众十余万。

后秦主苌徙秦州㊿豪杰三万户于安定[51]。

初，安次[52]人齐涉聚众八千余家据新栅[53]降燕，燕主垂拜涉魏郡[54]太守。既而复叛，连张愿。愿自帅万余人进屯祝阿之瓮口[55]，招翟辽，共应涉。

高阳王隆言于垂曰："新栅坚固，攻之未易猝拔[56]。若久顿兵[57]于

当初，后燕主慕容垂在秦国的都城长安的时候，秦王苻坚曾经亲密地拉着慕容垂的手与他交谈。等慕容垂离开之后，担任冗从仆射的光祚对秦王苻坚说："陛下是不是很怀疑慕容垂？慕容垂绝对不是那种甘心长久居于别人之下的人。"秦王苻坚竟然把光祚的话告诉了慕容垂。等到秦主苻丕放弃邺城逃往晋阳的时候，光祚与担任黄门侍郎的封孚、担任钜鹿太守的封劝全都投奔了东晋。封劝是封奕的儿子。后燕主慕容垂第二次围困邺城的时候，秦国的故臣、西河郡人朱肃等各自率领着自己的部众前来投奔东晋。东晋孝武帝司马曜下诏任命光祚等人为河北地区各郡太守，驻扎在济北、濮阳一带，隶属于济北太守温详。温详失败后，他们全都前往后燕军阵前投降。后燕主慕容垂赦免了他们，对待他们还像过去一样。慕容垂看见光祚之后，痛哭流涕，泪水打湿了衣襟，慕容垂对光祚说："秦王苻坚待我恩德深厚，我为他效力也是尽心竭力，但遭到长乐公苻丕、平原公苻晖的猜忌，我惧怕被他们诬以谋叛而杀害，所以才迫不得已做出辜负秦王的事情来。我每次想到这些，半夜都睡不着觉。"光祚也很伤心悲痛。慕容垂赏赐给光祚金银布帛，光祚坚决推辞。慕容垂说："你难道现在还在怀疑我吗？"光祚回答说："过去我只知道向我所侍奉的主人尽忠，没想到陛下现在还对此事耿耿于怀，我怎么敢逃避一死！"慕容垂说："这是你的一片忠诚，正是我所求之不得的，先前的话只不过开个玩笑罢了。"对待光祚更加优厚，任命他为中常侍。

据守黎阳的丁零族部落首领翟辽派自己的儿子翟钊率军侵扰东晋所属的陈留郡、颍川郡，被东晋青、兖二州刺史朱序属下的将军秦膺击败，翟钊率军退走。

秦主苻登立王妃毛氏为皇后，立勃海王苻懿为皇太弟。毛皇后，是在秦王苻坚手下担任镇西将军、河州刺史的毛兴的女儿。苻登派使者前往杏城拜东海王苻纂为使持节、都督中外诸军事、太师、领大司马，封为鲁王。任命苻纂的弟弟苻师奴为抚军大将军、并州牧，封为朔方公。苻纂愤怒地对使者说："勃海王苻懿是先帝的儿子，南安王苻登为什么不拥戴苻懿为皇帝，反而自己称起皇帝来了？"担任长史的王旅劝谏苻纂说："南安王已经登基做了皇帝，就绝对没有中途改变的道理。如今贼寇还没有被消灭，宗室之间就不要再互为仇敌了。"苻纂这才接受了秦王苻登的任命。当时卢水的胡人首领彭沛谷、匈奴屠各部落首领董成、张龙世、新平郡的羌人部落首领雷恶地等全都归附了鲁王苻纂，苻纂此时已经拥有部众十多万人。

后秦主姚苌将秦州的豪门大族、有影响力的英雄豪杰共三万户迁徙到安定。

当初，安次人齐涉聚集起八千多户，占据着新栅城，投降了后燕，后燕主慕容垂任命齐涉为魏郡太守。不久，齐涉又背叛了后燕，他联络了东晋的叛将、泰山太守张愿。张愿于是亲自率领一万多人进驻祝阿的瓮口，并联络丁零部落首领翟辽，共同响应齐涉。

后燕高阳王慕容隆对后燕主慕容垂说："齐涉所据守的新栅城十分坚固，很难在

其城下，张愿拥帅流民，西引丁零[58]，为患方深。愿众虽多，然皆新附，未能力斗。因其自至，宜先击之。愿父子恃其骁勇，必不肯避去，可一战擒也。愿破，则涉不能自存[2]矣。”垂从之。

二月，遣范阳王德[59]、陈留王绍[60]、龙骧将军张崇[61]帅步骑二万会隆击愿。军至斗城[62]，去瓮口二十余里，解鞍顿息[63]。愿引兵奄至[64]，燕人惊遽[65]，德兵[3]退走，隆勒兵不动。愿子龟出冲陈，隆遣左右王末[66]逆击，斩之。隆徐进战，愿兵乃退。德行里余，复整兵还，与隆合。谓隆曰：“贼气方锐，宜且缓之。”隆曰：“愿乘人不备，宜得大捷；而吾士卒皆以悬隔河津[67]，势迫[68]之故，人思自战[69]，故能却之。今贼不得利，气竭势衰，皆有进退之志[70]，不能齐奋，宜亟击之。”德曰：“吾唯卿所为[71]耳！”遂进，战于瓮口，大破之，斩首七千八百级，愿脱身保三布口[72]。燕人进军历城[73]，青、兖、徐州郡县壁垒多降。垂以陈留王绍为青州刺史，镇历城。德等还师。新栅人冬鸾执涉送之。垂诛涉父子，余悉原[74]之。

三月，秦主登以窦冲为南秦州牧[75]，杨定为益州[76]牧，杨壁为司空、梁州[77]牧，乞伏国仁[78]为大将军、大单于、苑川[79]王。

燕上谷[80]人王敏杀太守封戢，代郡[81]人许谦逐太守贾闰，各以郡附刘显[82]。

燕以[4]乐浪王温[83]为尚书右仆射。

夏，四月戊辰[84]，尊帝母李氏为皇太妃，仪服如太后。

后秦征西将军姚硕德[85]为杨定[86]所逼，退守泾阳[87]。定与秦鲁王纂[88]共攻之，战于泾阳，硕德大败。后秦主苌自阴密[89]救之，纂退屯敷陆[90]。

较短的时间内将其攻克。如果大军困顿于新栅城下，张愿率领他属下的难民，向西勾结翟辽所统领的丁零人，那时造成的灾祸可就大了。张愿的部众虽然很多，然而都是新归附的，不可能为他尽力死拼。趁着现在只有张愿一支人马到来，应该首先对他发起攻击。张愿父子依仗自己骁勇，必定不会躲避，可以一战将其擒获。张愿被击破，齐涉失去外援，就不可能独立存在。”燕主慕容垂采纳了高阳王慕容隆的意见。

二月，后燕主慕容垂派遣范阳王慕容德、陈留王慕容绍、龙骧将军张崇率领着二万名步骑兵会合高阳王慕容隆，共同攻打进驻于瓮口的张愿。后燕的军队到达斗城，距离瓮口还有二十里远的地方，便解下马鞍就地休息。张愿突然率军杀到，燕军顿时惊慌失措，范阳王慕容德率军退走，而高阳王慕容隆则统领军队按兵不动。张愿的儿子张龟向慕容隆的军阵冲杀过来，慕容隆派自己身边的侍从王末出来迎战，王末将张龟杀死。慕容隆指挥军队慢慢地向前推进，张愿的军队才退走。高阳王慕容德向后撤退了一里多路，才重整军队，返回来与慕容隆会合。慕容德对慕容隆说：“敌人的气焰正盛，我们应该缓一缓再与他交战。”慕容隆说：“张愿趁我们没有防备而突然袭击我们，本来应该取得大胜；而我们的将士被阻隔在黄河南岸，前面有强敌，后退无路可走，每个人只有拼力死战才能活命，所以能够打退敌人。如今敌人处于不利的形势，气势已经衰竭，人人都有退志，因此不能齐心协力奋勇作战，我们应该抓住这个机会迅速出击。”慕容德说：“那就一切都按照你的意思办！”于是率领大军继续前进，与张愿在瓮口展开决战，后燕军大败张愿军，斩杀了七千八百人，张愿逃脱之后，退往三布口防守。后燕军向历城挺进，青州、兖州、徐州属下各郡县的民间自卫武装大多投降了后燕。后燕主慕容垂任命陈留王慕容绍为青州刺史，镇守历城。范阳王慕容德等胜利班师。新栅人冬鸾捉住了齐涉，将齐涉交给后燕。后燕主慕容垂杀死了齐涉父子，其余的人则全部被赦免、释放。

三月，秦主苻登任命窦冲为南秦州牧，任命杨定为益州牧，任命杨壁为司空、梁州牧，任命乞伏国仁为大将军、大单于、苑川王。

后燕上谷郡人王敏杀死了上谷太守封戢，代郡人许谦驱逐了代郡太守贾闰，他们各自献出郡城，归附了匈奴部落首领刘显。

后燕乐浪王慕容温担任了尚书右仆射。

夏季，四月初三日戊辰，东晋皇帝司马曜尊奉自己的生母李氏为皇太妃，礼仪、服饰等都与皇太后一样。

后秦担任征西将军的姚硕德遭到氐族首领、益州牧杨定的逼迫，遂率军撤退到泾阳据守。秦国益州牧杨定与鲁王苻纂共同攻打姚硕德，双方在泾阳展开激战，姚硕德再次被秦军打得大败。后秦主姚苌亲自从阴密率军来救，苻纂等才率军退走，屯驻在敷陆。

燕主垂自碻磝还中山[91]，慕容柔[92]、慕容盛[93]、慕容会[94]来自长子[95]。庚辰[96][5]，垂为之大赦。垂问盛："长子人情[97]如何？为可取乎？"盛曰："西军扰扰[98]，人有东归[99]之志，陛下唯当修仁政以俟之[100]耳。若大军一临[101]，必投戈而来，若孝子之归慈父也。"垂悦。癸未[102]，封柔为阳平王，盛为长乐公，会为清河公。

高平[103]人翟畅执太守徐含远，以郡降翟辽。燕主垂谓诸将曰："辽以一城之众，反覆三[6]国之间[104]，不可不讨。"五月，以章武王宙[105]监中外诸军事，辅太子宝守中山。垂自帅诸将南攻辽，以太原王楷为前锋都督。辽众皆燕、赵之人，闻楷至，皆曰："太原王子[106]，吾之父母也！"相帅归之[107]。辽惧，遣使请降。垂以辽为徐州牧，封河南公。前至黎阳[108]，受降而还。

井陉[109]人贾鲍，招引北山丁零[110]翟遥等五千余人，夜袭中山，陷其外郭。章武王宙以奇兵出其外，太子宝鼓噪于内，合击，大破之，尽俘其众，唯遥、鲍单马走免。

刘显地广兵强，雄于北方。会其兄弟乖争[111]，魏长史张衮言于魏王珪[112]曰："显志在并吞，今不乘其内溃而取之，必为后患。然吾不能独克，请与燕共攻之。"珪从之，复遣安同[113]乞师于燕。

诏征[114]会稽处士戴逵[115]，逵累辞不就；郡县敦逼[116]不已，逵逃匿于吴[117]。谢玄上疏[118]曰："逵自求其志[119]，今王命未回[120]，将罹风霜之患[121]。陛下既已爱而器之[122]，亦宜使其身名并存[123]，请绝召命[124]。"帝许之。逵，逯[125]之兄也。

秦主登以其兄同成为司徒、守尚书令[126]，封颍川王；弟广为中书

后燕主慕容垂从碻磝回到都城中山，他的小儿子慕容柔、孙子慕容盛、慕容会从长子逃回了中山。四月十五日庚辰，后燕主慕容垂为此而实行大赦。慕容垂问自己的孙子慕容盛说："长子的民情怎么样？你觉得我们能不能攻取长子？"慕容盛回答说："慕容永的部下现在是一片惊惶不安，大家都有回到东方故土的愿望，陛下只需要实行仁政、等待时机就可以了。等大国的军队一到，他们必定会扔下手中的兵器，就像孝子归顺仁慈的父亲一样。"慕容垂非常高兴。十八日癸未，慕容垂封慕容柔为阳平王，封慕容盛为长乐公，封慕容会为清河公。

高平郡人翟畅捉住了高平太守徐含远，献出高平郡，投降了丁零部落首领翟辽。后燕主慕容垂对属下的诸将说："翟辽只不过占据着一座黎阳城，依靠一城民众的支持，就能在东晋、后燕、西燕之间反复无常、叛服不定，必须把他除掉。"五月，慕容垂任命章武王慕容宙监管中外诸军事，辅佐皇太子慕容宝留守都城中山。慕容垂亲自率领诸将南下黎阳攻打丁零部落首领翟辽，任命太原王慕容楷为前锋都督。翟辽的部众都是燕赵地区的人，他们听到后燕慕容楷要来的消息，都说："慕容楷是故太原王慕容恪的儿子，是我们的父母！"于是便彼此呼应，相互牵引着前来归附于慕容楷。翟辽看到这种局面，非常恐惧，遂派遣使者向后燕请求投降。后燕主慕容垂任命翟辽为徐州牧，封为河南公。大军继续前进，到达了黎阳，接受了翟辽的投降后返回。

井陉人贾鲍勾引了北山一带的丁零族部落首领翟遥等总计五千人，趁夜袭击后燕的都城中山，并攻陷了中山城的外城。后燕章武王慕容宙率领奇兵出离城外，绕到丁零人的背后进行攻击，后燕皇太子慕容宝率军在中山城内擂鼓呐喊，内外合击，大败翟遥军，将翟遥的部众全部俘虏，只有翟遥、贾鲍单枪匹马逃走，免被俘虏。

驻守马邑的匈奴部落首领刘显，兵强地广，称雄于北方。而刘显与他的兄弟之间却因为权力而发生争斗，魏国担任长史的张衮对魏王拓跋珪说："刘显有吞并我们魏国的野心，现在如果不趁其内部溃烂的机会消灭他，一定会后患无穷。然而凭借我们自己的力量还无法战胜他，请联合后燕共同攻击他。"魏王拓跋珪采纳了长史张衮的建议，于是再次派遣安同为使者前往后燕请求出兵攻打匈奴部落首领刘显。

东晋孝武帝司马曜下诏征聘会稽郡隐士戴逵出来做官，戴逵屡次推辞，不肯赴任；戴逵所在的郡县便不停地进行催促和逼迫，戴逵迫不得已逃到吴郡隐居。担任会稽内史的谢玄上疏给孝武帝司马曜说："戴逵只想满足个人悠然自得的生活心愿，如果陛下征聘戴逵的诏令不收回，戴逵必将永久躲藏在外，遭受风霜雨雪的忧患。陛下既然喜爱他，想要让他成才，就应该使他的生命和名望同时并存，请陛下收回征召他的命令。"孝武帝答应了谢玄的请求，不再征聘戴逵出来为官。戴逵是曾经担任沛郡太守的广信侯戴逯的哥哥。

秦主苻登任命自己的哥哥苻同成为司徒，代理尚书令，封为颍川王；任命自己

监[127]，封安成王；子崇为尚书左仆射[128]，封东平王。

燕主垂自黎阳还中山。

吴深杀燕清河太守丁国[129]，章武[130]人王祖杀太守白钦，勃海[131]人张申据高城[132]以叛，燕主垂命乐浪王温讨之。

苑川王国仁[7]帅骑三万袭鲜卑大人[133]密贵、裕苟、提伦三部于六泉[134]。秋，七月，与没弈干[135]、金熙[136]战于渴浑川[137]。没弈干、金熙大败，三部皆降。

秦主登军于瓦亭[138]。后秦主苌攻彭沛谷堡[139]，拔之。谷奔杏城[140]。苌还阴密[141]，以太子兴镇长安。

燕赵王麟[142]讨王敏于上谷，斩之。

刘卫辰[143]献马于燕，刘显掠之。燕主垂怒，遣太原王楷将兵助赵王麟击显，大破之。显奔马邑西山[144]。魏王珪引兵会麟击显于弥泽[145]，又破之。显奔西燕[146]，麟悉收其部众，获马牛羊以千万数。

吕光[147]将彭晃、徐炅攻张大豫[148]于临洮，破之。大豫奔广武[149]，王穆[150]奔建康[151]。八月，广武人执大豫送姑臧，斩之。穆袭据酒泉[152]，自称大将军、凉州牧。

辛巳[153]，立皇子德宗[154]为太子，大赦。

燕主垂立刘显弟可泥为乌桓[155]王，以抚其众，徙八千余落[156]于中山。

秦冯翊[157]太守兰椟帅众二万自频阳[158]入和宁[159]，与鲁王纂谋攻长安。纂弟师奴劝纂称尊号，纂不从。师奴杀纂而代之，椟遂与师奴绝。西燕主永[160]攻椟，椟遣使[8]请救于后秦。后秦主苌欲自救之，尚书令姚旻、左仆射尹纬曰："苻登近在瓦亭[161]，将乘虚袭吾后。"苌曰："苻登众盛，非旦夕可制[162][9]；登迟重少决[163]，必不能轻军深入。比两月

的弟弟苻广为中书省的最高长官中书监，封为安成王；任命自己的儿子苻崇为尚书左仆射，封为东平王。

后燕主慕容垂从黎阳返回都城中山。

后燕叛将吴深杀死了后燕清河太守丁国，章武人王祖杀死了章武郡太守白钦，勃海郡人张申占据了高城，他们全都背叛了后燕，后燕主慕容垂下令乐浪王慕容温出兵讨伐这些叛贼。

苑川王乞伏国仁率领三万骑兵前往六泉，袭击鲜卑大人密贵、裕苟、提伦所统领的三个部落。秋季，七月，乞伏国仁与没弈干以及平凉太守金熙所率领的秦军在渴浑川展开遭遇战，秦国的没弈干、金熙被乞伏国仁打得大败，鲜卑的三个部落也全部向乞伏国仁投降。

秦主苻登将军队驻扎在瓦亭。后秦主姚苌率军攻打卢水胡人彭沛谷的城堡，将彭沛谷的城堡攻破。彭沛谷逃往杏城。后秦主姚苌返回阴密，留下太子姚兴镇守都城长安。

后燕赵王慕容麟率领燕军讨伐占据上谷叛变的王敏，将王敏杀死。

刘卫辰向后燕进贡马匹，途中被占据马邑的匈奴部落首领刘显将马匹夺走。后燕主慕容垂非常愤怒，立即派遣太原王慕容楷率兵协助赵王慕容麟攻击刘显，将刘显打得大败。刘显放弃了马邑，逃往马邑西部的山区。魏王拓跋珪率领魏国的军队会合后燕的赵王慕容麟攻打刘显所据守的弥泽，再次将刘显打败。刘显于是投奔了西燕的慕容永，后燕赵王慕容麟全部接管了刘显残留的部众，缴获的马、牛、羊数以千万计。

吕光派自己的部将彭晃、徐炅率军攻击凉州牧张大豫所据守的临洮，将张大豫打败。张大豫逃往广武，在张大豫属下担任长史的王穆逃奔建康。八月，广武人活捉了张大豫，并将张大豫押送姑臧，张大豫在姑臧被吕光斩首。王穆袭击并占据了酒泉郡，自称大将军、凉州牧。

八月十八日辛巳，东晋孝武帝司马曜立皇子司马德宗为皇太子，实行大赦。

后燕主慕容垂封刘显的弟弟刘可泥为乌桓王，让他安抚刘显残余的部众，强行将八千多部落迁徙到都城中山。

秦国担任冯翊郡太守的兰椟率领二万部众从频阳进入和宁，与鲁王苻纂合谋攻击后秦的都城长安。鲁王苻纂的弟弟苻师奴劝说苻纂登基称帝，苻纂没有听从。苻师奴便杀死了自己的哥哥苻纂，自己取而代之，冯翊太守兰椟因此与苻师奴断绝关系。西燕主慕容永率军攻打秦国冯翊太守兰椟，兰椟向后秦求救。后秦主姚苌想要亲自率军救援兰椟，担任尚书令的姚旻、担任左仆射的尹纬都说："秦主苻登率领秦国大军就屯驻在距离我们很近的瓦亭，恐怕会乘虚从背后袭击我们。"姚苌说："苻登的军事力量很强盛，不是一朝一夕就可以将他制服的；再说苻登反应迟钝，不能迅速做出决断，必定不会孤军深入我们的后方。只需要两个月的时间，我一定能够打

间[164]，吾必破贼而返，登虽至，无能为也。”九月，苌军于泥源[165]。师奴逆战，大败，亡奔鲜卑[166]。后秦尽收其众，屠各董成等皆降。

秦主登进据胡空堡[167]，戎、夏[168]归之者[10]十余万。

冬，十月，翟辽复叛燕，遣兵与王祖、张申寇抄清河、平原[169]。

后秦主苌进击西燕王永于河西[170]，永走。兰椟复列兵拒守，苌攻之。十二月，禽椟，遂如杏城[171]。

后秦姚方成攻秦雍州刺史徐嵩垒，拔之，执嵩而数[172]之。嵩骂曰：“汝姚苌罪当万死。苻黄眉[173]欲斩之，先帝[174]止之；授任内外[175]，荣宠极矣。曾不如犬马识所养之恩，亲为大逆[176]。汝羌辈岂可以人理期[177]也？何不速杀我！早见先帝取姚苌于地下治之[11]。”方成怒，三斩嵩[178]，悉坑其士卒，以妻子赏军。后秦主苌掘秦主坚尸，鞭挞无数，剥衣倮形，荐之以棘[179]，坎土[180]而埋之。

凉州大饥，米斗直钱五百，人相食，死者太半。

吕光西平[181]太守康宁自称匈奴王，杀湟河[182]太守强禧以叛。张掖[183]太守彭晃亦叛，东结康宁，西通王穆[184]。光欲自击晃，诸将皆曰：“今康宁在南，伺衅而动。若晃、穆未诛，康宁复至，进退狼狈，势必大危。”光曰：“实如卿言。然我今不往，是坐待其来也。若三寇连兵，东西交至，则城外[185]皆非吾有，大事去矣。今晃初叛，与宁、穆情契未密[186]，出其仓猝，取之差易[187]耳。”乃自帅骑三万，倍道兼行。既至，攻之二旬，拔其城，诛晃。

败慕容永凯旋，苻登即使率军前来，也不会有什么收获。”九月，后秦主姚苌率军驻扎于泥阳。苻师奴出兵迎战，结果被打得大败，只得放弃和宁逃奔鲜卑。后秦遂全部接收了他的残部，匈奴屠各部落首领董成等全都向后秦投降。

秦主苻登率军从所驻扎的瓦亭挺进到新平界内的胡空堡，当地的各少数民族和汉族前来归附秦主苻登的有十多万人。

冬季，十月，翟辽又背叛了后燕，他派兵给王祖、张申在清河、平原两个郡到处劫掠烧杀。

后秦主姚苌率军攻打占据黄河西岸地区的西燕王慕容永，慕容永退走。秦国冯翊太守兰椟又布兵列阵抗拒后秦军，后秦主姚苌率军攻击兰椟。十二月，将兰椟擒获，遂进抵杏城。

后秦将领姚方成率军攻打秦国雍州刺史徐嵩的营垒，将徐嵩的营垒攻克，活捉了徐嵩，姚方成一条一条地列数徐嵩的罪状。徐嵩破口大骂说：“你的主子姚苌犯下了滔天大罪，应该判他死一万次。当初苻黄眉要把姚苌杀掉，是先帝苻坚阻止了他；先帝还任命他担任了朝廷和地方的重要职务，给他的荣耀和恩宠已经达到极点。而姚苌竟然不如犬马，犬马还知道主人对它有养育之恩，姚苌竟然亲手将先帝杀死于新平的佛寺之中。对你们这些羌人，怎么能指望你做出人应该做的事情？还不赶快把我杀掉！让我早点到九泉之下去见先帝苻坚，看先帝如何处置姚苌。”姚方成大怒，立即把徐嵩砍为三段，把俘虏的徐嵩的将士全部活埋，把他们的妻子、女儿全部赏赐给自己的军人。后秦主姚苌将秦主苻坚的尸体挖出来，鞭打了无数次，还把苻坚身上的衣服剥下来，让他赤裸着身体躺在荆棘上，然后刨个坑把他埋掉。

后凉境内发生严重的灾荒，一斗米就要价五百钱，人们饥饿难忍，为了自己能够活命，于是便发生了互相残杀、以人为食的惨剧，死亡的人口占了总人口的一大半。

在后凉大将军、凉州牧、酒泉公吕光属下担任西平郡太守的康宁自称匈奴王，他杀死了湟河郡太守强禧，背叛了吕光。担任张掖郡太守的彭晃也紧接着叛变，他向东勾结康宁，向西联合已经夺取了酒泉郡的王穆。吕光想要亲自率军去讨伐彭晃，诸将都说：“如今叛变的西平太守康宁就在我们的南方，等待机会动手。如果还没有消灭彭晃、王穆，康宁又率军来攻，我们想进进不得，想退退不得，局势可就危险了。”吕光说：“现在的情况确实像你说的那样。然而如果我不去攻击彭晃，那就等于坐在这里等他找上门来。如果这三股贼寇联合起来，从东西两面夹击，那么姑臧城以外的所有地盘就都不再属于我们，到那时，局势可就无法挽回了。现在彭晃刚刚叛变，与康宁、王穆的交情还不太深，趁其立足未稳，出其不意地攻击他，取胜还比较容易一些。”于是亲自率领三万名骑兵，日夜兼程地行军。赶赴张掖后，猛烈攻打了二十天，终于将张掖攻克，诛杀了彭晃。

初，王穆起兵，遣使招敦煌处士郭瑀，瑀叹曰："今民将左衽[188]，吾忍不救之邪?"乃与同郡索嘏起兵应穆，运粟三万石以饷[189]之。穆以瑀为太府[190]左长史、军师将军，嘏为敦煌太守。既而穆听谗言，引兵攻嘏。瑀谏不听，出城大哭，举手谢城[191]曰："吾不复见汝矣!"还而引被覆面[192]，不与人言，不食而卒。吕光闻之，曰："二虏相攻，此成禽[193]也，不可以惮[194]屡战之劳而失永逸[195]之机也。"遂帅步骑二万攻酒泉，克之，进屯凉兴[196]。穆引兵东还，未至[197]，众溃；穆单骑走，骍马令[198]郭文斩其首送之[199]。

【段旨】

以上为第一段，写太元十二年（公元三八七年）一年间的大事。主要写了后燕主慕容垂的日益强大，他在慕容农、慕容隆、慕容楷等人的辅佐下南破东晋兖州、青州境内的郡县，前曾降晋之秦臣光祚、朱肃等皆折而降燕。写了慕容隆打败叛燕的齐涉、张愿于魏郡、平原郡，慕容楷破翟辽于徐州，翟辽请降于后燕。写了匈奴刘显地广兵强于马邑，但内部矛盾分裂，被慕容楷、慕容麟等大破，刘显败投于号称西燕的慕容永。写了后秦主姚苌与前秦主苻登在陕、甘邻近地区的反复较量，姚苌破杀秦将徐嵩，掘墓鞭挞苻坚的尸体。写了吕光集团打败张大豫的复国势力，平定境内诸郡的叛乱，日益强大于凉州；以及乞伏国仁破邻近的鲜卑部落于六泉、渴浑川，受苻登之封为苑川王等。

【注释】

①正月乙巳：正月初八。②青、兖二州：青州原来的州治临淄，在今山东淄博市临淄区；兖州的州治廪丘，在今山东郓城西北。东晋时期青、兖二州的州治都侨设在今江苏扬州西北。③彭城：今江苏徐州。④淮阴：今江苏淮安市淮阴区。因彭城距东晋首都建康遥远，而北方燕国的势力强大，所以要求把军镇南移淮阴。⑤会稽内史：会稽国的行政长官，主管该王国的行政事务，位同太守。⑥丁未：正月初十。⑦观兵河上：到黄河边向晋王朝炫耀武力。观，显示、炫耀。河上，黄河边上。⑧高阳王隆：慕容隆，慕容垂之子，任燕冠军将军、征西将军等职，封高阳王。事见《晋书》卷一百二十三、一百二十四。⑨温详：晋将名，时任济北太守。济北郡的郡治卢县，在今山东东阿东南。⑩长河：黄河。⑪戊午：正月二十一。⑫兰汗：慕容垂之舅，后来又是慕容垂

当初，王穆起兵的时候，曾经派使者前往敦煌征召隐士郭瑀，郭瑀叹了一口气说：“如今汉族人就要沦于少数民族的统治之下，改穿左边开襟的衣服了，我怎么能忍心不去解救呢？”于是就与同郡人索嘏一起招兵买马，聚众起兵响应王穆，并给王穆送去三万石的粮食。已经占据酒泉，自称大将军、凉州牧的王穆因此任命郭瑀为太府左长史、军师将军，任命索嘏为敦煌太守。过后不久，王穆听信了谗言，又率军攻打索嘏。无论郭瑀怎么劝阻，王穆都不肯听从，郭瑀于是走出酒泉城，放声大哭，他举起手向酒泉郡的城池告别说：“我不会再看见酒泉城了！”他回到敦煌自己的家中，拉开被子蒙住自己的脸，既不与人说话，也不吃饭，最后绝食而死。吕光得知消息后说：“王穆与索嘏之间互相攻击，必定能被我们生擒活捉，我不能因为惧怕屡次征战的辛劳而失去获得一劳永逸的机会。”于是率领二万名步兵、骑兵进攻酒泉，将酒泉攻克，乘胜进军凉兴郡。王穆赶紧率领自己的部众从敦煌郡撤军东还，走到中途，属下的部众已经自行溃散；王穆单人独骑逃走，担任骍马县令的郭文将王穆的首级砍下，送给了后凉吕光。

孙慕容盛的岳父。⑬平幼：平规之兄。平规是慕容垂的部将。⑭碻磝：城名，在今山东茌平西南的古黄河南岸，当时为济北郡的郡治所在地。⑮温攀、温楷：皆晋将名。⑯趣城：逃往东阿城，今山东东阿南的东阿镇。⑰将：带着。⑱太原王楷：即慕容楷。慕容恪之子，慕容垂之侄，时袭其父爵为太原王。⑲交手语：亲密地握手而谈。交手，拉手、握手。也有说“交手语”，即下围棋。手语，也称手谈。⑳秦主丕：苻丕，苻坚之子，苻坚死后苻丕自称秦国皇帝，公元三八五至三八六年在位。传见《晋书》卷一百一十五。㉑自邺奔晋阳：邺城的故址即今河北临漳西南的古邺镇。苻坚死前，苻丕曾在这里镇守；苻坚死后，苻丕曾与慕容垂在这里进行过激烈而持久的争夺，最后无奈，才弃城西逃到晋阳。晋阳在今山西太原西南。苻丕弃邺城逃往晋阳事，见本书卷一百六太元十年。㉒黄门侍郎：官名，帝王身边的侍从官员。㉓钜鹿：郡名，郡治在今河北赵县东南。㉔封劝：前燕时的旧臣封奕之子，前燕被苻坚灭时归降于秦。㉕皆来奔：都逃来归降东晋王朝。㉖再围邺：慕容垂第二次围攻邺城，见本书卷一百五太元九年。㉗营：驻扎。㉘濮阳：郡名，郡治在今河南濮阳西南。㉙羁属温详：表面上、口头上归温详调遣。羁属，松散地归属。羁，羁縻，像管理牛羊一样地用绳子拢着。㉚秦王：以称苻坚。㉛吾事之亦尽：我为他效力也尽心尽职。㉜二公：指长乐公苻丕、平原公苻晖，皆苻坚之子。当时苻丕镇邺城，苻晖镇洛阳。㉝惧死而负之：害怕被诬以反叛杀害，故而背离了苻坚。㉞中宵：半夜。㉟怀：记着，指前时对苻坚议论慕容垂的事情。㊱中常侍：官名，帝王的宫内侍从。光祚是前秦的宦官，故任之为此。㊲翟辽：丁零族的部落

酋长，此时据守黎阳（今河南浚县东南）。㊳陈、颍：二郡名，陈郡的郡治即今河南周口市淮阳区，颍川郡的郡治在今河南许昌东。㊴毛氏：毛兴之女，壮勇善骑射。毛兴是苻坚的将领，任镇西将军、河州刺史。㊵勃海王懿：苻懿，秦主苻丕之子。事见《晋书》卷一百一十五。㊶为太弟：立以为接班人。㊷东海王纂：苻纂，苻坚之侄，封东海王、鲁王。事见《晋书》卷一百一十五。苻纂当时驻兵杏城，今陕西黄陵。㊸并州牧：并州的最高军事行政长官，一个州牧下管若干个郡。并州的州治在今山西太原西南。㊹南安王：苻登，苻坚的族孙，未称帝前为南安王。㊺长史：官名，将军、宰相手下的诸史之长。㊻于是：当时，这时候。㊼卢水胡彭沛谷：卢水一带的少数民族头领姓彭名沛谷。卢水是县名，县治即今甘肃武威北之石平河。㊽屠各董成：匈奴族的一个部落头领名叫董成。屠各是当时匈奴族的一个分支。㊾新平羌雷恶地：新平郡的羌族头领姓雷名恶地。新平郡的郡治即今陕西彬州。㊿秦州：州治上邽，即今甘肃天水市。51安定：郡名，郡治在今甘肃泾川县北。上年姚苌曾让安定的百姓东迁长安，今又让秦州的豪杰东迁安定，因为安定是姚苌起兵的根据地，他现在又想建都长安，两地都很重要，所以他让人们依次向东搬迁。52安次：县名，县治在今河北廊坊西北。53新栅：地址不详，应离魏郡不远。54魏郡：郡治邺城，在今河北临漳西南。55祝阿之瓮口：祝阿郡的某支流入黄河之口。祝阿郡的郡治在今山东济南西南。56猝拔：很快就能攻下。猝，立即。57顿兵：使军队滞留，指长期围攻不下。58西引丁零：向西勾结翟辽所统领的丁零人。59范阳王德：慕容德，慕容垂之弟，被封范阳王。传见《晋书》卷一百二十七。60陈留王绍：慕容绍，慕容楷之弟，慕容垂之侄，被封陈留王。事见《晋书》卷一百二十三。61张崇：原在苻坚手下任兖州刺史，后归顺慕容垂。62斗城：地址不详，应离魏郡不远。63顿息：停下来休息。64奄至：突然到达。65惊遽：惊惧。遽，这里意同“惧”。66左右王末：身边的侍从名叫王末。67悬隔河津：指远离黄河以北的根据地，在黄河以南孤军作战。悬隔，远隔。河津，河水。68势迫：形势危急，指前有强敌，后有黄河，无路可退。69自战：为了自己的生存而殊死战斗。70进退之志：指犹豫动摇，进攻、退守，意见不一。71唯卿所为：一切都按着你的意思办。72保三布口：退到三布口进行防守。保，据守。三布口，地名，在今山东肥城东。73历城：县名，县治在今山东济南西，因有历山而得名。74原：宽赦其罪。75南秦州牧：南秦州的刺史。南秦州的州治在今甘肃成县西。76益州：州治成都，即今四川成都。77梁州：州治南郑，即今陕西汉中。78乞伏国仁：陇西鲜卑族的头领，姓乞伏，名国仁，后来西秦政权的创建者。传见《晋书》卷一百二十五。79苑川：郡名，郡治在今甘肃兰州东。80上谷：郡名，郡治沮阳，在今河北怀来东南。81代郡：郡治即今河北蔚县东北的代王城，北连匈奴、乌桓等族，故为北方要塞。82刘显：匈奴部落的头领，刘库仁之子，当时驻守马邑，即今山西朔州市朔城区。83乐浪王温：慕容温，慕容垂之子，被封为乐浪王。乐浪是郡名，在今朝鲜境内。84四月戊辰：四月初三。85姚硕德：后秦主姚苌之弟。86杨定：居住在仇池（今甘肃陇南市武都区一带）的氐族头领，当时的立场归属于前秦苻氏。⑧⑦泾阳：当时陇东郡的首府，在今甘肃平凉西北。⑧⑧鲁王纂：苻纂，苻坚的侄辈。⑧⑨阴密：县名，县治在今甘肃灵台西南。⑨⓪敷陆：县名，县治在今陕西洛川县东南。⑨①中山：后燕主慕容垂的国都，即今河北定州。⑨②慕容柔：慕容垂之子。⑨③慕容盛：慕容垂之孙，太子慕容宝的庶长子。⑨④慕容会：慕容宝之子，慕容盛之弟。⑨⑤来自长子：慕容柔等原在前秦主苻坚部下被软禁，苻坚兵败，慕容柔等逃出投慕容冲，冲死后随慕容永东迁到长子；上年十一月又从慕容永部下逃出，此时到达中山，历时半载。长子县的县治即今山西长治。⑨⑥庚辰：四月十五。⑨⑦长子人情：慕容永统治下的人心动向如何。⑨⑧西军扰扰：慕容永的部下现在是一片惊惶不安。西军，指慕容永的军队，因长子县在慕容垂的都城中山（今河北定州）之西，故称其军曰“西军”。扰扰，躁动不安的样子。⑨⑨东归：向东回到中山，乃至辽西一带地区，也就是燕国的旧地盘上。⑩⓪以俟之：以等待时机。俟，等待。⑩①大军一临：大国的军队一到。大军，指慕容垂后燕的军队。⑩②癸未：四月十八。⑩③高平：郡名，郡治昌邑，今山东巨野南。⑩④反覆三国之间：指翟辽曾在后燕、西燕、东晋三国之间叛服不定。⑩⑤章武王宙：即慕容宙，慕容垂之侄。⑩⑥太原王子：指慕容楷，因慕容楷之父慕容恪在前燕慕容暐称帝时曾被封为太原王，故云。⑩⑦相帅归之：彼此呼应、相互牵引地前来投归慕容楷。⑩⑧黎阳：县名，县治在今河南浚县东南。⑩⑨井陉：县名，即今河北井陉。⑪⓪北山丁零：北山一带的丁零民族。北山，此处指太行山的六岭关、黑山关一带山地。⑪①兄弟乖争：兄弟不和，互相斗争。此指刘奴真、刘肺埿之叛。事见本书卷一百六。⑪②魏王珪：拓跋珪，后来的魏道武帝，北魏政权的建立者。公元三八六至四〇九年在位。事见《魏书》卷二。⑪③复遣安同：安同是胡人，原仕于慕容暐，后归拓跋珪，屡因出使建功。因上年魏曾派安同乞师于燕以破窟咄，故此言“复遣”。⑪④诏征：朝廷下命令召之入朝。⑪⑤处士戴逵：处士是在家隐居，不入朝为官的人。戴逵字安道，原谯郡铚县（今安徽宿州西）人，后南徙隐居会稽剡县（今浙江嵊州），为当世有名的高士，博学善文，能琴善画，著有《释疑论》，并绘有《孙绰高士像》《胡人弄猿图》等。⑪⑥敦逼：督促、逼迫。⑪⑦吴：郡名，郡治即今江苏苏州。⑪⑧谢玄上疏：此时谢玄为会稽内史，而戴逵隐居在会稽郡内，故父母官为其上疏分解。“疏”是古代的文体名，意“上书”或“上表”。因其需要分条缕述，故称作“疏”。⑪⑨自求其志：只想满足个人悠然自得的心愿。《论语·季氏》：“隐居以求其志。”⑫⓪未回：没有收回。⑫①罹风霜之患：指奔逃在外，饱经风霜。罹，遭受。⑫②爱而器之：喜爱他，想要让他成材。器，用如动词，让他成材、成器，也就是给他官做。⑫③使其身名并存：应该保证让他能够活下去，别把他逼死。⑫④请绝召命：请求朝廷不要再召他进京了。绝，停止。⑫⑤逯：戴逵之弟，曾任沛郡太守，封广信侯。⑫⑥守尚书令：代理尚书令。尚书令是尚书省的最高长官，位同丞相。守，代理。⑫⑦中书监：中书省的最高长官，比中书令略高，秉承皇帝旨意发布各项政令，位同丞相。⑫⑧尚书左仆射：尚书省的副长官。⑫⑨吴深句：吴深，燕国叛将，杀燕清河太守丁国事在太元十一年。清河，郡名，郡治甘陵，在今河北清河县东南。⑬⓪章武：郡名，郡治东平舒，即今河北大城。⑬①勃海：郡名，郡治南皮，在今河北南皮东北。⑬②高城：县名，县治在今河北盐山县东南。⑬③鲜卑大人：鲜卑族的部落头领。⑬④六泉：地名，在今宁夏固原境内。⑬⑤没弈干：鲜卑族的部落首领，当时居住在高平郡，今宁夏固原一带。⑬⑥金熙：东胡部落的首领，当时也住在高平郡。⑬⑦渴浑川：地名，约在今甘肃榆中北。据《晋书》记载，当乞伏国仁袭击密贵、裕苟、提伦三部落时，没弈干、金熙连兵袭击乞伏国仁，双方在渴浑川遭遇。⑬⑧瓦亭：地名，在今甘肃平凉西北。⑬⑨彭沛谷堡：胡人彭沛谷的城堡。彭沛谷是卢水胡人，其城堡在贰县，今陕西黄陵西北。⑭⓪杏城：古城名，在今陕西黄陵西南。⑭①阴密：县名，在今甘肃华亭东南。⑭②赵王麟：即慕容麟，慕容垂之子，被封为赵王。⑭③刘卫辰：匈奴族铁弗部的头领，赫连勃勃之父。先归苻坚，后归拓跋魏，后又归姚苌。当时驻守于悦跋城，又称代来城，在今内蒙古伊金霍洛旗西北。⑭④马邑西山：马邑县城西面的山。马邑县即今山西朔州市朔城区。⑭⑤弥泽：地名，在今山西朔州市朔城区南。⑭⑥奔西燕：往投当时的西燕主慕容永，慕容永的都城即今山西长子。⑭⑦吕光：氐族人，后凉政权的建立者，公元三八七至四〇〇年在位。此时尚属前秦，被封为酒泉公，以姑臧（今甘肃武威）为首府。传见《晋书》卷一百二十二。⑭⑧张大豫：凉州地区军阀张轨的后代，其父张天锡兵败投降了苻坚，淝水之战后张天锡逃归晋，张大豫逃回凉州，联络旧有势力进攻姑臧，被吕光打败，逃奔到临洮，即今甘肃岷县。事见本书卷一百六。⑭⑨广武：郡名，郡治在今甘肃永登东南。⑮⓪王穆：原是苻坚的长水校尉，淝水之战后帮助并随同张大豫一同逃到凉州。姑臧之败后又随张一起逃到临洮。⑮①建康：郡名，郡治在今甘肃高台西南。⑮②袭据酒泉：袭击并占领了酒泉郡。郡治即今甘肃酒泉。⑮③辛巳：八月十八。⑮④皇子德宗：后来的晋安帝，孝武帝司马曜的长子。性愚痴，口不能言。⑮⑤乌桓：当时的少数民族部落名。⑮⑥落：部落。⑮⑦冯翊：郡名，郡治临晋，即今陕西大荔。⑮⑧频阳：县名，县治在今陕西富平东北五十里。⑮⑨和宁：县名，县治在今陕西黄陵东南。⑯⓪西燕主永：慕容永，慕容垂的堂兄弟，公元三八六至三九四年在位，当时占据着今山西长子一带地区。⑯①瓦亭：在今甘肃平凉西北，当时为苻登的大本营所在地。⑯②非旦夕可制：不是一两天可以制服的。⑯③迟重少决：反应迟钝，不能迅速做出决断。⑯④比两月间：等两个月过去之后。比，及、等到。⑯⑤泥源：当作“泥阳”。县名，县治在今甘肃宁县东南。⑯⑥亡奔鲜卑：此时的西燕、后燕、北魏等皆为鲜卑族，师奴亡奔何处，《通鉴》交代不清。⑯⑦胡空堡：堡寨名，在今陕西彬州境内。⑯⑧戎、夏：犹言“蕃、汉”，指当时的少数民族与汉族人。⑯⑨平原：郡名，郡治在今山东平原县西南。⑰⓪河西：此指陕西韩城至华阴一带的黄河西岸地区。⑰①如杏城：进抵杏城。如，到、抵达。⑰②数：一件件地列举其罪状。⑰③苻黄眉：前秦主苻生的部将，曾破杀姚襄，俘虏姚苌。⑰先帝：苻坚。苻坚当时亦为苻生的部将。⑰授任内外：任命他担任朝廷和地方的官职。以上诸事均见本书卷一百升平元年。⑰亲为大逆：淝水之战后姚苌叛变并俘获苻坚，将其在新平佛寺缢死事。见本书卷一百六。⑰岂可以人理期：怎么能指望你做出人应该做的事情？⑰三斩嵩：将徐嵩斩为三截。先斩其足，再斩其腰，最后斩其颈。⑰荐之以棘：让尸体躺在荆棘上。这是古人对死者极大的报复性的侮辱。荐，垫。⑱坎土：挖坑。〖按〗苻坚原葬于徐嵩、胡空二垒之间，今徐嵩之垒被攻陷，故姚苌得以肆其淫威。⑱西平：郡名，郡治即今青海西宁。⑱湟河：郡名，郡治在今青海化隆回族自治县一带。⑱张掖：郡名，郡治在今甘肃张掖西北。⑱西通王穆：此时王穆已夺取酒泉郡。⑱城外：姑臧（今甘肃武威）城外的所有地盘。⑱情契未密：交情还不深。⑱差易：较为容易。⑱民将左衽：指汉人将沦于少数民族的统治之下。左衽，衣服向左边开襟，古人以此称少数民族的服饰。⑱饷：军粮，这里用作动词，供给。〖按〗王穆拥戴张氏，而张氏悬隔西北，至此仍以"忠"于晋室为名，故郭瑀有此发愤之举。⑲太府：意同"大府"，王穆自称自己的军部，时王穆自称"大将军"。⑲谢城：向酒泉郡的城池告别。⑲引被覆面：拉起被子蒙上脸。⑲成禽：现成的俘虏。⑲惮：怕；畏惧。⑲永逸：永久性的安逸。⑲凉兴：郡名，郡治在今甘肃瓜州县南。⑲未至：指尚未回到酒泉郡。⑲骍马令：骍马县的县令。骍马县的县治在今甘肃玉门东北。⑲送之：将王穆之头送给吕光。

【校记】

［1］垂出：原无此二字。据章钰校，十二行本、乙十一行本、孔天胤本皆有此二字，张瑛《通鉴校勘记》同，今据补。［2］不能自存：据章钰校，十二行本、乙十一行本、孔天胤本皆作"自不能存"。［3］兵：据章钰校，十二行本、乙十一行本、孔天胤本皆作"军"。［4］以：原无此字。胡三省注云："'燕'下当有'以'字。"严衍《通鉴补》增补此字，今据补。［5］庚辰：原作"庚子"。据章钰校，十二行本、乙十一行本、孔天胤本皆作"庚辰"，张敦仁《通鉴刊本识误》、张瑛《通鉴校勘记》同，今据改。［6］三：据章钰校，十二行本、孔天胤本作"二"。［7］国仁：原作"国俗"。据章钰校，十二行本、乙十一行本、孔天胤本皆作"国仁"，今据改。［8］遣使：原无此二字。据章钰校，十二行本、乙十一行本、孔天胤本皆有此二字，张敦仁《通鉴刊本识误》同，今据补。［9］制：严衍《通鉴补》改作"至"。［10］者：原无此字。据章钰校，十二行本、乙十一行本、孔天胤本皆有此字，张敦仁《通鉴刊本识误》同，今据补。［11］早见先帝取姚苌于地下治之：原无此十二字。据章钰校，十二行本、乙十一行本、孔天胤本皆有此十二字，张敦仁《通鉴刊本识误》、张瑛《通鉴校勘记》同，今据补。

【原文】

十三年（戊子，公元三八八年）

春，正月，康乐献武公[200]谢玄卒。

二月，秦主登军朝那[201]，后秦主苌军武都[202]。

翟辽遣司马眭琼[203]诣燕谢罪[204]。燕主垂以其数反覆[205]，斩琼以绝之。辽乃自称魏天王，改元建光，置百官。

燕青州刺史陈留王绍为平原太守辟闾浑[206]所逼，退屯黄巾固[207]。燕主垂更以绍为徐州刺史。浑，蔚之子也，因苻氏乱，据齐地来降[208]。

三月乙亥[209]，燕主垂以太子宝录尚书事[210]，授之以政，自总大纲[211]而已。

燕赵王麟击许谦[212]，破之。谦奔西燕。遂废代郡[213]，悉徙其民于龙城[214]。

吕光之定凉州也，杜进功居多。光以为武威太守，贵宠用事，群僚莫及。光甥石聪自关中[215]来，光问之曰："中州人[216]言我为政何如？"聪曰："但闻有杜进耳，不闻有舅。"光由是忌进而杀之。

光与群寮宴，语及政事。参军京兆段业[217]曰："明公[218]用法太峻[219]。"光曰："吴起无恩[220]而楚强，商鞅严刑[221]而秦兴。"业曰："起丧其身，鞅亡其家，皆残酷之致也。明公方开建大业，景行尧、舜[222]，犹惧不济[223]，乃慕起、鞅之为治，岂此州士女[224]所望哉！"光改容谢之。

夏，四月戊午[225]，以朱序为都督司雍梁秦[226]四州诸军事、雍州刺史，戍洛阳。以谯王恬[227]代序为[228]都督兖冀幽并[229]四州[12]诸军事、青兖二州刺史。

苑川王国仁破鲜卑越质叱黎[230]于平襄[231]，获其子诘归。

丁亥[232]，燕主垂立夫人段氏[233]为皇后，以太子宝领大单于。段氏，

【语译】

十三年（戊子，公元三八八年）

春季，正月，东晋康乐献武公谢玄去世。

二月，秦主苻登将军队驻扎在朝那，后秦主姚苌将军队驻扎在武都。

被后燕任命为徐州牧、封为河南公的翟辽背叛了后燕，在清河、平原劫掠一番之后，又派属下担任司马的眭琼前往后燕谢罪。因为翟辽已经多次叛降不定，后燕主慕容垂遂斩杀了眭琼，以断绝与翟辽的往来。翟辽于是自称魏天王，改年号为建光，设置文武百官。

后燕担任青州刺史的陈留王慕容绍受到东晋担任平原太守的辟闾浑的逼迫，退出历城，撤到黄巾固驻扎。后燕主慕容垂改任慕容绍为徐州刺史。辟闾浑是辟闾蔚的儿子，他趁着苻氏内乱，占据了故齐国的地盘来向东晋投降。

三月十五日乙亥，后燕主慕容垂让皇太子慕容宝担任总管尚书省一切大事的录尚书事，将后燕的朝政大权移交给慕容宝执掌，自己只过问一些国家的重大事情而已。

后燕赵王慕容麟率领燕军攻打聚众起兵、驱逐后燕太守贾闰，后来归附刘显的许谦，将许谦击败。许谦逃往西燕。后燕遂毁掉了代郡的郡城，撤销了代郡的建制，把代郡的民众全部迁徙到龙城。

后凉吕光在平定凉州的过程中，杜进的功劳最大。吕光任命杜进为武威太守，其尊贵、受宠信的程度，在吕光所有的僚属中，没有人能与他相比。吕光的外甥石聪从关中前来投奔，吕光就向石聪询问说："中原的人对我执政的印象如何？"石聪回答说："中原人只知道有一个杜进，不知道有舅舅这么一个人。"吕光于是对杜进非常猜忌，便找个借口将杜进杀死。

后凉吕光与自己属下的僚佐一起饮宴，谈话之中忽然谈到了政事。担任参军的京兆郡人段业说："明公用法太严酷。"吕光说："吴起用法严酷、刻薄寡恩，而能使楚国强大，商鞅严刑峻法而使秦国兴旺发达。"段业反驳说："吴起断送了自己的生命，商鞅全家被屠杀，都是因为用法太残酷。明公正在开创大业，即使效法唐尧、虞舜，尚且担心不能治理好国家，反倒羡慕吴起、商鞅的治国方式，这岂是本州有身份、有见识的男男女女所期望的呢！"吕光立即神色庄重地向段业谢罪。

夏季，四月二十九日戊午，东晋任命朱序为都督司、雍、梁、秦四州诸军事，雍州刺史，戍守洛阳。让谯王司马恬接替朱序出任都督兖、冀、幽、并四州诸军事，青、兖二州刺史。

西秦苑川王乞伏国仁在平襄打败了鲜卑族越质部落首领叱黎，活捉了叱黎的儿子诘归。

丁亥日，后燕主慕容垂立段氏夫人为皇后，让皇太子慕容宝兼任大单于。皇后

右光禄大夫仪之女，其妹适范阳王德㉞。仪，宝之舅也。追谥前妃段氏㉟为成昭皇后。

五月，秦太弟懿㊱卒，谥曰献哀。

翟辽徙屯滑台㊲。

六月，苑川王乞伏国仁卒，谥曰宣烈，庙号烈祖。其子公府㊳尚幼，群下推国仁弟乾归为大都督、大将军、大单于、河南王㊴。大赦，改元太初㊵。

魏王珪破库莫奚㊶于弱落水㊷南。秋，七月，库莫奚复袭魏营，珪又破之。库莫奚者，本属宇文部，与契丹㊸同类而异种，其先皆为燕王皝所破，徙居松漠㊹之间。

秦、后秦自春相持，屡战，互有胜负，至是各解归。关西㊺豪桀以后秦久无成功，多去而附秦㊻。

河南王乾归立其妻边氏为王后，置百官，仿汉制。以南川侯出连乞都㊼为丞相，梁州刺史悌眷㊽为御史大夫㊾，金城边芮㊿为左长史，东秦州(251)刺史祕宜为右长史，武始(252)翟勍为左司马，略阳(253)王松寿为主簿，从弟轲弹为梁州(254)牧，弟益州(255)为秦州牧，屈眷(256)为河州(257)牧。

八月，秦主登立子崇为皇太子，弁为南安王，尚为北海王。

燕护军将军平幼会章武王宙(258)讨吴深，破之。深走保绎幕(259)。

魏王珪阴[13]有图燕之志。遣九原公仪(260)奉使至中山，燕主垂诘之曰：“魏王何以不自来？”仪曰：“先王(261)与燕并事晋室，世为兄弟；臣今奉使，于理未失。”垂曰：“吾今威加四海，岂得以昔日为比？”仪曰：“燕若不修德礼，欲以兵威自强，此乃将帅之事(262)，非使臣所知也。”仪还，言于珪曰：“燕主衰老(263)，太子暗弱，范阳王(264)自负材气(265)，非少主臣也。燕主既没，内难必作，于时乃可图也，今则未可。”珪善之。仪，珪从父[14]翰之子也。

九月，河南王乾归迁都金城。

段氏，是担任右光禄大夫的段仪的女儿，段皇后的妹妹嫁给了范阳王慕容德。段仪，是皇太子慕容宝的舅舅。追尊前妃段氏为成昭皇后。

五月，秦国被秦王苻登立为皇太弟的苻懿去世，谥号为献哀。

丁零部落首领、自称魏天王的翟辽从黎阳迁往滑台。

六月，西秦苑川王乞伏国仁去世，谥号为宣烈，庙号烈祖。乞伏国仁的儿子乞伏公府尚在幼年，乞伏国仁的僚属遂推戴乞伏国仁的弟弟乞伏乾归为大都督、大将军、大单于、河南王。在自己的辖境之内实行大赦，改年号为太初。

北魏王拓跋珪在弱落水以南打败了库莫奚。秋季，七月，库莫奚又率领自己的部众袭击北魏的营寨，北魏王拓跋珪再次将库莫奚打败。库莫奚原本属于宇文部落，与契丹属于同一个民族，却不属于同一个支派，他们的祖先都曾经被燕王慕容皝击败，因而迁徙到松漠一带。

秦国与后秦从春季以来一直处于相持状态，虽然屡次交战，但各有胜负，现在各自罢兵而回。函谷关以西的英雄豪杰看到后秦的军队久战无功，于是就有很多人离开后秦而归附于秦国。

西秦被僚属推戴为大都督、大将军、大单于、河南王的乞伏乾归立自己的妻子边氏为王后，设置文武百官，仿照汉人的政治制度。他任命南川侯出连乞都为丞相，任命担任梁州刺史的悌眷为御史大夫，任命金城郡人边芮为左长史，任命担任东秦州刺史的祕宜为右长史，任命武始郡人翟勍为左司马，任命略阳郡人王松寿为主簿，任命自己的堂弟乞伏轲弹为梁州牧，任命自己的弟弟乞伏益州为秦州牧，乞伏屈眷为河州牧。

八月，秦主苻登封自己的儿子苻崇为皇太子，苻弁为南安王，苻尚为北海王。

后燕担任护军将军的平幼会合章武王慕容宙率军讨伐叛变的宦官吴深，将吴深击败。吴深逃往绎幕据守。

北魏王拓跋珪暗中有吞并后燕的野心。他派遣九原公拓跋仪为使者到后燕的都城中山窥察虚实，后燕主慕容垂盘问他说：“魏王为何不亲自前来燕国访问?”拓跋仪回答说：“我们的先王拓跋什翼犍与燕国的祖先全都尊奉晋朝，我们世代都情如兄弟；我今天作为使者来到燕国，从道理上来说并没有错。”后燕主慕容垂说：“我现在已经是威加四海，岂能拿过去作比较?”拓跋仪说：“燕国如果不施恩德、不讲礼仪，只想凭借武力使自己强盛，就应该让将帅到战场上去见个胜负高低，而不是我这个使臣所能知道的。”拓跋仪从后燕返回魏国，对魏王拓跋珪说：“后燕主慕容垂年纪已老，精力衰竭，皇太子慕容宝生性愚昧，能力不强，范阳王慕容德认为自己很有才能，瞧不起太子慕容宝，不会是年轻君主的忠臣。后燕主慕容垂一旦去世，燕国必定会发生内乱，到那时就可以出兵灭掉他，现在时机还不成熟，不能轻举妄动。”北魏王拓跋珪认为拓跋仪分析得很对。拓跋仪是北魏王拓跋珪的叔父拓跋翰的儿子。

九月，西秦河南王乞伏乾归将都城从苑川迁往金城。

张申㉖攻广平㉗，王祖㉘攻乐陵㉙。壬午㉚，燕高阳王隆将兵讨之。

冬，十月，后秦主苌还安定㉛。秦主登就食新平㉜，帅众万余围苌营，四面大哭㉝。苌命营中哭以应之，登乃退。

十二月庚子㉞，尚书令南康襄公谢石㉟卒。

燕太原王楷、赵王麟将兵会高阳王隆于合口㊱，以击张申。王祖帅诸垒㊲共救之，夜犯燕军，燕人逆击走之。隆欲追之，楷、麟曰："王祖老贼，或恐诈走[15]而设伏，不如俟明㊳。"隆曰："此白地㊴群盗，乌合㊵而来，儌幸一决㊶，非素有约束，能壹其进退㊷也。今失利而去，众莫为用㊸，乘势追之，不过数里，可尽擒也。申之所恃，唯在于祖，祖破，则申降矣。"乃留楷、麟守申垒㊹，隆与平幼分道击之。比明㊺，大获而还，悬所获之首以示申。甲寅㊻，申出降，祖亦归罪㊼。

秦以颍川王同成㊽为太尉。

【段旨】

以上为第二段，写太元十三年（公元三八八年）一年间的大事。主要写了后秦主姚苌与前秦主苻登的两军对峙，以及后燕名将慕容隆大破变民首领许谦、张申、王祖事，同时也写了凉州的吕光政权、金城的乞伏乾归政权以及北方的拓跋魏政权日益强大的一些情况。

【注释】

⑳康乐献武公：康乐公是谢玄的封号，献武是谢玄的谥号。㉑朝那：县名，县治在今宁夏固原东南。㉒武都：郡名，郡治在今甘肃成县西北。㉓司马眭琼：翟辽的司马官姓眭名琼。司马是将军的高级僚属，在军中主管司法。㉔诣燕谢罪：诣，到达。翟辽此前背叛了慕容垂，今又派人来向慕容垂请罪，希望重归于燕。翟辽此时驻军黎阳，即河南浚县。㉕数反覆：屡次叛降不定。数，屡次。㉖辟闾浑：姓辟闾，名浑，原齐地少数民族军阀段龛的部将辟闾蔚的儿子。辟闾蔚因追随段龛称藩东晋、反对前燕主慕容𬀩称帝，被破杀。段龛败后归附了前燕，辟闾浑任前燕的平原太守，前燕被灭后降于前秦。

后燕聚众起义的张申率领部众攻击广平郡，另一聚众起义的王祖率众攻击乐郡陵。九月二十五日壬午，后燕高阳王慕容隆率军讨伐这两支起义军。

冬季，十月，后秦主姚苌从武都返回安定。秦主苻登率领大军前往新平谋取军粮，他率领一万多人包围了姚苌的大营，命令四面八方的将士放声大哭。姚苌命令营中的将士也大声哭喊作为回应，秦主苻登于是率军而退。

十二月十五日庚子，东晋担任尚书令的南康襄公谢石去世。

后燕太原王慕容楷、赵王慕容麟率领军队与高阳王慕容隆在合口会师，准备攻打聚众起兵的张申。王祖率领各部一起救援张申，他们利用夜间向后燕的军营发起攻击，后燕军从容应战，将王祖等击退。高阳王慕容隆想要率军追击，太原王慕容楷、赵王慕容麟都说："王祖是一个老奸巨猾的人，或许是诈作撤退，在外面设有埋伏，不如等到天亮。"慕容隆说："他们不过是一群贫瘠土地上的强盗，就像一群乌鸦为了争食呼啸而来，想通过一场硬拼侥幸获得成功，并不像训练有素、有组织有纪律的军队那样能够统一进退。如今是打了败仗之后离去，众人已经不肯再为王祖卖力，趁着这一机会追击，不过追几里路，就能将他们全部擒获。张申所倚仗的只有王祖，王祖一败，张申就会投降。"于是留下慕容楷、慕容麟继续围困张申的营垒，慕容隆与平幼率军分头追赶。等到天亮，大胜而回，他把斩获的首级高高挂起来让张申看。十二月二十九日甲寅，张申出城向燕军投降，王祖随后也向燕军投降。

秦国任命颍川王苻同成为太尉。

事见《晋书》卷一百一十。㉗黄巾固：地名，汉末黄巾曾修筑堡垒于此，具体方位不详，应距今山东青州不远。㉘据齐地来降：占领平原郡一带来归附东晋。㉙三月乙亥：三月十五。㉚录尚书事：总管尚书省的一切大事，职同宰相。录，总理、总管。㉛自总大纲：慕容垂本人只过问重大事情。总，管理、过问。㉜许谦：代郡的变民首领，上年曾率众驱逐了后燕的太守贾闰，以代郡投降了刘显。代郡的郡治即今河北蔚县东北的代王城。㉝遂废代郡：遂毁掉了代郡的郡城，撤销了代郡的建制，主语是慕容麟。㉞龙城：又名"和龙""黄龙城""龙都"，即今辽宁朝阳。公元三四一年，前燕慕容皝在此筑城，营建宗庙、宫阙，次年自棘城迁都于此。后慕容儁迁都蓟城（今北京），龙城仍设有留台。㉟关中：今陕西中部的渭水流域地区，旧说这一带东有函谷关，南有武关，西有散关，北有萧关，处四关之中。㊱中州人：中原地区的人。"中州"的原意为"中土""中原"，以河南为中心。但此处即指关中。㊲京兆段业：京兆人段业。京兆是郡名，郡治即今陕西西安。段业此时为吕光属下，后来被沮渠蒙逊拥立为北凉政权的首领。㊳明公：古代对刺史、太守等官员的尊称，此处用以敬称吕光。㊴太峻：太严酷。㊵吴起无恩：

吴起是战国初期的军事家，曾为楚悼王主持变法，执法不避权贵，使楚国强大一时，但被国内贵族所嫉恨。悼王死后，吴起被贵族政变杀害。事见《史记·孙子吴起列传》，司马迁在《史记》中说吴起“刻暴少恩”。㉑商鞅严刑：商鞅是战国中期的政治家，曾协助秦孝公实行变法，奠定了秦国日后统一六国的基础。秦孝公死后，商鞅被旧贵族车裂，并被灭掉满门。事见《史记·商君列传》。司马迁在《史记》中曾说鞅“刻薄”“少恩”。㉒景行、尧舜：犹言仰慕尧、舜，以尧、舜的治国行事为榜样。景行，语出《诗经·车辖》：“高山仰止，景行行止。”意谓人家的好品德使我们仰慕，人家的好行为供我们效仿。这里用作动词。㉓不济：不成，不能治好国家。㉔士女：这里指有身份、有见识的男男女女。㉕四月戊午：四月二十九。㉖司雍梁秦：四州名，司州的州治即今河南洛阳，雍州的州治在今陕西西安西北，梁州的州治南郑，即今陕西汉中，秦州的州治上邽，即今甘肃天水。〖按〗以上地区多数并不属于东晋管辖，这里所说不过是“遥领”而已。㉗谯王恬：司马恬，东晋孝武帝的叔叔。传见《晋书》卷三十七。㉘代序为：代替朱序出任。㉙兖冀幽并：四州名，兖州的州治原在廪丘（今山东郓城西北），冀州的州治原在今河北衡水市冀州区，幽州的州治即今北京市，并州的州治晋阳，在今太原西南。以上地区也多数不在晋王朝的管辖下，此处只是虚名，只在扬州设立了一些居民点与政府的办事机构，称作“侨居”。㉚越质叱黎：鲜卑族越质部落的头领，名叫叱黎。事见《晋书》卷一百二十五。㉛平襄：县名，县治在今甘肃通渭西北。㉜丁亥：此语有误，四月没有“丁亥”日。㉝段氏：段元妃，慕容垂的第二个段妃，后为慕容宝逼杀。传见《晋书》卷九十六。㉞适范阳王德：嫁与范阳王慕容德为妻。适，出嫁、嫁与。慕容德是慕容垂之弟。㉟前妃段氏：慕容垂的前妃段氏被前燕王慕容儁诬陷杀害。事见本书卷一百升平二年。㊱秦太弟懿：苻懿，苻丕之子，被苻登立为接班人，称为“太弟”。㊲滑台：古城名，即今河南滑县东的滑县旧城，北临古黄河，东晋、南北朝时为军事要地。翟辽在徙屯滑台前，屯驻在黎阳，即今河南浚县。胡三省曰：“辽自黎阳徙屯滑台，既与燕绝，欲阻河为固也。”㊳公府：乞伏国仁之子的名字。㊴河南王：此“河南”指今甘肃、青海的黄河以南的兰州、陇西、临洮、腊子口一带地区。㊵改元太初：在此之前是乞伏国仁的年号“建义”。㊶库莫奚：少数民族部落名，当时活动在今内蒙古的赤峰市以北地区，原属宇文部落。㊷弱落水：也称饶乐水，即今辽宁的西拉木伦河。或谓今内蒙古赤峰市的英金河。㊸契丹：古代少数民族名，东晋时居住在今辽宁、吉林、内蒙古三省的邻近地区，在库莫奚的东侧。㊹松漠：地区名，指今内蒙古东部西拉木伦河流域及其支流老哈河中、下游一带。㊺关西：泛指函谷关或潼关以西的今陕西中部一带地区。㊻去而附秦：离开姚苌，去投靠苻登。㊼出连乞都：人名，“出连”是以部落的名称为姓氏。此人被乞伏乾归封为南川侯。㉔⑧悌眷：人名。㉔⑨御史大夫：官名，主管监察，位同副丞相。㉕⓪金城边芮：金城郡人姓边名芮。金城郡的郡治在今甘肃兰州西北侧。㉕①东秦州：乞伏氏所置的州名，州治在今甘肃陇西县东。㉕②武始：郡名，郡治即今甘肃临洮。㉕③略阳：郡名，郡治在今甘肃天水市东北。㉕④梁州：西秦的梁州州治在今陕西汉中。㉕⑤益州：乞伏乾归之弟的名字。㉕⑥屈眷：也是乞伏乾归之弟的名字。㉕⑦河州：州治在今甘肃临夏东北。㉕⑧章武王宙：即慕容宙，慕容垂之侄。㉕⑨绎幕：县名，县治在今山东平原县西北。㉖⓪九原公仪：拓跋仪，魏王拓跋珪的堂兄弟，被封为九原公。九原是古郡名，郡治在今内蒙古包头西。㉖①先王：指拓跋什翼犍，代国国君。公元三三八至三七六年在位。㉖②将帅之事：指到战场上见高低。㉖③燕主衰老：时慕容垂六十二岁。㉖④范阳王：慕容德，慕容垂之弟。㉖⑤自负材气：自矜有才干，瞧不起太子慕容宝。㉖⑥张申：后燕变民的首领。㉖⑦广平：郡名，郡治在今河北钜鹿南。㉖⑧王祖：后燕另一支变民的首领。㉖⑨乐陵：郡名，郡治在今山东乐陵东南。㉗⓪壬午：九月二十五。㉗①还安定：姚苌从武都（今甘肃成县西）返回安定。安定郡的郡治在今甘肃泾川县北。㉗②就食新平：军队到新平郡去就地找军粮。新平郡的郡治即今陕西彬州。㉗③四面大哭：企图以此瓦解姚苌军的斗志。㉗④十二月庚子：十二月十五。㉗⑤南康襄公谢石：谢石是谢安的三弟，淝水之战的统帅，被封为南康公，襄字是谥。传见《晋书》卷七十九。㉗⑥合口：地名，在今河北沧州东南的沧州旧城。㉗⑦诸垒：犹言“诸部”，因他们是一哄而起，并无严密的组织系统。㉗⑧俟明：等到天亮。㉗⑨白地：广平而贫瘠的土地，与称饥荒的“赤地”略同。㉘⓪乌合：像乌鸦一样啸聚而来，指匆忙而无组织。㉘①徼幸一决：赌运气地来一次硬拼。㉘②壹其进退：有统一指挥的前进与后撤。㉘③众莫为用：部众就不再听其头领的指挥。㉘④守申垒：继续围困张申的营地。守，监视、围困。㉘⑤比明：到天亮时。比，及、等到。㉘⑥甲寅：十二月二十九。㉘⑦归罪：认罪而自动来投。㉘⑧颍川王同成：苻同成，苻登之兄。

【校记】

［12］四州：原无此二字。据章钰校，十二行本、乙十一行本、孔天胤本皆有此二字，今据补。［13］阴：据章钰校，十二行本、乙十一行本、孔天胤本皆作“密”。［14］从父：原误作“母弟”。严衍《通鉴补》改作“从父”，当是，今据改。〖按〗《魏书·昭成子孙列传》载拓跋翰乃北魏昭成皇帝第三子，与珪父寔为亲兄弟。［15］诈走：原作“恐诈”。据章钰校，十二行本、乙十一行本、孔天胤本皆作“诈走”，张瑛《通鉴校勘记》同，今据改。

【原文】

十四年（己丑，公元三八九年）

春，正月，燕以阳平王柔[289]镇襄国[290]。

辽西王农[291]在龙城五年[292]，庶务修举[293]。乃上表曰："臣顷[294]因征即镇[295]，所统将士安逸积年，青、徐、荆、雍遗寇尚繁，愿时代还[296]，展竭微效[297]，生无余力，没无遗恨，臣之志也。"庚申[298]，燕主垂召农为侍中、司隶校尉。以高阳王隆为都督幽平二州[299]诸军事、征北大将军、幽州牧，建留台[300]于龙城，以隆录留台尚书事[301]。又以护军将军平幼为征北长史[302]，散骑常侍封孚[303]为司马[304]，并兼留台尚书[305]。隆因农旧规[306]，修而广之，辽、碣[307][16]遂安。

后秦主苌以秦战屡胜，谓[308]得秦王坚之神助，亦于军中立坚像而祷之曰："臣兄襄敕臣复仇[309]。新平之祸[310]，臣行襄之命，非臣罪也。苻登，陛下疏属[311]，犹欲复仇，况臣敢忘其兄乎！且陛下命臣以龙骧建业[312]，臣敢违之！今为陛下立像，陛下勿追计臣过也。"秦主登升楼[313]，遥谓苌曰："为臣弑君，而立像求福，庸有益乎[314]？"因大呼曰："弑君贼姚苌何不自出？吾与汝决之！"苌不应。久之，以战未有利，军中每夜数惊，乃斩像首以送秦。

秦主登以河南王乾归为大将军、大单于、金城王。

甲寅[315]，魏王珪袭高车[316]，破之。

二月，吕光自称三河王[317]，大赦，改元麟嘉[318]，置百官。光妻石氏、子绍、弟德世自仇池来至姑臧[319]。光立石氏为妃，绍为世子。

癸巳[320]，魏王珪击吐突邻[321]部于女水[322]，大破之，尽徙其部落而还。

【语译】

十四年（己丑，公元三八九年）

春季，正月，后燕任命阳平王慕容柔镇守襄国。

后燕辽西王慕容农镇守龙城五年，各种政务都处理得很好。他上表给后燕主慕容垂说："我此前因为讨伐余岩、攻击高句丽、收复辽东，随后便奉命留在这里镇守，我所统领的将士安享清闲已经有几年了，青州、徐州、荆州、雍州残存的贼寇还很多，我希望早日派人前来代替我镇守龙城，让我能够回去参加作战，使我得以竭尽绵薄之力报效国家，活着的时候不遗余力，死后没有任何遗憾，这就是我的志向。"正月初五日庚申，后燕主慕容垂将辽西王慕容农召回都城中山，任命慕容农为侍中、司隶校尉。任命高阳王慕容隆为都督幽、平二州诸军事、征北大将军、幽州牧，在龙城设立留守朝廷，任命慕容隆为总管龙城留守朝廷一切政务的录留台尚书事。又任命护军将军平幼为征北将军慕容农属下的长史，任命担任散骑常侍的封孚为司马，平幼与封孚全都兼任留台尚书。慕容隆遵循慕容农旧日的规章，并加以修订、扩充，辽水、碣石一带遂全部安定下来。

因为秦国军队屡战屡胜，后秦主姚苌认为是秦军暗中得到了秦王苻坚的神灵相助，于是，也在自己的军中立了秦王苻坚的神像，并向苻坚的神像祷告说："我的哥哥姚襄临终前嘱咐我，让我替他报仇。我在新平勒死陛下，也是奉了我哥哥姚襄的命令，所以不是我的罪过。现在的秦王苻登，是陛下疏远的亲属，还想要为陛下报仇，何况是我，怎么敢忘记自己的亲哥哥呢！而且，陛下也曾经命我以龙骧将军的身份建立大业，我岂敢违背陛下的命令！现在我在军中为陛下竖立神像，请求陛下不要再追究我的过失。"秦主苻登登上楼车，从远处对后秦主姚苌说："你作为臣子，竟然弑杀了自己的君主，现在又在自己的军中竖立被你弑杀的君主的神像，以求得君主的福佑，你认为这样做对自己会有好处吗？"苻登趁机大声呼喊说："弑杀君主的贼子姚苌，为何不亲自出战？我要与你决一死战！"姚苌没有回答。过了很久，姚苌与秦军作战，仍然不能取胜，而军中却每夜都要发生数次惊扰，姚苌便把秦王苻坚神像的脑袋砍下来送给了秦军。

秦主苻登任命西秦河南王乞伏乾归为大将军、大单于、金城王。

甲寅日，北魏王拓跋珪率军袭击高车国，将高车击败。

二月，吕光又自称三河王，并在辖境之内实行大赦，改年号为"麟嘉"，开始设置文武百官。吕光的妻子石氏、儿子吕绍、弟弟吕德世全都从仇池来到都城姑臧。吕光立石氏为王妃，立吕绍为世子。

二月初九日癸巳，北魏王拓跋珪率领魏军前往女水袭击吐突邻部落，大败吐突邻部，将吐突邻部落全部迁徙，然后率军返回。

秦主登留辎重㉓于大界㉔，自将轻骑万余攻安定羌密造堡㉕[17]，克之。

夏，四月，翟辽寇荥阳㉖，执太守张卓。

燕以长乐公盛㉗镇蓟城㉘，修缮旧宫㉙。

五月，清河㉚民孔金斩吴深㉛，送首中山。

金城王乾归击侯年部㉜，大破之。于是秦、凉鲜卑、羌、胡㉝多附乾归。乾归悉授以官爵。

后秦主苌与秦主登战，数败，乃遣中军将军姚崇㉞袭大界。登邀击之于安丘㉟，又败之。

燕范阳王德、赵王麟击贺讷㊱，追奔至勿根山㊲，讷穷迫请降。徙之上谷㊳，质㊴其弟染干于中山。

秋，七月，以骠骑长史王忱㊵为荆州刺史、都督荆益宁三州诸军。忱，国宝㊶之弟也。

秦主登攻后秦右将军吴忠等于平凉㊷，克之。八月，登据苟头原㊸以逼安定。诸将劝后秦主苌决战，苌曰："与穷寇竞胜，兵家之忌也㊹，吾将以计取之。"乃留尚书令姚旻守安定。夜，帅骑三万袭秦辎重于大界，克之，杀毛后㊺及南安王弁、北海王尚[18]，擒名将数十人，驱掠男女五万余口而还。毛氏美而勇，善骑射。后秦兵入其营，毛氏犹弯弓跨马，帅壮士数百力[19]战，杀七百余人[20]。众寡不敌，为后秦所执㊻。苌将纳之㊼，毛氏骂且哭曰："姚苌，汝先已杀天子㊽，今又欲辱皇后。皇天后土，宁汝容乎㊾？"苌杀之。诸将欲因秦军骇乱击之，苌曰："登众虽乱，怒气犹盛，未可轻也。"遂止。

登收余众屯胡空堡。苌使姚硕德镇安定，徙安定千余家于阴密㊿，遣其弟征南将军靖镇之。

秦主苻登将全部辎重都留在大界，他亲自率领一万多名轻骑兵攻击安定郡内羌人所据守的密造堡，将密造堡攻占。

夏季，四月，丁零部落首领、自称魏天王的翟辽进犯东晋所属的荥阳，活捉了东晋荥阳太守张卓。

后燕令长乐公慕容盛镇守蓟城，修缮旧有的宫殿。

五月，清河郡人孔金杀死了后燕叛变的宦官吴深，砍下他的首级，送往后燕的都城中山。

被秦国任命为大将军、大单于、金城王的西秦乞伏乾归率领自己的部众袭击侯年部落，将侯年部落打得大败。于是秦州、凉州一带的鲜卑人、羌人、匈奴人大多归附了乞伏乾归。乞伏乾归对他们全部授予官职和爵位。

后秦主姚苌率领后秦军与秦主苻登所率领的秦军交战，后秦军多次被秦军打败，于是便派遣担任中军将军的姚崇率军袭击秦军存放辎重的大界。秦主苻登率军在安丘进行截击，又将姚崇所率领的后秦军击败。

后燕范阳王慕容德、赵王慕容麟率领后燕军袭击贺兰部落首领贺讷，一直追击到勿根山，贺讷在走投无路的情况下，只得向后燕请求投降。后燕将贺兰部落迁徙到上谷郡，将贺讷的弟弟贺染干当作人质送往后燕的都城中山。

秋季，七月，东晋任命在骠骑将军属下担任长史的王忱为荆州刺史，都督荆、益、宁三州诸军事。王忱是王国宝的弟弟。

秦主苻登率领秦军攻击后秦右将军吴忠所守卫的平凉郡，将平凉攻克。八月，秦主苻登占据了苟头原，进一步逼近后秦主姚苌所在的安定。后秦诸将劝说后秦主姚苌与秦军进行决战，姚苌说："与走入穷途末路的贼寇在战场上争夺胜负，是兵家的大忌，我要用计谋来战胜他。"于是留下担任尚书令的姚旻率军守卫安定。夜间，姚苌亲自率领三万骑兵袭击秦军存放辎重的大界，取得了大胜，杀死了秦主苻登的毛皇后以及南安王苻弁、北海王苻尚，俘虏了秦国有名的将领几十名，以及部众男女总计五万多口，凯旋。秦主苻登的皇后毛氏不仅人长得很美，而且勇敢善战，精于骑马射箭。当后秦的军队攻入她的大营时，毛皇后还持弓上马，率领着几百名勇士死命拼杀，杀死了后秦七百多人。最终因为人数太少，寡不敌众，才被后秦军俘虏。后秦主姚苌想要收毛氏为妾，毛氏一边怒骂一边哭泣，她说："姚苌，你先前已经弑杀了天子苻坚，现在又要侮辱皇后，皇天后土能够饶得了你吗?"姚苌遂杀死了毛皇后。后秦诸将都主张趁着秦军惊慌不定之时出兵攻打，姚苌说："秦主苻登的军队虽然遭此大败已经陷于混乱，然而他们因为皇后、皇子被杀，正在怒气冲天，所以我们还是不能轻敌。"于是，没有对秦军发动攻击。

秦主苻登聚集起残余的部众屯驻在胡空堡。后秦主姚苌让自己的弟弟姚硕德镇守安定，将安定的一千多户居民强迫迁徙到阴密，然后派自己的弟弟、担任征南将军的姚靖镇守阴密。

九月庚午[351]，以左仆射陆纳[352]为尚书令。

秦主登之东[353]也，后秦主苌使姚硕德置秦州守宰[354]，以从弟常戍陇城[355]，邢奴戍冀城[356]，姚详戍略阳[357]。杨定攻陇、冀，克之，斩常，执邢奴。详弃略阳，奔阴密。定自称秦州牧、陇西王，秦因其所称而授之。

冬，十月，秦主登以窦冲为大司马、都督陇东[358]诸军事、雍州牧，杨定为左丞相、都督中外诸军事、秦梁二州牧，杨璧为都督陇右诸军事、南秦益二州牧[359][21]，约[22]共攻后秦；又约监河西诸军事[360]并州[361]刺史杨政、都督河东[362]诸军事冀州[363]刺史杨楷，各帅其众会长安[364]。政、楷皆河东人。秦主丕既败，政、楷收集流民数万户，政据河西，楷据湖、陕[365]之间。遣使请命[366]于秦，登因而授之[367]。

燕乐浪悼王温[368]为冀州刺史。翟辽遣丁零故堤[369]诈降于温，为温帐下[23]。乙酉[370]，刺温，杀之，并其长史、司马[371]，驱帅守兵二百户奔西燕[372]。燕[24]辽西王农邀击刺温者[25]于襄国[373]，尽获之，惟堤走免。

十一月，枹罕羌彭奚念[374]附于乞伏乾归，以奚念为北河州[375]刺史。

初，帝既亲政事[376]，威权己出，有人主之量[377]。已而溺于酒色，委事于琅邪王道子[378]。道子亦嗜酒，日夕[379]与帝以酣歌为事。又崇尚浮屠[380]，穷奢极费，所亲昵者皆姏姆[381]、僧尼。左右近习[382]，争弄权柄，交通请托[383]，贿赂公行，官赏[384]滥杂，刑狱谬乱。尚书令陆纳望宫阙叹曰："好家居[385]，纤儿[386]欲撞坏[387]之邪！"左卫领营将军[388]会稽许荣[26]上疏曰："今台府局吏[389]、直卫武官[390]及仆隶婢儿取母之姓者[391]，

九月十九日庚午，东晋任命担任左仆射的陆纳为尚书令。

秦主苻登向东退守胡空堡时，后秦主姚苌让镇守安定的姚硕德负责选派秦州各郡县的郡守和县令，姚硕德于是任命自己的堂弟姚常戍守陇城，任命邢奴戍守冀城，任命姚详戍守略阳。秦国担任益州牧的杨定率领秦军攻击陇城、冀城，将陇城、冀城全部攻克，将后秦戍守陇城的姚常杀死，俘虏了后秦冀城守将邢奴。后秦戍守略阳的姚详放弃了略阳，逃往阴密。秦国益州牧杨定于是自称秦州牧、陇西王，秦国便根据杨定自称的官爵任命他为秦州牧，封他为陇西王。

冬季，十月，秦主苻登任命担任南秦州牧的窦冲为大司马、都督陇山以东地区诸军事、雍州牧，任命秦州牧、陇西王杨定为左丞相，都督中外诸军事，秦、梁二州牧，任命担任司空、梁州牧的杨壁为都督陇右诸军事，南秦、益二州牧，约定同时出兵攻打后秦军；同时邀请担任监河西诸军事、并州刺史的杨政，担任都督河东诸军事、冀州刺史的杨楷各自率领属下部众前往长安会师。杨政、杨楷都是河东人。秦主苻丕败亡之后，杨政、杨楷聚集了数万户流亡的难民，杨政占据了河西地区，杨楷占据了湖县、陕县一带地区。他们分别派遣使者向秦主苻登请求任命，秦主苻登遂任命杨政为监河西诸军事、并州刺史，任命杨楷为都督河东诸军事、冀州刺史。

后燕乐浪悼王慕容温担任冀州刺史。丁零部落首领、自称魏天王的翟辽派遣丁零人故堤到冀州向乐浪王慕容温诈降，跻身于慕容温帐下。十月初四日乙酉，故堤刺杀了担任冀州刺史的乐浪王慕容温，以及慕容温属下的长史、司马，然后驱赶着担任守卫的二百户士卒投奔了占据长子城西燕慕容永。后燕辽西王慕容农率军在襄国截击刺杀乐浪王慕容温的故堤等，将他们全部俘获，只有元凶故堤逃脱。

十一月，枹罕境内的羌人首领彭奚念归附了被秦主苻登任命为大将军、大单于、金城王的乞伏乾归，乞伏乾归任命彭奚念为北河州刺史。

当初，东晋孝武帝司马曜开始亲自处理国政的时候，一切军国大事都由自己做主，很有君主的气度。后来，因为沉迷于美酒和女色，便将一切政务全部委托给自己的同胞兄弟琅邪王司马道子。司马道子也嗜酒如命，每天从早到晚都与孝武帝在一起，把狂饮高歌当作唯一必做的事情。孝武帝司马曜又崇尚佛教，穷奢极侈，他所亲近的人都是一些以巫术为业的女师、和尚、尼姑一类的人。于是，在孝武帝身边受到宠幸的那些侍从人员，便趁机争权夺利、互相勾结，他们托关系、走后门、公开进行贿赂，随意任用官吏、随意进行奖赏，完全没有了章法；司法黑暗，监狱里关满了含冤负屈的囚犯。担任尚书令的陆纳望着皇宫叹息地说："好端端的一份家业，就要毁坏在一个败家子的手里了！"担任左卫领营将军的会稽人许荣上疏给孝武帝司马曜说："如今朝廷各台、各府、各局的官员、在宫廷担任禁卫任务的各武职官员以及采用母姓的那些奴仆、婢女，他们没有经过本乡、本郡县中正官的考评与推

本无乡邑品第㊳㊈㊁，皆得为郡守县令，或带职在内[393]；及僧尼乳母[394]，竞进亲党[395]，又受货赂，辄临官领众[396]。政教不均，暴滥无罪[397]，禁令不明，劫盗公行。昔年下书[398]敕群下尽规[399]，而众议兼集，无所采用。臣闻佛者清远玄虚[400]之神，今僧尼往往依傍法服[401]，五诫粗法[402]尚不能遵，况精妙[403]乎？而流惑之徒[404]，竞加敬事。又侵渔百姓，取财为惠[405]，亦未合布施[406]之道也。”疏奏，不省[407]。

道子势倾内外，远近奔凑[408]。帝渐不平，然犹外加优崇[409]。侍中王国宝以谗佞有宠于道子，扇动朝众，讽八座[410]启[411]道子宜进位丞相、扬州牧[412]，假黄钺[413]，加殊礼[414]。护军将军南平车胤[415]曰：“此乃成王所以尊周公[416]也。今主上当阳[417]，非成王之比[418]；相王[419]在位，岂得为周公乎？”乃称疾不署[420]。疏奏，帝大怒，而嘉胤有守[421]。

中书侍郎范甯[422]、徐邈[423]为帝所亲信，数进忠言，补正阙失，指斥奸党。王国宝，甯之甥也。甯尤疾其阿谀，劝帝黜之。陈郡袁悦之有宠于道子，国宝使悦之因尼支妙音[424][27]致书于太子母陈淑媛[425]云：“国宝忠谨，宜见亲信。”帝知之，发怒，以[28]他事斩悦之。国宝大惧，与道子共谮[426]范甯，出为豫章[427]太守。甯临发，上疏言：“今边烽不举[428]而仓库空匮。古者使民岁不过三日[429]，今之劳扰，殆[430]无三日之休，至有生儿不复举养[431]，鳏寡不敢嫁娶。臣恐社稷之忧[29]，厝火

荐，却全都能担任郡守、县令，或在宫廷中担任官职；就连那些能够走通宫禁，与皇帝、皇后往来的和尚、尼姑，以及皇帝的奶妈，也都纷纷推荐他们的亲戚朋党，并公开收受贿赂，于是那些不三不四的人都当上了朝廷的官员，统领民众。他们执法不公，随意加害无罪之人，禁令不明确，盗匪公开抢劫盗窃。过去，陛下曾经下诏，令群臣知无不言，言无不尽，于是群臣提出了各种各样的意见和建议，而朝廷却一样也没有采用。我听说，信佛的人应该不慕名利、不追求物质享受，如今的和尚、尼姑往往只是表面上信奉佛法，他们穿着和尚、尼姑的衣服，却连佛家不淫、不盗、不杀、不妄语、不饮酒这五种最基本的戒律都不能遵守，何况要他们遵守更为精深的佛理呢？而那些没有主见、随波逐流的人，竞相加以崇敬、服侍。他们收取百姓的财物，宣称只有施舍财物，佛才肯降福于人，这也不符合佛教所讲的把财物，甚至把自己的肉体分赠给众人的道理。”奏疏呈递之后，晋孝武帝司马曜根本不予理睬。

东晋琅邪王司马道子的权势超过了朝廷内外所有的人，于是不论远近，人们都像车条凑向车轴一样，奔集、投靠到司马道子的门下。孝武帝司马曜心中逐渐感到不平起来，然而表面上对司马道子仍然格外优待尊崇。担任侍中的王国宝靠着说别人的坏话、巧言献媚而受到司马道子的宠信，他煽动朝中的群臣，暗示八座向孝武帝司马曜进言，请求任命琅邪王司马道子为丞相、扬州牧，授予司马道子本来只有皇帝才能使用的镀金大斧，再赐给司马道子一般大臣所享受不到的特殊礼遇。担任护军将军的南平郡人车胤说：“这是周成王用来尊奉周公的做法。如今皇帝一即位便面南而坐，亲自执政，因此不能把皇帝比作年幼时的周成王；司马道子既是宰相又是亲王，怎么能把他比作周公呢？”于是假称有病而拒绝在其他诸臣所上的奏疏上签名。奏章呈递之后，孝武帝司马曜阅后大怒，但表彰车胤有操守，能够坚守原则。

东晋担任中书侍郎的范甯、徐邈是孝武帝司马曜所亲信的人，他们屡次进献忠言，弥补缺失，抨击奸党。担任侍中的王国宝，是范甯的外甥，范甯对王国宝的阿谀奉承尤其痛恨，于是劝说孝武帝司马曜罢免王国宝的官职。陈郡人袁悦之深受司马道子的宠爱，王国宝便指使袁悦之，让他通过尼姑支妙音，写信给太子司马德宗的母亲陈淑媛说：“王国宝为人忠诚谨慎，值得亲近和信任。”孝武帝知道这事之后，大发雷霆，便以别的事情为借口杀死了袁悦之。王国宝非常恐惧，于是与司马道子一起说范甯的坏话，范甯于是被逐出朝廷去担任豫章太守。范甯临上任之时，上疏给孝武帝司马曜说：“如今边疆无事，境内太平，而国库空虚。古代朝廷征调百姓服劳役，一年不超过三天，如今百姓一年到头辛苦劳累，几乎连三天的休息时间都没有，甚至有人生下儿女不敢养育，鳏夫不敢娶妻，寡妇不敢嫁人。我担心国家的忧患，就连贾谊所说的‘把火放在柴堆之下’都不足以比喻今天局势的危险。”

积薪[432]，不足喻也。”甯又上言：“中原士民流寓江左[433]，岁月渐久，人安其业。凡天下之人，原其先祖[434]，皆随世迁移，何至于今而独不可？谓宜正其封疆[435]，户口皆以土断[436]。又，人性无涯[437]，奢俭由势[438]。今并兼之室[439]，亦多不赡[440]，非其财力不足，盖由用之无节，争以靡丽相高[441]，无有限极故也。礼十九为长殇[442]，以其未成人也。今以十六为全丁[443]，十三为半丁，所任[444]非复童幼之事，岂不伤天理、困百姓乎？谓宜以二十为全丁，十六为半丁，则人无夭折，生长繁滋[445]矣。”帝多纳用之。

甯在豫章，遣十五议曹[446]下属城[447]，采求风政[448]，并吏假还[449]，讯问官长得失。徐邈与甯书曰：“足下[450]听断明允[451]，庶事无滞[452]，则吏慎其负[453]，而人听不惑[454]矣，岂须邑至里诣[455]，饰其游声[456]哉？非徒不足致益，实[457]乃[30]蚕渔之所资[458]。岂有善人君子而干非其事[459]，多所告白[460]者乎？自古以来，欲为左右耳目者[461][31]，无非小人。皆先因小忠而成其大不忠，先藉小信而成其大不信，遂使谗谄[462]并进，善恶倒置，可不戒哉？足下慎选纲纪[463]，必得国士[464]以摄诸曹[465]，诸曹皆得良吏以掌文按[466]，又择公方之人以为监司[467]，则清浊能否，与事而明[468]。足下但平心处之，何取于耳目哉？昔明德马后[469]未尝顾左右与言，可谓远识，况大丈夫而不能免此乎[470]？”

十二月，后秦主苌使其东门将军任瓫[471]诈遣使招秦主登，许开门

范甯还上疏给孝武帝司马曜说："中原地区的士大夫与庶民百姓为了躲避战乱而流亡到江南地区，时间已经很久了，人们都已经在江南安居乐业。天下的人，如果追溯他们的祖先，都是随着时局的变化而迁徙移动，为什么到了今天就不允许这样呢？我认为应该查清他们现在的居住区域，按照他们现在的居住地址登记户口，改变南渡以来北方士民在南方侨立郡县的混乱办法。再有，人的天性就是喜欢放纵，不愿意接受管束，是讲究奢侈，还是崇尚节俭，都是由外部环境造成的。如今，就是当初那些兼并了别人财产而发展起来的豪门大族，也有很多人感到不富裕，并不是他们的财力不足，而是由于他们花费没有节制，互相攀比，看谁家更奢侈豪华，毫无限度造成的。古礼规定：十九岁时死亡的叫作长殇，因为他还不够成人的年龄。现在十六岁的人就被当作全劳力，按照成年人的标准为国家服役，十三岁就算半个成年人，他们所承担的赋税徭役等已经不再是孩童的事情，这岂不是伤天害理、困苦百姓吗？我认为应该把二十岁的人看作完全的成年人，十六岁的人看作半个成年人，那样的话就不会再有人夭折，人口就会很快地繁衍起来。"孝武帝司马曜采纳了范甯的不少建议。

东晋担任豫章太守的范甯，在豫章派遣了十五个担任议曹的官员分别前往辖区内的十五个县进行视察，了解当地的民俗民情以及县官施政的得失，就连官吏回乡休假返回，范甯也要向他们询问对所在地地方官员的评价。徐邈写信给范甯说："阁下只要明白公允地了解判断各种事务，各项政务也都处理得很及时，那么属下的官吏也就能认真地履行自己的职责，民心稳定，人们自然不会被某些谣言邪说蛊惑，何必非得要派官吏深入每个县、每个乡镇去了解调查，把那些调查来的谣传的说法当作依据呢？这样做不仅不能增加一点好处，其实还给那些蚕食、鱼肉百姓的贪官污吏提供了一个为自己博取美名的机会。难道正人君子会做那些自己不应该做的事情，还到处去宣传吗？自古以来，凡是愿意为别人充当耳目的人，都是一些小人。他们都是先做一些小忠小义的事情，而使自己的大不忠得逞，先利用一些小诚信来成就他们的大不信，于是爱说别人坏话的人、善于逢迎谄媚的人全都得到了提升，善良的反倒被当成了凶恶，而凶恶的被当作善良，对此怎能不提高警惕呢？阁下只要谨慎地选用僚佐，一定要找到一国之中的杰出之士，让他们来领导郡中的各个部门，而各个部门也必须任用优秀的官吏来掌管文书档案，还要选择那些公正贤明的人担任监司，这样一来，是清廉还是污浊，是有能力还是没有能力，随着政绩的好坏，就可以明确地显示出来。阁下只管平心静气地当你的太守，哪里用得着别人来为你充当眼睛和耳朵呢？过去，东汉时期的明德皇后马氏从来不与自己身边的人谈论政事，可以说是具有远见卓识，何况是男子汉大丈夫，难道就不能避免使用这些搞情报、搞暗访的政治手段吗？"

十二月，后秦主姚苌指使自己手下负责守卫安定东门的将军任瓮派使者去向秦纳之。登将从之，征东将军雷恶地[472]将兵在外，闻之，驰骑见登，曰："姚苌多诈，不可信也！"登乃止。苌闻恶地诣登，谓诸将曰："此羌见登，事不成矣！"登以恶地勇略过人，阴惮之[473]。恶地惧，降于后秦。苌以恶地为镇军将军。

秦以安成王广[474]为司徒。

【段旨】

以上为第三段，写太元十四年（公元三八九年）一年间的大事。主要写了后燕的政情稳定，突出了慕容农、慕容隆兄弟的才干。写了后秦主姚苌与前秦主苻登相互攻杀，互有胜负，突出了姚苌的奸诈卑劣。写了东晋王朝的皇帝沉迷酒色，司马道子专政，小人得势，朝纲混乱腐败，忠正之臣范甯、徐邈等遭到排抑的情景。此外还有乞伏乾归的势力逐渐强大等。

【注释】

㉘⑨阳平王柔：慕容柔，慕容垂之子，被封为阳平王。㉙⓪襄国：郡名，郡治在今河北邢台。㉙①辽西王农：即慕容农，慕容垂之子。㉙②在龙城五年：慕容农于太元十年（公元三八五年）出兵东诛余岩，击高句丽，事后在龙城镇守。事见本书卷一百六。㉙③庶务修举：各项政务都处理得很好。㉙④顷：前不久。㉙⑤因征即镇：因带兵讨伐，随后就留在那里镇守。㉙⑥愿时代还：希望及早有人前来代替，让我回去作战。㉙⑦展竭微效：让我能尽量地发挥一些作用。㉙⑧庚申：正月初五。㉙⑨幽平二州：幽州的州治蓟县，即今北京市，平州的州治即今辽宁辽阳。㉚⓪留台：留守朝廷，朝廷的派出机构。㉚①录留台尚书事：总管龙城留守朝廷的一切政务。㉚②征北长史：征北将军慕容隆属下的诸史之长。㉚③封孚：字处道，前燕时期的旧臣。㉚④司马：征北将军慕容隆军中的司法官。㉚⑤留台尚书：为留守朝廷的尚书郎。㉚⑥因农旧规：遵循慕容农的旧有章程。㉚⑦辽、碣：辽水与碣石山，指今河北东北部与辽宁西南部一带地区。㉚⑧谓：以为；认为。㉚⑨敕臣复仇：临死嘱咐我要为他报仇。姚苌之兄姚襄被苻坚破杀于穆帝升平元年（公元三五七年）事，见本书卷一百。㉛⓪新平之祸：指孝武帝太元九年苻坚被姚苌杀害于新平（今陕西彬州）佛寺事。见本书卷一百六。㉛①疏属：疏远的家属。苻登是苻坚的同族孙辈。㉛②以龙骧建业：苻坚举兵伐晋时，任姚苌为龙骧将军，并说"朕本以龙骧建业，龙骧之号未曾假人，今特以相授"云云。事见本书卷一百五。㉛③升楼：登上两军阵前远望敌方军情的

主苻登诈降，承诺将打开安定城门放秦军入城。秦主苻登相信了后秦使者的话，准备接受任瓮的投降，担任征东将军的雷恶地正率军在外驻防，他得知消息以后，立即骑马飞速赶来晋见秦主苻登，雷恶地对苻登说："后秦主姚苌狡诈多端，不能听信他们！"苻登这才没有上当。姚苌听说了雷恶地去见苻登的消息，就对众将说："这个羌人见了苻登，我们的诈降计划就落空了！"因为雷恶地的勇猛和谋略超过常人，秦主苻登对雷恶地不免暗怀忌惮。雷恶地觉察到了苻登的心思，心中恐惧，于是投降了后秦。后秦主姚苌任命雷恶地为镇军将军。

秦国任命安成王苻广为司徒。

楼车。⑭庸有益乎：难道会有什么好处吗。庸，岂、难道。⑮甲寅：此句有误，正月丙辰朔，没有甲寅日。⑯高车：匈奴族的别种，当时居住在今内蒙古东部的西拉木伦河流域，其民族习惯乘高轮车，因而得名。⑰三河王：胡三省曰："光时有凉州、河西之地，未能兼有三河也。"〖按〗此处的"三河"应指今甘肃、陕西、青海临近的黄河以东、以西、以南等地区，以其地有金城河、赐支河、湟河而得名。⑱改元麟嘉：在此之前吕光的年号是"太安"。⑲自仇池来至姑臧：吕光原是苻坚的部将，家小住在长安。后吕光奉命西出经营西域，苻坚于淝水之败后，姚苌倒戈反苻秦，长安大乱，吕光的家小遂逃往仇池，今来姑臧。仇池是郡名，郡治在今甘肃成县西北之洛谷镇。⑳癸巳：二月初九。㉑吐突邻：《魏书》作"叱突邻"，北方少数民族的部落名。㉒女水：在今内蒙古西拉木伦河西，距北魏国都平城三千余里。㉓辎重：由后勤部队运送的军用物资。㉔大界：约在今陕西彬州与甘肃泾川县之间。㉕安定羌密造堡：安定郡内羌族人所据守的密造堡。安定郡的郡治在今甘肃泾川县北。㉖荥阳：郡名，郡治在今河南荥阳东北的古荥镇，这时属于东晋。㉗长乐公盛：即慕容盛，慕容宝之子，慕容垂之孙，被封为长乐公。长乐是郡名，郡治即今河北衡水市冀州区。㉘蓟城：即今北京市，当时为幽州的州治所在地，前燕曾以之为都城。㉙旧宫：当初前燕主慕容儁曾由龙城迁都于此，故蓟城有旧宫。㉚清河：郡名，郡治在今河北清河县东南。㉛吴深：原是慕容垂身边的宦官，于太元十一年据清河叛变。见本书卷一百六。㉜侯年部：西北地区的少数民族部落名，所在地域不详。㉝秦、凉鲜卑、羌、胡：秦、凉二州的鲜卑族、羌族、匈奴族。秦州的州治即今甘肃天水，凉州的州治即今甘肃武威，当时称作姑臧。㉞姚崇：姚苌之子，姚兴之弟。㉟安丘：地名，在今甘肃灵台境。㊱贺讷：人名，北方民族贺兰部落的头领，对拓跋珪的发展有大恩。㊲勿根山：今地不详。㊳上谷：郡名，郡治沮阳，在今河北怀来东南。㊴质：以……为人质。㊵骠骑长史王忱：骠骑长史为骠骑将军属下的长史，为诸史之长，典管幕府众事。王忱字符达，王坦之的第四子，性任达不拘，为一

时狂士。传见《晋书》卷七十五。㉛国宝：王国宝，王坦之的第三子，东晋孝武帝时期的著名权奸，与司马道子一起骄奢淫逸，后王恭造反即以讨伐王国宝为名。传见《晋书》卷七十五。㉜平凉：郡名，郡治在今甘肃平凉西南。㉝苟头原：地名，在今甘肃泾川县西北。㉞与穷寇竞胜二句：《孙子·军争》有“归师勿遏，围师必阙”，又有“穷寇勿追”诸语，皆此意。㉟毛后：苻登之妻。㊱执：俘获，捕捉。㊲纳之：收之为妻妾。㊳先已杀天子：指两年前姚苌于新平佛寺杀害秦主苻坚。㊴宁汝容乎：能够饶了你吗？㊵阴密：地名，在今甘肃灵台西南。㊶庚午：九月十九。㊷陆纳：陆玩之子，陆晔之侄，为官清廉守正。传见《晋书》卷七十七。㊸秦主登之东：苻登向东退守胡空堡。㊹守宰：各郡的太守和各县的县令。㊺陇城：县名，县治在今甘肃秦安东北的陇城镇。㊻冀城：冀县县城，在今甘肃甘谷县西南。㊼略阳：郡名，郡治临渭，即今甘肃天水。㊽陇东：泛指陇山以东地区，约当今之陕西西部。㊾杨壁为都督陇右诸军事句：陇右，即陇西，陇山以西，约当今之甘肃东部一带地区。南秦州的州治仇池，在今甘肃成县西。益州的州治即今四川成都。㊿监河西诸军事：此“河西”指今陕西东部与山西交界的黄河以西地区。361并州：州治晋阳，在今山西太原西南。362河东：指今山西西南部的黄河以东地区。363冀州：州治即今河北衡水市冀州区。杨政、杨楷原来都是苻坚的部下。364会长安：会合诸路共同进攻姚苌所盘踞的长安城。365湖、陕：湖县、陕县。湖县的县治在今河南灵宝西北，陕县的县治在今河南三门峡市西南。366请命：请求指示，实即请求任命。367因而授之：指授任他们为并州、冀州刺史等。368乐浪悼王温：慕容温。乐浪王是他的封号，悼是他的谥号。369丁零故堤：丁零族人，姓故名堤。370乙酉：十月初四。371并其长史、司马：并杀了慕容温的属下的长史、司马二官。372奔西燕：投奔占据晋东南长子城的慕容永。373襄国：县名，县治在今河北邢台西南。374枹罕羌彭奚念：枹罕县境内的羌人名彭奚念。枹罕县治在今甘肃临夏东北。375北河州：州治即枹罕县。376帝既亲政事：太元元年，崇德太后褚蒜子归还政权，孝武帝司马昌明开始亲临政事，至此已十四年。377量：气度。378琅邪王道子：司马道子，晋孝武帝的同胞兄弟，此时被封为琅邪王，总揽政权。传见《晋书》卷六十四。379日夕：一天到晚。380浮屠：梵语译音，即佛教。381姏姆：以巫术为业的巫婆女师。姏，老女人。姆，女师。382近习：在帝王身边受皇帝宠幸的各色侍应人员。383交通请托：如今的“拉关系，走后门”。384官赏：封官、颁赏。385好家居：好端端的一份家当。386纤儿：败家子；不肖子弟。387撞坏：砸碎；毁掉。388左卫领营将军：胡三省注以为是“以左卫将军领营兵”，近于今首都卫戍司令之职。389台府局吏：各台、各府、各局的官吏，泛指政府各部门的官员。390直卫武官：泛指在宫廷值勤，负责保卫工作的各武职官员。391取母之姓者：指私生子。因无法指认其父，只好取用母亲的姓氏。392无乡邑品第：没有其县邑中正官的考评。品第，考评、分等。393带职在内：在宫廷中担任官职。394僧尼乳母：指走通宫禁，与帝、后往来的和尚、尼姑与皇帝的乳母。395竞进亲党：争相推荐自己的党羽亲信。396辄临官领众：就能身居官位，统领部众。㊴暴滥无罪：随意加害于无罪者。㊳下书：曾经下诏书。㊴敕群下尽规：要求群臣知无不言，言无不尽。敕，告诫。尽规，尽力规劝。㊵清远玄虚：指不慕名利、不求物质享乐。㊶依傍法服：指表面奉行佛法，穿着僧尼的衣服。㊷五诫粗法：像“五诫”这样最基本的佛规。五诫指不淫，不盗，不杀，不妄语，不酗酒。㊸精妙：精深的佛理。㊹流惑之徒：没有主见、随波逐流的家伙们。㊺取财为惠：收取百姓的钱财，假说佛可以降之以福。㊻布施：佛教所讲的把财物，甚至把自己的肉体分赠给众人。㊼不省：不看；不理睬。㊽奔凑：奔集于其门。㊾外加优崇：表面上仍优待尊崇。㊿讽八座：示意给朝廷的执政官员。讽，犹如今之所谓“吹风”，暗示于人。八座，指尚书令、左右二仆射与他们属下的五曹尚书等八人，都是当时政府的主要行政官员。(411)启：禀告；向皇帝进言。(412)扬州牧：当时首都所在州的最高行政长官，州治即在首都建业（今江苏南京）。(413)假黄钺：授予他本来只有皇帝才能使用的镀金大斧，意味着他有无上的生杀之权。(414)加殊礼：赐给他一般大臣享受不到的礼遇，如进殿不趋、赞拜不名、剑履上殿等。(415)南平车胤：南平郡人姓车名胤。南平郡的郡治即今福建南平。车胤是东晋后期的直臣，少时家贫，以萤火虫取亮读书。(416)成王所以尊周公：周成王初即位时年幼，国家政权曾由其叔父周公代理。但《史记》中并没有说到成王有假周公黄钺的事情。(417)主上当阳：一即位即面南而坐。意谓虽年仅十岁，但已正式临朝称帝。(418)非成王之比：不像当年的周成王，开始是由周公代之临朝摄政。(419)相王：司马道子，因为他既是司徒，职同丞相，又是琅邪王。(420)不署：不在其他诸臣所上的表章上签名。(421)有守：有操守，能坚持原则。(422)范甯：字武子，为官守正，且深于经学，注《尚书》《论语》，并撰有《春秋穀梁传集解》传世。传见《晋书》卷七十五。甯，同“宁”。(423)徐邈：字仙民，于朝典礼制多有建议，撰有《五经音训》，又注《穀梁传》，与范甯齐名。事见《晋书·儒林传》。(424)尼支妙音：尼姑名叫支妙音。(425)陈淑媛：名归女，司马德宗的生母。“淑媛”是妃嫔的级别称号。(426)谮：在掌权者的面前说人坏话。(427)豫章：郡名，郡治即今江西南昌。(428)边烽不举：指边疆无事，境内太平。(429)使民岁不过三日：《礼记·王制》：“用民之力，岁不过三日。”又曰：“凡使民，任老者之事，食壮者之食。”(430)殆：几乎。(431)举养：养育。“举”是古代给新生儿举行的一种洗沐礼，先举而后养育之。(432)厝火积薪：把火放在柴堆之下。语出贾谊《治安策》：“夫抱火厝之积薪之下而寝其上，火未及燃，因谓之安。方今之势，何以异此？”厝，置、放在。(433)流寓江左：流亡寄居在江南。(434)原其先祖：从他们的祖先开始。(435)正其封疆：查清他们现在的居住区域。(436)户口皆以土断：按现在居住的地址登记户口，改变晋朝南渡以来北方士民在南方侨立郡县的混乱办法。(437)无涯：爱放纵，不愿受管束。(438)奢俭由势：奢侈或节俭都是由情势环境造成的。(439)并兼之室：指那些由兼并别人田产而发展起来的强族豪门。(440)不赡：不够用；不富裕。(441)争以靡丽相高：争着比赛看谁家更豪华。《世说新语》中有《汰侈》一篇，即写此“争以靡丽相高”事。(442)长殇：未成人而夭折的大孩子。古代以二十岁为成年，故十九岁而死仍曰“长殇”。㊸全丁：犹今之所谓“全劳力”，〖按〗成年人给国家服役。㊹所任：所承担的赋税徭役等。㊺生长繁滋：指人口逐渐增长。㊻议曹：太守属下的吏目，以备顾问、参议之用。㊼下属城：到下属的各县去。当时的豫章郡下属南昌、海台等十六个县，其中南昌是郡治所在，外地还有十五县，故范甯派出十五个议曹，每人去一县。㊽采求风政：了解当地的风俗民情及县官为政的情况。㊾吏假还：吏役们回乡休假回来。㊿足下：对对方的敬称，不直呼其名，而称其足下之地，用法与“阁下”“陛下”相同。451听断明允：明白、合适地了解判断各种事务。允，恰当。452庶事无滞：各种事务都处理得很及时。无滞，不耽搁、不延误。453吏慎其负：属下众吏也都会认真对待自己的职责。454人听不惑：指民心稳定，不被某些谣言邪说所蛊惑、动摇。“人”应作“民”，与上句“吏”字对举。唐人修《晋书》为唐太宗讳“民”字，故改为“人”。455邑至里诣：深入每个县、每个乡镇去了解调查。邑，指县或乡镇。里，指街巷或村落。诣，到。456饰其游声：相信那些谣传的说法；以那种谣传的说法做依据。457实：其实。458蚕渔之所资：那些蚕食、鱼肉百姓的官吏们都是靠着这个来为自己博取美名。459干非其事：做自己不该做的事情。460多所告白：指干点好事就四处张扬。461为左右耳目者：给人家充当耳报神、小特务。462谗谄：说人坏话的人和献媚讨好的人。463纲纪：“纪纲之仆”，语出《左传》僖公二十四年。这里指关键的僚属和助手。464国士：一国之中的杰出之士。465以摄诸曹：让他们把各局各处都管理好。466文按：文书、案卷。467监司：负责监察工作的人员。468与事而明：随着政绩的好坏，人的优劣也就显示出来了。469明德马后：东汉明帝刘庄的皇后马氏，谥为“明德”，伏波将军马援之女，是汉代最符合封建道德的皇后。传见《后汉书》卷十。470不能免此乎：难道就不能不用这些搞情报、搞暗访的手段吗。471东门将军任瓮：负责守卫安定东门的将军名叫任瓮。472雷恶地：羌族将领，为人勇猛多智，曾几次反复于苻登与姚苌之间。事见《晋书》卷一百一十五。473阴惮之：内心惧怕他。474安成王广：苻广，苻登之弟，被封为安成王。安成是地名。

【原文】

十五年（庚寅，公元三九〇年）

春，正月乙亥[475]，谯敬王恬薨。

西燕主永[476]引兵向洛阳。朱序自河阴北济河[477]，击败之。永走还上党[478][32]。序追至白水[479]，会翟辽谋向洛阳，序乃引兵还，击走之。留鹰

【校记】

［16］碣：据章钰校，十二行本、乙十一行本、孔天胤本“碣”下皆有“由是”二字。［17］密造堡：原误作“密造保”。严衍《通鉴补》改作“密造堡”，今据改。［18］南安王弁、北海王尚：原脱“弁北海王”四字。据章钰校，十二行本、乙十一行本、孔天胤本皆有此四字，张敦仁《通鉴刊本识误》同，今据补。〖按〗《晋书·苻登载记》云登以其子“弁为南安王，尚为北海王”。［19］力：原作“人”。据章钰校，十二行本、乙十一行本、孔天胤本皆作“力”，张敦仁《通鉴刊本识误》同，今从改。［20］杀七百余人：原无此五字。据章钰校，十二行本、乙十一行本、孔天胤本皆有此五字，张敦仁《通鉴刊本识误》、张瑛《通鉴校勘记》同，今据补。［21］杨壁为都督陇右诸军事、南秦益二州牧：原无此十六字。据章钰校，十二行本、孔天胤本皆有此十六字，张敦仁《通鉴刊本识误》同，今据补。［22］约：据章钰校，十二行本、乙十一行本、孔天胤本此下皆有“与”字。［23］于温，为温帐下：原作“于温帐”。据章钰校，十二行本、乙十一行本、孔天胤本皆作“于温为温帐下”，张敦仁《通鉴刊本识误》同，今从改。［24］燕：据章钰校，十二行本、乙十一行本、孔天胤本皆无此字。［25］刺温者：据章钰校，十二行本、乙十一行本皆无此三字。［26］许荣：原作“许营”。严衍《通鉴补》改作“许荣”，今据改。〖按〗《晋书·司马道子传》载“左卫领营将军会稽许荣”。［27］支妙音：原无“支”字。据章钰校，十二行本、乙十一行本、孔天胤本皆有“支”字，张敦仁《通鉴刊本识误》同，今据补。［28］以：据章钰校，十二行本、乙十一行本、孔天胤本“以”上皆有“托”字，张敦仁《通鉴刊本识误》同，其义长。［29］臣恐社稷之忧：原无此六字。据章钰校，十二行本、乙十一行本、孔天胤本皆有此六字，张敦仁《通鉴刊本识误》、张瑛《通鉴校勘记》同，今据补。［30］实乃：据章钰校，十二行本、乙十一行本、孔天胤本二字皆互乙。［31］者：原无此字。据章钰校，十二行本、乙十一行本、孔天胤本皆有此字，今从补。

【语译】

十五年（庚寅，公元三九〇年）

春季，正月二十六日乙亥，东晋担任青、兖二州刺史的谯敬王司马恬去世。

西燕主慕容永率军进攻东晋所属的洛阳。东晋担任雍州刺史的朱序率领晋军从河阴城北渡过黄河，迎战慕容永，将慕容永所率领的西燕军打败。慕容永逃回了上党。朱序率军追击，一直追到白水，而此时的丁零部落首领、魏天王翟辽正在图谋攻取洛阳，朱序于是放弃追赶慕容永，率军返回，将翟辽打退，留下鹰扬将军朱党

扬将军朱党戍石门⑱，使其子略督护洛阳⑱，以参军赵蕃佐之，身⑱还襄阳⑱。

琅琊王道子恃宠骄恣，侍宴⑱酣醉，或⑱亏礼敬。帝益[33]不能平，欲选时望⑱为藩镇⑱以潜制⑱道子。问于太子左卫率王雅⑱曰："吾欲用王恭⑲、殷仲堪⑲，何如？"雅曰："王恭风神简贵⑲，志气方严⑲；仲堪谨于细行⑲，以文义⑲著称。然皆峻狭自是⑲，且干略⑲不长。若委以方面⑲，天下无事，足以守职；若其有事，必为乱阶⑲矣！"帝不从。恭，蕴之子；仲堪，融之孙也。二月辛巳⑳，以中书令王恭为都督青兖幽并冀五州诸军事、兖青二州刺史，镇京口⑳。

三月戊辰⑳，大赦。

后秦主苌攻秦扶风⑳太守齐益男于新罗堡⑳，克之，益男走。秦主登攻后秦天水太守张业生于陇东⑳，苌救之，登引去。

夏，四月，秦镇东将军魏褐飞[34]自称冲天王，帅氐、胡攻后秦安北将军姚当成于杏城；镇军将军雷恶地叛应之，攻镇东将军姚汉得⑳于李润⑳。后秦主苌欲自击之，群臣皆曰："陛下不忧六十里苻登⑳，乃忧六百里魏褐飞，何也？"苌曰："登非可猝灭⑳，吾城亦非登所能[35]猝拔。恶地智略非常，若南引褐飞，东结董成⑳，得杏城、李润而据之，长安东北非吾有也。"乃潜引精兵一千六百赴之。褐飞、恶地有众数万，氐、胡赴之者前后[36]不绝。苌每见一军至，辄喜。群臣怪而问之，苌曰："褐飞等扇诱同恶⑳，种类甚繁，吾虽克其魁帅⑳，余党未易猝平。今乌集而至，吾乘胜取之，可一举无余也。"褐飞等见后秦兵少，悉众攻之。苌固垒⑳不战，示之以弱，潜遣其子中军将军

戍守石门，令自己的儿子朱略担任洛阳城的督护，守卫洛阳，派担任参军的赵蕃留在洛阳辅佐朱略，自己则率军返回雍州治所襄阳。

东晋琅琊王司马道子倚仗自己当皇帝的哥哥司马曜的宠爱而越发地骄傲蛮横起来，他在陪同孝武帝司马曜饮酒的时候总是喝得酩酊大醉，有时竟然连君臣之间的礼数都不顾。孝武帝心中更加不平，于是就想选择一个有门第、有威望的人去担任刺史，以便暗中制约司马道子。孝武帝司马曜向担任太子左卫率的王雅询问说："我想重用王恭、殷仲堪，你认为怎么样?"王雅回答说："王恭风度高雅、不拘小节，气概方正、严明；殷仲堪在小事情上谨小慎微，而在文化修养、学术造诣方面很有名声。然而他们二人都是气量狭小，自以为是，而且缺乏才干与谋略。如果委任他们为独当一面的军政大员，天下太平无事时，完全能够尽忠职守；如果遇到天下有事，他们必然成为祸乱的根源!"孝武帝没有采纳王雅的意见。王恭是王蕴的儿子，殷仲堪是殷融的孙子。二月初二日辛巳，晋孝武帝司马曜任命担任中书令的王恭为都督青、兖、幽、并、冀五州诸军事，兖、青二州刺史，镇所设在京口。

三月二十日戊辰，东晋实行大赦。

后秦主姚苌率军攻打秦国扶风郡太守齐益男所据守的新罗堡，将新罗堡攻克，齐益男逃走。秦主苻登率领秦军前往陇东攻打后秦天水郡太守张业生，后秦主姚苌亲自率军来救张业生，苻登看到姚苌来救，也率军退走。

夏季，四月，秦国担任镇东将军的魏褐飞自称冲天王，他率领氐人、匈奴人攻击后秦安北将军姚当成所据守的杏城；投降后秦并被任命为镇军将军的雷恶地也背叛了后秦，起兵响应魏褐飞，他率领部众攻打后秦镇东将军姚汉得所据守的李润堡。后秦主姚苌准备亲自率军攻打雷恶地，群臣全都不解地问："陛下不担忧驻扎在距离长安只有六十里的新丰千户固的秦主苻登，竟然担忧远在六百里之外的魏褐飞，这是为什么呢?"后秦主姚苌回答说："我们不可能在很短的时间内将秦主苻登灭掉，秦主苻登也不可能在短期内将我们的都城长安攻克。雷恶地的智慧、谋略非同一般，如果他向南勾结魏褐飞，向东联合占据北地的屠各部落首领董成，占有杏城和李润堡，长安东北地区就不再归我们所有了。"于是，后秦主姚苌亲自率领一千六百名精兵偷偷地赶往李润堡。魏褐飞、雷恶地拥有部众数万人，那些氐族人和匈奴人愿意为他们效力而前去投奔的前后相接、不绝于道路。姚苌每看到一支秦军到来，就感到非常高兴。群臣感到很奇怪，就向他询问原因，姚苌说："魏褐飞煽动、诱惑那些与他一同作恶的人，他们的部族繁多，我即使战胜了他们的大首领，他们的余党也不容易在短期内彻底扫平。如今，他们就像乌鸦一样聚集到了一起，我们乘胜攻击，可以一次将他们一网打尽。"魏褐飞等看见后秦军兵力很少，于是全军出动向后秦军发起猛攻。后秦主姚苌坚守营垒不与他们交战，向他们显示出自己势力很弱的样子，暗中却派遣自己的儿子、担任中军将军的姚崇率领数百名骑兵绕到魏褐飞军队后面，

崇帅骑数百出其后。褐飞兵扰乱，苌遣镇远将军王超等纵兵击之，斩褐飞及其将士万余级。恶地请降，苌待之如初。恶地谓人曰："吾自谓智勇杰出一时，而每遇姚翁[514]辄困，固其分也[515]！"

苌命姚当成于所营之地，每栅孔[516]中辄树一木以旌[517]战功。岁余，问之，当成曰："营地太小，已广之矣。"苌曰："吾自结发[518]以来，与人战，未尝如此之快，以千余兵破三万之众。营地惟小为奇，岂以大为贵哉？"

吐谷浑视连[519]遣使献见[520]于金城王乾归。乾归拜视连沙州牧[521]、白兰王。

丙寅[522]，魏王珪会燕赵王麟于意辛山[523]，击贺兰、纥突邻、纥奚[524]三部，破之。纥突邻、纥奚皆降于魏[525]。

秋，七月，冯翊[526]人郭质起兵于广乡[527]以应秦，移檄三辅[528]曰："姚苌凶虐，毒被神人[529]。吾属世蒙先帝尧、舜之仁[530]，非常伯、纳言[531]之子，即卿校、牧守[532]之孙也。与其含耻而存，孰若蹈道而死[533]？"于是三辅壁垒[534]皆应之。独[535]郑县[536]人苟曜不从[37]，聚众数千附于后秦。秦以质为冯翊太守；后秦以曜为豫州刺史。

刘卫辰[537]遣子直力鞮攻贺兰部。贺讷[538]困急，请降于魏。丙子[539]，魏王珪引兵救之，直力鞮退。珪徙讷部落，处之东境。

八月，刘牢之[540]击翟钊[541]于鄄城[542]，钊走河北；又败翟辽于滑台[543]，张愿[544]来降。

九月，北平[545]人吴柱聚众千余，立沙门法长[546]为天子。破北平郡，转寇广都[547]，入白狼城[548]。燕幽州牧高阳王隆方葬其夫人，郡县守宰皆会之。众闻柱反，请隆还城，遣大兵讨之。隆曰："今闾阎[549]安业，民不思乱。柱等以诈谋惑愚夫，诱胁相聚[550]，无能为也。"遂留葬讫[551]。遣北平[38]太守、广都令先归，续遣安昌侯进[552]将百余骑趋白狼城。柱

从背后攻打。魏褐飞的军队立时便混乱起来，姚苌派担任镇远将军的王超等向秦军发起猛攻，斩杀了魏褐飞及其将士一万多人。雷恶地再次向后秦请求投降，后秦主姚苌对待雷恶地还像当初一样。雷恶地对别人说："我自以为智谋勇武高于世人，然而每次遇到姚翁，我就打败仗，命运使我只能屈服于他！"

后秦主姚苌令守卫杏城的安北将军姚当成在自己营地周围竖立栅栏时所挖的每一个坑中都要竖立一个木牌以表扬战功。过了一年多，姚苌询问姚当成，姚当成回答说："营地太小，现在已经扩大了。"姚苌说："我自从结发以来，就与敌人作战，却从来没有像今天这样痛快，竟然用一千多名士兵打败了三万人的敌军。营地只有小才令人感到奇异，岂能以营地大为可贵呢？"

吐谷浑的首领慕容视连派使者前往金城进献礼物，求见被秦主苻登任命为大将军、大单于、金城王的乞伏乾归。乞伏乾归任命慕容视连为沙州牧，封其为白兰王。

丙寅日，北魏王拓跋珪在意辛山与后燕赵王慕容麟会师，双方联合攻打贺兰、纥突邻、纥奚三个部落，将三个部落打败。纥突邻、纥奚全都投降了北魏。

秋季，七月，冯翊人郭质招兵买马，在广乡起兵响应秦国，他向三辅地区发布讨伐后秦姚苌的檄文说："后秦主姚苌凶狠暴虐，无论是天神还是黎民，都遭到了他的残害。我们这些人世代蒙受先帝苻坚所给予我们的如同唐尧、虞舜一样的仁爱，即使你们不是先帝时期担任侍中、纳言等官员的儿子，也一定是先帝时期担任过公卿、校尉、州牧、郡守的人的子孙。与其含羞忍耻地活着，还不如为了正义而死吧？"于是三辅地区各种军事据点全都起来响应郭质。只有郑县人苟曜聚集起数千人归附于后秦。秦国任命郭质为冯翊太守；后秦任命苟曜为豫州刺史。

刘卫辰派遣自己的儿子刘直力鞮率军攻打贺兰部落。贺兰部落首领贺讷被困，情势十分紧急，遂向魏国请求投降。七月三十日丙子，北魏王拓跋珪率领魏军前往救援贺讷，刘卫辰的儿子刘直力鞮率军撤走。北魏王拓跋珪将贺讷部落迁徙到魏国的东部边境地区。

八月，东晋龙骧将军刘牢之率领晋军攻打丁零部落首领翟辽的儿子翟钊所据守的鄄城，翟钊逃往黄河北岸；刘牢之又打败了占据滑台的丁零部落首领、自称魏天王的翟辽，东晋叛将、曾经担任泰山郡太守而后归降翟辽的张愿又向东晋投降。

九月，北平人吴柱聚集了一千多人，拥戴北平郡的和尚法长为天子。他们攻破了北平郡，然后辗转作战，劫掠了广都县，进入了白狼城。后燕担任幽州牧的高阳王慕容隆正在安葬自己的夫人，幽州属下的各郡守县宰全都前来吊唁。众人听到吴柱谋反的消息，全都请求慕容隆迅速回城，派遣大军对吴柱进行征讨。慕容隆说："如今人人安居乐业，民心并不希望发生战乱。吴柱等人用欺骗的手段迷惑了一些愚蠢的人，他们把受诱骗裹挟而来的人聚集在一起，成不了大气候。"于是依旧留在郊外，一直等到葬礼完毕。慕容隆派遣北平太守、广都县令先回去，随后又派遣安昌侯慕容进率领一百多

众闻之，皆溃。穷捕，斩之。

以侍中王国宝为中书令，俄兼中领军[553]。

丁未[554]，以吴郡太守王珣[555]为尚书右仆射。

吐谷浑视连卒，子视罴立。视罴以其父祖慈仁[556]，为四邻所侵侮，乃督厉将士，欲建功业。冬，十月，金城王乾归遣使拜视罴沙州牧、白兰王。视罴不受。

十二月，郭质及苟曜战于郑东[557]。质败，奔洛阳[558]。

越质诘归[559]据平襄[560]，叛金城王乾归。

【段旨】

以上为第四段，写太元十五年（公元三九〇年）一年间的大事。写了晋将朱序镇守洛阳，连续打败慕容永与翟辽的进攻，刘牢之破翟钊、翟辽于鄄城、滑台，以及东晋王朝内部的钩心斗角与司马道子、王国宝的专权腐败。写了后秦主姚苌大破前秦将领魏褐飞，后燕将领慕容隆大破民变首领吴柱，以及魏王拓跋珪势力逐步强大等。

【注释】

㊼正月乙亥：正月二十六。㊽西燕主永：慕容永，慕容垂的同族兄弟。慕容泓、慕容冲死后，被拥立为西燕主，以长子（今山西长子西南）为都城。《魏书》卷九十五有其附传。477 自河阴北济河：在河阴城北渡过黄河。河阴是县名，县治在今河南洛阳东北，地处黄河之南。478 上党：郡名，郡治在今山西长治东北。479 白水：河水名，在今山西晋城境内。480 石门：地名，在今河南郑州西北。481 督护洛阳：洛阳城的督护官，以守卫洛阳。482 身：指朱序本人。483 襄阳：郡名，郡治即今湖北襄阳之襄州区。484 侍宴：陪着皇帝饮酒。485 或：有时。486 时望：当时有门第、有威望的人。487 藩镇：晋时指州刺史。当时的州刺史兼主兵权，相当于古代的一个藩国。488 潜制：暗中扼制。489 太子左卫率王雅：太子左卫率是太子宫护卫部队的长官。王雅，字茂达，三国时魏国王肃的曾孙。因受孝武帝亲幸而权重一时，因早识王恭，人称其有知人之明。《晋书》卷五十三有传。490 王恭：字孝伯，孝武帝王皇后之兄。传见《晋书》卷八十四。491 殷仲堪：当时

名骑兵赶赴白狼城。吴柱的部众听到消息，全都溃逃而去。慕容尽全力追捕，斩杀了吴柱。

东晋任命担任侍中的王国宝为中书令，不久又让他兼任了朝廷直属部队的最高长官中领军。

九月初一日丁未，东晋任命担任吴郡太守的王珣为尚书右仆射。

吐谷浑首领慕容视连去世，他的儿子慕容视罴即位。因为自己的父亲以及祖先全都为人慈爱仁厚，慕容视罴不断受到四方邻国的侵略和欺辱，于是督促、鼓励将士加强军事训练，想要建立一番功业。冬季，十月，西秦金城王乞伏乾归派遣使者任命慕容视罴为沙州牧，封他为白兰王。慕容视罴没有接受乞伏乾归的任命和封爵。

十二月，秦国冯翊太守郭质率领秦军与后秦豫州刺史苟曜在郑县城东开战。郭质战败，逃往洛阳。

越质诘归占据平襄，背叛了金城王乞伏乾归。

有名的清谈家，又是无能的军阀。传见《晋书》卷八十四。㊾风神简贵：风度高雅，不拘小节。㊾志气方严：气概方正、严明。㊾谨于细行：在小的事情上拘谨小心。㊾文义：指文化修养、学问学术。㊾峻狭自是：气量小而又自以为是。㊾干略：才干谋略。㊾方面：独当一面的军政大员，指都督、刺史等。㊾乱阶：祸乱的根源。阶，基础、条件。500二月辛巳：二月初二。501镇京口：设行辕于京口，即今江苏镇江市。502三月戊辰：三月二十。503扶风：郡名，郡治在今陕西兴平东北。504新罗堡：堡塞名，在今陕西眉县东南。505陇东：郡名，郡治在今甘肃平凉西北。506姚汉得：姚苌的部将。507李润：李润堡，也叫李润镇，在今陕西大荔北。508六十里苻登：时苻登军已抵达新丰县（今陕西西安市临潼区）的千户固，距长安只有六十里。509猝灭：短时间内消灭。猝，立即、突然。510董成：屠各族人，时据北地（今陕西铜川市耀州区）。〖按〗时雷恶地攻蒲城，魏褐飞攻杏城，在蒲城西北；董成据北地在蒲城之西。今姚苌乃曰恶地“南引褐飞，东结董成”云云，方向皆错，疑字有误。511扇诱同恶：煽动诱惑那些与他一同作恶的人。512魁帅：大头领。513固垒：坚守营垒。514姚翁：尊称姚苌。515固其分也：命运本该如此。分，天数、天分。516栅孔：在营房周围竖栅栏时所挖的坑。517旌：表彰。518结发：指二十岁，古时男子二十岁始结发成髻，进入成人之年。519吐谷浑视连：吐谷浑族的首领，名叫视连。吐谷浑是鲜卑族的一支，原游牧于今辽宁锦西一带，后迁于今甘肃、青海之间。520献见：进贡求见。521沙州牧：沙州刺史。这里的“沙州”指今青海省境内青海湖以西的广大地区。因其地多沙漠，故称之为沙州。522丙寅：此语有误，四月初一是己卯，本月里没有“丙寅”日。523意辛山：又作意亲山，在今内蒙古二连浩特西

南。㉔贺兰、纥突邻、纥奚：皆少数民族部落的名称。㉕纥突邻、纥奚皆降于魏：慕容麟此举乃为魏扫除障碍，邻之强，己之病也。㉖冯翊：郡名，郡治在今陕西大荔。㉗广乡：地名，在今陕西渭南市华州区西部。㉘移檄三辅：向三辅地区发布讨伐姚苌的檄文。三辅，指京兆尹、左冯翊、右扶风三个长安周围相当于郡的政区。因所辖皆京畿之地，故合称“三辅”。㉙毒被神人：使天神和黎民都遭到他的残害。被，加。㉚先帝尧、舜之仁：先帝苻坚所曾给予我们的像尧、舜一样的仁爱。㉛常伯、纳言：苻坚时期的官员。常伯指侍中，纳言指尚书。㉜卿校、牧守：苻坚朝廷的列卿、军中的校尉，以及州、郡两级的地方官。以上两句的意思是说，我们这些人都是苻坚时期的朝廷官员与各级地方长官的后代。㉝蹈道而死：为实现道义而牺牲。㉞三辅壁垒：京畿地区的各个驻兵据点。壁垒，指民间为自卫而结成的堡寨。㉟独：只有。㊱郑县：县治即今陕西渭南市华州区。㊲刘卫辰：当时匈奴族的首领。㊳贺讷：贺兰部落的头领，当时居于阴山之北。㊴丙子：七月三十日。㊵刘牢之：东晋名将，字道坚，彭城人，初为谢玄参军，于淝水之战中立大功，被封为龙骧将军、彭城内史。《晋书》卷八十四有传。㊶翟钊：丁零部落的头领，翟辽之子。㊷鄄城：县名，县治即今山东鄄城北之旧城。㊸滑台：地名，即今河南滑县城东之旧滑县。㊹张愿：原为东晋的泰山太守，于太元十一年（公元三八六年）携郡叛变，降于翟辽。㊺北平：郡名，郡治在今河北遵化的东南侧。㊻沙门法长：北平郡的和尚名叫法长。㊼广都：县名，县治即今辽宁建昌。㊽白狼城：在今辽宁喀喇沁左旗西南。㊾闾阎：原指里巷中的门，引申指黎民百姓。㊿诱胁相聚：把

【原文】

十六年（辛卯，公元三九一年）

春，正月，燕置行台[561]于蓟[562]，加长乐公盛[563]录行台尚[39]书事[564]。

金城王乾归击越质诘归。诘归降，乾归以宗女妻之。

贺染干[565]谋杀其兄讷，讷知之，举兵相攻。魏王珪告于燕，请为乡导以讨之。

二月甲戌[566]，燕主垂遣赵王麟将兵击讷，镇北将军兰汗帅龙城之兵击染干。

三月，秦主登自雍[567]攻后秦安东将军金荣于范氏堡[568]，克之。遂渡

被诱骗、裹胁来的人聚集在一起。551 留葬讫：留下来一直到把殡葬事宜处理完毕。552 安昌侯进：慕容进，被封为安昌侯。553 俄兼中领军：很快又让他兼任了朝廷直属部队的最高长官。554 丁未：九月初一。555 王珣：王导之孙，王洽之子。传见《晋书》卷六十五。556 父祖慈仁：吐谷浑的头领辟奚、视连两代性情“慈仁”事，见本书卷一百三咸安元年。557 郑东：郑县（今陕西渭南市华州区）城东。558 奔洛阳：投降晋将朱序之子朱略。559 越质诘归：鲜卑部落头领越质叱黎的儿子，太元十二年，越质诘归降于乞伏氏。560 平襄：县名，县治在今甘肃通渭西北。

【校记】

［32］永走还上党：原无此五字。据章钰校，十二行本、乙十一行本、孔天胤本皆有此五字，张敦仁《通鉴刊本识误》同，今据补。［33］益：据章钰校，十二行本、乙十一行本、孔天胤本皆作“浸”。［34］魏褐飞：原误作“魏揭飞”。严衍《通鉴补》改作“魏褐飞”，今据改。下同。〖按〗《晋书·姚苌载记》亦云“魏褐飞自称大将军、冲天王”。［35］能：据章钰校，十二行本、乙十一行本、孔天胤本皆无此字。［36］前后：据章钰校，十二行本、乙十一行本、孔天胤本皆作“首尾”，张敦仁《通鉴刊本识误》同。［37］不从：原无此二字。据章钰校，十二行本、乙十一行本、孔天胤本皆有此二字，今据补。［38］北平：原作“广平”。胡三省注云：“‘广平’当作‘北平’。”严衍《通鉴补》改作“北平”，今据改。〖按〗魏收《魏书·地形志》载，广都县，燕时属北平郡。

【语译】

十六年（辛卯，公元三九一年）

春季，正月，后燕在蓟城设置行台，加授长乐公慕容盛为总管朝廷一切行政事务的录行台尚书事。

西秦金城王乞伏乾归攻击越质诘归。越质诘归向乞伏乾归请求投降，乞伏乾归将本家族的一位姑娘嫁给越质诘归为妻。

贺兰部落首领贺讷的弟弟贺染干准备谋杀自己的哥哥贺讷，贺讷得知消息以后，便率领自己的部众攻打贺染干。北魏王拓跋珪将贺兰部落发生内乱的情况告诉后燕，同时请求为后燕担任向导，讨伐贺兰部落。

二月甲戌日，后燕主慕容垂派遣赵王慕容麟率领后燕军攻打贺兰部落首领贺讷，派遣担任镇北将军的兰汗率领龙城的军队攻打贺染干。

三月，秦主苻登从雍城出兵攻打后秦安东将军金荣所戍守的范氏堡，将范氏堡

渭水[569]，攻京兆太守韦范于段氏堡，不克，进据曲牢[570]。

夏，四月，燕兰汗破贺染干于牛都[571]。

苟曜有众一万，密召秦主登，许为内应。登自曲牢向繁川[572]，军于马头原[573]。五月，后秦主苌引兵逆战。登击破之，斩其右将军吴忠。苌收众复战，姚硕德曰："陛下慎于轻战[574]，每欲以计取之。今战失利而更前逼贼，何也？"苌曰："登用兵迟缓，不识虚实。今轻兵直进，遥据吾东[575]，此必苟曜竖子与之有谋也，缓之则其谋得成。故及其交之未合[576]，急击之，以败散其事耳。"遂进战，大破之。登退屯于郿[577]。

秦兖州刺史强金槌[578]据新平[579]，降后秦，以其子逵为质。后秦主苌将数百骑入金槌营。群下谏之，苌曰："金槌既去苻登，又欲图我，将安所归乎？且彼初来款附[580]，宜推心以结之，奈何复以不信疑之乎？"既而群氐欲取苌，金槌不从。

六月甲辰[581]，燕赵王麟破贺讷于赤城[582]，禽之，降其部落数万。燕主垂命麟归讷部落[583]，徙染干于中山。麟归，言于垂曰："臣观拓跋珪举动，终为国患，不若摄之还朝[584]，使其弟监国事。"垂不从。

西燕主永寇河南[585]。太守杨佺期[586]击破之。

秋，七月壬申[587]，燕主垂如[588]范阳[589]。

魏王珪遣其弟觚[590]献见于燕。燕主垂衰老，子弟用事，留觚[591]以求良马。魏王珪弗与，遂与燕绝，使长史张衮求好[592]于西燕。觚逃归，燕太子宝追获之，垂待之如初。

秦主登攻新平，后秦主苌救之，登引去。

攻破。于是乘胜渡过渭水，攻打京兆太守韦范所据守的段氏堡，没有攻克，便转而进攻曲牢，将曲牢占领。

夏季，四月，后燕镇北将军兰汗在牛都打败了贺染干。

后秦豫州刺史苟曜手下拥有一万人，他秘密派人向秦国投降，并召请秦主苻登，答应为秦军做内应。秦主苻登于是率军从曲牢向樊川进发，将军队驻扎在马头原。五月，后秦主姚苌率领后秦军迎战秦主苻登。苻登率军将后秦军打败，斩杀了后秦右将军吴忠。后秦主姚苌重新组织兵力继续与秦军作战，姚硕德说："陛下一向谨慎，从不轻率地出战，每次都希望用计谋取胜。现在作战失败，反而向前逼近敌人，这是为什么？"姚苌解释说："秦主苻登采取军事行动总是很迟缓，又不了解对方的虚实。现在他率领部队轻装前进，从遥远的曲牢径直进驻我们东方的马头原，这一定是苟曜那小子与苻登有勾结，如果我们行动迟缓，他们里应外合的阴谋就可能得逞。所以要在他们没有联络好之前，赶紧向他们发动猛攻，以破坏他们的阴谋。"于是率军向前与秦军交战，大败秦军。秦主苻登退往眉县屯扎。

秦国担任兖州刺史的强金槌占据新平郡，投降了后秦，并将自己的儿子强逵送到后秦充当人质。后秦主姚苌率领数百名骑兵进入强金槌的大营。属下群臣全都劝阻，不让他去冒险，姚苌说："强金槌已经离开了秦主苻登，如果再想谋害我，那他将归附于谁呢？况且强金槌刚来投靠我，我就应该对他推心置腹，以诚相待来结交他，为什么不相信而乱起疑心呢？"后来那些氐人全都要求杀死姚苌，而强金槌坚决不同意。

六月初三日甲辰，后燕赵王慕容麟在赤城将贺兰部落首领贺讷打败，活捉了贺讷，贺兰部落向后燕投降的有好几万人。后燕主慕容垂命令赵王慕容麟把贺讷连同他的部落一律放回原地，而将贺染干迁徙到后燕的都城中山。慕容麟回来之后，对后燕主慕容垂说："我观察魏王拓跋珪的举动，将来一定会成为我们的祸患，不如把他调到朝廷中来，以便于控制他，让他的弟弟主持魏国的政务。"慕容垂没有采纳慕容麟的意见。

西燕主慕容永率军劫掠东晋管辖之下的河南郡。东晋河南太守杨佺期将慕容永打败。

秋季，七月初二日壬申，后燕主慕容垂前往范阳郡视察。

北魏王拓跋珪派遣自己的弟弟拓跋觚向后燕进献礼物，晋见后燕主慕容垂。后燕主慕容垂已经很衰老，他的子弟们掌权，遂扣留了拓跋觚，向北魏索取好马。北魏王拓跋珪坚决不给，于是与后燕断绝交往，派担任长史的张衮前往长子，向西燕请求联盟结好。拓跋觚从后燕出逃，想要回到魏国，后燕太子慕容宝发现后赶紧率人追赶，将拓跋觚抓回，慕容垂对待拓跋觚还像从前一样。

秦主苻登率军进攻新平郡，后秦主姚苌率军赶来救援，秦主苻登遂率领秦军退走。

秦骠骑将军没弈干[593]以其二子为质于金城王乾归，请共击鲜卑大兜[594]。乾归与没弈干攻大兜于鸣蝉堡[595]，克之。兜微服[596]走，乾归收其部众而还，归没弈干二子。没弈干寻[597]叛，东合刘卫辰。八月，乾归帅骑一万讨没弈干。没弈干奔他楼城[598]，乾归射之，中目。

九月癸未[599]，以尚书右仆射王珣[600]为左仆射，太子詹事谢琰[601]为右仆射。太学博士范弘之[602]论殷浩[603]宜加赠谥[604]，因叙桓温[605]不臣[606]之迹。是时桓氏犹盛。王珣，温之故吏也，以为温废昏立明[607]，有忠贞之节，黜弘之为余杭[608]令。弘之，汪[609]之孙也。

冬，十月壬辰[610]，燕主垂还中山。

初，柔然[611]部人世服于代[612]。其大人[613]郁久闾地粟袁[614]卒，部落分为二：长子匹候跋[615]继父居东边，次子缊纥提[616]别居西边[617]。秦王坚灭代，柔然附于刘卫辰。

及魏王珪即位，攻击高车等，诸部率[618]皆服从，独柔然不事魏。戊戌[619]，珪引兵击之。柔然举部遁走，珪追奔六百里。诸将因张衮[620]言于珪曰："贼远粮尽，不如早还。"珪问诸将："若杀副马[621]，为三日食，足乎？"皆曰："足。"乃复倍道[622]追之，及于大碛南床山[623]下，大破之，虏其半部。匹候跋及别部帅屋击[624]各收余众遁走。珪遣长孙嵩[625]、长孙肥追之。珪谓将佐曰："卿曹[626]知吾前问三日粮意乎？"曰："不知也。"珪曰："柔然驱畜产奔走数日，至水必留；我以轻骑追之，计其道里[627]，不过三日及之[628]矣。"皆曰："非所及也[629]！"嵩追斩屋击于平望川[630]。肥追匹候跋至涿邪山[631]，匹候跋举众降[632]，获缊纥提之子曷多汗[633]，

秦国担任骠骑将军的鲜卑族多兰部落首领没弈干把自己的两个儿子当作人质送给西秦金城王乞伏乾归，请求乞伏乾归出兵共同攻打鲜卑部落首领大兜。乞伏乾归与没弈干共同攻打大兜所据守的鸣蝉堡，将鸣蝉堡攻占。鲜卑部落首领大兜换上平民的衣服逃走，乞伏乾归接管了大兜的部众，然后返回金城，并将没弈干送来充当人质的两个儿子送回。不久，没弈干就背叛了乞伏乾归，他向东联合占据着朔方郡的匈奴部落首领刘卫辰。八月，西秦金城王乞伏乾归率领一万名骑兵讨伐没弈干。没弈干抵挡不住乞伏乾归的进攻，于是逃往他楼城，乞伏乾归向他射去一箭，正好射中了没弈干的眼睛。

九月十四日癸未，东晋任命担任尚书右仆射的王珣为左仆射，任命担任太子詹事的谢琰为右仆射。担任太学博士的范弘之议论起殷浩的功劳，认为应该追赠殷浩一个谥号，并借此机会揭露桓温生前图谋为帝的种种迹象。当时，桓氏家族的势力还很强盛。王珣，是桓温的故吏，他认为桓温在世时废掉了昏庸的君主而拥戴圣明的君主，具有忠贞的节操，于是罢免了范弘之太学博士的官职，让他去做余杭县令。范弘之是范汪的孙子。

冬季，十月壬辰日，后燕主慕容垂从范阳郡返回都城中山。

当初，柔然部落世代都臣服于代国。柔然部落首领郁久闾地粟袁去世，其部落遂分裂成为东西二部：郁久闾地粟袁的长子郁久闾匹候跋继承了父亲的地位，居住在东部，郁久闾地粟袁的二儿子郁久闾缊纥提另率部众居住在西部。秦王苻坚灭掉了代国，柔然部落遂依附于占据朔方的匈奴部落首领刘卫辰。

等到北魏王拓跋珪即位，率军攻打高车部落，西域各部落头领大多都服从了魏国，只有柔然不肯臣服。戊戌日，北魏王拓跋珪率领魏军攻打柔然。柔然部落全部向北逃走，拓跋珪追赶了六百里。拓跋珪手下诸将通过左长史张衮向魏王拓跋珪建议说："柔然人已经逃得很远，我们大军的粮草也吃光了，不如早点撤回。"拓跋珪向诸将询问说："如果杀掉军中备用的马匹，靠马肉维持三天，够不够?"诸将都说："够。"于是又倍道兼程，继续追击，一直追到大漠以北的南床山下，终于追上了逃亡的柔然人，拓跋珪在此大败柔然，俘虏了柔然部落的一半人口。郁久闾地粟袁的长子、柔然东部首领郁久闾匹候跋以及另一支柔然部落首领屋击各自招集起残余的部众继续逃走。魏王拓跋珪派遣长孙嵩、长孙肥率领人马继续追击。拓跋珪对诸将说："你们知道我在此之前向你们询问杀掉副马充当三日粮的用意吗?"诸将都回答说："不知道。"拓跋珪说："柔然人驱赶着牲畜，带着全部家产，已经奔走了好几天，他们看到有水草的地方，肯定会停留下来；我们率领轻骑兵随后追赶，计算行程，用不了三天就能追上他们。"诸将都说："这些不是我们所能想到的！"长孙嵩率军追击柔然别部屋击，一直追到平望川才将屋击追上，长孙嵩杀死了屋击。长孙肥率军追击郁久闾匹候跋，一直追到涿邪山，郁久闾匹候跋遂率众投降，长孙肥活捉了郁

兄子社仑[40]、斛律等宗党数百人。缊纥提将奔刘卫辰[634]，珪追及之，缊纥提亦降，珪悉徙其部众于云中[635]。

翟辽卒，子钊代立[636]，改元定鼎。攻燕鄴城[637]，燕辽西王农击却之。

三河王光遣兵乘虚[638]伐金城王乾归。乾归闻之，引兵还，光兵亦退。

刘卫辰遣子直力鞮帅众八九万攻魏南部。十一月己卯[639]，魏王珪引兵五六千人拒之。壬午[640]，大破直力鞮于铁岐山[641]南。直力鞮单骑走，乘胜追之。戊子[642]，自五原金津南[643]济河，径入卫辰国[644]，卫辰部落骇乱。辛卯[645]，珪直抵其所居悦跋城，卫辰父子出走。壬辰[646]，分遣诸将轻骑追之。将军伊谓[647]禽直力鞮于木根山[648]，卫辰为其部下所杀。十二月，珪军于盐池[649]，诛卫辰宗党五千余人，皆投尸于河[650]。自河以南诸部悉降，获马三十余万匹，牛羊四百余万头，国用由是遂饶。

卫辰少子勃勃[651]亡奔薛干部[652]，珪使人求之。薛干部帅太悉伏[653][41]出勃勃以示使者曰："勃勃国破家亡，以穷归我。我宁与之俱亡，何忍执以与魏？"乃送勃勃于没弈干。没弈干以女妻之。

戊申[654]，燕主垂如鲁口[655]。

秦主登攻安定，后秦主苌如阴密以拒之，谓太子兴曰："苟曜闻吾北行[656]，必来见汝[657]，汝执诛之。"曜果见兴于长安，兴使尹纬[658]让[659]而诛之。

苌败登于安定城东，登退据路承堡[660]。苌置酒高会，诸将皆曰："若值魏武王[661]，不令此贼至今，陛下将牢[662]太过耳。"苌笑曰："吾不如亡兄有四：身长八尺五寸、臂垂过膝，人望而畏之，一也；将十万

久间缊纥提的儿子郁久间曷多汗，侄子郁久间社仑、郁久间斛律等宗室、党羽数百人。郁久间缊纥提想要投奔匈奴部落首领刘卫辰，魏王拓跋珪率军将他追上，郁久间缊纥提于是向魏王拓跋珪投降，魏王拓跋珪把柔然部落全部迁徙到云中郡安置。

丁零部落首领、自称魏天王的翟辽去世，他的儿子翟钊继位，改年号为定鼎。翟钊率众攻打后燕所占据的邺城，被后燕辽西王慕容农打退。

后凉三河王吕光趁西秦金城王乞伏乾归出兵讨伐秦国骠骑将军没弈干、京城兵力空虚的机会，出兵攻打金城王乞伏乾归。金城王乞伏乾归得到消息，立即率军赶回，吕光的人马随即撤走。

占据朔方郡的匈奴部落首领刘卫辰派遣自己的儿子刘直力鞮率领八九万人马攻打北魏国的南部地区。十一月初十日己卯，北魏王拓跋珪率领五六千人抵抗。十三日壬午，拓跋珪在铁岐山南麓大败刘卫辰的儿子刘直力鞮。刘直力鞮单枪匹马逃走，拓跋珪乘胜追击。十九日戊子，拓跋珪从五原郡的金津渡口南侧渡过黄河，径直进入刘卫辰的辖区，刘卫辰部落立即陷入惊骇慌乱之中。二十二日辛卯，拓跋珪率军直抵刘卫辰所居住的悦跋城，刘卫辰父子仓皇出逃。二十三日壬辰，拓跋珪派遣诸将率领轻骑兵分头进行追击，拓跋珪的部将伊谓在木根山活捉了刘卫辰的儿子刘直力鞮，刘卫辰也被自己的部下杀死。十二月，拓跋珪率军驻扎在盐池县，他诛杀了刘卫辰的族人及其党羽五千多人，并把他们的尸体全部投入黄河。黄河以南各部落全部投降了北魏，北魏缴获了三十多万匹马，四百多万头牛、羊，北魏的财力遂逐渐富裕起来。

匈奴部落首领刘卫辰的小儿子刘勃勃投奔了薛干部落，北魏王拓跋珪派人向薛干部落索要刘勃勃。薛干部落首领太悉伏把刘勃勃带出来让拓跋珪的使者看，并对使者说："刘勃勃已经国破家亡，在走投无路的情况下来投奔我。我宁可跟随他一起逃亡，怎么能忍心把他逮捕送给魏国呢？"于是把刘勃勃送往秦国骠骑将军没弈干那里。没弈干把自己的女儿嫁给刘勃勃为妻。

十二月初十日戊申，后燕主慕容垂前往鲁口视察。

秦主苻登率领秦军攻打后秦所占据的安定，后秦主姚苌率军赶往阴密以抵抗秦军的进攻，姚苌对太子姚兴说："叛变的豫州刺史苟曜听到我率军前往北方的阴密，一定会前来见你，你要趁机逮捕他，将他处死。"苟曜果然到后秦的都城长安来晋见后秦太子姚兴，姚兴派手下的尹纬斥责苟曜反复无常的罪状后，将苟曜杀死。

后秦主姚苌在安定城东打败了秦主苻登，苻登率领秦军退往路承堡据守。姚苌大摆酒宴招待诸将，诸将都说："如果遇上魏武王姚襄，绝不会令苻登这个盗贼猖狂到今天，陛下未免有些过于拘谨小心。"姚苌笑着说："我有四个方面比不上已经过世的哥哥：第一，我哥哥身长八尺五寸，胳膊很长，下垂时超过膝盖，人们看见他，自然而然地产生一种敬畏；第二，我哥哥率领十万兵马，与天下的英雄豪杰在战场

之众，与天下争衡[663]，望麾而进[664]，前无横陈[665]，二也；温古知今，讲论道艺[666]，收罗英隽[667]，三也；董帅[668]大众，上下咸悦，人尽死力，四也。所以得建立功业、驱策群贤者[669]，正望[670]算略中有片长[671]耳。”群臣咸称万岁。

【段旨】

以上为第五段，写太元十六年（公元三九一年）一年间的大事。主要写了后燕主慕容垂派将击破贺兰部的染干与贺讷。写了后秦主姚苌与前秦主苻登的反复争夺，姚苌破苻登与反复之将苟曜，以诚接纳秦之降将强金槌，并畅论自己与兄姚襄之为人。写了魏王拓跋珪的大破柔然、刘卫辰，卫辰死，诸部皆降，“国用由是遂饶”。写了西秦乞伏乾归的击破秦将没弈干，以及东晋王朝内部的矛盾、腐败日益严重等。

【注释】

㉛561 行台：朝廷的派出机构，建置与朝廷略同。562 蓟：当时幽州的州治所在，即今北京。563 长乐公盛：慕容盛，慕容垂之孙，太子慕容宝的嫡子。564 录行台尚书事：总管派出朝廷的一切行政事务。565 贺染干：贺兰部头领贺讷之弟，居于贺兰部落的东方。566 二月甲戌：此语疑误。二月初一是甲辰，该月没有“甲戌”日。567 雍：县名，县治在今陕西宝鸡东北。568 范氏堡：军事据点名，应在当时长安的西北方。569 渭水：发源于甘肃，经今西安北东流入黄河。570 曲牢：村镇名，据胡注当在杜县（今陕西西安东南）的东北方。571 牛都：村落名，当在牛川（今内蒙古呼和浩特西南）一带。572 繁川：樊川，在今西安东南，当时曲牢的北面。573 马头原：确址不详，约在今陕西西安东南部。574 慎于轻战：指不轻率进攻。575 遥据吾东：远远地离开根据地进驻到我们的东方。东，指马头原。576 交之未合：尚未完全联系好。577 郿：县名，县治在今陕西眉县东。578 强金槌：人名，氐族，原是苻登的同族亲党。579 新平：郡名，郡治在今陕西彬州。580 款附：投诚、归附。581 六月甲辰：六月初三。582 赤城：县名，即今河北赤城。583 归讷部落：把贺讷连同其部落一律放回原地。584 摄之还朝：控制住他，把他调回京师中山（今河北定州）。摄，收束、控制。585 河南：郡名，郡治即今河南洛阳。当时属东晋。586 杨佺期：弘农华阴（今属陕西）人，时为河南太守，驻兵洛阳。传见《晋书》卷八十四。587 七月壬申：七月初二。588 如：前往。589 范阳：郡名，郡治即今河北涿州。590 觚：即拓跋觚，拓跋珪的胞弟。传见《魏书》卷十五。591 留觚：将拓跋觚扣留。592 求好：请求联盟结

上争夺胜负，属下的将士们望见敌方的军旗就奋勇拼杀过去，没有人能够阻挡；第三，我哥哥通晓历史、明白现时，能够讲论治国之道和儒家经典，网罗天下的英才；第四，我哥哥统领大军，能使全军上下心情欢悦，人人都愿意拼死为他效力。而我之所以能够建立功业、驾驭诸公，只是因为在运筹帷幄方面有一点长处而已。”群臣全都高呼万岁。

好。593 没弈干：《晋书》作“没弈于”，鲜卑族多兰部落的头领，当时占据安阳（今甘肃秦安东北）。594 大兜：鲜卑部落的头领。595 鸣蝉堡：约在今甘肃秦安境内。596 微服：化装成平民，穿上平民的衣服。597 寻：不久。598 他楼城：在今宁夏固原境内。599 九月癸未：九月十四。600 王珣：晋代名臣王导之孙，曾在桓温手下任主簿，后为左仆射。传见《晋书》卷六十五。601 谢琰：晋代名臣谢安之子，淝水之战中破敌立功，封望秦公。传见《晋书》卷七十九。602 范弘之：东晋直臣范汪之孙，守正敢言。传见《晋书》卷九十一。603 殷浩：字深源，善谈玄，有虚名，曾于永和二年（公元三四六年）统军北取洛阳，因姚襄倒戈，大败于山桑（今安徽蒙城北），被桓温奏废为庶人。传见《晋书》卷七十七。604 宜加赠谥：应追赐殷浩一个谥号，并赠予其家一些东西，以示褒奖。605 桓温：字符子，东晋后期的权臣。曾率军平定西蜀，被封临贺郡公。后第一次北伐收复洛阳，第二次北伐被慕容垂大败于枋头。晚年欲图不轨，未成而死。传见《晋书》卷九十八。606 不臣：指图谋为帝。607 废昏立明：废掉昏庸的皇帝，另立英明的皇帝。指废了海西公司马奕另立简文帝司马昱。所谓“昏”“明”，不过是一种口实而已。608 余杭：县名，县治即今浙江杭州余杭区。609 汪：范汪，字玄平，东晋直臣，先从庾亮平苏峻之乱，后为地方官，亦有惠政。传见《晋书》卷七十五。610 十月壬辰：此句疑字有误。十月初一是庚子，本月没有“壬辰”日。611 柔然：北方少数民族名，其始祖曰木骨闾，为拓跋猗卢之骑卒。木骨闾子平鹿会，雄健发奋，始有部众，自号柔然，后魏世祖改其号为蠕蠕。传至社仑，凶狡有权略，渡漠北，侵高车，并合诸部，统领内外蒙古，立庭于敦煌、张掖之北，自号为丘豆伐可汗。其后败于后魏，灭于突厥。612 代：魏主拓跋珪之父什翼犍于晋成帝咸康四年（公元三三八年）建立的国家，都城盛乐（今内蒙古和林格尔），至晋孝武帝太元元年（公元三七六年）被苻坚所灭。613 大人：犹言“首领”“酋长”。614 郁久闾地粟袁：人名，姓郁久闾，名地粟袁。615 匹候跋：人名。616 缊纥提：人名。617 别居西边：另率部队居住西方。618 诸部率：各部落的头领。619 戊戌：此句疑字有误。十月初一是庚子，本月没有“戊戌”日。620 因张衮：通过张衮。张衮是拓跋珪的谋臣，此时为左长史，因屡谋善策有功，赐爵临渭侯。《魏书》卷二十四有传。621 副马：北方民族的骑兵往往乘一马，另带一马备用，故称此备用之马为副马。622 倍道：犹言“兼程”，一

日行两日的途程。㉓大碛南床山：大碛以北的南床山。碛，没有水草的沙石地。南床山，《北史》作“南商山”，约在今蒙古国南部的大漠西北。㉔别部帅屋击：另一个部落的头领名叫屋击。㉕长孙嵩：人名，姓长孙，名嵩。下“长孙肥”同。㉖卿曹：犹言“尔等”。㉗计其道里：计算他们的行程。㉘及之：追上。㉙非所及也：不是我们能想到的。㉚平望川：地址不详。㉛涿邪山：一作“涿涂山”，在今蒙古国杭爱山南的满达勒戈壁一带。㉜举众降：率部投降。㉝曷多汗：与下文“社仑”“斛律”都是人名。㉞将奔刘卫辰：当时刘卫辰驻守悦跋城，又称代来城，在今内蒙古伊金霍洛旗西北。㉟云中：郡名，郡治在今内蒙古托克托东北。㊱子钊代立：翟氏父子是丁零族的部落头领，当时活动在今河北、山东、河南的交界地区，相继称王共五年。㊲邺城：在今河北临漳西南，是后赵、前燕时期的都城。㊳乘虚：乘乞伏乾归东出讨伐没弈干，京城空虚之际。㊴十一月己卯：十一月初十。㊵壬午：十一月十三。㊶铁岐山：地址不详，大约在今河套东部的内蒙古、山西交界地区。㊷戊子：十一月十九。㊸五原金津南：五原郡金津渡口的南侧。五原郡的郡治九原，在今内蒙古包头西北，金津是黄河的渡口名，约在今内蒙古的包头与乌拉特前旗之间。㊹径入卫辰国：一直攻入刘卫辰的占领区。㊺辛卯：十一月二十二。㊻壬辰：十一月二十三。㊼伊谓：人名。㊽木根山：在今内蒙古鄂托克前旗西北。㊾盐池：县名，县治即今宁夏盐池。㊿皆投尸于河：以报太元元年刘卫辰勾结苻坚灭掉代国的仇恨。(651)勃勃：历史上的赫连勃勃，后为夏国国王。《晋书》卷一百三十有传。(652)薛干部：北方少数民族部落名。(653)太悉伏：人名，薛干部落的头领。(654)戊申：十二月初十。(655)鲁口：地名，在今河北饶阳境。(656)北行：从长安前往阴密（今甘肃华亭东）是往北行。(657)必来见汝：当时苟曜驻兵郑县（今陕西渭南市华州区），反复叛顺于苻氏与姚氏之间。(658)尹纬：姚兴手下的名将，先为长史，后因功封侯。事见《晋书》卷一百一十七。(659)让：斥责，这里是斥责其反复之罪。(660)路承堡：路承是人名，以其曾在此筑堡自守，故以之为名。具体方位不详，应距安定不远。(661)魏武王：指姚苌的哥哥姚襄，姚襄被姚苌追谥为魏武王。(662)将牢：拘谨沉稳，不打没有绝对把握的仗。(663)争衡：争高低。(664)望麾而进：一望见敌方之旗就立即杀过去。麾，大将的指挥旗。(665)前无横陈：前面无人敢阻挡。陈，同“阵”，敌阵。(666)讲论道艺：谈说治国之道和儒家的经典。(667)收罗英隽：网罗天下的英才。(668)董帅：即统领。董是监督管理的意思。(669)所以得建立功业句：主语是“我”，姚苌自指。驱策群贤，犹言“驾御诸公”。(670)正望：正是希望。“正是因为我有……”的客气说法。(671)算略中有片长：在运筹帷幄方面有一点点长处。

【校记】

［39］尚：据章钰校，十二行本、乙十一行本皆作“文”。［40］社仑：据章钰校，孔天胤本作“杜仑”。下同。［41］太悉伏：原作“太悉仗”。据章钰校，十二行本、乙十一行本皆作“太悉伏”，张敦仁《通鉴刊本识误》、张瑛《通鉴校勘记》同，今从改。

【研析】

本卷写孝武帝太元十二年（公元三八七年）至太元十六年共五年间的各国大事。其中写了晋朝名将谢玄的死，写了北方少数民族的慕容垂政权与姚苌政权的相对壮大与稳定，此外还有一些更小的局部地区的割据势力如乞伏乾归、吕光等也形成了一定气候，而北方的拓跋珪则应被看成一只毛色初具、爪牙正在锋利的小老虎。在这些人物中，我们还是首先结合着谢玄的死来议论一下谢玄。

谢玄出现在《晋书》里，应该说是一个比较平淡的人物，在他出场前并没有给他做过多少铺垫、埋下多少伏笔，甚至连晋朝人最善于使用的编造预言的手法也没有给谢玄用上一回，比如说他早在年幼的时候就表现过什么不学自通的军事谋略等。淝水之战只是昙花一现，而且叙事简略，没有什么深思熟虑的运筹帷幄，也没有什么惊心动魄的战场搏杀，因而不能给读者留下深刻的印象。甚至读者还可以向讲历史的人发问：谢玄能算一个军事家吗？他有怎样的军事思想？运用过什么样的军事谋略与战略战术？苻坚的失败能够说是出于谢玄的天才运筹吗？是事实本来就这么简单、就这么偶然，还是历史家没有把真正深层的、内幕的东西提示充分？总之，苻坚失败的主客观原因读者很清楚，但晋王朝是怎么胜利的，读者不清楚。对于谢安，《世说新语》和《晋书》中还都有一些相关的做作的描写；而对于谢玄，竟完全没有任何关于其思想、心理上的相关提示。

钱穆的《国史大纲》中有一段文字说："兵卒在当时的社会上变成一种特殊卑下的身份，固与贵族时代兵队即是贵族者有异，亦与西汉定制凡国家公民皆需服兵役者不同。军人的地位只与奴隶、罪犯相等，从军只是当苦役。国家的军队实质上亦如私门的部曲与僮客。他们没有公民的地位，政府亦常常将他们赐给私家，私家亦公然占公家兵户为己有……军人的地位如此，如何可以为国操劳，担负光复中原的责任？"接着又说："直待谢玄镇广陵，创为招募，号'北府兵'，兵人地位始见提高，遂建功淝水奇迹。东晋王位拱手而让于此系军人之手……北府兵强，权重始归朝廷，中原南徙之众，本多磊落英多之士，谢玄择将简兵，六年而有淝水之捷，实非幸事。苻坚军队亦系签兵杂凑，宜乎虽多而不能与晋为敌。"这应该是重要的一项。另外就是这时的丞相谢安与荆州的大将桓冲出现了一种和睦的局面，主动者不是谢安，而是讲大局的桓冲，是桓冲主动在西线出兵策应了东线的谢玄等人。

淝水之战的胜利如此之大，它对晋王朝整个朝野的震动和整个北方地区的震动都是巨大的，但究竟有何具体表现，相关的历史书也缺乏应有的、带有感情的展示。谢安在当时曾上奏朝廷，请求派谢玄率军北上，"经略旧都"；谢玄也的确进军彭城，进伐青州，进伐冀州，又攻取了滑台、黎阳，并想"令豫州刺史朱序镇梁国，玄住彭城，北固河上，西援洛阳，内藩朝廷"。但一窝腐败难扶的东晋朝廷竟"以征役既久，宜置戍而还，使玄还镇淮阴，序寿阳”，于是遂收兵而回了。可见，想要有所作为的是谢安、谢玄，而不想有任何作为的是东晋朝廷，是布满朝野一群养尊处优、得过且过的腐朽势力。谢安、谢玄是顶着巨大的来自东晋朝野的压力与苻坚作战，战败了，他们自然有罪；战胜了，也依然难得安宁。谢安于淝水战后的第二年病死，谢玄也很快地因病离开了前线，第五年去世。《晋书》本传说他：“康乐才兼文武，志存匡济，淮肥之役，勍寇望之而土崩；涡颍之师，中州应之而席卷。方欲西平巩洛，北定幽燕，庙算有遗，良图不果，降龄何促，功败垂成，拊其遗文，经纶远矣。”

本卷中最生动的人物是姚苌。淝水之战后，苻坚在北方的统治崩溃，风起于冀州、幽州一带的是鲜卑的慕容垂，崛起于关中地区的是羌族的姚苌。有关慕容垂的活动，前两卷笔墨较多；而本卷涉笔较多的则是姚苌。姚苌乘苻坚淝水之败，对苻坚反戈相击；又趁苻坚被慕容冲打败于长安之际，将苻坚擒获于五将山，杀之于新平佛寺。其后则与苻坚政权的继任者苻登反复争夺于陕甘交界的一带地区。苻登作战勇敢，屡破姚苌；而姚苌则诡计多端，颇有些像是刘邦对付项羽一样，日积月累，胜算居多。当姚苌与苻登相持于安定郡，秦将魏褐飞率众进攻姚苌都城长安东北的杏城，姚苌的部将雷恶地叛变，举李润堡以应和魏褐飞。姚苌命部将姚当成据守营地，自己率军往救杏城、李润。群臣都说：“陛下不忧六十里苻登，乃忧六百里魏褐飞，何也?”姚苌说：“登非可猝灭，吾城亦非登所能猝拔。恶地智略非常，若南引褐飞，东结董成，得杏城、李润而据之，长安东北非吾有也。”于是他暗自率领精兵一千六百奔赴之。魏褐飞、雷恶地有众数万，氐、胡赴之者首尾不绝。苌每见一军至，辄喜。群臣怪而问之，姚苌说：“褐飞等扇诱同恶，种类甚繁，吾虽克其魁帅，余党未易猝平。今乌集而至，吾乘胜取之，可一举无余也。”魏褐飞见后秦兵少，悉众攻之。姚苌固垒不战，示之以弱，暗中遣其子姚崇帅骑数百出其后。魏褐飞的士兵惊扰，姚苌遂遣镇远将军王超等纵兵击之，斩魏褐飞及其将士万余级。雷恶地请降，苌待之如初。雷恶地谓人曰：“吾自谓智勇杰出一时，而每遇姚翁辄困，固其分也!”姚苌还学着刘邦的样子，对他自己和他死去的哥哥姚襄作过一段精彩的评论。“苌败登于安定城东，登退据路承堡。苌置酒高会，诸将皆曰：‘若值魏武王（指姚襄），不令此贼至今，陛下将牢（老成持重）太过耳。’苌笑曰：‘吾不如亡兄有四：身长八尺五寸、臂垂过膝，人望而畏之，一也；将十万之众，与天下争衡，望麾而进，前无横陈，二也；温古知今，讲论道艺，收罗英隽，三也；董帅大众，上下咸悦，人尽死力，四也。所以得建立功业、驱策群贤者，正望算略中有片长耳。’群臣咸称万岁。”姚苌以擅长谋略自居，的确不是虚夸。

不过姚苌也有非常荒唐可笑的地方。当苻坚死后，苻坚的威名还震烁一时。苻坚的儿子苻丕死后，苻坚的族子苻登继位为帝时，他为提高自己的威名，就学文王死后，武王载文王木主以伐殷纣的样子，他也做了一个苻坚的神主“立于军中，载

以辎軿，建黄旗青盖，以虎贲三百人卫之。凡所欲为，必启主而后行。引兵五万，东击后秦，将士皆刻鉾、铠为‘死’‘休’字。每战以剑矟为方圆大阵，知有厚薄，从中分配。故人自为战，所向无前”。姚苌见到秦军这种屡战屡胜的样子，“谓得秦王坚之神助，亦于军中立坚像而祷之曰：‘臣兄襄敕臣复雠。新平之祸，臣行襄之命，非臣罪也。苻登，陛下疏属，犹欲复雠，况臣敢忘其兄乎！且陛下命臣以龙骧建业，臣敢违之！今为陛下立像，陛下勿追计臣过也。’秦主登升楼，遥谓苌曰：‘为臣弑君，而立像求福，庸有益乎？’因大呼曰：‘弑君贼姚苌何不自出？吾与汝决之！’苌不应。久之，以战未有利，军中每夜数惊，乃斩像首以送秦”。亲手将苻坚杀死，又“掘秦主坚尸，鞭挞无数，剥衣倮形，荐之以棘，坎土而埋之”，仇恨如此，掉头来又立像祈求人家的保佑，世界上有如此滑稽的事吗？祈求无效，又发狠割下木像的头加以侮辱，简直是白痴，是疯子！

卷第一百八　晋纪三十

起玄黓执徐（壬辰，公元三九二年），尽柔兆涒滩（丙申，公元三九六年），凡五年。

【题解】

本卷写孝武帝太元十七年（公元三九二年）至二十一年共五年间的东晋与各国的大事。主要写了慕容垂数道出兵讨伐慕容永，大破西燕军，围慕容永于长子，慕容永求救于东晋与北魏，救兵未及至，燕人遂破长子，杀慕容永与其诸大将，西燕遂灭。写了慕容垂又命慕容农等进军齐、鲁诸郡，遍置守宰，齐、鲁大地尽入于燕。写了魏王拓跋珪叛燕，燕太子慕容宝率大军伐魏，由于慕容麟的轻敌，被拓跋珪大破于参合陂，降者数万，尽为拓跋珪所坑。写了慕容垂率大军伐魏，慕容农、慕容隆为前锋，大破魏军于平城，拓跋虔败死，魏人大怖，引回阴山。写了慕容垂过参合陂见骸骨如山，大惭而病，死于回军的路上，慕容宝继位，后燕政权出现重重矛盾，败形已显。写了魏王拓跋珪即皇帝位，大举进攻晋阳，守将慕容农迎战失败，部将慕舆嵩叛变，魏人遂占据并州；继而拓跋珪出井陉道进攻常山，除中山、邺城、信都三城据守，慕容德破魏军于邺城外，其他郡县皆纷纷降魏。此外还写了魏将长孙肥破柔然，杀其头领曷多汗，余部走度漠

【原文】

烈宗孝武皇帝下[1]

太元十七年（壬辰，公元三九二年）

春，正月己巳朔①，大赦。

秦主登立昭仪②陇西李氏为皇后。

二月壬寅③，燕主垂自鲁口如河间④、渤海⑤、平原⑥。翟钊遣其将翟都侵馆陶⑦，屯苏康垒。三月，垂引兵南击钊。

秦骠骑将军没弈干帅众降于后秦，后秦以为车骑将军，封高平公。

后秦主苌寝疾⑧，命姚硕德⑨镇李润⑩，尹纬守长安，召太子兴诣行营⑪。征南将军姚方成⑫言于兴曰："今寇敌未灭，上复寝疾。王

北。写了姚苌卧病于安定，苻登趁机率兵攻之，姚苌运用智谋将其吓走；秦将窦冲叛秦独立，求救于姚苌，苌使姚兴为窦冲解围，大获而归。写了姚苌临终以姚旻、尹纬、姚晃等为辅政大臣，嘱太子姚兴以“抚骨肉以恩，接大臣以礼，待物以信，遇民以仁”。写了后秦主姚兴破秦主苻登于废桥，又进破苻登于马毛山，俘杀苻登；苻登子投杨定，乞伏乾归破杀杨定与苻崇，前秦遂灭。写了晋王朝司马道子奢侈腐化，与王国宝、王绪等结党专权，以致与其兄孝武帝、藩镇势力王恭等产生尖锐矛盾。写了桓玄的势力逐渐膨胀，孝武帝为防备桓玄而起用另一派贵族官僚如殷仲堪等，从而造成晋王朝不同派系的严重对立。写了晋孝武帝沉迷酒色，因戏言为张贵人所弑，呆傻的太子司马德宗即皇帝位，连日常生活起居都得靠其弟司马德文照应。写了后秦主姚兴与凉州的吕光政权、西秦主乞伏乾归的相互攻战，以及湟中地区秃发乌孤势力的兴盛等。

【语译】

烈宗孝武皇帝下

太元十七年（壬辰，公元三九二年）

春季，正月初一日己巳，东晋实行大赦。

秦主苻登封昭仪陇西人李氏为皇后。

二月初五日壬寅，后燕主慕容垂从鲁口前往河间郡、渤海郡、平原郡视察。丁零部落首领翟钊派遣属下将领翟都进犯馆陶，屯驻在苏康垒。三月，后燕主慕容垂率军南下攻击翟钊。

秦国骠骑将军没弈干率领自己手下的部众投降了后秦，后秦任命没弈干为车骑将军，封为高平公。

后秦主姚苌卧病，他命令自己的弟弟姚硕德镇守李润堡，令尹纬镇守都城长安，令皇太子姚兴前往姚苌所在的安定行营。担任征南将军的姚方成对皇太子姚兴说：“如今贼寇还没有灭掉，主上又得了重病。王统等人都有自己的私人武装，终究会

统[13]等皆有部曲[14]，终为人患，宜尽除之。”兴从之，杀王统、王广[15]、苻胤、徐成、毛盛。苌怒曰：“王统兄弟，吾之州里[16]，实无他志。徐成等皆前朝[17]名将，吾方用之，奈何辄杀之[18]？”

燕主垂进逼苏康垒。夏，四月，翟都南走滑台[19]。翟钊求救于西燕，西燕主永谋于群臣，尚书郎渤海鲍遵曰：“使两寇相弊，吾承其后，此卞庄子之策[20]也。”中书侍郎太原张腾曰：“垂强钊弱，何弊之承？不如速救之，以成鼎足之势。今我引兵趋中山，昼多疑兵，夜多火炬，垂必惧而自救。我冲其前，钊蹑其后，此天授之机，不可失也。”永不从。

燕大赦。

五月丁卯朔[21]，日有食之。

六月，燕主垂军黎阳，临河欲济，翟钊列兵南岸以拒之。辛亥[22]，垂徙营就西津[23]，去黎阳西四十里，为牛皮船百余艘，伪列兵仗，溯流[24]而上。钊亟引兵趣西津[25]。垂潜遣中垒将军桂林王镇[26]等自黎阳津夜济，营于河南，比明[27]而营成。钊闻之，亟还，攻镇等营。垂命镇等坚壁勿战。钊兵往来疲暍[28]，攻营不能拔，将引去。镇等引兵出战，骠骑将军农自西津济，与镇等夹击，大破之。钊走还滑台，将妻子，收遗众，北济河，登白鹿山[29]，凭险自守，燕兵不得进。农曰：“钊无粮，不能久居山中。”乃引兵还，留骑候[30]之。钊果下山，还兵掩击[31]，尽获其众，钊单骑奔长子[32]。西燕主永以钊为车骑大将军、兖州牧，封东郡王。岁余，钊谋反，永杀之。

初，郝晷、崔逞及清河崔宏、新兴张卓、辽东夔腾、阳平路纂皆

成为国家的祸患，应该把他们全部除掉。”太子姚兴听从了姚方成的意见，杀死了王统、王广、苻胤、徐成、毛盛。后秦主姚苌非常愤怒，他说：“王统兄弟是我的同乡，对我绝对没有二心。徐成等人都是前朝的名将，我正要重用他们，你怎么能说杀就把他们杀掉呢！”

后燕主慕容垂率领燕军直逼丁零部落将领翟都所据守的苏康堡。夏季，四月，翟都向南逃往滑台。丁零部落首领翟钊向西燕求救，西燕主慕容永与群臣一起商议此事，担任尚书郎的渤海人鲍遵说：“让丁零部落与后燕互相攻打，等到他们双方全都疲惫不堪的时候，我们再出兵，这就是卞庄子打死双虎的策略。”担任中书侍郎的太原人张腾说：“后燕主慕容垂势力强大，而丁零部落首领翟钊势力弱小，胜利的一方怎么会有疲惫不堪的时候？不如赶紧出兵救援翟钊，造成鼎足三分的局势。现在我们出兵奔赴后燕的都城中山，白天多设疑兵，夜间增加火把，慕容垂不知道我们出动了多少人马，必定心生畏惧而回兵自救。到那时，我军在他的正面发动进攻，翟钊率军从他的背后攻打，形成前后夹击之势，这是上天授予我们的绝好机会，绝对不能错过。”慕容永没有采纳他的意见。

后燕实行大赦。

五月初一日丁卯，发生日食。

六月，后燕主慕容垂率领大军抵达黄河北岸的黎阳津，准备率领大军南渡黄河，丁零部落首领翟钊在黄河南岸列兵防守，抗拒燕军南下。十六日辛亥，后燕主慕容垂将营寨向西迁移到西津，西津在黎阳以西四十里远的地方，慕容垂派人打造了一百多艘牛皮船，假装上面排列着兵器，逆流而上。翟钊接到报告，赶紧率军赶赴西津。后燕主慕容垂则暗中派遣担任中垒将军的桂林王慕容镇等在夜间从黎阳津渡过黄河，在黄河南岸安下营寨，等到天亮的时候，营寨已经全部完成。翟钊听到后燕军已经从黎阳津渡过黄河的消息，又赶紧从西津返回黎阳津，攻打后燕桂林王慕容镇等人的营寨。后燕主慕容垂下令慕容镇等坚守营寨，不得与丁零人交战。翟钊的军队东奔西跑，疲惫不堪，攻打后燕的营寨又无法攻克，于是准备率军撤走。此时慕容镇等率军出战，后燕骠骑将军慕容农率军从西津渡过黄河，与慕容镇等左右夹击，大败丁零部落。翟钊逃回滑台，然后带着妻子，召集起残余的部众，向北渡过黄河，逃入白鹿山，利用山中的险要地势进行坚守，后燕军无法前进。骠骑大将军慕容农说：“翟钊军中没有粮草，不可能在白鹿山中待很久。”于是率军而回，留下一些骑兵进行监视。翟钊果然下山。慕容农回师掩杀，把翟钊的部众全部俘虏，翟钊单人独骑逃奔西燕的都城长子。西燕主慕容永任命翟钊为车骑大将军、兖州牧，封他为东郡王。过了一年多，翟钊谋反，西燕主慕容永遂将翟钊杀死。

当初，郝晷、崔逞以及清河人崔宏、新兴人张卓、辽东人夔腾、阳平人路纂全

仕于秦，避秦乱㉝来奔，诏以为冀州诸郡㉞，各将部曲营于河南㉟。既而受翟氏官爵，翟氏败，皆降于燕，燕主垂各随其材而用之。钊所统七郡三万余户，皆按堵如故㊱。以章武王宙㊲为兖、豫二州刺史，镇滑台；徙徐州民七千余户于黎阳，以彭城王脱㊳为徐州刺史，镇黎阳。脱，垂之弟子也。垂以崔荫为宙司马。

初，陈留王绍为镇南将军，太原王楷为征西将军，乐浪王温为征东将军，垂皆以荫为之佐㊴。荫才干明敏强正，善规谏，四王皆严惮㊵之。所[2]至简刑法，轻赋役，流民归之，户口滋息㊶。

秋，七月，垂如邺，以太原王楷为冀州牧，右光禄大夫余蔚为左仆射。

秦主登闻后秦主苌疾病，大喜，告祠㊷世祖神主㊸，大赦，百官进位二等，秣马厉兵㊹，进逼安定，去城㊺九十余里。八月，苌疾小瘳㊻，出兵[3]拒之。登引兵出营，将逆战，苌遣安南将军姚熙隆别攻秦营㊼，登惧而还。苌夜引兵旁出以蹑其后。旦而候骑㊽告曰："贼诸营已空，不知所向。"登惊曰："彼为何人，去令我不知，来令我不觉；谓其将死，忽然复来。朕与此羌同世，何其厄哉㊾！"登遂还雍，苌亦还安定。

三河王光遣其弟右将军宝等攻金城王乾归，宝及将士死者万余人。又遣其子虎贲中郎将纂击南羌彭奚念㊿，纂亦败归。光自将击奚念于枹罕(51)，克之。奚念奔甘松(52)。

冬，十月辛亥(53)，荆州刺史王忱卒。

雍州刺史朱序以老病求解职。诏以太子右卫率郗恢(54)为雍州刺史，代序镇襄阳。恢，昙之子也。

是秦国的官员，他们为了躲避秦国战败后的混乱而投奔了东晋，东晋孝武帝司马曜下诏，任命他们为冀州各郡的太守，让他们各自率领自己的私人武装驻扎在黄河以南。不久，这些人都接受了丁零部落首领翟氏所任命的官职和爵位，翟氏失败之后，这些人又都投降了后燕，后燕主慕容垂根据他们的实际才能分别予以任用。翟钊所统领的分布在七个郡的三万多户丁零人，全都安居如常。后燕任命章武王慕容宙为兖、豫二州刺史，镇所设在滑台；将徐州的七千多户居民强制迁徙到黎阳，任命彭城王慕容脱为徐州刺史，镇所设在黎阳。慕容脱是后燕主慕容垂弟弟的儿子。慕容垂任命崔荫为慕容宙的司马。

当初，陈留王慕容绍担任镇南将军，太原王慕容楷为征西将军，乐浪王慕容温为征东将军，后燕主慕容垂都曾经让崔荫担任他们的僚佐。崔荫为人精明敏捷、有才干、刚强正直，善于规劝，陈留王慕容绍、太原王慕容楷、乐浪王慕容温、章武王慕容宙，这四位亲王都很敬畏他。崔荫所在之处，总是简化刑法，减轻赋税和徭役，那些逃亡的难民全都前来归附他，于是，户数和人口逐渐增多。

秋季，七月，后燕主慕容垂前往邺城，任命太原王慕容楷为冀州牧，任命担任右光禄大夫的余蔚为左仆射。

秦主苻登得知后秦主姚苌患病的消息，非常高兴，便向设在军中的世祖苻坚的牌位祭祀、禀告，并实行大赦，文武百官的爵位全都晋升二级，喂饱战马、磨砺兵器，然后率领大军进逼后秦主所在的安定，驻扎在距离安定城只有九十多里的地方。八月，后秦主姚苌的病情稍有好转，便亲自率军出城拒敌。秦主苻登率军出营，准备迎战姚苌，姚苌派遣担任安南将军的姚熙隆率领一支军队从另一个方面攻打秦国的营寨，苻登因为惧怕两面受敌，遂率军撤退。姚苌在当天夜间率军从旁边的另一条道路紧紧地跟随在苻登的背后。天亮之后，负责侦察的骑兵向秦主苻登禀告说："后秦的军营已经空无一人，不知道到哪里去啦。"苻登听了大惊失色地说："姚苌到底是个什么人，他走的时候我不知他去向，他来的时候令我毫无察觉；我以为他快要死了，忽然又活了过来。我与这样的一个羌人同时活在世上，是多么倒霉呀!"苻登于是率领秦军返回雍城，后秦主姚苌也回到安定。

后凉三河王吕光派自己的弟弟、担任右将军的吕宝等人率领后凉军攻打西秦大将军、大单于、金城王乞伏乾归，吕宝战死，其将士战死者有一万多人。吕光又派遣自己的儿子、担任虎贲中郎将的吕纂率军攻打南羌部落首领彭奚念，吕纂也是大败而回。吕光于是亲自率军攻打彭奚念所据守的枹罕，终于将枹罕攻克。彭奚念逃往甘松郡。

冬季，十月十八日辛亥，东晋担任荆州刺史的王忱去世。

东晋担任雍州刺史的朱序因为年老多病，向朝廷请求解除职务。东晋孝武皇帝司马曜下诏，任命担任太子右卫率的郗恢为雍州刺史，代替朱序镇守襄阳。郗恢是郗昙的儿子。

巴蜀人在关中者皆叛后秦，据弘农⑤以附秦。秦主登以窦冲为左丞相，冲徙屯华阴⑥。郗恢遣将军赵睦守金墉⑦，河南太守杨佺期帅众军湖城⑧，击冲，走之。

十一月癸酉⑨，以黄门郎殷仲堪为都督荆益宁三州诸军事、荆州刺史，镇江陵。仲堪虽有英誉，资望⑩犹浅，议者不以为允⑪。到官，好行小惠，纲目不举⑫。

南郡公桓玄⑬负其才地⑭，以雄豪自处，朝廷疑而不用。年二十三，始拜太子洗马⑮。玄尝诣琅邪王道子，值其酣醉，张目谓众客曰："桓温晚涂欲作贼⑯，云何⑰？"玄伏地流汗⑱，不能起。由是益不自安，常切齿于道子。后出补义兴⑲太守，郁郁不得志，叹曰："父为九州伯⑳，儿为五湖长㉑！"遂弃官归国㉒，上疏自讼㉓曰："先臣㉔勤王匡复之勋㉕，朝廷遗之，臣不复计。至于先帝龙飞㉖，陛下继明㉗，请问谈者，谁之由㉘邪？"疏寝不报㉙。

玄在江陵，仲堪甚敬惮之。桓氏累世临荆州㉚，玄复豪横，士民畏之，过于仲堪。尝于仲堪听事㉛前戏马，以矟拟仲堪㉜。仲堪中兵参军㉝彭城刘迈谓玄曰："马矟有余㉞，精理不足㉟。"玄不悦，仲堪为之失色。玄出，仲堪谓迈曰："卿，狂人也！玄夜遣杀卿，我岂能相救邪？"使迈下都㊱避之。玄使人追之，迈仅而获免。

征虏参军㊲豫章胡藩过江陵，见仲堪，说之曰："桓玄志趣不常㊳，每怏怏于失职，节下崇待太过㊴，恐非将来之计㊵也！"仲堪不悦。藩内弟同郡[4]罗企生为仲堪功曹㊶，藩退，谓企生曰："殷侯㊷倒戈以授人，必及于祸。君不早图去就，后悔无及矣！"

庚寅㊸，立皇子德文为琅邪王，徙琅邪王道子为会稽王。

凡是在关中的巴蜀人全都背叛了后秦，他们占据弘农，归附了秦国。秦主苻登任命窦冲为左丞相，窦冲移驻华阴。东晋雍州刺史郗恢派遣将军赵睦守卫金墉，派担任河南太守的杨佺期率军进驻湖县县城，攻打驻屯华阴的秦国左丞相窦冲，将窦冲赶走。

十一月初十日癸酉，东晋任命担任黄门郎的殷仲堪为都督荆、益、宁三州诸军事和荆州刺史，镇所设在江陵。殷仲堪当时虽然名声很好，然而资历、声望还很浅，议论的人都不认为他是都督荆、益、宁三州诸军事和荆州刺史的合适人选。殷仲堪到任之后，喜好用小恩小惠笼络人心，然而却抓不住关键性的问题。

东晋南郡公桓玄对于自己的才干、门第一向很自负，又以英雄豪杰自居，朝廷对他怀有戒心，因而一直没有重用他，桓玄一直到二十三岁时，才被任命为太子洗马。桓玄曾经亲自前往琅邪王司马道子的府邸拜访，正赶上司马道子喝得酩酊大醉，瞪着眼睛对众多来访的客人说："桓温晚年想要谋反，篡夺皇位，是怎么回事？"桓玄吓得俯伏在地上，汗流浃背，几乎站不起来。从此以后他更加恐惧不安，经常对司马道子恨得咬牙切齿。后来他出京担任义兴太守，又自认为是大材小用，因此闷闷不乐，他叹息着说："父亲是统领整个天下的诸侯之长，儿子只在五湖边上当一个小小的地方官！"于是弃官不做，回到自己的封国南郡，他上疏给孝武皇帝司马曜，为自己申辩委屈说："我的父亲桓温在保卫皇室、匡复国家方面建立了很大功勋，朝廷早已忘记，我也不去计较。至于先帝司马昱能够即位为皇帝，使陛下得以继承大统，请陛下问问那些谈论的人，靠的是谁？"桓玄的奏章被搁置起来，孝武帝司马曜没有给予答复。

东晋桓玄在江陵时，担任荆州刺史的殷仲堪对他非常敬畏。桓氏家族几代人镇守荆州，桓玄又很强横霸道，无论是士大夫还是平民百姓，对桓玄的畏惧程度，远远超过了对现任荆州刺史殷仲堪的畏惧。桓玄曾经在殷仲堪荆州刺史府的办公厅前骑马奔驰，并用长矛指着殷仲堪。在殷仲堪手下担任中兵参军的彭城人刘迈对桓玄说："你骑马舞矛的本事有余，然而清谈玄理的功夫差点。"桓玄听了很不高兴，殷仲堪竟然吓得大惊失色。桓玄走了之后，殷仲堪对刘迈说："你，简直就是一个疯子！如果桓玄派人在夜间来刺杀你，我怎么能救得了你？"于是让刘迈前往京师躲避桓玄的报复。桓玄果然派人追杀刘迈，刘迈侥幸逃过追杀，免于一死。

东晋担任征虏参军的豫章人胡藩经过江陵的时候，来见殷仲堪，他劝说殷仲堪："桓玄的志向非同寻常，对于自己没能继承父亲的职位一直心怀不满，你目前对他过分的忍让和优待，恐怕将来不好对付！"殷仲堪听了很不高兴。胡藩的妻弟罗企生在殷仲堪手下担任功曹，胡藩告辞后，对罗企生说："荆州刺史殷仲堪倒拿戈矛，授人以柄，一定会遇上灾祸。你如果不早点离开他，恐怕连后悔都来不及！"

十一月二十七日庚寅，东晋孝武皇帝司马曜立皇子司马德文为琅邪王，改封琅邪王司马道子为会稽王。

十二月，燕主垂还中山，以辽西王农为都督兖豫荆徐雍五州诸军事，镇邺。

休官权千成[94]据显亲[95]，自称秦州牧。

清河[96]人李辽上表请敕兖州[97]修孔子庙[5]，给户洒扫[98]，仍立庠序[99]，收教学者。曰："事有如赊而实急[100]者，此之谓也！"表不见省[101]。

十八年（癸巳，公元三九三年）

春，正月，燕阳平孝王柔[102]卒。

权千成为秦所逼，请降于金城王乾归。乾归以为东秦州刺史、休官大都统、显亲公。

夏，四月庚子[103]，燕主垂加太子宝大单于，以安定王库傉官伟[104]为太尉，范阳王德为司徒，太原王楷为司空，陈留王绍为尚书右仆射。五月，立子熙为河间王，朗为渤海王，鉴为博陵王。

秦右丞相窦冲矜才尚人[105]，自请封天水王，秦主登不许。六月，冲自称秦王，改元元光。

金城王乾归立其子炽磐为太子。炽磐勇略明决，过于其父。

秋，七月，秦主登攻窦冲于野人堡[106]。冲求救于后秦。尹纬言于后秦主苌曰："太子仁厚之称，著于远近，而英略未著，请使击苻登以著之。"苌从之。太子兴将兵攻胡空堡[107]，登解冲围以赴之。兴因袭平凉[108]，大获而归。苌使兴还镇长安。

魏王珪以薛干太悉伏[109]不送刘勃勃，八月，袭其城，屠之。太悉伏奔秦[110]。

氐帅杨佛嵩[111]叛奔后秦，杨佺期、赵睦追之，九月丙戌[112]，败佛嵩于潼关。后秦将姚崇[113]救佛嵩，败晋兵，赵睦死。

冬，十月，后秦主苌疾甚，还长安。

燕主垂议伐西燕，诸将皆曰："永未有衅，我连年征讨，士卒疲

十二月，后燕主慕容垂从邺城返回都城中山，他任命辽西王慕容农为都督兖、豫、荆、徐、雍五州诸军事，镇守邺城。

休官族部落首领权千成据守显亲县，自称秦州牧。

东晋清河郡人李辽上表给东晋孝武皇帝司马曜，请求敕令兖州政府重新修缮孔子庙，指派几户人家专门负责孔子庙的清洁洒扫，并设立学校，招收学生，聘请学者担任老师。李辽说："有些事情看起来似乎是大而无当，而实际上却是急需要做的事情，说的就是这种情况！"奏章呈递上去之后，没有得到批复。

十八年（癸巳，公元三九三年）

春季，正月，后燕阳平孝王慕容柔去世。

自称秦州牧的休官部落首领权千成深受秦国逼迫，于是向西秦金城王乞伏乾归请求投降。乞伏乾归任命权千成为东秦州刺史、休官大都统，封他为显亲公。

夏季，四月初九日庚子，后燕主慕容垂加授皇太子慕容宝为大单于，任命安定王库傉官伟为太尉，任命范阳王慕容德为司徒，任命太原王慕容楷为司空，任命陈留王慕容绍为尚书右仆射。五月，立皇子慕容熙为河间王，慕容朗为渤海王，慕容鉴为博陵王。

秦国担任右丞相的窦冲恃才傲物，喜好凌驾于群臣之上，他向秦主苻登请求封自己为天水王，秦主苻登没有答应。六月，窦冲自称秦王，改年号为元光。

西秦大将军、大单于、金城王乞伏乾归立自己的儿子乞伏炽磐为王太子。乞伏炽磐为人勇武，有谋略，明辨是非，很有决断，才干超过了他的父亲乞伏乾归。

秋季，七月，秦主苻登率军讨伐占据野人堡、自称秦王的窦冲。窦冲向后秦求救。后秦担任仆射的尹纬对后秦主姚苌说："皇太子姚兴一向以仁慈敦厚而远近闻名，但是太子英雄谋略的一面还没有被人们认识，请让太子率军攻击秦主苻登，以此来展示他的英雄才华，让人们来了解他。"后秦主姚苌同意了尹纬的意见。太子姚兴遂率军攻打秦主苻登的根据地胡空堡，苻登立即解除了对窦冲的包围，回师来救。后秦太子姚兴趁机袭击平凉，大获全胜，凯旋。后秦主姚苌令太子姚兴仍旧回去镇守京城长安。

因为薛干部落首领太悉伏拒绝交出刘卫辰的小儿子刘勃勃，八月，北魏王拓跋珪率军袭击薛干部落，屠灭了薛干部落所居住的城池。薛干部落首领太悉伏逃往后秦的都城长安，投奔太子姚兴。

东晋氐族部落首领杨佛嵩背叛了东晋，投靠了后秦，东晋洛阳太守杨佺期、将军赵睦率军追击，九月丙戌日，在潼关将杨佛嵩击败。后秦将领姚崇率军来救，打败了东晋的追兵，东晋将军赵睦战死。

冬季，十月，后秦主姚苌病势沉重，遂从安定返回京都长安。

后燕主慕容垂与群臣商议讨伐西燕的事情，诸将都说："西燕主慕容永并没有与

弊，未可也。”范阳王德曰：“永既国之枝叶[114]，又僭举位号[115]，惑民视听，宜先除之，以壹民心。士卒虽疲，庸得已乎[116]？”垂曰：“司徒意正与吾同。吾比老[117]，叩囊底智[118]足以取之，终不复留此贼以累子孙也。”遂戒严。

十一月，垂发中山步骑七万，遣镇西将军丹杨王瓒[119]、龙骧将军张崇出井陉[120]，攻西燕武乡公友[121]于晋阳[122]，征东将军平规攻镇东将军段平于沙亭[123]。西燕主永遣其尚书令刁云、车骑将军慕容钟帅众五万守潞川[124]。友，永之弟也。十二月，垂至邺[125]。

己亥[126]，后秦主苌召太尉姚旻、仆射尹纬、姚晃、将军姚大目、尚书狄伯支入禁中，受遗诏辅政。苌谓太子兴曰：“有毁[127]此诸公者，慎勿受之。汝抚[128]骨肉以恩，接大臣以礼，待物[129]以信，遇民[130]以仁，四者不失，吾无忧矣。”姚晃垂涕问取苻登之策，苌曰：“今大业垂成[131]，兴才智足办[132]，奚所复问[133]？”庚子[134]，苌卒。兴秘不发丧，以其叔父绪镇安定，硕德镇阴密，弟崇守长安。

或谓硕德曰：“公威名素重，部曲最强，今易世[135]之际，必为朝廷所疑。不如且奔秦州[136]，观望事势。”硕德曰：“太子志度宽明，必无他虑。今苻登未灭而骨肉相攻，是自亡也。吾有死而已，终不为也。”遂往见兴，兴优礼而遣之。兴自称大将军，以尹纬为长史，狄伯支为司马，帅众伐秦。

我们发生冲突，而我军连年征战，将士都已疲惫不堪，不能再对西燕发动战争了。”担任司徒的范阳王慕容德说：“西燕主慕容永是燕国皇室的一个支属，却公然自称皇帝，迷惑人民的视听，应该首先把他除掉，以明确正统所在，统一民心。将士虽然疲惫不堪，但讨伐之事岂能留着不动呢？”后燕主慕容垂说：“司徒慕容德的想法正与我相同。我虽然已经年老，但把口袋里剩余的那点智谋抖搂抖搂，还是完全可以战胜慕容永，绝不能把这个逆贼留下来，让他危害子孙。”于是在全国实行严格的戒备措施。

十一月，后燕主慕容垂征调了中山的七万名步兵、骑兵，派遣担任镇西将军的丹杨王慕容瓒、担任龙骧将军的张崇从井陉出发，攻打西燕武乡公慕容友所据守的晋阳，派遣征东将军平规率军攻打西燕镇东将军段平所据守的沙亭。西燕主慕容永派遣担任尚书令的刁云、担任车骑将军的慕容钟率领五万人马守卫潞川。武乡公慕容友是西燕主慕容永的弟弟。十二月，后燕主慕容垂抵达邺城。

己亥日，后秦主姚苌召集担任太尉的姚旻、担任仆射的尹纬、姚晃、将军姚大目、尚书狄伯支进入皇宫，接受遗诏，令他们辅佐朝政。姚苌对皇太子姚兴说：“如果有人诋毁这几位老臣，你千万要谨慎，不要听信他们。你要用恩德来安抚至亲骨肉，对朝廷大臣要以礼相待，待人要诚实守信，对待黎民百姓要仁爱，如果能够做到这四点，我就没有什么可担忧的了。”姚晃流着眼泪向姚苌询问攻取秦主苻登的策略，姚苌说：“如今的帝王大业即将完成，太子姚兴的才能与智慧完全可以办好这些事情，你何必再来问我？”庚子日，后秦主姚苌去世。太子姚兴封锁了姚苌去世的消息，没有对外发布，他让自己的叔父姚绪镇守安定，令姚硕德镇守阴密，令自己的弟弟姚崇守卫京师长安。

有人对姚硕德说：“你的威望一向最高，你手下的军队是最强的，在目前国家权力交替的时刻，你必定会遭到朝廷的猜忌。不如暂且投奔秦州，看清形势之后再说。”姚硕德说：“皇太子姚兴气度宽宏、处事明智，绝对不会有其他的想法。如今秦主苻登还没有被消灭，而骨肉之间却互相攻杀，那就是自取灭亡。我宁可去死，也不会去做那样的事情。”于是前往长安晋见太子姚兴，姚兴对他非常恭敬有礼，而后送他返回任所。姚兴自称大将军，任命尹纬为长史，任命狄伯支为司马，率领后秦军攻伐秦国。

【段旨】

以上为第一段，写太元十七年（公元三九二年）、十八年共两年间的大事。主要写了慕容垂破翟钊于黎阳，翟钊败投慕容永，后又谋反，为慕容永所杀，翟钊部下之前秦降将，过去一度降于东晋者，今皆转降于燕，慕容垂皆随才而用之。写了慕容垂数道出兵讨伐慕容永，西燕的末日即将到来。写了姚苌卧病于安定，苻登趁机率兵攻之，姚苌运用智谋将其吓走，秦将窦冲叛秦独立，苻登讨之，窦冲求救于姚苌，苌使姚兴袭平凉，为窦冲解围，并大获而归。写了姚苌临终以姚旻、尹纬、姚晃、姚大目、狄伯支为辅政大臣，嘱太子姚兴以“抚骨肉以恩，接大臣以礼，待物以信，遇民以仁”。写了东晋的殷仲堪为荆州刺史，好行小惠，纲目不举；桓玄辞官居南郡，自恃才地，欺凌殷仲堪，殷仲堪畏惧不敢惹，识者知其日后的下场不妙。此外还写了凉州的吕光与金城乞伏乾归间的一些斗争等。

【注释】

① 正月己巳朔：正月初一是己巳日。② 昭仪：帝王后妃的封号名，其地位仅次于皇后。③ 二月壬寅：二月初五。④ 河间：郡名，郡治东城（今河北献县东南）。⑤ 渤海：郡名，郡治在今河北沧州南。⑥ 平原：郡名，郡治在今山东平原县南。⑦ 馆陶：县名，即今河北馆陶。⑧ 寝疾：犹言“卧病”。⑨ 姚硕德：姚苌之弟，后秦的主要将领之一。事见《晋书》卷一百一十六、一百一十七。⑩ 李润：也称李润堡、李润镇，在今陕西大荔北。⑪ 行营：当时姚苌的行营在安定（今甘肃泾川县北）。⑫ 姚方成：姚苌初叛苻坚时最早的追随者之一。事见《晋书》卷一百一十六。⑬ 王统：原为苻坚的秦州刺史，苻坚败死后投降姚苌。事见《晋书》卷一百一十六。⑭ 部曲：这里指其部下的军队。⑮ 王广：王统之弟，与苻胤、徐成、毛盛都是苻坚的旧臣，后归依姚苌。⑯ 州里：这里即指同乡。州、里，都是古代基层的居民编制名。⑰ 前朝：指苻氏的前秦。⑱ 奈何辄杀之：怎么能说杀就杀了。胡三省曰：“使苌果以杀统等为非罪，当按诛始造谋者；但怒而已，岂真怒邪？”⑲ 滑台：地名，在今河南滑县东，当时是翟氏政权的所在地。⑳ 卞庄子之策：卞庄子是春秋时的勇士。据说他曾遇到两只虎，他巧妙地挑逗两只虎互相搏斗，待其双双疲惫时，卞庄子才一举将它们杀死。事见《史记·张仪列传》。㉑ 五月丁卯朔：五月初一是丁卯日。㉒ 辛亥：六月十六。㉓ 西津：黄河渡口名，在黎阳（今河南浚县东）之西四十里。㉔ 溯流：逆水。㉕ 趣西津：引兵奔向西津。趣，同“趋”，奔向。㉖ 桂林王镇：即慕容镇，慕容垂之子，被封为桂林王。㉗ 比明：到天亮时。比，及、至。㉘ 疲暍：疲惫、中暑。㉙ 白鹿山：山名，在今河南修武北。㉚ 候：侦察；哨探。㉛ 还兵掩击：这句话的主语是慕容农。㉜ 长子：县名，在今山西长治南，当时为慕容永的大本营所在地。㉝ 秦乱：指苻坚为姚苌所杀，前秦政权混乱。㉞ 诏以为冀州诸郡：这句话的主语为晋孝武帝，即授之为冀州各郡的长官。〖按〗此不过空名而已，因为当时冀州是在慕容垂的统治下，东晋根本无法管辖。㉟ 营于河南：驻扎在黄河南面。㊱ 按堵如故：犹言“各就各位，一切照常”。按堵，也作“安堵”，意同。〖按〗此处所言“按堵如故”的“七郡三万余户”，应该是原本散布于七郡之中的丁零族人。㊲ 章武王宙：即慕容宙，慕容垂

之侄，被封为章武王。㊳彭城王脱：即慕容脱，亦慕容垂之侄，被封为彭城王。㊴佐：助手，即指司马、长史等高级僚属。㊵严惮：敬畏。㊶户口滋息：人口越来越多。滋息，繁殖、增加。㊷告祠：祭祀、禀告。㊸世祖神主：苻坚的灵牌。世祖，苻坚的庙号。㊹秣马厉兵：喂马，磨刀。㊺去城：距离安定城。㊻小瘳：略好。㊼别攻秦营：从另一个方面进攻苻登军队的大营。㊽候骑：探马；侦察骑兵。“候骑”，上应增“登”字读，否则意思不清。㊾何其厄哉：这是多么倒霉的事情。厄，犹今之所谓“倒霉”，运气不好。胡三省曰：“苻登屡为姚苌所挫，故有惧苌之心，盖至于是，登气衰矣。”㊿南羌彭奚念：南羌指当时居住在金城（今甘肃兰州）以南的少数民族部落。彭奚念是人名。(51)枹罕：县名，在今甘肃临夏回族自治州东北，当时为兴晋郡的郡治。(52)甘松：郡名，辖境大约在今甘肃之宕昌、武都一带地区。(53)十月辛亥：十月十八。(54)郗恢：东晋名臣郗鉴之孙，郗昙之子。传见《晋书》卷六十七。(55)弘农：郡名，郡治在今河南灵宝北。(56)华阴：县名，县治在今陕西华阴东。(57)金墉：洛阳城内的小城名，在当时洛阳城的西北角。(58)军湖城：驻扎在湖县县城。湖县的县治在今河南灵宝西。(59)十一月癸酉：十一月初十。(60)资望：资历、名望。(61)允：合适；恰当。(62)纲目不举：主要问题抓不起来。(63)桓玄：桓温之子，嗣其父爵为南郡公，东晋末期的大奸臣。传见《晋书》卷九十九。(64)才地：才干、门第。(65)太子洗马：官名，原为太子的侍从人员，出行时为先驱，后改为替太子掌管图籍。(66)晚涂欲作贼：指桓温晚年欲图谋篡位称帝的事情。(67)云何：是怎么回事。(68)伏地流汗：魏晋人讲究虚伪的“孝道”，如果听见有人提到自己父祖的名字，则立即变色痛哭。今司马道子不仅直呼桓玄之父的名字，且直言斥责其欲为叛逆，故桓玄惊畏如此。(69)义兴：郡名，郡治即今江苏宜兴。(70)九州伯：统领整个天下的诸侯之长。桓温在世时曾任大司马、都督中外诸军事之职，权势除傀儡皇帝外，至高无上。(71)五湖长：指在今宜兴一带当个地方长官。宜兴地处太湖之滨，太湖又是常说的“五湖”之一，故桓玄如此说。(72)归国：指回到自己的世袭封地南郡。南郡的郡治在今湖北江陵西。(73)自讼：为自己申辩委屈。(74)先臣：以称其父桓温。(75)勤王匡复之勋：指桓温前曾为晋朝收复巴蜀，又曾收复洛阳，修复先朝陵墓诸事。(76)先帝龙飞：指桓温于太和五年（公元三七〇年）废掉了皇帝司马奕，另立司马昱为皇帝事。“龙飞”语出《易经》，古人多用以称帝王的兴起或即位。(77)陛下继明：指咸安二年（公元三七二年）简文帝司马昱死，其子司马曜继位为帝事。“继明”也是《易经》里的话，意即光明继续照耀四海。(78)谁之由：犹言“靠着谁”。(79)疏寝不报：上书被搁置，没有回音。(80)累世临荆州：几辈子当荆州地区的军政长官。桓温在世时曾任都督荆州军事、荆州刺史多年。桓温之子、桓玄之兄桓伟也当过荆州刺史。桓温被封为南郡公，南郡的首府江陵又是荆州的州治所在地。(81)听事：长官理事的大堂。(82)以矟拟仲堪：用长矛对着殷仲堪。拟，对着。(83)中兵参军：当时地方军阀帐下有参军十三个，分别为中兵参军、外兵参军、骑兵参军等。(84)马矟有余：擅长骑马舞矛的本事。(85)精理不足：清谈玄理的功夫差点。精理，精深的哲理，当时清谈家们使用的名词。这里的实际意思是说桓玄只会耍枪弄棒而不懂事理。㊻下都：去首都建康（今江苏南京）。因建康在江陵的下游，故需顺长江而下。㊼征虏参军：征虏将军的参军。㊽不常：不平常，指有图谋不轨之意。㊾节下崇待太过：你对桓玄过于忍让。节下，对殷仲堪的敬称，因当时的地方军阀都是手握天子的旌节到各处去分挡一面的。崇待，优待。㊿非将来之计：指日后不好对付。(91)功曹：地方长官手下的文职僚属，主管人事、考核等事务。(92)殷侯：六朝以及唐代对一些有政绩的人有尊称之为“侯”的习惯，如唐代有人称柳宗元为“柳侯”，其实柳宗元从未受封侯爵。此处殷仲堪亦同。又，六朝时期的州刺史为方面大员，位同古代的诸侯。(93)庚寅：十一月二十七。(94)休官权千成：休官族的部落头领姓权名千成。休官是少数民族部落名，当时居住在略阳（今甘肃天水市）一带。权千成，也作“权干成”。(95)显亲：县名，县治在今甘肃天水西北。(96)清河：郡名，郡治在今河北清河县东南，当时属东晋。(97)兖州：州治廪丘，在今山东郓城西。孔子的故乡在曲阜，曲阜上属于兖州。(98)给户洒扫：指派几户人家为孔子管理与祭祀祠墓，而免除这几户人家对国家应交的赋税。(99)仍立庠序：并建立学校。殷朝的乡学叫序，周朝的乡学叫庠。仍，意思同“乃”。(100)如赊而实急：看起来大而无当，实际上是很急迫的。赊，远、迂阔。(101)不见省：不被理睬。省，看、理睬。(102)阳平孝王柔：慕容柔，慕容垂之子，阳平王是其封号，孝字是谥。(103)庚子：四月初九。(104)库傉官伟：姓库傉官，名伟。(105)尚人：犹言“凌人”，好居人之上。(106)野人堡：应在今甘肃天水市附近。(107)胡空堡：应在今甘肃华亭附近。(108)平凉：郡名，郡治在今华亭西。当时苻登以此为首府。(109)薛干太悉伏：薛干是当时的少数民族部落名，太悉伏是其头领。(110)奔秦：此指往长安投奔姚兴。(111)杨佛嵩：氐族头领，此前原属东晋。(112)九月丙戌：九月的初一是“己

【原文】

十九年（甲午，公元三九四年）

春，正月[6]，秦主登闻后秦主苌卒，喜曰：“姚兴小儿，吾折杖笞之(137)耳。”乃大赦，尽众而东，留司徒安成王广(138)守雍(139)，太子崇守胡空堡。遣使拜金城王乾归为左丞相、河南王，领秦梁益凉沙五州牧，加九锡(140)。

初，秃发思复鞬(141)卒，子乌孤立。乌孤雄勇有大志，与大将纷陁(142)谋取凉州。纷陁曰：“公必欲得凉州，宜先务农讲武，礼俊贤，修

丑”，此月中无“丙戌”日。疑“九月”是“八月”之误。八月丙戌，即八月二十八。⑬姚崇：姚苌之子，姚兴之弟。⑭国之枝叶：他是我们的一个支属。国，指称自己的政权。慕容永是慕容垂的同族兄弟，故称之为“国之枝叶”。⑮僭举位号：指其公然自称皇帝。僭，越分。⑯庯得已乎：岂能留着不动呢？已，停止、不管。⑰比老：虽已年老。⑱叩囊底智：犹言抖搂抖搂衣袋里剩余的一点智慧。⑲丹杨王瓒：即慕容瓒，被封为丹杨王号。⑳井陉：太行山的山口名，在今河北井陉西北。㉑武乡公友：慕容友，慕容永之弟，被封为武乡公。㉒晋阳：郡名，郡治在今山西太原西南。㉓沙亭：地名，在今河北临漳西南。㉔潞川：郡名，郡治即今山西襄垣。㉕垂至邺：慕容垂亲自由中山前进至邺城。㉖己亥：十二月初一是“丁巳”，本月中无“己亥”日，疑字有误。㉗毁：诋毁；诽谤。㉘抚：安抚；照顾。㉙待物：犹言“待人”。物，人。㉚遇民：对待黎民百姓。㉛垂成：即将完成。㉜足办：完全能够办好这些事。㉝奚所复问：还有什么可问的。奚，何、何必。㉞庚子：上文“己亥”日的第二天。㉟易世：换代；帝王的新旧交替。㊱秦州：州治上邽，即今甘肃天水。秦州是姚硕德的老根据地。

【校记】

［1］下：据章钰校，十二行本、乙十一行本此下皆有“至上”二字，孔天胤本同，“至”作“之”。［2］所：张敦仁《通鉴刊本识误》改作“及”。［3］兵：原无此字。据章钰校，十二行本、孔天胤本皆有此字，今据补。［4］同郡：原无此二字。据章钰校，十二行本、乙十一行本、孔天胤本皆有此二字，今据补。［5］孔子庙：据章钰校，十二行本、孔天胤本皆作“孔子旧庙”四字，张敦仁《通鉴刊本识误》同。

【语译】

十九年（甲午，公元三九四年）

春季，正月，秦主苻登听到后秦主姚苌逝世的消息，高兴地说：“姚兴这个小孩子，我一定要折一根棍子好好地教训他一番。”于是，在秦国境内实行大赦，出动全国的兵力东下攻打姚兴，他留下担任司徒的安成王苻广守卫雍州，令太子苻崇守卫胡空堡。又派使者前往金城，任命西秦金城王乞伏乾归为左丞相、河南王，兼任秦、梁、益、凉、沙五州牧，加授九锡。

当初，鲜卑部落首领秃发思复鞬去世，他的儿子秃发乌孤继位。秃发乌孤英雄勇武，胸怀大志，他与属下大将纷陁谋划攻取凉州。纷陁说：“你如果一定要得到凉州，就应该先抓好农业，加强武备，礼贤下士，修明政治，刑罚公平，然后才能攻

政刑，然后可也。”乌孤从之。三河王光遣使拜乌孤冠军大将军、河西鲜卑大都统。乌孤与其群下谋之曰：“可受乎？”皆曰：“吾士马众多，何为属人[143]？”石真若留[144]不对，乌孤曰：“卿畏吕光邪？”石真若留曰：“吾根本未固，小大非敌，若光致死于我[145]，何以待之？不如受以骄之，俟衅而动[146]，蔑不克[147]矣。”乌孤乃受之。

二月，秦主登攻屠各姚奴、帛蒲[148]二堡，克之。

燕主垂留清河公会[149]镇邺，发司、冀、青、兖兵，遣太原王楷出滏口[150]，辽西王农出壶关[151]，垂自出沙庭[152]，以击西燕，标榜所趣[153]，军各就顿[154]。西燕主永闻之，严兵分道拒守，聚粮台壁[155]，遣从子[156]征东将军小逸豆归[157]、镇东将军王次多、右将军勒马驹[158]帅众万余人戍之[159]。

夏，四月[7]，秦主登自六陌[160]趣废桥[161]，后秦始平[162]太守姚详据马嵬堡[163]以拒之。太子兴遣尹纬将兵救详，纬据废桥以待秦。秦兵争水不能得，渴死者什二三，因急攻纬。兴驰遣狄伯支谓纬曰：“苻登穷寇，宜持重以挫之。”纬曰：“先帝登遐[164]，人情扰惧，今不因思奋[165]之力以禽敌，大事去矣！”遂与秦战，秦兵大败。其夜，秦众溃，登单骑奔雍。太子崇及安成王广闻败，皆弃城走。登至，无所归，乃奔平凉，收集遗众，入马毛山[166]。

燕主垂顿军[167]邺西南，月余不进。西燕主永怪之，以为太行道宽，疑垂欲诡道[168]取之，乃悉敛诸军屯轵关[169]，杜[170]太行口，惟留台壁一军。甲戌[171]，垂引大军出滏口，入天井关[172]。五月乙酉[173]，燕军至台壁，永遣从兄太尉大逸豆归救之，平规击破之。小逸豆归出战，辽西王

取凉州。”秃发乌孤听从了纷陁的意见。后凉三河王吕光派遣使者任命秃发乌孤为冠军大将军、河西鲜卑大都统。秃发乌孤与手下僚佐商议说：“我可以接受吕光的任命吗？”手下的人都说：“我们兵多将广，为什么要受别人管制？”只有石真若留没有说话，秃发乌孤于是问石真若留说：“你是不是惧怕吕光？”石真若留回答说：“我们的基础目前还不稳固，他强我弱，我们根本不是他的对手，如果吕光拼死与我们作战，我们用什么办法来抵抗他？不如暂且接受他的任命，使他产生骄傲情绪，一旦有了可乘之机，再对他采取行动，没有不成功的道理。”秃发乌孤采纳了石真若留的意见，于是接受了吕光的任命。

二月，秦主苻登率军攻克了匈奴屠各部落所据守的姚奴、帛蒲两个堡塞。

后燕主慕容垂留下清河公慕容会镇守邺城，然后调集了司州、冀州、青州、兖州的全部兵力，派遣太原王慕容楷从滏口出发，派辽西王慕容农从壶关出发，慕容垂亲自率军从沙庭出发，前去攻打西燕，公开亮明各路人马所要攻击的目标，各路兵马都已到达指定集结的位置。西燕主慕容永听到后燕大军前来攻打的消息，立即调动军队分道据守，又在台壁积草屯粮，派遣自己的侄子担任征东将军的慕容小逸豆归、担任镇东将军的王次多、担任右将军的勒马驹率领一万多人戍守台壁，保护粮草辎重。

夏季，四月，秦主苻登从六陌赶往废桥，后秦担任始平太守的姚详据守马嵬堡抵抗秦军。后秦太子姚兴派遣担任仆射、长史的尹纬率军增援姚详，尹纬据守废桥等待秦军。秦军急于争夺水源，却无法得到，被渴死的占了十分之二三，于是向尹纬发起猛攻。姚兴令担任尚书的狄伯支飞马告诉尹纬说：“秦主苻登已经到了穷途末路，一定会以死相拼，对他应该谨慎小心，不要轻易出战，以挫败他的锐气。”尹纬说：“先帝姚苌驾崩，人心骚动，惊恐不安，现在如果不借着众人都想为国家奋力一战的力量抓获敌人，恐怕局势将会一发而不可收了。”因而没有遵从姚兴的意见，而与秦军展开大战，秦军被尹纬的军队打得大败。当天夜里，秦军自行溃散，秦主苻登单人独骑逃奔雍城。秦国太子苻崇以及担任司徒的安成王苻广听到秦主苻登战败的消息，苻广丢弃了自己守卫的雍城，太子苻崇丢弃了自己守卫的胡空堡，全都弃城逃走了。秦主苻登逃到雍城，已经无所依靠，于是又逃往平凉，在平凉召集起残存的部众，进入马毛山。

后燕主慕容垂驻军于邺城西南，一月有余，仍然停止不前。西燕主慕容永感到很奇怪，认为穿越太行山的道路很宽，遂怀疑慕容垂的军队从别的道路入侵，于是调集了全国所有的军队，全部屯扎在轵关，堵住太行山的入口，只留下一支军队守卫台壁。四月二十日甲戌，后燕主慕容垂率领大军穿过滏口，进入天井关。五月初一日乙酉，后燕军抵达台壁，西燕主慕容永派自己的堂兄、担任太尉的慕容大逸豆归救援台壁，被后燕征东将军平规击败。西燕征东将军慕容小逸豆归出兵迎战，

农又击破之，斩勒马驹，禽王次多，遂围台壁。永召太行军[174]还，自将精兵五万以拒之。刁云、慕容钟震怖，帅众降燕，永诛其妻子。己亥[175]，垂陈于台壁南，遣骁骑将军慕容国伏千骑于涧下。庚子[176]，与永合战，垂伪退，永众追之；行数里，国骑从涧中出，断其后，诸军四面俱进，大破之，斩首八千余级，永走归长子。晋阳守将闻之，弃城走。丹杨王瓒等进取晋阳。

后秦太子兴始发丧，即皇帝位于槐里[177]，大赦，改元皇初，遂如安定。谥后秦主苌曰武昭皇帝，庙号太祖。

六月壬子[178]，追尊会稽王太妃郑氏[179]曰简文宣太后。群臣谓宣太后应配食元帝[180]，太子前率[181]徐邈曰："宣太后平素之时[182]，不伉俪于先帝[183]。至于子孙，岂可为祖考立配？"国学明教[184]东莞[185]臧焘曰："今尊号既正[186]，则罔极之情申[187]；别建寝庙[188]，则严祢之义显[189]；系子为称[190]，兼明贵之所由[191]。一举而允三义[192]，不亦善乎？"乃立庙于太庙路西。

燕主垂进军围长子。西燕主永欲奔后秦，侍中兰英曰："昔石虎伐龙都[193]，太祖[194]坚守不去，卒成大燕之基。今垂七十老翁，厌苦兵革，终不能顿兵连岁[195]以攻我也。但当城守以疲之。"永从之。

秦主登遣其子汝阴王宗为质于河南王乾归以请救，进封乾归梁王，纳[196]其妹为梁王后。乾归遣前军将军乞伏益州等帅骑一万救之。秋，七月，登引兵出迎乾归兵。后秦主兴自安定如泾阳，与登战于山南[197]。执登，杀之。悉散其部众，使归农业，徙阴密[198]三万户于长安，以李

又被辽西王慕容农打败，慕容农斩杀了西燕右将军勒马驹，活捉了镇东将军王次多，趁势包围了台壁。西燕主慕容永赶紧把屯驻在太行轵关的军队召回，然后亲自率领五万精兵抵抗后燕的军队。西燕负责守卫潞川的尚书令刁云、车骑将军慕容钟感到非常震惊和恐惧，便率领着守卫潞川的五万人马投降了后燕，西燕主慕容永对刁云和慕容钟非常痛恨，就杀死了他们的妻子儿女。十五日己亥，后燕主慕容垂将军队驻扎在台壁以南，他派遣骁骑将军慕容国率领一千名骑兵埋伏在山涧之中。十六日庚子，后燕军与西燕军展开决战，后燕主慕容垂假装败退，西燕主慕容永率军随后紧追不舍；追赶了几里远，事先埋伏在山涧中的慕容国率领一千名骑兵突然杀出，截断了慕容永的后路，此时后燕的军队从四面八方冲杀过来，将西燕军打得大败，斩杀了八千多人，西燕主慕容永逃回了长子。西燕据守晋阳的将军抛弃了晋阳城逃走。后燕担任镇西将军的丹杨王慕容瓒、龙骧将军张崇等遂占领了晋阳。

后秦太子姚兴发布了后秦主姚苌逝世的消息，并在槐里登基，即位为皇帝，实行大赦，改年号为皇初，然后前往安定。为后秦主姚苌奉上谥号武昭皇帝，庙号太祖。

六月壬子日，东晋孝武皇帝司马曜追尊自己的祖母会稽王太妃郑氏为简文宣太后。群臣全都认为简文宣太后的牌位应该放到皇家祭庙中晋元帝牌位的旁边，陪同她的丈夫司马睿一同享受祭祀。担任太子前率的徐邈说：“简文宣太后在世的时候，并不是先帝司马睿的嫡配妻子。后代子孙怎么可以为祖先做主，让宣太后配享？”担任国学明教的东莞人臧焘说：“如今已经追尊郑太妃为皇太后，则皇帝思念父母、痛惜无法报恩的感情已经得以表达；为太后另建一座寝庙来享受祭祀，则尊重严父的本意得以彰显；而把太后的儿子‘简文帝’的谥号尊加在‘宣太后’的谥号前，也就表明了‘母以子贵’的事实。一项举措而能恰当地表达三种意义，不是很好吗？”于是，在太庙的路西为简文宣太后另建了一座寝庙。

后燕主慕容垂率军包围了西燕的都城长子。西燕主慕容永想要放弃长子投奔后秦，担任侍中的兰英说：“过去后赵的石虎在攻伐前燕的故都龙城的时候，太祖慕容皝坚持坚守龙城而不肯放弃，终于创建了大燕国的基业。如今后燕主慕容垂已经是一个七十岁的老翁，早就厌烦了战争，总不会把军队驻扎在长子城下一连几年地攻击我们。所以应该坚守城池，把他们拖得疲惫不堪。”慕容永听从了兰英的意见。

秦主苻登送自己的儿子汝阴王苻宗前往西秦河南王乞伏乾归那里充当人质，请求乞伏乾归出兵相救，并晋封乞伏乾归为梁王，还把自己的妹妹嫁给乞伏乾归为梁王后。河南王乞伏乾归派担任前军将军的乞伏益州等率领一万名士兵救援秦主苻登。秋季，七月，秦主苻登率军从马毛山出来迎接西秦河南王乞伏乾归派来的救兵。后秦主姚兴率领军队从安定前往泾阳，与秦主苻登在马毛山以南展开遭遇战。姚兴活捉了苻登，将苻登杀死，并勒令苻登的部众全部解散，各自回家务农，又把阴密的三万户居民强制迁徙到自己的都城长安，把秦主苻登结婚才两年的李皇后赏赐给了

后[199]赐姚晃。益州等闻之，引兵还。秦太子崇奔湟中[200]，即帝位，改元延初。谥登曰高皇帝，庙号太宗。

后秦安南将军强熙、镇远将军杨多[8]叛，推窦冲为主。后秦主兴自将讨之，军至武功[201]，多兄子良国杀多而降。熙奔秦州，冲奔汧川[202]，汧川氐仇高[203]执送之。

三河王光以子覆为都督玉门以西诸军事、西域大都护，镇高昌[204]，命大臣子弟随之。

八月己巳[205]，尊皇太妃李氏[206]为皇太后，居崇训宫。

西燕主永困急，遣其子常山公弘等求救于雍州刺史郗恢，并献玉玺一纽。恢上言[207]："垂若并永，为患益深，不如两存之，可以乘机双毙[208]。"帝以为然，诏青、兖二州刺史王恭，豫州刺史庾楷救之。楷，亮之孙也。永恐晋兵不出，又遣其太子亮来为质。平规追亮，及于高都[209]，获之。永又告急于魏，魏王珪遣陈留公虔[210]、将军庾岳帅骑五万东渡河，屯秀容[211]，以救之。虔，纥根之子也。晋、魏兵皆未至，大逸豆归部将伐勤等开门内燕兵。燕人执永，斩之[212]，并斩其公卿大将刁云、大逸豆归等三十余人，得永所统八郡七万余户及秦乘舆、服御、伎乐、珍宝[213]甚众。燕主垂以丹杨王瓒为并州刺史，镇晋阳；宜都王凤为雍州刺史，镇长子。永尚书仆射昌黎屈遵、尚书阳平王德、秘书监中山李先、太子詹事渤海封则、黄门郎太山胡母亮[214]、中书郎张腾、尚书郎燕郡公孙表[215]皆随才擢叙[216]。

九月，垂自长子如邺。

冬，十月，秦主崇为梁王乾归所逐，奔陇西王杨定[217]。定留司马邵彊守秦州，帅众二万与崇共攻乾归。乾归遣凉州牧轲弹[218]、秦州牧益

姚晃。乞伏益州得知秦主苻登已死的消息，便率军返回。秦国太子苻崇逃往湟中，在湟中即位为秦国皇帝，改年号为延初，为已故秦主苻登上谥号为高皇帝，庙号太宗。

后秦担任安南将军的强熙、担任镇远将军的杨多叛变，他们推戴自称秦王的窦冲为盟主。后秦主姚兴亲自率军讨伐，姚兴所率大军抵达武功的时候，杨多哥哥的儿子杨良国杀死了叔叔杨多向后秦投降。强熙则逃往秦州，窦冲逃往汧川，汧川的氐族部落首领仇高将窦冲抓获，献给了后秦。

后凉三河王吕光任命自己的儿子吕覆为都督玉门以西诸军事、西域大都护，镇守高昌，令大臣的子弟跟随吕覆前往高昌。

八月十六日己巳，东晋孝武帝司马曜尊奉自己的生母、皇太妃李氏为皇太后，皇太后李氏居住在崇训宫。

西燕主慕容永被后燕主慕容垂率军围困在长子城中，情况十分紧急，于是便派他的儿子常山公慕容弘等向东晋雍州刺史郗恢求救，并献上一枚玉玺。郗恢上疏给东晋孝武皇帝司马曜说："后燕的慕容垂如果兼并了西燕的慕容永，给晋国带来的危害将会更严重，不如让他们两存，以后可以寻找机会将他们全部消灭。"孝武皇帝司马曜认为郗恢说得有道理，便下诏给担任青、兖二州刺史的王恭，担任豫州刺史的庾楷，令他们率军前往长子救援西燕主慕容永。庾楷是庾亮的孙子。西燕主慕容永担心东晋不肯出兵相救，所以又派遣太子慕容亮到东晋为人质。后燕征东将军平规率军追击慕容亮，追到高都时将慕容亮抓获。西燕主慕容永又向北魏告急求救，北魏王拓跋珪派遣陈留公拓跋虔将军庾岳率领五万名骑兵向东渡过黄河，屯驻在秀容遥做声援。拓跋虔是拓跋纥根的儿子。东晋、北魏的救兵还没有到达，西燕太尉慕容大逸豆归的部将伐勤等已经打开了长子城的城门，放后燕军队入城。后燕人活捉了西燕主慕容永，将慕容永及尚书令刁云、太尉慕容大逸豆归等文武大臣三十多人斩首，接管了慕容永所统领的八个郡的七万多户，收缴了西燕从秦国那里得到的皇帝所使用的车驾、服装、饰物、歌女、乐器以及各种珍宝，多得不计其数。后燕主慕容垂任命丹杨王慕容瓒为并州刺史，镇守晋阳；任命宜都王慕容凤为雍州刺史，镇守长子。对于在西燕主慕容永属下担任尚书仆射的昌黎人屈遵、担任尚书的阳平人王德、担任秘书监的中山人李先、担任太子詹事的渤海人封则、担任黄门郎的太山人胡母亮、担任中书郎的张腾、担任尚书郎的燕郡人公孙表等，后燕主慕容垂根据他们的实际才能，全都予以提拔、任用。

九月，后燕主慕容垂从长子前往邺城。

冬季，十月，秦主苻崇被故秦主苻登所封的梁王乞伏乾归驱逐，于是又逃奔驻守上邽的陇西王杨定。杨定留下担任司马的邵彊守卫秦州，自己则率领二万人马与秦主苻崇联合攻打西秦梁王乞伏乾归。乞伏乾归派遣属下担任凉州牧的乞伏轲弹、

州[219]、立义将军诘归[220]帅骑三万拒之。益州与定战，败于平州[221]。轲弹、诘归皆引退，轲弹司马翟瑥奋剑怒曰："主上以雄武开基，所向无敌，威振秦、蜀。将军以宗室居元帅之任，当竭力致命[222]以佐国家。今秦州[223]虽败，二军尚全，奈何望风退衄[224]，将何面以见主上乎？瑥虽无任[225]，独不能以便宜[226]斩将军乎？"轲弹谢曰："向者未知众心何如耳。果能若是，吾敢爱死？"乃帅骑进战，益州、诘归亦勒兵继之，大败定兵，杀定及崇[227]，斩首万七千级。乾归于是尽有陇西之地。

定无子，其叔父佛狗之子盛，先守仇池，自称征西将军、秦州刺史、仇池公，谥定为武王，仍遣使来称藩[228]。秦太子宣奔盛，盛[9]分氐、羌为二十部护军[229]，各为镇戍，不置郡县。

燕主垂东巡阳平、平原[230]，命辽西王农济河，与安南将军尹国略地青、兖[231]。农攻廪丘，国攻阳城[232]，皆拔之。东平[233]太守韦简战死，高平、泰山、琅邪[234]诸郡皆委城奔溃，农进军临海[235]，遍置守宰。

柔然曷多汗[236]弃其父，与社仑[237]率众西走，魏长孙肥[238]追之，及于上郡[239]跋那山，斩曷多汗。社仑收其余众数百，奔疋候跋[240]，疋候跋处之南鄙[241]。社仑袭疋候跋，杀之。疋候跋子启跋、吴颉等皆奔魏。社仑掠五原[242]以西诸部，走度漠北。

十一月，燕辽西王农败辟闾浑[243]于龙水，遂入临淄。十二月，燕主垂召农等还。

秦主兴遣使与燕结好，并送太子宝之子敏于燕[244]。燕封敏为河东公。

梁王乾归自称秦王，大赦。

担任秦州牧的乞伏益州、担任立义将军的越质诘归率领三万名骑兵抵抗杨定与苻崇的联合进攻。西秦秦州牧乞伏益州与陇西王杨定交战，在平州被杨定打败。乞伏轲弹、越质诘归遂准备率军撤退，在乞伏轲弹手下担任司马的翟瑥拔出佩剑大声怒吼说："主上凭借着英雄勇武开创了基业，在他的指挥下，大军所向无敌，他的声威震撼了秦、蜀一带。将军贵为宗室，担负着统率全军的重任，就应当竭尽全力，拼死疆场以报效国家。如今，秦州牧乞伏益州虽然失败，而你们所率领的两支军队毫发未损，为什么听到一点风声就要撤退逃跑，你们还有什么脸面去见主上呢？我翟瑥虽然没有担负什么使命，难道我就不能使用司马官的临时处置之权斩杀将军吗？"凉州牧乞伏轲弹向翟瑥道歉说："此前，我不知道众人的心意如何。果然都像你这样赤胆忠心，我怎敢贪生怕死？"于是率领属下骑兵向前冲杀，秦州牧乞伏益州、立义将军越质诘归也组织军队紧随其后，于是大败杨定军，杀死了陇西王杨定以及秦主苻崇，斩杀了一万七千人。西秦河南王乞伏乾归遂全部占有了陇西之地。

陇西王杨定没有儿子，杨定叔父杨佛狗的儿子杨盛，早先守卫仇池，于是自称征西将军、秦州刺史、仇池公，为杨定上谥号为武王，仍旧派使者前往东晋，向东晋称臣，做东晋的藩属国。秦国太子苻宣投奔了仇池公杨盛。仇池公杨盛将氐族人、羌族人划分成二十部护军，各自镇守自己的堡塞，不再设置郡县。

后燕主慕容垂向东巡视阳平郡、平原郡，他令辽西王慕容农向东渡过黄河，与安南将军尹国一起，向东攻取东晋所属的青州、兖州。慕容农率军攻打廪丘，尹国率军攻打阳城，二人分别攻占了廪丘和阳城。东晋担任东平郡太守的韦简战死，高平、泰山、琅邪诸郡的守将全都弃城而逃，守军也全部溃散，慕容农乘胜率军向前推进，一直推进到大海边，他在占领区内分别委任了郡守和县令。

柔然人郁久闾缊纥提的儿子郁久闾曷多汗将自己的父亲抛弃在北魏的云中，与堂兄弟郁久闾社仑率领部众逃离北魏的管辖，向西部逃走。北魏将领长孙肥率军追赶，一直追到上郡的跋那山，终于将他们追上，长孙肥杀死了郁久闾曷多汗。郁久闾社仑则带领着残余的几百名部众投奔了郁久闾疋候跋，郁久闾疋候跋把他们安置在南部边境。郁久闾社仑率众袭击郁久闾疋候跋，将郁久闾疋候跋杀死。郁久闾疋候跋的儿子郁久闾启跋、郁久闾吴颉等全都投奔了北魏。郁久闾社仑大肆劫掠了五原以西的各部落，然后渡过浩瀚的大沙漠，在漠北停留下来。

十一月，后燕辽西王慕容农率军在龙水打败了东晋平原太守辟闾浑，遂乘胜进入临淄。十二月，后燕主慕容垂将辽西王慕容农等召回中山。

后秦主姚兴派遣使者前往后燕缔结友好关系，并把后燕太子慕容宝的儿子慕容敏送回燕国。后燕主慕容垂封慕容敏为河东公。

西秦梁王乞伏乾归自称秦王，并实行大赦。

【段旨】

以上为第二段，写太元十九年（公元三九四年）一年间的大事。主要写了燕主慕容垂大破西燕军，围慕容永于长子，慕容永求救于东晋与北魏，东晋与北魏之兵未及至，燕人遂破长子，杀慕容永与其诸大将，西燕遂灭；慕容垂又命慕容农等进军齐、鲁诸郡，慕容农直达海边，遍置守宰，齐、鲁大地遂尽入于燕。写了后秦主姚兴破秦主苻登于废桥，苻登败走马毛山；姚兴又进破苻登于马毛山，俘杀苻登；苻登子苻崇往投乞伏乾归，不得，改投杨定；乞伏乾归破杀杨定与苻崇，前秦灭，乞伏乾归尽有陇西之地。此外还写了魏将长孙肥破柔然，杀其头领曷多汗，余部走度漠北，以及秃发乌孤兴起于凉州等。

【注释】

⑬⑦折杖笞之：我要折一根棍子来管教管教他。是一种蔑视的口气。笞，以棍棒打人。⑬⑧安成王广：苻广，被封为安成王。⑬⑨雍：州名，州治在今甘肃泾川县北，时为苻登的大本营所在地。⑭⓪九锡：古代帝王对大臣的九种特殊赏赐，即车马、衣服、乐则、朱户、纳陛、虎贲、弓矢、斧钺、秬鬯。⑭①秃发思复鞬：秃发是鲜卑族的部落名，后成为姓。思复鞬是其头领的名字，率众活动在凉州（州治即今甘肃武威）附近。⑭②纷陁：人名。⑭③何为属人：为什么要受人管辖。⑭④石真若留：人名，姓石真，名若留。⑭⑤致死于我：和我们拼命。致死，也作“致师”，挑战，这里是指决战。⑭⑥俟衅而动：寻找机会再动手打他。衅，机会。⑭⑦蔑不克：不会不成功。蔑，无、没有。⑭⑧屠各姚奴、帛蒲：屠各部落的两个堡塞名，二堡皆在胡空堡以东。屠各是匈奴族的一个分支。⑭⑨清河公会：即慕容会，慕容垂之子，被封为清河公。⑮⓪滏口：在今河北磁县西北石鼓山上，是有名的“太行八陉”之一，是从邺县西出翻越太行山进入山西的通道。⑮①壶关：关塞名，在今山西长治北，潞城西。⑮②沙庭：胡注以为应作“沙亭”，在邺城西南。邺城在今河北临漳西南。⑮③标榜所趣：公开亮明各路兵马要进攻的目标，目的是迷惑敌人。趣，同“趋”。⑮④军各就顿：各路兵马都已到达指定集结的位置。就顿，驻扎。⑮⑤台壁：地名，在今山西襄垣南。⑮⑥从子：侄子。⑮⑦小逸豆归：因当时西燕还有一个“逸豆归”，故此处以“小”字别之。⑮⑧勒马驹：人名。⑮⑨戍之：驻兵台壁，以守卫粮库。⑯⓪六陌：在今陕西乾县东。⑯①废桥：地名，应在今陕西兴平西北。⑯②始平：郡名，郡治槐里，在今陕西兴平东南。⑯③马嵬堡：在今陕西兴平西。⑯④登遐：犹言“升仙”，婉指人死。⑯⑤思奋：想为国家大干一场。⑯⑥马毛山：也称马鬃岭，在今宁夏固原南。⑯⑦顿军：驻兵不前。⑯⑧诡道：另走他道。⑯⑨轵关：在今河南济源西北，是豫北进入山西的要道，也是有名的“太行八陉”之一。⑰⓪杜：堵住。⑰①甲戌：四月二十。⑰②天井关：在今山西晋城南的太行山上，因关南有天井泉而得名。⑰③五月乙酉：五月初一。⑰④太行军：即前所述驻

守轵关的部队。⑰⑤己亥：五月十五。⑰⑥庚子：五月十六。⑰⑦槐里：县名，县治在今陕西兴平东南，当时也是始平郡的郡治所在地。⑰⑧六月壬子：六月初一是“甲寅”，本月中无“壬子”日。“壬子”应是五月二十八。⑰⑨会稽王太妃郑氏：名阿春，晋元帝司马睿的嫔妃，简文帝司马昱之母，孝武帝司马曜之祖母。因简文帝做过会稽王，故阿春曾被尊为会稽王太妃。⑱⓪配食元帝：在太庙里陪同其夫司马睿一同享受祭祀。⑱①太子前率：官名，统领护卫太子的军队。西晋初期只有一个中卫率，后来分为左、右二率，各领一军，后又增加前、后二率，共四率四军。⑱②平素之时：指与其夫都在世之时。⑱③不伉俪于先帝：和先帝不是嫡配夫妻。⑱④国学明教：太学的教官，类似其他朝代的太学博士、国子教授等。⑱⑤东莞：县名，即今山东沂水县。⑱⑥尊号既正：指阿春得了“简文宣太后”的称号。⑱⑦罔极之情申：孝子思念父母，痛惜无法报恩的感情已经得以表达。《诗经·蓼莪》有所谓“欲报之德，昊天罔极”，意思是孝子思念父母，痛惜无法报恩，因而恨怨苍天。这里因为阿春已被追封为“简文宣太后”，则简文帝痛惜未报母恩的歉疚之情已经得伸了。⑱⑧别建寝庙：指不把阿春的灵牌送到太庙去“配食”晋元帝，而是单独给她另盖一个寝庙来享受祭祀。古代帝王死后建庙时，前面接受祭祀的所在叫“庙”，后面储藏衣物的所在叫“寝”。⑱⑨严祢之义显：尊重生父晋元帝意志的意思得以彰显。因为晋元帝生前是只想让皇后作为配享，而没想把阿春的灵牌也放入太庙。祢，是对已死父亲的敬称。古代贵族生时对父亲称“父”，死后称“考”，入庙称“祢”。严祢，就是尊重父亲的意志。⑲⓪系子为称：指用其子“简文帝”的名号追尊阿春为“简文宣太后”。⑲①明贵之所由：阿春原来只是一个嫔妃，因其子后来做了皇帝，所以她才得以被称为“太后”，今以“简文宣太后”称之，“母由子贵”的事实就一目了然了。⑲②允三义：符合了三项重要原则。⑲③石虎伐龙都：事见本书卷九十六咸康四年。石虎是当时的后赵主，石勒的侄子，石勒死后，石虎杀了石勒之子而自己称帝，公元三三五至三四八年在位。传见《晋书》卷一百六、一百七。龙都，即龙城，今辽宁朝阳。前燕慕容皝建都于此。⑲④太祖：慕容皝，前燕政权的创立者，时称燕王，后被谥为太祖。公元三三七至三四八年在位。传见《晋书》卷一百九。〖按〗石虎进攻慕容皝，慕容皝是坚守棘城（在龙城东）。事见本书卷九十六。此云“石虎伐龙都，太祖坚守不去”云云，乃约略言之。⑲⑤顿兵连岁：把军队留在这里一连几年地围着我们。顿，留。⑲⑥纳：送；以人、物给人。⑲⑦山南：马毛山之南。⑲⑧阴密：县名，县治在今甘肃泾川县南。⑲⑨李后：苻登之妻。⑳⓪湟中：地区名，即今青海湟水流域地区。⑳①武功：县名，县治在今陕西武功西。⑳②汧川：县名，县治在今陕西陇县南。⑳③汧川氐仇高：汧川县的氐族部落头领，姓仇，名高。⑳④高昌：郡名，郡治在今新疆吐鲁番东南。⑳⑤八月己巳：八月十六。⑳⑥皇太妃李氏：名陵容，简文帝的宫女，孝武帝的生母。孝武帝即位后始被尊为“太妃”，今又尊为“太后”。传见《晋书》卷三十二。⑳⑦上言：给晋孝武帝上表。⑳⑧乘机双毙：乘其互相斗争、精疲力竭时，将其一并消灭。⑳⑨高都：县名，县治即今山西晋城。㉑⓪陈留公虔：即拓跋虔，北魏早期的猛将，什翼犍之孙，拓跋珪之侄。传见《魏书》卷十五。㉑秀容：县名，县治即今山西忻州。㉒燕人执永二句：至此慕容永死，西燕灭亡。西燕自公元三八四年慕容泓建国，共经七主，计十一年。㉓秦乘舆、服御、伎乐、珍宝：指苻坚昔日称帝时的各种财产器物。乘舆指帝王的车驾。这些东西在当时慕容冲攻进长安，苻坚败死后，遂归慕容冲所有。慕容冲死后，慕容永杀掉慕容冲之子而自立为西燕王，故苻秦旧物又到了慕容永手下。㉔胡母亮：姓胡母，名亮。㉕公孙表：姓公孙，名表。㉖擢叙：提拔、任用。㉗杨定：氐族人，杨难敌的后代，世代占据仇池（今甘肃成县一带），自称陇西王，称臣于东晋。传见《魏书》卷一百一。㉘轲弹：姓乞伏，名弹，时为凉州牧。㉙益州：姓乞伏，名益州，时为秦州牧。㉚诘归：鲜卑人，越质叱黎之子，时为立义将军。㉛平州：胡注以为"平州"应作"平川"。㉜致命：效命；献出生命。㉝秦州：指乞伏益州，时为秦州牧。㉞退衄：退败逃跑。衄的原意是鼻孔出血，这里即指败。㉟无任：没有使命。㊱以便宜：使用司马官的临时处置之权。司马是在军中负责执法的长官。㊲杀定及崇：至此苻崇死，前秦彻底灭亡。前秦自公元三五二年苻健建国，共经六主，计四十二年。㊳来称藩：来投靠东晋，做东晋的属国，给东晋作"屏障、藩篱"。㊴盛分氐、羌为二十部护军：此二十部护军为军政一体，由军帅直接统民。㊵阳平、平原：二郡名，阳平郡的郡治即今河北馆陶，平原郡的郡治在今山东平原县南。㊶青、兖：二州名，青州的州治在今山东淄博市临淄区，兖州的州治即下文所说的廪丘，在今山东郓城西北。当时这些地区都属东晋。㊷阳城：西汉县名，县治在今河南商水县西南，东汉时并入汝

【原文】

二十年（乙未，公元三九五年）

春，正月，燕主垂遣散骑常侍封则报聘[245]于秦，遂自平原狩于广川、勃海、长乐[246]而归。

西秦王乾归以太子炽磐领尚书令，左长史边芮为左仆射，右长史祕宜为右仆射，置官皆如魏武、晋文故事[247]，然犹称大单于、大将军。边芮等领府佐如故[248]。

薛干太悉伏自长安亡归岭北[249]，上郡[250]以西鲜卑杂胡皆应之。

二月甲寅[251]，尚书令陆纳卒。

三月庚辰朔[252]，日有食之。

南。〖按〗据当时的情势分析，此“阳城”似应作“成阳”，当时的成阳县治在今山东鄄城东南。㉓东平：郡名，郡治在今山东东平西北。㉔高平、泰山、琅邪：三郡名，高平郡的郡治在今山东巨野南，泰山郡的郡治在今山东泰安东，琅邪郡的郡治在今山东临沂北。㉕进军临海：军队一直推进到海边。㉖曷多汗：柔然头领温纥提之子。公元三九一年，曷多汗父子与魏拓跋珪作战，兵败被俘，皆降魏。事见本书卷一百七。㉗社仑：曷多汗的堂兄弟，其伯父匹候跋之子，与曷多汗等先后被俘降魏。㉘长孙肥：姓长孙，名肥。㉙上郡：郡治在今陕西榆林东南。㉚疋候跋：柔然部落头领，曷多汗之伯父，于公元三九一年被拓跋珪击败，投降于魏。㉛南鄙：南部边境。㉜五原：县名，县治在今内蒙古包头西北，乌拉特前旗之东。㉝辟闾浑：姓辟闾，名浑，东晋的平原郡太守、龙骧将军。㉞送太子宝之子敏于燕：慕容敏原被拘于后秦，今将其送回慕容氏。

【校记】

［6］正月：原无此二字。据章钰校，十二行本、乙十一行本、孔天胤本皆有此二字，张敦仁《通鉴刊本识误》同，今据补。［7］四月：原无此二字。据章钰校，十二行本、乙十一行本、孔天胤本皆有此二字，张敦仁《通鉴刊本识误》、张瑛《通鉴校勘记》同，今据补。［8］杨多：原作“强多”。据章钰校，十二行本、乙十一行本皆作“杨多”，今据改。〖按〗《晋书·姚兴载记》亦云，“镇远杨多”。［9］盛：原无此字。据章钰校，十二行本、乙十一行本、孔天胤本皆有此字，今据补。

【语译】

二十年（乙未，公元三九五年）

春季，正月，后燕主慕容垂派担任散骑常侍的封则为使者前往后秦的都城长安进行回访，慕容垂从平原出发，前往广川、勃海、长乐各郡打猎，然后回到中山。

西秦王乞伏乾归任命太子乞伏炽磐兼任尚书令，任命担任左长史的边芮为左仆射，任命担任右长史的祕宜为右仆射，文武百官的设置，全都依照魏武帝曹操、晋文帝司马昭当政时期的旧例，但仍然称大单于、大将军。边芮等人依然兼任大将军府的左长史等职务。

薛干部落首领太悉伏从后秦的都城长安逃回了九嵕岭以北，上郡以西的鲜卑人以及其他少数民族全都聚众起兵，响应太悉伏。

二月初四日甲寅，东晋担任尚书令的陆纳逝世。

三月初一日庚辰，发生日食。

皇太子出就东宫，以丹杨尹王雅[253]领少傅[254]。

时会稽王道子专权奢纵，嬖人[255]赵牙本出倡优，茹千秋本钱唐[256]捕贼吏，皆以谄赂得进。道子以牙为魏郡[257]太守，千秋为骠骑谘议参军[258]。牙为道子开东第，筑山穿池，功用巨万[259]。帝尝幸其第，谓道子曰："府内乃有山，甚善，然修饰太过。"道子无以对。帝去，道子谓牙曰："上若知山是人力所为，尔必死矣！"牙曰："公在，牙何敢死？"营作弥甚。千秋卖官招权，聚货[260]累亿[261]。博平令[262]吴兴闻人奭[263]上疏言之。帝益恶道子，而逼于太后[264]，不忍废黜，乃擢时望[265]及所亲幸王恭、郗恢、殷仲堪、王珣、王雅等，使居内外要任以防道子。道子亦引王国宝及国宝从弟琅邪内史绪，以为心腹。由是朋党竞起，无复向时[266]友爱之欢[267]矣，太后每和解之。中书侍郎徐邈从容[268]言于帝曰："汉文明主，犹悔淮南[269]；世祖聪达，负愧齐王[270]。兄弟之际，实宜[10]深慎。会稽王虽有酣媟之累[271]，宜加弘贷[272]，消散群议，外为国家之计，内慰太后之心。"帝纳之，复委任道子如故。

初，杨定之死也，天水姜乳[273]袭据上邽。夏，四月，西秦王乾归遣乞伏益州帅骑六千讨之。左仆射边芮、民部尚书[274]王松寿曰："益州屡胜而骄，不可专任。必以轻敌取败。"乾归曰："益州骁勇，诸将莫及，当以重佐[275]辅之耳。"乃以平北将军韦虔为长史，左禁将军务和为司马。至大寒岭[276]，益州不设部伍[277]，听[278]将士游畋纵饮，令曰："敢言军事者斩！"虔等谏不听。乳逆击，大破之。

东晋皇太子司马德宗从皇宫迁往太子宫居住，东晋孝武皇帝司马曜任命丹杨尹王雅兼任太子少傅。

当时，东晋会稽王司马道子专擅国柄，奢侈放纵，他的男宠赵牙原本是个戏子，茹千秋原本是钱唐县一个专门抓捕盗贼的小官吏，这两个人全都凭借着阿谀奉承、用钱财进行贿赂而得到提升。司马道子任用赵牙为魏郡太守，任命茹千秋为骠骑谘议参军。赵牙为司马道子在会稽王府的东边修建了一座更加豪华的宅第，在这座宅第中堆土为山，凿地为池，花费的钱财多达一亿。孝武皇帝司马曜曾经亲临司马道子的府第，对司马道子说："你的府内竟然还有假山，非常好，只是修饰得有点过分。"司马道子无言以对。孝武皇帝司马曜离开之后，司马道子对赵牙说："皇帝如果知道府内的假山是用人力筑成的，你就死定了！"赵牙回答说："有你大王在，赵牙怎么敢死呢？"于是营造得更加起劲。茹千秋更是利用权势卖官揽权，聚敛的钱财珍宝有好几亿。担任博平县令的吴兴人闻人奭上疏给孝武皇帝司马曜揭露此事。孝武皇帝就更加厌恶会稽王司马道子，然而由于顾忌皇太后李氏对司马道子的宠爱，所以也不忍心将司马道子废黜，于是就提拔那些有威望的人以及自己所亲信的王恭、郗恢、殷仲堪、王珣、王雅等，让他们在朝廷内外身居要职，以防范司马道子的不轨行为。司马道子也拉拢王国宝以及王国宝的堂弟、担任琅邪内史的王绪作为自己的心腹。于是，两人各自培植党羽，拉帮结派，往日兄弟之间那种团结友爱的亲密感情再也找不到了，皇太后李氏往往从中进行调解。担任中书侍郎的徐邈曾经很随意似的对孝武皇帝司马曜说："汉文帝是一个很英明的皇帝，尚且后悔将淮南王刘长流放，致使淮南王绝食而死；晋世祖司马炎聪明豁达，也为有负于齐王司马攸而心存愧疚。处理兄弟之间的关系，实在应该采取极为慎重的态度。会稽王司马道子虽然有酗酒好色等毛病，对他还是应该宽容对待，以消除大家的各种议论，对外来讲，当然是从维护国家利益考虑，对内也是为了安慰太后。"孝武皇帝接受了徐邈的意见，于是，仍然像过去一样对司马道子委以重任。

当初，陇西王杨定被西秦军杀死的时候，天水郡人姜乳趁机占领了上邽。夏季，四月，西秦王乞伏乾归派遣秦州牧乞伏益州率领六千骑兵讨伐姜乳。担任左仆射的边芮、担任民部尚书的王松寿提醒说："乞伏益州此前屡战屡胜，已经显露出骄傲的情绪，不应再让他独自担当讨伐姜乳的重任。恐怕他会因为骄傲轻敌而导致失败。"西秦王乞伏乾归说："乞伏益州骁勇善战，诸将都比不上他，应该派有才干、有威望的僚属来辅佐他。"于是，任命担任平北将军的韦虔为长史，任命担任左禁将军的务和为司马。秦州牧乞伏益州率军已经抵达上邽西面的大寒岭，仍然不严格约束自己的部队，听任将士们随意打猎饮酒，并下令军中说："胆敢谈论军事的，一律斩首！"担任长史的韦虔等虽然极力劝谏，乞伏益州却都当成了耳旁风。姜乳率众出战，将乞伏乾归打得大败。

魏王珪叛燕，侵逼附塞诸部[279]。五月甲戌[280]，燕主垂遣太子宝、辽西王农、赵王麟帅众八万，自五原伐魏，范阳王德、陈留王绍别将步骑万八千为后继。散骑常侍高湖谏曰："魏与燕世为婚姻[281]，彼有内难，燕实存之[282]，其施德厚矣，结好久矣。间以求马不获而留其弟[283]，曲在于我，奈何遽[284]兴兵击之？拓跋涉圭[285][11]沈勇有谋，幼历艰难，兵精马强，未易轻也。皇太子富于春秋[286]，志果气锐[287]，今委之专征[12]，必小魏而易之[288]。万一不如所欲，伤威毁重[289]，愿陛下深图之！"言颇激切。垂怒，免湖官。湖，泰[290]之子也。

六月癸丑[291]，燕太原元王楷[292]卒。

西秦王乾归迁于西城[293]。

秋，七月，三河王光帅众十万伐西秦。西秦左辅密贵周[294]、左卫将军莫者羖羝[295]劝西秦王乾归称藩于光，以子敕勃为质。光引兵还，乾归悔之，杀周及羖羝。

魏张衮闻燕军将至，言于魏王珪曰："燕狃[296]于滑台、长子之捷[297]，竭国之资力以来，有轻我之心。宜羸形[298]以骄之，乃可克也。"珪从之，悉徙部落畜产西渡河千余里以避之。燕军至五原[299]，降魏别部[300]三万余家，收穄田[301]百余万斛[302]，置黑城[303]，进军临河[304]，造船为济具。珪遣右司马许谦乞师于秦[305]。

秃发乌孤击乙弗、折掘[306]等诸部，皆破降之，筑廉川堡[307]而都之。广武[308]赵振，少好奇略，闻乌孤在廉川，弃家从之。乌孤喜曰："吾得赵生[309]，大事济矣！"拜左司马。三河王光封乌孤为广武郡公。

有长星见自须女[310]，至于哭星[311]。帝心恶之，于华林园[312]举酒祝之

北魏王拓跋珪背叛了后燕，他率领部众侵扰、靠近后燕边塞，归附后燕的各少数民族部落。五月甲戌日，后燕主慕容垂派遣太子慕容宝、辽西王慕容农、赵王慕容麟率领八万名将士，从五原出发讨伐北魏，派范阳王慕容德、陈留王慕容绍另外率领一万八千名步兵、骑兵作为后续部队。担任散骑常侍的高湖劝谏说："魏国与燕国世代结为姻亲，他们国内遭受灾患，是燕国出兵相救，才保全了魏国，燕国对魏国的恩德至为深厚，两国之间互相交好的时间也很长久。只因为最近我们向魏国索要好马，魏国不给，我们便扣留了魏王的弟弟拓跋觚，是我们理亏，我们怎么能突然出兵去攻打他们呢？魏王拓跋珪为人深沉，有勇有谋，从小历尽艰难，现在魏国兵强马壮，不能太轻视他。皇太子慕容宝年纪尚轻，不免年轻气盛，敢想敢干，如今将讨伐魏国的重任单独交付给他，太子必定藐视魏国而掉以轻心。万一战争的胜负不像陛下预想的那样，恐怕会毁伤了国家的威严，有损于个人的身价，希望陛下再深刻地考虑考虑。"高湖情绪激动，言辞恳切。燕主慕容垂却勃然大怒，立即免了高湖的官职。高湖是高泰的儿子。

六月初五日癸丑，后燕太原元王慕容楷逝世。

西秦王乞伏乾归将都城从勇士城迁往西城。

秋季，七月，后凉三河王吕光率领十万大军讨伐西秦。西秦担任左辅的密贵周、担任左卫将军的莫者羖羝全都劝说西秦王乞伏乾归向后凉三河王吕光称臣，做后凉的藩属国，乞伏乾归遂将自己的儿子乞伏敕勃送往后凉做人质。吕光撤走之后，西秦王乞伏乾归很后悔，便杀死了劝他向后凉称臣的密贵周和莫者羖羝。

北魏担任长史的张衮听到后燕出兵来攻的消息，就向魏王拓跋珪进言说："燕国已经习惯于滑台、长子那样的胜利，他们竭尽全国的兵力、物力前来攻打我国，有些不把我们放在眼里，我们就应该利用他们的轻敌心理，故意向他们显示我们的软弱，使他们更加骄傲，我们就可以寻找机会战胜他们。"北魏王拓跋珪听从了张衮的意见，于是动员整个部落的民众驱赶着牲畜、携带着所有物资，向西渡过黄河，迁移到一千多里远的地方躲避后燕军的攻击。后燕太子慕容宝率领燕军抵达五原，隶属于魏国的其他少数民族部落的三万多家全都投降了后燕，后燕军收获了农田里的黍子，得到了一百多万斛粮食，存放在黑城，继续前进到黄河北岸，打造船只为渡河做准备。北魏王拓跋珪派遣担任右司马的许谦向后秦请求出兵援救。

鲜卑部落首领秃发乌孤率领部众攻打乙弗和折掘等部落，乙弗等部落被打败后全都向秃发乌孤投降。秃发乌孤于是兴筑廉川堡作为自己的都城。广武郡人赵振从小就喜好研究奇谋妙计，他听说秃发乌孤在廉川建都，于是便抛家舍业跟随了秃发乌孤。秃发乌孤高兴地说："我得到赵先生的辅佐，大事就可以成功了！"遂任命赵振为左司马。后凉三河王吕光封秃发乌孤为广武郡公。

有一颗光芒极长的彗星从须女星座穿过，一直到达哭星才消失。东晋孝武皇帝

曰:“长星，劝汝一杯酒，自古何有万岁天子邪[313]?”

八月，魏王珪治兵河南。九月，进军临河。燕太子宝列兵将济，暴风起，漂其船数十艘泊南岸。魏获其甲士三百余人，皆释而遣之。

宝之发中山[314]也，燕主垂已有疾。既至五原，珪使人邀中山之路[315]，伺其使者，尽执之。宝等数月不闻垂起居[316]，珪使所执使者临河告之曰:“若父[317]已死，何不早归?”宝等忧恐，士卒骇动。

珪使陈留公虔[318]将五万骑屯河东[319]，东平公仪[320]将十万骑屯河北[321]，略阳公遵[322]将七万骑塞燕军之南。遵，寿鸠[323]之子也。秦主兴遣杨佛嵩将兵救魏。

燕术士[324]靳安言于太子宝曰:“天时不利，燕必大败，速去可免。”宝不听。安退，告人曰:“吾辈皆当弃尸草野，不得归矣!”

燕、魏相持积旬[325]，赵王麟将慕舆嵩等以垂为实死，谋作乱，奉麟为主。事泄，嵩等皆死，宝、麟等内自疑[326]。冬，十月辛未[327]，烧船夜遁。时河冰未结，宝以魏兵必不能渡，不设斥候[328]。十一月己卯[329]，暴风，冰合。魏王珪引兵济河，留辎重[330]，选精锐二万余骑急追之。

燕军至参合陂[331]，有大风，黑气如堤，自军后来，临覆军上。沙门支昙猛[332]言于宝曰:“风气暴迅，魏兵将至之候，宜遣兵御之。”宝以去魏军已远，笑而不应。昙猛固请不已，麟怒曰:“以殿下神武，师徒之盛，足以横行沙漠，索虏何敢远来[333]?而昙猛妄言惊众，当斩以徇!”昙猛泣曰:“苻氏[334]以百万之师，败于淮南[335]，正由恃众轻敌，不

司马曜感到非常忌讳，于是便在华林园举起酒杯向上天祈祷说："彗星啊，我敬你一杯酒，自古以来哪里有活一万岁的皇帝呢？"

八月，北魏王拓跋珪在黄河以南集结军队。九月，便率军向黄河岸边挺进。后燕太子慕容宝率领后燕军正准备渡河南下，却突然刮起了暴风，将后燕打造的数十艘船只刮到了黄河南岸。船上的三百多名身穿铠甲的士卒全部被北魏军俘虏，北魏军把他们全部释放回去。

后燕太子慕容宝率军从后燕的都城中山出发的时候，后燕主慕容垂已经患病。等到慕容宝抵达五原之后，北魏王拓跋珪便派人截断了从五原通往中山的道路，专门侦察有无后燕的使者通过，一旦发现，立即全部抓获。所以后燕太子慕容宝等了几个月也得不到后燕主慕容垂病情发展的消息，北魏王拓跋珪将被擒获的后燕使者押送到黄河岸边告诉慕容宝说："你的父亲已经去世，你为什么还不早点回去？"慕容宝以及军中将领全都很忧愁恐惧，士卒也都惊恐不安，军心动摇。

北魏王拓跋珪派陈留公拓跋虔率领五万名骑兵屯扎在黄河以东，派东平公拓跋仪率领十万名骑兵屯扎在黄河以北，派略阳公拓跋遵率领七万名骑兵沿着黄河布防，堵截后燕军南下渡河。拓跋遵是拓跋寿鸠的儿子。后秦主姚兴派遣杨佛嵩率领后秦军援救北魏。

后燕术士靳安对皇太子慕容宝说："天时对燕国不利，燕军必定遭到很大的失败，如果现在赶紧撤军还可以躲避这场劫难。"慕容宝没有听信术士靳安的话。靳安告退之后，便告诉别人说："我们这些人都要被杀死，尸体被抛弃在荒郊野外，回不了故乡了！"

后燕、北魏隔着黄河相互对峙了十多天，后燕赵王慕容麟属下的将领慕舆嵩等以为后燕主慕容垂真的死了，于是密谋作乱，准备拥戴赵王慕容麟为后燕主。阴谋泄露，慕舆嵩等全被杀死，而太子慕容宝与赵王慕容麟之间却由此而相互猜疑。冬季，十月二十五日辛未，后燕军烧毁了准备南渡黄河的船只，在夜间偷偷地撤军而回。当时黄河水面还没有结冰，慕容宝认为北魏的军队肯定不能渡过黄河追赶，因此没有派出侦察兵侦察北魏军的动静。十一月初三日己卯，暴风骤起，气温急剧下降，一夜之间，河面就结了厚厚的一层冰。北魏王拓跋珪率军渡过黄河，把粮草辎重留下，挑选了二万多名精骑兵急速追击。

后燕军到达参合陂的时候，突然又刮起大风，有一道黑气，像长堤一样从燕军背后席卷而来，霎时间笼罩了后燕军的大营。佛门高僧支昙猛对太子慕容宝说："风云突变，这是魏军即将赶到的预兆，应该派兵殿后抵抗。"慕容宝认为燕军距离魏军已经越来越远，魏军绝对不会追到，所以只是笑了笑，没有回答。支昙猛再三再四地坚决请求，赵王慕容麟发怒说："就凭殿下的神明勇武，军队如此强盛，我们完全可以在沙漠中横冲直撞，无所顾忌，索头贼虏岂敢远道来追？而支昙猛竟敢胡说八

信天道故也!”司徒德劝宝从昙猛言，宝乃遣麟帅骑三万居军后以备非常。麟以昙猛为妄，纵骑游猎，不肯设备。宝遣骑还诇[336]魏兵，骑行十余里，即解鞍寝。

魏军晨夜兼行，乙酉[337]暮，至参合陂西。燕军在陂东，营于蟠羊山南水上[338]。魏王珪夜部分[339]诸将，掩覆[340]燕军，士卒衔枚束马口潜进。丙戌[341]日出，魏军登山，下临燕营。燕军将东引[342]，顾见之，士卒大惊扰乱。珪纵兵击之，燕兵走赴水，人马相腾蹑[343]，压溺死者以万数。略阳公遵以兵邀[13]其前[344]，燕兵四五万人，一时放仗敛手就禽，其遗迸[345]去者不过数千人，太子宝等皆单骑仅免。杀燕右仆射陈留悼王绍[346]，生禽鲁阳王倭奴[347]、桂林王道成、济阴公尹国[348]等文武将吏数千人，兵甲粮货以钜万计。道成，垂之弟子也。

魏王珪择燕臣之有才用者代郡太守广川贾闰[349]、闰从弟骠骑长史昌黎太守彝、太史郎辽东[14]晁崇[350]等留之，其余欲悉给衣粮遣还，以招怀[351]中州之人[352]。中部大人[353]王建[354]曰:“燕众强盛，今倾国而来，我幸而大捷，不如悉杀之，则其国空虚，取之为易。且获寇而纵之，无乃不可乎?”乃尽坑之。十二月，珪还云中之盛乐[355]。

燕太子宝耻于参合之败，请更击魏。司徒德言于燕主垂曰:“虏以参合之捷，有轻太子之心，宜及[356]陛下神略以服之，不然，将为后患。”垂乃以清河公会[357]录留台事[358]，领幽州刺史，代高阳王隆镇龙城[359]；以阳城王兰汗[360]为北中郎将，代长乐公盛镇蓟；命隆、盛悉引其

道，惊扰军心，应当将他斩首示众！”支昙猛哭泣着说：“秦主苻坚拥有百万之众，却在淮水之南吃了败仗，就是因为他们倚仗自己人多势众，轻视晋军，不相信骄兵必败的规律造成的啊！”担任司徒的慕容德劝说太子慕容宝听从支昙猛的劝告，慕容宝这才派遣慕容麟率领三万名骑兵殿后，以防止突发事件的发生。赵王慕容麟认为高僧支昙猛的话是胡言乱语，不足信，因此放纵属下骑兵随意打猎，对魏军是否追击丝毫没有警戒。太子慕容宝派骑兵原路返回打探魏军的消息，这些骑兵走了十多里，就解下马鞍，躺倒身躯放心地呼呼大睡起来。

北魏的军队星夜兼程，马不停蹄地随后追赶，十一月初九日乙酉的黄昏，魏军抵达参合陂的西面。后燕军此时在参合陂的东面，紧靠着蟠羊山南麓的水边安营扎寨，对魏军的到来毫无知觉。北魏王拓跋珪却连夜向诸将部署作战任务，偷袭后燕军，于是士卒口里衔着木片、战马束住嘴，悄悄地向后燕军营靠近。初十日丙戌，太阳露出地平线的时候，北魏军已经登上蟠羊山顶，下面就是后燕军的军营。后燕军正要出发东进，猛一回头看见了山顶上的魏军，士卒全都大惊失色，立时乱作一团。北魏王拓跋珪下令向后燕军发起进攻，后燕的士卒为了逃命纷纷跳入水中，人马前推后拥，相互践踏，被压死、淹死的数以万计。北魏略阳公拓跋遵率领魏军绕到后燕军前面挡住去路，后燕的四五万人立即放下武器束手就擒，那些漏网逃脱的不过几千人，后燕太子慕容宝等全都单枪匹马逃走，免被擒杀。魏军杀死了后燕担任右仆射的陈留悼王慕容绍，活捉了鲁阳王慕容倭奴、桂林王慕容道成、济阴公慕容尹国等文武将吏数千人，缴获的兵器铠甲、粮草辎重数以亿计。桂林王慕容道成是后燕主慕容垂弟弟的儿子。

北魏王拓跋珪从俘虏的后燕官员中挑选出有实际才能的担任代郡太守的广川郡人贾闰，贾闰的堂弟即担任骠骑长史、昌黎太守的贾彝，在太史手下担任郎官的辽东郡人晁崇等人留下任用，其他人则全都准备发给他们衣服粮食，遣送他们返回后燕，以此来感召中原人。担任中部大人的王建说：“后燕人口众多、兵力强盛，如今他们倾尽全国的兵力、财力前来攻打我们，我们侥幸获得大胜，不如把这些俘虏全部杀掉，那样一来，燕国国内兵力空虚，攻取燕国就比较容易了。况且，既然擒获了贼寇，却又把他们放掉，恐怕不合适吧？”于是，把俘虏全部活埋。十二月，北魏王拓跋珪率领魏军从参合陂返回云中郡的盛乐城。

后燕太子慕容宝把参合陂之败看作奇耻大辱，于是请求再次出兵攻打北魏。担任司徒的慕容德对后燕主慕容垂说：“拓跋珪这个贼虏因为在参合陂与太子交战打了胜仗，因而有轻视太子之心，应该运用陛下的神勇谋略来征服他，不然的话，将来必定会成为我们的祸患。”后燕主慕容垂遂令自己的孙子、清河公慕容会担任主管留守朝廷一切事务的录留台事，兼任幽州刺史，代替高阳王慕容隆镇守龙城；任命阳城王兰汗为北中郎将，代替长乐公慕容盛镇守蓟城；令慕容隆、慕容盛各自率领属精兵还中山，期以明年大举击魏。

是岁，秦主兴封其叔父绪为晋王，硕德为陇西王，弟崇为齐公，显为常山公。

【段旨】

以上为第三段，写太元二十年（公元三九五年）一年间的大事。主要写了魏王拓跋珪叛燕，燕太子慕容宝率大军伐魏，慕容麟轻敌，被拓跋珪大破于参合陂，降者数万，尽为拓跋珪所坑，燕国耻于对魏作战的惨败，慕容垂调集将士以谋再举。写了晋王朝司马道子的奢侈腐化，重用群小，招权纳贿，以致与其兄孝武帝的矛盾日益尖锐。写了桓玄势力的逐渐膨胀，孝武帝为防备桓玄而起用另一派贵族势力如殷仲堪、王恭等，从而造成晋王朝不同派系的严重对立。写了凉州的吕光政权与苑川乞伏乾归政权之间的一些斗争，以及湟中地区秃发乌孤势力的兴起等。

【注释】

㉔⑤报聘：犹如今外交上的“回访”，因上年姚氏曾送回慕容敏于燕。㉔⑥广川、勃海、长乐：三郡名，广川郡的郡治在今河北枣强东南，勃海郡的郡治在今河北沧州南，长乐郡的郡治信都即今河北衡水市冀州区。㉔⑦置官皆如魏武、晋文故事：像魏武帝曹操、晋文帝司马昭那样虽未称帝，但却有皇帝的权力与各种政府官吏的建制。传见《三国志》卷一与《晋书》卷二。㉔⑧领府佐如故：指边芮等既在朝廷任左、右仆射，同时还兼任着将军府高级僚属的长史职务。㉔⑨亡归岭北：逃回到九嵕岭以北。九嵕岭在今陕西礼泉东北。薛干部落的首领太悉伏于公元三九二年被拓跋珪打败，投归姚兴，今又叛逃而去。㉕⓪上郡：郡治在今陕西榆林横山区东。㉕①二月甲寅：二月初四。㉕②三月庚辰朔：三月初一是庚辰日。㉕③王雅：王肃的曾孙，为官有才干，深得孝武帝倚重，曾预见王恭、殷仲堪之后必为乱。传见《晋书》卷八十三。㉕④领少傅：兼任太子少傅。领，兼任。㉕⑤嬖人：男宠。㉕⑥钱唐：县名，县治即今浙江杭州。㉕⑦魏郡：郡治邺城（今河北临漳西南），这里指在江南的侨置郡。㉕⑧骠骑谘议参军：骠骑将军的谘议参军，以备参谋顾问。当时的骠骑将军即司马道子。㉕⑨巨万：万万，即一亿。㉖⓪货：钱币。㉖①累亿：好几亿。㉖②博平令：博平县的县令。博平县的县治在今山东聊城东北。此处乃指侨设的博平县，上属魏郡。㉖③闻人奭：姓闻人，名奭。㉖④逼于太后：由于有太后的压力。此“太后”即指李陵容，简文帝的妃子，孝武帝和会稽王司马道子的生母。因为有太后给司马

下所有精兵返回都城中山，定于次年大举进攻北魏。

这一年，后秦主姚兴封自己的叔父姚绪为晋王，姚硕德为陇西王，封自己的弟弟姚崇为齐公，姚显为常山公。

道子撑腰，故皇帝不敢管。㉖⑤时望：当时有威望的人。㉖⑥向时：昔日，从前。㉖⑦友爱之欢：兄弟之间的亲密感情。㉖⑧从容：自然，不生硬。㉖⑨汉文明主二句：淮南王刘长是汉文帝的亲兄弟，因图谋不轨，被汉文帝流放巴蜀，中途绝食饿死。时人作歌讽刺此事说："一尺布，尚可缝；一斗米，尚可舂，兄弟二人不相容。"汉文帝后来很后悔。事见《史记·淮南衡山列传》与本书卷十四文帝六年。㉗⓪世祖聪达二句：齐王司马攸是晋武帝司马炎的亲兄弟，执掌朝权，有威望，有才干，后因荀勖等挑拨，司马炎将其免职，司马攸吐血而死。司马炎对此很惭愧。事见《晋书》卷三十八与本书卷八十一太康四年。㉗①酣媟之累：指好酒、好色的毛病。㉗②弘贷：宽大、赦免。㉗③天水姜乳：天水郡人姓姜名乳，当地的豪绅。天水郡的郡治上邽，即今甘肃天水。㉗④民部尚书：后来的户部尚书，掌管全国的土地、户籍、钱粮等事。唐人为李世民避讳，故以后遂改称户部。㉗⑤重佐：有才干有威望的僚属。㉗⑥大寒岭：山名，在今甘肃天水西。㉗⑦不设部伍：没有严格的编制约束。部、伍，都是军队中的编制名。校尉统领的士兵称"部"，五人为一"伍"。㉗⑧听：任其自便。㉗⑨附塞诸部：靠近后燕边塞，归附于后燕的各少数民族部落。㉘⓪五月甲戌：五月初一是丁丑日，本月无甲戌日。甲戌应是四月二十五。㉘①世为婚姻：拓跋珪之父什翼犍曾娶慕容皝之女为后，慕容垂之父慕容皝又娶什翼犍的侄女为妻，如此等等。㉘②彼有内难二句：指公元三七六年什翼犍被苻坚打败，身死国灭，其后拓跋珪兴起，开始亦称臣于燕。事见《魏书》卷一与本书卷一百六、一百七。㉘③求马不获而留其弟：公元三九一年拓跋珪曾派其弟拓跋觚到后燕进贡，慕容垂的子弟们曾把拓跋觚扣留起来，向他勒索良马。事见本书卷一百七。㉘④奈何遽：怎么能突然……㉘⑤拓跋涉圭：拓跋珪，"涉圭"是其字。㉘⑥富于春秋：年轻，来日方长。㉘⑦志果气锐：指年轻气盛，敢想敢干。㉘⑧小魏而易之：蔑视魏国而掉以轻心。易，轻视。㉘⑨伤威毁重：毁伤国家的威严，有损个人的身价。㉙⓪泰：高泰，前燕时的旧臣，慕容垂任车骑将军时，高泰为从事中郎。㉙①六月癸丑：六月初五。㉙②太原元王楷：慕容楷，慕容恪之子，慕容垂之侄。太原王是他的封号，元是谥。㉙③西城：西苑城，在今甘肃榆中境内。㉙④左辅密贵周：左辅位同左丞相；密贵周，姓密贵，名周。㉙⑤莫者羖羝：人名，姓莫者，名羖羝。㉙⑥狃：因习惯而掉以轻心。㉙⑦滑台、长子之捷：指慕容垂于太元十七年（公元三九二年）大破翟钊于黎阳，翟钊逃离滑台，旋即被杀；又于十九年破慕容永于台壁，慕容永逃离长子被杀事。㉙⑧羸形：故意示敌以弱形。羸，瘦弱。㉙⑨五原：县名，县治在今内蒙古包头西

北。㉚魏别部：隶属于拓跋魏的其他少数民族部落。㉛穄田：种植着黍子的田地。㉜斛：量器名，十斗为一斛。㉝置黑城：安放在黑城。黑城在今内蒙古包头西北。㉞临河：进军到黄河北岸。㉟乞师于秦：向姚兴的后秦请求援兵。㊱乙弗、折掘：都是当时的少数民族部落名，活动在今青海湖东南部。㊲廉川堡：在今青海西宁湟中区附近。㊳广武：郡名，郡治在今甘肃永登东南。㊴赵生：赵先生。生，对人的敬称。㊵长星见自须女：有大流星从须女星座出现。须女，亦称女宿，星座名，二十八宿之一，为玄武七宿之第三宿。㊶至于哭星：直到哭星才消失。哭星即危宿，也是二十八宿之一，为玄武七宿的第五宿。㊷华林园：在当时的国都建康（今南京）城内，乃仿效洛阳旧都的华林园所建造。㊸自古何有万岁天子邪：《史记·天官书》有所谓"虚为哭泣之事"。意思是谁见到流星出现在星空的这个位置，就意味着他的生命不长了，故孝武帝因内心厌恶而故作豪放。㊹发中山：由后燕的都城中山，即从今河北定州出发。㊺邀中山之路：拦截后燕由都城中山到前线的通道。㊻不闻垂起居：听不到慕容垂病情发展状况。㊼若父：你的父亲。若，你、你的。㊽陈留公虔：拓跋虔，拓跋珪的堂兄弟，魏国的勇将。传见《魏书》卷十五。㊾河东：黄河以东，指今山西西北角偏关、河套一带。㊿东平公仪：拓跋仪，拓跋珪的堂兄弟，先于魏国有大功，后谋反败死。传见《魏书》卷十五。(321)河北：黄河以北，指今内蒙古的托克托一带。(322)略阳公遵：拓跋遵，拓跋珪的堂兄弟，有大功于魏。传见《魏书》卷十五。(323)寿鸠：拓跋寿鸠，前已见于本书卷一百四太元元年。(324)术士：此指以占卜、相面、望气等迷信之术为职业的人。(325)相持积旬：相持了十多天。(326)内自疑：内心相互猜疑。(327)十月辛未：十月二十五。(328)不设斥候：不派人注意河水的变化。斥候，侦察敌情的人员。(329)十一月己卯：十一月初三。(330)辎重：军中的笨重物资。(331)参合陂：水边的堤坝名，在今内蒙古凉城东的岱海东南。(332)沙门支昙猛：有个和尚姓支，法名昙猛。(333)索虏何敢远来：索虏亦称"索头"，因拓跋部落的鲜卑人习惯于结发辫，故当时的其他民族蔑称之曰"索虏"。胡三省曰："太元十八年，慕容麟已知拓跋珪之必为燕患矣，今乃轻之如此，岂其心自疑而欲败宝之师邪？其后宝不能守中山，而麟亦不能自

【原文】

二十一年（丙申，公元三九六年）

春，正月，燕高阳王隆引龙城之甲入中山，军容精整，燕人之气稍振。

休官权万世[1]帅众降西秦[2]。

燕主垂遣征东将军平规发兵冀州[3]。二月，规以博陵、武邑、长

立，同归于乱而已矣。”㉞符氏：此指苻坚。㉟败于淮南：公元三八三年苻坚的淝水之败。见本书卷一百四、一百五。㊱诇：刺探。㊲乙酉：十一月初九。㊳蟠羊山南水上：蟠羊山南面的水边上。据胡注，此水当时名叫沃水。㊴部分：部署、派遣。㊵掩覆：偷袭。㊶丙戌：十一月初十。㊷东引：向东进发。㊸相腾蹑：争相前挤，相互践踏。㊹邀其前：截住其前跑之路。㊺遗迸：漏网逃脱。㊻陈留悼王绍：慕容绍，慕容恪之子，慕容垂之侄。陈留王是其封号，悼字是谥。㊼鲁阳王倭奴：慕容倭奴，被封为鲁阳王。㊽济阴公尹国：慕容尹国，被封为济阴公。㊾广川贾闰：广川郡人贾闰。广川郡的郡治在今河北枣强东。㊿太史郎辽东晁崇：任太史的郎官辽东郡人姓晁名崇。辽东郡的郡治即今辽宁辽阳。351招怀：招纳，招之使来。怀，令人思慕、令人向往。352中州之人：中原地区的人。当时慕容垂都于中山（今河北定州），今河北、山西、山东以及河南北部等地皆归其统辖。353中部大人：官名，主管新投降的各少数民族部落的事务。354王建：拓跋珪的女婿。传见《魏书》卷三十。355云中之盛乐：盛乐，都邑名，也叫成乐，在今内蒙古和林格尔北，东汉时属云中郡。356及：趁着。357清河公会：慕容会，慕容宝之子，慕容垂之孙。358录留台事：总管留守朝廷的一切事宜。359龙城：燕国的旧都城，即今辽宁朝阳。后燕在龙城设有留台，由慕容隆总管其事。360阳城王兰汗：慕容垂的小舅，也是其孙慕容盛的岳父。

【校记】

［10］宜：原作“为”。严衍《通鉴补》改作“宜”，当是，今从改。［11］拓跋涉圭：据章钰校，十二行本、乙十一行本、孔天胤本皆作“拓跋涉珪”，张敦仁《通鉴刊本识误》同。〖按〗萧子显《南齐书·魏虏列传》载，“圭字涉圭”。［12］征：原作“任”。据章钰校，十二行本、乙十一行本皆作“征”，张敦仁《通鉴刊本识误》同，今据改。［13］邀：张敦仁《通鉴刊本识误》认为“邀”下有“击”字。［14］辽东：原无此二字。据章钰校，十二行本、乙十一行本、孔天胤本皆有此二字，张敦仁《通鉴刊本识误》同，今据补。

【语译】

二十一年（丙申，公元三九六年）

春季，正月，后燕高阳王慕容隆率领龙城的军队进入都城中山，军容整肃威武，后燕人的士气遂逐渐振作起来。

休官部落首领权万世率领自己的部众归降了西秦王乞伏乾归。

后燕主慕容垂派遣担任征东将军的平规到冀州去征调士兵。二月，平规统领着

乐[364]三郡兵反于鲁口[365]，其从子冀州刺史喜谏，不听。规弟海阳令翰[366]亦起兵于辽西以应之。垂遣镇东将军余嵩击规，嵩败死。垂自将击规，军[15]至鲁口。规弃众，将妻子及平喜等数十人走渡河[367]，垂引兵还。翰引兵趣龙城[368]，清河公会遣东阳公根等击翰，破之，翰走山南[369]。

三月庚子[370]，燕主垂留范阳王德[371]守中山，引兵密发，逾青岭[372]，经天门[373]，凿山通道，出魏不意直指云中[374]。魏陈留公虔帅部落三万余家镇平城[375]。垂至猎岭[376]，以辽西王农、高阳王隆为前锋以袭之。是时，燕兵新败，皆畏魏，惟龙城兵勇锐争先。虔素不设备，闰月乙卯[377]，燕军至平城，虔乃觉之，帅麾下出战，败死，燕军尽收其部落。魏王珪震怖，欲走。诸部闻虔死，皆有贰心，珪不知所适[378]。

垂之过参合陂也，见积骸如山，为之设祭，军士皆恸哭，声震山谷。垂惭愤呕血，由是发疾，乘马舆而进，顿[379]平城西北三十里。太子宝等闻之，皆引还[380]。燕军叛者奔告于魏云："垂已死，舆尸在军。"魏王珪欲追之，闻平城已没，乃引还阴山[381]。

垂在平城积十日，疾转笃[382]，乃筑燕昌城[383]而还。夏，四月癸未[384]，卒于上谷之沮阳[385]，秘不发丧。丙申[386]，至中山。戊戌[387]，发丧，谥曰成武皇帝，庙号世祖。壬寅[388]，太子宝即位，大赦，改元永康。

五月辛亥[389]，以范阳王德为都督冀兖青徐荆豫六州诸军事、车骑大将军、冀州牧，镇邺；辽西王农为都督并雍益梁秦凉六州诸军事、并

博陵、武邑、长乐三个郡的士兵在鲁口造反，平规的侄子、担任冀州刺史的平喜极力劝阻，然而平规不听。平规的弟弟、担任海阳县令的平翰也在辽西聚众起兵，响应平规。后燕主慕容垂派遣镇东将军余嵩率军征讨平规，余嵩兵败被杀。慕容垂遂亲自率军去攻打平规，大军抵达鲁口。平规抛弃了部众，带着自己的妻儿以及侄子平喜等数十人，渡过黄河向东南逃窜，慕容垂率军而回。海阳令平翰率领自己的部众杀向龙城，负责镇守龙城的录留台事、兼任幽州刺史的清河公慕容会派遣东阳公慕容根等率军攻打平翰，将平翰击败，平翰逃往白狼山以南。

三月二十六日庚子，后燕主慕容垂留下范阳王慕容德守卫都城中山，自己率领大军秘密出发，他越过青岭，穿过天门，凿山开道，在魏军完全意料不到的情况下，后燕的大军直接杀向北魏都城盛乐所在的云中郡。北魏陈留公拓跋虔率领自己部落的三万多家镇守平城。后燕主慕容垂抵达猎岭，他任命辽西王慕容农、高阳王慕容隆为前锋袭击拓跋虔所镇守的平城。当时，后燕军被北魏王拓跋珪打败不久，因此从心里惧怕魏军，只有高阳王慕容隆率领的龙城军勇武精壮，个个奋勇争先。北魏陈留公拓跋虔一向不设警戒，闰三月十二日乙卯，后燕军抵达平城的时候，拓跋虔才发觉，于是率领部下匆忙出城迎战，结果战败被杀，后燕军遂接管了拓跋虔的整个部落。北魏王拓跋珪对后燕军的突袭成功感到非常震惊和恐惧，就准备放弃盛乐逃走。而属下的各部落听到拓跋虔战死的消息，对拓跋珪全都有背叛之心，拓跋珪此时不知该逃向哪里。

后燕主慕容垂在经过参合陂的时候，看见阵亡将士的尸骨堆积如山，于是摆下供品，亲自焚香祭奠，全军将士全都失声痛哭，哭声震动了山谷。慕容垂由于过度羞愧、愤怒，竟然口吐鲜血，并因此得病，病得连马都不能骑乘，只能坐在马车里前进，大军在平城西北三十里的地方驻扎下来。太子慕容宝等得知慕容垂病重的消息，全都率军返回。后燕军中的背叛者赶紧跑到北魏军中告诉说："后燕主慕容垂已经死了，停放尸体的车子就在燕国的军队里。"北魏王拓跋珪本来想趁机追击燕军，后来听到平城已经失陷、陈留公拓跋虔已经战死的消息，便率军返回阴山。

后燕主慕容垂在平城停留了十天，病情逐渐恶化，遂就地修筑燕昌城以作纪念，然后撤军。夏季，四月初十日癸未，后燕主慕容垂在上谷郡的沮阳县逝世，太子慕容宝封锁了慕容垂逝世的消息。二十三日丙申，后燕讨伐北魏的大军返回都城中山。二十五日戊戌，发布了慕容垂去世的消息，为后燕主慕容垂举办丧事，给慕容垂上谥号为成武皇帝，庙号世祖。二十九日壬寅，后燕太子慕容宝即位为后燕皇帝，实行大赦，改年号为永康。

五月初九日辛亥，后燕主慕容宝任命范阳王慕容德为都督冀、兖、青、徐、荆、豫六州诸军事，车骑大将军，冀州牧，镇守邺城；任命辽西王慕容农为都督并、雍、益、梁、秦、凉六州诸军事，并州牧，镇守晋阳。又任命安定王库傉官伟为太师，

州牧，镇晋阳。又以安定王库傉官伟为太师，夫餘王蔚[390]为太傅。甲寅[391]，以赵王麟领尚书左仆射，高阳王隆领右仆射，长乐公盛为司隶校尉[392]，宜都王凤[393]为冀州刺史。

乙卯[394]，以散骑常侍彭城刘该[395]为徐州刺史，镇鄄城[396]。

甲子[397]，以望蔡公谢琰[398]为尚书左仆射。

初，燕主垂先段后[399]生子令、宝，后段后[400]生子朗、鉴，爱诸姬子麟、农、隆、柔、熙。宝初为太子，有美称，已而荒怠，中外失望。后段后尝言于垂曰："太子遭承平之世，足为守成之主；今国步艰难，恐非济世[401]之才。辽西、高阳二王[402]，陛下之贤子，宜择一人，付以大业。赵王麟奸诈强愎[403]，异日必为国家之患，宜早图之。"宝善事垂左右，左右多誉之，故垂以为贤，谓段氏曰："汝欲使我为晋献公[404]乎？"段氏泣而退，告其妹范阳王妃[405]曰："太子不才，天下所知，吾为社稷言之，主上乃以吾为骊姬，何其苦哉！观太子必丧社稷，范阳王有非常器度，若燕祚[406]未尽，其在王乎？"宝及麟闻而恨之。

乙丑[407]，宝使麟谓段氏曰："后常谓主上[408]不能守大业，今竟能不？宜早自裁，以全段宗[409]！"段氏怒曰："汝兄弟不难逼杀其母，况能守先业乎？吾岂爱死，但念国亡不久耳。"遂自杀。宝议以段后谋废适统[410]，无母后之道，不宜成丧[411]。群臣咸以为然。中书令眭邃[412]扬言于朝[413]曰："子无废母之义，汉安思阎后[414]亲废顺帝，犹得配飨太庙[415]，况先后暧昧之言[416]，虚实未可知乎？"乃成丧。

六月癸酉[417]，魏王珪遣将军王建等击燕广宁[418]太守刘亢泥，斩之，

任命夫餘王余蔚为太傅。十二日甲寅，任命赵王慕容麟兼任尚书左仆射，高阳王慕容隆兼任尚书右仆射，任命长乐公慕容盛为司隶校尉，任命宜都王慕容凤为冀州刺史。

五月十三日乙卯，东晋朝廷任命担任散骑常侍的彭城人刘该为徐州刺史，镇守鄄城。

二十二日甲子，东晋朝廷任命望蔡公谢琰为尚书左仆射。

当初，后燕主慕容垂第一个姓段的妻子生了慕容令、慕容宝，第二个姓段的妻子生了慕容朗、慕容鉴，然而慕容垂却很喜爱其他姬妾所生的儿子慕容麟、慕容农、慕容隆、慕容柔、慕容熙。慕容宝刚当上太子的时候，声誉还很好，后来则逐渐地不务正业、懈怠于政事，于是朝廷内外都对他感到失望。第二个段氏皇后曾经对燕主慕容垂说："皇太子慕容宝如果遭遇的是太平盛世，他完全可以成为一个守卫祖业的合格君主；然而，目前国家举步维艰，我担心太子不是挽救国家危亡的材料。辽西王慕容农、高阳王慕容隆，是陛下最贤能的儿子，应该在他们二人当中选择一位做继承人，将国家大业托付给他。赵王慕容麟奸猾狡诈，自以为是，顽固不化，将来必定成为国家的祸患，应该早日把他除掉。"太子慕容宝善于讨好燕主慕容垂身边的人，于是这些人便不断地在慕容垂面前说太子的好话，所以慕容垂认为慕容宝很贤能，便对段氏皇后说："难道你想让我做晋献公那样的人吗？"段氏皇后忍不住流下泪来，她退出之后，便对自己的妹妹、范阳王慕容德的王妃说："皇太子不是当君主的材料，天下人全都知道，我为了国家社稷才向主上进言，主上竟然把我看作是向晋献公进谗言害死太子姬申的骊姬，我的内心是多么的痛苦啊！我看太子慕容宝必定引导我们燕国走向灭亡，范阳王慕容德有非同一般的才能和度量，如果燕国的国运还没有走到尽头，大概会落在范阳王的身上吧？"太子慕容宝和赵王慕容麟听到之后，对段氏皇后恨之入骨。

五月二十三日乙丑，后燕主慕容宝派赵王慕容麟对段氏皇后说："皇后曾经说如今的主上不能守住祖先的大业，现在你看他能不能守住祖先大业？你应该早点听话自杀，以保全你们的段氏家族！"段氏皇后愤怒地说："你们兄弟二人把逼死母后都不当成一回事，又岂能守住祖先大业呢？我不会吝惜一死，只是担心国家不久就会灭亡在你们手里。"于是自杀身亡。慕容宝认为段氏皇后曾经建议先帝慕容垂不要立自己为继承人，已经失去了母仪天下的资格，因此不应该按照皇后的规格为她举行丧葬之礼。群臣全都表示赞同。担任中书令的眭邃却在朝廷之中公开地说："做儿子的没有废掉母亲的道理，东汉安思皇后阎氏亲手废掉了太子刘保，后来刘保即位为汉顺帝，阎氏死后，她的牌位仍然被放入汉家太庙，与汉安帝的牌位一起享受祭祀，何况先皇后段氏只是因为几句含糊不清的话，真假难辨呢？"慕容宝这才为段氏皇后主持丧礼。

六月初一日癸酉，北魏王拓跋珪派遣将军王建等率军攻打后燕广宁郡太守刘亢

徙其部落于平城。燕上谷太守开封公详[419]弃郡走。详，皝之曾孙也。

丁亥[420]，魏贺太妃[421]卒。

燕主宝定士族旧籍[422]，分辨清浊[423]，校阅户口，罢军营封荫之户，悉属郡县[424]。由是士民嗟怨，始有离心。

三河王吕光即天王位[425]，国号大凉[426]，大赦，改元龙飞。备置百官，以世子绍为太子，封子弟为公侯者二十人，以中书令王详为尚书左仆射，著作郎段业等五人为尚书。

光遣使者拜秃发乌孤为征南大将军、益州牧、左贤王。乌孤谓使者曰："吕王诸子贪淫，三甥[427]暴虐，远近愁怨，吾安可违百姓之心，受不义之爵乎？吾当为帝王之事[428]耳。"乃留其鼓吹、羽仪[429]，谢而遣之。

平规收合余党据高唐[430]，燕主宝遣高阳王隆将兵讨之。东土之民，素怀隆惠，迎候者属路[431]。秋，七月，隆进军临河[432]，规弃高唐走。隆遣建威将军慕容进等济河追之，斩规于济北[433]。平喜[434]奔彭城[435]。

纳[436]故中书令王献之[437]女为太子妃。献之，羲之之子也。

魏群臣劝魏王珪称尊号，珪始建天子旌旗，出警入跸[438]，改元皇始。参军事上谷张恂劝珪进取中原，珪善之。

燕辽西王农悉将[439]部曲数万口之并州[440]。并州素乏储偫[441]，是岁早霜，民不能供其食。又遣诸部护军[442]分监诸胡[443]，由是民夷[444]俱怨，潜召魏军。八月己亥[445]，魏王珪大举伐燕，步骑四十余万，南出马邑[446]，逾句注[447]，旌旗二千余里，鼓行而进。左将军雁门[448]李栗将五万骑为前驱，别遣将军封真等从东道出军都[449]，袭燕幽州[450]。

燕征北大将军、幽平[451]二州牧、清河公会[452]母贱而年长，雄俊有器艺[453]，燕主垂爱之。宝之伐魏也，垂命会摄东宫事[454]、总录[455]，礼遇一

泥，将刘亢泥斩首，把刘亢泥的部众全部迁徙到平城。后燕担任上谷太守的开封公慕容详放弃了上谷逃走。慕容详是燕主慕容皝的曾孙。

十五日丁亥，北魏王拓跋珪的生母贺太妃去世。

后燕主慕容宝令人整理各地豪门大族的旧有族谱，评定这些贵族人物品行的高下，核对户口，取消军营将领占有佃户的特权，将受他们庇护的佃户全部划归郡县，编入户籍。慕容宝的这些举措，引起了士民的强烈不满，于是士民与朝廷离心离德。

后凉三河王吕光即位为天王，国号大凉，并实行大赦，改年号为龙飞。设置文武百官，立世子吕绍为王太子。后凉天王吕光的子弟中被封为公爵、侯爵的有二十人，任命担任中书令的王详为尚书左仆射，任命担任著作郎的段业等五人为尚书。

后凉天王吕光派遣使者封鲜卑部落首领秃发乌孤为征南大将军、益州牧、左贤王。秃发乌孤对吕光派来的使者说："吕天王的儿子们贪财好利、荒淫无耻，他的三个外甥残暴酷虐，无论远近，民怨沸腾，我怎能违背民心，接受他的不义官爵呢？我要做帝王该做的事罢了。"于是把使者送来的乐队、仪仗全部留下，令使者向吕光表示歉意，而后将使者送走。

后燕的叛将平规招集起他的残兵败将占据了高唐县自立，后燕主慕容宝派高阳王慕容隆率军讨伐平规。东部地区的民众一向感念慕容隆的恩德，前来迎候的络绎不绝于道路。秋季，七月，高阳王慕容隆率军挺进到黄河岸边，平规放弃高唐逃走。慕容隆派遣建威将军慕容进等渡过黄河追击平规，在济北将平规斩首。平规的侄子平喜逃往东晋所属的彭城。

东晋孝武帝司马曜为皇太子司马德宗娶了故中书令王献之的女儿为太子妃。王献之是王羲之的儿子。

北魏群臣全都劝说魏王拓跋珪称帝，拓跋珪于是开始使用只有天子才能使用的旌旗，出入都有警卫开道，改年号为皇始。担任参军事的上谷人张恂劝说魏王拓跋珪进取中原，拓跋珪认为他说得很对。

后燕辽西王慕容农率领自己属下的所有部曲数万口前往并州。并州一向缺乏粮食等各项储蓄，当年又遭遇早霜，民众没有能力供给这么多人的粮食。慕容农于是又派遣诸部的军政长官护军分别去监管除去鲜卑人以外的其他各少数民族部落，不论是汉人还是少数民族全都对慕容农心怀怨恨，便有人暗中前往北魏，召请北魏出兵。八月二十八日己亥，北魏王拓跋珪率领魏军大举讨伐后燕，他出动了步兵、骑兵总计四十多万，南下马邑，越过句注山，一路之上旌旗招展，前后绵延两千多里，一面擂动战鼓一面前进。担任左将军的雁门人李栗率领五万骑兵担任前锋，拓跋珪另派将军封真等率军从东路进发，穿过军都，袭击后燕的幽州。

后燕征北大将军，幽、平二州牧，清河公慕容会的母亲虽然出身低贱，但慕容会在燕主慕容宝的儿子中年纪最大，而且长得雄伟英俊，有能力，有气度，燕主慕容垂最疼爱他。慕容宝率军讨伐北魏的时候，慕容垂令清河公慕容会暂时代管其父

如太子。及垂伐魏，命会镇龙城，委以东北之任，国官府佐[456]，皆选一时才望[457]。垂疾笃，遗言命宝以会为嗣。而宝爱少子濮阳公策，意不在会。长乐公盛[458]与会同年，耻为之下，乃与赵王麟共劝宝立策，宝从之。乙亥[459]，立妃段氏为皇后，策为皇太子，会、盛皆进爵为王。策年十一，素蠢弱[460]。会闻之，心愠怼。

九月，章武王宙[461]奉燕主垂及成哀段后[462]之丧葬于龙城宣平陵。宝诏宙悉徙[463]高阳王隆参佐、部曲、家属还中山[464]。会违诏，多留部曲不遣。宙年长属尊[465]，会每事陵侮之，见者皆知其有异志。

戊午[466]，魏军至阳曲[467]，乘西山[468]，临晋阳[469]，遣骑环城大噪而去。燕辽西王农出战，大败，奔还晋阳，司马慕舆嵩[470]闭门拒之。农将妻子帅数千骑东走，魏中领将军[471]长孙肥追之，及于潞川[472]，获农妻子。燕军尽没，农被创，独与三骑逃归中山。

魏王珪遂取并州。初建台省[473]，置刺史、太守、尚书郎[474]以下官，悉用儒生为之。士大夫诣军门[475]者[16]，无少长，皆引入存慰，使人人尽言，少有才用，咸加擢叙[476]。己未[477]，遣辅国将军奚牧[17]略地汾川[478]，获燕丹杨王买德[479]及离石护军[480]高秀和。以中书侍郎张恂[481]等为诸郡太守，招抚离散，劝课农桑。

燕主宝闻魏军将至，议于东堂。中山尹[482]苻谟曰：“今魏军众强，千里远斗，乘胜气锐，若纵之使入平土，不可敌也，宜杜险[483]以拒之。”中书令眭邃曰：“魏多骑兵，往来剽速，马上赍粮，不过旬日。

亲慕容宝东宫之中的一切事务，所享受的待遇同太子一样，总理一切朝政。等到燕主慕容垂亲自率军伐魏，又令慕容会镇守龙城，把管理东北地区的重任交付给他，在他所在的统辖区域内，不论是各级军政长官，还是清河公身边的僚属，所选用的都是当时既有声望又有才干的人。慕容垂病重期间留下遗言，让太子慕容宝一定要立慕容会为继承人。然而，慕容宝却喜爱小儿子濮阳公慕容策，心思不在慕容会身上。而长乐公慕容盛与慕容会同岁，认为自己的地位处在慕容会之下是一种耻辱，于是便与赵王慕容麟一道劝说慕容宝立慕容策为继承人，慕容宝听从了他们的意见。八月初四日乙亥，后燕主慕容宝立太子妃段氏为皇后，立濮阳公慕容策为皇太子，慕容会、慕容盛都进爵为王。新被立为皇太子的慕容策十一岁，素来愚憨而体弱。慕容会得知消息，心里越加愤怒与怨恨。

九月，后燕章武王慕容宙护送燕主慕容垂与成哀皇后段氏的灵柩安葬于位于龙城的宣平陵。新燕主慕容宝下诏给章武王慕容宙，令他将高阳王慕容隆手下的僚佐、部曲、家属全部从龙城调回都城中山。而此时仍在镇守龙城的清河王慕容会没有按照慕容宝的诏令执行，他将慕容隆的僚佐、部曲留下很多，不准他们前往中山。慕容宙年岁较大，辈分又高，而慕容会一有机会就凌辱这位年高的长辈，看见慕容会如此行事的人都知道慕容会已经心怀不轨。

九月十八日戊午，北魏讨伐后燕的大军抵达阳曲，然后登上太原西面的山，逼近晋阳，北魏王拓跋珪派遣骑兵围着晋阳城大声呐喊鼓噪，然后撤离。后燕辽西王慕容农率领燕军出战，结果被北魏军打得大败，慕容农逃回晋阳，而属下担任司马的慕舆嵩紧闭晋阳城门，拒绝慕容农入城。慕容农只得带着妻子儿女，率领着数千名骑兵向东逃走，北魏担任中领将军的长孙肥率军追赶慕容农，追到潞川，俘虏了慕容农的妻子儿女。慕容农所率领的数千名骑兵全部覆没，慕容农身负重伤，独自带领三名骑兵逃回了后燕的都城中山。

北魏王拓跋珪于是占领了并州全境。拓跋珪开始创建朝廷，他所委任的刺史、太守、尚书郎以下的官员，全部由儒生担任。士大夫中有前往拓跋珪的中军大门办事之人，不论来的人年少年长，拓跋珪全都请入接见，对他们大加抚慰，让他们畅所欲言，只要是有一点才干的，拓跋珪就都予以提拔、录用。九月十九日己未，北魏王拓跋珪派遣担任辅国将军的奚牧率军前往汾川攻占土地、扩大地盘，奚牧擒获了后燕丹杨王慕容买德以及担任离石县护军的高秀和。拓跋珪任命担任中书侍郎的张恂等为各郡太守，负责招纳、安抚那些流亡失散的难民，鼓励人们从事农业生产。

后燕主慕容宝听到北魏军即将前来攻打的消息，便在皇宫太极殿的东堂召集朝廷大臣商讨对策。担任中山尹的苻谟说："如今魏国的军队人数众多、势力强盛，远行千里前来争斗，又是乘胜而来，士气旺盛，如果放任他们进入平原地区，将不可抵挡，应该利用险要设防据守，阻止他们进入平原。"担任中书令的眭邃说："魏国军队中的骑兵很多，往来奔驰，剽悍迅捷，但仅靠马背上带的那点粮食，不够维持十天。

宜令郡县聚民千家为一堡，深沟高垒，清野以待之。彼至无所掠，不过六旬，食尽自退。”尚书[484]封懿曰：“今魏兵数十万，天下之勍敌[485]也，民虽筑堡，不足以自固，是聚兵及粮以资之[486]也；且动摇民心，示之以弱。不如阻关[487]拒战，计之上也。”赵王麟曰：“魏今乘胜气锐，其锋不可当，宜完守中山，待其弊而乘之。”于是修城积粟，为持久之备。命辽西王农出屯安喜[488]，军事动静[489]，悉以委麟。

帝[490]嗜酒，流连内殿，醒日[18]既少，外人罕得进见。张贵人宠冠后宫，后宫皆畏之。庚申[491]，帝与后宫宴，妓乐[492]尽侍。时贵人年近三十，帝戏之曰：“汝以年亦当废矣，吾意更属[493]少者。”贵人潜怒。向夕，帝醉，寝于清暑殿。贵人遍饮宦者酒，散遣之，使婢以被蒙帝面，弑之，重赂左右，云“因魇[494]暴崩”。时太子暗弱，会稽王道子昏荒，遂不复推问。王国宝[495]夜叩禁门，欲入为遗诏，侍中王爽[496]拒之，曰：“大行晏驾[497]，皇太子未至，敢入者斩！”国宝乃止。爽，恭之弟也。辛酉[498]，太子[499]即皇帝位，大赦。

癸亥[500]，有司奏：“会稽王道子宜进位太傅、扬州牧，假黄钺[501]。”诏内外众事动静咨之[502]。

安帝幼而不慧，口不能言，至于寒暑饥饱亦不能辨，饮食寝兴[503]皆非己出。母弟琅邪王德文，性恭谨，常侍左右，为之节适[504]，始得其宜。

初，王国宝党附会稽王道子，骄纵不法，屡为御史中丞褚粲[19]所纠[505]。国宝起斋[506]，侔清暑殿[507]，孝武帝甚恶之。国宝惧，遂更求媚于帝而疏道子，帝复宠昵[508]之。道子大怒，尝于内省[509]面责国宝，以剑掷

应该命令各郡县将民众聚集在一起，每一千家为一个单位，修筑堡寨进行自卫，堡寨周围深挖壕沟，高筑围墙，野外什么也不留下。魏军深入之后，什么东西也抢劫不到，用不了六十天，他们把自己所带的粮食吃光了自然就会撤走。”担任尚书的封懿说：“如今魏国大军有数十万，是天下最强大的敌人，民众即使修筑起最坚固的堡寨，也保护不住自己，反倒是帮助敌人把兵员和粮食聚集在一起，留给他们收缴；再说，这样做也动摇了民心，向敌人显示出我们的懦弱。不如凭借险要关塞抵抗入侵之敌，才是上策。”赵王慕容麟说：“魏军乘胜而来，军队士气旺盛，其锋芒锐不可当，我们应该完好地守住中山，等到魏军疲惫不堪之时再趁机攻打他们。”于是加固中山城，积存粮食，做好长久坚守的准备。慕容宝令辽西王慕容农率军前往安喜屯扎，一切军事行动全都委托给赵王慕容麟负责。

东晋孝武皇帝司马曜嗜好饮酒，整日沉醉于后宫，头脑清醒的时候很少，外面的大臣很难见他一面。张贵人在后宫中最受宠幸，后宫中的其他嫔妃和宫女全都惧怕她。九月二十日庚申，孝武皇帝司马曜在后宫饮宴，歌儿舞女全都在旁边侍奉。当时张贵人年近三十，孝武皇帝与她开玩笑说：“如果按照年龄，我也应该把你废掉了，我心里更看中年轻的。”张贵人虽然怒不可遏，然而却没有流露出来。到了晚间，孝武皇帝又喝得酩酊大醉，躺在清暑殿内。张贵人让所有的宦官喝了酒，又将他们支开，然后令贴身婢女用被子蒙住孝武皇帝的脸，把孝武皇帝闷死了，又贿赂身边的人，说“皇帝是因为在睡梦中被什么东西压住，突然驾崩”。当时皇太子愚昧懦弱，又遇上会稽王司马道子昏庸荒淫，竟然对孝武皇帝的死因没有进行追究查问。担任中书令的王国宝夜间去敲皇宫的大门，想要入宫替孝武皇帝撰写遗诏，担任侍中的王爽拒绝说：“皇帝已经晏驾，皇太子司马德宗还没有赶到，胆敢进入皇宫的杀无赦！”王国宝遂不再要求入宫。王爽是王恭的弟弟。二十一日辛酉，皇太子司马德宗即皇帝位，实行大赦。

九月二十三日癸亥，东晋有关部门向晋安帝司马德宗奏请：“会稽王司马道子应该晋升太傅、扬州牧，授予他代表生杀大权的镀金大斧。”晋安帝司马德宗于是下诏，朝廷内外一切事务、情况都要向会稽王司马道子请示。

东晋安帝司马德宗从小就不聪明，也不会说话，就连冬天冷夏天热，自己的肚子是饥是饱都分辨不清，喝水吃饭、睡觉起床全都不能自理。他同母的弟弟、琅邪王司马德文却生性恭敬谨慎，经常在司马德宗身边侍奉，替他安排料理、掌握分寸，这才事事处理得宜。

当初，东晋担任中书令的王国宝依附于会稽王司马道子，他骄横放纵、违法乱纪，屡次遭到御史中丞褚粲的弹劾。王国宝所修建的房舍，其形制竟然可以和皇宫中的清暑殿相比美，孝武皇帝司马曜非常厌恶他。王国宝因为恐惧，遂一改以往的做法，转而向孝武皇帝司马曜献媚邀宠，而逐渐疏远会稽王司马道子，孝武帝司马曜竟然又像以往一样亲近他、宠信他。会稽王司马道子对此不禁大怒，一次，竟然在皇宫之内

之，旧好尽矣。及帝崩，国宝复事道子，与王绪[510]共为邪谄，道子更惑之，倚为心腹。遂参管朝权，威震内外，并为时之所疾[511]。

王恭[512]入赴山陵[513]，每正色直言，道子深惮之。恭罢朝，叹曰："榱栋虽新，便有黍离之叹[514]！"绪说国宝，因恭入朝，劝相王[515]伏兵杀之，国宝不许。道子欲辑和内外[516]，乃深布腹心[517]于恭，冀除旧恶；而恭每言及时政，辄[518]厉声色[519]。道子知恭不可和协，遂有相图之志。

或劝恭因入朝以兵诛国宝，恭以豫州刺史庾楷[520]士马甚盛，党于国宝，惮之，不敢发。王珣[521]谓恭曰："国宝虽终为祸乱，要之罪逆未彰，今遽[522]先事而发，必大失朝野之望。况拥强兵窃发于京辇[523]，谁谓非逆？国宝若遂不改，恶布天下，然后顺众心以除之，亦无忧不济也。"恭乃止。既而谓珣曰："比来[524]视君一似胡广[525]。"珣曰："王陵廷争，陈平慎默，但问岁晏何如耳[526]！"

冬，十月甲申[527]，葬孝武帝于隆平陵。王恭还镇[528]，将行，谓道子曰："主上谅暗[529]，冢宰之任[530]，伊、周所难[531]。愿大王亲万机[532][20]，纳直言，放郑声，远佞人[533]。"国宝等愈惧。

魏王珪使冠军将军代人于栗磾[534]、宁朔将军公孙兰帅步骑二万，潜自晋阳开韩信故道[535]。己酉[536]，珪自井陉趋中山。李先[537]降魏，珪以为征东左长史。

西秦凉州牧轲弹与秦州牧益州不平[538]，轲弹奔凉[539]。

当面责备王国宝，并拔出身上的佩剑向王国宝掷去，多年的交情到此就全部结束了。等到孝武皇帝司马曜驾崩之后，王国宝又回过头来侍奉司马道子，他与自己的堂弟、琅邪太守王绪一同用奸邪谄媚的手段博得了司马道子的欢心，司马道子把他们当作自己的心腹。王国宝于是得以参与朝政，威权震动了朝廷内外，同时遭到当时朝野之人的痛恨。

东晋王恭进京参加孝武皇帝司马曜的葬礼，他神情严肃，敢于直言，会稽王司马道子非常忌惮他。王恭罢朝之后叹息着说：“宫廷中的建筑虽然很新，而我却有一种似乎已经是一片废墟的感觉！”琅邪太守王绪劝说王国宝，让他趁着王恭入朝的机会，劝说担任宰相的会稽王司马道子设伏兵杀死王恭，王国宝没有同意。司马道子想要从中调和，使朝廷内外能够和睦相处，于是对王恭推心置腹，诚心相待，希望以此来化解往日的仇恨；而王恭每次谈到当前的政治局势，就禁不住疾声厉色，愤恨填膺。司马道子知道与王恭之间的矛盾不可调和，于是产生了除掉王恭的念头。

东晋有人劝说王恭，让他利用入朝的机会起兵诛杀王国宝，但驻兵历阳的西中郎将、豫州刺史庾楷势力很大，手下兵强马壮，与王国宝结为一党，王恭因此心存忌惮，不敢动手。担任左仆射的王珣对王恭说：“王国宝虽然最终必定要制造祸乱，然而目前他谋逆的行迹还没有完全暴露出来，现在如果突然地抢先下手将他除掉，恐怕会使朝野之人感到失望。何况是手握强大兵权，在天子脚下私自调动军队诛杀朝廷官员，谁会认为你不是造反呢？王国宝如果仍然不能知错改错，他的罪恶一旦传遍天下，到那时再顺从民意将他铲除，也不用担忧不会成功。”王恭遂没有对王国宝采取行动。后来王恭对王珣说：“近来我越看越觉得你像东汉的胡广。”王珣说：“西汉的王陵因为在吕后面前争执而失去官位，而陈平则在旁边态度审慎，沉默不语，只问最终是谁保全了刘氏天下就可以了！”

冬季，十月十四日甲申，东晋将孝武皇帝司马曜安葬在隆平陵。担任兖、青二州刺史的王恭准备返回自己的镇所所在地京口，临行之时，他对会稽王司马道子说：“如今皇帝还是在为先皇服丧守孝期间，不能过问政事，大王目前担负的冢宰重任，就连伊尹、周公那样的圣贤都感到难以胜任。希望大王能亲自过问国家的军政大事，认真听取正直的忠言，抛弃那种淫荡的靡靡之音，不要让那些专会说好话的人靠近自己。”王国宝等对王恭更加畏惧。

北魏王拓跋珪派遣担任冠军将军的代郡人于栗磾、宁朔将军公孙兰率领二万名步兵、骑兵，秘密地从晋阳往东疏通西汉时期韩信由魏、代出井陉关攻伐赵国时率军走过的故道。己酉日，北魏王拓跋珪率军从已经被疏通的韩信故道穿过井陉，直赴后燕的都城中山。投降后燕的故西燕秘书监李先此时又投降了北魏，北魏王拓跋珪任命李先为征东左长史。

西秦凉州牧乞伏轲弹与秦州牧乞伏益州关系不和，乞伏轲弹遂投奔了后凉天王吕光。

魏王珪进攻常山[540]，拔之，获太守苟延，自常山以东，守宰或走或降，诸郡县皆附于魏，惟中山、邺[541]、信都[542]三城为燕守。十一月，珪命东平公仪将五万骑攻邺，冠军将军王建、左将军李栗攻信都。戊午[543]，珪进军中山；己未[544]，攻之。燕高阳王隆守南郭，帅众力战，自旦至晡[545]，杀伤数千人，魏兵乃退。珪谓诸将曰："中山城固，宝必不肯出战。急攻则伤士，久围则费粮，不如先取邺、信都，然后图之。"丁卯[546]，珪引兵而南。

章武王宙自龙城还，闻有魏寇，驰入蓟[547]，与镇北将军阳城王兰乘城固守。兰，垂之从弟也。魏别将[548]石河头攻之，不克，退屯渔阳[549]。

珪军于鲁口[550]，博陵[551]太守申永[552]奔河南[553]，高阳[554]太守崔宏[555]奔海渚[556]。珪素闻宏名，遣骑追求，获之。以为黄门侍郎[557]，与给事黄门侍郎[558]张衮[559]对掌机要，创立制度。博陵令屈遵[560]降魏，珪以为中书令，出纳号令，兼总文诰。

燕范阳王德使南安王青等夜击魏军于邺下，破之，魏军退屯新城[561]。青等请追击之，别驾[562]韩谆[563]曰："古人先计而后战。魏军不可击者四：悬军远客[564]，利在野战，一也；深入近畿[565]，顿兵死地[566]，二也；前锋既败，后阵方固[567]，三也；彼众我寡，四也。官军[568]不宜动者三：自战其地[569]，一也；动而不胜，众心难固，二也；城隍[570]未修，敌来无备，三也。今魏无资粮，不如深垒固军以老[571]之。"德从之，召青还。青，详之兄也。

十二月，魏辽西公贺赖卢[572]帅骑二万会东平公仪攻邺。赖卢，讷之弟也。

魏别部大人[573]没根[574]有胆勇，魏王珪恶之。没根惧诛，己丑[575]，将

北魏王拓跋珪率军进攻后燕所属的常山郡，将常山郡攻克，俘虏了担任常山郡太守的苟延，然后从常山往东，后燕各郡县的太守、县令听到风声便有的逃走，有的投降，各郡县全都归附了北魏，只有都城中山、邺城、信都三座城池还被后燕人坚守。十一月，拓跋珪命东平公拓跋仪率领五万名骑兵攻打邺城，命冠军将军王建、左将军李栗攻取信都。十九日戊午，魏王拓跋珪亲自率军向后燕的都城中山进发；二十日己未，开始攻打中山。后燕高阳王慕容隆守卫南部城郭，他率军奋勇作战，从早晨一直坚持战斗到下午四五点钟，杀伤了数千名北魏军，才将北魏军打退。拓跋珪对属下诸将说："中山城很坚固，燕主慕容宝一定不会出城作战。我们猛烈攻城必定会造成战士的大量伤亡，长久围困中山则靡费粮食，不如先攻取邺城、信都，最后再想办法攻取中山。"二十八日丁卯，拓跋珪率领大军南下。

后燕章武王慕容宙从龙城返回中山途中，听说有魏军入侵，便骑马飞速进入蓟城，与担任镇北将军的阳城王慕容兰一起登上城墙坚守。慕容兰是故燕主慕容垂的堂弟。北魏的另一名将领石河头率军攻打蓟城，没有攻克，遂退往渔阳驻扎。

北魏王拓跋珪将大军驻扎在鲁口，后燕担任博陵太守的申永放弃鲁口逃往东晋的河南郡，高阳太守崔宏逃往东方的海岛。拓跋珪早就听说过崔宏的名字，于是派骑兵追赶崔宏，将崔宏捉获。拓跋珪任命崔宏为黄门侍郎，让他与担任给事黄门侍郎的张衮共同掌管朝廷机要，创立各项制度。后燕担任博陵县令的屈遵投降了北魏，北魏王拓跋珪任用屈遵为中书令，负责接收朝臣的奏章、传达皇帝的诏令，兼管撰写、发布各种文告。

后燕范阳王慕容德派遣南安王慕容青等在夜幕的掩护下偷袭邺城之下的魏军，将攻击邺城的魏军打败，魏军退往新城驻扎。慕容青请求率军追击，担任别驾的韩谆说："古人都是先谋划好了再出战。对魏军不可追击，其原因有四：魏军远离本土、孤军深入敌方之地，对他们有利的就是与燕军在野外作战，这是第一点；魏军深入燕国都城近郊的蓟城，把军队投放在既无援军又无退路的死亡之地，只有拼死作战才有生路，这是第二点；魏军虽然前锋部队遭遇失败，然而后面的部队依然很稳固、很强大，这是第三点；魏军人数多，而我军人数少，众寡不敌，这是第四点。而我军不适宜出战有三个理由：在自己的土地上作战，这样的军队很容易遇到敌人就溃散，这是第一点；出战如果不能取胜，军心就容易动摇、瓦解，这是第二点；蓟城的城池并不坚固，需要修建，敌军来攻，无法防守，这是第三点。如今魏军缺少粮草，我们不如深挖壕沟、增高城墙，稳固军心，将魏军拖得筋疲力尽之时再出城与魏军交战。"慕容德听从了韩谆的意见，将慕容青召回。慕容青是慕容详的哥哥。

十二月，北魏辽西公贺赖卢率领二万名骑兵与东平公拓跋仪联合攻打邺城。贺赖卢是贺兰部落首领贺讷的弟弟。

北魏拓跋珪所统领的另一少数民族部落首领没根有胆识又骁勇善战，北魏王拓跋珪很厌恶他。没根害怕遭到拓跋珪的诛杀，十二月二十日己丑，他率领着自己的

亲兵数十人降燕。燕主宝以为镇东大将军，封雁门公。没根求还袭魏，宝难与重兵，给百余骑。没根效其号令[576]，夜入魏营，至中仗[577]，珪乃觉之，狼狈惊走。没根以所从人少，不能坏其大众[578]，多获首虏而还。

杨盛[579]遣使来请命[580]。诏拜盛镇南将军、仇池公。盛表[581]苻宣为平北将军。

是岁，越质诘归[582]帅户二万叛西秦降于秦。秦人处之成纪[583]，拜镇西将军、平襄公[584]。

秦陇西王硕德攻姜乳于上邽，乳率众降。秦以硕德为秦州牧，镇上邽；征乳为尚书。强熙[585]、权千成[586]帅众三万共围上邽，硕德击破之。熙奔仇池，遂来奔[587]。硕德西击千成于略阳[588]，千成降。

西燕[589]既亡，其所署河东[590]太守柳恭等各拥兵自守。秦主兴遣晋王绪[591]攻之，恭等临河拒守，绪不得济。初，永嘉之乱[592]，汾阴[593]薛氏聚其族党，阻河[594]自固，不仕刘、石[595]。及苻氏[596]兴，乃以礼聘薛强，拜镇东将军。强引秦兵[597]自龙门[598]济，遂入蒲阪[599]，恭等皆降。兴以绪为并、冀二州牧，镇蒲阪。

【段旨】

以上为第四段，写太元二十一年（公元三九六年）一年间的大事。主要写了慕容垂率大军伐魏，慕容农、慕容隆为前锋，大破魏军于平城，拓跋虔败死，魏人大怖，引回阴山。写了燕将平规叛燕，先被慕容垂击败，后被慕容隆派将击斩之。写了慕容垂过参合陂见骸骨如山，大惭而病，死于回军的路上，慕容宝继位，逼杀了曾建议慕容垂废除慕容宝的段皇后。写了魏王拓跋珪即皇帝位，大举发兵进攻晋阳，守将慕容农迎战失败，部将慕舆嵩叛变，魏人遂占据并州。写了拓跋珪出井陉道进攻常山，除中山、邺城、信都三城据守，慕容德破魏军于邺城外，其他郡县皆纷纷降魏。写了晋孝武帝沉迷酒色，因戏言被张贵人所弑，呆傻数十名亲兵投降了后燕。后燕主慕容宝任命没根为镇东大将军，封他为雁门公。没根请求回军袭击魏军，慕容宝不肯将重兵交付给他，只拨给他一百多名骑兵。没根模仿着魏军的号令，深夜进入魏军营寨，一直到达魏王拓跋珪的中军大帐，拓跋珪才发觉，慌忙之中狼狈逃走。没根因为率领的人少，不能击败人数庞大的魏军，却也杀死了魏军中不少的将领，而后返回中山。

自称秦州刺史、仇池公的杨盛派遣使者到东晋的京师建康，向朝廷禀告即位，请求朝廷加封。东晋安帝司马德宗下诏任命杨盛为镇南将军、仇池公。镇南将军、仇池公杨盛上疏举荐故秦国太子苻宣为平北将军。

这一年，西秦担任立义将军的越质诘归率领二万户背叛了西秦王乞伏乾归，投降了后秦。后秦将他们安置在成纪，任命越质诘归为镇西将军、平襄公。

后秦陇西王姚硕德率军攻打天水人姜乳所占据的上邽，姜乳率领部众向后秦投降。后秦王姚兴任命姚硕德为秦州牧，镇守上邽；把姜乳召回京师长安，任命为尚书。强熙、权千成率领三万人众共同包围上邽，被后秦镇守上邽的秦州牧姚硕德击败。强熙逃往仇池，随后又来投奔东晋。姚硕德率军乘胜攻打权千成所据守的略阳，权千成向后秦投降。

西燕已经被后燕灭掉，但西燕所任命的河东太守柳恭等都拥有各自的武装，并依靠这些武装守卫着自己的地盘。后秦主姚兴派遣晋王姚绪率军攻打柳恭，柳恭沿着黄河布防，姚绪无法渡河作战。当初，西晋永嘉年间国家大乱之时，汾阴薛氏组织起自己的族人、同乡，依靠黄河天险，守卫着自己的家园，既不在刘氏所建立的前赵做官，也不在石氏所建立的后赵做官。等到苻氏建立秦国之后，秦主以礼征聘薛强，任命薛强为镇东将军。此时薛强率领后秦军从龙门渡过黄河，占据了蒲阪，柳恭等只好全部投降。后秦主姚兴任命姚绪为并、冀二州牧，镇守蒲阪。

的太子司马德宗即皇帝位，一切生活起居都靠其弟司马德文照应。写了王国宝、王绪与司马道子结党专权，王恭欲杀之而不敢，矛盾至不可调和。写了姚兴与乞伏乾归相互攻战，部将互有叛服，以及凉州吕光即皇帝位等。

【注释】

㊱休官权万世：休官部落的头领名叫权万世。休官是西部地区的少数民族部落名。㊲西秦：指乞伏乾归政权，其都城起始为金城，在今甘肃兰州西北，后来又改移西苑城，在今甘肃榆中境内。㊳发兵冀州：向冀州征调士兵。冀州的州治即今河北衡水市冀州区。㊴博陵、武邑、长乐：三郡名，博陵郡的郡治在今河北蠡县南，武邑郡的郡

治即今河北武邑，长乐郡的郡治在今河北衡水市冀州区。㉟鲁口：地名，在河北饶阳南的滹沱河上。㊱海阳令翰：海阳县的县令平翰。海阳县的县治在今河北滦州西，当时属辽西郡。㊲走渡河：指渡过黄河向东南逃窜。㊳趣龙城：杀向龙城。趣，意思同"趋"。㊴山南：指当地的白狼山、徐元山之南。㊵三月庚子：三月二十六。㊶范阳王德：慕容德，慕容垂之弟。传见《魏书》卷七十五。㊷青岭：当时也叫广昌岭，在今河北涞源南。㊸天门：在青岭上的"五回道"两侧，壁立直上，人称天门。㊹云中：郡名，郡治即魏都盛乐，在今内蒙古和林格尔北。㊺平城：在今山西大同东北。㊻猎岭：在夏屋山东北，以魏主常来此行猎故称。㊼闰月乙卯：闰三月十二。㊽不知所适：不知向哪里逃好。适，往。㊾顿：停留，驻扎。㊿引还：谓停止对魏人的追击，撤回其父处。381阴山：横亘在今内蒙古包头、呼和浩特以北的东西走向的大山。382疾转笃：病情变得严重。383燕昌城：筑城以作纪念，其城在平城北四十里。384四月癸未：四月初十。385上谷之沮阳：上谷郡的沮阳县，县治在今河北怀来东南。当时的沮阳也是上谷郡的郡治所在地。386丙申：四月二十三。387戊戌：四月二十五。388壬寅：四月二十九。389五月辛亥：五月初九。390夫馀王蔚：扶馀国的国王名余蔚。当时的扶馀国在今吉林的长春、四平一带，隶属于后燕。391甲寅：五月十二。392司隶校尉：首都及其四郊的地方行政长官，级同刺史。393宜都王凤：慕容凤，慕容垂之子，被封为宜都王。394乙卯：五月十三。395刘该：东晋的将领。396鄄城：县名，县治在今山东鄄城北。397甲子：五月二十二。398谢琰：东晋名臣谢安之子，淝水之战中有功，封望蔡公。传见《晋书》卷七十九。399先段后：第一个姓段的妻子。400后段后：第二个姓段的妻子，字符妃，有识见。传见《晋书》卷九十六。401济世：挽救危亡。402辽西、高阳二王：指辽西王慕容农与高阳王慕容隆。403强愎：自以为是，顽固不化。404晋献公：春秋时晋国国君，曾听其宠妃骊姬之谗，杀了太子申生。事见《左传》僖公四年。405范阳王妃：慕容德之妻，慕容德是慕容垂之弟。传见《魏书》卷九十五。406燕祚：燕国的国运。祚，福，这里指国家的命运。407乙丑：五月二十三。408主上：指新即位的慕容宝。409以全段宗：你若遵命自杀，则可使你娘家满门不受株连。410谋废适统：指段氏曾建议慕容垂不要立慕容宝为嗣事。411不宜成丧：不能按皇后的规格举行丧葬之礼。412眭邃：姓眭名邃。413扬言于朝：在朝廷上公开地说。414汉安思阎后：东汉安帝刘祜的阎皇后，死后谥曰"思"。阎皇后自己无子，为了专房怙宠又毒死了皇子刘保的母亲李氏，不久又向安帝说刘保的坏话，将其废为济阴王。安帝死后，阎后为了专权，故意选立安帝的小侄子。后来中黄门孙程等发动政变，诛杀了阎氏一党，拥立了被废的刘保，是为顺帝。阎皇后如此作恶多端，死后，还照样被承认是皇后，照样与其夫一起被供奉在太庙里。事见《后汉书》卷十。415配飨太庙：死后其灵牌仍与安帝的灵牌一起供在太庙里，接受祭祀。416先后暧昧之言：指众人传说的段氏建议慕容垂废除慕容宝事。先后，死去的皇后，"先"是对死去长辈的敬称。暧昧，渺茫而不清楚的传闻之辞。417六月癸酉：六月初一。418广宁：郡名，郡治即今辽宁北镇。⑲开封公详：慕容详，慕容皝的曾孙，慕容垂的侄孙。⑳丁亥：六月十五。㉑魏贺太妃：魏王拓跋珪的母亲，对拓跋珪多有保护之功。传见《魏书》卷十三。㉒定士族旧籍：整理士族的旧有谱籍。士族，三国以来各地区在政治经济各方面享有特权的豪门大族。㉓分辨清浊：评定这些贵族人物品行的高下。当时称那些有名望而不与权豪同流合污的为“清流”。㉔罢军营封荫之户二句：当时有些军中的将领占有许多佃户，这些佃户只向他们交粮，而不向国家纳税，因而使国家收入减少，现在把这些佃户一律划归郡县，编入户籍。㉕即天王位：自称皇帝。㉖国号大凉：此即历史上所说的“后凉”，建都于姑臧，今甘肃武威。吕光于晋孝武帝太元十二年（公元三八七年）建国，至此始称帝。㉗三甥：三个外甥，其一为石聪，曾谮杀杜进，余二人不详。㉘为帝王之事：做帝王应该做的事情，如实行仁义、招贤纳士等。㉙鼓吹、羽仪：鼓吹指乐队，羽仪指仪仗。都是古代官僚、贵族居家与出行所炫耀的排场。㉚据高唐：占据高唐县以自立。高唐县治在今山东高唐东。㉛属路：相属于路，一路上接连不断都是欢迎的人群。㉜临河：到达黄河西岸，与东岸的高唐县隔河相望。㉝济北：郡名，郡治碻磝城，在今山东茌平古黄河南岸。㉞平喜：平规之侄。㉟彭城：郡名，郡治即今江苏徐州，当时属东晋。㊱纳：收，娶。这句话的主语是晋孝武帝司马曜。㊲王献之：王羲之之子，父子都是我国著名的书法家，也是东晋著名的政界人物。传见《晋书》卷八十。㊳出警入跸：出门时要清道戒严。警指帝王出行时的戒严，跸指清道。㊴将：率领。㊵之并州：到并州。之，到、向。并州的州治晋阳，在今山西太原西南。㊶储偫：指仓库里储存的粮食衣物等。㊷诸部护军：指派到其部下各少数民族部落中去的军政长官。因当时兵民一体，按军事编制，故称其官为护军。㊸分监诸胡：分别管理除鲜卑以外的其他各少数民族。㊹民夷：民指汉民和后燕自己所属的鲜卑人。夷指其他各少数民族的人。㊺八月己亥：八月二十八。㊻马邑：县名，县治即今山西朔州。㊼逾句注：翻越过句注山。句注山又称陉岭，或雁门山，或西陉山，在今山西代县北。㊽雁门：郡名，郡治在今山西代县西南。㊾军都：县名，县治在今北京市昌平西南。㊿幽州：州治蓟县，即今北京。(451)平：平州，州治在今辽宁盖州西南。(452)清河公会：即慕容会，慕容宝之子，慕容垂之孙。(453)有器艺：有人才、有本领。器，身材气度。(454)摄东宫事：代管其父慕容宝（时为太子）宫中的一切事务。(455)总录：总理一切朝政。(456)国官府佐：国官指慕容会之封国，也就是他所在的统辖区的各级军政长官；府佐指其所任刺史府与将军府的各级僚属。(457)皆选一时才望：都是当时有才能、有声望的人。(458)长乐公盛：慕容盛，慕容宝的长子。(459)乙亥：八月初四。(460)蠢弱：愚蠢而体弱。(461)章武王宙：慕容宙，慕容垂的族侄，被封为章武王。(462)成哀段后：前文被逼自杀的慕容垂的第二个姓段的妻子。成哀是她的谥号。(463)徙：调动。(464)还中山：慕容隆原来镇守龙城，去年因伐魏被调往中山，其参佐、部曲、家属还留在龙城，今令其都到中山。(465)年长属尊：年龄、辈分都比慕容会等为高。慕容宙是慕容会、慕容盛等人的族叔。(466)戊午：九月十八。㊻阳曲：县名，县治在今山西阳曲西南，太原北。㊽乘西山：登上太原西面的山。乘，登。㊾临晋阳：俯视晋阳城。晋阳是当时并州的州治所在地，在今山西太原西南。临，俯视。㊿慕舆嵩：与前欲奉慕容麟为变被诛者非一人。(471)中领将军：负责统领王朝中央直属军队的军官名。(472)及于潞川：追到潞川时追上了。潞川即今之浊漳河，流经今山西长治、潞城一带。(473)初建台省：初次建立王朝的中央机构。因为当时最高的行政机构有中书省、尚书省、御史台等，故以"台省"代指朝廷。(474)尚书郎：尚书省里各曹的负责官员，犹今之中央各部部长。(475)诣军门：到拓跋珪的中军大门办事。诣，到达。军门，指拓跋珪的中军大门。(476)咸加擢叙：都予以提拔、任用。(477)己未：九月十九。(478)汾川：大约指今山西文水、汾阳一带的汾河流域。(479)丹杨王买德：慕容买德，被封为丹杨王。(480)离石护军：在离石县统管少数民族的军政长官。当时的离石县治即今山西吕梁市离石区。(481)张恂：字洪让，拓跋珪手下著名的地方官。传见《魏书》卷八十八。(482)中山尹：后燕首都中山的最高行政长官。(483)杜险：堵住险要的关口。(484)尚书：此指尚书令，负责国家行政的最高长官。(485)勍敌：强敌，大敌。(486)以资之：以助之，以留给他们收缴。(487)阻关：凭借关塞。(488)安喜：县名，县治在今河北定州东南。(489)军事动静：指战争的进行与不进行。(490)帝：此指晋孝武帝司马曜。(491)庚申：九月二十。(492)妓乐：指歌儿舞女诸人。(493)更属：更注意，更看重。(494)魇：睡梦中像是被什么东西压住。(495)王国宝：王坦之第三子，当时的邪臣，与司马道子勾结，共同为恶，权震一时。传见《晋书》卷七十五。(496)侍中王爽：侍中是皇帝的侍从官员，以备参谋顾问之用，后来形同宰相。王爽是孝武帝王皇后的同胞兄弟，当时大军阀王恭之弟。(497)大行晏驾：皇帝刚死。大行即指死。旧时以"大行"指已死而尚未正式安葬的皇帝。晏驾是说宫车很晚没有出来，隐指皇帝死了。晏，晚。(498)辛酉：九月二十一。(499)太子：司马德宗，即晋安帝。(500)癸亥：九月二十三。(501)假黄钺：授予他镀金大斧，专生杀之权。假，加、授予。(502)动静咨之：有什么情况都向他请示。(503)寝兴：睡觉起床。(504)为之节适：替他掌握分寸。(505)所纠：所弹劾。(506)起斋：所盖的供读书或养性怡神的房子。(507)侔清暑殿：可以和皇宫里的清暑殿相比美。侔，相比。(508)宠昵：宠爱、亲近。(509)内省：指宫中。(510)王绪：王国宝的堂弟。(511)并为时之所疾：都一起被当时的朝野人士所痛恨。(512)王恭：字孝伯，孝武帝王皇后的哥哥，当时为前将军，兖、青二州刺史，驻兵京口（今江苏镇江市）。传见《晋书》卷八十四。(513)入赴山陵：到朝廷来参加皇帝的葬礼。入，入京、入朝。(514)榱栋虽新二句：宫廷建筑尽管很新，但让人感觉到已经是一片废墟了。暗指司马道子与王国宝必将葬送东晋王朝。榱栋，屋顶的椽子和大梁，这里代表房屋建筑。黍离之叹，《诗经》中有《黍离》篇，旧说是周朝东迁后，周国大夫出差到西都镐京，看到旧日宫殿一片荒芜，长满了禾黍，内心悲伤，因而发出兴亡之叹。(515)相王：指司马道子，司马道子当时既是会稽王，又是晋朝的宰相。(516)辑和内外：调和朝内的王国宝与藩镇势力王恭等。辑和，安抚、调和。(517)深布腹心：犹言"推心置腹"，以诚相待。(518)辄：往往，总是。(519)厉声色：

厉声厉色。㉚ 庾楷：东晋名臣庾亮之孙，当时为西中郎将、豫州刺史，驻兵历阳（今安徽和县）。传见《晋书》卷八十四。㉛ 王珣：东晋名臣王导之孙，当时为尚书左仆射、征虏将军。传见《晋书》卷六十五。㉜ 遽：突然。㉝ 京辇：犹言"天子脚下"，皇帝身边。辇是天子的车驾。㉞ 比来：近来。㉟ 一似胡广：简直就像胡广一样。意思是说王珣依违于权奸之间以保禄位。胡广是东汉顺帝、桓帝、灵帝时的宰相，以不得罪权奸，处处模棱两可著称于世。传见《后汉书》卷四十四。㊱ 王陵廷争三句：王陵、陈平都是西汉吕后时的宰相，吕后欲封诸吕为王，王陵信守刘邦旧令，坚决反对；陈平则顺从吕后旨意，以为可以。王陵下来后指责陈平不守信义。陈平说："于今面折廷争，臣不如君；夫全社稷，定刘氏之后，君不如臣。"最后吕氏一党果被周勃、陈平等所灭。事见《史记·吕太后本纪》。岁晏，年底，这里指"最后""到头来"。㊲ 十月甲申：十月十四。㊳ 还镇：回自己军府所在地，即京口（今江苏镇江）。㊴ 谅暗：原指天子居丧时所处的庐室，这里指天子的居丧，不问政事。㊵ 冢宰之任：在这种时刻作为一个丞相的责任。冢宰，太宰，即丞相。㊶ 伊、周所难：连伊尹、周公那样的圣贤也感到难以胜任。伊尹是商汤的宰相，汤死后又辅佐过汤的儿子外丙、中壬和汤的长孙太甲。周公（姬旦）是周武王的宰相，武王死后又辅佐过武王的儿子成王。伊尹和周公都被后世称为贤相的楷模。㊷ 亲万机：亲自过问各种政事，不要放任不管。㊸ 放郑声二句：抛弃那种荒淫的靡靡之音，不要让那些专会说好话的人靠近自己。佞，善说。孔子曾说过："放郑声，远佞人。郑声淫，佞人殆。"见《论语·卫灵公》。㊹ 于栗磾：鲜卑人，魏国名将，侍拓跋珪、拓跋嗣、拓跋焘三世。传见《魏书》卷三十一。㊺ 韩信故道：楚汉战争时，韩信由魏、代（今山西境内）出井陉关（今河北井陉西北）攻赵国（今河北南部）的道路。㊻ 己酉：十月初一是"辛未"，本月中无"己酉"日，疑字有误。㊼ 李先：原是西燕慕容永的将领，后归降慕容宝，今又叛燕降魏。㊽ 不平：关系不好。㊾ 奔凉：投奔了武威的吕光后凉政权。㊿ 常山：郡名，郡治真定，在今河北石家庄东北。541 邺：县名，县治在今河北临漳西南，当时也是魏郡的郡治所在地。其守将为慕容宝之叔慕容德。542 信都：今河北冀州，当时是长乐郡的郡治和冀州的州治所在地。其守将为慕容宝之弟慕容凤。543 戊午：十一月十九。544 己未：十一月二十。545 晡：申时，即今下午三时至五时。546 丁卯：十一月二十八。547 蓟：今北京，当时为幽州州治所在地。548 别将：另一路将领，不是拓跋珪统率的大部队。549 渔阳：郡名，郡治在今北京密云西南。550 鲁口：在今河北饶阳南的滹沱河上。551 博陵：县名，县治在今河北蠡县南，当时也是博陵郡的郡治所在地。552 申永：慕容宝的将领。553 河南：郡名，郡治即今河南洛阳，当时属于东晋。554 高阳：郡名，后燕时的郡治在今河北高阳西南。555 崔宏：字玄伯，崔浩之父，博学多才。传见《魏书》卷二十四。556 海渚：海中的小洲。557 黄门侍郎：皇帝的侍从人员，掌管文件，传达诏命。558 给事黄门侍郎：官名，等于给黄门侍郎的官上再加一个"给事中"，在内廷侍候皇帝，以备参谋顾问。559 张衮：字洪龙，拓跋珪的佐命元勋。传见《魏书》卷二十四。⑯屈遵：字子皮，博学多才。传见《魏书》卷三十三。⑯新城：也叫新兴城，在邺县附近的肥乡一带，当年慕容垂攻邺时所筑。⑯别驾：刺史手下的高级僚属，助刺史总管诸事，因其随刺史出行时可以独乘一辆车，故称别驾。⑯韩谆：人名。⑯悬军远客：远离本土而寄居于敌方之地。⑯近畿：王城的四郊。畿，京城的郊甸。⑯顿兵死地：把军队投放在无援兵、无逃路，只有殊死一战的地方。⑯方固：仍很稳固；仍很强大。⑯官军：犹言“王师”，指自己一方的军队。⑯自战其地：在自己的国土上作战，这样的军队容易遇敌逃散。⑰城隍：城墙与护城河。⑰老：疲惫；削弱，这里是使动用法，即消耗他、拖垮他。⑰贺赖卢：《魏书》作“贺卢”，拓跋珪的小舅。传见《魏书》卷八十三。⑰别部大人：属拓跋珪统属的其他少数民族部落头领。⑰没根：人名。⑰己丑：十二月二十。⑰效其号令：模仿魏军号令的样子。⑰中仗：犹言“中军”，主帅的办事与住宿之处。⑰不能坏其大众：史家写此在于遗憾慕容宝不能因降人为间以破魏。⑰杨盛：氐族人，杨定之侄，杨氏世代占据仇池（今甘肃成县）一带地区。杨定为乞伏乾归所杀后，杨盛继位，自号为秦州刺史、仇池公。传见《魏书》卷一百一。⑱来请命：来向晋王朝禀告即位，请求加封。⑱表：上书推荐，请求任命。⑱越质诘归：少数民族部落头领，公元三九一年率众归降乞伏乾归，今又叛乞伏乾归而投靠姚兴。⑱成纪：县名，县治在今甘肃通渭东北。⑱平襄公：以平襄县为其封地，平襄县治在今甘肃通渭西。⑱强熙：原是后秦姚兴的将领，后来叛变了姚兴，逃到秦州一带。⑱权千成：略阳郡的豪绅。⑱来奔：奔来投归东晋。⑱略阳：郡名，郡治在今甘肃天水东北。⑱西燕：前不久被慕容垂所灭的慕容永政权。⑲河东：郡名，郡治安邑，在今山西夏县西北。⑲晋王绪：姚绪，后秦主姚兴之叔。⑲永嘉之乱：西晋怀帝永嘉六年（公元三一二年）匈奴刘聪攻破西晋首都洛阳，俘虏晋怀帝北去事。见本书卷八十七。⑲汾阴：县名，县治在今山西万荣西南。⑲阻河：以黄河为依托。⑲不仕刘、石：不做刘姓、石姓三个政权的官。刘，指刘渊、刘聪建立的汉政权（公元三〇四至三一八年），建都平阳（今山西临汾）；刘曜所建立的前赵政权（公元三一八至三二九年），建都长安（今陕西西安北部）；石勒、石虎等所建立的后赵政权（公元三一九至三五一年），建都邺城（今河北临漳西南）。⑲苻氏：苻健、苻生、苻坚等。⑲秦兵：指后秦姚兴的军队。薛强原为苻氏（前秦）镇东将军，后秦姚兴灭掉苻氏后，薛强又为姚氏所用，故今引“秦兵”破柳恭。⑲龙门：黄河上的险要隘口，在今陕西韩城东北。⑲蒲阪：县名，县治在今山西永济西。

【校记】

［15］军：原无此字。据章钰校，十二行本、乙十一行本、孔天胤本皆有此字，今据补。［16］者：原无此字。据章钰校，十二行本、乙十一行本、孔天胤本皆有此字，张敦仁《通鉴刊本识误》同，今据补。［17］奚牧：原误作“奚收”。胡三省注云：“‘收’当

作‘牧’。”严衍《通鉴补》改作“奚牧”，今据改。〖按〗《魏书·太祖纪》作“辅国将军奚牧”。［18］日：原作“治”。严衍《通鉴补》改作“日”，当是，今从改。［19］褚粲：原作“楮粲”。据章钰校，十二行本、乙十一行本、孔天胤本皆作“褚粲”，今据改。［20］机：原作“几”。据章钰校，十二行本、孔天胤本皆作“机”，今从改。

【研析】

本卷写孝武帝太元十七年（公元三九二年）至二十一年共五年间的各国大事，其中最重要、最值得讨论的有以下几件。

第一，写了慕容垂一生最后的辉煌。慕容垂早在前燕时就有多次卓绝的表现，受到了慕容恪的极大推崇。淝水之战后脱离苻坚，也表现得有情有义，不像姚苌那样狡猾奸诈，没有人性。在北方重又出现群雄并起时，慕容垂打败慕容永，灭了西燕；又命慕容农等征服齐、鲁、幽、冀，遍置守宰，建立了后燕政权。比较遗憾的是他不听段夫人的建议，不立慕容农、慕容隆，而立了平庸的慕容宝；而且又派慕容宝率大军讨伐魏国，结果招致了惨痛的参合陂之败。这场失败犹如战国时期的长平之败于赵国和三国时期的彝陵之败于西蜀，都极大地削弱了其国家政权的力量，使之由强转入了衰微，乃至最后灭亡。但慕容垂毕竟强于刘备，他收拾余众，亲统伐魏，命慕容农、慕容隆为前锋，大破魏军于平城，拓跋虔败死，魏人大怖，只好逃到了阴山以北。慕容垂在胜利回师的路上经过参合陂，他见到如同山积的被杀燕军的尸骨，于是惭悔而病，死于回燕的途中。《晋书》本传称慕容垂：“天资英杰，威震本朝，以雄略见猜而庇身宽政……淮南失律，三甥之谋已构；河朔分麾，五木之祥云启。斩飞龙而遐举，逾石门而长迈。遂使翟氏景从，邺师宵遁，收罗赵魏，驱驾英雄。叩囊余奇，摧五万于河曲；浮船秘策，招七郡于黎阳。返辽阴之旧物，创中山之新社，类帝禋宗，僭拟斯备。夫以重耳归晋，赖五臣之功；勾践绐吴，资五千之卒。恶有业殊二霸，众微一旅；掎拔而倾山岳，腾啸而御风云！”慕容垂的确是十六国时期的杰出人物，可以和苻坚、石勒等齐名！

第二，《通鉴》写慕容农前后判若两人，令人难以理解。慕容农在其父慕容垂在世时，英姿勃勃，既是百战百胜的统帅，又是治理政事的奇才。《晋纪》二十七曾写了他智破丁零人翟真时的精彩情景；《晋纪》二十八又写了他收复辽东、辽西后“创立法制，事从宽简，清刑狱，省赋役，劝课农桑，居民富赡，四方流民前后至者数万口”的感人表现。但就是这样一位可与当年其叔慕容恪相媲美的人物，在其父慕容垂死后竟变得极其萎靡卑劣。先是魏主拓跋珪大举进攻晋阳，时任晋阳守将的慕容农迎战失败，再加有部将慕舆嵩的叛变，魏人遂占据并州，完全看不出慕容农有何作为。待至后燕主慕容宝的儿子慕容会阴谋叛乱，慕容宝想除掉此子时，慕容农姑息调和，终于使慕容会得手，导致大将慕容隆被杀，慕容农骨破见脑，仅未及死

（见下卷）。接着野心家兰汗又勾结慕容宝身边的侍卫造反，围攻慕容宝、慕容农等于龙城。在城中守兵很少，防卫极其艰难的情势下，慕容农"恐不能守""冀以自全"，乃偷偷越城而出，投奔了叛乱分子。当时城内尚拒战甚力，叛乱分子遂拉着慕容农在城下循行示众，"农素有忠节威名，城中之众恃以为彊，忽见在城下，无不惊愕丧气，遂皆逃溃"。这是一种何等不堪入目的情景！最后，慕容农仍被叛乱分子所杀。胡三省曾于此处评论说："农号为有智略，乃欲投段速骨以自全，不知适以速死，殆天夺之鉴也。"光用个"天夺之鉴"来解释，不能令人满意，我认为必须从历史家的写法上找原因。这是不通观全人，不注意写人物的精神、思想，才造成这种前后矛盾、相互冲绝的现象。古代小说中也不乏这种例子，《儿女英雄传》中的十三妹就是前后明显冲绝的一个。

第三，本卷写姚苌的事迹是相当精彩的。《晋书》称姚苌是"奸杰"，说他"在兹奸略，实冠凶徒"。他在兵败走投无路的时候归顺了苻坚，而在苻坚兵败于淝水时，他立刻脱离苻坚，与苻坚刀兵相见，并最后将苻坚杀死。他接着与苻登作战，当形势不利时，他在军中供起了苻坚的神像，乞求苻坚谅解他，不要为难他；待乞求不见效果，战场仍然失败时，他又毁了神像，将神像的头颅割下来。他还学着刘邦的样子，问群臣他是一个何等的君主，他像刘邦品评萧何、张良、韩信一样地品评了他的兄长姚襄，指出了他们兄弟之间的差异。本卷在写到他临死前的部署说："后秦主苌召太尉姚旻、仆射尹纬、姚晃、将军姚大目、尚书狄伯支入禁中，受遗诏辅政。苌谓太子兴曰：'有毁此诸公者，慎勿受之。汝抚骨肉以恩，接大臣以礼，待物以信，遇民以仁，四者不失，吾无忧矣。'姚晃垂涕问取苻登之策，苌曰：'今大业垂成，兴才智足办，奚所复问？'"真是简单明确，要言不烦，表现了一个政治家的超凡风度。姚苌是一个很有意思的个性极其鲜明的人。

第四，关于孝武帝被杀与傻儿子司马德宗继位为帝。《通鉴》写这两件事情的过程说："帝嗜酒，流连内殿，醒日既少，外人罕得进见。张贵人宠冠后宫，后宫皆畏之。庚申，帝与后宫宴，妓乐尽侍。时贵人年近三十，帝戏之曰：'汝以年亦当废矣，吾意更属少者。'贵人潜怒。向夕，帝醉，寝于清暑殿。贵人遍饮宦者酒，散遣之，使婢以被蒙帝面，弑之，重赂左右，云'因魇暴崩'。"事后竟无一人过问，于是傻儿子司马德宗继位为帝，这就是历史上的晋安帝。"安帝幼而不慧，口不能言，至于寒暑饥饱亦不能辨，饮食寝兴皆非己出。母弟琅邪王德文，性恭谨，常侍左右，为之节适，始得其宜。"对于这种奇特的现象，胡致堂发掘其幕后的原因说："道子不讨弑君之贼，亦岂昏荒之故哉？尝与帝有隙，既未能忘；无乃有意于干天位耶？使其忠存帝室，登时推问，执罪人而戮之，建立琅邪王德文，则晋祚灵长，亦以休显矣。智不出此，乃树立不惠，使大权归己；又私其子，子复夺之，以召藩镇之乱，身既废徙，国亦随丧，其未闻霍子孟、诸葛公之所为乎？"王夫之《读通鉴论》说："国之亡，类亡于淫昏暴虐之主，而晋独不然，前有惠帝，后有安帝，皆行尸视肉，口不知味，耳不知声者也。乃惠帝之嗣也，卫瓘争之矣，和峤争之矣，贾氏饰伪以欺武帝，而武帝姑息以不决。若安帝则上下无异辞，而坐听此不知寒暑饥饱者之为神人主。夫孝武之淫昏，诚无百年之虑矣；而何大臣之漠然不念也？司马道子利其无知而擅之，固已；王恭犹皎皎者，而抑缄默以处此也，何哉？恭方与道子为难，恐道子执废嫡以为名而行其诛逐，天下不知安帝之果不胜任，而被恭以逆名，恭所不敢任也。道子争权，而人皆怀贰，岂徒恭哉？谢安且不敢任而抱东山之志。举国昏昏，授天下于聋瞽，而晋以亡，天也？抑人任其咎矣？夫安功在社稷，言即不庸，必无覆宗之祸，何恤而不为君父任知罪之权？若恭也，与其称兵而死于刘牢之之手也，则何如危言国本以身殉宗社乎？见义不为而周章失措，则不勇者不可与托国，信夫!”

卷第一百九　晋纪三十一

强圉作噩（丁酉，公元三九七年），一年。

【题解】

本卷写晋安帝隆安元年（公元三九七年）一年间的东晋与各国的大事。主要写了魏将拓跋仪、贺赖卢率军攻燕邺城，为邺城守将慕容德所破；魏王拓跋珪攻克燕城信都后，国内出现叛乱，拓跋珪向燕求和，慕容宝不许，趁势进攻魏军，被拓跋珪反击打败。写了慕容宝守中山，慕容隆多次请战，慕容宝皆不许而坐失机宜。写了慕容麟欲弑慕容宝未果，逃向西山。写了慕容宝率众北返龙城，魏军追击之，为慕容隆所破。写了慕容宝之子慕容会作乱，袭杀慕容隆，伤慕容农，围攻慕容宝，被慕容宝部将高云等打败，慕容会逃到中山，为中山守将慕容详所杀。写了慕容详为逃居西山的叛变分子慕容麟所袭杀，慕容麟在中山自称皇帝，与魏王拓跋珪相对抗，最后被拓跋珪大破于义台，慕容麟逃到邺城投慕容德，与慕容德一同移兵就慕容和于滑台，魏王拓跋珪遂占据中山。写了后凉的吕光政权

【原文】

安皇帝甲

隆安元年（丁酉，公元三九七年）

春，正月己亥朔[①]，帝加元服[②]，改元[③]。以左仆射王珣为尚书令；领军将军王国宝为左仆射，领选[④]，仍加后将军、丹杨尹。会稽王道子悉以东宫兵配国宝[⑤]，使领之。

燕范阳王德求救于秦，秦兵不出，邺中恟惧[⑥]。贺赖卢自以魏王珪之舅，不受东平公仪[⑦]节度，由是与仪有隙。仪司马丁建阴与德通，从而构间[⑧]之，射书入城中言其状。甲辰[⑨]，风霾昼晦[⑩]。赖卢营有火，建言于仪曰："赖卢烧营为变矣。"仪以为然，引兵退。赖卢闻之，

日益衰朽，先后被西秦王乞伏乾归与占据金城的秃发乌孤所败；吕光政权下的太常郭麐以谣言惑众起兵反吕光，占据姑臧之东城，吕光之弟吕纂打败郭麐，郭麐乃与秃发乌孤的势力勾结起来；张掖地区的卢水胡沮渠蒙逊为报吕光杀其二伯之仇，聚众攻克临松郡，与其堂兄沮渠男成拥立凉州之建康郡守段业为首领，段业自称凉王。写了驻兵京口的东晋军阀王恭抗表请诛王国宝，举兵向建康，野心家桓玄怂恿荆州军阀殷仲堪与之相应和；司马道子为求息事，杀了王国宝、王绪，两路军阀之兵暂撤；司马道子任其子元显统卫府兵众，以防王、殷。此外还写了后秦主姚兴攻占晋之湖城、陕城、上洛，又攻洛阳不克，掠其民二万户以归；姚兴勤于政事，延纳善言，得古成诜、杜瑾、姜龛等而用之，深得其力等。

【语译】

安皇帝甲

隆安元年（丁酉，公元三九七年）

春季，正月初一日己亥，东晋安帝司马德宗行加冠礼，改年号为隆安。任命担任左仆射的王珣为尚书令；任命担任领军将军的王国宝为左仆射，兼任负责选拔官员事务的领选，仍然加授后将军、丹杨尹。会稽王司马道子把原来护卫东宫的部队全部交给王国宝统领。

后燕范阳王慕容德派使者前往后秦的都城长安请求后秦出兵相救，遭到后秦的拒绝，邺城之中人人惶恐不安。北魏辽西公贺赖卢因为自己是北魏王拓跋珪的舅舅，不肯接受东平公拓跋仪的指挥，遂与拓跋仪产生了矛盾。在拓跋仪手下担任司马的丁建暗中与后燕范阳王慕容德勾结，并趁机在贺赖卢与拓跋仪之间挑拨离间，他把写好的情报绑在箭上射入邺城中。正月初六日甲辰，大风突然刮起，扬起的灰尘铺天盖地，遮住了阳光，大白天变得如同黑夜。北魏辽西公贺赖卢的营寨发出火光，拓跋仪的司马丁建趁机警告拓跋仪说："贺赖卢正在烧毁营寨，恐怕要发动叛变。"拓跋仪同意丁建的看法，于是率军撤走。贺赖卢听到拓跋仪撤退的消息后，

亦退。建帅其众诣德降，且言仪师老[11]可击。德遣桂阳王镇、南安王青帅骑七千追击魏军，大破之。

燕主宝使左卫将军慕舆腾攻博陵，杀魏所置守宰。

王建等攻信都[12]，六十余日不下，士卒多死。庚申[13]，魏王珪自攻信都。壬戌[14]夜，燕宜都王凤逾城奔中山。癸亥[15]，信都降魏。

凉王光以西秦王乾归数反覆，举兵伐之。乾归群下请东奔成纪[16]以避之。乾归曰："军之胜败，在于巧拙，不在众寡。光兵虽众而无法，其弟延勇而无谋，不足惮也。且其精兵尽在延所，延败，光自走矣。"光军于长最[17]，遣太原公纂[18]等帅步骑三万攻金城[19]。乾归帅众二万救之，未至，纂等拔金城。光又遣其将梁恭等以甲卒万余出阳武下峡[20]，与秦州刺史没弈干[21]攻其东，天水公延[22]以枹罕[23]之众攻临洮[24]、武始、河关[25]，皆克之。乾归使人绐延[26]云："乾归众溃，奔成纪。"延欲引轻骑追之，司马耿稚谏曰："乾归勇略过人，安肯望风自溃？前破王广、杨定[27]，皆羸师[28]以诱之。今告者视高色动[29]，殆[30]必有奸。宜整陈而前，使步骑相属[31]，俟[32]诸军毕集，然后击之，无不克矣。"延不从，进，与乾归遇，延战死。稚与将军姜显收散卒，还屯枹罕。光亦引兵还姑臧。

秃发乌孤自称大都督、大将军、大单于、西平王，大赦，改元太初[33]。治兵广武[34]，攻凉金城，克之。凉王光遣将军窦苟伐之，战于街亭[35]，凉兵大败。

燕主宝闻魏王珪攻信都，出屯深泽[36]，遣赵王麟攻杨城[37]，杀守兵三百。宝悉出珍宝及宫人募郡国群盗以击魏。

也率军而退。丁建趁机率领自己的党羽向慕容德投降，并且告诉慕容德说，拓跋仪的军队已经疲惫不堪，可以率军追击。慕容德于是派桂阳王慕容镇、南安王慕容青率领七千名骑兵追击北魏军，将北魏军打得大败。

后燕主慕容宝派左卫将军慕舆腾率军攻打北魏所属的博陵，杀死了北魏所设置的郡守和县令。

北魏王建率大军攻打后燕的信都，攻打了六十多天也没有攻克，而士卒却牺牲了很多。正月二十二日庚申，北魏王拓跋珪亲自率军攻打信都。二十四日壬戌夜间，后燕的信都守将宜都王慕容凤翻越城墙逃往中山。二十五日癸亥，信都全城投降了北魏。

后凉天王吕光因为西秦王乞伏乾归反复无常，于是率军讨伐乞伏乾归。西秦王乞伏乾归的属下请求向东投奔成纪以躲避后凉的进攻。乞伏乾归说："战场上胜负的关键，在于统帅的头脑是否灵活，而不在于士卒的多寡。后凉天王吕光的部众虽然很多，却缺乏严格的组织纪律，吕光的弟弟吕延又是一个有勇无谋的人，不必害怕他们。再说，后凉的精兵全在吕延那里，只要把吕延打败，吕光自会逃跑。"吕光把军队驻扎在长最，他派遣太原公吕纂等率领三万人马攻打金城。西秦王乞伏乾归亲自率领二万人救援金城，乞伏乾归还没有赶到金城，后凉吕纂等已经将金城占领。后凉天王吕光又派属下将领梁恭等率领一万多名全副武装的士卒穿过阳武下峡，与担任秦州刺史的没弈干同时从东面攻打乞伏乾归，派天水公吕延率领枹罕的军队攻击临洮、武始、河关，吕延把临洮、武始、河关全部攻克。西秦王乞伏乾归派遣使者欺骗后凉天水公吕延说："秦王乞伏乾归的部众已经全部溃散，乞伏乾归已经逃往成纪。"吕延立即就要率领轻骑兵去追击乞伏乾归，在吕延手下担任司马的耿稚劝阻说："乞伏乾归的勇气和谋略超过常人，怎么会望风自溃呢？以前他打败王广、杨定，全都是先以弱兵诱敌上当。现在前来报信的这个人眼睛向上看，神色变化不定，这里恐怕有诈。我们应该整肃部队，列阵向前，让步兵、骑兵紧随其后，等到各路大军全部到齐之后，立即向乞伏乾归发起攻击，肯定能将乞伏乾归打败。"吕延没有采纳耿稚的建议，而是率军前进，与西秦王乞伏乾归展开遭遇战，吕延战死。耿稚与将军姜显招集起溃散的士卒，返回枹罕驻扎。后凉天王吕光也率军返回都城姑臧。

秃发乌孤自称大都督、大将军、大单于、西平王，并在自己管辖的区域内实行大赦，改年号为太初。他在广武整顿军队，攻打后凉占领下的金城，将金城攻占。后凉天王吕光派遣将军窦苟率军讨伐秃发乌孤，双方在街亭展开决战，后凉的军队大败。

后燕主慕容宝听到北魏王拓跋珪亲率大军攻打信都的消息，便率军离开中山，屯扎在深泽，他派赵王慕容麟率军攻打杨城，赵王慕容麟杀死了北魏杨城守军三百人。后燕主慕容宝把皇宫中的所有珍宝以及宫女全部作为奖品，然后招募各郡、各封国内的盗贼组成一支特殊的军队，去攻打北魏军。

二月己巳朔㊳，珪还屯杨城。没根㊴兄子丑提为并州监军，闻其叔父降燕，惧诛，帅所部兵还国[1]作乱。珪欲北还，遣其国相涉延求和于燕，且请以其弟为质。宝闻魏有内难，不许。使冗从仆射㊵兰真责珪负恩，悉发其众步卒十二万、骑三万七千屯于曲阳㊶之柏肆㊷，营于滹沱水㊸北以邀㊹之。丁丑㊺，魏军至，营于水南。宝潜师夜济，募勇敢万余人袭魏营，宝陈于营北以为之援。募兵因风纵火，急击魏军。魏军大乱，珪惊起，弃营跣走㊻。燕将军乞特真帅百余人至其帐下，得珪衣靴。既而募兵无故自惊，互相斫射。珪于营外望见之，乃击鼓收众，左右及中军将士稍稍㊼来集，多布火炬于营外，纵骑冲之㊽。募兵大败，还赴宝陈㊾，宝引兵复渡水北。戊寅㊿，魏整众而至，与燕相持，燕军夺气[51]。宝引还中山，魏兵随而击之，燕兵屡败。宝惧，弃大军，帅骑二万奔还。时大风雪，冻死者相枕。宝恐为魏军所及，命士卒皆弃袍仗、兵器数十万，寸刃不返，燕之朝臣将卒降魏及为魏所系虏者甚众。

先是，张衮尝为魏王珪言燕秘书监崔逞[52]之材。珪得之，甚喜，以逞为尚书[53]，使录三十六曹[54]，任以政事。

魏军士有自柏肆亡归者，言大军败散，不知王处。道过晋阳，晋阳守将封真因起兵攻并州刺史曲阳侯素延，素延击斩之。

南安公顺[55]守云中，闻之，欲自摄[56]国事。幢将[57]代人莫题曰："此大事，不可轻尔[58]，宜审待后问[59]，不然，为祸不细。"顺乃止。顺，什翼犍[2]之孙也。贺兰部帅附力眷[60]、纥邻部帅匿物尼、纥奚部帅叱

二月初一日己巳，北魏王拓跋珪从信都率军返回杨城驻扎。北魏叛将、投降后燕的没根的侄子丑提担任并州监军，他得知自己的叔父没根投降后燕的消息，惧怕受到牵连而被北魏王拓跋珪诛杀，于是便率领自己的部下返回北魏的都城盛乐作乱。北魏王拓跋珪准备率军回救盛乐，他派遣担任国相的涉延向后燕求和，并请求将自己的弟弟送到后燕做人质。后燕主慕容宝闻听北魏因为发生内乱而来求和，便拒绝了。他一面派担任冗从仆射的兰真去责备拓跋珪忘恩负义，一面动员了全国所有的十二万名步兵、三万七千名骑兵驻扎在曲阳的柏肆，准备在滹沱河北岸阻截北魏军。初九日丁丑，北魏军抵达滹沱河，在南岸安下营寨。后燕主慕容宝率领燕军在夜间偷偷地渡过滹沱河，到达南岸，他派遣所招募的一万多名勇士袭击北魏的营寨，慕容宝在魏军营寨以北布好阵势作为声援。那些招募来的勇士顺风放火，向北魏军发起猛攻。北魏军立时大乱，北魏王拓跋珪正在睡梦之中，他突然惊起，丢下营寨，光着两脚逃走。后燕将军乞特真率领一百多人冲入拓跋珪的大帐，只搜到了拓跋珪的衣服和靴子。不久，后燕那些招募来的勇士忽然无缘无故地慌乱起来，他们互相用刀砍杀、用箭射死自己的同伴。拓跋珪跑到营外，看见冲进营寨的后燕军自相残杀起来，立即击鼓集结溃散的将士，左右侍从以及中军将士逐渐聚拢起来，他们在营外设置了许多火把，然后派出骑兵向后燕军冲杀过去。后燕招募来的勇士立即败退下来，掉转头来逃回了后燕主慕容宝的队伍之中，慕容宝赶紧率军返回滹沱河北岸。初十日戊寅，北魏的军队经过整顿，继续向前推进，与后燕军对峙，后燕军士气衰落。慕容宝只好率军返回都城中山，北魏军随后攻击，后燕军一次次被打败。慕容宝非常惧怕，他竟然丢下大军，率领着二万名骑兵逃离战场，飞速地朝着中山方向逃跑。当时风雪交加，被冻死的将士一个挨着一个。慕容宝非常担心被北魏军追上，于是下令士卒全部丢弃身上的铠甲和手中的兵器，空身逃走，数十万件兵器全部丢弃，没有一件带回来，后燕的朝廷大臣以及军中将士投降魏国的和被魏军俘虏的非常多。

先前，北魏担任给事黄门侍郎的张衮曾经向北魏王拓跋珪说起过后燕担任秘书监的崔逞很有才能。拓跋珪这次俘虏了崔逞，非常高兴，立即任命崔逞为尚书，令他领导尚书台所属的三十六曹，将政事交付给他。

北魏军士中有人从柏肆初战失利时逃回，便传言魏国大军已经战败，全军溃散，不知魏王拓跋珪现在身在何处。他经过晋阳，晋阳守将封真听到这个消息，便起兵攻打北魏担任并州刺史的曲阳侯素延，被素延斩首。

北魏南安公拓跋顺正率军守卫云中，他听到魏军战败的消息，自己就想接管朝政。担任幢将的代郡人莫题劝阻他说："这事非同小可，不能轻易做出决定，应该等待后面的确切消息，不然，灾祸不小。"拓跋顺才没有轻举妄动。拓跋顺是故代王拓跋什翼犍的孙子。此时，贺兰部落首领附力眷、纥邻部落首领匿物尼、纥奚部落首

奴根皆举兵反，顺讨之，不克。珪遣安远将军庾岳帅万骑还讨三部，皆平之，国人乃安。

珪欲抚慰新附，深悔参合之诛[61]，素延坐[62]讨反者杀戮过多免官，以奚牧[63]为并州刺史。牧与东秦[64]主兴书称“顿首”，与之均礼[65]。兴怒，以告珪，珪为之杀牧。

己卯[66]夜，燕尚书郎慕舆皓谋弑燕主宝，立赵王麟，不克，斩关出奔魏。麟由是不自安。

【段旨】

以上为第一段，写安帝隆安元年（公元三九七年）第一、第二两个月间的大事。主要写了魏将拓跋仪、贺赖卢率军攻燕邺城，拓跋仪部将丁建潜通邺城守将慕容德，慕容德大破魏军。写了魏王拓跋珪攻克燕城信都后，国内出现叛乱，拓跋珪向燕求和，慕容宝不许，魏有降人请为燕内应袭魏军，燕军配合不力，拓跋珪反击燕军，燕军大败，逃回中山。写了后凉王吕光攻乞伏乾归，由于部将吕延轻敌，为乞伏乾归所败。写了秃发乌孤攻凉金城克之，凉王吕光攻秃发乌孤，又为秃发乌孤所败。写了燕国慕舆皓欲杀慕容宝，改立慕容麟，不成逃魏，慕容麟由是不自安等。

【注释】

①正月己亥朔：正月初一是己亥日。②加元服：行加冠礼。元服，帽子，这里指皇冠。从这天起司马德宗正式戴皇冠，用自己的年号。③改元：在此以前是孝武帝的年号“太元”（公元三七六至三九六年）。④领选：兼管选任官员的事务，即兼任吏部尚书。⑤悉以东宫兵配国宝：把原来护卫太子宫的部队全部交给王国宝统领。配，调归。⑥恟惧：恐惧。⑦东平公仪：拓跋仪，拓跋珪的堂兄弟。传见《魏书》卷十五。⑧构间：离间其关系，挑拨拓跋仪与贺赖卢的矛盾。⑨甲辰：正月初六。⑩风霾昼晦：大风扬尘，白天变得像黑夜。⑪师老：军队疲惫，无战斗力。⑫信都：今河北衡水市冀州区，当时为长乐郡郡治与冀州的州治所在地。⑬庚申：正月二十二。⑭壬戌：正月二十四。⑮癸亥：正月二十五。⑯成纪：县名，县治在今甘肃通渭东北。⑰长最：城名，在今甘肃永登南。⑱太原公纂：即吕纂，吕光的庶长子。传见《晋书》卷一百二十二。⑲金城：郡

领叱奴根全都起兵造反，南安公拓跋顺率军讨伐这些叛将，没有成功。北魏王拓跋珪派遣安远将军庾岳率领一万名骑兵返回国内讨伐三个叛变的部落，将三个部落的叛变全部镇压下去，国内的人心才逐渐安定下来。

北魏王拓跋珪此时想要安抚新近归附的民众，心里特别后悔当初参合陂战役中活埋了那么多俘虏，遂以此指控曲阳侯素延在讨伐叛逆时杀戮过多，而将素延免官，任命奚牧为并州刺史。奚牧在写给后秦主姚兴的书信中自称“顿首”，与姚兴行了对等之礼。姚兴非常愤怒，遂将此事告诉了北魏王拓跋珪，拓跋珪为姚兴杀死了奚牧。

二月十一日己卯夜间，后燕担任尚书郎的慕舆皓准备谋杀后燕主慕容宝，拥立赵王慕容麟为后燕皇帝，结果没有成功，慕舆皓砍开城门逃奔北魏。赵王慕容麟因此处于被猜忌的地位，心里感到很不安。

名，郡治在今甘肃兰州西北。⑳出阳武下峡：经由阳武下峡。阳武下峡在今宁夏固原西。㉑没弈干：人名，吕光的部下。㉒天水公延：即吕延，吕光之弟。㉓枹罕：县名，县治在今甘肃临夏东北。㉔临洮：县名，县治即今甘肃岷县。㉕河关：县名，县治即今青海同仁。㉖绐延：欺骗吕延。㉗前破王广、杨定：此语不准，破杨定在太元十九年，是乞伏乾归所为；而王广乃为鲜卑人所俘，在太元十一年，其时乞伏国仁当国，非乾归事也。㉘羸师：故意示敌以弱形。㉙视高色动：眼睛向上看，神色不正常。㉚殆：大概；恐怕。㉛相属：相连，紧紧靠拢。㉜俟：等待。㉝改元太初：秃发乌孤前曾称臣于吕光，今乃自称西平王，年号“太初”，《通鉴》行文作“改元”，似乎不当。㉞广武：郡名，郡治在今甘肃永登东南。㉟街亭：古军事要地，在今甘肃永登西北。㊱深泽：县名，即今河北深泽。㊲杨城：村镇名，在今河北顺平境内，当时属魏。㊳二月己巳朔：二月初一是己巳日。㊴没根：拓跋珪的勇将，因受嫌恶，于上年叛魏，降后燕。㊵冗从仆射：帝王的散职侍从官的小头领。㊶曲阳：县名，县治在今河北曲阳西。㊷柏肆：村镇名。㊸滹沱水：发源于山西西部，流经今河北平山、正定、深泽等县，东北至天津市入海。㊹邀：截击。㊺丁丑：二月初九。㊻跣走：光着脚逃走了。㊼稍稍：逐渐。㊽纵骑冲之：胡三省曰，“敌出其不意，故走；见敌之不整，乃还战，善用兵者固观变而动也”。㊾还赴宝陈：回到慕容宝的队伍里。陈，同“阵”，军阵。㊿戊寅：二月初十。(51)夺气：丧气。(52)秘书监崔逞：秘书监是秘书省的最高长官，为皇帝主管图书秘籍。崔逞，字叔祖，好学有文才。传见《魏书》卷三十二。(53)尚书：这里实际等于尚书令，因为尚书台所属的三十六曹都归他统辖。(54)录三十六曹：录，统管、总理。三十六曹，即吏部、驾部、金部等三十六曹。(55)南安公顺：即拓跋顺，拓跋珪的侄子。传见《魏书》卷十五。(56)摄：代理。(57)幢将：北魏宫廷卫队的将领，上属于都统长。(58)轻尔：

轻易如此。(59)审待后问：注意等待后来的消息。审，认真。问，通“闻”，消息。(60)贺兰部帅附力眷：此人与下述匿物尼、叱奴根三人，都是少数民族头领名。这三个部落头领于孝武帝太元十五年被拓跋珪打败投降魏国事，见本书卷一百七。(61)参合之诛：当时拓跋珪打败后燕，俘获后燕人四五万，全部将其活埋。事见本书卷一百八孝武帝太元二十年。(62)坐：由于，因为……而犯罪。(63)奚牧：拓跋珪的功臣。传见《魏书》卷二十八。(64)东秦：即姚兴的后秦，因为这时西方还有一个乞伏乾归的“西秦”，故对姚兴政权以“东秦”别之。(65)均礼：行对等之礼。(66)己卯：二月十一。

【原文】

三月，燕以仪同三司武乡[67]张崇为司空。

初，燕清河王会闻魏军东下，表求赴难[68]，燕主宝许之。会初无去意[69]，使征南将军库傉官伟、建威将军余崇将兵五千为前锋。崇，嵩之子也。伟等顿卢龙[70]近百日，无食，啖马牛且尽[71]，会不发[72]。宝怒，累诏切责[73]。会不得已，以治行简练[74]为名，复留月余。时道路不通，伟欲使轻军[75]前行通道，侦魏强弱，且张声势。诸将皆畏避不欲行。余崇奋曰：“今巨寇滔天，京都[76]危逼，匹夫犹思致命[77]以救君父，诸君荷国宠任[78]，而更惜生乎？若社稷倾覆，臣节不立，死有余辱。诸君安居于此，崇请当之。”伟喜，简给[79]步骑五百人。崇进至渔阳[80]，遇魏千余骑。崇谓其众曰：“彼众我寡，不击则不得免。”乃鼓噪直进，崇手杀十余人。魏骑溃去，崇亦引还，斩首获生[81]，具言[82]敌中阔狭[83]，众心稍振。会乃上道徐进。是月，始达蓟城[84]。

魏围中山既久，城中将士皆思出战。征北大将军隆言于宝曰：“涉

【校记】

[1] 国：张敦仁《通鉴刊本识误》作“县”。[2] 什翼犍：原误作“什翼鞬”。据章钰校，十二行本、乙十一行本、孔天胤本皆作“什翼犍”，今据改。

【语译】

三月，后燕任命仪同三司的武乡人张崇为司空。

当初，后燕清河王慕容会听到魏军东下入侵的消息，便上表请求率军奔赴国难，后燕主慕容宝同意了慕容会的请求。慕容会根本没有离开龙城率军赴难的打算，他派担任征南将军的库傉官伟、担任建威将军的余崇率领五千名士卒为先锋。余崇是余嵩的儿子。征南将军库傉官伟等率领着五千名士卒在卢龙塞逗留了将近一百天，后燕主慕容宝军中的粮食已经吃光，而且把马牛差不多也吃光了，而慕容会待在龙城一直没有出发。后燕主慕容宝非常愤怒，就一次次地发诏书，对慕容会进行严厉的批评，催促他赶紧出兵援助中山。慕容会迫不得已，就以准备行装、做出发准备为借口，又逗留了一月有余。当时道路不通，征南将军库傉官伟准备派轻装的小股部队，先行疏通道路，侦察入侵的北魏军兵力强弱，顺道制造声势。而诸将全都惧怕北魏军的强大而不敢前进。建威将军余崇奋勇而起，他说：“如今强大的贼寇入侵，在我国境内犯下了滔天的罪行，京师中山危在旦夕，就是一个小百姓还想着豁出性命保家卫国，去解救君父的危难，而诸位先生深受国君的恩宠与信任，肩负着保卫国家的重任，怎么更贪生怕死呢？如果国家灭亡了，人臣的节操不能建立，即使一死也是可耻的。诸位先生就安安生生地住在这里吧，让我去奔赴国难。”库傉官伟听了余崇的这番话，非常欢喜，于是挑选了五百人马，让余崇率领着先行。余崇前进到渔阳，遭遇了北魏的一千多名骑兵。余崇对手下的这五百多名骑兵说：“敌众我寡，不奋力出击就难逃一死。”于是呐喊着径直杀向魏军，余崇亲手杀死了十多人。北魏的骑兵溃逃而去，余崇也率军返回，他此行不仅斩杀了一些敌人，还抓来了一些俘虏，并详细地介绍了敌军的分布情况，军心稍微振作了一些。清河王慕容会这才率军出发，慢慢地前行。三月，抵达蓟城。

北魏军队围攻后燕的都城中山，已经围攻了很久，中山城中的将士全都希望能够出城与魏军交战。征北大将军慕容隆对后燕主慕容宝说：“拓跋珪虽然屡次获得一

珪[85]虽屡获小利，然顿兵经年[86]，凶势沮屈[87]，士马死伤太半，人心思归，诸部[88]离解，正是可破之时也。加之举城思奋，若因我之锐，乘彼之衰，往无不克。如其持重不决，将卒气丧，日益困逼，事久变生，后虽欲用之，不可得也！”宝然之。而卫大将军麟每沮其议[89]，隆成列而罢[90]者，前后数四。

宝使人请于魏王珪，欲还其弟觚[91]，割常山以西[92]皆与魏以求和。珪许之。既而宝悔之。己酉[93]，珪如卢奴[94]，辛亥[95]，复围中山。燕将士数千人俱自请于宝曰：“今坐守穷城，终于困弊，臣等愿得一出乐战[96]，而陛下每抑之，此为坐自摧败也。且受围历时[97]，无他奇变，徒望积久寇贼自退。今内外之势，强弱悬绝，彼必不自退明矣，宜从众一决。”宝许之。隆退而勒兵[98]，召诸参佐谓之曰：“皇威不振，寇贼内侮，臣子同耻，义不顾生。今幸而破贼，吉还[99]固善；若其不幸，亦使吾志节获展。卿等有北见吾母[100]者，为吾道此情也！”乃被甲上马，诣门俟命[101]。麟复固止宝，众大忿恨，隆涕泣而还。

是夜，麟以兵劫左卫将军[102]北地王精，使帅禁兵弑宝。精以义拒之，麟怒，杀精，出奔西山[103]，依丁零余众[104]。于是城中人情震骇。

宝不知麟所之，以清河王会军在近，恐麟夺会军，先据龙城，乃召隆及骠骑大将军农，谋去中山[105]，走保龙城。隆曰：“先帝[106]栉风沐雨[107]以成中兴之业，崩未期年[108]而天下大坏，岂得不谓之孤负[109]邪？今外寇方盛而内难复起，骨肉乖离，百姓疑惧，诚不可以拒敌，北迁

些小胜利，然而，他被拖在中山城下已经进入第二个年头，最初的凶猛气势已经减弱了不少，将士、马匹死伤了一大半，众人都想返回，很多部落已经军心涣散，目前正是出兵击败他们的好时机。再加上全城的人都盼望奋勇出击，如果利用我军士气旺盛、对方疲惫不堪的机会出兵反击，必定无往而不胜。如果过分地小心谨慎、犹豫不决，全军将士锐气丧失，我们的处境必将一天比一天困难，形势将一天比一天严峻，时间拖得一久，变乱就要发生，以后即使再想要他们出去拼杀，也不能够了！”慕容宝同意慕容隆的意见。而担任卫大将军的赵王慕容麟却总是唱反调，阻挠他的建议，慕容隆已经列好队准备出击，结果临时被取消的情况，前后就有好几次。

后燕主慕容宝派使者向北魏王拓跋珪请求讲和，答应将被扣留在燕国的拓跋珪的弟弟拓跋觚送回魏国，并把常山以西的国土全都割让给魏国。北魏王拓跋珪同意了后燕的求和条件。不久慕容宝却因为后悔而毁约。三月十一日己酉，拓跋珪前往卢奴。十三日辛亥，北魏军再次包围了后燕的都城中山。后燕数千名将士全都向后燕主慕容宝请求说：“如今坐守这座毫无出路的孤城，终究得被困死，我们都希望出城与敌人痛痛快快地打一仗，而陛下每次都压制我们，不许出战，这就等于自己在毁灭自己。而且中山城已经被围困了很久，并没有其他的奇谋妙计可以退敌，只是盼望着继续拖延时间，能使敌寇自行撤退。如今内外的形势对比已经很明显，敌强我弱，力量悬殊，敌寇肯定不会自行撤退，这是明摆着的事情，陛下应该听从众人的意愿，与敌寇决一死战。”慕容宝同意了大家的意见。征北大将军慕容隆从慕容宝那里退出后，立即集合军队准备出战，他召集自己属下的僚佐说：“皇帝的权威树立不起来，贼寇入侵，这是臣子的共同耻辱，为了正义，就要奋不顾身。这次与敌寇作战，如果能够侥幸击败贼寇，胜利而回当然是好事；如果不幸战败身亡，也算展示了我的志气和节操。你们如果有人能够回到北方龙城，看见我的母亲，请代我向她禀告此情！”说完，披上铠甲、跨上战马，到宫门等候慕容宝发布出城作战的命令。此时慕容麟又来阻止慕容宝，坚决要求慕容宝取消这次军事行动，众将士非常愤恨，慕容隆流着眼泪，下马而回。

当天夜里，担任卫大将军的赵王慕容麟率兵劫持了担任左卫将军的北地王慕容精，让慕容精率领禁卫军诛杀燕主慕容宝。慕容精大义凛然地拒绝了慕容麟，慕容麟一怒之下杀死了慕容精，然后逃出中山，奔往西山，投靠了丁零部落首领翟真的余部。中山城中无人不惊慌震恐。

后燕主慕容宝不知道赵王慕容麟的去向，因为清河王慕容会的军队就在中山附近，担心慕容麟会去夺取慕容会的军队，抢先占据龙城，于是赶紧召集征北大将军慕容隆以及骠骑大将军慕容农，打算离开中山，撤到龙城据守。慕容隆说：“先帝慕容垂多年艰苦奋战才成就的中兴大业，谁知在他去世还不到一年，国家就面临被灭亡的危险，难道能说我们没有辜负先帝吗？如今外面入侵的敌寇势力正盛，而我们内部内乱又起，骨肉分离，百姓惊疑恐惧，确实没有能力再抗击敌寇，向北迁回故

旧都，亦事之宜。然龙川⑩地狭民贫，若以中国之意⑪取足其中⑫，复朝夕望有大功，此必不可。若节用爱民，务农训兵，数年之中，公私充实，而赵、魏之间⑬，厌苦寇暴，民思燕德，庶几返旆⑭，克复故业。如其未能，则凭险自固，犹足以优游养锐⑮耳。”宝曰：“卿言尽理，朕一从卿意耳。”

辽东高抚善卜筮，素为隆所信厚，私谓隆曰：“殿下北行，终不能达，太妃⑯亦不可得见。若使主上独往，殿下潜留于此，必有大功。”隆曰：“国有大难，主上蒙尘⑰，且老母在北，吾得北首而死⑱，犹无所恨。卿是何言也！”乃遍召僚佐，问其去留，唯司马鲁恭、参军成岌愿从，余皆欲留，隆并听之。

农部将谷会归说农曰：“城中之人，皆涉珪参合所杀者父兄子弟，泣血踊跃，欲与魏战，而为卫军⑲所抑。今闻主上当北迁，皆曰：‘得慕容氏一人奉而立之，以与魏战，死无所恨。’大王幸而留此，以副众望，击退魏军，抚宁畿甸⑳，奉迎大驾，亦不失为忠臣也。”农欲杀归而惜其材力，谓之曰：“必如此以望生，不如就死！”

壬子夜㉑，宝与太子策、辽西王农、高阳王隆、长乐王盛等万余骑出赴会军。河间王熙、勃海王朗、博陵王鉴皆幼，不能出城，隆还入迎之，自为鞁乘㉒，俱得免。燕将李沈[3]等降魏。乐浪王惠、中书侍郎韩范、员外郎段宏、太史令刘起等帅工伎㉓三百奔邺㉔。

中山城中无主，百姓惶惑，东门不闭。魏王珪欲夜入城，冠军将军王建志在虏掠，乃言恐士卒盗府库物，请俟明旦，珪乃止。燕开封公详从宝不及[4]，城中立以为主，闭门拒守。珪尽众攻之，连日不拔。

都，也是势所必然。但故都龙城所在的龙川之地，地方狭小，人民贫困，如果还按照在中山这里养成的思维方式和生活习惯，令当地满足各种供应，又希望在短时间内建立大功，这肯定是不可能的。如果能够节约用度、爱惜百姓，鼓励人民从事农业生产，积极训练士兵，几年之内，使官府与民间都充实富裕起来，而赵、魏之间的民众因为怨恨贼寇的残暴统治，怀念燕国统治时期的好日子，到那时，才有希望重新杀回来，收复旧日的河山。即使不能做到这样，那么凭借着险要的地形、坚固的城池，加强自我防守，还是完全可以清闲自得地养精蓄锐，积蓄力量。”慕容宝说:“你说得合情合理，我这次一定听从你的意见。”

辽东人高抚精于占卜，一向被征北大将军慕容隆的信任和厚待，高抚私下里对慕容隆说:“殿下向北方撤退，最终肯定到达不了龙城，也不可能见到你的母亲。如果让皇帝慕容宝独自撤往北方，而殿下秘密地留在中山，则能够建立伟大的功业。”慕容隆说:“国家遭遇大难，主上流离失所，而我的老母亲也在北方，我如果能够头向北方而死，也是死而无憾。你说的这叫什么话!”于是，将所有的僚佐全部召集起来，向他们询问是离开还是留下，只有担任司马的鲁恭和担任参军的成岌愿意跟随慕容隆撤往北方，其他人全都愿意留在中山，慕容隆全部听从他们的选择。

骠骑大将军慕容农的部将谷会归劝说慕容农说:“中山城里的人，都是在参合陂战役中被拓跋珪杀死的将士的亲属，是他们的父子兄弟，他们眼中流着血泪，踊跃参军参战，希望能够与魏军决一死战，为自己的亲人报仇，却一直遭到卫大将军慕容麟的压制。现在听说皇帝慕容宝决定北撤龙城，大家都说:‘如果有一位慕容氏家族的人留在中山，他们就会真心拥戴他，与魏军决战，即使战死也毫不后悔。’希望大王能够留下来，以满足民众的愿望，等到击退魏军，安定京畿之后，再把皇帝迎接回来，也不失为一个忠臣呢。”慕容农想要杀掉谷会归，却又爱惜他的才能，于是便对谷会归说:“如果非得这样做才能求生存的话，那是生不如死!”

三月十四日壬子夜间，后燕皇帝慕容宝与皇太子慕容策、辽西王慕容农、高阳王慕容隆、长乐王慕容盛等带领一万多名骑兵离开中山投奔驻扎在蓟城的清河王慕容会的大营。河间王慕容熙、勃海王慕容朗、博陵王慕容鉴当时还很年幼，无法出城，担任征北大将军的高阳王慕容隆又返回中山去迎接他们，慕容隆亲自驾着可以坐卧的皮车，带着他们一同逃离了中山。后燕的将领李沈等投降了北魏。乐浪王慕容惠、中书侍郎韩范、员外郎段宏、太史令刘起等率领着三百名工匠和歌舞艺人逃奔邺城。

中山城内已经陷入无主状态，民众全都惶恐不安，中山城的东门也没有人关闭。北魏王拓跋珪想要连夜入城，冠军将军王建的心思全都放在入城抢劫上，于是借口说怕士卒趁黑夜盗取府库中的财物，请求等到天亮再进入中山城内，拓跋珪当夜便没有进入中山。后燕开封公慕容详没有来得及跟随后燕主慕容宝一起逃离中山，中山的人遂共同拥立慕容详为盟主，重新关闭城门，严密防守。拓跋珪出动了所有的

使人登巢车[125]，临城谕之曰："慕容宝已弃汝走，汝曹百姓空自取死，欲谁为乎？"皆曰："群小无知，恐复如参合之众[126]，故苟延旬月之命耳。"珪顾王建而唾其面[127]，使中领将军长孙肥[128]、左将军李栗[129]将三千骑追宝至范阳[130]，不及，破其新城戍[131]而还。

甲寅[132]，尊皇太后李氏[133]为太皇太后。戊午[134]，立皇后王氏[135]。

燕主宝出中山，与赵王麟遇于阬城[136]。麟不意宝至，惊骇，帅其众奔蒲阴[137]，复出屯望都[138]，土人颇供给之。慕容详遣兵掩击麟，获其妻子，麟脱走，入山中[5]。

甲寅[139]，宝至蓟，殿中亲近散亡略尽，惟高阳王隆所领数百骑为宿卫。清河王会帅骑卒二万迎于蓟南，宝怪会容止怏怏有恨色[140]，密告隆及辽西王农。农、隆俱曰："会年少，专任方面，习骄所致，岂有他也！臣等当以礼责之。"宝虽从之，然犹诏解会兵以属隆，隆固辞，乃减会兵分给农、隆。又遣西河公库傉官骥[141]帅兵三千助守中山。

丙辰[142]，宝尽徙蓟中府库北趣龙城。魏石河头[143]引兵追之，戊午[144]，及宝于夏谦泽[145]。宝不欲战，清河王会曰："臣抚教士卒，惟敌是求。今大驾蒙尘，人思效命，而虏敢自送，众心忿愤。《兵法》曰：'归师勿遏[146]。'又曰：'置之死地而后生[147]。'今我皆得之，何患不克？若其舍去[148]，贼必乘人[149]，或生余变。"宝乃从之。会整陈[150]与魏兵战，农、隆等将南来骑[151]冲之，魏兵大败，追奔百余里，斩首数千级。

军队进行攻打，一连攻打了几天，也没有攻下中山。于是，便派人登上吊车，居高临下地向中山城内的人质问说："燕国皇帝慕容宝已经抛弃你们逃走了，你们这些百姓却还在这里抵抗，自己找死，又是为了谁呢？"城内的人全都答复说："我们只是一群无知的小老百姓，害怕再像参合陂战役中向你们投降的那些燕国人一样，全部被你们活埋，所以坚守中山，就是想多活个十天半月。"北魏王拓跋珪回头看见王建，便朝他的脸上狠狠地唾了一口，然后派担任中领将军的长孙肥、担任左将军的李栗率领三千名骑兵追赶后燕主慕容宝等，一直追到范阳，虽然没有追上后燕王慕容宝，却击毁了新城的壁垒，而后返回中山。

三月十六日甲寅，东晋安帝司马德宗尊祖母皇太后李氏为太皇太后。二十日戊午，立王氏为皇后。

后燕主慕容宝逃出都城中山之后，与赵王慕容麟在阶城相遇。慕容麟没有料到慕容宝会来到这里，不禁惊恐万状，立即率领自己的部下逃奔蒲阴，又从蒲阴进驻望都，当地的很多居民为他提供粮草。被中山人推为盟主的开封公慕容详派兵突然袭击了赵王慕容麟，活捉了慕容麟的妻儿，慕容麟脱身逃走，进入山中。

三月十六日甲寅，后燕主慕容宝一行抵达蓟城，宫廷中的那些亲信溃散逃亡的，几乎全跑光了，只有高阳王慕容隆所率领的数百名骑兵担任宿卫。清河王慕容会率领着二万名骑兵和士卒到蓟城南郊迎接后燕主慕容宝一行的到来，后燕主慕容宝对清河王慕容会脸上流露出来的那种怏怏然充满怨恨的神色感到非常惊奇，就秘密地告诉了高阳王慕容隆和辽西王慕容农。慕容农和慕容隆都说："慕容会还很年轻，就已经成为独当一面的封疆大吏，骄傲已经成为习惯，所以才会如此，岂会有别的意思！我们应该按照礼法的要求责备他。"慕容宝虽然听从了二人的意见，但还是下诏解除了慕容会的兵权，将慕容会属下的军队移交给慕容隆，慕容隆坚决推辞。慕容宝于是把慕容会手下的军队拨出一部分分给慕容农与慕容隆统领。慕容宝又派西河公库傉官骥率领三千名士兵南下，帮助慕容详守卫中山。

三月十八日丙辰，后燕主慕容宝把蓟城府库中的所有财宝全部装上车子，向北运往龙城。北魏将领石河头率军追赶慕容宝等，二十日戊午，在夏谦泽追上了慕容宝等。慕容宝不愿意与石河头交战，清河王慕容会说："我训练军队，要求他们将消灭敌人作为唯一目标。如今皇帝流离失所，人人都希望为陛下拼死杀敌，而贼虏竟敢自己送上门来，众人之心早已愤怒到极点。《兵法》上说：'不要拦击返回本国的军队。'还说：'把军队安放到无路可逃的危险境地，只有拼死作战才能生存。'如今这两个条件我们全都具备，何必担心不能取胜？如果我们避开眼前的敌人不打而自己离去，敌人肯定会来进攻我们，到那时可能会引发其他变故。"慕容宝遂同意了慕容会的意见。慕容会调集军队、摆开阵势，与石河头所率领的北魏军交战，慕容农、慕容隆等也率领自己从南方带来的骑兵向魏军冲杀过去，魏军大败，后燕军追杀败军，

隆又独追数十里而还，谓故吏留台治书阳璆[152]曰："中山城中积兵数万，不得展吾意，今日之捷，令人遗恨[153]。"因慷慨流涕。

会既败魏兵，矜很[154]滋甚，隆屡训责之，会益忿恚[155]。会以农、隆皆尝镇龙城[156]，属尊位重[157]，名望素出己右，恐至龙城，权政不复在己，又知终无为嗣[158]之望，乃谋作乱。

幽、平[159][6]之兵皆怀会恩，不乐属二王[160]，请于宝曰："清河王勇略高世，臣等与之誓同生死。愿陛下与皇太子、诸王留蓟宫，臣等从王南解京师之围，还迎大驾。"宝左右皆恶会，言于宝曰："清河王不得为太子，神色甚不平；且其才武过人，善收人心。陛下若从众请，臣恐解围之后，必有卫辄之事[161]。"宝乃谓众[162]曰："道通[163]年少，才不及二王，岂可当专征[164]之任？且朕方自统六师，杖会以为羽翼，何可离左右也？"众不悦而退。

左右劝宝杀会。侍御史[165]仇尼归[166]闻之，告会曰："大王所恃者父，父已异图；所杖者兵，兵已去手。欲于何所自容乎？不如诛二王，废太子，大王自处东宫[167]，兼将相之任，以匡复[168]社稷，此上策也。"会犹豫，未许。

宝谓农、隆曰："观道通志趣，必反无疑，宜早除之。"农、隆曰："今寇敌内侮[169]，中土纷纭[170]，社稷之危，有如累卵。会镇抚旧都[171]，远赴国难，其威名之重，足以震动四邻。逆状未彰而遽杀之，岂徒伤父子之恩，亦恐大损威望[172]。"宝曰："会逆志已成，卿等慈恕，不忍早杀，恐一旦为变，必先害诸父[173]，然后及吾，至时勿悔自负[174]也！"会闻之，益惧。

夏，四月癸酉[175]，宝宿广都[176]黄榆谷。会遣其党仇尼归、吴提染

追出去一百多里，斩杀了数千人。慕容隆又率领自己属下的骑兵单独追杀了几十里才返回，慕容隆对自己的旧部、担任留台治书的阳璆说："中山城中有数万军队，却没能施展我杀敌报国之志，今天虽然打了胜仗，仍然让人心存遗恨。"说到此处，不禁感慨万千，止不住痛哭流涕。

后燕清河王慕容会打败魏军之后，更加居功自傲，不服指挥，慕容隆越是屡次教训他、责备他，慕容会就越加怨恨。因为慕容农、慕容隆都曾经镇守过龙城，辈分又高，权位又重，名望素来高过自己，慕容会担心到了龙城之后，大权将不在自己掌握之中，又知道自己已经没有了成为合法继承人的希望，于是便阴谋发动政变。

幽州、平州的士兵都感激清河王慕容会的恩德，不愿意归属高阳王慕容隆和辽西王慕容农，于是向后燕主慕容宝请求说："清河王慕容会的勇敢和谋略高过当世之人，我们与清河王盟誓要同生共死。希望陛下与皇太子、诸位王爷留在蓟城的皇宫中，我们跟随清河王南下，去解京师中山之围，胜利之后就来迎接皇帝的车驾。"后燕主慕容宝身边的人都很讨厌慕容会，因此对慕容宝说："清河王慕容会因为没有当成皇太子，脸上总是流露出愤愤不平的神色；而且他的才能、勇力超过别人，又善于收买民心。陛下如果答应了众人的请求，我担心，京师解围之后，必然会有卫辄拒绝自己的父亲返国那样的事情发生。"慕容宝于是对前来请求的众人说："慕容会年纪还小，才能也赶不上高阳王慕容隆和辽西王慕容农，怎么可以担任得了专征的重任？再说，我刚刚亲自统帅六军，还要依靠慕容会作为帮手，怎么能让他离开身边？"众人很不高兴地退了下去。

后燕主身边的人都劝说慕容宝杀掉慕容会。担任侍御史的仇尼归听到这个消息，就告诉慕容会说："大王所仰仗的是自己的父亲，而父亲已经准备把你除掉；你所仰仗的是军队，而军权又被剥夺。你准备到哪里去寻找安身之地呢？不如杀掉高阳王慕容隆和辽西王慕容农，废掉太子慕容策，大王自己进入东宫当皇太子，亲自兼任大将、宰相，以恢复社稷、振兴国家，这才是上策。"慕容会犹豫不决，没有答应。

后燕主慕容宝对辽西王慕容农和高阳王慕容隆说："我观察慕容会的志向，必定会谋反，这是毫无疑问的，应该早点除掉他。"慕容农与慕容隆都说："如今敌寇入侵，中原动荡不安，国家局势危如累卵。慕容会镇抚故都龙城，从遥远的地方奔赴国难，其声威名望之高，完全可以震慑四邻。叛逆的情形还没有彰显出来，就突然将他除掉，不只是伤害了父子之间的感情，恐怕也会有损陛下的威望。"慕容宝说："慕容会叛逆的决心已经形成，你们还对他怀着仁慈宽恕之心，不忍心先动手，恐怕一旦发生政变，他首先害死的必定是他的几位叔父，然后再害我，到那时你们可不要为自己过于自信而后悔！"慕容会得知消息，更加恐惧。

夏季，四月初六日癸酉，后燕主慕容宝住宿在广都的黄榆谷。清河王慕容会派遣自己的党羽、担任侍御史的仇尼归与吴提染干率领二十多名勇士分头袭击辽西王

干[177]帅壮士二十余人分道袭农、隆，杀隆于帐下。农被重创，执[178]仇尼归，逃入山中。会以仇尼归被执，事终显发，乃夜诣宝曰："农、隆谋逆，臣已除之。"宝欲讨会，阳[179]为好言以安之曰："吾固疑二王久矣，除之甚善。"

甲戌[180]，旦，会立仗[181]严备，乃引道[182]。会欲弃隆丧[183]，余崇涕泣固请，乃听载随军。农出，自归。宝呵[184]之曰："何以自负邪[185]？"命执之。行十余里，宝顾召群臣食，且议农罪。会就坐，宝目卫军将军[186]慕舆腾使斩会，伤其首，不能杀。会走赴其军，勒兵攻宝。宝帅数百骑驰二百里，晡时[187]，至龙城。会遣骑追至石城[188]，不及。

乙亥[189]，会遣仇尼归攻龙城，宝夜遣兵袭击，破之。会遣使请诛左右佞臣[190]，并求为太子，宝不许。会尽收乘舆器服[191]，以后宫[192]分给将帅，署置百官，自称皇太子、录尚书事[193]，引兵向龙城，以讨慕舆腾为名。丙子[194]，顿兵城下。宝临西门，会乘马遥与宝语，宝责让之。会命军士向宝大噪以耀威。城中将士皆愤怒，向暮出战，大破之，会兵死伤太半，走还营。侍御郎高云[195]夜帅敢死士百余人袭会军，会众皆溃。会将十余骑奔中山，开封公详杀之。宝杀会母及其三子。

丁丑[196]，宝大赦，凡与会同谋者，皆除罪，复旧职。论功行赏，拜将军、封侯者数百人。辽西王农骨破见脑，宝手自裹创，仅而获济[197]。以农为左仆射，寻[198]拜司空、领[199]尚书令。余崇出自归[200]，宝嘉其忠，拜中坚将军，使典宿卫。赠高阳王隆司徒，谥曰康。

慕容农和高阳王慕容隆，将慕容隆杀死在寝帐之中。慕容农身受重伤，仍然活捉了仇尼归，逃入山中。因为仇尼归已经被活捉，阴谋终究会暴露出来，于是，慕容会便在深夜前往燕主慕容宝的住处，对慕容宝说："慕容农、慕容隆阴谋叛逆，我已经将他们除掉。"慕容宝准备讨伐慕容会，于是假装用好言安慰他说："我本来早就怀疑他们二人了，你现在将他们除掉，很好。"

四月初七日甲戌早上，后燕清河王慕容会遍立刀枪，在严密的戒备之下，在前面引路，继续北上。慕容会想把慕容隆的灵柩抛弃，建威将军余崇流着眼泪坚决请求，这才允许用车拉着慕容隆的灵柩跟随在军队的后面行进。辽西王慕容农从山中出来，返回大营，后燕主慕容宝呵斥慕容农说："你为什么那么相信自己呢？"下令将慕容农抓起来。又继续前进了十多里的路程，慕容宝回头召集群臣一同进餐，并且商议对慕容农的罪行如何处置。慕容会也一同入座，慕容宝用眼睛示意担任卫军将军的慕舆腾，让他杀死慕容会，慕舆腾会意，拔出刀来，却只砍伤了慕容会的脑袋，而没有将慕容会杀死。慕容会逃回自己的军中，率军攻击自己的父亲慕容宝。慕容宝率领数百名骑兵奔驰了二百里，下午四五点钟的时候，抵达龙城。慕容会派遣骑兵随后追赶，一直追到石城，也没有追上。

四月初八日乙亥，后燕清河王慕容会派遣仇尼归率众攻打龙城，后燕主慕容宝在夜间派兵袭击仇尼归，将仇尼归打败。慕容会又派使者请求后燕主慕容宝诛杀身边那些用花言巧语讨好的"佞臣"，并请求立自己为皇太子，慕容宝没有答应。慕容会就收了后燕主慕容宝所专用车驾和宫廷庙堂里的各种器皿与服饰，将后宫的嫔妃、宫女全部赏赐给属下的将帅，并设置文武百官，自称皇太子、录尚书事，率军队继续向龙城进发，以讨伐慕舆腾为借口。初九日丙子，慕容会将自己的军队驻扎在龙城之下。后燕主慕容宝亲自来到龙城西门，慕容会骑在马上，站在很远的地方与慕容宝对话，慕容宝责备慕容会。慕容会便令军士向着慕容宝大声喊叫，耀武扬威。龙城中的将士都非常愤怒，到了傍晚时分，便出城与慕容会交战，将慕容会打得大败，慕容会的军士死伤了一大半，慕容会逃回自己的军营。担任侍御郎的高云当天夜间又率领一百多名敢死队袭击慕容会的军营，慕容会的部众全部溃散。慕容会率领着十多名骑兵投奔中山，守卫中山的开封公慕容详将慕容会杀死。后燕主慕容宝杀死了慕容会的母亲和慕容会的三个儿子。

四月初十日丁丑，后燕主慕容宝在龙城实行大赦，凡是与慕容会同谋的人，全都免罪不究，并令他们官复原职。同时论功行赏，被封为将军、侯爵的有好几百人。辽西王慕容农头骨被砍裂，露出了脑浆，后燕主慕容宝亲手为他包扎伤口，好不容易才活了下来。慕容宝任命慕容农为左仆射，不久又任命慕容农为司空、兼任尚书令。建威将军余崇自动回到龙城归附后燕主慕容宝，慕容宝为了嘉勉余崇护持高阳王慕容隆灵柩时所表现出的忠心，便封余崇为中坚将军，让他主管宫廷警卫。追赠高阳王慕容隆为司徒，谥号为康。

宝以高云为建威将军，封夕阳公，养以为子。云，高句丽[201]之支属也，燕王皝破高句丽[202]，徙于青山[203]，由是世为燕臣。云沈厚寡言，时人莫知，惟中卫将军长乐冯跋[204]奇其志度，与之为友。跋父和，事西燕主永，为将军。永败，徙和龙[205][7]。

仆射王国宝、建威将军王绪依附会稽王道子，纳贿穷奢，不知纪极[206]。恶王恭、殷仲堪，劝道子裁损其兵权，中外恟恟不安。恭等各缮甲勒兵[207]，表请北伐[208]。道子疑之，诏以盛夏妨农，悉使解严[209]。

恭遣使与仲堪谋讨国宝等。桓玄以仕不得志，欲假[210]仲堪兵势以作乱，乃说仲堪曰："国宝与君诸人[211]素已为对，唯患相毙[212]之不速耳。今既执大权，与王绪相表里，其所回易[213]，无不如志。孝伯[214]居元舅[215]之地，必未敢害之；君为先帝所拔，超居方任[216]，人情皆以君为虽有思致，非方伯才[217]。彼若发诏征[218]君为中书令[219]，用殷觊[220]为荆州[221]，君何以处之？"仲堪曰："忧之久矣，计将安出？"玄曰："孝伯疾恶深至[222]，君宜潜与之约，兴晋阳之甲以除君侧之恶[223]，东西齐举[224]。玄虽不肖，愿帅荆、楚豪杰，荷戈先驱。此桓、文之勋[225]也。"

仲堪心然之，乃外结雍州刺史郗恢[226]，内与从兄南蛮校尉觊、南郡相[227]陈留江绩[228]谋之。觊曰："人臣当各守职分，朝廷是非，岂藩屏[229]之所制也？晋阳之事，不敢预闻[230]。"仲堪固邀之，觊怒曰："吾进不敢同，退不敢异[231]。"绩亦极言其不可。觊恐绩及祸[232]，于坐和解之。绩曰："大丈夫何至以死相胁邪？江仲元行年六十，但未获死所耳！"仲堪惮其坚正，以杨佺期代之[233]。朝廷闻之，征绩为御史中丞。觊遂称散发[234]，辞位。仲堪往省[235]之，谓觊曰："兄病殊为可忧。"觊曰：

后燕主慕容宝任命担任侍御郎的高云为建威将军，封为夕阳公，并将他收为义子。高云是高句丽王室的一个支属，前燕王慕容皝灭掉高句丽时，把高句丽的王室成员全部迁徙到青山，从那以后，世代都是燕国的臣民。高云为人深沉、厚道、沉默寡言，当时的人都不怎么看重他，只有担任中卫将军的长乐人冯跋对高云的志向和气度深感惊奇，所以与他成为朋友。冯跋的父亲冯和，在西燕主慕容永执政期间担任将军。慕容永败亡，被迁徙到和龙城。

东晋担任仆射的王国宝、担任建威将军的王绪依附于会稽王司马道子，他们大肆收受贿赂，生活穷奢极欲，没有止境，不知道满足。他们厌恶王恭和殷仲堪，于是就劝说会稽王司马道子裁减他们的兵权，于是朝廷内外人心惶恐不安。王恭等也各自修缮铠甲、集结军队，上表给晋安帝司马德宗，请求出兵北伐。司马道子对王恭等的动机深感怀疑，于是下诏，以盛夏出兵妨碍农业生产为由，让他们解除军事动员。

王恭派遣使者与荆州刺史殷仲堪密谋策划讨伐王国宝等。南郡公桓玄因为仕途不如意，就想借助殷仲堪的势力谋乱，于是对殷仲堪说："王国宝早就把你们几位看作死对头，恨不能早点把你们除掉。如今王国宝手中掌握了大权，他与自己的堂弟、担任琅邪太守的王绪内外勾结、狼狈为奸，他想要让皇帝改变对你们的看法，肯定能够达到目的。王恭是皇帝的大舅，王国宝他们肯定不敢害他；而你却是先帝所选拔，刚一走上仕途就被任用为独当一面的封疆大吏，人们都认为你虽然很有头脑，但并不是担任封疆大吏的材料。王国宝他们如果发一道诏书，征调你回朝廷担任中书令，然后任用殷觊接替你为荆州刺史，你准备怎么办呢？"殷仲堪说："我为此事已经发愁好长时间了，你说我该怎么办？"桓玄说："王恭对王国宝痛恨至极，你应该秘密与他订立盟约，从外部起兵，讨伐皇帝身边的奸恶小人，你们东西夹击。我桓玄虽然没有什么才能，但我愿意率领荆、楚的英雄豪杰，扛着戈矛，充当前部先锋。这可是齐桓公、晋文公一样的功勋。"

殷仲堪认为桓玄说的一番话很有道理，于是，在外结交驻守襄阳的雍州刺史郗恢，在内与担任南蛮校尉的堂兄殷觊、担任南郡相的陈留人江绩暗中谋划此事。殷觊说："作为臣属，只要把自己职责范围内的事情做好就可以了，至于朝廷中的是是非非，岂是我们这些镇抚地方的官员所能管得了的？关于晋阳出兵之事，我不敢参与、过问。"殷仲堪坚决邀请他，殷觊大怒说："我既不敢跟着你们去干，也不敢反对你们去干。"江绩也极力表示反对。殷觊担心殷仲堪会在一怒之下杀死江绩，就在座位上用和缓的语气从中进行调解。江绩说："男子汉大丈夫，岂是用死亡相威胁就能屈从的？我江绩即将年满六十岁，只是没有得到一个死的地方！"殷仲堪对江绩的坚定正直深感不安，便任用杨佺期接替了江绩南郡相的职务。朝廷得到消息，遂征调江绩回京师担任御史中丞。担任南蛮校尉的殷觊也声称自己药性散发而生病，因此辞职。荆州刺史殷仲堪前去探望，他对殷觊说："兄长的这种病实在让人感到担忧。"殷觊说：

"我病不过身死㉓⑥，汝病乃当灭门。宜深自爱，勿以我为念！"郗恢亦不肯从。仲堪疑未决，会王恭使至，仲堪许之，恭大喜。甲戌㉓⑦，恭上表罪状国宝，举兵讨之。

初，孝武帝委[8]任王珣，及帝暴崩，不及受顾命㉓⑧。珣一旦失势㉓⑨，循默㉔⓪而已。丁丑㉔①，王恭表至，内外戒严。道子问珣曰："二藩作逆，卿知之乎？"珣曰："朝政得失，珣弗之预㉔②，王、殷作难，何由可知？"王国宝惶惧，不知所为，遣数百人戍竹里㉔③，夜遇风雨，各散归。王绪说国宝矫相王之命㉔④召王珣、车胤㉔⑤杀之，以除时望，因挟君相㉔⑥发兵以讨二藩。国宝许之。珣、胤至，国宝不敢害，更问计于珣。珣曰："王、殷与卿素无深怨，所竞不过势利之间耳。"国宝曰："将曹爽我乎㉔⑦？"珣曰："是何言欤！卿宁有爽之罪㉔⑧，王孝伯岂宣帝之俦㉔⑨邪？"又问计于胤，胤曰："昔桓公围寿阳，弥时乃克㉕⓪。今朝廷遣军㉕①，恭必城守。若京口未拔而上流奄至㉕②，君将何以待之？"国宝尤惧，遂上疏解职，诣阙㉕③待罪。既而悔之，诈称诏复其本官。道子暗懦，欲求姑息㉕④，乃委罪国宝，遣骠骑谘议参军谯王尚之㉕⑤收国宝付廷尉㉕⑥。尚之，恬之子也。甲申㉕⑦，赐国宝死，斩绪于市，遣使诣恭，深谢愆失㉕⑧。恭乃罢兵还京口。国宝兄侍中恺、骠骑司马愉㉕⑨并请解职。道子以恺、愉与国宝异母，又素不协㉖⓪，皆释不问。戊子㉖①，大赦。

殷仲堪虽许王恭，犹豫不敢下，闻国宝等死，乃始抗表㉖②举兵，

“我的这种病大不了是我一个人死，而你的病可能招致灭门之祸。你要好好爱惜自己，不要惦记我！”担任雍州刺史的郗恢也不肯听从殷仲堪。殷仲堪犹豫不决，恰好此时王恭派来联络殷仲堪共同讨伐王国宝的使者到来，殷仲堪遂满口答应下来，王恭非常高兴。四月初七日甲戌，王恭上表给东晋安帝司马德宗，一条条列举了王国宝的罪状，然后出兵直指京师建康，讨伐王国宝。

当初，东晋孝武帝司马曜委任王珣担任左仆射，司马曜却突然驾崩，王珣因此没有当上顾命大臣。王珣一天之内就失去了权势，于是除去每天按照常规办理自己该办的事情以外，对其他事情一概不闻不问。四月初十日丁丑，王恭讨伐王国宝罪状的表章送到朝廷，京师内外立即实行戒严。会稽王司马道子向担任左仆射的王珣询问说：“王恭、殷仲堪二人起兵作乱的事情，你知道不知道？”王珣回答说：“朝廷政令的得失，我没有参与，王恭、殷仲堪二人起兵作乱，我从何得知？”王国宝惊惶失措，不知如何是好，他派遣数百人前去戍守竹里，夜间遭遇暴风雨的袭击，前往竹里的数百人被风雨打散，遂各自返回。王国宝的堂弟、担任琅邪太守的王绪劝说王国宝假传国相、会稽王司马道子的命令，召见左仆射王珣和护军将军车胤，将他们二人杀掉，以除掉时人对他们的期望，然后挟持皇帝司马德宗和国相司马道子，动员全国的兵力讨伐王恭与殷仲堪。王国宝同意了王绪的意见。王珣与车胤奉假诏到来之后，王国宝又不敢把二人杀掉，反倒向王珣请教如何应付王恭、殷仲堪的兵变。王珣回答说：“王恭与殷仲堪向来与你并无深仇大恨，他们所以起兵闹事，只不过是为自己争取一点权力罢了。”王国宝说：“你们是不是把我当成曹爽那样的人在耍弄我？”王珣驳斥他说：“你说的这叫什么话！你难道有曹爽那样的罪过，王恭哪里是晋宣帝司马懿一流的人物？”王国宝又向车胤求教，车胤说：“从前，桓温率军包围寿阳，用了很长的时间才将寿阳攻克。现在朝廷如果派军队前去讨伐，王恭必定会坚守京口。如果朝廷军还没有攻克京口，而位居长江上游的荆州刺史殷仲堪又突然从江陵顺流而下，杀向京师，你将如何抵挡呢？”王国宝更加恐惧，遂上疏给晋安帝司马德宗，请求辞去所有职务，前往皇宫门口听候处分。过后王国宝又感到后悔，遂诈称皇帝下诏恢复了他的官职。会稽王司马道子一向愚昧懦弱，只想把事情尽快平息下去，便把罪责全部推卸到王国宝身上，他派担任骠骑谘议参军的谯王司马尚之逮捕了王国宝，把王国宝交付给廷尉审理。司马尚之是司马恬的儿子。十七日甲申，司马道子赐王国宝自杀，把王国宝的堂弟、琅邪太守王绪绑缚闹市斩首，同时派使者到京口去见王恭，对自己执政所造成的过失，向王恭深表歉意。王恭于是罢兵，返回自己的镇所京口。王国宝的哥哥、担任侍中的王恺和担任骠骑司马的王愉全都上疏请求辞职。司马道子认为王恺、王愉与王国宝不是一母所生，又一向政见不同，所以对他们全都不予追究。二十一日戊子，东晋实行大赦。

殷仲堪虽然答应了王恭一同起兵讨伐王国宝，却还在犹豫不决，不敢出兵东下，

遣杨佺期屯巴陵[263]。道子以书止之，仲堪乃还。

会稽世子元显[264]，年十六，有俊才[265]，为侍中，说道子以王、殷终必为患，请潜为之备。道子乃拜元显征虏将军，以其卫府[266]及徐州文武[267]悉配之。

魏王珪以军食不给，命东平公仪去邺，徙屯钜鹿[268]，积租杨城[269]。慕容详出步[9]卒六千人，伺间袭魏诸屯。珪击破之，斩首五千，生擒七百人，皆纵之[270]。

初，张掖卢水胡沮渠罗仇[271]，匈奴沮渠王[272]之后也，世为部帅。凉王光以罗仇为尚书，从光伐西秦。及吕延败死，罗仇弟三河太守麹粥[273]谓罗仇曰："主上荒耄[274]信谗，今军败将死，正其猜忌智勇之时也。吾兄弟必不见容，与其死而[10]无名，不若勒兵向西平[275]，出苕藋[276]，奋臂一呼，凉州[277]不足定[278]也。"罗仇曰："诚如汝言。然吾家世以忠孝著于西土，宁使人负我[279]，我不忍负人也。"光果听谗，以败军之罪杀罗仇及麹粥。罗仇弟子蒙逊[280]，雄杰有策略，涉猎书史，以罗仇、麹粥之丧归葬。诸部多其族姻[281]，会葬者凡万余人。蒙逊哭谓众曰："吕王昏荒无道，多杀不辜。吾之上世[282]，虎视河西[283]，今欲与诸部雪二父之耻，复上世之业，何如？"众咸称万岁。遂结盟起兵，攻凉临松郡[284]，拔之，屯据金山[285]。

司徒左长史王廞[286]，导之孙也，以母丧居吴[287]。王恭之讨王国宝也，版廞[288]行吴国内史[289]，使起兵于东方。廞使前吴国内史虞啸父等入吴兴、义兴[290]召募兵众，赴者万计。未几，国宝死，恭罢兵，符廞去职[291]，反丧服[292]。

当听到王国宝等人已被处死的消息，才公开给朝廷上疏，声讨王国宝等人的罪行，举兵起事，他派遣担任南郡相的杨佺期率兵屯扎巴陵。会稽王司马道子给殷仲堪写信进行劝阻，殷仲堪遂撤回江陵。

会稽王司马道子的世子司马元显，年方十六岁，却很有才干，担任侍中，他认为王恭与殷仲堪终究必定要制造灾祸，所以劝说自己的父亲司马道子暗中做好应对的准备。司马道子于是任命司马元显为征虏将军，并把自己手中掌管的卫率府的禁卫军和徐州刺史府里的文武官员全部拨给司马元显。

北魏王拓跋珪率军攻打后燕的都城中山，因为军粮供应不上，遂令东平公拓跋仪离开邺城，转移到钜鹿驻扎，并在杨城积蓄粮草。后燕开封公慕容详从中山派出六千名步兵，寻找机会袭击北魏军的各屯驻点。拓跋珪击败了他们，斩杀了五千人，俘虏了七百人，并把这七百名俘虏全部放回。

当初，居住在张掖郡的卢水匈奴部落首领沮渠罗仇，是匈奴沮渠王的后代，世代都是卢水匈奴部落首领。后凉天王吕光任命沮渠罗仇为尚书，沮渠罗仇跟随后凉王吕光讨伐西秦王乞伏乾归。等到吕光的弟弟、天水公吕延战败被杀，沮渠罗仇的弟弟、担任三河太守的沮渠麹粥就对自己的哥哥沮渠罗仇说：“天王吕光荒淫老迈，听信谗言，如今兵败，大将战死，正是他猜忌智勇之士的时候。他肯定容不下我们兄弟二人，与其默默无闻地死掉，还不如率军去攻取西平郡，经过苕藋，振臂一呼，夺取凉州将不是很困难的事情。”沮渠罗仇说：“形势确实像你所分析的那样。然而，我们沮渠家世世代代都以忠孝闻名于西方，宁可让人对不起我们，我们却不能做出对不起别人的事情。”吕光果然听信谗言，把败军之罪强加在沮渠兄弟头上，将沮渠罗仇、沮渠麹粥杀死。沮渠罗仇的侄子沮渠蒙逊是一个英雄豪杰之士，有智慧有谋略，阅读过许多的典籍和史书，他护送自己的伯父沮渠罗仇和沮渠麹粥的灵柩返回故乡安葬。由于很多部落都是沮渠的同族或有姻亲关系，所以前来参加葬礼的有一万多人。沮渠蒙逊向众人哭诉说：“天王吕光昏庸无道，杀死了很多清白无辜的人。我的祖先曾经威震河西地区，现在我要与各部落联合在一起，为我的两个伯父报仇雪恨，恢复祖先的伟大事业，你们认为怎么样?”众人全都高呼万岁。沮渠蒙逊于是与各部落结成同盟，聚众起兵，攻取凉州的临松郡，将临松郡攻克，而后继续进军，屯扎、据守金山郡。

东晋担任司徒左长史的王廞，是王导的孙子，因为自己的母亲去世，遂在吴郡家中为母亲守孝服丧。当王恭出兵讨伐王国宝的时候，下发文件任命王廞为代理吴国内史，让他在东方聚众起兵。王廞于是派前吴国内史虞啸父等人前往吴兴、义兴招募兵众，应募前来的人数以万计。不久，王国宝被杀，王恭也罢兵返回京口，他下令免去王廞代理吴国内史的职务，王廞返回吴郡家中继续为自己的母亲守孝服丧。

廞以起兵之际，诛异己者颇多，势不得止，遂大怒，不承恭命。使其子泰将兵伐恭，笺[293]于会稽王道子，称恭罪恶。道子以其笺送恭。五月，恭遣司马刘牢之[294]帅五千人击泰，斩之。又与廞战于曲阿[295]，众溃，廞单骑走，不知所在。收虞啸父[296]下廷尉，以其祖潭有功，免为庶人。

燕库傉官骥[297]入中山，与开封公详相攻。详杀骥，尽灭库傉官氏。又杀中山尹苻谟，夷其族。中山城无定主，民恐魏兵乘[298]之，男女结盟，人自为战。

甲辰[299]，魏王珪罢中山之围，就谷河间[300]，督诸郡义租[301]。甲寅[302]，以东平公仪为骠骑大将军、都督中外诸军事、兖豫雍荆徐扬六州牧、左丞相，封卫王。

慕容详自谓能却魏兵，威德已振，乃即皇帝位，改元建始[303]，置百官。以新平公可足浑潭[304]为车骑大将军、尚书令，杀拓跋觚[305]以固众心。

邺中官属劝范阳王德称尊号，会有自龙城来者，知燕主宝犹存，乃止。

凉王光遣太原公纂将兵击沮渠蒙逊于忽谷[306][11]，破之。蒙逊逃入山中。

蒙逊从兄男成为凉将军，闻蒙逊起兵，亦合众数千屯乐涫[307]。酒泉太守垒澄[308]讨男成，兵败，澄死。

男成进攻建康[309]，遣使说建康太守段业曰："吕氏政衰，权臣擅命，刑杀无常，人无容处。一州之地，叛者相望，瓦解之形，昭然在目，百姓嗷然无所依附。府君[310]奈何以盖世之才，欲立忠于垂亡之国？男成等既唱大义，欲屈[311]府君抚临鄙州[312]，使涂炭之余[313]，蒙来苏[314]之惠，何如？"业不从。相持二旬，外救不至，郡人高逵、史惠等劝业从男成之请。业素与凉侍中房晷[315]、仆射王详不平[316]，惧不自安，乃许之。男

王廞因为在起兵之时，诛杀了很多反对过自己的人，形势迫使王廞不敢放弃兵权，所以在接到王恭的命令之后，他不禁勃然大怒，拒绝接受王恭的命令。王廞派遣自己的儿子王泰率军攻打王恭，同时写信给会稽王司马道子，控告王恭的种种罪恶。司马道子把王廞写给自己的信转送给王恭。五月，王恭派遣担任司马的刘牢之率领五千人马攻击王泰，将王泰斩首。又与王廞在曲阿决战，王廞的部众很快溃散，王廞单人独骑逃走，不知去向。朝廷将前吴国内史虞啸父逮捕，交付廷尉审问，因为虞啸父的祖父虞潭有讨伐苏峻的功劳，所以只将虞啸父罢官免职，贬为平民。

后燕库傉官骥进入中山之后，却与留在中山的开封公慕容详互相攻打。慕容详杀死了库傉官骥，把库傉官氏家族全部灭掉。慕容详还杀死了担任中山尹的苻谟，灭掉了苻谟的家族。中山城内没有一个公认的首领，百姓惧怕魏军会乘虚攻入城中，于是便不分男女，互相结盟，人人各自为战。

五月初七日甲辰，北魏王拓跋珪解除了对中山的包围，前往河间就地寻取粮食作为军粮，以解决军粮的不足，他督促各郡除去该征收的租税之外，强迫百姓义务捐献粮食。十七日甲寅，北魏王拓跋珪任命东平公拓跋仪为骠骑大将军、都督中外诸军事、兖豫雍荆徐扬六州牧、左丞相，封为卫王。

留在中山城中的后燕开封公慕容详认为自己有能力击败北魏军，威望和恩德已经建立起来，于是便登基做起皇帝来，改年号为建始，设置文武百官。慕容详任命新平公可足浑潭为车骑大将军、尚书令，同时杀死了拓跋觚，想借此稳定民心。

镇守邺城的官员全都劝说范阳王慕容德即皇帝位，正赶上有人从龙城来到邺城，得知后燕主慕容宝还活着，才不再提拥戴慕容德即位称帝之事。

后凉天王吕光派遣太原公吕纂率军攻打沮渠蒙逊所在的忽谷，吕纂将沮渠蒙逊击败。沮渠蒙逊逃入山中。

沮渠蒙逊的堂兄沮渠男成是后凉的将军，他听到沮渠蒙逊起兵的消息，也聚集了数千人屯驻在乐涫。后凉担任酒泉太守的垒澄率军讨伐沮渠男成，垒澄兵败被杀。

沮渠男成率领部众进攻建康，同时派使者对担任建康太守的段业说：“吕氏政权已经衰微，权臣专擅王命，刑罚混乱，胡乱杀人，人们已经找不到自己的容身之所。仅仅一个凉州，叛乱的人就到处都是，凉州政权土崩瓦解之势就在眼前，百姓嗷嗷待哺，却找不到可以依靠的人。阁下乃是盖世奇才，为什么非要效忠于一个即将灭亡的国家？沮渠男成等人已经高举义旗，他想阁下屈尊出任凉州刺史，使劫后余生的百姓能够得到拯救，重获新生，阁下以为如何？”段业没有听从。段业与沮渠男成相持了二十天，外面没有援军来救，建康郡人高逵、史惠等都劝说段业接受沮渠男成的邀请。段业一向与后凉担任侍中的房晷、担任仆射的王详不和，心中常常感到恐惧不安，于是便答应了沮渠男成的邀请。沮渠男成等人推举段业为大都督、龙

成等推业为大都督、龙骧大将军、凉州牧、建康公，改元神玺[317]。以男成为辅国将军，委以军国之任。蒙逊帅众归业，业以蒙逊为镇西将军。光命太原公纂将兵讨业，不克。

【段旨】

以上为第二段，写安帝隆安元年（公元三九七年）三至五月共三个月间的大事。主要写了燕主慕容宝守中山，慕容隆多次请求出战，慕容宝皆不许而坐失机宜；慕容麟欲弑慕容宝未果，而逃出中山城外；慕容宝率众北迁与其子慕容会相遇于蓟城，慕容宝夺其兵分与慕容隆与慕容农，继续率众北退至龙城，魏军追击之，为慕容隆所破；慕容会谋作乱，袭杀慕容隆，伤慕容农，围攻慕容宝，被慕容宝部将高云等打败，慕容会逃到中山，为中山守将慕容详所杀；慕容详自己登基即位。写了驻兵京口的东晋军阀王恭抗表请诛王国宝，举兵向建康，野心家桓玄怂恿荆州军阀殷仲堪与之相应合；司马道子为求息事，杀了王国宝、王绪，两路军阀之兵暂撤；司马道子任其子司马元显统卫府兵众，以防王恭、殷仲堪。写了凉州的吕光政权日益衰朽，张掖地区的卢水胡沮渠蒙逊为报吕光杀其二伯之仇，聚众攻克临松郡，屯聚金山；蒙逊之堂兄沮渠男成拥立凉州之建康郡守段业为首领，蒙逊率众来归，段业自称凉王等。

【注释】

⑥⑦武乡：县名，县治在今山西榆社北。⑥⑧赴难：赶去都城中山解救危急。⑥⑨初无去意：根本没有离开龙城，前往中山的意思。初，根本。⑦⓪卢龙：古要塞名，在今河北喜峰口一带。⑦①无食二句：视前后文，此两句的主语应是慕容宝。啖，吃。⑦②会不发：慕容会在龙城仍不出发。⑦③累诏切责：连续地发诏书进行严厉批评，催他早日援救中山。⑦④治行简练：治行，指收拾行装，做出发的准备工作。简练，犹如今之所谓“整编”，选拔队伍。⑦⑤轻军：轻装的小股骑兵。⑦⑥京都：指后燕的首都中山，今河北定州。⑦⑦致命：效死，豁出性命。⑦⑧荷国宠任：蒙受国家的恩宠与信任。荷，接受、受到。⑦⑨简给：给他挑选了。⑧⓪渔阳：郡名，郡治在今北京密云西南。⑧①斩首获生：杀死一些敌人，捉来一些俘虏。⑧②具言：一一地说了。⑧③敌中阔狭：敌人控制区域中的兵力部署情况。⑧④蓟城：今北京。⑧⑤涉珪：即拓跋珪，涉珪是其字。⑧⑥经年：进入了第二个年头。魏军从去年十一月包围中山。⑧⑦沮屈：削弱，败坏。⑧⑧诸部：在其控制下的各少数民族部落。⑧⑨每沮其议：总是唱反调，反对慕容隆的建议。⑨⓪成列

骧大将军、凉州牧、建康公，改年号为神玺。段业任命沮渠男成为辅国将军，将军国大事全都委托给沮渠男成处理。逃入山中的沮渠蒙逊率领自己的部众归附了段业，段业任命沮渠蒙逊为镇西将军。后凉天王吕光令太原公吕纂率军讨伐北凉段业，没有成功。

而罢：已经列好队就要出击了，后来被命令取消。㉑ 还其弟觚：拓跋珪的弟弟拓跋觚，于孝武帝太元十六年（公元三九一年）出使后燕，被慕容垂扣留，至今未归。㉒ 常山以西：今山西全境。常山即恒山，在今河北曲阳西北。㉓ 己酉：三月十一。㉔ 卢奴：旧县名，县治即当时的中山，今河北定州，慕容宝的都城。㉕ 辛亥：三月十三。㉖ 乐战：痛痛快快地打一仗。㉗ 历时：经过了许多时日。㉘ 勒兵：集合列队。㉙ 吉还：胜利而回。⑩ 北见吾母：慕容隆原来镇守龙城（今辽宁朝阳），其母随往。后慕容隆被调来中山，家眷未随，后又被慕容会扣留。⑩ 诣门俟命：到宫门等候出击的命令。⑩ 左卫将军：掌管卫戍宫廷的部队。⑩ 西山：中山城西的山，指今太行山脉中的狼山、常山等。⑩ 丁零余众：丁零族翟氏的余党。⑩ 去中山：离开中山。⑩ 先帝：指慕容垂。⑩ 栉风沐雨：风为梳头，雨为洗脸，以比喻长年在外奔走奋战。⑩ 未期年：不到一周年。⑩ 孤负：同“辜负”。⑩ 龙川：龙城（今辽宁朝阳）一带地区。⑪ 以中国之意：按照在中山这里养成的思想及生活习惯。⑫ 取足其中：在那里（指龙城）求得生活满足。⑬ 赵、魏之间：赵指今河北南部地区，魏指今山西中部、南部地区。这时已大部被拓跋珪所占领。⑭ 庶几返旆：或许可以杀回来。返旆，回旗。⑮ 优游养锐：清闲自得地积蓄力量。养锐，养精蓄锐。胡三省曰：“使宝始终一从隆之说，犹可以免兰汗之祸。”⑯ 太妃：指慕容隆之生母。⑰ 蒙尘：在外奔走，身上落满尘土。旧指帝王的遭难。⑱ 北首而死：头向北而死。古有“狐死首丘”之语，此用其意。⑲ 卫军：指卫大将军慕容麟。⑳ 抚宁畿甸：指收复并安定中山一带地区。畿甸，以称国家的首都及其郊区。㉑ 壬子夜：三月十四的夜晚。㉒ 鞁乘：可坐可卧的皮车。㉓ 工伎：各种工匠及歌舞艺人。㉔ 奔邺：往投镇守邺城的慕容德。㉕ 巢车：吊车。㉖ 复如参合之众：仍像当年参合被俘的燕兵那样被魏人屠杀。㉗ 顾王建而唾其面：因为当年是王建劝拓跋珪屠杀燕卒，几日前又是王建劝拓跋珪不要进入中山城。㉘ 长孙肥：拓跋珪的大将，战功累累。传见《魏书》卷二十六。㉙ 李栗：拓跋珪的大将。传见《魏书》卷二十八。㉚ 范阳：郡名，郡治在今河北涿州。㉛ 新城戍：在新城县修筑的防御工事。当时的新城县治在今河北保定徐水区南。㉜ 甲寅：三月十六。㉝ 李氏：名陵容，晋孝武帝司马曜的生母，安帝司马德宗的祖母。传见《晋书》卷三十二。㉞ 戊午：三月二十。㉟ 王氏：名神爱，大书法家王献之之女。传见《晋书》卷三十二。㊱ 阬城：“阬

”字胡三省以为应作“阱”，位置不详。⑬⑦蒲阴：县名，县治在今河北顺平东南。⑬⑧望都：县名，县治在今河北唐县东北。⑬⑨甲寅：三月十六。⑭⓪怏怏有恨色：恨不得为太子。事见本书上卷太元二十一年。⑭①库傉官骥：人名，姓库傉官，名骥。⑭②丙辰：三月十八。⑭③石河头：魏国将领，当时驻兵于今北京市密云一带。⑭④戊午：三月二十。⑭⑤夏谦泽：地名，在今北京北二百余里，距密云不远。⑭⑥归师勿遏：对于撤回本国的军队，不要拦击。语见《孙子兵法·军争》。⑭⑦置之死地而后生：语见《孙子兵法·九地》。原文作：“投之亡地然后存，陷之死地然后生。”死地，指无法逃跑，只有拼死一战的地势。⑭⑧舍去：放着敌人不打而自己离去。⑭⑨乘人：进攻我们。乘，侵陵。⑮⓪整陈：调集部队，摆开阵势。陈，同“阵”。⑮①南来骑：从中山带过来的骑兵。⑮②故吏留台治书阳璆：留台是燕国在龙城设立的一套中央留守机构。其治书侍御史名叫阳璆。治书是“治书侍御史”的简称，御史大夫的属官，掌管图书秘籍。慕容隆曾镇守龙城，总管留台事，所以称阳璆是他的“故吏”。⑮③今日之捷二句：虽然今日战胜了，但想起前日未能在中山大破魏兵，心中仍是觉得遗憾。⑮④矜很：居功自傲而不听指挥。很，犹今之“拧”，说不动。⑮⑤忿恚：怨恨、恼怒。⑮⑥皆尝镇龙城：慕容农镇龙城在晋武帝太元十至十三年，慕容隆镇龙城在十四至二十年。⑮⑦属尊位重：辈分高，权力大。慕容农与慕容隆都是后燕主慕容宝的弟弟，慕容会的叔叔。⑮⑧为嗣：做接班人。慕容垂当年欣赏慕容会，几次令其子慕容宝立慕容会为嗣，但慕容宝不喜欢慕容会，而立了少子慕容策。⑮⑨幽、平：二州名，幽州的州治蓟城（今北京），平州的州治在今辽宁盖州东南。⑯⓪二王：指慕容农与慕容隆。⑯①卫辄之事：指不使其父回归。春秋时卫灵公的太子蒯聩因触怒其父而逃亡国外，灵公死后，国内遂拥立蒯聩的儿子辄，是为出公。蒯聩想回国争位，其子出公拒之，使长期不得归。事见《左传》哀公三年。⑯②众：指“幽、平之兵”。⑯③道通：慕容会的字。⑯④专征：指统率大军，独当一面。⑯⑤侍御史：御史大夫的属官，侍奉皇帝左右，与上述“治书侍御史”为同僚。⑯⑥仇尼归：人名，因其侍奉慕容宝身边，故得知机密。⑯⑦自处东宫：自己当太子，做接班人。⑯⑧匡复：扶正、恢复。⑯⑨内侮：向内欺侮我们国家。⑰⓪纷纭：混乱；动荡。⑰①旧都：指龙城。⑰②威望：这里指慕容宝的威望。⑰③诸父：各位叔父、伯父，指慕容隆、慕容农等。⑰④自负：过于相信自己。⑰⑤四月癸酉：四月初六。⑰⑥广都：县名，即今辽宁建昌。⑰⑦吴提染干：人名，姓吴提，名染干。⑰⑧执：擒获。⑰⑨阳：同“佯”，假装。⑱⓪甲戌：四月初七。⑱①立仗：遍立刀枪。⑱②引道：导引上路，指仍继续向龙城进发。⑱③弃隆丧：将慕容隆的尸体扔掉。⑱④呵：叱问。⑱⑤何以自负邪：为什么这么相信自己呢？这是慕容宝用旧话向慕容农示意，现在已经看清了慕容会的嘴脸。⑱⑥卫军将军：帝王禁卫军的统帅。⑱⑦晡时：申时，即今下午三时至五时。⑱⑧石城：县名，县治在今辽宁朝阳西南。⑱⑨乙亥：四月初八。⑲⓪佞臣：以花言巧语讨好帝王之人，这里是指慕容宝身边的近臣。⑲①乘舆器服：指帝王的车驾和宫廷庙堂里的各种器具与服饰。⑲后宫：指后宫里的嫔妃姬妾。⑳录尚书事：管理尚书省的一切事务。当时的尚书省犹如现在的国务院。㉔丙子：四月初九。㉕侍御郎高云：侍御郎是帝王的侍从人员，侍御史的下属。高云早在慕容宝为太子时，以武艺侍候慕容宝，官为侍御郎。㉖丁丑：四月初十。㉗仅而获济：好不容易才得以活了下来。㉘寻：不久。㉙领：兼任。㉚出自归：自动前来归附慕容宝，余崇原是慕容会的部下。㉛高句丽：少数民族名，即今之所谓"高丽"，建都丸都（今吉林集安）。㉜燕王皝破高句丽：事在晋成帝咸康八年（公元三四二年）。见本书卷九十七。燕王皝是慕容垂之父，字符真。传见《晋书》卷一百九。㉝青山：在今辽宁锦州郊，当时属徒河县。㉞长乐冯跋：长乐是郡名，郡治即今河北衡水市冀州区。冯跋，汉族人，字文起，其父曾为慕容永将。传见《晋书》卷一百二十五。㉟和龙：和龙城。㊱不知纪极：没有止境，没个满足。㊲缮甲勒兵：修制铠甲，集合军队。㊳北伐：指北讨后燕慕容宝与后秦姚兴等。㊴解严：解除军事动员。㊵假：借；趁着。当时殷仲堪为荆州刺史，正驻兵江陵。㊶君诸人：犹言你们诸位，指殷仲堪、王恭等。㊷相毙：杀死你；消灭你们。㊸回易：改变，这里指改变皇帝的意志。㊹孝伯：王恭的字。㊺元舅：皇帝的大舅。晋孝武帝王皇后是王恭的妹妹，所以说王恭是安帝的"元舅"。㊻超居方任：起家便受任掌管一方，指为州刺史，并都督数州军事。㊼非方伯才：不是充当一方军政大员的材料。方伯，一方诸侯的霸主。晋代的大州刺史集各方的军政大权于一人，形同古代的诸侯，故以"方伯"称之。㊽征：调。㊾中书令：中书省的最高长官，负责起草各项条令。这里的"征君为中书令"实指明升暗降，罢夺其兵权。㊿殷觊：殷仲堪的堂兄，当时为南蛮校尉，亦驻兵江陵。传见《晋书》卷八十三。㉑为荆州：即继任荆州刺史。㉒疾恶深至：痛恨至极，指痛恨王国宝、王绪诸人。深至，到顶、到家。㉓兴晋阳之甲句：指从外地起兵以讨国君身边的坏人。春秋末期，晋国的赵鞅被范氏、中行氏包围在晋阳。后来范氏、中行氏又与晋国国君发生矛盾，于是赵鞅遂于晋阳起兵，灭掉了范氏与中行氏。《春秋公羊传》称此事为"逐君侧之恶人"，见定公十三年。㉔东西齐举：当时王恭驻兵京口（今江苏镇江），在晋都建康（今江苏南京）之东；殷仲堪驻兵江陵，在建康之西。㉕桓、文之勋：齐桓公、晋文公一样的勋业。齐桓公、晋文公在春秋前期都挟天子以令诸侯。㉖郗恢：郗鉴之孙，为东晋镇守北边，颇有战功，当时正驻兵襄阳。传见《晋书》卷六十七。㉗南郡相：南郡的行政长官，其驻地亦在江陵。㉘江绩：字仲元，东晋有名的直臣。传见《晋书》卷八十三。㉙藩屏：原指诸侯国，诸侯国是中央天子的屏障藩篱。今即指大州刺史如殷仲堪等的地方势力。㉚不敢预闻：不敢参与、过问。预闻，跟着听，婉指参与、过问。㉛进不敢同二句：既不跟着你们干，也不反对你们，意将谨守中立。㉜恐绩及祸：担心江绩为殷仲堪所杀。㉝以杨佺期代之：让杨佺期取代江绩为南郡相。杨佺期先曾因破苻坚的部将于河南，封龙骧将军，又为新野太守、唐邑太守等，后因疾去职，至此又为殷仲堪引为南郡相。传见《晋书》卷八十四。㉞散发：服食五石散后药性发作。当时许多贵族为了益寿延年、形貌映丽而服食五石散。此药毒性极大，发作后往往死人。㉟往省：前去探亲。㊱身死：死自己一个人。㊲甲戌：四月初七。㊳不及受顾命：没有当上顾命大臣。顾命，指皇帝临死前将国家的后事委托于某人或某几人，这几个人称作顾命大臣。㊴失势：失去权势。王珣时为尚书令，握有实权，但未受“顾命”，显然已被疏远，故曰“失势”。㊵循默：按常规办事，其他不闻不问。㊶丁丑：四月初十。㊷弗之预：没有参与、过问。㊸竹里：地名，即今江苏南京东的竹莜镇，在东晋行宫东北约三十里。㊹矫相王之命：假传司马道子的命令。矫，假传、盗用。相王，指司马道子，因他既是会稽王，又任丞相之职。㊺车胤：当时的直臣，曾为护军将军，少以囊萤读书闻名。传见《晋书》卷八十三。㊻挟君相：挟持晋安帝司马德宗及宰相司马道子。㊼将曹爽我乎：你们是不是把我当成曹爽来耍弄呢？曹魏末年，司马懿专权，当大将军曹爽随同魏主曹芳出城谒明帝陵时，司马懿在城内发动政变，曹爽不知所为，侍中许允、尚书陈恭劝曹爽交出兵权，曹爽等遂轻而易举地为司马懿所杀。事见《三国志》卷九。㊽爽之罪：曹爽是曹魏皇室的柱石，但从篡位者司马氏一方看来，当然就是“罪”不容诛了。㊾岂宣帝之俦：哪里是司马懿一流的人物。司马炎篡魏登基后追尊其祖父司马懿为“宣帝”。㊿桓公围寿阳二句：桓温于太和五年（公元三七〇年）八月围攻叛将袁瑾于寿阳（今安徽寿县），至六年正月始攻克，历时半年。事见本书卷一百二。弥时，用了许多时日。弥是“满”的意思。(251)遣军：指派军队前往讨伐。(252)上流奄至：殷仲堪的军队突然杀来。上流，指驻扎江陵的殷仲堪的军队。奄至，突然而至。(253)诣阙：到宫门前。阙，宫门前的左右台观，这里指宫门。(254)姑息：苟且偷安。(255)谯王尚之：司马尚之，司马恬的儿子，继其父爵为谯王，是宗室里有权威的人物。传见《晋书》卷三十七。当时为司马道子任谘议参军。(256)付廷尉：交由国家的最高司法长官审判。(257)甲申：四月十七。(258)愆失：过错。(259)骠骑司马愉：王愉，亦王国宝之兄，王坦之之子，时为司马道子任司马官。传见《晋书》卷七十五。(260)不协：意见不一致。(261)戊子：四月二十一。(262)抗表：公开给朝廷上书，声讨王国宝等之罪。(263)巴陵：今湖南岳阳。(264)会稽世子元显：司马元显，会稽王司马道子的嫡长子，王位与朝廷权力的接班人。(265)俊才：出色的才干。(266)卫府：卫率府，皇帝禁军的统帅部。当时司马道子“都督中外诸军事”，故卫率府亦在其掌握中。(267)徐州文武：指徐州刺史府里的文武百官，此前司马道子亦兼任此官。(268)钜鹿：郡名，郡治在今河北宁晋南。(269)积租杨城：在杨城县积蓄粮草。杨城县的县治在今河北顺平境内。(270)皆纵之：将其全部放回，此乃吸收参合陂杀燕降者之教训，以瓦解燕人抗魏之心。(271)张掖卢水胡沮渠罗仇：张掖郡的卢水胡人，姓沮渠名罗仇。张掖郡的郡治在今甘肃张掖西北。卢水胡，当时匈奴族的部落名。(272)匈奴沮渠王：沮渠原是官号，有左右二职，上属南匈奴的左贤王。后世首领以其官为姓，沮渠罗仇为沮渠王的后代。(273)三河太守麹粥：三河郡的太守沮渠麹粥。三河郡的郡治约在今甘肃兰州与张掖之间，以其地有金城河、赐支河、湟河而得名。㉗④荒耄：荒淫老迈。㉗⑤西平：郡名，郡治即今青海西宁。㉗⑥出茗藋：经由茗藋。茗藋在今甘肃永昌境内。㉗⑦凉州：州治姑臧（今甘肃武威），当时为吕光后凉政权的首都。㉗⑧不足定：不用费力即可占据。㉗⑨负我：亏待、对不起我们。㉘⓪蒙逊：沮渠蒙逊，匈奴人，后建立北凉政权。传见《晋书》卷一百二十九、《魏书》卷七十九。㉘①族姻：同族或亲戚。㉘②上世：指其祖沮渠王。㉘③河西：泛指今甘肃西部及邻近的青海一带地区。昔日匈奴左贤王的势力曾及于此。㉘④凉临松郡：凉州的临松郡，郡治在今甘肃张掖南。㉘⑤金山：郡名，郡治在今甘肃张掖东南。㉘⑥王廞：王导之孙，轻薄好利，时为司马道子的左长史。传见《晋书》卷六十五。㉘⑦居吴：在吴郡家居，吴郡的郡治即今江苏苏州。㉘⑧版廞：下文件聘任王廞。版，写字用的工具，这里用作动词，意即下文件。㉘⑨行吴国内史：代理吴国内史。诸侯国的内史与郡太守同职同级。凡王国所在的郡，其太守则称内史。㉙⓪吴兴、义兴：二郡名，吴兴郡的郡治乌程，即今浙江湖州，义兴郡的郡治阳羡，即今江苏宜兴。㉙①符廞去职：免去王廞的职务。符是一种文告的名称，这里用如动词，意即下令告知。㉙②反丧服：回家继续为其母服丧。㉙③笺：文体名，以称给诸侯王公们的书信。这里用作动词，报告、告知。㉙④刘牢之：当时有名的将领，为人反复无常。传见《晋书》卷八十四。㉙⑤曲阿：县名，即今江苏丹阳。㉙⑥虞啸父：虞潭之孙。虞潭在元帝时曾参与讨伐叛将陈敏；成帝时又随同陶侃讨平苏峻，因功封武昌县侯。传见《晋书》卷七十六。㉙⑦库傉官骥：慕容宝的将领，奉命来助慕容详守中山，二人关系不和。㉙⑧乘：乘隙攻击。㉙⑨甲辰：五月初七。㉚⓪就谷河间：到河间去就地取粮以作军食。河间，郡名，郡治在今河北献县东南。㉚①义租："义务"捐献的粮草。㉚②甲寅：五月十七。㉚③改元建始：在此以前慕容详是用慕容宝的年号"永康"，从此改用自己的年号"建始"。㉚④可足浑潭：人名，姓可足，名浑潭。㉚⑤拓跋觚：魏王拓跋珪之弟，前出使后燕，被慕容垂扣留，直到现在为慕容详所杀。㉚⑥忽谷：县名，县治在今甘肃山丹境内。㉚⑦乐涫：县名，县治在今甘肃酒泉东南。㉚⑧垒澄：吕光的将领。㉚⑨建康：郡名，郡治在今甘肃酒泉东南。㉛⓪府君：古代对太守、知府一类地方官的尊称。㉛①屈：屈尊。这里是客气的说法，"请"你出任某职，做某事。㉛②抚临鄗州：即请其任凉州的刺史。㉛③涂炭之余：犹今之所谓劫后余生者。㉛④来苏：即得到拯救的意思。《尚书·仲虺之诰》："徯我后，后来其苏！"意思是：我们盼望您来呀，您要来了我们就得救啦。㉛⑤房晷：与下述王详都是吕光的大臣。㉛⑥不平：不和睦。㉛⑦改元神玺：在此以前段业等是用吕光的年号龙飞，自此之后改用段业自己的年号。

【校记】

［3］李沈：原误作"王沈"。今据严衍《通鉴补》改作"李沈"。［4］及：原作"成"。据章钰校，十二行本、乙十一行本、孔天胤本皆作"及"，张敦仁《通鉴刊本识

误》、张瑛《通鉴校勘记》同，今从改。［5］中：据章钰校，十二行本、乙十一行本、孔天胤本皆无此字。［6］平：严衍《通鉴补》改作“并”。〖按〗《晋书·慕容宝载记》载：“使慕容会率幽、并之众赴中山。”衍或从之改，然其后亦云：“幽平之士皆怀会恩德。”又，《通鉴》卷一百八作“燕征北大将军、幽·平二州牧、清河公会”。［7］和龙：严衍《通鉴补》改作“安龙”。［8］委：据章钰校，十二行本、乙十一行本、孔天胤本皆作“倚”。［9］步：据章钰校，孔天胤本作“走”。［10］而：据章钰校，十二行本、乙十一行本、孔天胤本皆作“之”。［11］忽谷：据章钰校，十二行本、乙十一行本、孔

【原文】

六月，西秦王乾归征⑱北河州刺史彭奚念为镇卫将军，以镇西将军屋引破光[12]为河州⑲牧，定州⑳刺史翟瑥为兴晋㉑太守，镇枹罕。

秋，七月，慕容详杀可足浑潭。详嗜酒奢淫，不恤士民，刑杀无度，所诛王公以下五百余人，群下离心。城中饥窘，详不听民㉒出采稆㉓，死者相枕，举城皆谋迎赵王麟。详遣辅国将军张骧帅五千余人督租于常山㉔。麟自丁零入骧军㉕，潜袭中山，城门不闭，执详，斩之。麟遂称尊号㉖，听人四出采稆。人既饱，求与魏战，麟不从。稍复穷馁㉗。魏王珪军鲁口㉘，遣长孙肥帅骑七千袭中山，入其郛㉙。麟追至泒水㉚，为魏所败而还。

八月丙寅朔㉛，魏王珪徙军常山之九门㉜。军中大疫，人畜多死，将士皆思归。珪问疫于诸将，对曰：“在者㉝才什四五。”珪曰：“此固天命，将若之何？四海之民，皆可为国㉞，在吾所以御之㉟耳，何患无民？”群臣乃不敢言。遣抚军大将军略阳公遵袭中山，入其郛而还。

燕以辽西王农为都督中外诸军事、大司马、录尚书事。

凉散骑常侍、太常㊱西平郭麐㊲善天文数术，国人信重之。会荧

天胤本皆作“忽谷”。

【语译】

六月，西秦王乞伏乾归征召担任北河州刺史的彭奚念返回京师，任命其为镇卫将军，任命担任镇西将军的屋引破光为河州牧，任命担任定州刺史的翟瑥为兴晋太守，镇守枹罕。

秋季，七月，在中山称帝的北燕开封公慕容详杀死了担任车骑大将军、尚书令的新平公可足浑潭。慕容详嗜好饮酒、生活奢侈、荒淫无道，不知道体恤士民，滥杀无辜，被他杀死的王爵、公爵以下有五百多人，于是属下都与他离心离德。中山城中已经断粮，人民忍饥挨饿，生活困苦不堪，慕容详竟然不顾人民的死活，就连出城采集野生的稆谷都不允许，饿死的人遍地都是，于是全城的人都密谋迎接赵王慕容麟前来中山。慕容详派遣担任辅国将军的张骧率领五千多人前往常山郡催取田租。赵王慕容麟从山区的丁零部落混入张骧的军队，夺取了军权，然后偷袭中山，因为中山城门没有关闭，遂活捉了开封公慕容详，将慕容详斩首。慕容麟遂在中山自称皇帝，听任民众出城采野生的稆谷。人们填饱了肚子之后，便请求与魏军决战，慕容麟没有同意。不久又渐渐陷入忍饥挨饿的境地。北魏王拓跋珪的军队驻扎在鲁口，他派长孙肥率领七千名骑兵袭击中山，攻入了中山的外城。赵王慕容麟率军抵达泒水，被魏军打败后返回中山。

八月初一日丙寅，北魏王拓跋珪率军转移到常山郡的九门县。军队当中瘟疫流行，人和牲畜死了很多，全军将士都希望早点返回故乡。拓跋珪向诸将询问瘟疫的情况，诸将回答说：“现在还活着的只有原来的十分之四、十分之五。”拓跋珪说：“这是天意如此，有什么办法？四海之内的百姓，都可以成为我们的国民，就看我们如何管理他们，何必担忧没人？”群臣这才不敢言语。拓跋珪派遣担任抚军大将军的略阳公拓跋遵率军袭击中山，再次攻入中山的外城，然后撤回。

后燕主慕容宝任命辽西王慕容农为都督中外诸军事、大司马、录尚书事。

后凉担任散骑常侍、太常的西平郡人郭麐精通天文术数，国内的人都很信奉、

惑守东井[338]，麐谓仆射王详曰："凉之分野，将有大兵[339]。主上老病，太子暗弱，太原公[340]凶悍。一旦不讳[341]，祸乱必起。吾二人久居内要，彼常切齿，将为诛首[342]矣。田胡王乞基[343]部落最强，二苑[344]之人，多其旧众。吾欲与公举大事，推乞基为主，二苑之众，尽我有也。得城之后，徐更议之。"详从之。麐夜以二苑之众烧洪范门[345]，使详为内应。事泄，详被诛，麐遂据东苑以叛。民间皆言圣人举兵，事无不成，从之者甚众。

凉王光召太原公纂使讨麐。纂将还，诸将皆曰："段业必蹑[346]军后，宜潜师夜发。"纂曰："业无雄才，凭城自守。若潜师夜去，适足张其气势耳。"乃遣使告业曰："郭麐作乱，吾今还都。卿能决[347]者，可早出战。"于是引还。业不敢出。

纂司马杨统谓其从兄桓曰："郭麐举事，必不虚发。吾欲杀纂，推兄为主，西袭吕弘[348]，据张掖，号令诸郡，此千载一时也。"桓怒曰："吾为吕氏臣，安享其禄，危不能救，岂可复增其难乎？吕氏若亡，吾为弘演[349]矣！"统至番禾[350]，遂叛归麐。弘，纂之弟也。

纂与西安[351]太守石元良共击麐，大破之，乃得入姑臧。麐得光孙八人于东苑，及败而恚，悉投于锋上，枝分节解，饮其血以盟众，众皆掩目。

凉人张捷、宋生等招集戎、夏[352]三千人，反于休屠城[353]，与麐共推凉后将军杨轨为盟主。轨，略阳氐[354]也。将军程肇谏曰："卿弃龙头[355]而从蛇尾[356]，非计也。"轨不从，自称大将军、凉州牧、西平公。

纂击破麐将王斐于城西。麐兵势渐衰，遣使请救于秃发乌孤。九月，乌孤使其弟骠骑将军利鹿孤帅骑五千赴之。

尊重他。正巧此时火星运行到了东井星的附近，郭黁遂对担任仆射的王详说：“凉国一带地区将要爆发战乱。主上吕光年老多病，太子吕绍愚昧懦弱，太原公吕纂凶猛强悍。主上一旦去世，祸乱必然兴起。我们二人在朝廷中担任要职的时间已经很长，吕纂对我们经常恨得咬牙切齿，恐怕他第一个要杀的就是我们。田胡部落首领乞基部落的势力最强大，姑臧城的东苑、西苑中的很多人，都是他的旧部。我想与你一同起事，共同建功立业，我们可以推举乞基为首领，这样一来，二苑的人就都将听从我们的指挥。等到夺取姑臧之后，再慢慢考虑下一步的行动计划。”王详听从了郭黁的意见。夜间，郭黁率领东苑、西苑的民众烧毁了洪范门，令王详做内应。不料二人的阴谋已经泄露出去，王详被杀，郭黁于是占据东苑，公开叛变。民间都认为郭黁是圣人，如今圣人起兵，一定能够成功，于是追随郭黁的人非常多。

后凉天王吕光征召太原公吕纂回京师姑臧，准备让他率军讨伐郭黁。吕纂准备应诏返回姑臧，吕纂手下的诸将都劝阻他说：“大军返回姑臧，建康公段业必定随后追击，我们应该在夜间秘密出发。”太原公吕纂说：“段业并不是一个具有雄才大略之人，他只会据城坚守。我们如果利用夜间悄悄离去，反倒助长了他的气势。”于是派人通知段业说：“后凉境内的郭黁谋反作乱，我现在要返回姑臧讨伐郭黁。你如果已经下定决心，就应该早早出城与我决战。”吕纂率军返回姑臧。建康公段业果然不敢出城追击。

后凉太原公吕纂的司马杨统对自己的堂兄杨桓说：“郭黁起兵造反肯定有必胜的把握。我准备杀死吕纂，拥戴哥哥为首领，然后率众西进，袭击镇守张掖的吕弘，夺取张掖，向各郡发布号令，这是千载难逢的机会，千万不能错过。”杨桓大怒说：“我作为吕氏的臣僚，在天下太平的时候，享受他的俸禄，在他遇到危难的时候，我无力相救，已经令人愧疚，岂能再去加重他的灾难呢？吕氏如果灭亡，我就做一个像弘演那样的人！”杨统随同吕纂抵达番禾郡的时候，背叛了吕纂，投奔了郭黁。吕弘是太原公吕纂的弟弟。

吕纂与担任西安太守的石元良联合攻打叛贼郭黁，将郭黁打得大败，这才得以进入姑臧。郭黁在东苑俘虏了后凉天王吕光的八个孙子，等到被吕纂打败，郭黁盛怒之下，就把这八个孩子狠命地扔到刀锋枪尖之上，然后砍下四肢，一节节斩断关节，把他们的鲜血滴在酒里，与众人歃血盟誓，众人全都捂住双眼，不忍观看。

后凉人张捷、宋生等聚集了三千少数民族的人和汉人，在休屠城造反，他们与郭黁共同推举后凉担任后将军的杨轨为盟主。杨轨是居住在略阳的氐族人。后凉将军程肇劝谏杨轨说：“将军丢弃龙头去追随蛇尾，想法是不对的。”杨轨没有听从程肇的劝阻，他自称大将军、凉州牧、西平公。

后凉太原公吕纂在姑臧城西郊打败了郭黁的部将王斐。郭黁的势力逐渐衰弱，郭黁于是派使者向秃发乌孤求救。九月，秃发乌孤派自己的弟弟、担任骠骑将军的秃发利鹿孤率领五千名骑兵奔赴姑臧救援郭黁。

秦太后蛇氏[357]卒。秦主兴哀毁过礼[358]，不亲庶政。群臣请依汉魏故事[359]，既葬即吉[360]。尚书郎李嵩上疏曰：“孝治天下，先王之高事[361]也。宜遵圣性[362]以光道训[363]，既葬之后，素服临朝[364]。”尹纬驳曰：“嵩矫常越礼[365]，请付有司论罪。”兴曰：“嵩忠臣孝子[366]，有何罪乎？其一从[13]嵩议[367]。”

鲜卑薛勃[368]叛秦，秦主兴自将讨之。勃败，奔没弈干[369]，没弈干执送之[370]。

秦泫氏男姚买得[371]谋弑秦主兴，不克而死。

秦主兴入寇湖城[372]，弘农[373]太守陶仲山、华山[374]太守董迈皆降之。遂至陕城[375]，进寇上洛[376]，拔之。遣姚崇[377]寇洛阳，河南[378]太守夏侯宗之固守金墉[379]，崇攻之不克，乃徙流民二万余户而还。

武都氐[380]屠飞、啖铁[381]等据方山[382]以叛秦，兴遣姚绍[383]等讨之，斩飞、铁。

兴勤于政事，延纳善言，京兆杜瑾等皆以论事得显拔，天水姜龛等以儒学见尊礼，给事黄门侍郎古成诜[384]等以文章[385]参机密[386]。诜刚介雅正，以风教[387]为己任。京兆韦高[388]慕阮籍[389]之为人，居母丧，弹琴饮酒。诜闻之而泣，持剑求[390]高，欲杀之，高惧而逃匿。

中山饥甚，慕容麟帅二万余人出据新市[391]。甲子晦[392]，魏王珪进军攻之。太史令晁崇曰：“不吉。昔纣以甲子亡，谓之疾日[393]，兵家忌之。”珪曰：“纣以甲子亡，周武不以甲子兴乎？”崇无以对。冬，十月丙寅[394]，麟退阻泒水[395]。甲戌[396]，珪与麟战于义台[397]，大破之，斩首九千余级。麟与数十骑驰取妻子入西山，遂奔邺[398]。

甲申[399]，魏克中山，燕公卿、尚书、将吏、士卒降者二万余人。张

后秦皇太后蛇氏去世。后秦主姚兴因为哀痛过度而不能亲自处理各种政务。群臣全都请求后秦主姚兴按照汉代、曹魏时期的一贯做法，先帝安葬完毕，就立即脱下丧服换上平时处理政务时所穿的吉服。担任尚书郎的李嵩上疏说：“以孝道治理天下，是先王的高尚行为。应该遵循圣主孝亲的天性，以发扬光大先王的道德遗训，等到皇太后安葬之后，主上可以身穿孝服临朝听政。”担任尚书左仆射的尹纬驳斥他说：“李嵩改变常规，超越了礼法的规定，请将他交付有关部门治罪。”后秦主姚兴说：“李嵩的意见既照顾了‘孝子’的心情，又可以不影响国家大事，尽到了‘忠臣’的义务，何罪之有呢？就依照李嵩的建议办。”

后秦所属的鲜卑部落首领薛勃占据贰城背叛了后秦，后秦主姚兴亲自率军讨伐薛勃。薛勃战败后，投奔了没弈干，没弈干捉获了薛勃，将薛勃送给后秦王姚兴。

后秦泫氏县的一个男子姚买得阴谋刺杀后秦主姚兴，没有成功，被杀死。

后秦主姚兴率领后秦军入侵东晋的湖城，东晋担任弘农郡太守的陶仲山、担任华山郡太守的董迈全都投降了后秦。后秦军乘胜进攻陕城，进而入侵上洛，将上洛攻克。姚兴又派姚崇进犯洛阳，东晋担任河南太守的夏侯宗之率军固守金墉城，姚崇攻打不下，便驱赶着流亡到洛阳一带的二万多户难民返回后秦。

居住在武都郡的氐族部落首领屠飞、啖铁等人占据方山背叛了后秦，后秦主姚兴派遣姚绍等率军讨伐，将屠飞、啖铁斩首。

后秦主姚兴治理国家、处理政务非常努力勤奋，征求意见、采纳忠言，京兆人杜瑾等都是因为参与、议论国家政事而被提拔到显要职位，天水人姜龛等人则是因为精通儒家经典而受到尊崇和礼遇，担任给事黄门侍郎的古成诜等则因为文笔好、善于写作而得以参与朝廷的重要决策。古成诜为人耿介、文雅、刚直，把改善民风民俗、推行教化作为自己的神圣职责。京兆人韦高仰慕阮籍的为人，他在为自己的母亲守丧期间，照常弹琴饮酒。古成诜听说此事之后痛哭流涕，他手持宝剑寻找韦高，想把韦高杀死，韦高吓得不敢回家，四处躲藏。

后燕中山城内断粮情形已经非常严重，赵王慕容麟率领二万多人离开中山进驻新市。九月最后一天二十九日甲子，北魏王拓跋珪率军向慕容麟发起攻击。担任太史令的晁崇阻止魏王说：“这个日子出兵不吉利。过去商纣王就是在甲子日灭亡的，所以甲子日被当作应该忌讳的倒霉日子，军事家都非常忌讳这个日子。”魏王拓跋珪说：“商纣王在甲子日灭亡，周武王不就是在甲子日兴起的吗？”晁崇无言以对。冬季，十月初二日丙寅，后燕赵王慕容麟从新市退到泒水边进行抵抗。初十日甲戌，北魏王拓跋珪率领魏军与慕容麟在义台展开会战，北魏军大败慕容麟，斩杀了后燕九千多人。慕容麟带领数十名骑兵飞速救出妻儿，逃入西山，随后又从西山逃奔邺城，投奔了慕容德。

十月二十日甲申，北魏军攻克了中山，后燕的公卿、尚书、将帅、一般官吏以

骧、李沈[14]先尝降魏，复亡去[400]。珪入城，皆赦之。得燕玺绶、图书、府库珍宝以万数，班赏群臣将士有差[401]。追谥弟觚为秦愍王。发慕容详冢，斩其尸，收杀觚者高霸、程同，皆夷五族，以大刃锉[402]之。

丁亥[403]，遣三万骑就卫王仪[404]，将攻邺。

秦长水校尉[405]姚珍奔西秦，西秦王乾归以女妻之。

河南鲜卑吐秣[406]等十二部大人，皆附于秃发乌孤。

燕人有自中山至龙城者，言拓跋涉珪衰弱，司徒德[407]完守邺城。会德表至，劝燕主宝南还，宝于是大简[408]士马，将复取中原。遣鸿胪[409]鲁邃册拜德为丞相、冀州牧，南夏公[410]，侯、牧、守皆听[411]承制封拜[412]。十一月癸丑[413]，燕大赦。十二月，调兵悉集，戒严在顿[414]，遣将军启仑南视形势。

乙亥[415]，慕容麟至邺，复称赵王[416]，说范阳王德曰："魏既克中山，将乘胜攻邺。邺中虽有蓄积，然城大难固，且人心恇惧[417]，不可守也。不如南趣滑台[418]，阻河[419]以待魏，伺衅而动，河北庶[420]可复也。"时鲁阳王和镇滑台。和，垂之弟子也，亦遣使迎德。德许之。

【段旨】

以上为第三段，写安帝隆安元年（公元三九七年）六至十二月共七个月间的大事。主要写了驻守中山的燕国将领慕容详为逃居西山的叛变分子慕容麟所袭杀，慕容麟在中山自称皇帝，与魏王拓跋珪相对抗，最后被拓跋珪大破于义台；慕容麟逃到邺城投慕容德，与慕容德等一同移兵就慕容和于滑台。写了凉州吕光政权的太常郭馨以谣言惑众起兵反吕光，从者甚众，占据东苑，吕光之弟吕及士卒向北魏投降的有二万多人。后燕担任辅国将军的张骧以及将军李沈早先都投降过北魏，后来又从北魏逃走，拓跋珪进入中山，全都赦免了他们。北魏王收缴的后燕皇帝的玉玺、图书、府库中的珍宝等数以万计，按照群臣、将士功劳的大小，分成不同等级进行奖赏。追认自己的弟弟拓跋觚为秦愍王。挖开了下令杀死拓跋觚的慕容详的坟墓，把慕容详的人头砍下来，把奉命杀死拓跋觚的高霸、程同，全都诛灭五族，并用大砍刀把他们全都剁成了小肉块儿。

十月二十三日丁亥，北魏王拓跋珪将三万名骑兵划归卫王拓跋仪指挥，准备攻打后燕范阳王慕容德守卫的邺城。

后秦担任长水校尉的姚珍背叛了后秦，投奔了西秦王乞伏乾归，乞伏乾归把自己的女儿嫁给姚珍为妻。

居住在黄河以南地区的鲜卑族部落首领吐秣等十二个部落的首领，全都依附于西平王秃发乌孤。

后燕有人从中山前往龙城，说北魏王拓跋珪势力衰弱，后燕担任司徒的范阳王慕容德守卫的邺城完好无损。恰好此时范阳王慕容德送来表章，劝说后燕主慕容宝返回南方。后燕主慕容宝于是开始大规模调集军队，准备收复中原。慕容宝派遣担任鸿胪的鲁邃前往邺城升任范阳王慕容德为燕国丞相、冀州牧，封为南夏公，有权以皇帝的名义封拜侯爵，任命州牧、郡守。十一月十九日癸丑，后燕实行大赦。十二月，征调的军队已经集结待命，军营全部戒严，进入战备状态，慕容宝为慎重起见，又派遣将军启仑前往南方观察形势。

十二月十二日乙亥，已经在中山称帝的燕赵主慕容麟逃到邺城，他去掉了帝号，复称赵王，劝说范阳王慕容德说："魏国已经攻克了中山，必将乘胜攻打邺城。邺城中虽然素有储备，然而城大，难于坚守，而且人心慌乱恐惧，所以邺城是守不住的。不如南下，移向滑台，以黄河作为屏障阻挡魏军，寻找有利时机进一步采取行动，河北或许还有收复的希望。"当时后燕鲁阳王慕容和镇守滑台。慕容和是后燕主慕容垂的侄子，他也派遣使者前来迎接范阳王慕容德到滑台去。所以，慕容德便同意了慕容麟的意见，前往滑台。

纂救姑臧，破郭麘，郭麘乃与秃发乌孤的势力勾结起来。写了秦主姚兴进占晋之湖城、陕城、上洛，又攻洛阳不克，掠其民二万户以归；姚兴勤于政事，延纳善言，得古成诜、杜瑾、姜龛等而用之，深得其力等。

【注释】

㊳⑱ 征：召之进京。㊳⑲ 河州：州治枹罕，在今甘肃临夏西北。㊳⑳ 定州：约指今之甘肃中部和与之邻近的青海西宁等一带地区。胡三省曰："张茂分武兴、金城、西平、安故为定州。"㉛ 兴晋：郡名，郡治即前文所述之枹罕。㉜ 不听民：不允许百姓。㉝ 出采穞：出城采集不播种而自生的禾稼。㉞ 常山：郡名，郡治真定，在今河北石家庄东北。㉟ 自丁零入骧军：丁零是少数民族名，这里指翟氏丁零部落的余党，当时活动在今定州、石家庄以西的山区。慕容麟溃败后逃入此地，现在乘机混进张骧的队伍。㊱ 称尊号：自称皇帝。㊲ 稍复穷馁：又渐渐穷困挨饿了。馁，饥饿。㊳ 鲁口：渡口名，在今河北饶阳南的滹沱河上。㊴ 入其郛：攻进了中山县的外城。郛，外城，也称"郭"。㊵ 泒水：河水名，当时流经今河北定州南。㊶ 八月丙寅朔：八月初一是丙寅日。㊷ 常山之九门：常山郡的九门县，县治在今河北正定东。㊸ 在者：现存者。㊹ 皆可为国：都可以成为我们的国民。㊺ 在吾所以御之：就看我们是怎么管理他们。御，驾驭、管理。㊻ 太常：朝官名，主管宗庙祭祀。㊼ 西平郭黁：西平郡人姓郭名黁。西平郡的郡治即今青海西宁。㊽ 荧惑守东井：火星运行到了井宿的附近。荧惑，即今之所谓火星。东井，即井宿，星座名，二十八宿之一。㊾ 凉之分野二句：凉州一带地区将要发生战乱。古代天文学称今陕西、甘肃一带为井宿的分野，而火星象征战争。今火星运行到了井宿的位置，故郭黁说凉州一带将有大兵。㊿ 太原公：指吕纂，吕光的庶长子，被封为太原公。传见《晋书》卷一百二十二。㉛ 不讳：婉言吕光之死。㉜ 诛首：被首先拿来开刀。㉝ 田胡王乞基：田胡部落的头领名叫乞基。田胡是当时匈奴族的一个部落名。㉞ 二苑：后凉的国都姑臧，当时姑臧建有东苑、西苑二城。㉟ 洪范门：吕光宫廷的一个门。"洪范"是《尚书》中的一个篇目名。㊱ 蹑：指尾随、追击。㊲ 决：指下决心。㊳ 吕弘：吕光之子，吕纂之弟，当时镇守张掖。㊴ 吾为弘演：我一定要做一个像弘演那样的忠臣。弘演是春秋时卫国的臣子，卫懿公与狄人战，兵败被杀，肉亦被人吃尽，只剩了一块肝。弘演赶来，对着懿公的肝痛哭，而后将自己的内脏剖出，将懿公的肝装入自己的腹腔，而后死去。被后世视为忠臣的代名词。事见《吕氏春秋》。㊵ 番禾：郡名，郡治即今甘肃永昌。㊶ 西安：郡名，郡治在今甘肃张掖东南。㊷ 戎、夏：戎指各少数民族的人，夏指汉人。㊸ 休屠城：休屠县城，在今甘肃武威西北。㊹ 略阳氐：居住在略阳郡（郡治在今甘肃天水市东）内的氐族人。㊺ 龙头：指吕光。㊻ 蛇尾：指郭黁等人。㊼ 蛇氏：指姚苌之妻，姚兴之母。㊽ 哀毁过礼：悲哀得过分。根据儒家礼法的规定，父母死后，做人子的悲伤以及由此导致的消瘦病弱要达到一定的程度，不达到不行，过分也不好。㊾ 依汉魏故事：依照汉朝及曹魏两代的一贯做法。㊿ 既葬即吉：老皇帝埋葬之后，作为接班人的儿子便立即脱去丧服，换上正常处理事务的服装。吉，指吉服，平时所穿的服装。㉛ 高事：高尚的行为。㉜ 宜遵圣性：应该按照姚兴个人的性格。圣，此指后秦主姚兴。㉝ 以光道训：以

光大前代圣人的教训。㊹素服临朝：穿着孝服处理朝政。㊺矫常越礼：改变常规，超出了礼法的规定。㊻忠臣孝子：既照顾了“孝子”的心情，又可以不影响国家大事，尽到了“忠臣”的义务。㊼一从嵩议：一切都按着李嵩的意见办。㊽薛勃：另一个鲜卑部落的首领，前受魏攻而投靠了姚兴，驻守于贡川。㊾没弈干：也作“没弈于”，姓没弈。前属苻坚，后归姚兴，被封为高平公，驻守于高平（今宁夏固原）。㊿执送之：逮捕起来送回给姚兴。371 泫氏男姚买得：泫氏县的一个男人叫姚买得。泫氏县的县治在今山西高平东南。372 湖城：即湖县，县治在今河南灵宝西，当时属东晋。373 弘农：郡名，当时东晋的弘农郡治即湖城。374 华山：郡名，当时东晋的华山郡治在今陕西渭南市华州区。375 陕城：即陕县，县治在今河南三门峡市西，当时属东晋。376 上洛：郡名，郡治即今陕西商洛市商州区，时属东晋。377 姚崇：姚兴之弟。378 河南：郡名，郡治即今河南洛阳。379 金墉：当时洛阳城西北角的一座坚固的小城。380 武都氐：居住在武都郡的氐族人。武都郡的郡治在今甘肃成县西北。381 屠飞、啖铁：都是武都氐族的部落头领。382 方山：山名，在今甘肃成县境内。383 姚绍：姚兴之弟。384 古成诜：人名，姓古成，名诜。385 文章：指文笔好，善于写作。386 参机密：参与国家的重要决策。387 风教：这里指加强教化工作，改善民风民俗。388 京兆韦高：京兆人姓韦名高。京兆是长安及郊区的行政区划名，相当于一个郡，郡治在长安城内。其长官称京兆尹。389 阮籍：魏末“竹林七贤”之一，以饮酒放荡、蔑弃礼法闻名。传见《三国志》卷四十九。390 求：寻找。391 新市：县名，县治在今河北新乐东北。392 甲子晦：这个月的最后一天是甲子日。393 疾日：应忌讳的倒霉的日子。394 十月丙寅：十月初二。395 退阻派水：后退到派水边，依托派水进行抵抗。当时的派水自西向东流经今河北新乐北，当时的新乐城下。396 甲戌：十月初十。397 义台：村镇名，应在今河北新乐北。398 奔邺：往投慕容德。慕容德是慕容垂之弟，慕容麟之叔。传见《晋书》卷一百二十七。399 甲申：十月二十。400 复亡去：先已降魏，后来又叛魏，入守中山。401 有差：指按功劳大小分出等级。402 铿：一刀一刀地切。403 丁亥：十月二十三。404 就卫王仪：凑到拓跋仪处，与之合力。就，凑近。405 长水校尉：官名，掌管驻扎在京城附近长水乡的少数民族骑兵。406 河南鲜卑吐秣：居住在黄河以南地区的鲜卑头领名叫吐秣。此所谓“河南”是指今甘肃兰州一带的黄河以南。407 司徒德：即慕容德，慕容宝之叔，被慕容宝封为司徒。408 简：挑选，检阅。这里意即征调、调集。409 鸿胪：朝官名，主管前来归顺的各民族部落事务。410 南夏公：南夏，慕容宝用以指今河北中部、南部一带地区，与他所处的龙城相对，故称南夏。411 皆听：都听任他。412 承制封拜：以皇帝（慕容宝）的名义来加以任命。制，皇帝的命令。413 十一月癸丑：十一月十九。414 戒严在顿：各路军队都各就各位，处于战备状态。顿，驻地。415 乙亥：十二月十二。416 复称赵王：慕容麟在叛乱前曾被封为赵王，后叛乱称帝，被人打垮，今狼狈来投，又降级自称赵王。417 恇惧：恐惧。418 趣滑台：移向滑台。趣，同“趋”。滑台，县名，县治在今河南滑县东。419 阻河：依托黄河。当时的滑县在黄河边上。420 庶：或者；也许。

【校记】

［12］屋引破光：原作“屋弘破光”。胡三省注云：“‘屋弘’当作‘屋引’。”严衍《通鉴补》改作“屋引破光”，今从改。〖按〗《魏书·官氏志》载，魏神元皇帝时，内入诸姓有“屋引氏，后改为房氏”。［13］从：据章钰校，十二行本、乙十一行本、孔天胤本皆作“如”。［14］李沈：据章钰校，十二行本、乙十一行本、孔天胤本此下皆有“等”字。

【研析】

本卷写晋安帝隆安元年（公元三九七年）一年间的各国大事，主要写了燕国在慕容宝统治时期北方的拓跋珪魏国政权日益强大，在魏国的进攻下，燕国节节败退，不到几年的工夫，其地盘就只剩下辽西与幽州一小块了；对比之下，魏国是一股新鲜的势力，他们连续打败燕国，夺取了中山、邺城与其周围的今河北中部、南部与今山西省中南部的大片地区。历史家写到这段的时候，与其说燕国是败于魏国的强大，不如说是燕国败于内部的混战，慕容宝是造成燕国溃败的罪魁祸首。慕容宝是慕容垂的儿子。慕容垂在五胡十六国时期，应该说是一个很杰出的人物，他的功业没有苻坚、石勒那样辉煌，人格魅力也不像苻坚、石勒那样动人，但慕容垂在前后几个燕国的历史上还是出类拔萃的。遗憾的是他也和苻坚、石勒等人一样，父亲一死，儿孙们没有一个成气候，立刻掀起争权夺利的内战，直到被另一个政权灭掉为止。慕容宝在他还是太子的时候，就曾因为不听劝谏、轻敌无备，被拓跋珪大破于参合陂。慕容垂死后，慕容宝继位，拓跋珪进攻燕国都城中山（今河北定州），慕容宝守城。燕国名将慕容隆多次请战破敌，都被慕容宝遏止。等城围半年，坐等敌人自退无望时，“燕将士数千人俱自请于宝曰：‘今坐守穷城，终于困弊，臣等愿得一出乐战，而陛下每抑之，此为坐自摧败也。且受围历时，无他奇变，徒望积久寇贼自退。今内外之势，强弱悬绝，彼必不自退明矣，宜从众一决。’”于是慕容隆与部众“乃被甲上马，诣门俟命”，但最后还是被慕容宝取消了，“众大愤恨，隆涕泣而还”。慕容宝眼看着中山是守不住了，于是率领部下放弃中山，北返龙城（今辽宁朝阳）。部下的人众越来越少，后面又有魏国的人马紧紧追杀，其狼狈的情形可以想见。麻烦还不止于此，更可怕的是慕容宝身边亲属一批接一批叛乱，先是其弟慕容麟指使慕容宝的亲兵将领刺杀慕容宝，事情不成，慕容麟出逃，成了公开的敌人；接着是慕容宝的儿子慕容会驻兵龙城，他口头上说请其父北返龙城旧都，实际上他根本不想让其父回来。慕容宝回到龙城后，慕容会造反了，他首先杀了其叔慕容隆，又杀慕容农未及死，再追杀其父未果；又发兵围龙城，让慕容宝立他为太子，“宝临西门，会乘马遥与宝语，宝责让之。会命军士向宝大噪以耀威”。这对父子就是这样的材料！多亏慕容宝的侍御郎高云“夜帅敢死士百余人袭会军，会众皆溃”，慕容会南逃后被杀。龙城的日子越来越艰难，这时慕容宝的弟弟慕容德在邺城（今河北临漳西南）建立了南燕政权，来信请慕容宝迁都南下，众人劝他别去，慕容宝不听，结果刚到邺城地面，就差点被慕容德的迎宾者杀害；慕容宝又仓皇北逃，龙城现时被慕容宝的舅爷兰汗所占据，兰汗说欢迎慕容宝回去，众人劝阻，慕容宝不听，结果被兰汗杀死在龙城的一间邸舍里，年四十四岁。这是下一年交代的史事，一并提前说在了这里。想当年，慕容垂的段氏夫人曾对慕容垂说过，立慕容宝对未来的江山社稷不利，应从慕容隆、慕容农两个人里选一个。慕容垂不仅不听，还把这话传给了慕容宝，致使段夫人在慕容宝一继位时就遇害。俗话常说“知子莫若父”，看起来，古人这句历代相传的名言，未必高明！

慕容宝的表现令人厌恶，慕容麟、慕容会等人的表现更令人憎恨，但燕国许多大臣、许多下层军民的表现却令人深受感动。当魏王拓跋珪围困中山时，“城中将士皆思出战”；当慕容宝决定放弃中山，北返龙城时，慕容农的部将谷会归对慕容农说：“城中之人，皆涉珪（拓跋珪）参合所杀者父兄子弟，泣血踊跃，欲与魏战，而为卫军（慕容麟）所抑。今闻主上当北迁，皆曰：‘得慕容氏一人奉而立之，以与魏战，死无所恨。’大王幸而留此，以副众望，击退魏军，抚宁畿甸，奉迎大驾，亦不失为忠臣也。”这是多么感人的忠臣良将！当初前燕为苻坚所灭时，许多燕国的大臣被迫四散，有的归降了东晋，有的归降了秦国，有的归降了魏国。后来慕容宝与拓跋珪作战失败时，“宝恐为魏军所及，命士卒皆弃袍仗、兵器数十万，寸刃不返，燕之朝臣将卒降魏及为魏所系虏者甚众”。拓跋珪攻克中山，“燕公卿、尚书、将吏、士卒降者二万余人”，这些降魏的大臣，把燕国的文化、制度带进魏国，帮着魏国在学习中原传统、推行汉化活动中起了重要作用，也有不少人表现了很好的品格。后文《晋纪》卷三十三追述了一个本该写在本卷的故事。拓跋珪身边有一些汉族的大臣，多数都是来自燕国，其中有张衮、崔逞、卢溥等。“珪围中山，久未下，军食乏，问计于群臣。逞为御史中丞，对曰：‘桑椹可以佐粮。飞鸮食椹而改音，诗人所称也。’珪虽用其言，听民以椹当租，然以逞为侮慢，心衔之。”崔逞以知识智慧给拓跋珪进言，桑椹可以代粮，这本来是好主意，拓跋珪为什么以之为“侮慢”，而且还“心衔之”，以至于后来竟把崔逞给杀了？这得从“飞鸮食椹而改音”这句话的典故说起。《诗经·泮水》：“翩彼飞鸮，集于泮林，食我桑椹，怀我好音。”郑玄笺：“鸮恒恶鸣，今来止于泮水之木上，食其桑椹，为此之故，故改其鸣，归就我以善音。喻人感于恩则化也。”飞鸮即猫头鹰，猫头鹰吃了桑葚能改变其难听的声音，这是《诗经》作者说过的。那么让拓跋氏的这些野蛮人吃了，不是也可能让他们改改野蛮的习性吗？这里面是有点玩世不恭，但没有太大的恶意，而且是希望他们越改越好，出发点是善良的。透过这个事例，我们可以看到当时的这些少数民族中的上层，文化水平都是不低的。钱穆《国史大纲》指出这种现象说：“诸胡杂居内地，均受汉族相当之教育，此其一……诸胡中匈奴得汉化最早，如刘渊、聪、曜父子兄弟一门皆染汉学，故匈奴最先起；鲜卑感受汉化最深，故北方士大夫仕于鲜卑者亦最多。鲜卑并得统一北方诸胡，命运较长，灭亡最后。”也正是由于燕国政权接受、发扬的传统文化最多，其容纳的知识分子与具有传统文化特点的人士也最多。也正是因此，燕国政权一处被灭，一处又起，此起彼伏，连绵不断。最早的叫“前燕”，被苻坚所灭；继起的叫“西燕”与“后燕”；到“西燕”被灭，“后燕”日渐消亡时，山东地区又出现了“南燕”，创建者都是一个家族中的几代人。

卷第一百一十 晋纪三十二

著雍阉茂（戊戌，公元三九八年），一年。

【题解】

本卷写晋安帝隆安二年（公元三九八年）一年间的东晋与各国的大事。主要写了魏王拓跋珪打败后燕，取得了中山与邺城后，分别在二城设置行台，为加强其塞北都城与中原地区的联络而治驰道自望都至代，又徙山东六州吏民十余万口以实代；拓跋珪又伐柔然，大破之。写了拓跋珪即皇帝位，定国号曰“魏”，建都平城，并建宗庙，立社稷，正封疆，标道里，统一度量衡；又立官制，制礼仪，协音律，定律令，自谓是黄帝之后；遣使循行州郡，举奏守宰不法，越来越显示了一个井然有序的国家政权的面貌。写了后燕主慕容宝因不听慕容农、慕容盛之劝，乘拓跋珪北归之际出兵伐魏，中途因其内侍叛乱而众军瓦解；慕容宝离开龙城南投慕容德，险为慕容德的部下所杀；时原已据燕地自立的兰汗讨灭叛乱分子，占据龙城，迎慕容宝北归；慕容宝不听众人之劝，终于为兰汗所杀；而慕容盛因是兰汗的女婿遂得以潜伏下来；慕容盛发动政变杀了兰汗、兰堤、兰穆

【原文】

安皇帝乙

隆安二年（戊戌，公元三九八年）

春，正月，燕范阳王德自邺帅户四万南徙滑台。魏卫王仪入邺，收其仓库。追德至河，弗及。

赵王麟上尊号于德。德用兄垂故事①，称燕王，改永康三年为元年②，以统府行帝制③，置百官。以赵王麟为司空、领尚书令，慕容法为中军将军，慕舆拔为尚书左仆射，丁通为右仆射。麟复谋反，德杀之。

庚子④，魏王珪自中山南巡⑤至高邑⑥，得王永之子宪⑦，喜曰：“王景略之孙也。”以为本州中正⑧，领选曹⑨事，兼掌门下⑩。至邺，

等，自己即皇帝位，接着内部又出现了一系列的叛变与诛杀，后燕政权已区域日小，力量极其脆弱。写了东晋军阀王恭与殷仲堪、桓玄等以讨伐王愉、司马尚之为名而举兵向阙，司马道子收买了王恭的部将刘牢之，致使王恭被俘，问斩于京师；桓冲之子桓脩又建议收买殷仲堪的部将桓玄与杨佺期，使之制服殷仲堪，殷仲堪巧妙地瓦解了桓玄与杨佺期所统的军队，致使阴谋未成；而三人又为相互利用而结盟，共同抗拒朝命，推桓玄为盟主，司马道子对此妥协，使殷仲堪仍为荆州刺史；杨佺期则袭杀郗恢，夺得了雍州刺史的职位。写了凉州地区的段业破走吕光的部将吕弘，以张掖为都城，是为“北凉”，但段业昏悖，部将沮渠蒙逊的威望日高。写了秃发乌孤大破羌族头领梁饥，氐人杨轨等率部归之，在青海东部自称武威王，岭南诸部尽归之。此外还写了东晋的孙泰以妖术煽动百姓于钱唐，人多信之，朝廷杀孙泰，孙泰之侄孙恩逃之入海，集聚力量准备谋反等。

【语译】

安皇帝乙

隆安二年（戊戌，公元三九八年）

春季，正月，后燕范阳王慕容德率领着四万户从邺城南下，迁往滑台。北魏卫王拓跋仪率领魏军进入邺城，接收了后燕的仓库。他派军追赶慕容德，一直追到黄河岸边，没有追上。

后燕赵王慕容麟为范阳王慕容德奉上皇帝尊号。范阳王慕容德遵照兄长慕容垂只称“燕王”而不称“皇帝”的先例，称燕王，不再使用后燕慕容宝“永康”三年的年号，改称燕王元年，以自己的统帅府行使君主的职权，设置文武百官。南燕王慕容德任命赵王慕容麟为司空、兼任尚书令，任命慕容法为中军将军，慕舆拔为尚书左仆射，丁通为右仆射。担任了司空兼任尚书令的赵王慕容麟再次谋反，南燕王慕容德将慕容麟杀死。

正月初七日庚子，北魏王拓跋珪从中山南下巡视，到达高邑，找到了故秦左丞相王永的儿子王宪，拓跋珪高兴地说：“这可是王猛的孙子。”于是令王宪在他自己的老家青州担任中正，同时兼任选曹、门下等职务。拓跋珪来到邺城，在邺城设立行

置行台⑪，以龙骧将军日南公和跋⑫为尚书⑬，与左丞⑭贾彝帅吏兵五千人镇邺。

珪自邺还中山，将北归，发卒万人治直道，自望都⑮凿恒岭⑯至代⑰五百余里。珪恐已既去，山东⑱有变，复置行台于中山，命卫王仪镇之；以抚军大将军略阳公遵为尚书左仆射，镇勃海之合口⑲。

右将军尹国⑳督租于冀州㉑，闻珪将北还，谋袭信都。安南将军长孙嵩㉒执国，斩之。

燕启仑㉓[1]还至龙城，言中山已陷，燕主宝命罢兵。辽西王农言于宝曰："今迁都尚新㉔，未可南征，宜因成师㉕袭库莫奚㉖，取其牛马以充军资，更审虚实，俟明年而议之。"宝从之。己未㉗，北行。庚申㉘，渡浇洛水㉙。会南燕王德遣侍郎李延诣宝，言："涉珪西上，中国空虚。"延追宝及之，宝大喜，即日引还。

辛酉㉚，魏王[2]珪发中山，徙山东六州㉛吏民杂夷十余万口以实代。博陵㉜、勃海、章武㉝群盗并起，略阳公遵等讨平之。

广川㉞太守贺赖卢㉟，性豪健，耻居冀州刺史王辅之下，袭辅，杀之，驱勒守兵，掠阳平㊱、顿丘㊲诸郡，南渡河，奔南燕。南燕王德以赖卢为并州刺史，封广宁王。

西秦王乾归遣乞伏益州攻凉支阳㊳、鹯武㊴、允吾㊵三城，克之，虏万余人而去。

燕主宝还龙城宫，诏诸军就顿㊶，不听罢散，文武将士皆以家属随驾㊷。辽西王农、长乐王盛切谏，以为兵疲力弱，魏新得志，未可与敌，宜且养兵观衅。宝将从之，抚军将军慕舆腾曰："百姓可与乐成，

台，任命担任龙骧将军的日南公和跋为尚书，令和跋与担任左丞的贾彝率领行台官员和五千名士卒镇守邺城。

拓跋珪从邺城返回中山，并准备回到北方，他调集了一万名士卒修筑一条直接通往代地的大道，从望都开始，凿通恒岭直达代地，全长五百多里。拓跋珪担心自己离开后，太行山以东地区会发生叛乱，于是又在中山设置行台，令卫王拓跋仪镇守中山；任命担任抚军大将军的略阳公拓跋遵为尚书左仆射，镇守勃海郡的合口。

北魏担任右将军的尹国率军前往冀州督促征收粮草，他听到拓跋珪准备从中山返回北方都城盛乐的消息，就谋划袭击冀州的州治所在地信都。担任安南将军的南平公长孙嵩将尹国活捉，杀死。

奉后燕主慕容宝之命前往南方观察形势的启仑从南方返回龙城，他向慕容宝报告说，中山已经被魏军攻占，慕容宝于是下令取消收复中原的军事行动。辽西王慕容农对慕容宝说："我们刚把都城从中山迁到龙城，目前还不适宜出兵南征，应该利用现在已经调集起来的军队袭击鲜卑族的库莫奚部落，夺取他们的牛马等家畜，以充实我们军用的不足，然后密切关注敌人的动静、虚实，等到明年再商议是否南征。"慕容宝采纳了慕容农的意见。正月二十六日己未，慕容宝率领大军开始北上。二十七日庚申渡过了浇洛水。此时南燕王慕容德派遣担任侍郎的李延来晋见后燕主慕容宝，让他告诉慕容宝说："北魏王拓跋珪已经西上返回魏国，中原地区魏军势力空虚。"李延追赶慕容宝，一直追到浇洛水，终于追上了慕容宝讨伐库莫奚的大军，慕容宝得到这个消息非常高兴，当天就率军从浇洛水返回。

正月二十八日辛酉，北魏王拓跋珪从中山出发，他将太行山以东六州的官吏、居民以及各少数民族的十多万口迁徙到代郡，以充实那里的人口。此时博陵郡、勃海郡、章武郡的盗贼蜂拥而起，担任抚军大将军的略阳公拓跋遵率军将其全部剿平。

北魏担任广川太守的贺赖卢，性情豪爽强悍，把自己位居冀州刺史王辅之下当成一种耻辱，于是率军袭击王辅，将王辅杀死，逼迫王辅部下的守军劫掠阳平、顿丘等郡，然后向南渡过黄河，投奔了南燕。南燕王慕容德任命贺赖卢为并州刺史，封其为广宁王。

西秦王乞伏乾归派遣担任秦州牧的乞伏益州率军攻取后凉的支阳、鹯武、允吾三个郡县，将这三个郡县全部攻克，劫持了一万多人然后撤走。

后燕主慕容宝从浇洛水返回龙城的皇宫，他下诏给诸将，令他们到达各自的驻地，就地待命，不准解散，文武将士全都把家属放在慕容宝的身边充当人质。担任司空的辽西王慕容农、长乐王慕容盛全都恳切地进行劝阻，认为后燕的士卒已经筋疲力尽，北魏刚刚打了一连串的大胜仗，士气正盛，不可以与它相抗衡，现在应该休养士卒，寻找机会。慕容宝准备听从他们的意见，而担任抚军将军的慕舆腾说："可以让百姓与你共同分享成功后的快乐，却不可能在开始的时候就和他们一道商

难与图始㊸。今师众已集，宜独决圣心㊹，乘机进取，不宜广采异同以沮㊺大计。”宝乃曰：“吾计决矣，敢谏者斩！”二月乙亥㊻，宝出就顿㊼，留盛统后事。己卯㊽，燕军发龙城，慕舆腾为前军，司空农为中军，宝为后军，相去各一顿㊾，连营百里。

壬午㊿，宝至乙连51，长上52段速骨、宋赤眉等因众心之惮征役，遂作乱。速骨等皆高阳王隆旧队，共逼立[3]隆子高阳王崇为主，杀乐浪威王宙53、中牟熙公段谊54及宗室诸王。河间王熙55素与崇善，崇拥佑之，故独得免。燕主宝将十余骑奔司空农营，农将出迎，左右抱其腰，止之，曰：“宜小清澄56，不可便出。”农引刀将斫之，遂出见宝，又驰信57追慕舆腾58。癸未59，宝、农引兵还趣大营，讨速骨等。农营兵亦厌征役，皆弃仗60走，腾营亦溃。宝、农奔还龙城。长乐王盛闻乱，引兵出迎，宝、农仅而得免。

会稽王道子忌王、殷61之逼，以谯王尚之62及弟休之有才略，引为腹心。尚之说道子曰：“今方镇63强盛，宰相权轻，宜密树腹心于外以自藩卫64。”道子从之，以其司马王愉65为江州66刺史，都督江州及豫州之四郡军事，用为形援67。日夜与尚之谋议，以伺四方之隙。

魏王珪如繁畤68宫，给新徙民69田及牛。

珪畋70于白登山71，见熊将数子72，谓冠军将军于栗磾73曰：“卿名勇健，能搏74此乎？”对曰：“兽贱人贵，若搏而不胜，岂不虚毙75一壮士乎？”乃驱致珪前，尽射而获之。珪顾谢之。

秀容川76酋长尔朱羽健77从珪攻晋阳、中山有功，拜散骑常侍，

议创业的事情。如今全国的军队已经全部集结起来，下一步应该怎么办，要由皇帝自己拿主意，趁此良机，出兵进取，不应该广泛地征求各方面的意见而坏了国家大事。”慕容宝于是说：“我已经下定决心，如果还有人胆敢劝阻，杀无赦！”二月十三日乙亥，后燕主慕容宝离开龙城进驻军营，留下长乐王慕容盛主管后方事务。十七日己卯，后燕军从龙城出发南征，抚军将军慕舆腾担任前军，担任司空的慕容农担任中军，慕容宝率军殿后，前军、中军与后军之间相距各三十里，前后连营一百里。

二月二十日壬午，慕容宝率领后军抵达乙连，在禁卫军中担任长上的段速骨、宋赤眉等人利用军队当中惧怕征战的心理，趁机作乱。段速骨等全都是高阳王慕容隆的旧部，他们共同逼迫拥立慕容隆的儿子高阳王慕容崇为主，攻击、杀死了乐浪威王慕容宙、中牟熙公段谊以及宗室中的诸位亲王。河间王慕容熙一向与高阳王慕容崇关系友好，慕容崇对他特别加以保护，所以没有被叛军杀死。后燕主慕容宝率领十多名骑兵逃到了担任司空的辽西王慕容农的中军军营，慕容农准备亲自出营迎接慕容宝，慕容农身边的侍从将他拦腰抱住，阻止他说：“应该等混乱局面稍微平定一下，现在不能轻易出去。”慕容农拔出身上的佩刀就要砍他们，这些人才放开了手，慕容农出营与慕容宝见面，又派人骑马飞速追赶前军，给统领前军的抚军将军慕舆腾送信。二十一日癸未，后燕主慕容宝和司空慕容农率领中军调转方向赶回昨天发生叛乱的后军军营，讨伐段速骨等叛军。慕容农所率领的中军也厌恶征战，他们全都扔下手中的兵器四散逃走，前军慕舆腾所率领的军队也都溃散。慕容宝、慕容农跑回了龙城。留守后方的长乐王慕容盛听到南征大军发生叛乱的消息，赶紧率军出城迎接，慕容宝、慕容农等才得以保住性命。

东晋会稽王司马道子对王恭与殷仲堪向自己施加压力而除掉王国宝之事感到非常痛恨，因为谯王司马尚之以及弟弟司马休之很有雄才大略，所以就拉拢他们，使他们成为自己的心腹。司马尚之对会稽王司马道子说：“如今的封疆大吏势力强盛，而宰相的权力太轻，应该秘密地把自己的心腹安插到地方上去，作为保护朝廷的屏障。”司马道子采纳了司马尚之的意见，于是任命在自己手下担任司马的王愉为江州刺史，都督江州以及豫州之四郡军事，形成一种互为声援的态势。司马道子日夜与司马尚之一起秘密商议，寻找四方的可乘之机，以削弱方镇的势力。

北魏王拓跋珪前往繁畤行宫，给新从山东六州迁徙到此的移民分配农田和耕牛。

北魏王拓跋珪在白登山行围打猎的时候，看见一只母熊带着几只幼仔，便对担任冠军将军的于栗磾说：“你的勇敢强健是出了名的，你能不能赤手空拳将它捉住？”于栗磾回答说：“野兽比人卑贱，如果人与野兽搏斗而不能取胜，不是白白牺牲一个勇士吗？”于是，就把那只母熊和几只小熊仔全部驱赶到拓跋珪的面前，然后把它们全部射杀、捕获。拓跋珪回过头来向冠军将军于栗磾道歉。

秀容川酋长尔朱羽健跟随北魏王拓跋珪攻取晋阳、中山有功，被拓跋珪任命为散

环其所居，割地三百里以封之。

柔然[78]数侵魏边，尚书中兵郎[79]李先请击之。珪从之，大破柔然而还。

杨轨[80]以其司马郭纬为西平相[81]，帅步骑二万北赴[82]郭麐。秃发乌孤遣其弟车骑将军傉檀帅骑一万助轨。轨至姑臧，营于城北。

燕尚书顿丘王兰汗[83]阴与段速骨等通谋，引兵营龙城之东。城中留守兵至少，长乐王盛徙内[84]近城之民，得丁夫万余，乘城以御之。速骨等同谋才百余人，余皆为所驱胁，莫有斗志。三月甲午[85]，速骨等将攻城。辽西桓烈王农[86]恐不能守，且为兰汗所诱，夜，潜出赴之，冀以自全[87]。明旦，速骨等攻城，城上拒战甚力，速骨之众死者以百数。速骨乃将农循城[88]。农素有忠节威名，城中之众恃以为强，忽见在城下，无不惊愕丧气，遂皆逃溃。速骨入城，纵兵杀掠，死者狼籍。宝、盛与慕舆腾、余崇、张真、李旱、赵恩等轻骑南走。速骨幽农于殿内。长上阿交罗[89]，速骨之谋主[90]也，以高阳王崇幼弱，更欲立农。崇亲信鬷让、出力犍[91]等闻之，丁酉[92]，杀罗及农。速骨即为之诛让等。农故吏左卫将军宇文拔亡奔辽西[93]。

庚子[94]，兰汗袭击速骨，并其党尽杀之。废崇，奉太子策[95]，承制[96]大赦，遣使迎宝，及于蓟城[97]。宝欲还，长乐王盛等皆曰："汗之忠诈未可知，今单骑赴之，万一汗有异志，悔之无及。不如南就范阳王[98]，合众以取冀州。若其不捷，收南方之众，徐归龙都，亦未晚也。"宝从之。

离石胡帅[99]呼延铁[100]、西河[101]胡帅张崇等不乐徙代，聚众叛魏，

骑常侍，拓跋珪还在尔朱羽健居住地的周围，划分出三百里，作为尔朱羽健的封地。

柔然人屡次侵扰北魏的边境地区，北魏担任尚书中兵郎的李先向北魏王拓跋珪请求出兵攻打柔然。拓跋珪接受了李先的请求，令李先率军攻打柔然，李先大败柔然，凯旋。

杨轨任命担任司马的郭纬为西平相，令他率领二万名步兵、骑兵，向北增援占据姑臧城东苑谋反的郭黁。秃发乌孤派遣自己的弟弟、担任车骑将军的秃发傉檀率领一万名骑兵协助杨轨，一同增援郭黁。杨轨等率军抵达后凉的都城姑臧，在姑臧城北扎下营寨。

后燕担任尚书的顿丘王兰汗暗中与发动叛乱的段速骨、宋赤眉等人勾结，他率军驻扎在龙城以东。此时龙城中的守卫部队非常少，留守龙城的长乐王慕容盛把龙城郊区的居民全部迁入龙城，从中挑选出一万多人，让他们登上城墙进行防守。随同段速骨等人谋乱的其实只有一百多人，其他的人全都是被劫持而来，因此毫无斗志。三月初二日甲午，段速骨等准备进攻龙城。后燕担任司空的辽西桓烈王慕容农担心守不住龙城，而且受到顿丘王兰汗的诱惑，于是，便在夜间偷偷地离开龙城，投靠叛军，希望保住自己的性命。第二天黎明时分，段速骨等开始向龙城发起攻击，城墙上的守军奋力抵抗，段速骨的部众被消灭了数百人。段速骨便带着慕容农绕城一周，让守城的将士看到。慕容农一向拥有忠贞节烈的威名，龙城之内的人全都把他当作主心骨，所以才顽强抵抗叛军的进攻，现在忽然看到慕容农竟然在城下，与叛军在一起，因此无不感到万分惊愕，斗志完全丧失，立即四散而逃。段速骨顺利攻入龙城，他放纵士卒大肆杀人抢劫，死者的尸体纵横遍地。后燕主慕容宝、长乐王慕容盛、抚军将军慕舆腾以及余崇、张真、李旱、赵恩等什么东西都没有来得及携带，就空身骑马冲出龙城，向南逃走。段速骨将慕容农囚禁在皇宫之内，在后燕禁卫军中担任长上的阿交罗是段速骨的智囊，他认为高阳王慕容崇年纪弱小，就想拥立辽西王慕容农为首领。高阳王慕容崇的亲信鳚让、出力犍等听到消息，便在初五日丁酉这一天杀死了阿交罗和慕容农。段速骨又为阿交罗和慕容农而杀死了鳚让、出力犍等。辽西王慕容农的故吏、担任左卫将军的宇文拔逃往辽西。

三月初八日庚子，后燕担任尚书的顿丘王兰汗率众袭击段速骨，将段速骨连同他的党羽全部杀光。兰汗废掉了高阳王慕容崇，拥立后燕主慕容宝的太子慕容策代行皇帝职权，实行大赦，派使者南下迎接后燕主慕容宝返回龙城，使者一直追到蓟城才将慕容宝等追上。慕容宝准备跟随兰汗的使者返回龙城，长乐王慕容盛等都说："顿丘王兰汗是忠还是奸，目前还无法搞清，如果陛下单枪匹马返回龙城，万一兰汗别有用心，到时恐怕连后悔都来不及。不如南下去投靠范阳王慕容德，然后集合兵力夺取冀州。如果不能取胜，再召集南方的兵众，慢慢返回龙城，也不算晚。"慕容宝听从了慕容盛的建议。

北魏离石境内的匈奴部落首领呼延铁、西河境内的匈奴部落首领张崇等人不愿

魏安远将军庾岳讨平之。

魏王珪召卫王仪入辅[102]，以略阳公遵代镇中山。夏，四月壬戌[103]，以征虏将军穆崇为太尉，安南将军长孙嵩为司徒。

燕主宝从间道[104]过邺，邺人请留，宝不许。南至黎阳[105]，伏于河西[106]，遣中黄门令[107]赵思告北地王钟[108]曰："上以二月得丞相表[109]，即时南征，至乙连，会长上作乱，失据[110]来此。王亟白[111]丞相奉迎！"钟，德之从弟也，首劝德称尊号，闻而恶之，执思付狱，以状白南燕王德。德谓群下曰："卿等以社稷大计，劝吾摄政[112]，吾亦以嗣帝[113]播越[114]，民神乏主[115]，故权顺群议[116]以系众心[117]。今天方悔祸[118]，嗣帝得还，吾将具法驾[119]奉迎，谢罪行阙[120]，何如？"黄门侍郎张华曰："今天下大乱，非雄才无以宁济[121]群生。嗣帝暗懦，不能绍隆[122]先统[123]。陛下若蹈匹夫之节[124]，舍天授之业[125]，威权一去，身首不保，况社稷其得血食乎[126]？"慕舆护曰："嗣帝不达时宜，委弃国都[127]，自取败亡，不堪多难[128]，亦已明矣。昔蒯聩出奔，卫辄不纳[129]，《春秋》是之[130]。以子拒父犹可，况以父拒子[131]乎？今赵思之言，未明虚实，臣请为陛下驰往诇[132]之。"德流涕遣之。

护帅壮士数百人，随思而北，声言迎卫[133]，其实图之。宝既遣思诣钟，于后得樵者，言德已称制[134]，惧而北走。护至，无所见，执思以还。德以思练习典故[135]，欲留而用之。思曰："犬马犹知恋主，思虽刑臣[136]，乞还就上[137]。"德固留之，思怒曰："周室东迁，晋、郑是依[138]。殿

意迁徙到代郡，于是便聚集部众背叛了北魏，被北魏担任安远将军的庾岳率军镇压。

北魏王拓跋珪征调卫王拓跋仪回到朝廷辅佐朝政，令略阳公拓跋遵代替拓跋仪镇守中山。夏季，四月初一日壬戌，拓跋珪任命担任征虏将军的穆崇为太尉，任命安南将军长孙嵩为司徒。

后燕主慕容宝从僻静小道经过邺城，邺城人请求慕容宝留在邺城，慕容宝没有同意。慕容宝继续南行，抵达黎阳，隐藏在黄河西岸，他派遣担任中黄门令的赵思告诉北地王慕容钟说："皇帝在二月份接到丞相慕容德的表章，于是立即率领大军南下征讨，大军到达乙连时，遇到担任长上的段速骨、宋赤眉等起兵叛乱，因此丢掉了自己的根据地，来到这里。大王赶紧禀告丞相、范阳王慕容德，让他前来迎接！"北地王慕容钟是南燕王慕容德的堂弟，是他第一个劝说慕容德即位称王的，所以听了后燕主慕容宝的这番话，心里感到非常厌恶，就把充当慕容宝使者的赵思逮捕起来关进大牢，并把情况报告给南燕王慕容德。慕容德对群臣说："你们从国家利益考虑，劝我代理国家朝政，我也因为继任皇帝慕容宝远离京师，到处流亡迁徙，百姓无人治理，宗庙无人祭祀，所以暂且听从了诸位的意见，即位称王，以维持民众对燕国皇室的归服之心。如今上天已经改变了过去对燕国不保佑的态度，使继任皇帝得以返回，我要准备好皇帝乘坐的法驾，亲自前往皇帝行宫的门口，向皇帝请罪，请求原谅以往行事的不周，你们觉得如何？"担任黄门侍郎的张华说："如今正是天下大乱之时，如果不是具有雄才伟略的人，就不可能安定、拯救苍生。继任皇帝慕容宝愚昧懦弱，没有能力继续光大先帝的传统基业。陛下如果非要坚守一介匹夫的节操，拒绝上天所授予的大业，威势和权力一旦丢失，恐怕就会性命不保，皇家宗庙的祭祀，岂不就要断绝了吗？"慕舆护说："继任皇帝慕容宝根本不识时务，竟然轻易地放弃了国家的都城，自取灭亡，他没有能力承受更多灾难的考验，这已经很明显了。从前卫国的蒯聩逃亡国外，后来他的儿子卫辄被国人拥立为国君，卫辄就拒绝他的父亲蒯聩回国，而《春秋》肯定了卫辄的做法。儿子拒绝父亲都可以，何况是叔父拒绝侄子呢？而且仅凭赵思的一番话，也弄不清真假虚实，请允许我替陛下前去探查情况。"南燕王慕容德流着泪派慕舆护前去探查。

南燕慕舆护率领着数百名勇士，跟随着后燕王慕容宝的使者赵思北上，扬言是来护卫、迎接慕容宝前往都城滑台，其实是为了除掉慕容宝。慕容宝派遣赵思前往慕容钟那里后，从打柴人那里听到了慕容德已经称王、代行皇帝职权的消息，因此非常恐惧，立即动身北行。慕舆护到达黎阳附近的黄河西岸，没有找到后燕主慕容宝，于是便将赵思带回。因为赵思熟悉朝廷典故，南燕王慕容德就准备把赵思留为己用。赵思说："即使是狗、马，尚且知道眷恋自己的主人，我虽然只是一个受过宫刑的宦官，但还是请求将我释放，允许我回到皇帝慕容宝那里去。"慕容德坚决要赵思留下，赵思发怒说："周平王向东迁移到洛邑，依靠的是诸侯国晋国和郑国。论起

下亲则叔父，位为上公[139]，不能帅先群后[140]以匡[141]帝室，而幸本根之倾[142]，为赵王伦之事[143]。思虽不能如申包胥之存楚[144]，犹慕龚君宾[145]不偷生于莽世也！”德斩之。

宝遣扶风忠公慕舆腾[146]与长乐王盛收兵冀州。盛以腾素暴横，为民所怨，乃杀之。行至钜鹿、长乐[147]，说诸豪杰，皆愿起兵奉宝[148]。宝以兰汗祀燕宗庙[149]，所为似顺，意欲还龙城，不肯留冀州，乃北行。至建安[150]，抵民张曹家。曹素武健，请为宝合众[151]，盛亦劝宝宜且驻留，察汗情状。宝乃遣冗从仆射[152]李旱先往见汗，宝留顿石城[153]。会汗遣左将军苏超奉迎，陈汗忠款[154]。宝以汗燕王[4]垂之舅，盛之妃父也，谓必无他，不待旱返，遂行。盛流涕固谏，宝不听，留盛在后。盛与将军张真下道[155]避匿。

丁亥[156]，宝至索莫汗陉[157]，去龙城四十里，城中皆喜。汗惶怖，欲自出请罪，兄弟共谏止之。汗乃遣弟加难[158]帅五百骑出迎，又遣兄堤闭门止仗[159]，禁人出入。城中皆知其将为变，而无如之何。加难见宝于陉北，拜谒已，从宝俱进[160]。颍阴烈公余崇[161]密言于宝曰：“观加难形色，祸变甚逼[162]，宜留三思，奈何径前[163]？”宝不从。行数里，加难先执崇，崇大呼骂曰：“汝家幸缘肺附[164]，蒙国宠荣，覆宗[165]不足以报。今乃敢谋篡逆，此天地所不容，计[166]旦暮即屠灭，但恨我不得手脍汝曹[167]耳！”加难杀之。引宝入龙城外邸[168]，弑之。汗谥宝曰灵帝[169]，杀献哀太子策[170]及王公卿士百余人。自称大都督、大将军、大单于、昌黎王，改元青龙。以堤[171]为太尉，加难为车骑将军，封河间王熙[172]为辽

殿下与皇帝的亲属关系，殿下是皇帝的叔父，论起职位，殿下位在三公之列，却不能率先为各路诸侯做出表率，扶助朝廷，反而庆幸燕主慕容宝的政权垮台，做出像西晋赵王司马伦篡夺晚辈皇位的事情。我赵思虽然没有能力像申包胥那样使国家亡而复存，但我还是仰慕龚胜的为人，绝不在王莽之世苟且偷生！”慕容德恼羞成怒，将赵思杀死。

后燕主慕容宝派遣扶风忠公慕舆腾与长乐王慕容盛前往冀州招集兵马。因为慕舆腾一向凶暴蛮横，遭到民众的怨恨，慕容盛于是将慕舆腾杀死。慕容盛抵达钜鹿、长乐，游说各地的英雄豪杰，他们都表示愿意起兵拥戴后燕主慕容宝。慕容宝认为顿丘王兰汗自己并没有称帝，仍然称自己是燕国的臣子，还在祭祀着燕国皇室的宗庙，其作为似乎还不算背叛，因而就想返回龙城，而不愿意继续留在冀州，于是便向北进发。抵达建安，投宿于当地居民张曹的家中。张曹一向勇武有力，他请求为后燕主慕容宝招募兵众，长乐王慕容盛也劝说慕容宝应该暂且留在这里，观察顿丘王兰汗的动向。慕容宝于是派遣担任冗从仆射的李旱先去晋见顿丘王兰汗，慕容宝则驻留在石城。正好此时兰汗派遣担任左将军的苏超前来迎接慕容宝返回龙城，苏超向慕容宝述说兰汗对燕朝王室是如何忠诚。因为兰汗是后燕主慕容垂的舅舅，又是长乐王慕容盛的岳父，慕容宝就认为兰汗一定没有歹意，于是不等李旱返回，就跟随着苏超上路了。慕容盛痛哭流涕地进行劝阻，慕容宝根本不听，他让慕容盛走在最后。慕容盛遂与将军张真避开大路，找地方躲避起来。

四月二十六日丁亥，后燕主慕容宝一行抵达索莫汗陉，这里距离龙城还有四十里，龙城中的人都很高兴。而顿丘王兰汗却非常惊慌恐惧，他想亲自出来向后燕主慕容宝请罪，而他的兄弟们一同阻止了他。兰汗于是派自己的弟弟兰加难率领五百名骑兵出城迎接，又派遣自己的哥哥兰堤关闭城门，收拾起自己小朝廷的所有仪仗，禁止行人出入。龙城之内，人们都知道顿丘王兰汗准备发动兵变，却又对其无可奈何。兰汗的弟弟兰加难在索莫汗陉以北见到了后燕主慕容宝，他拜见了慕容宝之后，便跟随慕容宝一同向龙城进发。颍阴烈公余崇秘密地提醒慕容宝说：“看兰加难的神色，恐怕灾祸就在眼前，应该停下来三思，怎么能一直向前走呢？”慕容宝还是听不进去。又往前走了几里路，兰加难首先逮捕了余崇，余崇大声怒骂说：“你们兰氏家族有幸成为皇室的亲戚，享受着国家的宠信和荣耀，即使你们牺牲自己的家族，也不足以报答。现在竟敢谋逆篡位，这是天地所不能容忍的事情，肯定用不了多久就会遭到灭族的惩罚，遗憾的是我不能亲手将你们这类人剁成碎块！”兰加难立即杀死了余崇，然后带着慕容宝进入龙城城外的一家馆舍，杀死了后燕主慕容宝。兰汗追谥慕容宝为灵帝，同时杀死了皇太子慕容策，同时被杀的还有王爵、公爵等朝廷大臣和官员一百多人。兰汗遂自称大都督、大将军、大单于、昌黎王，改年号为青龙。兰汗任命自己的哥哥兰堤为太尉，任命自己的弟弟兰加难为车骑将军，封河间王慕东公，如杞、宋故事[173]。

长乐王盛闻之，驰欲赴哀，张真止之。盛曰："我今以穷归汗，汗性愚浅，必念婚姻[174]，不忍杀我。旬月之间，足以展吾情志[175]。"遂往见汗。汗妻乙氏及盛妃皆泣涕请盛于汗[176]，盛妃复顿头于诸兄弟。汗恻然哀之，乃舍盛于宫中，以为侍中[177]、左光禄大夫[178]，亲待如旧。堤、加难屡请杀盛，汗不从。堤骄很[179]荒淫，事汗多无礼，盛因而间之，由是汗兄弟浸[180]相嫌忌。

凉太原公纂[181]将兵击杨轨，郭麐救之，纂败还。

段业使沮渠蒙逊攻西郡[182]，执太守吕纯以归。纯，光之弟子也。于是晋昌[183]太守王德、敦煌[184]太守赵郡孟敏皆以郡降业。业封蒙逊为临池侯[185]，以德为酒泉[186]太守，敏为沙州[187]刺史。

【段旨】

以上为第一段，写安帝隆安二年（公元三九八年）正月至五月共五个月间的大事。主要写了慕容麟拥立慕容德在黎阳称燕王，后又叛变，为慕容德所杀。写了魏王拓跋珪南巡邺城一带，因欲北归，遂置行台于邺城及中山，分别派和跋与拓跋仪掌管之，治驰道，自望都至代，徙山东六州吏民十余万口实代，拓跋珪又伐柔然，大破之。写了慕容宝因不听慕容农、慕容盛之劝，乘拓跋珪北归之际出兵伐魏，中途因其内侍叛乱，众军瓦解，慕容宝狼狈逃回龙城。写了叛乱分子攻城，慕容农出降，众皆丧气崩溃，慕容宝逃出龙城南投慕容德，险为慕容德的部下所杀。写了原已据燕地自立的兰汗讨灭叛乱分子，占据龙城，迎慕容宝北归，慕容宝不听大臣余崇与慕容盛之劝，终于为兰汗所杀，而慕容盛因是兰汗的女婿遂得以潜伏下来，为日后之杀兰汗埋下伏笔。此外还写了凉州的段业、沮渠蒙逊势力举兵伐吕光，虽互有胜败，但吕光的势力日减，以及西秦王乞伏乾归的势力又有加强等。

容熙为辽东公，就像周武王灭商后把夏王朝的后裔东楼公封为杞国国君、把商纣王的哥哥微子开封为宋国国君一样。

后燕长乐王慕容盛得知自己的父亲、后燕主慕容宝被兰汗害死的消息，就准备立即赶去奔丧，将军张真劝阻他不要前去。慕容盛说："我如今因为走投无路去投靠兰汗，兰汗生性愚钝，见识浅薄，肯定会看在我是他的女婿的情分上，不忍心将我杀掉。只要有十天半月的时间，就完全可以实现我的愿望。"于是便去晋见兰汗。兰汗的妻子乙氏以及慕容盛的王妃全都一边哭一边替慕容盛向兰汗求情，慕容盛的王妃还给自己的几个兄弟磕头。兰汗不禁动了恻隐之心，于是就让慕容盛住在皇宫之中，并任命慕容盛为侍中、左光禄大夫，还像过去一样把他当作亲戚相待。兰汗的哥哥兰堤、弟弟兰加难屡次请求兰汗杀掉慕容盛，兰汗都没有听从。兰堤为人骄纵任性，荒淫无道，对待兰汗更是多行无礼，慕容盛趁机从中进行挑拨离间，于是兰汗兄弟之间逐渐互相猜忌起来。

后凉太原公吕纂率军攻击杨轨，后凉叛臣郭麐率军及时赶来救援杨轨，吕纂被杨、郭联合打败之后返回。

北凉建康公段业派担任镇西将军的沮渠蒙逊率军攻打西郡，俘虏了后凉担任西郡太守的吕纯，得胜而回。吕纯是后凉天王吕光的侄子。于是，晋昌太守王德、敦煌太守赵郡人孟敏全都献出自己管辖的地盘投降了北凉段业。段业封沮渠蒙逊为临池侯，任命王德为酒泉太守，任命孟敏为沙州刺史。

【注释】

①用兄垂故事：指使用当年慕容垂只称"燕王"不称"皇帝"的旧例。见本书卷一百五。②改永康三年为元年：永康是慕容宝的年号，慕容宝永康三年即晋安帝隆安二年（公元三九八年），慕容德在这年自立为王，这就是历史上所说的"南燕"。③以统府行帝制：以自己的统帅府行使帝王的职权，只有一套机构。④庚子：正月初七。⑤南巡：即南行、南进。古代称帝王的出行叫"巡"或"巡狩"。⑥高邑：县名，县治在今河北高邑东。⑦王永之子宪：王永的儿子王宪。王永是前秦苻坚的军师王猛（字景略）的儿子，在苻丕当政时，王永曾为车骑大将军、尚书令、司徒、左丞相等职，后为西燕慕容永所杀。事见《晋书》卷一百一十五。⑧本州中正：即青州中正。王猛是北海郡的剧县（今山东昌乐西）人，而北海郡上属青州。中正，官名，负责考察本地区人才的高下，以备国家选用。⑨选曹：即吏部尚书之职。⑩兼掌门下：同时为门下省的主管官员。门下省的主要官员有侍中、侍郎等，皇帝的参谋顾问人员隶属于此。⑪行台：中央政权的派出机构，以便于及时地行使中央职权。魏国的京城在盛乐，今内蒙古的和林格尔西北

侧。⑫日南公和跋：和跋是拓跋珪的将领，有才辩而性奢淫。传见《魏书》卷二十八。日南是郡名，在今越南国的中部，当时属于东晋。⑬为尚书：这里实际是让他总管行台的尚书省。⑭左丞：即尚书左丞，尚书令的属官。⑮望都：县名，县治在今河北望都西北。⑯恒岭：即北岳恒山，在今河北曲阳北，当时的望都县西，与今山西浑源境内之“北岳恒山”不是一地。⑰代：郡名，郡治即今河北蔚县东的代王城。⑱山东：此指太行山以东，即上面所说的邺城、中山一带，今河北中部、南部地区。⑲勃海之合口：勃海郡的合口县。勃海郡的郡治在今河北沧州南，合口县的县治在今河北沧州西。⑳尹国：拓跋珪的将领。㉑督租于冀州：在冀州地区收取粮草。冀州的州治信都，即今河北衡水冀州区。㉒长孙嵩：拓跋珪的将领，封南平公。传见《魏书》卷二十五。㉓启仑：启仑上年受慕容宝命南行邺县探看形势。㉔迁都尚新：指慕容宝刚到龙城。㉕成师：已经调集起来的军队。㉖库莫奚：鲜卑族的部落名，当时居住在龙城西北，今内蒙古的克什克腾旗一带。㉗己未：正月二十六。㉘庚申：正月二十七。㉙浇洛水：即今西拉木伦河，自内蒙古克什克腾旗东流，经今通辽南流至辽宁营口入海。㉚辛酉：正月二十八。㉛山东六州：指今河北中部、南部一带的冀州、定州和瀛州等。㉜博陵：郡名，郡治即今河北安平。㉝章武：郡名，郡治即今河北大城。㉞广川：郡名，郡治在今河北枣强东南，当时上属冀州。㉟贺赖卢：拓跋珪的将领。㊱阳平：郡名，郡治即今河北馆陶。㊲顿丘：郡名，郡治在今河南濮阳北。㊳支阳：县名，县治在今甘肃兰州西北。㊴鹯武：县名，县治约在今甘肃兰州西北。㊵允吾：县名，县治在今甘肃兰州西，当时这里也是金城郡郡治所在地。㊶就顿：到达各自的驻地，就地待命。㊷以家属随驾：把家属放到慕容宝身边充当人质。㊸百姓可与乐成二句：原为商鞅语，见《史记·商君列传》。意谓老百姓都是群氓，只能让他们跟着到时享现成的福，不可能一开头就和他们一道商量创业，因为他们鼠目寸光，一定反对。㊹独决圣心：请慕容宝自己决断。㊺沮：坏掉。㊻二月乙亥：二月十三。㊼出就顿：离开皇宫进驻兵营。㊽己卯：二月十七。㊾一顿：犹言“一舍”，距离单位，一顿为三十里。㊿壬午：二月二十。(51)乙连：村镇名，在今河北迁安北。(52)长上：官名，犹今之所谓“长班”“长随”。没有休假、永不离开主子的侍卫人员。(53)乐浪威王宙：即慕容宙，慕容宝的族兄弟。乐浪王是封号，威是谥。(54)中牟熙公段谊：中牟公是段谊的封号，熙是谥。(55)河间王熙：即慕容熙，慕容宝之弟。(56)小清澄：犹言略冷静、略等待一下。(57)驰信：派出信使。信，使者。(58)追慕舆腾：让他停止前进，回来平乱。(59)癸未：二月二十一。(60)弃仗：丢弃刀枪。(61)王、殷：王恭、殷仲堪。(62)谯王尚之：即司马尚之，司马懿的弟弟司马进的曾孙。(63)方镇：指各地那些握有军政大权的州刺史。(64)藩卫：拱卫；护卫。藩，藩篱、屏障。(65)王愉：王坦之之子，王国宝的同父异母兄。传见《晋书》卷七十五。(66)江州：州治即今江西九江市。(67)形援：一种可引为援助的态势。(68)繁畤：县名，县治在今山西浑源西南，当地筑有魏国的宫殿。(69)新徙民：前不久从“山东六州”迫迁来的居民。(70)畋：打猎。(71)白登山：在今山西大同东。⑫ 熊将数子：一只母熊领着几只小熊。⑬ 于栗磾：魏国初期的名将，历事拓跋珪以下三代。传见《魏书》卷三十一。⑭ 搏：赤手与之斗。⑮ 虚毙：白白牺牲。⑯ 秀容川：地区名，有南北二处。北秀容在今山西朔州市朔城区一带，南秀容在今山西岚县南。⑰ 尔朱羽健：人名，姓尔朱，名羽健，尔朱荣的曾祖。事见《魏书》卷七十四。尔朱氏所居应是北秀容。⑱ 柔然：亦作“蠕蠕”，当时的少数民族名，活动在今蒙古南部地区。⑲ 尚书中兵郎：尚书省里负责中兵（驻守京城部队）的长官。当时分设中兵、外兵、骑兵、别兵等部。⑳ 杨轨：吕光的部将，曾任杨武将军、后将军等职，现伙同郭麐叛变。事见本书上卷与《晋书》卷一百二十二。㉑ 西平相：西平郡的行政长官。西平郡治即今青海西宁。㉒ 北赴：此处即指往援。㉓ 兰汗：慕容垂的小舅，也是慕容盛的岳父。㉔ 内：同“纳”，迁进。㉕ 三月甲午：三月初二。㉖ 辽西桓烈王农：即慕容农，慕容宝之弟。辽西王是其封号，桓烈是其谥。㉗ 冀以自全：胡三省曰，“农号为有智略，乃欲投段速骨以自全，不知适以速死，殆天夺之鉴也”。〖按〗史书写慕容农之为人，前后颇不统一，当年慕容农在慕容垂的时期是何等英雄，今如此之乏，令人不可理解。㉘ 循城：在下绕行，让城上人看。㉙ 阿交罗：人名，姓阿交，名罗。㉚ 谋主：一切主意的提出者。㉛ 馥让、出力犍：都是人名。㉜ 丁酉：三月初五。㉝ 辽西：郡名，郡治在今河北秦皇岛市西南。㉞ 庚子：三月初八。㉟ 太子策：慕容宝的儿子。㊱ 承制：以皇帝（慕容宝）的名义。㊲ 及于蓟城：追到蓟城时追上了。蓟城即今北京市。㊳ 范阳王：即慕容德，当时称南燕王，驻兵滑台（今河南滑县东）。㊴ 离石胡帅：离石县境内的匈奴部落头领。离石县即今山西吕梁离石区，当时属魏。⑽ 呼延铁：姓呼延，名铁。⑽ 西河：郡名，郡治即今山西吕梁市离石区。⑽ 入辅：入朝为宰相。⑽ 壬戌：四月初一。⑽ 间道：小道。⑽ 黎阳：郡名，郡治在今河南浚县东。⑽ 河西：黄河西岸。当时的黎阳城在黄河西北，滑台在黄河东南，隔河相望。⑽ 中黄门令：官名，以宦官为之，主管侍从皇帝，传达诏命。⑽ 北地王钟：即慕容钟，慕容德之弟，慕容宝之叔。⑽ 丞相表：指前慕容德遣侍郎李延往对慕容宝说“涉珪西上，中国空虚”云云。⑾ 失据：丢掉了根据地，无处存身。⑾ 亟白：迅速告知。⑾ 摄政：代理国家政事。这里只是客气的说法，意即为王。⑾ 嗣帝：指慕容宝，此与其父慕容垂相对而言。⑾ 播越：远离京城，到处流浪。⑾ 民神乏主：百姓无人治理，宗庙无人祭祀。⑾ 权顺群议：暂时顺从大家的意见。⑾ 以系众心：以维持大众对燕国皇室的归服之心。⑾ 天方悔祸：老天爷已经改变了过去对燕国不保佑的态度。⑾ 具法驾：备好皇帝举行典礼时乘坐的车子。⑿ 谢罪行阙：到慕容宝行宫的大门去认错，请求原谅以往行事之不周。行阙，行宫的门前，这里指慕容宝的门前。⑿ 宁济：安定；拯救。⑿ 绍隆：继续光大。⑿ 先统：先帝的传统基业。⑿ 蹈匹夫之节：谨守一介匹夫的小礼。蹈，循规蹈矩、谨守。⑿ 舍天授之业：拒绝上天赐给我们的基业而不受。⑿ 其得血食乎：还能保持对社稷的祭祀吗。血食，指杀三牲（牛、羊、猪）用以祭祀。宗庙、社稷不得“血食”即指这个国家灭亡。⑿ 委弃国都：

指自动离开中山。⑫⁸不堪多难：经不住灾难的考验。⑫⁹蒯聩出奔二句：春秋时卫灵公的太子蒯聩因欲杀灵公的夫人南子未成而逃出国外，灵公死后，国人拥立了蒯聩的儿子辄为君，这就是历史上的卫出公。这时蒯聩想回国争位，被其子出公打回去。事见《左传》定公二年。⑬⁰《春秋》是之：是，肯定。《春秋公羊传》对蒯聩拒父的评论是："父有子，子不得有父也。"《春秋穀梁传》的评论是："其弗受，以尊王父（祖父）也。"⑬¹以父拒子：慕容德是慕容宝的叔父，故慕舆护如此说。⑬²诇：探察。这里实际是准备出去杀了他，故下文是"德流涕遣之"。⑬³迎卫：迎接、护卫。⑬⁴称制：即指为王。因为只有王者的命令才能称为"制"或"诏"。⑬⁵练习典故：熟悉朝廷里对各种问题处理的办法。典故，古代的章程、准则。⑬⁶刑臣：受过刑罚的人，因为赵思是宦官，故如此自称。⑬⁷就上：到皇上，也就是到慕容宝那里去。⑬⁸周室东迁二句：犬戎灭掉西周，周平王东迁到洛邑时，晋文侯和郑武公给了周王室以巨大的帮助，所以周桓王后来说："我周之东迁，晋郑焉依。"语见《左传》隐公六年。⑬⁹上公：慕容德曾被封为丞相，丞相是三公之一。⑭⁰帅先群后：给各路诸侯做榜样。群后，指各方诸侯。⑭¹匡：正，扶助。⑭²幸本根之倾：盼着慕容宝的政权垮台。幸，以……为幸。本根，指慕容宝政权，因为他是从慕容垂那里一脉传来。⑭³赵王伦之事：上辈篡夺下辈子孙的政权。赵王伦，即司马伦，司马懿之子，晋惠帝的叔祖，曾于晋惠帝永宁元年（公元三〇一年）篡位称帝。事见本书卷八十四。⑭⁴申包胥之存楚：申包胥是春秋末期的楚国贤臣，伍子胥率吴兵灭楚后，申包胥入秦请救，在秦庭哭了七天七夜，感动了秦哀公，出兵恢复了楚国。事见《史记·伍子胥列传》。⑭⁵龚君宾：名胜，字君宾，西汉末期人。为官正道，不屈于权贵，王莽篡位后欲召之为其服务，龚胜绝食而死。传见《汉书》卷七十二。⑭⁶扶风忠公慕舆腾：扶风公是慕舆腾的封号，忠是谥。⑭⁷钜鹿、长乐：二郡名，钜鹿郡的郡治在今河北平乡西南，长乐郡的郡治即今河北衡水冀州区。⑭⁸奉宝：拥戴慕容宝。⑭⁹祀燕宗庙：没有自己称帝，还说自己是燕国的臣子，还祭祀燕国皇室的宗庙。⑮⁰建安：村镇名，在今河北迁安北。⑮¹合众：召集人马。⑮²冗从仆射：皇帝的侍从官。⑮³石城：县名，也叫白狼城，县治在今辽宁建昌西北。⑮⁴陈汗忠款：把兰汗的"忠诚"向慕容宝说了

【原文】

六月丙子[188]，魏王珪命群臣议国号。皆曰："周、秦以前，皆自诸侯升为天子，因以其国为天下号。汉氏以来，皆无尺土之资[189]。我国家百世相承，开基代北[190]，遂抚有方夏[191]，今宜以代为号。"黄门侍郎崔

一遍。款，诚实。⑮下道：离开道路。⑯丁亥：四月二十六。⑰索莫汗陉：山口名。⑱加难：人名。⑲止仗：收起他那个小朝廷的仪仗。⑳从宝俱进：跟着慕容宝一道向龙城进发。㉑颍阴烈公余崇：颍阴公是余崇的封号，烈是谥。㉒甚逼：迫近；就在眼前。㉓奈何径前：怎么能一直向前走呢。㉔幸缘肺附：就因为你们是燕国王室的亲戚。肺附，同“肺腑”，以喻亲戚。㉕覆宗：整个家族毁灭。㉖计：绝对；肯定是。㉗手脍汝曹：亲手把你们切成肉丝。㉘龙城外邸：龙城城外的一所馆舍。㉙谥宝曰灵帝：《谥法解》：“不勤成名曰灵。”（注：任本性，不见贤思齐）“乱而不损曰灵。”（注：不能以治损乱）〖按〗慕容宝被杀时年四十五。⑰⓪献哀太子策：即慕容策，慕容宝之子。献哀二字是他的谥。⑰①堤：即兰堤，兰汗之兄。⑰②河间王熙：即慕容熙，慕容垂之子，慕容宝之弟。⑰③如杞、宋故事：像周武王灭商后，封夏朝的后代东楼公于杞，封殷纣王的哥哥微子开于宋一样，以表示对前朝的优待。事见《史记·陈杞世家》《宋世家》。⑰④必念婚姻：肯定会看在我是他女婿的情分上。⑰⑤展吾情志：实现我的愿望。⑰⑥请盛于汗：向兰汗请求放过慕容盛。⑰⑦侍中：官名，帝王的近侍官员，兼备参谋顾问。⑰⑧光禄大夫：光禄勋的属官，以备参谋顾问。⑰⑨骄很：骄纵任性。很，犹如今之所谓“拧”，不听劝说。⑱⓪浸：渐渐地。⑱①太原公纂：即吕纂，吕光的庶长子，被封为太原公。⑱②西郡：郡治日勒，在今甘肃永昌西北。⑱③晋昌：郡名，郡治在今甘肃安西东南。⑱④敦煌：郡名，郡治在今甘肃敦煌西。⑱⑤临池侯：封地临池。临池是水泽名，在今云南永胜南。⑱⑥酒泉：郡名，郡治即今甘肃酒泉。⑱⑦沙州：州治在今甘肃敦煌西。

【校记】

［1］启仑：原作“启伦”。胡三省注云：“‘伦’当作‘仑’。”据章钰校，十二行本作“启崘”，乙十一行本作“启伦”；孔天胤本作“启仑”，张敦仁《通鉴刊本识误》同，今据孔本、张校改。［2］魏王：原作“魏主”。据章钰校，十二行本、乙十一行本、孔天胤本皆作“魏王”，今据改。［3］立：原无此字。据章钰校，十二行本、乙十一行本、孔天胤本皆有此字，今据补。［4］燕王：据章钰校，十二行本、乙十一行本、孔天胤本皆作“燕主”。

【语译】

六月十六日丙子，北魏王拓跋珪命群臣商议国号，群臣都说：“周王朝、秦帝国以前都是从诸侯升任为天子，遂把原来自己的封国名作为国号。自汉代以来，天子在创业之前，连一尺的封地都没有。而我们拓跋氏自从西晋末年被封为代王，遂在代北开创基业，世代相传，已经有百世之久，一直到现在才占有了四方与中原，所以应该以‘代’作为国号。”担任黄门侍郎的崔宏说：“从前的商朝，因为都城屡次迁

宏[192]曰："昔商人不常厥居[193]，故两称殷、商[194]，代虽旧邦，其命维新[195]，登国[196]之初，已更曰魏[197]。夫魏者，大名[198]，神州之上国[199]也。宜称魏如故。"珪从之。

杨轨自恃其众，欲与凉王光决战，郭麘每以天道[200]抑止之。凉常山公弘[201]镇张掖，段业使沮渠男成及王德攻之，光使太原公纂将兵迎之。杨轨曰："吕弘精兵一万，若与光合，则姑臧益强，不可取矣。"乃与秃发利鹿孤[202]共邀击纂。纂与战，大破之。轨奔王乞基[203]。麘性褊急[204]残忍，不为士民所附，闻轨败走，降西秦。西秦王乾归以为建忠将军、散骑常侍。

弘引兵弃张掖东走。段业徙治张掖，将追击弘。沮渠蒙逊谏曰："归师勿遏[205]，穷寇勿追[206]，此兵家之戒也。"业不从，大败而还，赖蒙逊以免。业城西安[207]，以其将臧莫孩为太守。蒙逊曰："莫孩勇而无谋，知进不知退，此乃为之筑冢，非筑城也！"业不从，莫孩寻[208]为吕纂所破。

燕太原王奇[209]，楷之子，兰汗之外孙也。汗亦不杀，以为征南将军，得入见长乐王盛。盛潜使奇逃出起兵。奇起兵于建安[210]，众至数千，汗遣兰堤讨之。盛谓汗曰："善驹[211]小儿，未能办此[212]，岂非有假托其名欲为内应者乎？太尉[213]素骄，难信，不宜委以大众[214]。"汗然之，罢堤兵，更遣抚军将军仇尼慕将兵讨奇。

于是[215]龙城自夏不雨至于秋七月，汗日诣燕诸庙及宝神座顿首祷请，委罪于兰加难[216]。堤及加难闻之，怒，且惧诛。乙巳[217]，相与率所

移，所以可以称其为‘殷’，也可以称其为‘商’，虽说代北是我们的旧土，但我们近来又接受了上天的新任命，其实早在我们宣布改年号为‘登国’的时候，就已经把国名改成了‘魏国’。‘魏’字的本意就是高大，曾经被中原的大国用作国号。所以应该依旧称为‘魏国’。”拓跋珪采纳了崔宏的意见。

杨轨认为自己人多势众，就想与后凉天王吕光决一死战，而郭黁却经常用天象的变化不利于战争来阻止他。后凉常山公吕弘镇守张掖，北凉建康公段业派遣担任辅国将军的沮渠男成以及担任酒泉太守的王德联合率军进攻镇守张掖的吕弘，后凉天王吕光派太原公吕纂率军迎战。西平公杨轨说：“光是吕弘手下的精兵就有一万，如果再与吕光的军队会合在一起，那么姑臧城的兵力将更加强大，我们就无法将姑臧攻克。”于是与南凉担任骠骑将军的秃发利鹿孤同时出兵阻击后凉的太原公吕纂。吕纂率军反击，将杨轨、秃发利鹿孤的联军打得大败。西平公杨轨兵败后投奔了田胡部落首领王乞基。后凉叛臣郭黁性情狭隘、急躁，为人凶暴残忍，所以得不到士民的拥护，郭黁听到杨轨等战败的消息，便立即逃走，投降了西秦。西秦王乞伏乾归任命郭黁为建忠将军、散骑常侍。

后凉常山公吕弘放弃了自己所镇守的张掖，向东逃走。段业遂把都城迁到张掖，并准备派兵追击吕弘。担任镇西将军的临池侯沮渠蒙逊劝阻说：“对急于往回逃命的军队千万不要拦击，对于走投无路的贼寇千万不要穷追猛打，这是军事家对人们的告诫。”段业没有听从沮渠蒙逊的劝告，亲自率军追击吕弘，结果大败而回，幸亏沮渠蒙逊及时救援才幸免于难。段业在张掖东南的西安郡筑城，任命属下将领臧莫孩为西安郡太守。沮渠蒙逊提醒建康公段业说：“臧莫孩有勇无谋，只知道进攻，而不懂得退避，修筑西安，不是为了筑城，而是为臧莫孩修筑了一座坟墓！”段业还是没有听从，不久，臧莫孩果然被后凉太原公吕纂击败。

后燕太原王慕容奇，是慕容楷的儿子，也是兰汗的外孙。所以兰汗也没有将慕容奇杀死，而且任命慕容奇为征南将军，慕容奇得以入宫会见长乐王慕容盛。慕容盛便让他偷偷逃出龙城，到民间招募士卒起事。于是慕容奇逃往建安，他在建安召集了数千人，然后起兵反抗兰汗的统治，昌黎王兰汗派担任太尉的兰堤率军去讨伐慕容奇。长乐王慕容盛对兰汗说：“慕容奇只是一个小孩子，做不出这样的大事，是不是有人假托慕容奇的名义在外起事，而自己准备做内应呢？担任太尉的兰堤一向骄横，很难让人信任，所以不应该把军权交给他。”兰汗同意慕容盛的意见，于是解除了兰堤的兵权，改派担任抚军将军的仇尼慕率军去讨伐慕容奇。

当时，后燕的龙城地区从进入夏季就没有下过雨，一直持续到秋季的七月，昌黎王兰汗每天到燕国各个先皇的祭庙以及故后燕主慕容宝的灵位前磕头祈祷，请求降雨，并把杀害慕容宝的罪责推卸在兰加难的身上。兰堤与兰加难得知后非常愤怒，而且害怕兰汗会杀掉自己。于是在十五日乙巳，兰堤与兰加难相互率领自己的部下

部袭仇尼慕军，败之。汗大惧，遣太子穆将兵讨之。穆谓汗曰："慕容盛，我之仇雠，必与奇相表里，此乃腹心之疾，不可养也，宜先除之。"汗欲杀盛，先引见，察之。盛妃知之，密以告盛。盛称疾不出，汗亦止不杀。

李旱、卫双、刘忠、张豪、张真，皆盛素所厚也，而穆引以为腹心，旱、双得出入至盛所，潜与盛结谋。丁未[218]，穆击堤、加难等，破之。庚戌[219]，飨将士，汗、穆皆醉。盛夜如厕，因逾垣入于东宫，与旱等共杀穆。时军未解严[220]，皆聚在穆舍，闻盛得出，呼跃争先，攻汗，斩之。汗子鲁公和、陈公扬分屯令支[221]、白狼[222]，盛遣旱、真袭诛之。堤、加难亡匿[223]，捕得，斩之。于是内外帖然，士女相庆。宇文拔[224]率壮士数百来赴，盛拜拔为大宗正[225]。

辛亥[226]，告于太庙，令曰："赖五祖之休[227]，文武之力，宗庙社稷幽而复显[228]。不独孤[229]以眇眇之身免不同天之责[230]，凡在臣民[231]皆得明目当世[232]。"因大赦，改元建平。盛谦不敢称尊号[233]，以长乐王摄行统制[234]。诸王皆降称公，以东阳公根为尚书左仆射，卫伦、阳璆、鲁恭、王滕[5]为尚书，悦真为侍中，阳哲为中书监[235]，张通为中领军，自余文武各复旧位。改谥宝曰惠闵皇帝，庙号烈宗。

初，太原王奇举兵建安，南、北之人[6]翕然[236]从之。兰汗遣其兄子全讨奇，奇击灭之，匹马不返，进屯乙连[237]。盛既诛汗，命奇罢兵。奇用丁零[238]严生、乌桓[239]王龙之谋，遂不受命。甲寅[240]，勒兵三万余人进至横沟，去龙城十里。盛出击，大破之，执奇而还，斩其党与百余人，赐奇死，桓王[241]之嗣遂绝。群臣固请上尊号，盛弗许。

袭击了抚军将军仇尼慕的军队，将仇尼慕打败。兰汗非常害怕，便派遣自己的太子兰穆率军讨伐兰堤和兰加难。兰穆对自己的父亲兰汗说：“慕容盛是我们的仇人，他肯定与慕容奇内外勾结，这可是心腹之患，不能再养虎遗患了，应该先把慕容盛除掉才是。”兰汗于是准备除掉慕容盛，但他还是先召见慕容盛，以观察慕容盛的动静。慕容盛的王妃事先已经得知消息，就秘密地告诉了慕容盛。慕容盛于是假装有病没出房门，兰汗也就没有动手将慕容盛杀死。

在后燕的诸将当中，李旱、卫双、刘忠、张豪、张真，都一向受到长乐王慕容盛的厚爱，而兰汗的太子兰穆却把这几个人当作了自己的心腹，所以李旱、卫双得以随便出入慕容盛的住所，他们与慕容盛秘密结盟、定计。七月十七日丁未，兰穆率军攻击自己的伯父兰堤和自己的叔父兰加难等，将兰堤等击败。二十日庚戌，他设宴犒赏将士，兰汗和兰穆全都喝得酩酊大醉。长乐王慕容盛趁夜间去厕所的机会，翻越宫墙进入太子宫，与李旱等人一起杀死了兰穆。当时，军队仍然处于紧急状态，将领们还都聚集在兰穆的住处，他们听到慕容盛已经出面的消息，全都欢呼雀跃、奋勇争先，进攻兰汗，将兰汗杀死。兰汗的儿子鲁公兰和、陈公兰扬分别率军驻扎在令支和白狼，慕容盛派遣李旱和张真率军袭击，将兰和与兰扬全都杀死。只有兰堤和兰加难脱身逃走，隐藏起来，最后也被搜捕出来斩首。于是龙城内外的叛乱全部平定，男女老幼互相奔走庆贺。担任左卫将军的宇文拔率领数百名勇士从辽西回到龙城，慕容盛任命宇文拔为大宗正。

七月二十一日辛亥，后燕长乐王慕容盛到皇家太庙祭祀，向祖先报告平定叛乱的成功经过，下令说：“依靠五代祖先的保佑，依靠文武官员的努力，使慕容氏的宗庙社稷得以脱离黑暗，再现光明。我已经报了杀父之仇，可以免去人们对我的谴责，使当今的所有臣民都可以毫不惭愧地正眼看人。”于是实行大赦，改年号为建平。慕容盛为了表示自己的谦逊，没有称帝，而是以长乐王的身份代行国家的军政大权。诸位王爵全都降级称公，任命东阳公慕容根为尚书左仆射，任命卫伦、阳璆、鲁恭、王滕全都为尚书，任命悦真为侍中，任命阳哲为中书监，任命张通为中领军，其余的文武官员全都官复原职。将慕容宝的谥号改为惠闵皇帝，庙号烈宗。

当初，太原王慕容奇在建安起兵，无论是南部中原地区的汉人，还是北方的鲜卑人全都非常顺从地归属于慕容奇。自称昌黎王的兰汗派自己的侄子兰全率军讨伐慕容奇，被慕容奇全部消灭，就连一匹战马也没有逃回去，慕容奇遂乘胜进军，驻扎于乙连。长乐王慕容盛诛杀了兰汗之后，下令太原王慕容奇罢兵，慕容奇采纳了丁零人严生、乌桓人王龙的谋略，拒绝服从慕容盛的命令。七月二十四日甲寅，慕容奇率领三万多人挺进到横沟，距离龙城只有十里。慕容盛率军出击，将慕容奇打得大败，活捉了慕容奇，然后返回龙城，将追随慕容奇的一百多名党羽杀死，命慕容奇自杀，桓王慕容恪的后代于是全部灭绝。群臣全都坚决请求长乐王慕容盛称帝，慕容盛没有答应。

魏王珪迁都平城[242]，始营宫室，建宗庙，立社稷。宗庙岁五祭[243]，用分、至及腊。

桓玄求为广州[244]。会稽王道子忌玄，不欲使居荆州，因其所欲，以玄为督交[245]广二州军事、广州刺史。玄受命而不行。豫州刺史庾楷以道子割其四郡使王愉督之，上疏言："江州内地[246]，而西府[247]北带寇戎[248]，不应使愉分督[249]。"朝廷不许。楷怒，遣其子鸿说王恭曰："尚之兄弟[250]复秉机权[251]，过于国宝，欲假朝威削弱方镇，惩艾前事[252]，为祸不测[253]。今及其谋议未成，宜早图之。"恭以为然。以告殷仲堪、桓玄。仲堪、玄许之，推恭为盟主，刻期同趣京师[254]。

时内外疑阻[255]，津逻严急[256]。仲堪以斜绢为书，内箭簳中[257]，合镝漆之[258]，因庾楷以送恭。恭发书，绢文角戾[259]，不复能辨仲堪手书[260]，疑楷诈为之，且谓[261]仲堪去年已违期不赴，今必不动，乃先期举兵。司马刘牢之谏曰："将军，国之元舅；会稽王，天子叔父也。会稽王又当国秉政，向[262]为将军戮其所爱王国宝、王绪，又送王廞书[263]，其深伏[264]将军已多矣。顷所授任[265]，虽未允惬[266]，亦非大失。割庾楷四郡以配王愉，于将军何损？晋阳之甲，岂可数兴[267]乎？"恭不从，上表请讨王愉、司马尚之兄弟。

道子使人说楷曰："昔我与卿，恩如骨肉，帐中之饮，结带之言[268]，可谓亲矣。卿今弃旧交，结新援，忘王恭畴昔陵侮之耻[269]乎？若欲委体而臣之，使恭得志，必以卿为反覆之人，安肯深相亲信？首身且不可保，况富贵乎？"楷怒曰："王恭昔赴山陵，相王忧惧无计，我知事

北魏王拓跋珪将都城从盛乐迁往平城，开始在平城营造宫室，建立宗庙、社稷坛。规定每年祭祀宗庙五次，具体的祭祀时间是春分、秋分、夏至、冬至以及腊月。

东晋南郡公桓玄请求担任广州刺史。会稽王司马道子因为忌惮桓玄，本来就不想让他长期待在荆州，于是便顺水推舟，任命桓玄为督交、广二州军事，广州刺史。桓玄虽然接受了任命，却不肯前往广州赴任。因为会稽王司马道子将自己辖区内的四个郡划归江州刺史王愉统辖，担任豫州刺史的庾楷于是上疏给朝廷说："江州治所寻阳，地处江南内地，而被称为西府的豫州治所所在地历阳地处建康之西，北面与贼寇相接，不应再分给王愉统管。"朝廷没有同意豫州刺史庾楷的意见。庾楷愤怒之下，便派自己的儿子庾鸿去游说王恭，庾鸿对王恭说："谯王司马尚之和他的弟弟司马休之现在又掌握了国家权柄，他们比起王国宝更加有过之而无不及，他们假借朝廷的权威想要削弱方镇的力量，接受了上次讨伐王国宝事件的教训，恐怕将军所面临的大祸难以预料，现在要趁着他们的谋划还没有十分成熟，早点想出应付他们的办法。"王恭也认为是这样。庾楷又去联络殷仲堪与桓玄。殷仲堪与桓玄都表示赞同，于是共同推举王恭为盟主，约定好日期，一同发兵京师，向司马尚之兄弟、王愉等人问罪。

当时，东晋朝廷与地方军镇官员之间互相怀疑猜忌，长江的各个渡口都已经宣布戒严，士卒往来巡逻，对过往的行人进行严密的盘查。殷仲堪便把写有起兵日期的书信写在一片斜裁的丝绸上，藏入箭杆之中，安好箭头之后，连同箭头一起涂上一层漆，然后通过庾楷转送给王恭。王恭折断箭杆取出书信，斜裁的丝绸边角扭曲、纹路紊乱而导致字迹严重变形，已经无法辨认信上写的是什么，王恭于是便怀疑是庾楷伪造的，而且认为去年殷仲堪就曾经违背约定，没有按约定时间出兵建康，如今殷仲堪肯定不会采取行动，于是没有理会殷仲堪，便自行决定先期起兵。在王恭手下担任司马的刘牢之劝阻王恭说："将军是皇帝的舅舅；会稽王司马道子是皇帝的叔叔。会稽王司马道子又手握朝权主持朝政，从前已经为了将军而杀死了自己所宠爱的王国宝、王绪，又把王廞的阴谋告诉了将军，他对将军的服从已经够明显了。近来所进行的人事任命，虽然不完全令人感到满意，也没有什么大错。即使是把庾楷的辖区分割出四个郡归王愉统辖，这对将军来说又有什么损失呢？出动晋阳之军以清君侧的战争，岂能屡次发动呢？"王恭听不进刘牢之的意见，于是又上疏给朝廷，请求讨伐担任江州刺史的王愉以及司马尚之兄弟。

东晋会稽王司马道子派人劝说担任豫州刺史的庾楷说："过去我与你之间，恩情如同骨肉兄弟，帷帐之中相对畅饮，当时所说的话，可以说是亲密无间了。而你现在抛弃了旧日的朋友，另外去结交新的援手，你难道忘记了过去被王恭凌辱的耻辱吗？如果你想要委身投靠，去做他的臣属，一旦王恭得志，手中掌握了大权，必定会认为你是一个反复无常的小人，怎么可能真正地亲近你、信任你？恐怕到时你连自己的脑袋都保不住，何况是荣华富贵呢？"庾楷发怒说："过去王恭率领大军参加先

急，寻勒兵而至，恭不敢发[270]。去年之事[271]，我亦俟命而动[272]。我事相王无相负者。相王不能拒恭，反杀国宝及绪，自尔已来，谁敢复为相王尽力者？庾楷实不能以百口[273]助人屠灭[274]。”时楷已应恭檄[275]，正征士马。信返[276]，朝廷忧惧，内外戒严。

会稽世子元显言于道子曰：“前不讨王恭，故有今日之难。今若复从其欲，则太宰[277]之祸至矣。”道子不知所为，悉以事委元显，日饮醇酒而已。元显聪警[278]，颇涉文义[279]，志气果锐[280]，以安危为己任。附会[281]之者，谓元显神武，有明帝[282]之风。

殷仲堪闻恭举兵，自以去岁后期，乃勒兵趣发[283]。仲堪素不习为将，悉以军事委南郡相杨佺期兄弟，使佺期帅舟师五千为前锋，桓玄次之，仲堪帅兵二万，相继而下。佺期自以其先汉太尉震[284]至父亮，九世皆以才德著名，矜其门地[285]，谓江左[286]莫及。有以比王珣[287]者，佺期犹恚恨[288]。而时流[289]以其晚过江[290]，婚宦失类[291]；佺期及兄广、弟思平、从弟孜敬皆粗犷[292]，每排抑[293]之。佺期常慷慨切齿，欲因事际[294]以逞其志，故亦赞成仲堪之谋。

八月，佺期、玄奄至湓口[295]。王愉无备，惶遽[296]奔临川[297]，玄遣偏军[298]追获之。

燕以河间公熙[299]为侍中、骠[7]骑大将军、中领军、司隶校尉；城阳公元为卫将军。元，宝之子也。又以刘忠为左将军，张豪为后将军，并赐姓慕容氏。李旱为中常侍、辅国将军，卫双为前将军，张顺为镇西将军、昌黎尹[300]，张真为右将军，皆封公。

乙亥[301]，燕步兵校尉马勤[8]等谋反，伏诛。事连骠骑将军高阳公

帝的葬礼，担任太宰的会稽王司马道子忧愁恐惧、束手无策，我得知情势紧急，很快就率军抵达京师建康，王恭才不敢发难。去年王恭又要挟朝廷清君之侧，我也是随时准备起兵援助司马道子。我对待太宰司马道子，没有什么地方对不起他。而身为太宰的会稽王没有能力抵抗王恭的进攻，反倒杀死了自己所宠信的王国宝和王绪，从那以后，谁还敢再为他效力？我庾楷确实不能因为帮助他而让人家把我家的一百多口屠灭。”当时庾楷已经答应响应王恭讨伐司马尚之兄弟和王愉的号召，正在调集军队。司马道子派去劝说庾楷的使者返回京城之后，朝廷之内更加忧愁恐惧，京城内外立即进入紧急戒严状态。

东晋会稽王司马道子的世子司马元显对自己的父亲司马道子说：“从前不讨伐王恭，所以才会有今天的灾祸。现在如果还要顺从他的欲望，满足他的要求，恐怕太宰您就要大祸临头了。”司马道子此时还是不知该如何是好，于是便把一切军国大事全部交付给司马元显处理，自己每天只是一味地饮酒而已。司马元显聪明机敏，办法来得很快，很懂得一些传统的章法与应对的办法，处事果断，很有锋芒，以天下安危为己任。巴结、趋附于他的人全都称赞他英明勇武，有晋明帝司马绍的风范。

东晋担任荆州刺史的殷仲堪听到王恭已经举兵发难的消息，觉得自己去年就违背约定没有按时出兵，此次一定要弥补过来，于是立即集合兵力，迅速出发。殷仲堪素来不熟习如何指挥军队作战，于是便把军事指挥权委托给担任南郡相的杨佺期兄弟，令杨佺期率领五千名水军充做先锋，桓玄紧随其后，殷仲堪亲自率领二万名士卒，相继沿长江顺流东下。杨佺期认为自己的祖先从东汉时期担任太尉的杨震开始，一直到自己的父亲杨亮，九世以来，都是以才德著称于世，所以对自己的出身门第颇感骄傲和自豪，认为江左的人士谁也比不上自己。有人曾经把他和担任尚书左仆射的王珣相提并论，杨佺期尚且感到非常愤怒。而当时上流社会的人因为他到江南的时间比较晚，没有跟有身价的名门联上姻，而且又做了不该做的官；再加上杨佺期和他的哥哥杨广、弟弟杨思平、堂弟杨孜敬全都性情粗野，所以往往受到压制。杨佺期每当谈起这些，情绪总免不了慷慨激昂，有时甚至咬牙切齿，总想找个事由、抓个机会施展一下自己的才智，所以也赞成殷仲堪的计划。

八月，杨佺期、桓玄所率舰船突然抵达湓口。担任江州刺史的王愉丝毫没有防备，仓皇之间逃往临川，桓玄特别派出一支小部队随后追击，将王愉抓获。

后燕长乐王慕容盛任命河间公慕容熙为侍中、骠骑大将军、中领军、司隶校尉；任命城阳公慕容元为卫将军。慕容元是后燕主慕容宝的儿子。同时还任命刘忠为左将军，任命张豪为后将军，并赐刘忠、张豪都姓慕容氏。任命李旱为中常侍、辅国将军，任命卫双为前将军，张顺为镇西将军、昌黎尹，任命张真为右将军，上述各将领全都被封为公爵。

八月十五日乙亥，后燕担任步兵校尉的马勤等阴谋造反，事情败露，被诛杀。

崇[302]、崇弟东平公澄，皆赐死。

宁朔将军邓启方、南阳[303]太守闾丘羡[304]将兵二万击南燕[305]，与南燕中军将军法[306]、抚军将军和[307]战于管城[308]。启方等兵败，单骑走免。

魏王珪命有司正封畿[309]，标道里[310]，平权衡[311]，审度量[312]。遣使循行郡国，举奏守宰[313]不法者，亲考察黜陟[314]之。

【段旨】

以上为第二段，写晋安帝隆安二年（公元三九八年）六月至八月共三个月间的大事。主要写了东晋军阀王恭与殷仲堪、桓玄等串通举兵讨王愉、司马尚之，王恭起兵于京口，庾楷应之于历阳，殷仲堪的部将杨佺期与桓玄出兵至寻阳江口，俘获了江州刺史王愉。写了潜伏于兰汗部下的慕容盛、慕容奇等在龙城发动事变，杀掉兰汗、兰堤、兰穆等，慕容盛即燕王位，慕容奇旋又起兵反慕容盛，为慕容盛所破杀，又有部将马勒谋反，事连慕容隆之子慕容崇兄弟，亦为慕容盛所杀。写了魏王拓跋珪定国号曰“魏”，建都平城，并建宗庙、立社稷、正封疆、标道里、统一度量衡，遣使循行州郡，举奏守宰不法，政权逐渐有了规章。另外还写了凉州地区的段业势力破走吕弘，以张掖为都城，但段业昏悖，部将沮渠蒙逊的威望日高等。

【注释】

⑱⑧六月丙子：六月十六。⑱⑨无尺土之资：指从平民百姓拔地而起。⑲⑩百世相承二句：拓跋氏自称黄帝的子孙，世代活动于今山西北部及内蒙古西南部一带，自西晋末年被封为代王。详见《魏书》卷一。⑲①方夏：指四方与中原。⑲②崔宏：汉族人，博学多闻，原为慕容宝的高阳内史，后归拓跋珪，对于魏国制度的创立多有贡献。传见《魏书》卷二十四。⑲③不常厥居：居址不固定，到处迁徙。⑲④两称殷、商：可以称“殷”，也可以称“商”。⑲⑤代虽旧邦二句：虽说代北是我们的旧土，但我们近来又接受了上天的新任命。⑲⑥登国：拓跋珪用过的年号（公元三八六至三九五年）。⑲⑦已更曰魏：已经改名称为魏国。⑲⑧魏者二句：魏字本身就当高大讲，故山高叫“魏然”，宫门叫“魏阙”。春秋时晋献公封毕万于魏，卜偃曰：“魏，大名也，以是始赏，天开之矣。”⑲⑨神州之上

事情牵连到担任骠骑将军的高阳公慕容崇以及慕容崇的弟弟东平公慕容澄，长乐王慕容盛遂令二人自杀。

东晋担任宁朔将军的邓启方、担任南阳太守的闾丘羡率领二万名士卒袭击南燕，与南燕担任中军将军的慕容法、担任抚军将军的慕容和在管城展开激战。东晋的邓启方等战败，军队全部溃散，邓启方、闾丘羡单枪匹马逃得性命。

北魏王拓跋珪定都平城之后，命令有关部门划定境内州、郡、县的疆界，设置路标，标明道路名称及里程，制定统一、准确的权衡标准和度量标准。他又派遣使者到各郡、封国巡行视察，向朝廷检举、弹劾那些不能奉公守法的郡守和县令，拓跋珪亲自考察，决定是降职还是提升。

国："魏"字曾被中原的大国用作国号。战国初期，魏国曾强盛一时；后来曹操、曹丕又建国曰魏。上国，大国。⑳⓪以天道：用是否合乎"天意"的说法。201 常山公弘：即吕弘，吕光之子。202 秃发利鹿孤：秃发乌孤之弟。传见《晋书》卷一百二十六。203 王乞基：匈奴部落的头领，当时归属于吕光。204 褊急：狭隘；急躁。205 归师勿遏：对回逃的败军不要拦击。语见《孙子·军争》。206 穷寇勿追：原文作"穷寇勿迫"，亦见《孙子·军争》。207 城西安：在西安筑城。西安是郡名，郡治在今甘肃张掖东南。208 寻：不久。209 太原王奇：即慕容奇，慕容楷之子，慕容宝的堂侄，又是慕容盛的表侄。慕容楷是前燕名将、名臣慕容恪之子。210 建安：村镇名，在今河北迁安北。211 善驹：慕容奇的字。212 办此：做成这样的事。213 太尉：指兰堤，兰汗之兄。214 委以大众：让他统领大部队。215 于是：当时。216 兰加难：兰汗之弟，是他奉命把慕容宝杀死的。217 乙巳：七月十五。218 丁未：七月十七。219 庚戌：七月二十。220 未解严：未解除紧急状态。221 令支：城镇名，在今河北遵化东南。222 白狼：城镇名，在今辽宁建昌西北。223 亡匿：逃跑藏了起来。224 宇文拔：原是慕容农的部下，兰汗等政变，慕容农被杀后，宇文拔逃到了辽西。225 大宗正：官名，九卿之一，掌管王室及亲族的事务。226 辛亥：七月二十一。227 五祖之休：五代祖先的保佑。五祖，指慕容涉归、慕容廆、慕容皝、慕容儁、慕容垂。休，福佑、保佑。228 幽而复显：从几乎颠覆中又昌盛起来。229 孤：慕容盛自称。230 免不同天之责：由于报了杀父之仇，故而可以免去人们对我的谴责。不同天，即不共戴天。《礼记·曲礼》："父之仇，弗与共戴天。"231 凡在臣民：一切臣民。凡在，凡有、凡是。232 皆得明目当世：都可以毫不惭愧地正眼看人。233 称尊号：即指做皇帝。234 摄行统制：代行国家的军政大权。统制，即统领、驾驭。235 中书监：中书省的长官，主管起草诏令，职同宰相。236 翕然：顺从的样子。237 乙连：军事要地，在当时的建安城北（今河北迁安

北）。㉞丁零：当时的少数民族部落名。㉟乌桓：当时的少数民族名。㊵甲寅：七月二十四。㊶桓王：指太原王慕容恪，慕容垂之子，后燕的开国元勋，死后谥为桓。慕容奇是慕容恪的孙子。㊷平城：今山西大同东北。㊸岁五祭：一年内祭祀五次。其时间即下文的“分、至及腊”。分指春分、秋分；至指夏至、冬至；腊指腊月。㊹广州：指为广州刺史，州治番禺，即今广州。㊺交：指交州，州治龙编，在今越南河内东北。㊻江州内地：江州的州治寻阳，即今江西九江，统辖之地在长江以南，故曰“内地”。㊼西府：王愉的军府。当时庾楷任豫州刺史，东晋时豫州刺史的驻地在历阳，即今安徽和县，因其地处建康之西，故称“西府”。㊽北带寇戎：当时的豫州与北方姚兴的后秦、慕容德的南燕等相接，故云。㊾分督：分管。指前司马道子任王愉为江州刺史时，还从豫州挖出了四个郡，划与王愉督管。两处分归一人不伦不类。㊿尚之兄弟：指谯王司马尚之与其弟司马休之。251机权：机要、权柄。252惩艾前事：接受上次事件的教训。上次事件指王国宝、王绪被杀。253为祸不测：他们所包藏的祸心，难以预测。指王恭、殷仲堪等人的处境十分危急。254同趣京师：一同发兵京师，向司马尚之、王愉等人问罪。255内外疑阻：朝廷与地方军镇的官僚相互怀疑猜忌。疑阻，怀疑、不信任。256津逻严急：各个长江渡口都宣布戒严。津逻，渡口上的巡逻兵丁。严急，即戒严。257内箭簳中：藏在箭杆里头。258合镝漆之：连同箭头一起漆了一遍。259绢文角戾：因折叠而字迹变形。胡三省曰：“斜绢无边幅，经纬不相持，故斜角乖曲。”260不复能辨仲堪手书：已经无法辨认信上写的是什么。261且谓：而且认为。262向：前不久，即去年。263又送王廞书：指司马道子把王廞告发王恭谋反的信交回王恭一事。见本书卷一百九。264深伏：深深地服气、服从。伏，同“服”。265顷所授任：前不久对王愉的任命。顷，前不久。266未允惬：不是很公平、很令人满意。267岂可数兴：怎么能够屡屡发动。数，屡。268帐中之饮二句：二句事实不详。过去庾楷巴结王国宝，依附司马道子事，见本书卷一百八。269畴昔陵侮之耻：亦事实不详。胡三省曰：“王恭以元舅之亲，风神简贵，志气方严，视庾楷蔑如也，故道子以为陵侮楷。”可供参考。270恭不敢发：以上事实在晋孝武帝太元二十一年。见本书卷一百八。271去年之事：指王恭起兵讨伐王国宝。272我亦俟命而动：准备随时起兵援助司马道子。273百口：指全家上下。274助人屠灭：语稍不顺，其意似谓由于帮助你而被人屠灭。275已应恭檄：已经答应响应王恭所发的讨伐王愉、司马尚之的檄文。276信返：使者返回朝廷。信，使者，即前文司马道子派出劝说庾楷的人。277太宰：指司马道子本人。278聪警：聪明，办法来得快。279颇涉文义：很懂得一些传统的章程与应对办法。280果锐：果断；有锋芒。281附会：巴结，趋附。282明帝：司马绍，司马睿之子，公元三二三至三二五年在位，曾果断地削平王敦之乱。历史上称他“聪明有机断”，说他“虽享国日浅，而规模弘远矣”。传见《晋书》卷六。283趣发：迅速出发。趣，同

"促"。迅速。㉘④汉太尉震：即杨震，东汉后期人，好学明经，为官廉正，曾任太守、刺史、司徒、太尉。敢与恶势力坚决斗争，安帝末年被宦官所害。传见《后汉书》卷五十四。杨震的子孙杨秉、杨赐、杨彪等都相继位至三公。㉘⑤矜其门地：以门第高贵而盛气凌人。㉘⑥江左：犹言"江东"，这里指东晋的辖区。㉘⑦王珣：字符琳，东晋初期著名宰相王导的孙子。传见《晋书》卷六十五。㉘⑧恚恨：恼怒，以为王珣不过是几十年的新贵而已，焉能与他这种二百年的家世相比。㉘⑨时流：当时上流社会的一般人。㉙⓪晚过江：杨佺期的祖父杨林在西晋末期中原大乱时沦陷于少数民族统治下。杨佺期的父亲杨亮早年曾在北方做官，后来才归于东晋，比之王、谢诸族过江为晚。㉙①婚宦失类：与门第不好的人结了亲，又做了不该做的官。前者指与杨氏所通婚的都是北方人；后者指杨亮、杨佺期皆以武功得官，当时武官被人瞧不起。㉙②粗犷：粗野，指文化修养低以及缺乏服药、清谈等一些南方贵族的世俗习气。㉙③排抑：排斥、压制。㉙④事际：时机、际会，指政治波动。㉙⑤奄至湓口：突然出现在当时的寻阳江面。奄，突然。湓口，鄱阳湖入长江的汇口。在今江西九江东北。㉙⑥惶遽：同"惶惧"。㉙⑦临川：郡名，郡治即今江西抚州。㉙⑧偏军：一支小部队。㉙⑨河间公熙：即慕容熙，慕容垂之子，慕容宝之弟。㉚⓪昌黎尹：昌黎郡的行政长官，郡治即在龙城。㉚①乙亥：八月十五。㉚②高阳公崇：即慕容崇，慕容隆的儿子。前在段速骨、宋赤眉发动的叛乱中曾被逼立为王。㉚③南阳：郡名，郡治即今河南南阳，当时属东晋。㉚④闾丘羡：姓闾丘名羡，与前述邓启方都是东晋的官员。㉚⑤南燕：指以滑台（今河南滑县东）为都城的慕容德政权。㉚⑥中军将军法：即慕容法，任中军将军。㉚⑦抚军将军和：即慕容和，任抚军将军。㉚⑧管城：县名，县治即今河南郑州。㉚⑨正封畿：划分并标明国境线。封指国土，畿指京城。胡三省引宋白曰："魏道武都平城，东至上谷军都关，西至河，南至中山隘门塞，北至五原。地方千里，以为甸服。"但这里实指确定其所辖境内的州、郡、县的疆界，因为国境的区划不在于他自己，当时处于战争中。㉛⓪标道里：即设路标，在交通线上标明城镇之间相距的里程。㉛①平权衡：指统一秤。权，是古代的秤砣。衡，是秤杆。㉛②审度量：制定统一的准确的度量标准。审，准确、划一。度指丈、尺等长度单位。量指升、斗等容量单位。㉛③守宰：太守和县令。㉛④黜陟：降职与提升。

【校记】

［5］王滕：据章钰校，十二行本、乙十一行本皆作"王腾"。［6］人：据章钰校，十二行本、乙十一行本皆作"民"。［7］骠：原作"车"。严衍《通鉴补》改作"骠"，今从改。〖按〗《晋书·慕容熙载记》载，盛初即位，拜熙骠骑大将军。［8］马勤：原作"马勒"。据章钰校，十二行本、乙十一行本皆作"马勤"，今据改。

【原文】

九月辛卯[315]，加会稽王道子黄钺[316]，以世子元显为征讨都督，遣卫将军王珣、右将军谢琰[317]将兵讨王恭，谯王尚之将兵讨庾楷。

乙未[318]，燕[319]以东阳公根为尚书令，张通为左仆射，卫伦为右仆射，慕容豪为幽州刺史，镇肥如[320]。

己亥[321]，谯王尚之大破庾楷于牛渚[322]，楷单骑奔桓玄。会稽王道子以尚之为豫州刺史，弟恢之为骠骑司马[323]、丹杨尹，允之[324]为吴国内史[325]，休之[326]为襄城[327]太守，各拥兵马以为己援。乙巳[328]，桓玄大破官军[329]于白石[330]。玄与杨佺期进至横江[331]，尚之退走，恢之所领水军皆没。丙午[332]，道子屯中堂[333]，元显守石头[334]。己酉[335]，王珣守北郊，谢琰屯宣阳门[336]以备之。

王恭素以才地[337]陵物[338]，既杀王国宝，自谓威无不行[339]，仗刘牢之为爪牙[340]而但以部曲将遇之[341]。牢之负其才，深怀耻恨。元显知之，遣庐江[342]太守高素说牢之，使叛恭，许事成即以恭位号授之，又以道子书遗[343]牢之，为陈祸福。牢之谓其子敬宣曰："王恭昔受先帝[344]大恩，今为帝舅，不能翼戴[345]王室，数举兵向京师，吾不能审恭之志[346]，事捷之日，必能为天子、相王之下乎[347]？吾欲奉国威灵[348]，以顺讨逆，何如?"敬宣曰："朝廷虽无成、康[349]之美，亦无幽、厉[350]之恶，而恭恃其兵威，暴蔑[351]王室。大人亲非骨肉，义非君臣，虽共事少时，意好不协[352]。今日讨之，于情义何有!"

恭参军何澹之知其谋，以告恭。恭以澹之素与牢之有隙，不信。

【语译】

九月初二日辛卯，东晋安帝司马德宗将代表生杀大权、有权征讨一切不服王命者的黄钺授予会稽王司马道子，任命司马道子的世子司马元显为征讨都督，派遣担任卫将军的王珣、担任右将军的谢琰率军讨伐王恭，派谯王司马尚之率军讨伐豫州刺史庾楷。

九月初六日乙未，后燕长乐王慕容盛任命东阳公慕容根为尚书令，任命张通为左仆射，任命卫伦为右仆射，任命担任后将军的慕容豪为幽州刺史，镇守肥如。

九月初十日己亥，东晋谯王司马尚之率军在牛渚大败豫州刺史庾楷，庾楷单枪匹马投奔了桓玄。会稽王司马道子任命司马尚之为豫州刺史，任命司马尚之的弟弟司马恢之为骠骑司马、丹杨尹，司马允之为吴国内史，司马休之为襄城太守，每人都手握兵权作为自己的援手。十六日乙巳，桓玄在白石大败由司马尚之所统领的朝廷军。桓玄遂与杨佺期乘胜进抵横江，新任豫州刺史司马尚之率军撤退，担任骠骑司马的司马恢之所率领的水军则全军覆没。十七日丙午，会稽王司马道子率军驻扎在中堂，被任命为征讨都督的司马元显率军守卫石头城。二十日己酉，卫将军王珣率军防守北郊，右将军谢琰率军驻扎在建康城南面的宣阳门，严阵以待。

王恭一向自命不凡，总以为自己既有才能又出身于高贵门第而盛气凌人，在除掉王国宝之后，就更以为自己凭着权威没有办不到的事情，他把担任司马的刘牢之当作自己的左膀右臂使用，却又仅仅把刘牢之当作一般部属对待。刘牢之自负有才能，因此对自己的境遇深感耻辱和怨恨。担任征讨都督的司马元显得知了这种情况之后，立即派遣担任庐江太守的高素去游说刘牢之，令刘牢之背叛王恭，答应事情成功之后，把王恭所担任的职务和爵号授予刘牢之，又让高素把会稽王司马道子的书信送给刘牢之，为刘牢之分析祸福利害。刘牢之对自己的儿子刘敬宣说："王恭从前蒙受先帝司马曜的大恩，又是当今皇帝的舅舅，却不能拥戴皇室，竟然几次发兵，矛头直指京师，我搞不清楚王恭到底想要干什么，如果此次获得成功，他还能不能甘心居于现在的天子和相王之下呢？我准备秉承国家社稷的权威，名正言顺地讨伐叛逆的王恭，你以为如何？"刘敬宣说："现在的皇帝虽然没有周成王、周康王那样的美好，但也没有周幽王、周厉王那样的罪恶，而王恭却仗恃自己手中握有兵权和享有的威望，便骄横地蔑视皇帝不把皇室放在眼里。大人与王恭之间，论亲疏并非骨肉之亲，论道义并非君臣，虽然一起共事了一段时间，而私人关系和感情又不是很好。今天挺身而出，对他进行讨伐，在感情和道义上都没有什么说不过去的！"

在王恭手下担任参军的何澹之知道了刘牢之父子的阴谋，便报告给了王恭。因为何澹之一向与刘牢之有矛盾，所以王恭对何澹之的小报告并不相信。王恭还摆设乃置酒请牢之，于众中拜之为兄，精兵坚甲，悉以配之，使帅帐下督[353]颜延为前锋。牢之至竹里[354]，斩延以降，遣敬宣及其婿东莞[355]太守高雅之还袭恭。恭方出城曜兵[356]，敬宣纵骑横击之，恭兵皆溃。恭将入城，雅之已闭城门。恭单骑奔曲阿[357]，素不习马，髀[358]中生疮。曲阿人殷确，恭故吏也，以船载恭，将奔桓玄。至长塘湖[359]，为人所告，获之，送京师，斩于倪塘[360]。恭临刑，犹理须鬓，神色自若，谓监刑者曰："我暗于信人[361]，所以至此。原其本心，岂不忠于社稷邪？但令百世之下知有王恭耳。"并其子弟党与皆死。以刘牢之为都督兖、青、冀、幽、并、徐、扬州晋陵[362]诸军事以代恭。

俄而杨佺期、桓玄至石头，殷仲堪至芜湖。元显自竹里驰还京师，遣丹杨尹王恺[363]等发京邑士民数万人据石头以拒之。佺期、玄等上表理王恭[364]，求诛刘牢之。牢之帅北府之众[365]驰赴京师，军于新亭[366]。佺期、玄见之失色，回军蔡洲[367]。朝廷未知西军[368]虚实，仲堪等拥众数万，充斥郊畿，内外忧逼[369]。

左卫将军桓脩[370]，冲之子也，言于道子曰："西军可说而解[371]也，脩知其情矣。殷、桓之下[372]，专恃王恭。恭既破灭，西军沮恐[373]。今若以重利啖玄及佺期[374]，二人必内喜。玄能制仲堪，佺期可使倒戈取仲堪[375]矣。"道子纳之，以玄为江州刺史。召郗恢[376]为尚书，以佺期代恢为都督梁雍秦三州诸军事、雍州刺史。以脩为荆州刺史，权领[377]左卫文武[378]之镇；又令刘牢之以千人送之。黜仲堪为广州刺史，遣仲堪叔父太常茂[379]宣诏，敕[380]仲堪回军。

张骧[381]子超收合三千余家据南皮[382]，自号乌桓王，抄掠诸郡。魏王珪命庾岳讨之。

酒宴宴请刘牢之，并当着众人的面与刘牢之结拜为兄弟，称刘牢之为兄长，把所有的精锐部队、最好的兵器铠甲全都配备给刘牢之，让他率领担任帐下督的颜延担任前锋。刘牢之率军抵达竹里时，便斩杀了颜延，向朝廷军投降，同时派遣自己的儿子刘敬宣以及担任东莞太守的女婿高雅之率军返回王恭的镇所京口，袭击王恭。王恭此时刚刚从京口出来炫耀武力，刘敬宣便指挥骑兵从横向里冲杀过来，王恭的军队立即溃不成军，四处逃散。王恭正要退回京口城，而高雅之已经关闭了城门。王恭单枪匹马逃往曲阿，他一向不习惯骑马，因为长途奔跑，大腿处的皮肉全被磨破，化脓成疮。曲阿人殷确是王恭的旧部下，他用船载着王恭，准备去投奔广州刺史桓玄。他们到达长塘湖的时候，被人发现、告发，因而被官府抓获，送到京师建康，在倪塘被斩首。王恭在临刑之前还在有条不紊、从容不迫地梳理着自己的头发、胡须，神情自若、面不改色，他对监刑官说："我自己昏庸，错误地相信了刘牢之，所以才落到今天的地步。但是推究我的本心，难道我不忠于国家社稷吗？只希望百世之后，人们能知道有一个王恭就可以了。"王恭连同他的子弟、党羽全部被杀死。会稽王司马道子任命刘牢之为都督兖、青、冀、幽、并、徐、扬州晋陵诸军事，接替王恭的职位。

不久之后，担任南郡相的杨佺期率领五千名水军与桓玄抵达石头城，荆州刺史殷仲堪率领二万名军士到达芜湖。担任征讨都督的司马元显从竹里骑马飞速返回京师，他派遣丹杨尹王恺等调集京师数万人据守石头城，抵抗杨佺期、桓玄等的进攻。杨佺期、桓玄等上表为王恭申诉，要求为王恭平反，诛杀刘牢之。刘牢之率领京口的军政指挥机构急行军赶往京师，驻扎在新亭。杨佺期、桓玄看见刘牢之，不禁大惊失色，立即将军队撤往蔡洲。而朝廷并不知道从西方来的桓玄、殷仲堪所率叛军的虚实，殷仲堪等率领的数万兵马，布满了郊区，内心忧恐，外受逼迫。

东晋担任左卫将军的桓脩是桓冲的儿子，他对会稽王司马道子说："对西路叛军，可以派人去说服他们，令他们撤兵，我已经知道了他们的内部情况。殷仲堪、桓玄以下众人，完全依靠王恭。王恭如今已经被消灭，西路叛军已经军心涣散，人人惊恐。现在如果用重利收买桓玄和杨佺期，这两个人心里一定很高兴。桓玄有能力控制殷仲堪，使杨佺期反戈一击，生擒殷仲堪。"会稽王司马道子采纳了桓脩的建议，于是任命桓玄为江州刺史。将郗恢召回京师担任尚书，任命杨佺期接替郗恢，担任都督梁、雍、秦三州诸军事，雍州刺史。任命桓脩为荆州刺史，暂时统领左卫将军的僚属；又令刘牢之率领一千人护送桓脩赴任。将殷仲堪贬为广州刺史，派遣殷仲堪的叔父、担任太常的殷茂前往西路叛军大营宣读皇帝的诏书，敕令殷仲堪立即撤军。

乌桓部落首领张骧的儿子张超召集了三千多户占据了南皮，自称乌桓王，在各郡抄掠抢劫。北魏王拓跋珪命担任征虏将军的庾岳率军讨伐张超。

杨轨屯廉川[383]，收集夷、夏，众至万余。王乞基[384]谓轨曰：“秃发氏才高而兵盛，且乞基之主也，不如归之。”轨乃遣使降于西平王乌孤。轨寻为羌酋梁饥所败，西奔僇海[385]，袭乙弗鲜卑[386]而据其地。乌孤谓群臣曰：“杨轨、王乞基归诚于我，卿等不速救，使为羌人所覆[387]，孤甚愧之。”平西将军浑屯[388]曰：“梁饥无经远大略[389]，可一战擒也。”

饥进攻西平[390]，西平人田玄明执[391]太守郭倖而代之，以拒饥，遣子为质于乌孤。乌孤欲救之，群臣惮饥兵强，多以为疑。左司马赵振曰：“杨轨新败，吕氏方强，洪池[392]以北，未可冀也。岭南五郡[393]，庶几[394]可取。大王若无开拓之志，振不敢言；若欲经营四方，此机不可失也。使羌得西平，华、夷震动，非我之利也。”乌孤喜曰：“吾亦欲乘时立功，安能坐守穷谷[395]乎？”乃谓群臣曰：“梁饥若得西平，保据山河[396]，不可复制。饥虽骁猛，军令不整，易破也。”遂进击饥，大破之。饥退屯龙支堡[397]。乌孤进攻，拔之，饥单骑奔浇河[398]。俘斩数万，以田玄明为西平内史。乐都[399]太守田瑶、湟河[400]太守张裯、浇河太守王稚[9]皆以郡降，岭南羌、胡数万落皆附于乌孤。

西秦王乾归遣秦州牧益州、武卫将军慕兀、冠军将军翟瑥帅骑二万伐吐谷浑[401]。

冬，十月癸酉[402]，燕群臣复上尊号。丙子[403]，长乐王盛始即皇帝位，大赦，尊皇后段氏[404]曰皇太后，太妃丁氏[405]曰献庄皇后。初，兰汗之当国也，盛从燕主宝出亡，兰妃[406]奉事丁后愈谨。及汗诛，盛以妃当从坐，欲杀之。丁后以妃有保全之功，固争之，得免。然终不为后。

大赦[407]。

杨轨率领自己的残部屯驻在廉川堡，他招集夷族人和汉族人，部众很快便发展到一万多人。田胡部落首领王乞基对杨轨说："秃发氏才能高超，兵力强盛，而且是我从前的盟主，不如前去归附他们。"杨轨于是派遣使者投降了南凉西平王秃发乌孤。不久，杨轨被羌族部落酋长梁饥打败，于是向西逃往僇海，他率众击败了鲜卑族的乙弗部落后便占据了乙弗部落的地盘。西平王秃发乌孤对属下的群臣说："杨轨和王乞基真心归降于我，现在遇到危难，你们却不赶紧去救，让他们被羌人打败，我感到非常愧疚。"担任平西将军的浑屯说："羌族部落酋长梁饥没有考虑长远目标的大谋略，可以通过一次战斗将他擒获。"

羌族部落酋长梁饥率领部众进攻西平，西平人田玄明为了抵抗梁饥的进攻，便将担任西平太守的郭倖囚禁起来，自己取而代之，田玄明将自己的儿子送给南凉西平王秃发乌孤做人质。秃发乌孤准备派兵救援田玄明，属下群臣惧怕梁饥兵力强大，很多人犹豫不决。担任左司马的赵振说："杨轨刚刚打了败仗，后凉吕氏的势力仍然很强大，洪池岭以北，我们不要抱有什么希望。而洪池岭以南的广武郡、西平郡、乐都郡、浇河郡、湟河郡这五个郡应该是能够攻取的。大王如果没有开疆拓土、建立大业的志向，我也不敢多言；如果想要经营天下四方，这个机会可不能错过。如果让羌人梁饥得到西平郡，汉人、夷人都会为之震动，这对我们是没有好处的。"秃发乌孤高兴地说："我也想趁此机会建功立业，岂能坐在这里苦守这个穷地方呢？"于是便对群臣说："羌族部落酋长梁饥如果夺取了西平郡，依靠山河之险据守，我们就没有办法再制服他。梁饥虽然骁勇凶猛，然而军纪不整，很容易将他击败。"于是率军进击梁饥，将梁饥打得大败。梁饥撤退到龙支堡屯驻。秃发乌孤乘胜前进，再次向梁饥发起进攻，将梁饥所占领的龙支堡攻克，梁饥单人独骑逃往浇河城。秃发乌孤的南凉军俘虏、斩杀了梁饥的数万人，秃发乌孤任命田玄明为西平内史。随后，乐都郡太守田瑶、湟河郡太守张裯、浇河郡太守王稚，全都献出自己的地盘向南凉投降，洪池岭以南的羌族人、匈奴人的数万落也全都归顺了秃发乌孤。

西秦王乞伏乾归派遣担任秦州牧的乞伏益州、担任武卫将军的慕兀、担任冠军将军的翟瑥率领二万名骑兵讨伐吐谷浑。

冬季，十月十四日癸酉，后燕群臣再次向长乐王慕容盛奉上皇帝尊号。十七日丙子，长乐王慕容盛即位称帝，实行大赦，尊奉惠闵皇帝慕容宝的皇后段氏为皇太后，尊奉妃子丁氏为献庄皇后。当初，顿丘王兰汗执掌国家政权的时候，慕容盛随同后燕主慕容宝出外逃亡的时候，慕容盛的王妃兰氏侍奉丁氏皇后比先前更加恭敬谨慎。后来慕容盛杀死了兰汗，认为王妃兰氏也应该受到连坐的处罚，就准备将兰氏杀死。献庄皇后丁氏认为兰氏王妃有保全自己母子的功劳，坚决反对杀死兰妃，慕容盛才没有将兰氏杀死。然而慕容盛始终没有立兰氏为皇后。

东晋实行大赦。

殷仲堪得诏书[408]，大怒，趣[409]桓玄、杨佺期进军。玄等喜于朝命[410]，欲受之，犹豫未决。仲堪闻之，遽[411]自芜湖南归[412]，遣使告谕蔡洲军士[413]曰："汝辈不各自散归，吾至江陵，尽诛汝余口[414]。"佺期部将刘系帅二千人先归。玄等大惧，狼狈西还，追[415]仲堪至寻阳，及之。仲堪既失职，倚玄等为援，玄等亦资仲堪兵[416]，虽内相疑阻，势不得不合，乃以子弟交质[417]。壬午[418]，盟于寻阳，俱不受朝命，连名上疏申理王恭[419]，求诛刘牢之及谯王尚之，并诉仲堪无罪，独被降黜。朝廷深惮之，内外骚然。乃复罢桓脩，以荆州还仲堪，优诏[420]慰谕，以求和解。仲堪等乃受诏。御史中丞江绩[421]劾奏桓脩专为身计，疑误朝廷[422]，诏免脩官。

初，桓玄在荆州，所为豪纵。仲堪亲党皆劝仲堪杀之，仲堪不听。及在寻阳，资其声地[423]，推玄为盟主，玄愈自矜倨[424]。杨佺期为人骄悍，玄每以寒士裁之[425]。佺期甚恨，密说仲堪以玄终为患，请于坛[426]所袭之。仲堪忌佺期兄弟勇健，恐既杀玄，不可复制，苦禁之。于是各还所镇。玄亦知佺期之谋，阴有取佺期之志。乃屯于夏口[427]，引始安[428]太守济阴卞范之为长史[429]以为谋主。是时，诏书独不赦庾楷，玄以楷为武昌[430]太守。

初，郗恢为朝廷拒西军[431]。玄未得江州，欲夺恢雍州，以恢为广州。恢闻之，惧，询于众，众皆曰："杨佺期来者，谁不戮力[432]；若桓玄来，恐难与为敌[433]。"既而闻佺期代己，乃与闾丘羡[434]谋阻兵拒之[435]。佺期闻之，声言玄来入沔[436]，以佺期为前驱。恢众信之，望风皆溃，恢请降。佺期入府[437]，斩闾丘羡，放恢还都。至杨口[438]，殷仲堪阴使人杀之，及其四子，托言群蛮所杀。

东晋担任荆州刺史的殷仲堪接到诏书，不禁勃然大怒，他催促桓玄、杨佺期立即进军。桓玄正在为自己被任命为江州刺史，杨佺期被任命为都督梁、雍、秦三州诸军事和雍州刺史而高兴，就想接受朝廷的任命，但还在犹豫不决。殷仲堪得知消息后，立即从芜湖向南逃回荆州，他派使者告诉驻扎在蔡洲的将士说："你们如果不赶紧离开蔡洲返回，等我回到江陵之后，就把你们留在江陵的家属全部杀掉。"杨佺期的部将刘系首先率领属下的两千人返回。桓玄等非常恐惧，也只好狼狈地向西撤退，追赶殷仲堪，一直追到寻阳才追上。殷仲堪失去了荆州刺史的职位，遂依靠桓玄等作为援军，桓玄等也想借助于殷仲堪手中的军权，他们虽然互相猜疑，但迫于形势的需要，又不得不联合在一起，于是便互相交换自己的子侄到对方的手下去做人质。十月二十三日壬午，他们在寻阳结盟，发誓都不接受朝廷的任命，同时联名上疏为王恭申冤，请求诛杀刘牢之以及谯王司马尚之，并申诉殷仲堪没有犯罪，却被贬黜。朝廷接到了他们的联名奏章，非常惧怕，一时之间，朝廷内外骚动不安。于是朝廷又罢免了桓脩荆州刺史等职务，把荆州刺史的位子还给殷仲堪，并用好言加以抚慰，以求得和解。殷仲堪等这才接受皇帝的诏命。担任御史中丞的江绩上奏弹劾桓脩专为自己的利益考虑，而不顾国家利益，误导朝廷，使朝廷采取了错误的决定，于是晋安帝下诏免去桓脩的所有职务。

当初，桓玄在荆州的时候，违法乱纪，为所欲为。殷仲堪的亲友朋党全都劝说殷仲堪杀掉桓玄，殷仲堪没有听从。等到在寻阳盟誓的时候，为了利用桓氏的声望和门第，遂推戴桓玄为盟主，桓玄于是更加自负和骄傲。杨佺期为人骄横剽悍，而桓玄却总是把他看作寒门出身的人而处处予以压制。杨佺期对此非常痛恨，就秘密劝说殷仲堪，认为桓玄终究会成为祸患，请求殷仲堪在盟誓时所设的祭坛上袭杀桓玄。而殷仲堪又忌讳杨佺期兄弟的骁勇力大，担心一旦杀死桓玄，将无法控制杨佺期，所以苦苦劝阻杨佺期。于是，结盟之后，两人各自回到自己的镇所。桓玄也知道杨佺期的阴谋，心中暗下决心，一定要灭掉杨佺期。于是，桓玄把军队屯扎在夏口，提拔担任始安太守的济阴人卞范之为长史，作为自己的智囊。当时，晋安帝的诏书中唯独没有赦免豫州刺史庾楷，桓玄便任命庾楷为武昌太守。

当初，担任雍州刺史的郗恢为了朝廷，曾经率军抵抗殷仲堪、桓玄的西路军。桓玄当时还没有得到江州刺史的职位，所以就想夺取郗恢的雍州，而把自己的广州刺史换给郗恢。郗恢得知消息后非常恐惧，就向僚属征求意见，僚属都说："如果是杨佺期率军前来，谁不协力抵抗；如果是桓玄率军前来，恐怕难以抗拒。"后来听到是杨佺期代替自己，于是就与担任南阳太守的闾丘羡谋划，准备凭借手中现有的兵力阻止杨佺期赴任。杨佺期听到消息后，便扬言说，桓玄将从沔水西上，任命杨佺期为前锋。郗恢的部众听信了杨佺期的宣传，便闻风而逃，全部溃散，郗恢只好向杨佺期投降。杨佺期进入襄阳郗恢的军府，立即斩杀了闾丘羡，将郗恢逐回京师。郗恢途中到达杨口的时候，荆州刺史殷仲堪暗中派人将郗恢连同他的四个儿子杀死，声称是杨口附近的那些少数民族将郗恢杀死的。

西秦乞伏益州与吐谷浑王视罴[439]战于度周川[440]，视罴大败，走保白兰山[441]，遣子宕岂[442]为质于西秦以请和。西秦王乾归以宗女[443]妻之。

凉建武将军李鸾以兴城[444]降于秃发乌孤。

十一月，以琅邪王德文[445]为卫将军、开府仪同三司[446]，征虏将军元显为中领军，领军将军王雅[447]为尚书左仆射。

辛亥[448]，魏王珪命尚书吏部郎邓渊[449]立官制，协音律；仪曹郎[450]清河董谧制礼仪；三公郎王德定律令；太史令晁崇考天象；吏部尚书崔宏总而裁[451]之，以为永式[452]。渊，羌之孙也。

杨轨、王乞基帅户数千自归于西平王乌孤。

十二月己丑[453]，魏王珪即皇帝位，大赦，改元天兴[454]。命朝野皆束发加帽[455]。追尊远祖毛[456]以下二十七人皆为皇帝[457]。谥六世祖力微曰神元皇帝，庙号[458]始祖；祖什翼犍曰昭成皇帝，庙号高祖；父寔[459]曰献明皇帝。魏之旧俗，孟夏[460]祀天及东庙[461]，季夏[462]帅众却霜[463]于阴山，孟秋[464]祀天于西郊。至是，始依仿古制[465]定郊庙朝飨礼乐[466]。然惟孟夏祀天亲行[467]，其余多有司摄事[468]。又用崔宏议，自谓黄帝之后[469]，以土德王[470]。徙六州二十二郡守宰、豪杰二千家于代都[471]。东至代郡[472]，西及善无[473]，南极[474]阴馆[475]，北尽参合[476]，皆为畿内[477]；其外四方、四维[478]置八部师[479][10]以监之。

己亥[480]，燕幽州刺史慕容豪、尚书左仆射张通、昌黎尹张顺坐谋反诛。

初，琅邪[481]人孙泰[482]学妖术于钱唐[483]杜子恭，士民多奉之。王珣恶之，流泰于广州。王雅荐泰于孝武帝，云知养性之方。召还，累官

西秦担任秦州牧的乞伏益州奉命讨伐吐谷浑，他率军与吐谷浑王慕容视罴在度周川交战，慕容视罴被乞伏益州打得大败，逃入白兰山据守，他派遣自己的儿子慕容宕岂到西秦去做人质，请求与西秦讲和。西秦王乞伏乾归把宗室的女儿嫁给慕容宕岂为妻。

后凉担任建武将军的李鸾献出兴城，投降了南凉西平王秃发乌孤。

十一月，东晋任命琅邪王司马德文为卫将军、开府仪同三司，任命担任征虏将军的司马元显为中领军，任命担任领军将军的王雅为尚书左仆射。

十一月二十三日辛亥，北魏王拓跋珪命令担任尚书吏部郎的邓渊创立选拔官吏的制度、校正音律；命令担任仪曹郎的清河人董谧负责制定礼仪；令担任三公郎的王德负责制定法律条令；令担任太史令的晁崇考察天象；令担任吏部尚书的崔宏总裁其事，制定出永久性的各项制度。邓渊是邓羌的孙子。

逃到僇海的西平公杨轨和田胡部落酋长王乞基率领数千户主动归附于南凉西平王秃发乌孤。

十二月初二日己丑，北魏王拓跋珪即位称帝，实行大赦，改年号为天兴。他下令无论是朝廷官员还是乡野百姓，都要尽量学习汉人的装束，把头发扎起来盘到头上，再戴上帽子。追尊遥远的祖先，从拓跋毛以下，共有二十七人被追尊为皇帝。为六世祖拓跋力微上谥号为神元皇帝，庙号始祖；为祖父拓跋什翼犍上尊号为昭成皇帝，庙号高祖；为自己的父亲拓跋寔上尊号为献明皇帝。按照北魏的旧俗，要在每年夏季的第一个月举行祭祀上天和到皇宫东侧的宗庙祭祀皇家祖先的活动，夏季的第三个月要率领众人前往阴山祭祀霜神，在秋季的第一个月要到西郊祭祀上天。现在，开始效法汉人所奉行的儒家所倡导的那一套，制定出皇帝在郊外祭天、在宗庙祭祖与在朝廷接受朝拜，宴享群臣、宾客等各种礼仪以及应该使用的相关音乐、歌舞。然而只有夏季第一个月的祭天活动由皇帝亲自参加，其余的祭祀活动都由主管该项事务的官员代替皇帝去做。又采用崔宏的建议，自称是黄帝的后裔，按照金、木、土、水、火的循环顺序，自称魏是“土德”代“水德”而称帝。把中原地区的六个州二十二个郡的郡守、县令以及具有一定影响力的豪门大族总计两千多家强行迁往代都。把东到代郡，西到善无，南到阴馆，北到参合，全部划入京畿范围；把京畿以外的全部领土按照东、西、南、北四方和东南、西南、东北、西北四维划分成八个区域，设置八部师，负责督促考察。

十二月十二日己亥，后燕担任幽州刺史的慕容豪、担任尚书左仆射的张通、担任昌黎尹的张顺被指控犯有谋反罪而被诛杀。

当初，琅邪人孙泰跟随钱唐人杜子恭学习妖术，很多读书人和百姓都信奉他。担任卫将军的王珣非常痛恨，就把孙泰流放到广州。担任尚书左仆射的王雅竟然把孙泰举荐给了孝武帝司马昌明，说孙泰知道养生的秘方。于是孙泰从广州被召进京师，

至新安[484]太守。泰知晋祚[485]将终，因王恭之乱，以讨恭为名，收合兵众，聚货[486]巨亿[487]，三吴[488]之人多从之。识者皆忧其为乱，以中领军元显与之善，无敢言者。会稽内史谢輶[489]发其谋[490]。己酉[491]，会稽王道子使元显诱而斩之，并其六子。兄子恩逃入海，愚民犹以泰蝉蜕[492]不死，就海中资给[493]恩。恩乃聚合亡命，得百余人，以谋复仇。

西平王秃发乌孤更称武威王。

是岁，杨盛[494]遣使附魏，魏以盛为仇池王。

【段旨】

以上为第三段，写晋安帝隆安二年（公元三九八年）九至十二月共四个月间的大事。主要写了晋朝廷派司马道子、司马元显统领王珣、谢琰、司马尚之等讨伐王恭、庾楷，司马尚之大破庾楷于牛渚，庾楷单骑投桓玄；司马道子收买王恭的部将刘牢之，刘牢之叛变，王恭被俘，问斩于京师；殷仲堪军逼京城，桓脩建议收买桓玄与杨佺期，以制殷仲堪，由于殷仲堪巧妙地瓦解了桓玄与杨佺期所统的军队，致阴谋未成，三人又为相互利用而结盟，推桓玄为盟主，共同不受朝命；司马道子只好与殷仲堪妥协，使其仍为荆州刺史，杨佺期袭杀郗恢，夺得雍州刺史职位。写了魏王拓跋珪即皇帝位，在其国立官制，制礼仪，协音律，定律令，自谓是黄帝之后。写了秃发乌孤大破羌族头领梁饥，氐人杨轨等率部归之，在青海东部自称武威王，岭南诸部尽归之。写了东晋的孙泰以妖术煽动百姓于钱唐，人多信之，朝廷杀孙泰，孙泰之侄孙恩逃之入海，集聚力量，准备谋反等。

【注释】

㉛⑤九月辛卯：九月初二。㉛⑥黄钺：金色大斧。朝廷派将出征，授予黄钺，即授予他有生杀之权，征讨一切不服者。㉛⑦谢琰：东晋名臣谢安的儿子，曾与堂兄谢玄共破苻坚于淝水。传见《晋书》卷七十九。㉛⑧乙未：九月初六。㉛⑨燕：此指龙城的慕容盛政权。㉜⓪肥如：县名，县治在今河北卢龙北。㉜①己亥：九月初十。㉜②牛渚：长江要塞名，即今安徽马鞍山市西南的采石矶。㉜③骠骑司马：骠骑将军的司马，当时司马道子任骠骑将军，司马是将军的高级僚属，在军中掌管司法。㉜④允之：司马尚之的四弟。㉜⑤吴国内史：吴国（国都即今苏州）的最高行政长官。内史相当于太守，在诸侯国掌管民

后来做官竟然做到了新安太守。孙泰知道东晋的气数已尽，于是趁着王恭谋乱的机会，以讨伐王恭为借口，招兵买马，聚敛了亿亿的财富，吴兴、吴郡、会稽三个郡的好多人都服从于孙泰。有远见的人都担忧孙泰要制造祸乱，却因为担任中领军的司马元显与孙泰关系密切，所以没有人敢言语。担任会稽内史的谢輶揭发了孙泰准备造反的阴谋。十二月二十二日己酉，会稽王司马道子派司马元显诱捕孙泰，将孙泰连同孙泰的六个儿子斩首。孙泰的侄子孙恩逃入东海，那些愚昧的百姓还认为孙泰没有死，而是像金蝉一样脱壳而去，所以仍然有人到海中去给漂泊在海岛上的孙恩提供粮草财物。孙恩召集了一百多名亡命之徒，准备为孙泰报仇。

南凉西平王秃发乌孤改称武威王。

这一年，杨盛派使者归附于北魏，北魏皇帝拓跋珪任命杨盛为仇池王。

政。㉖休之：司马尚之的三弟。㉗襄城：郡名，郡治即今安徽芜湖市繁昌区。㉘乙巳：九月十六。㉙官军：指司马尚之统领的朝廷军队。㉚白石：山名，在今安徽巢县境内。㉛横江：长江渡口名，在今安徽和县东，与牛渚（采石矶）隔江相对。㉜丙午：九月十七。㉝屯中堂：带领军队驻扎在宰相的办公地点，也就是当时的中书省。㉞石头：石头城，在今南京西南部的清凉山一带。㉟己酉：九月二十。㊱宣阳门：当时建康城（今南京）南面西头的第一个门。㊲才地：才能、门第。㊳陵物：盛气凌人。物，当时指“人”。㊴威无不行：凭着自己的权威没有办不到的事情。㊵仗刘牢之为爪牙：靠着刘牢之为其当左膀右臂。爪牙，心腹猛将。㊶但以部曲将遇之：仅仅把他当作一个部下的军官对待。但，仅。部曲，部下。遇，对待。刘牢之曾是谢玄的部下，于淝水之战中立有大功。传见《晋书》卷八十四。㊷庐江：郡名，郡治舒县，在今安徽庐江县西南。㊸遗：送给。㊹先帝：指晋孝武帝司马曜。㊺翼戴：犹言拥护、拥戴。㊻不能审恭之志：不能看清王恭的目的。审，看清、看准。㊼必能为天子、相王之下乎：他还能不能再心甘情愿地处于皇帝与司马道子之下。相王，即司马道子，因他既是会稽王，又是宰相。㊽奉国威灵：秉承着国家社稷的权威，意即站在朝廷一方。㊾成、康：指西周初期的成王与康王，历史上认为他们是少有的英明帝王，称他们的时代为“成康之治”。㊿幽、厉：指西周末期的幽王与厉王，都是历史上有名的昏暴之君。厉王的酷暴统治引起百姓暴动，幽王的昏庸导致西周灭亡。(351)暴蔑：横暴地蔑视；瞧不起。(352)意好不协：犹言关系感情不好。(353)帐下督：王恭帅府的卫队长之类。(354)竹里：地名，在今南京与镇江市中间的长江边上。(355)东莞：东晋的侨置郡名，郡治在今江苏常州。(356)曜兵：炫耀武力。曜，同“耀”。(357)曲阿：县名，即今江苏丹阳。(358)髀：大腿。(359)长塘湖：在今江苏宜兴西。(360)倪塘：地名，在今南京东北部。(361)暗于信人：指错信了刘牢之。信，这

里意同“识别”“判断”。㊷扬州晋陵：扬州的晋陵郡，郡治即今江苏常州。㊸丹杨尹王恺：东晋首都建康城（今江苏南京）所在郡的父母官名叫王恺。丹杨郡的郡治也在建康。王恺是王恂之弟，亦安帝王皇后之弟，骄奢跋扈，以与石崇斗富闻名。传见《晋书》卷九十三。㊹理王恭：替王恭申诉，要求给王恭平反。㊺北府之众：指京口（今江苏镇江市）的军政指挥机构。㊻新亭：在今南京南，为当时游览区。㊼蔡洲：当时东晋的侨置州，州治在今南京西。㊽西军：指桓玄、殷仲堪等由荆州来的军队。㊾内外忧逼：内心忧恐，外有逼压。㊿桓脩：字承祖，简文帝的女婿，桓冲的儿子，桓玄的堂兄弟。传见《晋书》传七十四。桓冲是桓温之弟，一生忠于晋王朝。传见《晋书》卷七十四。(371)可说而解：可以通过劝说而令其撤兵。解，退兵。(372)殷、桓之下：殷仲堪、桓玄以下众人。(373)沮恐：指军心瓦解、惶恐。沮，涣散、瓦解。(374)啗玄及佺期：吸引桓玄与杨佺期。啖，给他们吃。这里即“收买”“利诱”的意思。(375)可使倒戈取仲堪：谓可使杨佺期倒戈以擒殷仲堪。取，擒拿。(376)郗恢：字道胤，时为雍州刺史，镇守襄阳。传见《晋书》卷六十七。(377)权领：暂时率领。(378)左卫文武：指桓脩原左卫将军府的老部下。(379)太常茂：殷茂。太常是官名，主管国家的祭祀和考试选拔博士。(380)敕：以皇帝的名义下命令。(381)张骧：乌桓部落的头领，前曾归属于慕容垂，慕容宝败亡后，又归属于拓跋珪。(382)南皮：县名，县治在今河北南皮北，当时为勃海郡的郡治所在地。(383)廉川：城堡名，在今青海民和西北。(384)王乞基：匈奴部落的首领，当时归属于吕光，前曾归属过秃发乌孤。(385)傉海：湖泊名，在今青海湟源西。(386)乙弗鲜卑：鲜卑族的乙弗氏部落。乙弗是姓。(387)覆：消灭。(388)浑屯：吐谷浑人，姓浑名屯。(389)经远大略：考虑长远的大谋略。(390)西平：郡名，郡治即今青海西宁，当时属吕光。(391)执：囚禁。(392)洪池：山名，在今甘肃武威南。(393)岭南五郡：指洪池山以南的广武、西平、乐都、浇河、湟河五个郡。(394)庶几：或许可以。(395)穷谷：当时秃发乌孤都于廉川堡，此地荒僻，故云。(396)保据山河：谓依山面河而守。河，黄河。(397)龙支堡：在当时的允吾县（今青海民和东南）境内。(398)浇河：郡名，郡治在今青海化隆西南，当时属吕光。(399)乐都：郡名，郡治即今青海海东市乐都区，前此属吕光。(400)湟河：郡名，郡治白土（今青海同仁东北），前此属吕光。(401)吐谷浑：少数民族名，当时活动在今青海的青海湖以南。(402)十月癸酉：十月十四。(403)丙子：十月十七。(404)段氏：慕容宝的皇后，正妻。(405)太妃丁氏：慕容宝之妃，慕容盛的生母。献庄是她的谥。(406)兰妃：兰汗之女，慕容盛之妻。慕容盛之所以未被兰汗杀害，全仗兰妃。(407)大赦：这句话的主语是东晋皇帝司马德宗。(408)诏书：指贬殷仲堪为广州刺史的诏书。(409)趣：同“促”，催促。(410)朝命：指任命桓玄为江州刺史，任命杨佺期为雍州刺史的命令。(411)遽：迅即。(412)南归：谓逃回荆州。(413)蔡洲军士：指随桓玄、杨佺期驻扎在蔡洲（今江苏南京西）的士兵。(414)余口：指蔡洲士兵的家属。(415)追：谓后赶着一同撤回。(416)亦资仲堪兵：也想仰仗殷仲堪手中的兵权。资，借助、仰仗。(417)以子弟交质：互相派出子弟到对方的手下当人质。(418)壬午：十月二十三。(419)申理王恭：为王恭申冤，鸣不平。⑳优诏：下诏书说好话，以示安慰。㉑江绩：字仲元，在当时既不依附殷仲堪，也不屈服于司马道子。传见《晋书》卷八十三。㉒专为身计二句：胡三省曰，“谓分江、雍以授桓玄、杨佺期，自取荆州也”。〖按〗江绩的说法殊无道理，使杨佺期、桓玄当时能擒获殷仲堪，事情何愁不成？至于权落桓玄、杨佺期、刘牢之三人之手，对东晋王朝是否有利，那是另一回事。桓脩自己当时也并未提出要荆州。江绩如此，能否说是正直？㉓声地：声望、门第。桓玄是桓温之子，在当时声势显赫。㉔矜倨：骄盈、傲慢。㉕每以寒士裁之：总是把杨佺期看成寒门出身的人而对之加以压抑。〖按〗当时的所谓“寒门”是指其非士族，并不意味着经济方面的穷困。裁，压抑。㉖坛：指三个人结盟时所设的祭坛。㉗夏口：即今湖北武汉。㉘始安：郡名，郡治即今广西桂林。㉙长史：诸吏之长，当时的宰相、将军、刺史等手下都有此官，权力甚大。㉚武昌：郡名，郡治即今湖北鄂州市鄂城区。㉛拒西军：抵抗殷仲堪、桓玄等。当时郗恢为雍州刺史，驻军襄阳。㉜勠力：指协力抵抗。㉝难与为敌：桓氏四世居荆州，故众人畏之。㉞闾丘羡：姓闾丘，名羡，当时为南阳（郡治即今南阳）太守，上属雍州。㉟阻兵拒之：凭借手中的现有军队以抵抗杨佺期。㊱玄来入沔：桓玄率兵到沔水流域来了。沔水，即今汉水，襄阳地处汉水中游。㊲入府：指襄阳郗恢的军府。㊳杨口：汉水上的渡口名，在今湖北潜江市北。㊴视罴：人名。㊵度周川：在今四川松潘西。㊶白兰山：在今青海柴达木河一带。㊷宕岂：人名。㊸宗女：本族人家的女儿。㊹兴城：县名，县治在今青海民和南，当时属吕光政权。㊺琅邪王德文：司马德文，晋安帝司马德宗之弟。㊻开府仪同三司：按照国家三司（即三公）的规格开设府署，配置僚属，这是当时对大臣的一种很高的政治待遇，后来用作加官，成了一种荣誉称号。㊼王雅：字茂达，能早识王恭的为人，孝武帝时颇受重用。传见《晋书》卷八十三。㊽辛亥：十一月二十三。㊾邓渊：苻秦名将邓羌之孙，其父后属慕容宝。拓跋珪平定中原，邓渊归魏，与崔宏等共同创立魏国的各项制度。传见《魏书》卷二十四。㊿仪曹郎：与上文“吏部郎”、下文“三公郎”都是尚书省各部门的郎官，犹如今之中央各部部长。451裁：定夺。452永式：永久性的规定。453十二月己丑：十二月初二。454改元天兴：前此拓跋珪的年号是皇始（公元三九六至三九八年）。455束发加帽：尽量学习汉人的装束。456远祖毛：拓跋毛，被谥为成皇帝。事见《魏书》卷一。457皆为皇帝：胡三省曰，“魏谥毛为成皇帝。五世至推寅，南迁大泽，方千余里，谥宣皇帝。七世至邻始南出，居匈奴故地，谥献皇帝。献帝之子曰诘汾，谥圣武皇帝”。458庙号：帝王死后在宗庙所摆的灵牌的称号，一般都称为某祖某宗。459父寔：拓跋寔，与前“六世祖力微”“祖什翼犍”等人之事皆见《魏书》卷一。胡三省曰，“谥力微曰神元皇帝，子沙漠汗曰文皇帝，沙漠汗之子弗政曰思皇帝。弗政卒，力微之子禄官立，谥曰昭皇帝，分国为三部，猗㐌、猗卢（沙漠汗之二子），与禄官分统三部。猗㐌西略，服属诸国，谥曰桓皇帝。猗卢自禄官之卒，合三部为一，又助晋国以益强，谥穆皇帝。猗卢死，禄官之子郁律继之，谥平文皇帝。郁律弑，猗㐌之子贺傉立，

谥惠皇帝。贺傉卒，弟纥那立，谥炀皇帝。翳魏者，郁律之子，国人逐纥那而立之，谥烈皇帝”。㊻⓪孟夏：夏季的第一个月，即阴历四月。㊻①东庙：即宗庙，本朝帝王的祖庙。因其修筑在宫殿的东侧，故称“东庙”。㊻②季夏：夏季的第三个月，即阴历六月。㊻③却霜：当时北方民族的一种祭祀活动。㊻④孟秋：秋季的第一个月，即阴历七月。㊻⑤依仿古制：尽量效法汉人所奉行的儒家所倡导的那一套。㊻⑥郊庙朝飨礼乐：指帝王祭天、祭祖与接受朝拜、宴享群臣等各种礼仪以及应使用的相关音乐歌舞。郊指在野外祭天，庙指在宗庙祭祖，朝指帝王接受朝拜，飨指帝王宴享宾客群臣。㊻⑦亲行：指拓跋珪亲自去参加。㊻⑧有司摄事：由主管该项事务的官员代替帝王去做。有司，主管该项事务的官员。摄，代行。㊻⑨自谓黄帝之后：自称是黄帝的后代。〖按〗各少数民族为统治中原，为求名正言顺，故把自己的家谱续到黄帝那里，与夏、商、周、秦、汉诸朝并列。㊼⓪以土德王：按照水、火、金、木、土的循环顺序，自称魏是“土德”，代“水”德而称帝。㊼①代都：指今山西大同，魏国以此为都城。徙中原地区的“守宰”与“豪杰”到代都，一是为了繁荣这个偏僻地区，二是为了网罗人才，三是为了加强他们本民族的汉化过程。㊼②代郡：郡治即今河北蔚县东北的代王城。㊼③善无：县名，县治在今山西右玉东南。㊼④南极：南面的尽头。㊼⑤阴馆：县名，县治在今山西朔州市朔城区东南。㊼⑥参合：即参合陂，在今内蒙古凉城东北。㊼⑦畿内：犹今之首都郊区。㊼⑧四方四维：四方指正东、正西、正南、正北。四维指东北、东南、西南、西北。这里是指把首都郊区以外的全部领土划为八个区域。㊼⑨八部师:《魏书》作“八部帅”，官名。负责督促发展生产，并以此考察地方官，确定税收的多少。㊽⓪己亥：十二月十二日。㊽①琅邪：郡名，郡治在今山东临沂东北。㊽②孙泰：农民军领袖孙恩之叔。事见《晋书》卷一百。㊽③钱唐：县名，县治在今浙江杭州西。㊽④新安：郡名，郡治在今浙江淳安西北。㊽⑤晋祚：晋朝的气数。祚，福，这里指国运。㊽⑥聚货：收敛钱财。㊽⑦巨亿：犹言“亿亿”。㊽⑧三吴：说法甚多，此处应指吴郡（郡治即今江苏苏州）、吴兴（郡治即今浙江湖州）和会稽（郡治即今浙江绍兴）。㊽⑨谢輶：人名。㊾⓪发其谋：揭发出他们造反的阴谋。㊾①己酉：十二月二十二。㊾②蝉蜕：犹如蝉的脱壳而去，用以比喻成仙。㊾③资给：供应粮草财物。㊾④杨盛：氐人，杨定之侄，世代占据今陕西西南部的汉中以及甘肃的武都、成县一带，自称仇池公，前此称藩于晋，今乃归附于魏。事见《魏书》卷一百一。

【校记】

[9]王稚：据章钰校，乙十一行本作“王雅”。[10]师：张敦仁《通鉴刊本识误》作“帅”。

【研析】

本卷写晋安帝隆安二年（公元三九八年）一年间的各国大事，给人印象较深而又值得讨论的事情主要有三件。

第一是写了魏王拓跋珪打败后燕，取得了中山与邺城后，进行了一系列国家政权与思想文化方面的建设。《通鉴》写他让群臣议国号，取名曰“魏”，而后“迁都平城，始营宫室，建宗庙，立社稷。宗庙岁五祭，用分、至及腊”。接着拓跋珪称帝后，他便“大赦，改元天兴。命朝野皆束发加帽。追尊远祖毛以下二十七人皆为皇帝。谥六世祖力微曰神元皇帝，庙号始祖；祖什翼犍曰昭成皇帝，庙号高祖；父寔曰献明皇帝。魏之旧俗，孟夏祀天及东庙，季夏帅众却霜于阴山，孟秋祀天于西郊。至是，始依仿古制定郊庙朝飨礼乐。然惟孟夏祀天亲行，其余多有司摄事。又用崔宏议，自谓黄帝之后，以土德王。徙六州二十二郡守宰、豪杰二千家于代都。东至代郡，西及善无，南极阴馆，北尽参合，皆为畿内；其外四方、四维置八部师以监之。”他又“命有司正封畿，标道里，平权衡，审度量。遣使循行郡国，举奏守宰不法者，亲考察黜陟之”。对于这段话，我们千万不要感到啰唆，我们必须明白这一套是历代成功的帝王都要搞的，当年刘邦之所以能打败项羽就是因为他不失时机建立了这一套，五胡十六国的许多小政权之所以不成气候，就是因为他们不懂搞这一套的迫切性。这里头有些是关系到国计民生的，你不管，整个社会就没有章法，人无所措手足；也有一些是为了骗人、吓唬人的，这些也必须搞，否则百姓们就不会对统治者有神秘感，就建立不起森严的等级秩序。其中的“又用崔宏议，自谓黄帝之后，以土德王”，这是从刘邦做皇帝，司马迁写《史记》开始明确起来的，也就是说，谁要想统治中国，谁就必须先亮出他是黄帝的子孙这面旗号，只有如此，它这个政权才对广大的中国人有吸引力。拓跋珪这样做，是为了便于加强自己的统治；历史家这样写，是告诉读者这是一个强大国家的开始，日后它是要统治中国，至少要统治大半个中国的。

接着，《通鉴》还写他为了不失时机地处理重大事务而在中山、邺县设立了“行台”；为了加强北方与中原地区的联络而“发卒万人治直道，自望都凿恒岭至代五百余里”。这是按照当年秦始皇的经验采取的有力措施。他还特别注意网罗人才，他“自中山南巡至高邑，得王永之子宪，喜曰:‘王景略之孙也。’以为本州中正，领选曹事，兼掌门下”。王景略就是当年苻坚的谋士王猛，拓跋珪让王猛的孙子“领选曹事”，就是任命他当吏部尚书，还让他“兼掌门下”，这官最小也不低于一个副宰相。这有为的帝王气象自是不同。

第二是历史家所展现的慕容盛与兰汗集团所进行的机智斗争，使人感慨颇深。当慕容宝与其子慕容会的斗争刚刚平息，慕容宝亲兵的头领段速骨、宋赤眉趁慕容宝率军外出与魏军作战时发动叛乱，幸亏慕容宝的太子慕容盛闻讯赶来，救出了慕容宝。但这时燕都龙城已被叛军控制，慕容宝又无家可归。慕容宝的舅爷兰汗消灭了本来与他相勾结的叛军，控制了龙城，且已做出了自立为王的架势。无家可归的慕容宝这时已经南下邺城投奔其弟慕容德，在他尚未进城时就差点被前来迎接的官员杀害，于是慕容宝只好又掉头向北逃。这时兰汗也正派人来接他。众人以为兰汗内情难测，劝慕容宝不要上当，慕容宝不听，遂带领太子慕容盛等一起回了龙城。慕容宝与忠臣余崇等首先被杀。慕容盛在外闻难，非但不跑，反而主动地贴了上去："长乐王盛闻之，驰欲赴哀，张真止之。盛曰：'我今以穷归汗，汗性愚浅，必念婚姻，不忍杀我。旬月之间，足以展吾情志。'遂往见汗。汗妻乙氏及盛妃皆泣涕请盛于汗，盛妃复顿头于诸兄弟。汗恻然哀之，乃舍盛于宫中，以为侍中、左光禄大夫，亲待如旧。堤、加难屡请杀盛，汗不从。堤骄很荒淫，事汗多无礼，盛因而间之。由是汗兄弟浸相嫌忌。"慕容盛为什么敢于向前贴兰汗呢？因为他与兰汗是亲戚，兰汗是他的岳父，他的妻子与他的岳母也都千方百计地护着他这个女婿。关键的是"汗性愚浅，必念婚姻"，这一点被慕容盛吃透了。结果不出所料，兰汗不仅未杀他，还给他官做，把他留在了自己身边，给他施展一切阴谋活动创造了条件。

机会果然来了，慕容盛先让他的堂兄弟慕容奇在城外起兵造反，兰汗派其太子兰穆将兵往讨。兰穆说："慕容盛，我之仇雠，必与奇相表里，此乃腹心之疾，不可养也，宜先除之。"兰汗想杀慕容盛，但又想先叫出来当面看看。"盛妃知之，密以告盛。盛称疾不出，汗亦止不杀。"接着慕容盛又勾结兰穆身边的李旱、张真等人，趁兰汗、兰穆大飨将士、饮酒醉倒的时刻，"盛夜如厕，因逾垣入于东宫，与旱等共杀穆。时军未解严，皆聚在穆舍，闻盛得出，呼跃争先，攻汗，斩之。汗子鲁公和、陈公扬分屯令支、白狼，盛遣旱、真袭诛之。堤、加难亡匿，捕得，斩之。于是内外帖然，士女相庆"。

从运用谋略，知己知彼来说，慕容盛的确是天才，但兰汗，头脑岂不过于简单幼稚了？一个女儿、一个妻子就搅糊涂了他的脑子，难道忘了《左传》祭仲回答他女儿的话了吗？作为慕容盛的妻子与岳母，也都是被亲情所迷，一叶障目不见泰山，她们今天心疼慕容盛，给他帮忙，到他做了皇帝的时候，他还会记得这两个可怜的女人吗？

第三是关于王恭其人。王恭是晋孝武帝王皇后的哥哥，少有美誉，清操过人，"性抗直，深存节义，读《左传》至'奉王命讨不庭'，每辍卷而叹"。他对当时专权的司马道子等人的卑污行为一向看着不顺眼。尤其当孝武帝被其宠妃所害后，司马道子为了自己怙权而居然不查办凶手，王恭更加不满。司马道子宠用王国宝、王绪，朝廷内外无人不说这是一群城狐社鼠，是一群十恶不赦的败类，但就是没有一个出来与他们斗争。身居高位而又大名鼎鼎的王珣（王导之孙）口不言是非，还以汉朝吕后时期的陈平自比，说什么"王陵廷争，陈平慎默，但问岁终何如耳"，气得王恭说他"比来视君，一似胡广"。司马道子"知恭不可和协，遂有相图之志"。王绪甚至劝王国宝趁王恭入朝时，伏兵将他杀掉。王恭就是在这样的情势下起兵抗表要求朝廷杀王国宝的。写历史的人同情王恭的思想，但反对王恭的做法，因为这"举兵向阙"不符合"君君臣臣”的封建礼仪的大节。袁黄所编的《袁了凡纲鉴》就说：“国宝与绪果有罪邪，则人主自诛之可也，人臣焉得而与闻之？彼王恭者素怀异志，跋扈不臣，一旦无故称兵，胁制朝廷，故假二人之罪以为口实，而以逆犯顺，以臣胁君，其事悖矣。”但不论怎么说，这一回司马道子还是在王恭的压力下舍车保帅，把王国宝等人推出去斩首示众了。但根本问题并未解决，很快在司马道子、司马元显周围又集聚起一群腐败势力，他们还用起了汉朝统治者用过的所谓“削藩”的口号。结果当王恭第二次再行举兵时，被中途叛变的刘牢之反戈一击，于是王恭被擒，被腐败势力的头子司马道子送上了断头台。王恭临死之前说：“我暗于信人，所以致此，原其本心，岂不忠于社稷邪？但令百世之下知有王恭耳。”在《晋书》中王恭被列入《叛逆传》，而王恭是由于司马道子太专权，才被晋孝武帝亲手提拔起来以分其权的。司马道子为了自己怙权，故意不查办杀害孝武帝的凶手，王恭起兵的口号尽管曲折，矛头都是对着司马道子父子，即以封建伦常而言，究竟谁是叛逆，谁是忠臣，难道后代读者不应该看清楚一点吗？

卷第一百一十一　晋纪三十三

起屠维大渊献（己亥，公元三九九年），尽上章困敦（庚子，公元四〇〇年），凡二年。

【题解】

本卷写晋安帝隆安三年（公元三九九年）、隆安四年共两年间的东晋与各国的大事。主要写了荆州刺史殷仲堪与雍州刺史杨佺期结婚姻以防桓玄，而当杨佺期欲起兵袭讨桓玄时，殷仲堪又极力阻止，终致桓玄起兵攻荆州，杨佺期为救殷仲堪被桓玄所破杀；殷仲堪被桓玄打败后欲北逃降秦，被桓玄所截杀；桓玄占据荆、襄后，朝廷不得不任以为都督八州及扬豫八郡诸军事，于是整个东晋再也无人敢惹。写了孙恩从海岛复出，攻占会稽，内史王凝之被孙恩所杀，八郡乱民杀其太守以应孙恩；谢琰、刘牢之率军讨孙恩，大破之，孙恩又逃回海岛。写了晋将谢琰守会稽而不修武备，孙恩寇邢浦、攻会稽，谢琰轻敌兵败被部下所杀；孙恩转寇临海，朝廷派高雅之等拒之，高雅之又被孙恩所败，死者十七八；朝廷又改派刘牢之都督会稽五郡兵讨孙恩。写了魏主拓跋珪三路大军袭高车族，大破之，虏获甚多；又在朝廷上置五经博士，增国子太学生员，下令郡县搜集图书等

【原文】

安皇帝丙

隆安三年（己亥，公元三九九年）

春，正月辛酉①，大赦②。

戊辰③，燕昌黎尹留忠④谋反，诛。事连尚书令东阳公根⑤、尚书段成，皆坐死。遣中卫将军卫双就诛忠弟幽州刺史[1]志⑥于凡城⑦。以卫将军平原公元⑧为司徒、尚书令。

庚午⑨，魏主珪北巡，分命大将军常山王遵等三军从东道出长川⑩，镇北将军高凉王乐真⑪等七军从西道出牛川⑫，珪自将大军从中道出驳髯水⑬以袭高车⑭。

壬午⑮，燕右将军张真、城门校尉和翰坐谋反，诛。

等，很注意吸收中原的传统文化。写了后燕主慕容盛部下屡有因谋反被杀者，表现出后燕政权内部的不稳定，而后燕部将慕容熙却又能大破高句丽，开境七百里。写了以滑台为据点的南燕慕容德政权因部下叛变，被魏军攻破，慕容德听取尚书潘聪的建议先破杀了晋将辟闾浑，取得徐、兖大片土地；又攻得青州，开始以广固为其都城，慕容德即皇帝位。写了后凉王吕光死，其嫡子吕绍继立，庶子吕弘先佐其兄吕纂杀吕绍，助吕纂即天王位；不久吕弘又反吕纂，被吕纂破杀。写了南凉的秃发乌孤病死，其弟利鹿孤继位，移国都于西平；吕纂伐利鹿孤，被利鹿孤之弟秃发傉檀击败。写了敦煌地区的效谷县令李暠被宋繇、郭谦、索仙等拥立为敦煌太守，其后晋昌太守唐瑶叛段业，移檄六郡推李暠为沙州刺史，李暠东征西讨，势力渐强，“西凉”政权又初具规模等。

【语译】

安皇帝丙

隆安三年（己亥，公元三九九年）

春季，正月初四日辛酉，东晋实行大赦。

正月十一日戊辰，后燕担任昌黎尹的留忠谋反，被诛灭。事情牵连到担任尚书令的东阳公慕容根、担任尚书的段成，都犯有连带罪被处死。后燕主慕容盛派遣担任中卫将军的卫双到凡城诛杀留忠的弟弟、幽州刺史留志。慕容盛任命担任卫将军的平原公慕容元为司徒、尚书令。

正月十三日庚午，北魏主拓跋珪到北方巡视，他将大军分成三路：令担任大将军的常山王拓跋遵等三支军队从东部的长川出发，担任镇北将军的高凉王拓跋乐真等七支军队从西部的牛川出发，拓跋珪亲自率领大军从中部的驳髯水出发，三路人马直指大漠，准备袭击高车部落。

正月二十五日壬午，后燕担任右将军的张真、担任城门校尉的和翰被指控犯有谋反罪而被诛杀。

癸未[16]，燕大赦，改元长乐[17]。燕主盛每十日一自决狱，不加拷掠[18]，多得其情。

武威王乌孤徙治乐都[19]，以其弟西平公利鹿孤镇安夷[20]，广武公傉檀镇西平，叔父素渥镇湟河[21]，若留镇浇河[22]，从弟替引镇岭南[23]，洛回镇廉川[24]，从叔吐若留镇浩亹[25]。夷、夏俊杰，随才授任，内居显位，外典[26]郡县，咸得其宜。

乌孤谓群臣曰："陇右[27]、河西[28]，本数郡之地[29]，遭乱分裂至十余国，吕氏[30]、乞伏氏[31]、段氏[32]最强。今欲取之，三者何先?"杨统曰："乞伏氏本吾之部落[33]，终当服从；段氏书生，无能为患，且结好于我，攻之不义；吕光衰耄[34]，嗣子[35]微弱，纂、弘[36]虽有才而内相猜忌，若使浩亹、廉川乘虚迭出[37]，彼必疲于奔命，不过二年，兵劳民困，则姑臧可图也。姑臧举[38]，则二寇不待攻而服矣。"乌孤曰："善。"

二月丁亥朔[39]，魏军大破高车三十余部，获七万余口，马三十余万匹，牛羊百四十余万头。卫王仪[40]别将三万骑绝漠[41]千余里，破其七部，获二万余口，马五万余匹，牛羊二万余头。高车诸部大震。

林邑[42]王范达陷日南、九真[43]，遂寇交趾[44]，太守杜瑗击破之。

庚戌[45]，魏征虏将军庾岳破张超[46]于勃海[47]，斩之。

段业即凉王位[48]，改元天玺[49]。以沮渠蒙逊为尚书左丞，梁中庸为右丞。

魏主珪大猎于牛川之南，以高车人为围[50]，周七百余里，因驱其禽兽，南抵平城，使高车筑鹿苑[51]，广数十里。三月己未[52]，珪还平城。

正月二十六日癸未，后燕实行大赦，改年号为长乐。后燕主慕容盛每隔十天，就亲自主持一次司法审案，对犯人不用严刑拷打，却大多都能审出实情。

南凉武威王秃发乌孤把都城从廉川迁往乐都，任用自己的弟弟西平公秃发利鹿孤镇守安夷，广武公秃发傉檀镇守西平，令自己的叔叔秃发素渥镇守湟河，秃发若留镇守浇河，令自己的堂弟秃发替引镇守岭南，秃发洛回镇守廉川，令自己的堂叔秃发吐若留镇守浩亹。对夷人、汉人中的那些才智出众的人，也都根据他们的特长授予相应的职务，有的在朝廷之内担任显要的职务，有的安置在地方，负责管理一个郡或一个县，安置得都很恰当。

南凉武威王秃发乌孤对群臣说："陇右与河西，原本只有几个郡的地盘，因为遭遇战乱，遂分裂成为十多个国家，吕氏建立的后凉、乞伏氏建立的西秦、段氏建立的北凉，在这三个国家中段氏所建立的北凉势力最强大。我现在就想出兵攻夺他们的地盘，你们认为首先应该攻打哪个国家?"杨统说："乞伏氏和我们一样，都是鲜卑人，原本是我们的部属，早晚会归附于我们；段业只是一介书生，没有能力给我们制造灾祸，而且和我们结为友好邻邦，攻击他是不正义的；后凉天王吕光已经年老体衰，他的继承人太子吕绍懦弱无能，太原公吕纂、常山公吕弘虽然都很有才能，然而却又互相猜忌，如果令镇守浩亹的秃发吐若留和镇守廉川堡的秃发洛回率领两个郡的兵力寻找机会轮番交替地向后凉发动进攻，后凉必定陷于疲于奔命的困境，这样，用不了两年的时间，就会兵困民乏，我们就可以攻取后凉的都城姑臧了。如果攻克了姑臧，则西秦的乞伏氏和北凉的段氏这两个盗贼等不到我们前去攻打，就会主动向我们投降。"秃发乌孤说："你分析得很对。"

二月初一日丁亥，北魏大军击败了高车的三十多个部落，俘虏了七万多口人，缴获了三十多万匹马，一百四十多万头牛、羊。卫王拓跋仪另外率领三万名骑兵，深入大漠一千多里，击败了七个部落，俘虏了两万多口人，缴获了五万多匹马，两万多头牛、羊。高车的各部落非常震恐。

林邑国王范达率军攻陷了东晋的日南郡、九真郡，进而向交趾郡发起攻击，交趾郡太守杜瑗率军将林邑王范达击败。

二月二十四日庚戌，北魏担任征虏将军的庾岳率军在勃海打败了张超，将张超斩首。

段业即位称王，改年号为天玺，他任命沮渠蒙逊为尚书左丞，任命梁中庸为右丞。

北魏主拓跋珪在牛川之南举行盛大的狩猎活动，他命令被俘虏的高车人用人体围成一道人墙，周围七百多里，用以驱逐其中的野兽，向南一直抵达魏国的都城平城，又令高车人修筑一座鹿苑，鹿苑长达数十里。三月初三日己未，北魏主拓跋珪返回都城平城。

甲子⑤³，珪分尚书三十六曹及外署⑤⁴，凡置三百六十曹，令八部大夫⑤⁵主之。吏部尚书崔宏通署⑤⁶三十六曹，如令、仆统事⑤⁷。置五经博士⑤⁸，增[2]国子太学⑤⁹生员合三千人⑥⁰。

珪问博士李先曰："天下何物最善，可以益人神智？"对曰："莫若书籍。"珪曰："书籍凡有几何，如何可集？"对曰："自书契⑥¹以来，世有滋益⑥²，以至于今，不可胜计。苟人主所好，何忧不集？"珪从之，命郡县大索书籍，悉送平城。

初，秦主[3]登之弟广⑥³帅众三千依南燕王德，德以为冠军将军，处之乞活堡⑥⁴。会荧惑守东井⑥⁵，或言秦当复兴，广乃自称秦王，击南燕北地王钟⑥⁶，破之。是时，滑台⑥⁷孤弱，土无十城，众不过一万，钟既败，附德者多去德而附广。德乃留鲁阳王和⑥⁸守滑台，自帅众讨广，斩之。

燕主宝之至黎阳⑥⁹也，鲁阳王和长史李辩劝和纳之，和不从。辩惧，故潜引晋军至管城⑦⁰，欲因德出战而作乱。既而德不出，辩愈不自安。及德讨苻广，辩复劝和反。和不从，辩乃杀和，以滑台降魏。魏行台尚书和跋在邺，帅轻骑自邺赴之。既至，辩悔之，闭门拒守。跋使尚书郎⑦¹邓晖说之，辩乃开门内跋。跋悉收德宫人府库。德遣兵击跋，跋逆击，破之，又破德将桂阳王镇⑦²，俘获千余人。陈、颍⑦³之民多附于魏。

南燕右卫将军慕容云斩李辩，帅将士家属二万余口出滑台赴德。德欲攻滑台，韩范曰："向也⑦⁴魏为客，吾为主人；今也吾为客，魏为主人。人心危惧，不可复战，不如先据一方，自立基本，乃图进

三月初八日甲子，北魏主拓跋珪把尚书三十六曹以及京郊以外的四方、四维，总计拆分为三百六十曹，让八部大夫负责统领。担任吏部尚书的崔宏主管三十六曹工作的全面工作，就如同尚书令、尚书仆射那样把下属诸曹统管起来。在太学中设置讲授《诗经》《尚书》《易经》《礼记》《春秋》五种经典的博士，增加在国子学和太学中学习的学生人数，在校生合计起来有三千人。

北魏主拓跋珪向担任五经博士的李先询问说："天下什么东西最好，可以提高人的精神、增加人的智慧？"李先回答说："什么也比不上书籍。"拓跋珪又问："天下共有多少书籍，怎么样才能把所有的书籍搜集到一起？"李先回答说："自从有了文字记载以来，世界上的书籍每年都有所增加，一直到现在，书籍已经多得不可胜数。只要是君主喜好的东西，何必担忧不能搜集到一起？"拓跋珪听从了李先的意见，下令各郡县加大力度搜集各类书籍，并把搜集到的书籍全部送到都城平城。

当初，秦主苻登的弟弟苻广率领三千部众依附于南燕王慕容德，慕容德任命苻广为冠军将军，将他安置在乞活堡。恰好遇到火星运行到东井星的位置，于是就有人说秦国应当复兴，苻广于是便自称秦王，率领部众袭击了南燕北地王慕容钟，将慕容钟击败。当时都城设在滑台的南燕势孤力单，拥有的国土不超过十个城，部众不超过一万，慕容钟失败之后，依附于南燕王慕容德的那些人大多都离开了慕容德而去投靠自称秦王的苻广。慕容德于是留下鲁阳王慕容和守卫都城滑台，自己亲自率军讨伐苻广，将苻广斩杀。

当初后燕主慕容宝到达黎阳的时候，南燕鲁阳王慕容和的长史李辩曾经劝说慕容和接纳慕容宝，慕容和没有听从李辩的建议。李辩因此心怀恐惧，于是就暗中勾结东晋的军队进抵管城，想趁南燕王慕容德率军离开滑台的机会制造祸乱。然而，慕容德却一直没有离开滑台，李辩就越加惶恐不安。等到慕容德亲自率军去讨伐苻广，李辩又劝说鲁阳王慕容和谋反。慕容和还是没有听从他的意见，李辩便杀死了慕容和，献出滑台，投降了北魏。北魏担任行台尚书的和跋当时驻守邺城，他得知李辩投降的消息，立即率领轻骑兵从邺城赶赴滑台。到了滑台之后，李辩却突然反悔，他紧闭城门坚守。和跋派遣担任尚书郎的邓晖前去劝说李辩，李辩才打开城门接纳和跋进城。和跋进城之后，全部收缴了南燕王慕容德的宫女和府库中的财宝。慕容德派兵攻击和跋，和跋率军迎战，将慕容德的军队打败，紧接着又打败了慕容德的部将桂阳王慕容镇，俘虏了一千多人。陈郡、颍川的民众于是大多都归附了北魏。

南燕担任右卫将军的慕容云斩杀了李辩，然后率领着将士们的家属总计两万多口离开滑台投奔慕容德。慕容德还想夺回滑台，部将韩范说："过去，魏国在滑台是客人，我们是主人；而现在我们成了客人，魏国成了主人。目前人心惶恐，已经无法再投入战斗，不如暂且先占据一块地方，建立一个根据地，然后再考虑下一步的

取[75]。”张华曰：“彭城，楚之旧都[76]，可攻而据之。”北地王钟等皆劝德攻滑台。尚书潘聪曰：“滑台四通八达之地，北有魏，南有晋，西有秦，居之未尝一日安也。彭城土旷人稀，平夷无崄[4]，且晋之旧镇[77]，未易可取。又密迩江、淮[78]，夏秋多水。乘舟而战者，吴[79]之所长，我之所短也。青州[80]沃野二千里，精兵十余万[81]，左有负海之饶[82]，右有山河之固[83]，广固城[84]曹嶷[85]所筑，地形阻峻[86]，足为帝王之都。三齐[87]英杰，思得明主以立功于世久矣。辟闾浑[88]昔为燕臣，今宜遣辩士驰说于前，大兵继踵[89]于后，若其不服，取之如拾芥耳。既得其地，然后闭关养锐，伺隙而动，此乃陛下之关中、河内[90]也。”德犹豫未决。沙门竺朗[91]素善占候[92]，德使牙门[93]苏抚问之，朗曰：“敬览三策，潘尚书之议，兴邦之言也。且今岁之初，彗星起奎、娄[94]，扫虚、危[95]。彗者，除旧布新之象，奎、娄为鲁，虚、危为齐。宜先取兖州[96]，巡抚琅邪[97]，至秋乃北徇齐地[98]，此天道也。”抚又密问[99]以年世[100]，朗以《周易》筮之曰：“燕衰庚戌[101]，年则一纪[102]，世则及子[103]。”抚还报德。德乃引师而南，兖州北鄙[104]诸郡县皆降之。德置守宰以抚之，禁军士无得虏掠。百姓大悦，牛酒属路[105]。

丙子[106]，魏主珪遣建义将军庾真、越骑校尉奚斤击库狄、宥连、侯莫陈[107]三部，皆破之，追奔至大峨谷[108]，置戍[109]而还。

己卯[110]，追尊帝所生母陈夫人[111]为德皇太后。

夏，四月，鲜卑叠掘河内[112]帅户五千降于西秦。西秦王乾归以河内为叠掘都统，以宗女妻之。

甲午[113]，燕大赦[114]。

会稽王道子有疾，且无日不醉。世子元显知朝望[115]去之，乃讽[116]朝

进攻计划。”另一部将张华说：“彭城是楚霸王项羽的故都，可以攻取彭城作为安身之所。”北地王慕容钟等全都劝说慕容德攻夺滑台。担任尚书的潘聪说：“滑台是一个四通八达的地方，北面有魏国，南面有晋国，西面有姚秦，居住在滑台，就没有安心过一天。而彭城地广人稀，一片平原之地，无险可守，而且又曾经是晋国徐州州治的所在地和都督附近数州诸军事的军府所在地，不容易攻取。再说，彭城又靠近长江、淮水，夏秋季节，降水很多。乘坐舟船作战，是吴地人的特长，却是我们的弱项。青州沃野两千里，可以组织起十多万精兵，东部靠近大海，有取之不尽的鱼盐之利，其西北方有黄河之险，广固城是当年前赵将领曹嶷所修筑，地势险要，易守难攻，完全可以作为帝王的都城。三齐的英雄豪杰之士想得到一个圣明的君主，以实现他们建功立业的愿望，他们已经等待很久了。现任东晋青州刺史辟闾浑过去曾经是燕国的臣属，现在应该派一个能言善辩之人飞马前去游说，然后出动大军紧随使者之后，如果辟闾浑不肯归顺，大军攻取青州就像弯腰拾起一根草那样容易。攻占青州之后，再养精蓄锐，伺机而动，那么青州就是陛下的关中与河内。”慕容德犹豫不决。佛门和尚竺朗一向精于占卜与观测星象，慕容德便派担任牙门的苏抚去咨询竺朗，竺朗说：“看了韩范、张华、潘聪三个人所提出的三种意见，我认为尚书潘聪的意见最好，是使国家兴盛的一种谋略。而且今年年初，彗星出现于奎星、娄星两个星座之间，划过虚星、危星。彗星出现，表示旧有的东西将被除掉，代替它的是新兴事物，而奎星、娄星是鲁国的分野，虚星、危星是齐国的分野。目前应该先攻取兖州，然后向琅邪推进，到了秋季再去攻取故齐国的地盘，这乃是上天的旨意。”苏抚又秘密地向竺朗询问南燕政权还可以维持多少年，竺朗用《周易》进行推算后说：“燕国政权的衰亡是在庚戌年，按年数来说则是一纪十二年，按世系来说则是灭亡在慕容德儿子的手里。”苏抚回去后将和尚竺朗的话报告给南燕王慕容德。慕容德于是率军南下，兖州北部边境的各郡县全都投降了慕容德。慕容德为归降的郡县委派了郡守和县令，来安抚那里的民众，并下令军中，禁止将士烧杀掳掠。百姓非常高兴，他们带着牛、酒前来慰劳大军，路上的人络绎不绝。

三月二十日丙子，北魏主拓跋珪派遣担任建义将军的庾真、担任越骑校尉的奚斤率军进攻北方的库狄部落、宥连部落、侯莫陈部落，将三个部落全部打败，他们追击败逃的军队，一直追到大峨谷，然后在被征服的地区建立军事据点，安排部队戍守，然后撤军而回。

三月二十三日己卯，东晋安皇帝司马德宗追尊自己的生母陈夫人为德皇太后。

夏季，四月，鲜卑族叠掘部落首领河内率领五千户投降了西秦。西秦王乞伏乾归任命河内为叠掘部落都统，并把宗室的女儿嫁给河内为妻。

四月初九日甲午，后燕实行大赦。

东晋会稽王司马道子身体患病，但他没有一天不沉浸在醉乡之中。司马道子的

廷解道子司徒、扬州刺史。乙未[117]，以元显为扬州刺史。道子醒而后知之，大怒，无如之何[118]。元显以庐江[119]太守会稽张法顺为谋主，多引树亲党，朝贵皆畏事之。

燕散骑常侍余超、左将军高和等坐谋反，诛。

凉太子绍、太原公纂将兵伐北凉[120]，北凉王业求救于武威王乌孤，乌孤遣骠骑大将军利鹿孤及杨轨救之。业将战，沮渠蒙逊谏曰："杨轨恃鲜卑[121]之强，有窥窬[122]之志，绍、纂深入，置兵死地[123]，不可敌也。今不战则有泰山之安，战则有累卵之危。"业从之，按兵不战。绍、纂引兵归。

六月，乌孤以利鹿孤为凉州牧，镇西平，召车骑大将军傉檀入录[124]府国事[125]。

会稽世子元显自以少年，不欲顿居重任。戊子[126]，以琅邪王德文[127]为司徒。

魏前河间[128]太守范阳[5]卢溥帅其部曲数千家，就食渔阳[129]，遂据有数郡。

秋，七月己未[130]，燕主盛遣使拜溥幽州刺史。

辛酉[131]，燕主盛下诏曰："法例律[132]，公侯有罪，得以金帛赎，此不足以惩恶而利于王府[133]，甚无谓[134]也。自今皆令立功以自赎，勿复输[135]金帛。"

西秦丞相南川宣公出连乞都[136]卒。

秦齐公崇[137]、镇东将军杨佛嵩寇洛阳，河南[138]太守陇西辛恭靖[139]婴城[140]固守。雍州[141]刺史杨佺期遣使求救于魏常山王遵[142]，魏主珪以散骑侍郎[143]西河张济为遵从事中郎[144]以报之[145]。佺期问于济曰："魏之伐中山[146]，戎士几何？"济曰："四十余万。"佺期曰："以魏之强，小羌[147]不足灭[148]也。且晋之与魏，本为一家[149]，今既结好，义无所隐。此

世子司马元显知道司马道子在朝廷当中已经失去了威望，于是便示意朝廷解除了司马道子所担任的司徒、扬州刺史职务。四月初十日乙未，东晋朝廷任命司马元显为扬州刺史。会稽王司马道子酒醒之后知道自己已经被朝廷免职，不禁勃然大怒，却又无可奈何。新任扬州刺史司马元显任用担任庐江太守的会稽人张法顺为智囊，并大量地拉拢亲朋、培植党羽，朝廷中的权贵全都因为惧怕而顺从他。

后燕担任散骑常侍的余超、担任左将军的高和等犯有谋反罪被诛杀。

后凉太子吕绍、太原公吕纂率军攻伐北凉。北凉王段业向南凉武威王秃发乌孤请求出兵救援，秃发乌孤遂派遣担任骠骑大将军的秃发利鹿孤以及降将杨轨率军救援北凉王段业。段业正要与后凉军交战，担任尚书左丞的沮渠蒙逊劝阻说："杨轨凭借鲜卑人的强盛，意图乘机夺取北凉政权，而后凉太子吕绍、太原公吕纂将军队摆放在非得拼死力战才能活命的地方，这是不可战胜的军队。现在如果我们不战，就可以像泰山那样安稳，如果出战，就有累卵之危。"段业听从了沮渠蒙逊的意见，遂按兵不动。后凉太子吕绍和太原公吕纂看到无机可乘，遂率军而回。

六月，南凉武威王秃发乌孤任命骠骑大将军秃发利鹿孤为凉州牧，镇守西平，征调担任车骑大将军的秃发傉檀回乐都，总理武威王府和南凉国的一切事务。

东晋会稽王司马道子的世子司马元显认为自己还很年轻，不想马上就居于朝廷的重要职位。六月初四日戊子，东晋安皇帝司马德宗任命自己的弟弟司马德文为司徒。

北魏前河间太守范阳人卢溥率领自己的数千家部曲前往渔阳谋生，并趁机占据了周围的几个郡。

秋季，七月初五日己未，后燕主慕容盛派遣使者到渔阳任命卢溥为幽州刺史。

七月初七日辛酉，后燕主慕容盛下诏说："按照法令条文的规定，公爵、侯爵触犯了国家的法律，可以用金帛赎罪，这条规定对王侯没有足够的惩戒作用，却有利于王侯的为非作歹，很没道理。从今以后，全都改为为国家立功以赎取自己的罪过，不许再向国家缴纳金钱、丝绸来赎罪。"

西秦担任丞相的南川宣公出连乞都去世。

后秦齐公姚崇、镇东将军杨佛嵩率军进犯东晋所属的洛阳，东晋担任河南太守的陇西人辛恭靖在城墙四周布防坚守。担任雍州刺史的杨佺期派使者向北魏常山王拓跋遵求救，北魏主拓跋珪任命担任散骑侍郎的西河人张济为拓跋遵的从事中郎，派他前往雍州治所襄阳，回应雍州刺史杨佺期的求救。杨佺期向张济询问说："北魏攻打后燕的都城中山，动用了多少将士？"张济回答说："四十多万。"杨佺期又说："就凭如此强大的魏国，一支小小的羌人部队，你们不用怎么费力就可以将他们消灭掉。再说，晋国与魏国原本就是一家，现在既然已经结为友好国家，按理说就不应该有任何隐瞒。

间兵弱粮寡，洛阳之救，恃魏而已。若其保全，必有厚报；若其不守，与其使羌得之，不若使魏得之。”济还报。八月，珪遣太尉穆崇⑮将六万骑往救之。

燕辽西⑯太守李朗在郡十年，威行境内，恐燕主盛疑之，累征⑰不赴。以其家在龙城，未敢显叛，阴召魏兵，许以郡降魏；遣使驰诣龙城，广张⑱寇势。盛曰：“此必诈也。”召使者诘问，果无事实。盛尽灭朗族，丁酉⑲，遣辅国将军李旱讨之。

初，魏奋武将军张衮⑳以才谋为魏主珪所信重，委以腹心。珪问中州士人于衮，衮荐卢溥㉑及崔逞，珪皆用之。

珪围中山㉒，久未下，军食乏，问计于群臣。逞为御史中丞，对曰：“桑椹㉓可以佐粮。飞鸮食椹而改音㉔，诗人所称㉕也。”珪虽用其言，听民以椹当租㉖，然以逞为侮慢㉗，心衔之。秦人寇襄阳㉘，雍州刺史郗恢以书求救于魏常山王遵曰：“贤兄㉙虎步中原㉚。”珪以恢无君臣之礼，命衮及逞为复书㉛，必贬其主㉜。衮、逞谓帝为贵主㉝，珪怒曰：“命汝贬之，而谓之‘贵主’，何如‘贤兄’㉞也?”逞之降魏㉟也，以天下方乱，恐无复遗种㊱，使其妻张氏与四子留冀州，逞独与幼子颐㊲[6]诣平城，所留妻子遂奔南燕。珪并以是责逞，赐逞死。卢溥受燕爵命㊳，侵掠魏郡县，杀魏幽州刺史封沓干。珪谓衮所举皆非其人㊴，黜衮为尚书令史㊵。衮乃阖门不通人事㊶，惟手校经籍，岁余而终。

燕主宝之败也，中书令、民部尚书封懿㊷降于魏。珪以懿为给事黄门侍郎、都坐大官㊸。珪问懿以燕氏旧事，懿应对疏慢，亦坐废于家。

我这里兵力很少粮食短缺，洛阳能不能守住，完全取决于魏国的援救。如果洛阳能够得以保全，一定会得到丰厚的回报；如果洛阳失守，与其让羌人姚氏所建的后秦得到它，还不如让魏国得到它。”张济回国后将杨佺期的话向北魏主拓跋珪做了汇报。八月，北魏主拓跋珪派遣担任太尉的穆崇率领六万名骑兵前往襄阳救援东晋雍州刺史杨佺期。

后燕李朗在辽西郡担任太守十年，在当地建立了绝对的权威，他担心后燕主慕容盛猜忌自己，所以朝廷屡次征调他回京师，他都不肯应命前往。只是因为自己的家属都在京师龙城，所以才忍耐着没有敢明目张胆地发动叛变，他一面暗中勾结魏国的军队，许诺将献出辽西郡，向魏国投降；一面派使者飞快地前往龙城极力地夸大贼情。后燕主慕容盛分析说：“这里面一定有诈。”于是便召见李朗派来的使者，经过一番盘问，果然属于造假。慕容盛于是把李朗的家族全部处死。八月十四日丁酉，派遣担任辅国将军的李旱率军讨伐辽西太守李朗。

当初，北魏担任奋武将军的张衮凭借自己的才能和谋略深受北魏主拓跋珪的信任和重用，拓跋珪把他作为自己的心腹。拓跋珪曾经向张衮询问中原的知名人士，张衮举荐了卢溥和崔逞，拓跋珪全都加以录用。

北魏主拓跋珪当初率大军围攻中山时，因久攻不下，军中粮食缺乏，拓跋珪向群臣征求解决的办法。担任御史中丞的崔逞建议说：“桑葚可以用来充作军粮。猫头鹰因为吃了桑葚而改变了声音，《诗经》上有这样的记载。”拓跋珪虽然采纳了崔逞的建议，允许民众采摘桑葚代替缴纳军粮，然而心中却认为崔逞是在借用古诗取笑自己，侮辱自己，因此对崔逞怀恨在心。后秦的军队进犯东晋的襄阳，东晋担任雍州刺史的郗恢写信给北魏常山王拓跋遵，请求出兵救援，郗恢的信中写道：“你的哥哥拓跋珪，在中原地区所向无敌。”拓跋珪认为郗恢不懂得君臣之间的礼仪，于是令张衮以及崔逞替自己给郗恢写回信，吩咐一定要贬低郗恢的皇帝司马德宗。张衮、崔逞在回信中称东晋皇帝司马德宗为贵主，拓跋珪发怒说：“我让你们贬低他，你们却说他是‘贵主’，这比他说我是‘贤兄’反而更谦卑了，你觉得是不是?”崔逞投降北魏的时候，正是天下大乱，他恐怕崔家会断绝了后代，遂把自己的妻子张氏和四个儿子留在了冀州，自己只带着最小的儿子崔颐前往北魏的都城平城，留在冀州的妻儿后来投奔了南燕主慕容德。拓跋珪为了报复崔逞对自己的“侮辱”，就把崔逞妻儿投奔南燕也算作崔逞的罪行，下令崔逞自杀而死。卢溥却接受了南燕授予的爵位，担任了南燕的幽州刺史，并率众侵略北魏的郡县，杀死了北魏担任幽州刺史的封沓干。拓跋珪认为张衮举荐的人都不像张衮所说的那么好，于是将张衮贬为尚书令史。张衮为此闭门谢客，不与任何人往来，每天只是亲手校对经典书籍，一年之后去世。

后燕主慕容宝失败的时候，担任中书令、民部尚书的封懿投降了北魏。北魏主拓跋珪任命封懿为给事黄门侍郎、都坐大官。拓跋珪向封懿询问后燕的往事，封懿在回答的时候既不详细，又有些不情愿的样子，因此被免官居家。

武威王秃发乌孤醉，走马伤胁而卒，遗令立长君。国人立其弟利鹿孤，谥乌孤曰武王，庙号烈祖。利鹿孤大赦，徙治西平⑰。

南燕王德遣使说幽州刺史⑱辟闾浑，欲下之⑱，浑不从。德遣北地王钟帅步骑二万击之。德进据琅邪⑱，徐、兖⑱之民归附者十余万。德自琅邪引兵而北，以南海王法为兖州刺史，镇梁父⑱。进攻莒城，守将任安委城走⑱。德以潘聪为徐州刺史，镇莒城⑱。

兰汗之乱⑱，燕吏部尚书封孚南奔辟闾浑，浑表⑱为勃海⑱太守。及德至，孚出降，德大喜曰："孤得青州不为喜，喜得卿耳！"遂委以机密。北地王钟传檄青州诸郡，谕以祸福，辟闾浑徙八千余家入守广固，遣司马崔诞戍薄荀固⑲[7]，平原太守张豁戍柳泉⑲。诞、豁承檄⑲皆降于德。浑惧，携妻子奔魏，德遣射声校尉⑲刘纲[8]追之，及于莒城，斩之。浑子道秀自诣德，请与父俱死。德曰："父虽不忠⑲，而子能孝。"特赦之。浑参军张瑛为浑作檄，辞多不逊，德执而让⑲之。瑛神色自若，徐曰："浑之有臣，犹韩信之有蒯通。通遇汉祖而生⑲，臣遭陛下而死。比之古人，窃为不幸耳！"德杀之。遂定都广固。

燕李旱⑲行至建安⑲，燕主盛急召之，群臣莫测其故。九月辛未⑲，复遣之。李朗闻其家被诛，拥二千余户以自固。及闻旱还，谓有内变，不复设备，留其子养守令支⑳，自迎魏师于北平⑳。壬子⑳，旱袭令支，克之，遣广威将军孟广平追及朗于无终⑳，斩之。

秦主兴以灾异⑳屡见，降号称王，下诏令群公、卿士、将牧、守

南凉武威王秃发乌孤在喝醉了酒的情况下骑马飞奔，结果摔伤了肋骨而死，他留下遗嘱，让拥立年纪大些的人继承王位。南凉的贵族遂拥戴秃发乌孤的弟弟秃发利鹿孤为南凉王，为武威王秃发乌孤上谥号为武王，庙号烈祖。秃发利鹿孤颁布大赦令，并将都城从乐都迁往西平。

南燕王慕容德派使者前往广固游说东晋担任幽州刺史的辟闾浑，想让他献出广固投降南燕，辟闾浑拒绝接受。慕容德于是派遣北地王慕容钟率领两万名步兵、骑兵攻击辟闾浑。慕容德率军占领了琅邪，徐州、兖州的民众归附于南燕的有十多万人。慕容德率军从琅邪北上，他任命南海王慕容法为兖州刺史，镇所设在梁父。南燕军进攻莒城，东晋莒城守将任安弃城逃走。慕容德任命潘聪为徐州刺史，镇守莒城。

后燕顿丘王兰汗发动变乱的时候，后燕担任吏部尚书的封孚向南投奔了东晋幽州刺史辟闾浑，辟闾浑上表给东晋朝廷，举荐封孚担任渤海太守。等到南燕王慕容德率军抵达勃海，勃海太守封孚立即出城投降了南燕，慕容德非常高兴地说："我得到青州还不算高兴，高兴的是得到了封孚！"于是把朝廷机要全都委任给封孚掌管。南燕北地王慕容钟向青州属下各郡发布通告，为他们讲明利害祸福，东晋幽州刺史辟闾浑将八千多户迁入广固，以加强广固城的防守力量，派遣属下担任司马的崔诞率军戍守薄荀固，派担任平原太守的张豁戍守柳泉。而崔诞和张豁在接到慕容钟的通告后全都投降了南燕王慕容德。辟闾浑心中恐惧，于是带着自己的妻儿投奔了北魏，南燕王慕容德派遣担任射声校尉的刘纲率军追击，一直追到莒城才追上辟闾浑，刘纲将辟闾浑杀死。辟闾浑的儿子辟闾道秀主动来到慕容德的跟前，请求与自己的父亲死在一起。慕容德说："你的父亲辟闾浑虽然不是忠臣，而你作为辟闾浑的儿子，却能孝敬你的父亲。"于是特别赦免了辟闾道秀。辟闾浑的参军张瑛曾经代替辟闾浑写作檄文，檄文中有许多带有侮辱性的言辞，慕容德俘虏了张瑛，以此责备他。张瑛神色自若，慢条斯理地说："幽州刺史辟闾浑属下有我这样的人，就如同当年韩信手下有蒯通。蒯通遇到汉高祖而生，我遇到陛下而死。如果我与古代的蒯通比起来，我真是太不幸了！"慕容德还是杀死了张瑛。慕容德将广固作为自己的都城。

后燕李旱走到建安的时候，后燕主慕容盛又紧急将他召回，群臣都猜不透是什么缘故。九月十八日辛未，慕容盛再次派遣李旱征讨李朗。李朗得知自己全家已经被慕容盛诛杀的消息，就率领两千多户加紧防守令支城以求自保。当他听说李旱奉命撤军的消息，就以为是朝廷内部发生内乱，于是便不再戒备，他留下自己的儿子李养守卫令支，自己则前往北平迎接北魏的援军。壬子日，李旱率军袭击了辽西郡的治所令支，将令支攻克，李旱派担任广威将军的孟广平追击李朗，追到无终，将李朗杀死。

因为屡次出现天灾星变，后秦主姚兴遂去掉皇帝称号，改称天王，并下诏，令所有公爵、朝中大臣、将军、州牧、郡守、县令每人各降一等；实行大赦，改年号宰各降一等；大赦，改元弘始[25]。存问孤贫，举拔贤俊，简省法令，清察狱讼，守令之有政迹者赏之，贪残者诛之，远近肃然。

【段旨】

以上为第一段，写晋安帝隆安三年（公元三九九年）正月至九月共九个月间的大事。主要写了东晋的司马元显趁其父司马道子老病好酒，而夺其扬州刺史之职，以张法顺为谋主，多树亲党，朝贵皆畏而事之。写了魏主拓跋珪三路大军袭高车族，大破之，虏获甚多，又在朝廷上置五经博士，增国子太学生员，下令郡县搜集图书等，很注意吸收汉族的传统文化。写了拓跋珪杀燕之降臣张衮、崔逞，废封懿等，导致降魏诸人颇多对燕的故国之思。写了以滑台为据点的南燕慕容德政权因部下叛变被魏军攻破，慕容德听取尚书潘聪的建议先破杀了晋将辟闾浑，取得徐、兖大片土地，又进而攻得青州，开始以广固为其都城。写了后燕主慕容盛部下屡有因谋反被杀者，表现出后燕政权内部的不稳定。此外还写了南凉的秃发乌孤病死，其弟利鹿孤继位，移国都于西平等。

【注释】

①正月辛酉：正月初四。②大赦：这句话的主语是晋安帝司马德宗。③戊辰：正月十一。④昌黎尹留忠：当时燕都龙城（今辽宁朝阳）所在郡的地方长官姓留名忠。⑤东阳公根：即慕容根，被封为东阳公。〖按〗《晋书》慕容盛传中无此人事迹，姑存疑。⑥忠弟幽州刺史志：留忠之弟、幽州刺史留志。⑦凡城：在今河北平泉境。⑧平原公元：即慕容元，慕容盛之弟，被封为平原公。⑨庚午：正月十三。⑩长川：在今内蒙古乌兰察布市集宁区东北。⑪高凉王乐真：即拓跋乐真，拓跋珪的堂弟，被封为高凉王。事见《魏书》卷十四。⑫牛川：平原地区名，在今内蒙古呼和浩特西南。⑬驳髯水：约在今内蒙古乌兰察布市集宁区、卓资一带。⑭高车：少数民族名，当时活动在今内蒙古呼和浩特、乌兰察布市集宁区以北及蒙古境内，以习惯于乘高轮车而得名。⑮壬午：正月二十五。⑯癸未：正月二十六。⑰改元长乐：在此以前慕容盛的年号是建平。⑱不加拷掠：用不着严刑拷打。⑲徙治乐都：将其都城迁到海东市乐都区。乐都是当时乐都郡的郡治，即今青海乐都。⑳安夷：县名，县治在今青海海东市乐都区西。㉑湟河：郡名，郡治白土，在今青海海东市乐都区南。㉒浇河：郡名，郡治在今青海西宁西南。㉓岭南：洪池山之南。洪池山也称南山，在今甘肃武威南。㉔廉川：城堡名，在今青海民和西北。㉕浩亹：县名，县治在今甘肃永登西南。㉖典：主管；管

为弘始。安抚救济孤寡贫穷，选拔任用贤能，简化法令法规，清理诉讼，洗刷冤假错案，郡守、县令，凡是有很好政绩的全部进行奖赏，而对那些贪赃枉法、推行暴政的杀无赦，于是无论远近，社会秩序井然有序。

理。㉗陇右：地区名，指陇山以西，今甘肃东南一带地区。㉘河西：地区名，指黄河以西，今甘肃中西部及青海东北部地区。㉙本数郡之地：本来就只有几个郡的地盘。汉时陇右设陇西、金城二郡；河西设武威、张掖、酒泉、敦煌四郡。㉚吕氏：指吕光政权，建都姑臧，今甘肃武威。㉛乞伏氏：指乞伏乾归的西秦政权，建都金城，今甘肃兰州西。㉜段氏：指沮渠蒙逊拥立的段业北凉政权，建都张掖。㉝吾之部落：乞伏氏与秃发氏都是鲜卑族，都依附过吕光政权。㉞衰耄：年老而昏庸。㉟嗣子：指吕光之子吕绍。㊱纂、弘：吕纂、吕弘，都是吕光之子。㊲迭出：轮番交替地出击。㊳举：被攻下。㊴二月丁亥朔：二月初一是丁亥日。㊵卫王仪：即拓跋仪，拓跋珪的侄子，被封为卫王。㊶绝漠：横越沙漠。㊷林邑：南方境外的小国名，在今越南中部，当时归附于东晋。㊸日南、九真：二郡名，日南郡的郡治即今越南顺化，九真郡的郡治即今越南清化，当时都属东晋。㊹交趾：郡名，郡治龙编，在今越南河内东北，当时隶属于东晋。㊺庚戌：二月二十四。㊻张超：乌桓人，前曾属魏，于上年占据南皮（今河北南皮北）叛魏，自称乌桓王。㊼勃海：郡名，郡治即南皮。㊽即凉王位：此即历史上之所谓“北凉”，都城在今甘肃张掖。㊾改元天玺：前此段业的年号是神玺（公元三九七至三九八年）。㊿为围：围成人墙。51鹿苑：亦如其他王朝的皇家猎场，在今山西大同西。52三月己未：三月初三。53甲子：三月初八。54外署：即指给上卷末所说的京郊以外的“四方”“四维”具体而微地设置诸曹，每区如同一国。55八部大夫：即上卷末所说的“八部师”。胡三省以为“八部大夫”应作“八部大人”。56通署：犹言总管。57如令、仆统事：像尚书令、尚书仆射那样把下属诸曹都统管起来。58五经博士：太学里讲授《诗经》《尚书》《易经》《礼记》《春秋》五种经典的教官。59国子太学：国子学和太学，当时国家的最高学府。60合三千人：共有三千人。61书契：即指文字。《周易·系辞》：“古者伏羲氏之王天下也，始画八卦，造书契，以代结绳之政。”62滋益：增多。63秦主登之弟广：苻登之弟苻广。64处之乞活堡：让他们居住在乞活堡，在今河北河间城北。65荧惑守东井：火星运行到了井宿的位置。荧惑，即今之所谓火星。东井，即井宿，二十八宿之一。66北地王钟：慕容钟。67滑台：此指当时处于滑台（今河南滑县东）的慕容德政权。68鲁阳王和：即慕容和，慕容德之侄。69宝之至黎阳：事见本书上卷隆安二年。70管城：县名，县治在今河南郑州。71尚书郎：此指邺城行台的尚书郎。72桂阳王镇：即慕容镇。73陈、颍：二郡名，陈郡的郡治即今河南周口市淮阳区。颍川郡的郡

治在今河南许昌东。当时二郡属于晋。⑭向也：前者；那个时候。⑮乃图进取：再考虑进攻的问题。胡三省曰："微韩范之言，德若进攻滑台，必至丧败，固不待慕容超之时也。"⑯彭城二句：彭城即今江苏徐州，项羽灭秦后曾都于此。⑰晋之旧镇：彭城曾是晋朝徐州州治的所在地，又是都督附近数州诸军事的军府所在地。⑱密迩江、淮：挨近长江、淮河。⑲吴：此用以泛指当时属于东晋的今江苏、浙江等长江以南地区，这一带在三国时期曾属于吴国。⑳青州：西晋的州治，即今山东淄博市临淄区；后燕的州治在今山东济南西，管辖今山东北部、东部地区。㉑精兵十余万：在这个州里可以组成精兵十万。㉒左有负海之饶：其东侧靠着渤海，有鱼盐之富饶。负，挨近。㉓右有山河之固：其西北方有黄河之险。右，即指西侧。㉔广固城：在今山东青州西北。㉕曹嶷：原是前赵刘聪的将领，占领山东大部地区后遂谋自立，以广固城为中心历时多年，后被石勒所灭。㉖阻峻：险要难攻。㉗三齐：指今山东北部、东部的旧齐国地区。秦末农民起义时因在旧日的齐国地面上曾一度出现过胶东、济北、齐三个小国，故后世混称这一带为"三齐"。㉘辟闾浑：人名，姓辟闾名浑。原为东晋的青州刺史，后投降慕容宝。慕容宝败后又归附东晋，被封为幽州刺史，州治即在广固。㉙继踵：犹今之所谓"紧跟""随脚就到"。㉚关中、河内：指成大业的根据地。关中是刘邦打败项羽，建立西汉政权的根据地；河内是刘秀铲灭群雄，建立东汉政权的根据地。㉛沙门竺朗：一个名叫竺朗的和尚。㉜占候：占卜与观望天象，都是古代的迷信职业。㉝牙门：军门，这里指守卫军门的亲信武将。㉞彗星起奎、娄：彗星出现在奎、娄两个星座之间。奎、娄都是二十八宿之一，古天文学以此二星为鲁国的分野。㉟扫虚、危：彗星划过虚、危二星座。虚、危也都是二十八宿之一，古天文学以此二星为齐国的分野。㊱兖州：州治廪丘，在今山东郓城西北。当时的鲁国（即今山东曲阜）即属兖州管辖。㊲巡抚琅邪：而后向东扫荡琅邪郡，郡治在今山东临沂北。㊳北徇齐地：向北进攻旧齐国的地区。徇，出兵走一趟，攻占的意思，不用费力而得的说法。㊴密问：秘密地询问，不让人知。⑩⑩年世：指可统治多少年。⑩①燕衰庚戌：燕国当在庚戌年衰亡。现时为"己亥"年，下一个最近的"庚戌"年在十一年后即晋安帝义熙六年（公元四一〇年）。⑩②一纪：十二年。从"己亥"到"庚戌"，连头带尾共计十二年。⑩③世则及子：以"世代"而论，是传到儿子，也就是到下一辈为止。〖按〗日后慕容德的儿子慕容超被晋将刘裕所灭，果然是在十一年之后，是在"庚戌"年，这当然是后人编造的故事，而历史家竟然一本正经地写入历史，真扫兴。⑩④兖州北鄙：兖州的北部郡县。鄙，边远之地。⑩⑤牛酒属路：指送慰劳品的人相连于道。属，相连、络绎不绝。⑩⑥丙子：三月二十。⑩⑦库狄、宥连、侯莫陈：当时鲜卑族的其他部落名，居住在今华北地区。⑩⑧大峨谷：具体方位不详。⑩⑨置戍：在被征服的地区建立军事据点。⑪⓪己卯：三月二十三。⑪①陈夫人：名归女，晋安帝的生母。传见《晋书》卷三十二。⑪②叠掘河内：鲜卑族"叠掘"部落的一个名叫"河内"的人，原属于拓跋珪。⑪③甲午：四月初九。⑪④燕大赦：此"燕"指龙城的慕容盛政权。⑪⑤朝望：在朝廷上的威望。⑯讽：吹风；示意。⑰乙未：四月初十。⑱无如之何：即无奈他何，对他的儿子没有办法。⑲庐江：郡名，郡治即今安徽舒城。⑳北凉：即沮渠蒙逊拥立的段业政权，都于张掖。㉑鲜卑：此指秃发乌孤政权，秃发氏乃鲜卑人。㉒窥窬：从墙缝里偷看，图谋不轨，此指欲乘机夺取北凉政权。㉓死地：不可坚守又无援兵的境地。处于这种境地的军队因为只有死里求生，所以战斗力强。㉔录：总管。㉕府国事：武威王府和南凉国的一切事务。㉖戊子：六月初四。㉗德文：即晋安帝的胞弟司马德文，时继任为琅邪王。㉘河间：郡名，郡治乐城，在今河北献县东南。㉙就食渔阳：到渔阳郡找食物吃。渔阳郡的郡治在今北京市密云西南。这一带地区本来属后燕。㉚七月己未：七月初五。㉛辛酉：七月初七。㉜法例律：按照法律规定。㉝利于王府：指利于公侯之人的为非作歹。㉞无谓：没有道理。㉟输：交纳。㊱南川宣公出连乞都：姓出连，名乞都，南川公是其封号，宣字是谥。㊲齐公崇：即姚崇，后秦主姚兴之弟，被封为齐公。㊳河南：郡名，郡治洛阳的金墉城，在今洛阳，当时属东晋。㊴辛恭靖：事见《晋书·忠义传》。㊵婴城：环城。㊶雍州：当时晋朝的雍州州治在今湖北襄阳。㊷常山王遵：即拓跋遵，拓跋珪之弟，当时镇守邺城，今河北临漳西南。㊸散骑侍郎：帝王的侍从官员，以备参谋顾问。㊹从事中郎：州刺史的高级僚属。㊺以报之：以回复杨佺期的求救。㊻魏之伐中山：指攻打慕容宝，事见本书卷一百八孝武帝太元二十一年。㊼小羌：此指姚兴与后秦的入侵军队。当年称姚兴之父姚苌为“老羌”，故此又称姚兴本人为“小羌”。㊽不足灭：用不着费力就可以消灭它。㊾本为一家：指东晋初年，魏之先祖拓跋猗卢在幽、并一带曾与晋将刘琨互相支援以抗匈奴族。㊿穆崇：拓跋珪早期的开国将领。传见《魏书》卷二十七。(151)辽西：郡名，郡治令支，在今河北迁安西。(152)累征：多次调他进京。(153)广张：大肆铺张。(154)丁酉：八月十四。(155)张衮：字洪龙，范阳人，汉族，拓跋珪的谋臣。传见《魏书》卷二十四。(156)卢溥：张衮的同乡。(157)珪围中山：此追叙前事，见本书卷一百九安帝隆安元年。(158)桑椹：桑树果实，可吃。(159)飞鸮食椹而改音：飞鸮即猫头鹰。《诗经·泮水》：“翩彼飞鸮，集于泮林，食我桑椹，怀我好音。”郑玄笺：“鸮恒恶鸣，今来止于泮水之木上，食其桑黮，为此之故，故改其鸣，归就我以善音。喻人感于恩则化也。”(160)诗人所称：所以《诗经》的作者这样说。(161)听民以椹当租：让百姓们采来桑葚以代替交军粮。听，允许，这里就是“让”。租，此指军粮。(162)以逞为侮慢：认为这是崔逞在借用古诗取笑他，即你们这些少数民族吃了桑葚也许能改变固有的野蛮习性。(163)秦人寇襄阳：事在上年，此亦追叙前事。(164)贤兄：犹言“令兄”，对常山王遵指称其兄拓跋珪。(165)虎步中原：以言其在中原地区所向无敌。(166)为复书：写回信。(167)贬其主：让张衮、崔逞在写回信时一定要贬低晋安帝的身份。(168)谓帝为贵主：对郗恢指称晋安帝为“贵主”，意即“你们主子”。(169)何如贤兄：比他称我“贤兄”反而更谦卑了。(170)逞之降魏：见本书卷一百九安帝隆安元年。(171)恐无复遗种：怕自己这个家族断子绝孙。儒家讲“不孝有三，无后为大”，故而人们对家族灭绝非常在意。(172)幼子颐：崔颐。传见《魏书》卷三十二。(173)受燕爵命：指当了燕国的幽州刺史。(174)非其人：不像张衮所说的那个样子。(175)尚书令史：尚书省里的小吏，低于尚书郎很多。(176)不通人事：不与外人来往。(177)封懿：字处德，汉族人。传见《魏书》卷三十二。(178)都坐大官：当时北魏有都坐大官、内都大官、外都大官，合称“三都大官”。(179)西平：即今青海西宁。(180)幽州刺史：此时辟闾浑所据的“幽州”，州治广固（今山东青州西北），当时属东晋。(181)下之：指使其降己。(182)琅邪：郡名，郡治在今山东临沂北。(183)徐、兖：二州名，辖境约当今山东西部、河南东部、江苏北部一带地区。(184)梁父：城镇名，在今山东泰安东南。(185)委城走：丢下城池逃走。委，舍弃、丢下。走，逃走、逃跑。(186)莒城：即今山东莒县。(187)兰汗之乱：指兰汗叛变，杀死慕容宝等事。见本书卷一百一十安帝隆安二年。(188)表：向晋朝皇帝上书推荐。(189)勃海：郡名，郡治在今河北沧州东南，当时属东晋。(190)薄荀固：城堡名，地址不详。(191)柳泉：县名，县治在今山东昌乐南。(192)承檄：接受檄文；按照檄文。(193)射声校尉：军官名，射声的意思是闻声即能射中。(194)不忠：指辟闾浑叛离慕容宝归附东晋。(195)让：责备。(196)通遇汉祖而生：蒯通是楚汉战争时人，在韩信占领齐国而尚未消灭项羽时，曾劝韩信脱离刘邦自立，韩信不听。灭掉项羽后，韩信被刘邦所杀。刘邦随即又想杀蒯通，蒯通以“秦失其鹿，天下共逐之”，因自己当时只识韩信，故一切亦只为韩信着想云云回答，刘邦遂免其死。事见《史记·淮阴侯列

【原文】

冬，十月甲午[206]，燕中卫将军卫双有罪，赐死。李旱还，闻双死，惧，弃军而亡[207]，至板陉[208]，复还归罪[209]。燕主盛复其爵位，谓侍中孙勍曰：“旱为将而弃军，罪在不赦。然昔先帝蒙尘，骨肉离心，公卿失节，惟旱以宦者忠勤不懈，始终如一[210]，故吾念其功而赦之耳。”

辛恭靖[211]固守百余日，魏救未至。秦兵拔洛阳，获恭靖。恭靖见秦王兴，不拜，曰：“吾不为羌贼[212]臣！”兴囚之，恭靖逃归。自淮、汉[213]以北，诸城多请降，送任[214]于秦。

魏主珪以穆崇为豫州刺史，镇野王[215]。

传》。⑲李旱：慕容盛的将领，奉命南下讨叛将李朗。⑱建安：县名，县治在今河北迁安北。⑲九月辛未：九月十八。⑳令支：县名，县治在今河北迁安西，李朗为辽西太守即驻于此。㉑北平：郡名，郡治在今河北遵化东。㉒壬子：九月初一是"甲寅"，本月中没有"壬子"日，疑字有误。㉓无终：县名，县治即今天津市蓟州区。㉔灾异：阴阳五行家所指的种种怪异，如日食、地震、陨石以及怪胎等，他们认为这些都是大灾难即将降临的征兆。㉕改元弘始：在此以前姚兴的年号是皇初（公元三九四至三九八年）。

【校记】

［1］幽州刺史：原无此四字。据章钰校，十二行本、乙十一行本、孔天胤本皆有此四字，张敦仁《通鉴刊本识误》同，今据补。［2］增：严衍《通鉴补》改作"及"。［3］秦主：原作"秦王"。据章钰校，十二行本、乙十一行本、孔天胤本皆作"秦主"，今据改。［4］崄：据章钰校，乙十一行本作"险"。［5］范阳：原无此二字。据章钰校，十二行本、乙十一行本、孔天胤本皆有此二字，张敦仁《通鉴刊本识误》、张瑛《通鉴校勘记》同，今据补。［6］颐：原作"赜"。严衍《通鉴补》改作"颐"，今据以校正。〖按〗崔逞幼子崔颐，传见《魏书》卷三十二、《北史》卷二十四。［7］薄苟固：张敦仁《通鉴刊本识误》改作"薄苟固"。［8］刘纲：据章钰校，孔天胤本作"刘钢"，张敦仁《通鉴刊本识误》同。

【语译】

冬季，十月十一日甲午，后燕担任中卫将军的卫双犯了罪，后燕主慕容盛令他自杀而死。辅国将军李旱征讨李朗，得胜返回，他听到卫双被赐死的消息，心中恐惧，便抛弃大军独自逃亡，当他逃到板陉的时候，又返回龙城向后燕主慕容盛请罪。后燕主慕容盛恢复了他的爵位，对担任侍中的孙勍说："辅国将军李旱作为带兵打仗的将军却擅自丢下自己的军队逃亡，这是不可以赦免的罪行。然而过去先帝四处奔波流亡的时候，就连骨肉至亲全都离心离德，公卿大臣也难免变节投敌，只有李旱，能以一个宦官的身份，忠诚勤恳地追随在先帝左右，毫不懈怠，始终如一，我念在他的功劳上才赦免了他。"

东晋担任河南太守的辛恭靖率军固守洛阳，已经坚守了一百多天，北魏的救兵却仍然不见踪影。后秦的军队遂攻占了洛阳，俘虏了辛恭靖。辛恭靖见到后秦王姚兴，不肯下拜，他说："我不会做羌贼的臣子！"姚兴便将辛恭靖囚禁起来，辛恭靖寻找机会，自己逃回了东晋。此后，淮河、汉水以北地区，很多城池都投降了后秦，并且将自己的亲属送到后秦去做人质。

北魏主拓跋珪任命担任太尉的穆崇为豫州刺史，镇所设在野王。

会稽世子元显，性苛刻，生杀任意。发[216]东土诸郡[217]免奴为客[218]者，号曰“乐属[219]”，移置京师，以充兵役。东土嚣然[220]苦之。

孙恩因民心骚动，自海岛帅其党杀上虞令[221]，遂攻会稽[222]。会稽内史[223]王凝之，羲之之子也，世奉天师道[224]，不出兵，亦不设备，日于道室稽颡跪咒[225]。官属请出兵讨恩，凝之曰：“我已请大道[226]借鬼兵守诸津要[227]，各数万，贼不足忧也。”及恩渐近，乃听[228]出兵，恩已至郡下。甲寅[229]，恩陷会稽，凝之出走，恩执而杀之，并其诸子。凝之妻谢道蕴[230]，奕[231]之女也，闻寇至，举措自若[232]，命婢肩舆[233]，抽刀出门，手杀数人，乃被执。吴国[234]内史桓谦、临海[235]太守新蔡王[9]崇[236]、义兴[237]太守魏隐皆弃郡走。于是会稽谢鍼、吴郡陆瓌、吴兴[238]丘尪、义兴许允之、临海周胄、永嘉[239]张永等及东阳[240]、新安[241]凡八郡人，一时起兵，杀长吏以应恩，旬日之中，众数十万。

吴兴太守谢邈、永嘉太守司马逸、嘉兴[242]公顾胤、南康[243]公谢明慧、黄门郎谢冲、张琨、中书郎孔道等皆为恩党所杀。邈、冲，皆安之弟子也。时三吴[244]承平[245]日久，民不习战，故郡县兵皆望风奔溃。

恩据会稽，自称征东将军，逼人士[246]为官属，号其党曰“长生人”。民有不与之同[247]者，戮及婴孩，死者什七八[248]。醢[249]诸县令以食[250]其妻子，不肯食者，辄支解之。所过掠财物，烧邑屋，焚仓廪，刊木[251]，堙井[252]，相帅聚于会稽[253]。妇人有婴儿不能去者，投于水中，曰：“贺汝先登仙堂，我当寻后[254]就汝。”恩表[255]会稽王道子及世子元显之罪，请诛之。

自帝即位以来，内外乖异[256]，石头[257]以南皆为荆、江所据[258]，以西皆豫州[259]所专，京口[260]及江北皆刘牢之[261]及广陵相高雅之[262]所制，

东晋会稽王司马道子的世子司马元显，性情苛刻，放纵任性，想杀谁就杀掉谁，想要谁活就让谁活。他下令征调东部地区各郡中那些改变了奴隶身份而变成客户的人，把他们叫作“乐属”，迁移、安置到京师建康，用以充当兵役。东部各郡一片哗然，不论是客户的主人，还是客户自己都感到很痛苦。

孙恩利用民心的扰动不安，趁机率领自己的部众从海岛出发，杀死了上虞县的县令，乘胜攻击会稽郡。担任会稽郡内史的王凝之，是王羲之的儿子，他家世代尊奉天师道，他得知孙恩率众杀来，既不出兵反击，也不进行戒备防御，每天就是坐在道室里磕头、念咒。属下的官员请求出兵讨伐孙恩，王凝之却说：“我已经请来了得道的大仙，借来了阴曹地府的鬼兵，令他们坚守各个渡口要塞，每处都有数万鬼兵，你们用不着担心。”等到孙恩率军逐渐逼近，这才允许诸将率军出战，而此时孙恩的部众已经逼近郡城之下。十一月初二日甲寅，孙恩攻陷了会稽郡，会稽郡内史王凝之出城逃走，被孙恩捉住杀死，连同他的几个儿子也一同被杀。王凝之的妻子谢道蕴是谢奕的女儿，她听到乱军已经攻入郡城的消息，一点也不慌乱，行动举止和平时一样，她让婢女用滑竿抬着她，抽出佩刀，走出家门，亲手杀死了好几个人才被乱民捉住。担任吴国内史的桓谦、担任临海太守的新蔡王司马崇以及担任义兴郡太守的魏隐全都弃郡逃走。于是会稽郡人谢鍼、吴郡人陆瓌、吴兴人丘尪、义兴人许允之、临海人周胄、永嘉人张永等以及东阳、新安总计八个郡的民众同时起兵，他们杀死了郡中的长吏来响应孙恩，只十来天的时间，孙恩的部众就达到了数十万。

吴兴太守谢邈、永嘉太守司马逸、嘉兴公爵顾胤、南康公爵谢明慧、黄门郎谢冲、张琨、中书郎孔道等全被孙恩的党羽杀死。谢邈、谢冲都是谢安的侄子。当时三吴地区享受太平的时间已经很久了，因此人民已经不知道该怎样打仗，所以各郡县的士兵全都望风而逃，立时崩溃。

孙恩占据了会稽，自称征东将军，他强迫那些社会上的头面人物做他的僚属，他把自己的同党称为“长生人”。民众中有谁不肯与他们同流合污，他就将谁全家杀死，连同婴孩也不肯放过，被他杀死的有十分之七八。他还把各县的县令杀死，剁成肉酱，强迫他们的妻小吃下去，不肯吃的，就要被杀死、肢解。所过之处抢劫财物、烧掉民房、焚毁府库仓廪、砍光树木、填平水井，然后把各地的百姓都拘押到会稽郡城集中。有的妇女因为怀中抱有婴儿，不能前去，就把怀中的婴儿扔到水中，说：“祝贺你先登天堂仙界，我随后就来找你。”孙恩上表给晋安帝司马德宗，开列出会稽王司马道子和他的世子司马元显的种种罪状，请求朝廷诛杀司马道子和司马元显。

自从晋安帝继承皇位以来，朝廷和地方军阀互相对立，朝廷驾驭不了地方，京师建康以南地区，全被控制在荆州刺史殷仲堪和江州刺史桓玄的手中，而建康以西地区则被把持在豫州刺史的手中，京口地区以及长江以北地区则全在刘牢之和担任

朝政所行[263]，惟三吴而已。及孙恩作乱，八郡[264]皆为恩有。畿内[265]诸县，盗贼处处蜂起，恩党亦有潜伏在建康者，人情危惧，常虑窃发[266]，于是内外戒严。加道子黄钺，元显领中军将军[267]，命徐州刺史谢琰[268]兼督吴兴、义兴军事以讨恩。刘牢之亦发兵讨恩。拜表辄行[269]。

西秦以金城太守辛静为右丞相[270]。

十二月甲午[271]，燕燕郡太守高湖[272]帅户三千降魏。湖，泰之子也。

丙午[273]，燕主盛封弟渊为章武公，虔为博陵公，子定为辽西公。

丁未[274]，燕太后段氏[275]卒，谥曰惠德皇后。

谢琰击斩许允之，迎魏隐还郡，进击丘尫，破之。与刘牢之转斗而前，所向辄克。琰留屯乌程[276]，遣司马高素助牢之，进临浙江[277]。诏以牢之都督吴郡诸军事。

初，彭城刘裕[278]，生而母死，父翘侨居[279]京口，家贫，将弃之。同郡刘怀敬之母，裕之从母[280]也，生怀敬未期[281]，走往救之，断怀敬乳而乳之。及长，勇健有大志，仅识文字，以卖履为业，好樗蒲[282]，为乡闾所贱。刘牢之击孙恩，引裕参军事[283]，使将数十人觇贼[284]。遇贼数千人，即迎击之，从者皆死，裕坠岸下。贼临岸欲下，裕奋长刀仰斫杀数人，乃得登岸，仍大呼逐之，贼皆走，裕所杀伤甚众。刘敬宣[285]怪裕久不返，引兵寻之，见裕独驱数千人，咸共叹息。因进击贼，大破之，斩获千余人。

初，恩闻八郡响应，谓其属曰："天下无复事[286]矣，当与诸君朝服至建康[287]。"既而闻牢之临江[288]，曰："我割浙江以东[289]，不失作句

广陵相的高雅之的控制之下，朝廷政令所能达到的地方只有吴郡、吴兴、会稽三个郡。等到孙恩起兵作乱，会稽、临海、永嘉、东阳、新安、吴兴、吴郡、义兴八个郡全部被孙恩所占有。而京畿地区所属各县，处处都有盗贼蜂拥而起，孙恩的党羽也有人潜伏在京师建康，煽动民众，扰乱民心，于是人人惊恐不安，朝廷总是担心说不定什么时候就会突然闹出事来，于是京城内外全面实行戒严。朝廷加授司马道子代表生杀大权的黄钺，任命司马元显兼任中军将军，令担任徐州刺史的谢琰兼任都督吴兴、义兴军事，出兵讨伐孙恩。刘牢之也发兵讨伐孙恩，他将表章呈递朝廷之后，不等批准就即刻出发。

西秦提升担任金城太守的辛静为右丞相。

十二月十二日甲午，后燕担任燕郡太守的高湖率领三千户居民投降了北魏。高湖是高泰的儿子。

二十四日丙午，后燕主慕容盛封自己的弟弟慕容渊为章武公、慕容虔为博陵公，封自己的儿子慕容定为辽西公。

二十五日丁未，后燕皇太后段氏去世，谥号为惠德皇后。

谢琰斩杀了义兴乱民首领许允之，迎接义兴太守魏隐回到义兴，然后乘胜攻击吴兴乱民首领丘尪，将丘尪击败。谢琰与刘牢之联合作战，一面战斗，一面向前推进，所向无敌。谢琰将自己指挥的军队驻扎在乌程，派遣手下担任司马的高素协助刘牢之，进军浙江。晋安帝司马德宗下诏任命刘牢之为都督吴郡诸军事。

当初，东晋彭城人刘裕，出生之后母亲就去世了，刘裕的父亲刘翘侨居于京口，因为家中贫穷，养活不起，就准备把刚出生的刘裕抛弃。同郡人刘怀敬的母亲，是刘裕的姨母，她刚生下刘怀敬还不到一年，听到消息以后，赶紧跑到刘裕家中搭救刘裕，她断了刘怀敬的奶水，而把奶水喂给刘裕。等到刘裕长大之后，勇敢强健，胸怀大志，仅仅认识几个字，依靠卖草鞋维持生活，却喜好赌博，因此乡里人都看不起他。刘牢之率领大军攻击孙恩，便提拔刘裕做了参军事，让他带领几十个人去侦察贼人的虚实。刘裕在执行侦察任务的时候，突然遭遇了数千名贼寇，他立即迎上前去攻击贼寇，随同他侦察的几十个人全都战死了，刘裕也跌落到河岸之下。敌人来到河岸边，准备下去杀死刘裕，刘裕却挥舞长刀，仰面砍杀了好几个人，并趁势腾身跃上河岸，一面大声呼喊，一面追杀贼寇，贼寇震惊之下全部逃走，刘裕杀死砍伤了好多人。刘敬宣很奇怪刘裕这么长时间不回来，遂率军去寻找他，看见刘裕独自一个人驱散了数千人，全都惊叹不已。于是趁机进前攻击贼人，将贼人打得大败，斩杀、俘虏了一千多人。

当初，孙恩听到八个郡的民众都起来响应，就对自己的属下说："天下不会再有什么大事了，我要与各位一同穿上官服前往京师建康去做皇帝。"不久听说刘牢之率军抵达钱塘江北岸，孙恩说："我们只要占据浙江以东地区，至少还可以做一个像

践[290]！”戊申[291]，牢之引兵济江，恩闻之，曰：“孤不羞走[292]。”遂驱男女二十余万口东走，多弃宝物、子女于道，官军竞取之，恩由是得脱，复逃入海岛。高素破恩党于山阴[293]，斩恩所署[294]吴郡太守陆瓌、吴兴太守丘尪、余姚[295]令吴兴沈穆夫。

东土遭乱，企望[296]官军之至，既而牢之等纵军士暴掠，士民失望，郡县城中无复人迹，月余乃稍有还者。朝廷忧恩复至，以谢琰为会稽太守、都督五郡[297]军事，帅徐州文武[298]戍海浦[299]。

以元显录尚书事。时人谓道子为“东录[300]”，元显为“西录”。西府车骑填凑[301]，东第门可张罗[302]矣。

元显无良师友，所亲信者率皆佞谀[303]之人，或以为一时英杰，或以为风流名士。由是元显日益骄侈，讽[304]礼官立议[305]，以己德隆望重，既录百揆[306]，百揆皆应尽敬。于是公卿以下，见元显皆拜。时军旅数起[307]，国用虚竭，自司徒[308]以下，日廪七升[309]，而元显聚敛不已，富逾帝室。

殷仲堪恐桓玄跋扈[310]，乃与杨佺期结昏[311]为援。佺期屡欲攻玄，仲堪每抑止之。玄恐终为殷、杨所灭，乃告执政[312]，求广其所统[313]。执政亦欲交构[314]，使之乖离，乃加玄都督荆州四郡[315]军事，又以玄兄伟代佺期兄广为南蛮校尉。佺期忿惧。杨广欲拒桓伟，仲堪不听，出广为宜都、建平[316]二郡太守。杨孜敬[317]先为江夏相[318]，玄以兵袭而劫之[319]，以为谘议参军[320]。

佺期勒兵建牙[321]，声云援洛[322]，欲与仲堪共袭玄。仲堪虽外结佺期而内疑其心[323]，苦止之。犹虑弗能禁，遣从弟遹[324]屯于北境[325]，以遏[326]佺期。佺期既不能独举，又不测仲堪本意，乃解兵。

越王勾践那样的君主!”十二月二十六日戊申，刘牢之率领大军渡过钱塘江，孙恩又说:“我不认为暂时的逃走就是羞耻。”于是驱赶着男女二十多万向东逃走，把许多宝物、子女全都丢弃在道路之上，刘牢之所率领的官军争相拾取，孙恩因此得以逃脱，又逃回了海岛。担任司马的高素在山阴击败了孙恩的党羽，杀死了孙恩任命的吴郡太守陆瓌、吴兴太守丘尫、余姚县令吴兴人沈穆夫。

东晋东部各郡遭遇孙恩之乱，全都企盼着朝廷军到来，不久，刘牢之等放纵军士任意侵暴百姓、劫夺财物，东部士民大失所望，郡县城中的人全部逃走，再也看不到一个人影，过了一个多月以后，才逐渐有人返回。朝廷担心孙恩再次出来作乱，于是任命谢琰为会稽郡太守，都督会稽、临海、东阳、永嘉、新安五郡军事，率领徐州的文武官员在沿海各县设防。

东晋朝廷任命司马元显为录尚书事。当时的人全都称会稽王司马道子为“东录”，称司马元显为“西录”。西录司马元显的府第门前，整天人来人往，车马拥挤不堪，而东录司马道子的府第门前则很少有人往来，冷清得可以张网捕雀。

司马元显并没有良师益友，他所亲近的大多是一些奸佞谄媚的小人，有人颂扬司马元显是当时的英雄豪杰，有人赞扬司马道子是风流名士。司马元显因此而日益骄奢淫逸起来，他示意主管礼仪的官员，让他们提议：司马元显德高望重，已经统领文武百官，文武百官应该向他表示特殊的恭敬。于是从公卿以下，见到司马元显全都磕头参拜。当时因为屡屡出兵打仗，国库已经空虚，资用枯竭，从司徒以下每天只有七升粮食的俸禄，而司马元显却无休止地聚敛财富，他的财富超过了皇室。

东晋担任荆州刺史的殷仲堪惧怕江州刺史桓玄的飞扬跋扈，于是便与担任雍州刺史的杨佺期结成姻亲，互为援助。杨佺期多次想要发兵攻击桓玄，却每次都被殷仲堪阻止。桓玄也担心自己最终会被殷仲堪和杨佺期消灭，于是便告诉朝廷中掌权的人，请求扩大自己的管辖范围。朝中的实权人物也想从中制造矛盾，让他们互相对抗，于是加授桓玄为都督荆州管辖之下的长沙、衡阳、湘东、零陵四郡军事，又任命桓玄的哥哥桓伟代替杨佺期的哥哥杨广为南蛮校尉。杨佺期既愤怒又恐惧。杨广想要起兵抗拒桓伟到任，而殷仲堪不允许，他派杨广去担任宜都、建平二郡太守。杨佺期的堂弟杨孜敬先前担任江夏相，桓玄率军袭击，并劫持了杨孜敬，让他为自己担任谘议参军。

东晋担任雍州刺史的杨佺期集结兵力，竖起帅旗，声言为了援救洛阳，实际上却是想与荆州刺史殷仲堪联合起来共同袭击桓玄。殷仲堪虽然表面上与杨佺期结好而内心对杨佺期却心怀疑虑，于是苦苦劝阻杨佺期不要起兵讨伐桓玄。他担心自己的劝阻无效，杨佺期会单独采取行动，于是又派自己的堂弟殷遹率军屯驻在州境的北部，希望能够阻遏杨佺期。杨佺期既不能独自采取行动，又摸不透殷仲堪打的是什么主意，只好解散军队。

仲堪多疑少决，谘议参军罗企生[327]谓其弟遵生曰："殷侯仁而无断，必及于难。吾蒙知遇，义不可去，必将死之。"

是岁，荆州大水，平地三丈，仲堪竭仓廪以赈饥民。桓玄欲乘其虚而伐之，乃发兵西上，亦声言救洛，与仲堪书曰："佺期受国恩而弃山陵[328]，宜共罪之。今当入沔[329]讨除佺期，已顿兵江口[330]。若见与无贰[331]，可收[332]杨广杀之；如其不尔，便当帅兵入江[333]。"时巴陵[334]有积谷，玄先遣兵袭取之。梁州[335]刺史郭铨当之官[336]，路经夏口[337]，玄诈称朝廷遣铨为己前锋，乃授以江夏[338]之众，使督诸军并进，密报兄伟[339]令为内应[340]。伟遑遽不知所为，自赍疏[341]示仲堪。仲堪执伟为质，令与玄书，辞甚苦至[342]。玄曰："仲堪为人无决，常怀成败之计[343]，为儿子作虑[344]，我兄必无忧也。"

仲堪遣殷遹帅水军七千至西江口[345]，玄使郭铨、苻宏[346]击之，遹等败走。玄顿巴陵，食其谷。仲堪遣杨广及弟子道护[347]等拒之，皆为玄所败。江陵震骇。

城中乏食，以胡麻廪军士[348]。玄乘胜至零口[349]，去江陵二十里，仲堪急召杨佺期以自救。佺期曰："江陵无食，何以待敌[350]？可来见就，共守襄阳。"仲堪志在全军保境[351]，不欲弃州逆走[352]，乃绐[353]之曰："比来收集[354]，已有储[355]矣。"佺期信之，帅步骑八千，精甲耀日，至江陵，仲堪唯以饭饷其军[356]。佺期大怒曰："今兹败矣！"不见仲堪，与其兄广共击玄。玄畏其锐，退军马头[357]。明日，佺期引兵急击郭铨，几获之。会玄兵至，佺期大败，单骑奔襄阳。仲堪出奔酂城[358]。玄遣将军冯该追

担任荆州刺史的殷仲堪生性多疑却又缺少决断，担任谘议参军的罗企生对自己的弟弟罗遵生说："殷侯为人仁厚，却遇事拿不定主意，一定会遭遇灾难。我蒙受了殷侯的知遇之恩，从道义上讲，我不能离他而去，必定要为他而死。"

这一年，荆州遭遇了特大洪水，平地水深三丈，荆州刺史殷仲堪把仓库中的所有粮食储备全部拿出来赈济了饥饿的灾民。桓玄准备趁荆州遭遇洪水之灾、府库空虚的机会攻击殷仲堪，于是出兵西进，他对外也宣称是去救援洛阳，并写信给荆州刺史殷仲堪说："雍州刺史杨佺期蒙受国家厚恩，却眼睁睁地看着洛阳境内的皇家陵墓失守而不救，我们应该共同声讨他的罪行。我应当率军到达汉水流域，讨伐杨佺期，将杨佺期除掉，目前已经驻兵于九江口。如果你允许我，而没有别的意见，你可以逮捕杨广，将杨广杀死；如果不能这样做，我就要率军进入长江，逆流而上进攻荆州。"当时巴陵还储存着一些粮食，桓玄已经先期派人袭击了巴陵，夺取了那里的粮食。被任命为梁州刺史的郭铨正要到汉中赴任，途中经过夏口，桓玄诈称朝廷派遣郭铨为自己充当前锋官，于是把袭击江夏时接管的杨孜敬的兵众授予郭铨，令郭铨督促各路军马同时并进，并秘密通知自己的哥哥、担任南蛮校尉的桓伟，令他为自己做内应。桓伟接到桓玄的通知后，惊惶失措，不知如何是好，竟然把桓玄写给自己的书信拿给殷仲堪观看。殷仲堪于是逮捕了桓伟作为人质，并命令桓伟给桓玄写信，劝他取消此次的军事行动，言辞恳切到了极点。桓玄说："殷仲堪遇事没有决断，常常顾虑失败之后怎么办，总希望给自己留条后路，为自己的小孩考虑，我哥哥肯定不会有生命危险。"

殷仲堪派遣自己的堂弟殷遹率领七千名水军前往西江口，桓玄派梁州刺史郭铨以及部将、故秦太子苻宏率军攻击殷遹，殷遹等战败逃走。桓玄进驻巴陵，把巴陵仓库中的粮食作为自己的军粮。殷仲堪派遣杨广和自己的侄子殷道护等率军抵抗桓玄，全被桓玄的军队打败。江陵为此惊恐不安。

此时，江陵城中因为缺乏粮食，就把芝麻发放给士兵当口粮。桓玄乘胜进抵零口，零口距离江陵只有二十里，殷仲堪赶紧派人向雍州刺史杨佺期求救。杨佺期说："江陵没有粮食，如何抵抗得了敌人？你可以到我这里来，我们共同守卫襄阳。"殷仲堪一心要保住自己的军事力量和荆州全境，不想放弃江陵城逃走，于是便欺骗杨佺期说："近来搜集到一些粮食，已经有了一定的粮食储备。"杨佺期听信了殷仲堪的话，便率领八千名步兵、骑兵南下荆州，杨佺期的军队铠甲精良，在阳光的照耀下闪闪发光，等到了荆州江陵，殷仲堪只能用白饭来犒赏他的军士。杨佺期不禁勃然大怒说："这次注定要失败了！"于是没有与殷仲堪见面，就与自己的哥哥杨广共同出兵攻击桓玄。桓玄畏惧杨佺期的锐气，遂将军队撤退到马头。第二天，杨佺期率军紧急攻打郭铨，几乎将郭铨活捉。恰好桓玄率大军及时赶到，将杨佺期打得大败，杨佺期单枪匹马准备逃往雍州治所襄阳。荆州刺史殷仲堪逃出江陵投奔酂城。桓玄派将军冯该追击杨佺期以及杨广，冯该把杨佺期和杨广全部抓获，并将他们兄弟二

佺期及广，皆获而杀之，传首建康[359]。佺期弟思平、从弟尚保、孜敬逃入蛮中。仲堪闻佺期死，将数百人将奔长安[360]，至冠军城[361]，该追获之，还至柞溪[362]，逼令自杀，并杀殷道护。仲堪奉天师道，祷请鬼神，不吝财贿，而啬于周急[363]。好为小惠以悦人[364]，病者自为诊脉分药，用计倚伏烦密[365]，而短于鉴略[366]，故至于败。

仲堪之走[367]也，文武无送者[368]，惟罗企生从之。路经家门，弟遵生曰："作如此分离，何可不一执手？"企生旋马授手，遵生有力，因牵下之，曰："家有老母，去将何之？"企生挥泪曰："今日之事，我必死之。汝等奉养，不失子道。一门之中，有忠与孝[369]，亦复何恨？"遵生抱之愈急，仲堪于路待之，见企生无脱理[370]，策马而去。及玄至，荆州人士无不诣玄[371]者，企生独不往，而营理[372]仲堪家事。或曰："如此，祸必至矣！"企生曰："殷侯遇我以国士[373]，为弟所制，不得随之共殄丑逆[374]，复何面目就桓求生乎？"玄闻之，怒，然待企生素厚，先遣人谓曰："若谢我[375]，当释汝。"企生曰："吾为殷荆州吏，荆州败，不能救，尚何谢为[376]？"玄乃收之，复遣人问企生欲何言。企生曰："文帝杀嵇康[377]，嵇绍为晋忠臣[378]。从公乞一弟[379]以养老母！"玄乃杀企生而赦其弟。

凉王光疾甚，立太子绍为天王，自号太上皇帝，以太原公纂为太尉，常山公弘为司徒。谓绍曰："今国家多难，三邻[380]伺隙，吾没之后，使纂统六军[381]，弘管朝政，汝恭己无为[382]，委重二兄，庶几可济[383]。若内相猜忌，则萧墙之变[384]，旦夕至矣。"又谓纂、弘曰："永业[385]才非拨乱[386]，直[387]以立嫡有常，猥居元首[388]。今外有强寇，人心未宁，汝兄弟缉[10]睦[389]，则祚流万世[390]；若内自相图，则祸不旋踵[391]矣。"纂、弘

人杀死，将他们的首级通过驿站传送到京师建康。杨佺期的弟弟杨思平、堂弟杨尚保、杨孜敬全都逃入少数民族聚居区。殷仲堪听到杨佺期已死的消息，便率领数百人准备逃往后秦的都城长安，他们跑到冠军城的时候，被冯该追上活捉，在返回途中，经过柞溪，冯该逼迫殷仲堪自杀，同时杀死了殷仲堪的侄子殷道护。殷仲堪敬奉天师道，他在向鬼神祭祀祈祷时出手大方，毫不吝惜，而对真正需要救助的人却极其吝啬。他喜好用小恩小惠来讨好人，有人生了病，殷仲堪亲自为病人诊脉、开药方，考虑问题翻来覆去，难以做出决定，由于缺少政治远见和谋略，所以导致最后败亡。

身为荆州刺史的殷仲堪在出逃的时候，属下的文武官员竟然没有人跟随他，只有罗企生一个人跟随在他的身边。逃亡路上经过自己的家门，罗企生的弟弟罗遵生说："如此的生离死别，怎么能连手都不握一下?"罗企生才旋转马头，把自己的手递给罗遵生，罗遵生力大无比，他握住哥哥的手，趁势把他拉下马来，说："家中还有老母亲，你要跑到哪里去?"罗企生擦拭着眼泪说："今天这件事，我必须以死跟随殷侯。有你们在家奉养老母，也不失为子之道。一家之中，有忠臣有孝子，还有什么遗憾?"罗遵生越加紧紧地抱住自己的哥哥不肯放手，殷仲堪站在路上等待着罗企生，看到罗企生无法脱身，遂催马前去。等到桓玄进入江陵之后，荆州人士全都去拜见桓玄，投靠了桓玄，只有罗企生不去，只管替殷仲堪经管家事。有人对他说："你这样做，必定会招来大祸!"罗企生说："殷侯把我当作国士一样对待，只是因为受到弟弟的牵制，没有能够追随殷侯，与他一起消灭叛党桓玄，还有什么脸面到桓玄那里去求生呢?"桓玄得知以后非常愤怒，然而因为一向对罗企生有所厚爱，所以就先派人对罗企生说："如果你能够向我道歉，我就不再追究你的事情。"罗企生回答说："我作为荆州刺史殷侯的属吏，面对着荆州刺史的失败，我却无力相救，我还有什么可以向你道歉的?"桓玄于是将罗企生逮捕，又派人询问罗企生还想说什么。罗企生回答说："晋文帝杀了嵇康，而嵇康的儿子嵇绍后来成了晋国的忠臣。我向你请求放过我的一个弟弟，让他侍奉我的老母亲!"桓玄于是杀死了罗企生而赦免了他的弟弟罗遵生。

后凉天王吕光病势沉重，他立太子吕绍为天王，自己号称太上皇帝，任命太原公吕纂为太尉，任命常山公吕弘为司徒。他对天王吕绍说："如今国家多灾多难，南凉秃发氏、北凉段氏、西秦乞伏氏，这三个强大的邻国随时都在窥伺我们，寻找机会吞并我们，我死之后，你让太尉吕纂统帅六军，令司徒吕弘管理朝政，你只管拱手端坐在宝座之上，什么事情都不要管，将国家重任委托给你的两位哥哥，或许能够获得成功。如果你们兄弟之间互相猜忌，那么兄弟之间互相残杀的灾祸很快就会发生了。"吕光又对担任太尉的太原公吕纂、担任司徒的常山公吕弘说："吕绍没有拨乱反正、处理国家大事的才能，只不过按照宗法制度，继承人必须是嫡长子，所以才勉强地让他当了一国的君主。如今境外有强大的贼寇，国内人心不稳，你们兄弟之间要团结和睦，国运才能长久；如果你们内部互相算计，则灾祸只在旋踵之间就会降临。"

泣曰："不敢。"又执纂手戒之曰："汝性粗暴，深为吾忧。善辅永业，勿听谗言！"是日，光卒[392]。绍秘不发丧，纂排阁[393]入哭，尽哀而出。绍惧，以位让之，曰："兄功高年长，宜承大统[394]。"纂曰："陛下国之冢嫡[395]，臣敢奸[396]之！"绍固让，纂不许。

骠骑将军吕超[397]谓绍曰："纂为将积年，威震内外，临丧[398]不哀，步高视远，必有异志，宜早除之。"绍曰："先帝言犹在耳，奈何弃之[399]？吾以弱年负荷大任，方赖二兄以宁家国，纵其图我，我视死如归，终不忍有此意也。卿勿复言！"纂见绍于湛露堂[400]，超执刀侍侧，目纂请收之，绍弗许。超，光弟宝之子也。

弘密遣尚书姜纪谓纂曰："主上暗弱，未堪多难。兄威恩素著，宜为社稷计，不可徇小节[401]也。"纂于是夜帅壮士数百逾北城[402]，攻广夏门[403]，弘帅东苑之众斧[404]洪范门。左卫将军齐从守融明观[405]，逆[406]问之曰："谁也？"众曰："太原公[407]。"从曰："国有大故，主上新立，太原公行不由道[408]，夜入禁城，将为乱邪？"因抽剑直前，斫纂中额，纂左右禽之。纂曰："义士也，勿杀！"绍遣虎贲中郎将[409]吕开帅禁兵拒战于端门[410]，吕超帅卒二千赴之[411]。众素惮纂，皆不战而溃。纂入自青角门[412]，升谦光殿[413]。绍登紫阁自杀。吕超奔广武[414]。

纂惮弘兵强，以位让弘。弘曰："弘以绍弟[415]也而承大统，众心不顺，是以违先帝遗命而废之，惭负黄泉[416]！今复逾兄[417]而立，岂弘之本志乎？"纂乃使弘出告众曰："先帝临终，受诏[418]如此。"群臣皆曰："苟社稷有主，谁敢违者！"纂遂即天王位，大赦，改元咸宁[419]，谥光曰懿武皇帝，庙号太祖，谥绍曰隐王。以弘为大都督、督中外诸军事、大司马、车骑大将军、司隶校尉、录尚书事，改封番禾郡[420]公。

吕纂、吕弘哭泣着回答说："我们不敢互相谋害。"吕光又拉着吕纂的手，警告他说："你的性情粗鲁凶暴，我非常为你感到担忧。你要好好辅佐吕绍，千万不要听信小人的谗言！"这一天，后凉太上皇帝吕光去世。天王吕绍封锁了吕光逝世的消息，没有对外进行发布，太原公吕纂强行推开内殿的门，进入内殿，在自己父亲的灵前尽情地痛哭了一场，这才离开。吕绍非常恐惧，就要把王位让给吕纂，吕绍说："哥哥功劳最高，年纪又最长，应该由你来继承王位。"吕纂说："陛下是年长的嫡长子，我怎么敢冒犯你！"吕绍坚决辞让，吕纂坚决不答应。

后凉担任骠骑将军的吕超对天王吕绍说："太原公吕纂担任军队统帅已经有很多年，他的声威震慑朝廷内外，他在先帝丧事期间并不哀痛，步子迈得很高，眼睛看着远方，必定有背叛之心，应该尽早把他除掉。"吕绍说："先帝临终时说的话好像还在耳边，怎么能抛在脑后？我以不到二十岁的年纪，担负着治理国家的重任，正需要依靠二位哥哥来安定国家，即使他们想要谋害我，我也会视死如归，终究不忍心产生除掉哥哥的恶毒念头。你不要再说了！"太原公吕纂在湛露堂晋见天王吕绍，骠骑将军吕超手握佩刀在吕绍身旁侍立，他用眼神示意吕绍将吕纂逮捕起来，吕绍没有答应。吕超是吕光的弟弟吕宝的儿子。

后凉常山公吕弘秘密地派担任尚书的姜纪对太原公吕纂说："天王愚昧懦弱，没有能力治理这个多灾多难的国家。哥哥一向享有很高的威望，恩德素著，应该为国家社稷考虑，不能死守小节。"吕纂于是在夜间亲自率领数百名勇士翻过姑臧北城，进攻广夏门，常山公吕弘也率领东苑的兵众用大斧砍开洪范门。担任左卫将军的齐从正在守卫融明观，他迎上前去问："什么人？"众人回答说："是太原公。"齐从说："国家刚刚遭遇了大变故，主上刚刚即位，太原公不走正道，却在深夜翻墙闯入禁城，难道是要谋反吗？"于是抽出佩剑，径直向前砍去，正好砍中吕纂的前额，吕纂身边的侍卫将齐从捉住。吕纂说："这是忠义之士，不要杀死他！"天王吕绍派遣担任虎贲中郎将的吕开率领禁卫军在端门抵抗吕纂，骠骑将军吕超率领二千名士卒赶来增援。这些士卒一向惧怕吕纂，全都不敢上前交战就自行溃散。吕纂从青角门进入禁城，登上谦光殿。天王吕绍登上紫阁自杀身亡。骠骑将军吕超逃往广武。

后凉太原公吕纂畏惧担任司徒的常山公吕弘的军队势力强大，就把王位让给吕弘。吕弘说："我是因为吕绍是弟弟却继承了大统，众人心中不服，所以才违背先帝的遗嘱把吕绍废掉，我辜负了黄泉之下的父王，已经心怀愧疚！如果越过哥哥而自立为王，岂是我吕弘的本意？"吕纂于是让吕弘出宫告诉众人说："先帝临终之时，留下遗诏让我们这样做。"群臣都说："只要国家有了君主，谁还敢违抗！"吕纂于是即位为天王，实行大赦，改年号为咸宁，为吕光上谥号为懿武皇帝，庙号太祖，追谥吕绍为隐王。任命吕弘为大都督、督中外诸军事、大司马、车骑大将军、司隶校尉、录尚书事，改封番禾郡公。

纂谓齐从曰："卿前斫我，一何甚也？"从泣曰："隐王，先帝所立。陛下虽应天顺人，而微心未达[421]，唯恐陛下不死，何谓甚也？"纂赏其忠，善遇之。

纂叔父征东将军方镇广武，纂遣使谓方曰："超实忠臣，义勇可嘉，但不识国家大体，权变[422]之宜。方赖其用，以济世难[423]，可以此意谕之。"超上疏陈谢，纂复其爵位。

是岁，燕主盛以河间公熙[424]为都督中外诸军事、尚书左仆射，领中领军[425]。

刘卫辰子文陈[426]降魏，魏主珪妻以宗女，拜上将军，赐姓宿氏。

【段旨】

以上为第二段，写晋安帝隆安三年（公元三九九年）十至十二月共三个月间的大事。主要写了荆州刺史殷仲堪与雍州刺史杨佺期结婚姻以防桓玄，当杨佺期欲起兵袭讨桓玄时，殷仲堪又极力阻止，终致桓玄起兵攻荆州，杨佺期为救殷仲堪被桓玄所破杀，殷仲堪迷信天师道，不修武事而祷请鬼神，被桓玄打败后欲北逃长安降秦，被桓玄所截杀，桓玄取得荆州刺史位。写了孙恩从海岛复出，攻占会稽，内史王凝之被孙恩所杀，八郡乱民杀其太守以应孙恩，八郡遂皆为恩有。写了谢琰、刘牢之率军讨孙恩，大破之，孙恩又逃回海岛，在此作战中刘裕初露头角。写了后凉王吕光死，其嫡子吕绍继立，庶子吕弘佐其兄吕纂杀吕绍，助吕纂即天王位。写了秦军攻占洛阳，淮、汉以北多归于秦。写了东晋领土日蹙，而各地军阀又近于各自独立，不服朝廷，朝廷上司马元显倚势专权而又奢华聚敛，人心丧尽等。

【注释】

⑳⑥十月甲午：十月十一。⑳⑦亡：逃走。⑳⑧板陉：在今辽宁凌源境。⑳⑨归罪：犹今之所谓"自首"，前往认罪。㉑⓪忠勤不懈二句：事见本书上卷安帝隆安二年。㉑①辛恭靖：东晋的河南太守，被姚兴的弟弟姚崇等包围在洛阳，雍州刺史杨佺期曾为此向魏国求救，魏派大兵救之。㉑②羌贼：指姚兴，姚氏是羌族人。㉑③淮、汉：淮河、汉水。㉑④送任：送自己的亲属去做人质。任，人质。㉑⑤野王：县名，县治即今河南沁阳。㉑⑥发：征

后凉天王吕纂对左卫将军齐从说："你前天用佩刀砍我的时候，是不是做得太过分了？"齐从哭泣着说："隐王是先帝所立的继承人。陛下虽然是上应天命下顺民心，而我的心里并不明白这些，当时唯恐不能将陛下砍死，怎么能说是过分呢？"吕纂赞赏他的忠诚，对他很好。

后凉天王吕纂的叔父、担任征东将军的吕方正在镇守广武，吕纂派使者前往广武，对吕方说："骠骑将军吕超确实是一个忠臣，其义气、勇气都很值得嘉奖，只是不懂得国家大事，不知道通权达变。我还要依靠他，以解决社会上的大问题，请把我的这番心意告诉他。"吕超上疏给天王吕纂，向吕纂请罪，吕纂恢复了吕超的爵位。

这一年，后燕主慕容盛任命河间公慕容熙为都督中外诸军事、尚书左仆射，兼任中领军。

故匈奴部落首领刘卫辰的儿子刘文陈投降了北魏，北魏主拓跋珪把拓跋氏的女儿嫁给刘文陈为妻，任命刘文陈为上将军，赐他姓宿氏。

调。㉑⑦东土诸郡：指江苏东南部及浙江一带地区。㉑⑧免奴为客：改变奴隶的身份而变成"客户"。根据当时的规定，有一定级别的贵族官僚可以将那些因犯法而沦为奴婢的人收为自己的"客户"，以充当佃户和长工等，借以创造财富。㉑⑨乐属：乐意归属。㉒⓪嚣然：喧闹的样子。因为让"客户"去当兵，不论是主人还是"客户"自己，大家都不愿意。㉒①上虞令：上虞县的县令。上虞，即今浙江绍兴市上虞区。㉒②会稽：晋郡名，郡治即今浙江绍兴。㉒③内史：诸侯国里的行政长官，级别与郡里的太守相同。㉒④天师道：即道教，尊奉张道陵为"天师"。㉒⑤稽颡跪咒：磕头、念咒。稽颡，磕头时脑门触地。咒语，道教所鼓吹的可以降妖除魔的一种法语。㉒⑥大道：此指道教所供奉的大神。㉒⑦诸津要：各个渡口、要塞。㉒⑧听：允许。㉒⑨甲寅：十一月初二。㉓⓪谢道蕴：东晋名将谢玄之妹，中国古代有名的才女，曾用"柳絮因风起"比喻下雪。传见《晋书》卷六十六。㉓①奕：即谢奕，东晋名臣谢安之兄，谢玄之父，曾为镇西将军。传见《晋书》卷七十九。㉓②举措自若：一举一动都与平时一样。举措，一拿一放，这里即指"一举一动"。㉓③肩舆：指用滑竿抬着她。要拼命了，还要叫人抬着，这表明当时贵族的排场。㉓④吴国：都城即今江苏苏州。㉓⑤临海：郡名，郡治在今浙江临海市东南。㉓⑥新蔡王崇：即司马崇，继其父受封为新蔡王。㉓⑦义兴：郡名，郡治即今江苏宜兴。㉓⑧吴兴：郡名，郡治即今浙江湖州。㉓⑨永嘉：郡名，郡治即今浙江温州。㉔⓪东阳：郡名，郡治即今浙江金华。㉔①新安：郡名，郡治在今浙江淳安西北。㉔②嘉兴：县名，县治在今浙江嘉兴南。㉔③南康：县名，县治即今江西赣州市南康区。㉔④三吴：指吴郡、吴兴、会稽

三郡。㉔⑤承平：太平。㉔⑥人士：指社会上的头面人物。㉔⑦不与之同：不与他们同流合污。㉔⑧什七八：十分之七八。㉔⑨醢：把人剁成肉酱。㉕⓪食：让……吃。㉕①刊木：伐光树木。㉕②堙井：填平水井，让人无法再生活。㉕③相帅聚于会稽：把各地的百姓都拘押到会稽城里。㉕④寻后：随后。㉕⑤表：给晋安帝上书指数。表，指数、开列。㉕⑥内外乖异：指朝廷和地方军阀互相作对，彼此对着干。㉕⑦石头：石头城，这里指首都建康，今江苏南京。㉕⑧皆为荆、江所据：都属荆州、江州二刺史所管辖。据，占据，这里即指管辖。㉕⑨豫州：指豫州刺史，当时豫州的州治侨设在今安徽和县。㉖⓪京口：今江苏镇江。㉖①刘牢之：东晋名将，淝水之战有大功；王恭称兵向阙，刘牢之反戈破败之。王恭死后，刘牢之代王恭任都督兖、青、冀、幽、并、徐、扬州、晋陵诸军事，驻兵于京口。传见《晋书》卷八十四。㉖②广陵相高雅之：高雅之是刘牢之的女婿，随刘牢之反戈败王恭，被任为广陵相。广陵是诸侯国名，都城在今江苏扬州西北。诸侯国相的级别与职务与郡太守相同。㉖③朝政所行：朝廷命令所能达到的地方。㉖④八郡：胡三省以为指会稽、临海、永嘉、东阳、新安、吴、吴兴、义兴。㉖⑤畿内：指首都郊区。㉖⑥常虑窃发：总是担心说不定什么时候突然闹起来。㉖⑦领中军将军：兼任中军将军。中军将军统领防卫朝廷与宫廷的军队。㉖⑧谢琰：谢安之子。传见《晋书》卷七十九。㉖⑨拜表辄行：主动给朝廷上了一道表章，随后自己就出发上路，极言其自以为是，不把朝廷看在眼里。当年桓温的伐蜀、伐燕就是如此。㉗⓪辛静为右丞相：以代替刚去世的出连乞都。㉗①十二月甲午：十二月十二。㉗②燕燕郡太守高湖：燕国的燕郡太守姓高名湖，汉族人，高泰之子，慕容氏的将领。至其降魏的时间，《魏书》的说法与《通鉴》不同。见《魏书》卷三十二。燕郡，郡治蓟县，即今北京。㉗③丙午：十二月二十四。㉗④丁未：十二月二十五。㉗⑤段氏：慕容宝之妻，慕容盛的生母。㉗⑥乌程：县名，县治在今浙江湖州西南。㉗⑦浙江：即今浙江钱塘江。㉗⑧刘裕：即后来刘宋的开国皇帝，字德舆，小字寄奴。传见《宋书》卷一。㉗⑨侨居：客居。㉘⓪从母：姨母。㉘①未期：未满一周年。㉘②樗蒲：古代的一种赌博用具，类似今之色子。㉘③参军事：充当参谋顾问。㉘④觇贼：刺探贼情。㉘⑤刘敬宣：字万寿，刘牢之的儿子。传见《晋书》卷八十四。㉘⑥无复事：犹如今之所谓“没有什么问题”。㉘⑦朝服至建康：指穿着朝服到建康去做皇帝。㉘⑧临江：指兵临钱塘江。㉘⑨我割浙江以东：意思是即使我只剩下浙江以东的小块地区。浙江，指钱塘江。㉙⓪不失作句践：仍然可以做个像勾践一样的君主。勾践是春秋末期的越国国王，建都于浙江绍兴，曾被吴王夫差打败，栖于会稽山，经过艰苦奋斗，终于灭了吴国，称霸一时。事见《史记·越王勾践世家》。㉙①戊申：十二月二十六。㉙②孤不羞走：我不以暂时的退却为羞耻。此引用当年曹操语。曹操在赤壁被周瑜打败逃跑时说：“孤不羞走。”胡三省注引《江表传》。㉙③山阴：县名，县治即今浙江绍兴。㉙④署：任命。㉙⑤余姚：县名，即今浙江余姚。㉙⑥企望：踮着脚地盼望。㉙⑦五郡：指会稽、临海、东阳、永嘉、新安。㉙⑧徐州文武：指谢琰原来所任的徐州刺史及其相应军府的文武诸官。㉙⑨海浦：海边，这里指沿海各县。㉚东录：与“西录”皆以其所居府第的位置而言。㉛填凑：门前车马拥挤得满满的。㉜门可张罗：即所谓“门可罗雀”，极言其来客之稀少。罗，捕鸟的网。㉝佞谀：用言语奉承讨好。佞，善说的贬义词。㉞讽：吹风；示意。㉟立议：提出建议。㊱录百揆：即总掌百官。㊲军旅数起：屡屡出兵打仗。数，频繁。㊳司徒：古代的三公之一，晋时属虚衔，给品级最高的权臣作加官使用，意同“首辅”。㊴日廪七升：每天供给七升粮食。㊵跋扈：横行霸道，为所欲为。㊶结昏：建立亲戚关系。昏，同“婚”。㊷执政：朝廷上的主事人，指司马道子、司马元显等。㊸广其所统：扩大他的势力范围。㊹交构：从两边挑动桓玄与殷仲堪、杨佺期间的矛盾。㊺荆州四郡：指长沙、衡阳、湘东、零陵。此四郡划与桓玄管辖，当时桓玄任江州刺史。㊻宜都、建平：二郡名，宜都郡的郡治即今湖北宜都，建平郡的郡治即今重庆市巫山县。㊼杨孜敬：杨佺期的堂弟。㊽江夏相：江夏国的行政长官，职权等同于郡太守。江夏国的都城在今湖北安陆南。㊾袭而劫之：袭夺了他的军政权力，将其劫持起来。㊿以为谘议参军：让他给自己当参军，以备参谋顾问，闲散无权。㉑建牙：树起大旗。㉒声云援洛：以援救洛阳为口实。其时洛阳已被姚秦所占。㉓内疑其心：疑杨氏兄弟皆武将，恐灭桓玄后，杨氏势大，对他不利。㉔从弟遹：即殷遹。㉕屯于北境：杨佺期当时任雍州刺史，驻兵襄阳，在荆州之北；殷仲堪派殷遹驻兵于荆州之北境，是阻止杨佺期东下讨桓玄。㉖遏：阻挡。㉗罗企生：字宗伯。事见《晋书》卷八十九。㉘弃山陵：眼看着洛阳失守而不救。西晋诸帝的坟墓在洛阳附近。㉙入沔：到汉水流域。沔，即汉水。襄阳在汉水之滨。㉚顿兵江口：驻兵在九江口。桓玄为江州刺史，其驻地寻阳，即今江西九江。㉛若见与无贰：如果你允许我，而没有其他意见。见与，蒙你许可。无贰，没有别的心思。㉜收：拘捕。㉝入江：出寻阳江进入长江，指溯流而上攻荆州。㉞巴陵：即今湖南岳阳。㉟梁州：州治即今陕西汉中。㊱之官：到汉中就梁州刺史任。㊲夏口：即今武汉，当时属江夏郡。㊳江夏：郡治在今湖北鄂州市鄂城区，当时属江州刺史桓玄管辖。㊴兄伟：即桓伟，时为南蛮校尉，驻兵江陵。㊵令为内应：时桓伟任南蛮校尉，在殷仲堪部下。㊶赍疏：拿着桓玄给他的信。㊷苦至：恳切到极点，指劝阻桓玄。㊸常怀成败之计：总考虑干得成还是干不成，即动摇、犹豫。㊹为儿子作虑：担心一朝成败，满门抄斩，子孙灭绝。儿子，小孩子。㊺西江口：即今汉口，汉水入长江处。㊻苻宏：苻坚之子，苻坚败后，苻宏投降东晋，被安置在江州，遂成为桓玄的部下。事见本书卷一百六孝武帝太元十年。㊼道护：即殷道护。㊽以胡麻廪军士：把芝麻发给士兵当口粮。廪，供给口粮。㊾零口：零溪入长江之口，在江陵城东。㊿待敌：对付敌兵。㉑全军保境：保全自己的军队，保住自己的地盘。㉒逆走：未战先逃。逆，预先。㉓绐：欺骗。㉔比来收集：近来搜集到一些粮草。㉕已有储：已有一定的储备。㉖唯以饭饷其军：只能拿白饭给杨佺期的士兵吃，没有酒肉，以见其困。饷，用酒饭款待人。㉗马头：地名，在江陵南。㉘酂城：酂县县城，当时的酂县在今湖北老河口市西北，是西汉时萧何后代曾改封过的地方。(359)传首建康：通过驿车将杨佺期的人头送到朝廷。(360)奔长安：往投姚兴。(361)冠军城：古县城，在今河南邓州西北，即汉代封霍去病之地。(362)柞溪：水名，流经江陵城北。(363)周急：救济别人的困难。(364)以悦人：以讨好别人。悦，取悦、讨好。(365)用计倚伏烦密：考虑问题翻来覆去，难以决定。倚伏，老在前因后果上转个不休，因为《老子》有所谓“祸兮福所倚，福兮祸所伏”。烦密，琐细。(366)鉴略：见识、谋略。(367)走：出奔；出逃。(368)无送者：没有一个人跟从。(369)有忠与孝：言其弟能尽孝，自己能尽忠。在当时凡能尽心于自己的主子、长官，都称作“忠”。(370)无脱理：没有挣脱的可能。(371)诣玄：投靠桓玄。诣，到、前去拜见。(372)营理：经管。(373)遇我以国士：像对待国士那样对待我。国士，一国之中少有的杰出人物。(374)共殄丑逆：一起消灭乱党桓玄。殄，灭。(375)谢我：向我道歉。(376)尚何谢为：还有什么可道歉的。意思是我除了对不起殷仲堪外，再没有什么对不起别人的。(377)嵇康：字叔夜，魏末“竹林七贤”之一，因不满司马氏的专权，被司马昭所杀。传见《晋书》卷四十九。司马昭被其儿子司马炎追尊为“文帝”。(378)嵇绍为晋忠臣：嵇绍是嵇康之子，为晋惠帝侍中，“八王之乱”起，晋惠帝在与成都王颖作战时，嵇绍为护驾而死。事见《晋书·忠义传》。后人常把嵇氏父子的表现看成一种各为其主、互不影响的范例。(379)乞一弟：乞求留下一个弟弟。(380)三邻：指秃发乌孤的南凉政权、段业的北凉政权、乞伏乾归的西秦政权。(381)统六军：指掌管所有的军队。古称天子的军队为“六军”。(382)恭己无为：拱手而坐，什么事都不用管。恭己，也作“拱己”。(383)庶几可济：这样就差不多可以成功。庶几，差不多、或许。济，成功。(384)萧墙之变：指家庭内部、帝王身边的叛乱。萧墙是君主内室的屏风。《论语·季氏》孔子曰：“吾恐季孙之忧不在颛臾，而在萧墙之内也。”(385)永业：吕绍的字。(386)才非拨乱：无拨乱反正、处理大事之才。(387)直：只不过。(388)猥居元首：勉强地当了一国之君。猥居，不当居而居。猥，是“曲”的意思。吕绍既无才干，又比吕纂、吕弘年少，故曰“猥居”。(389)缉睦：和睦。(390)祚流万世：意即国运长久。祚，福，这里指国家的命运。(391)祸不旋踵：大祸立刻降临。不旋踵，来不及转身。踵，脚跟。(392)光卒：吕光死年六十三。(393)排阁：强行推门。阁，内殿之门。(394)宜承大统：应继王位。大

【原文】

四年（庚子，公元四〇〇年）

春，正月壬子朔[427]，燕主盛大赦，自贬号为庶人天王[428]。

魏材官将军[429]和跋〔11〕袭卢溥[430]于辽西[431]，戊午[432]，克之，禽溥及

统，帝王的统系、世次。㊁冢嫡：年长的嫡子。冢是“大”的意思。⑯奸：侵犯。⑰吕超：吕光之侄。⑱临丧：哭丧。⑲奈何弃之：怎能抛在脑后呢。㊵湛露堂：君王宴享群臣的地方。其名来自《诗经·湛露》，《湛露》是一首天子宴飨诸侯的诗。㊶徇小节：死守小节。徇，顺、按照。㊷逾北城：越北面的小城而进。当时姑臧除中央一座大城外，东西南北四门各有一座小城，北面的叫玄圃城，东面的叫讲武城，即下文所说的“东苑”。㊸广夏门：与下文所说的“洪范门”都是中央大城的城门。㊹斧：动词，用斧头砍。㊺融明观：应在吕绍宫廷的外围。融、明都是光亮的意思。㊻逆：迎；拦阻。㊼太原公：即吕纂，吕纂被吕光封为太原公。㊽行不由道：不走正道，言其一贯不按规矩办事。㊾虎贲中郎将：帝王身边卫队的将领。㊿端门：宫殿的正门。(411)赴之：指前往协助吕开守端门。(412)青角门：当时武威中城的东门。(413)谦光殿：当年张骏所建，自以统河右而世守臣节，虽谦而光，故以为名。(414)奔广武：往投吕光之弟吕方。广武郡的郡治在今甘肃永登东南。(415)以绍弟：因为吕绍是我们的弟弟。(416)惭负黄泉：惭愧没听从已故父亲的遗言。负，辜负、违背。(417)逾兄：越过哥哥你。(418)受诏：同“授诏”。临终给我们的遗命。(419)改元咸宁：在此以前是吕光的年号承康，从此以后是吕纂的年号咸宁。吕纂字永绪，是吕光的庶长子。(420)番禾郡：郡治即今甘肃永昌。(421)微心未达：我的心里还没有弄明白。(422)权变：临时制宜。权与“经”相对。(423)以济世难：以解决社会上的大问题。济，完成、解救。(424)河间公熙：慕容垂之子，慕容盛之叔。(425)领中领军：兼任中领军。“中”是宫内的意思，“领军”是领军将军的简称。其职务是统领警卫宫廷的军队。(426)刘卫辰子文陈：刘卫辰的儿子名叫文陈。刘卫辰是匈奴族的头领，刘渊的本家。前赵灭亡后，刘卫辰先曾依附于苻坚。苻坚败死后，刘卫辰占据今内蒙古河套一带，后被拓跋珪所灭。传见《魏书》卷九十五。

【校记】

［9］新蔡王：原作“新秦王”。胡三省注云：“‘秦’当作‘蔡’。”严衍《通鉴补》改作“新蔡王”，今据以校正。［10］缉：严衍《通鉴补》改作“辑”。

【语译】

四年（庚子，公元四〇〇年）

春季，正月初一日壬子，后燕主慕容盛颁布大赦令，同时去掉皇帝称号，贬称自己为庶人天王。

北魏担任材官将军的和跋率军前往辽西袭击卢溥，正月初七日戊午，和跋攻

其子焕，送平城，车裂之。燕主盛遣广威将军孟广平救溥，不及，斩魏辽西守宰[433]而还。

乙亥[434]，大赦[435]。

西秦王乾归迁都苑川[436]。

秃发利鹿孤大赦，改元建和[437]。

高句丽王安[438]事燕礼慢，二月丙申[439]，燕王[12]盛自将兵三万袭之，以骠骑大将军熙为前锋，拔新城、南苏[440]二城，开境七百余里，徙五千余户而还。熙勇冠诸将，盛曰："叔父雄果[441]，有世祖[442]之风，但弘略不如[443]耳！"

初，魏主珪纳刘头眷[444]之女，宠冠后庭，生子嗣[445]。及克中山[446]，获燕主宝之幼女。将立皇后，用其国故事[447]，铸金人以卜之[448]，刘氏所铸不成，慕容氏成。三月戊午[449]，立慕容氏为皇后。

桓玄既克荆、雍，表求领[450]荆、江二州。诏以玄为都督荆司雍秦梁益宁七州诸军事、荆州刺史；以中护军桓脩[451]为江州刺史。玄上疏固求江州，于是进玄督八州及扬、豫八郡[452][13]诸军事，复领江州刺史。玄辄[453]以兄伟为雍州刺史，朝廷不能违。又以从子振为淮南[454]太守。

凉王纂以大司马弘功高地逼，忌之。弘亦自疑，遂以东苑之兵作乱，攻纂。纂遣其将焦辨击之，弘众溃，出走。纂纵兵大掠，悉以东苑妇女赏军，弘之妻子[455]亦在中。纂笑谓群臣曰："今日之战何如？"侍中房晷对曰："天祸凉室，忧患仍臻[456]。先帝始崩，隐王废黜；山陵甫讫[457]，大司马称兵[458]；京师流血，昆弟接刃[459]。虽弘自取夷灭，亦由陛下无常棣之恩[460]，当省己责躬[461]以谢百姓，乃更纵兵大掠，囚辱士

克了辽西城，俘虏了卢溥和他的儿子卢焕，将他们押送到北魏的都城平城，用五马分尸的车裂酷刑处死了卢溥和卢焕。后燕庶人天王慕容盛派遣担任广威将军的孟广平率军救援卢溥，却晚到一步，于是斩杀了北魏所任命的辽西郡太守和县令，而后返回。

正月二十四日乙亥，东晋实行大赦。

西秦王乞伏乾归将都城迁到苑川。

南凉王秃发利鹿孤实行大赦，改年号为建和。

高句丽国王高安尊奉后燕的礼数逐渐怠慢起来，二月十五日丙申，后燕庶人天王慕容盛亲自率领三万大军袭击高句丽，他任命骠骑大将军慕容熙为前锋，一连攻克了高句丽的新城、南苏两座城池，扩充疆土七百多里，将高句丽的五千多户强行迁移到后燕境内，而后班师。担任骠骑大将军的慕容熙勇冠三军，庶人天王慕容盛说："叔父慕容熙的英雄果敢，有世祖慕容垂的风范，只是在雄才大略方面稍微欠缺一些！"

当初，北魏主拓跋珪纳匈奴部落酋长刘头眷的女儿为皇妃，拓跋珪对刘妃的宠爱在后宫之中居于首位，刘妃为拓跋珪所生的儿子名叫拓跋嗣。后来北魏攻克了后燕的都城中山，俘虏了后燕主慕容宝的小女儿。拓跋珪准备册封皇后，于是按照索头部落固有的习俗，令后宫中所有的嫔妃每人铸造一个金人，刘妃没有铸成金人，而慕容氏反倒铸金人成功。三月初八日戊午，拓跋珪立慕容氏为皇后。

桓玄攻克了殷仲堪所镇守的荆州、杨佺期所镇守的雍州之后，上表给东晋安帝司马德宗，请求让自己兼任荆、江二州刺史。安帝司马德宗于是下诏任命桓玄为都督荆、司、雍、秦、梁、益、宁七州诸军事，荆州刺史；任命担任中护军的桓脩为江州刺史。桓玄再次上疏给晋安帝，坚决要求江州，于是又晋升桓玄为都督荆、司、雍、秦、梁、益、宁、江八州，外加扬州、豫州八郡诸军事，依旧兼任江州刺史。桓玄就任命自己的哥哥桓伟为雍州刺史，朝廷不敢拒绝。桓玄又任命自己的侄子桓振为淮南太守。

因为担任大司马的吕弘功高位尊，后凉天王吕纂心中不免因为畏惧而产生猜忌。吕弘自己也感受到了吕纂对自己的猜忌，于是便率领东苑的兵众谋反，进攻天王吕纂。吕纂派遣自己的部将焦辨率军反击吕弘，吕弘所率领的东苑军很快便溃不成军，吕弘只得逃走。天王吕纂放纵他的士卒在姑臧城中大肆抢掠，并把东苑的妇女赏赐给自己的军士，吕弘的妻子、女儿也包括在其中。吕纂笑着对群臣说："你们觉得今天的战斗怎么样？"担任侍中的房晷回答说："上天给凉国王室降下灾祸，所以才导致凉国内部忧患不断。先帝刚刚驾崩，隐王吕绍就被废黜；先帝的丧事刚刚办完，担任大司马的吕弘便起兵作乱；京城之内鲜血横流，兄弟之间动起刀枪。虽然是吕弘自取灭亡，也是由于陛下对待自己的兄弟缺少恩德，陛下应该反省自己、责备自己

女。衅自弘起，百姓何罪？且弘妻，陛下之弟妇；弘女，陛下之侄也，奈何使无赖小人辱为婢妾[462]？天地神明，岂忍见此？”遂歔欷流涕。纂改容谢之，召弘妻子置于东宫，厚抚之[463]。

弘将奔秃发利鹿孤，道过广武，诣吕方[464]。方见之，大哭曰：“天下甚宽，汝何为至此？”乃执弘送狱。纂遣力士康龙就拉杀之。

纂立妃杨氏为后，以后父桓为尚书左仆射、凉都尹[465]。

辛卯[466]，燕襄平令[467]段登等谋反，诛。

凉王纂将伐武威王利鹿孤，中书令杨颖谏曰：“利鹿孤上下用命[468]，国未有衅，不可伐也。”不从。利鹿孤使其弟傉檀拒之。夏，四月，傉檀败凉兵于三堆[469]，斩首二千余级。

初，陇西李暠[470]好文学[471]，有令名[472]。尝与郭黁[473]及同母弟[474]敦煌宋繇同宿，黁起谓繇曰：“君当位极人臣，李君终当有国家[475]。有騧[14]马生白额驹，此其时也[476]。”及孟敏[477]为沙州刺史，以暠为效谷[478]令；宋繇事北凉王业，为中散常侍[479]。孟敏卒，敦煌护军冯翊郭谦[480]、沙州治中[481]敦煌索仙等以暠温毅有惠政，推为敦煌太守。暠初难之[482]，会宋繇自张掖告归[483]，谓暠曰：“段王无远略，终必无成。兄忘郭黁之言邪？白额驹今已生矣。”暠乃从之，遣使请命于业。业因以暠为敦煌太守。

右卫将军敦煌索嗣言于业曰：“李暠不可使处敦煌。”业遂[15]以嗣代暠为敦煌太守，使帅五百骑之官。嗣未至二十里[484]，移暠迎己[485]。暠惊疑，将出迎之。效谷令张邈及宋繇止之曰：“段王暗弱，正是英豪有为之日。将军据一国成资[486]，奈何拱手授人？嗣自恃本郡，谓人情附己，

的过错，向全国人民谢罪才是，陛下不仅没有如此，反倒放纵士兵大肆抢掠，囚禁官员、侮辱妇女。矛盾是吕弘首先挑起来的，百姓何罪之有？再说，吕弘的妻子，是陛下的弟媳妇；吕弘的女儿，是陛下的侄女，怎么能让那些无赖小人把她们当成婢妾来侮辱？天地神灵，岂能忍心看到这样的场面？”说完，忍不住痛哭流涕起来。吕纂立即改变态度，向房晷道歉，并把吕弘的妻子、女儿召回，安置在东宫，好好地安慰、抚养起来。

吕弘准备逃往南凉，投奔南凉武威王秃发利鹿孤，途中经过广武，便去求见吕方。吕方看见吕弘不禁大哭说：“天下之大，你跑到哪里不行，为什么偏要跑到我这里来？”于是把吕弘逮捕关入监狱。吕纂派大力士康龙到广武狱中杀死了吕弘。

后凉天王吕纂立妃子杨氏为王后，任命王后的父亲杨桓为尚书左仆射、凉都尹。

四月十一日辛卯，后燕担任襄平县令的段登等人谋反作乱，被诛灭。

后凉天王吕纂准备出兵讨伐南凉武威王秃发利鹿孤，担任中书令的杨颖劝谏他说：“南凉武威王秃发利鹿孤与部下上下一心，将士全都愿意为他效命，国内也没有什么可以被我们利用的机会，所以不适宜讨伐南凉。”吕纂没有听从杨颖的规劝，依然出兵攻伐南凉。南凉武威王秃发利鹿孤派自己的弟弟秃发傉檀率军抵抗吕纂的进攻。夏季，四月，秃发傉檀在三堆击败了后凉军，斩杀了两千多人。

当初，陇西人李暠喜好文章、学术，又有很好的名声。他曾经与精通术数的郭黁以及同母异父的弟弟、敦煌人宋繇一起住宿，郭黁突然起身对宋繇说：“你做官能够做到人臣的最高位，而李先生最终能够建立一个国家，称帝称王。当有一匹母马生下一匹白额头的小马驹时，那就是你们采取行动的时候了。”等到孟敏担任沙州刺史的时候，任用李暠为效谷县令；而宋繇在北凉王段业属下担任中散常侍。沙州刺史孟敏去世，担任敦煌护军的冯翊郡人郭谦、担任沙州治中的敦煌郡人索仙等认为李暠性情温和、刚毅，施政有很好的声望，于是推举李暠为敦煌太守。李暠开始的时候感到很为难，不大想干，正巧担任中散常侍的宋繇从北凉的都城张掖返回家中，宋繇对李暠说：“北凉王段业没有深谋远虑，最终将会一事无成。哥哥忘记郭黁所说的话了吗？白额头的小马驹已经出生了。”李暠这才答应了郭谦等人的请求，担任了敦煌太守，然后派使者前往张掖请求北凉王段业批准。段业遂任命李暠为敦煌太守。

北凉担任右卫将军的敦煌郡人索嗣对北凉王段业说：“不可以把李暠安置在敦煌太守的职位上。”段业听从了索嗣的意见，遂任命索嗣代替李暠担任敦煌太守，令索嗣率领五百名骑兵前往敦煌上任。索嗣在距离敦煌二十里远的地方，用公文的形式通知李暠前来迎接自己。李暠突然接到这样的通知，非常惊疑，就准备出城迎接索嗣。担任效谷令的张邈和中散常侍的宋繇全都阻止他说：“段王昏庸懦弱，正是英雄豪杰有所作为的日子。将军已经拥有了建立一个国家的现成资本，为什么要将它拱手让给别人？索嗣仗着自己是敦煌人，就认为敦煌人一定会拥护他，不可能预料到

不意将军猝能拒之[487]，可一战擒也。”暠从之。先遣繇见嗣，啖以甘言[488]。繇还，谓暠曰：“嗣志骄兵弱，易取也。”暠乃遣邈、繇与其二子歆、让[489]逆击[490]嗣[16]，嗣败走，还张掖。暠素与嗣善，尤恨之，表业[491]请诛嗣。沮渠男成[492]亦恶嗣，劝业除之。业乃杀嗣，遣使谢暠，进暠都督凉兴[493]以西诸军事、镇西将军。

吐谷浑视罴[494]卒，世子树洛干方九岁，弟乌纥堤立。妻树洛干之母念氏，生慕璝、慕延。乌纥堤懦弱荒淫，不能治国，念氏专制国事，有胆智，国人畏服之。

燕前将军段玑[495]，太后段氏之兄子也，为段登[496]辞所连及，五月壬子[497]，逃奔辽西。

丙寅[498]，卫将军东亭献侯王珣[499]卒。

己巳[500]，魏主珪东如涿鹿[501]，西如马邑[502]，观灅源[503]。

戊寅[504]，燕段玑复还归罪[505]。燕王盛赦之，赐号曰思悔侯，使尚公主[506]，入直殿内[507]。

谢琰以资望[508]镇会稽，不能绥怀[509]，又不为武备。诸将咸谏曰：“贼近在海浦，伺人形便[510]，宜开其自新之路[511]。”琰不从，曰：“苻坚之众百万，尚送死淮南[512]；孙恩小贼，败死入海，何能复出？若其果出，是天欲杀之也。”既而恩寇浃口[513]，入余姚[514]，破上虞[515]，进及邢浦[516]，琰遣参军刘宣之击破之，恩退走。少日，复寇邢浦，官军失利，恩乘胜径进[517]。己卯[518]，至会稽。琰尚未食，曰：“要当先灭此贼而后食[519]。”因跨马出战，兵败，为帐下都督张猛所杀。吴兴[520]太守庾桓恐郡民复应恩，杀男女数千人。恩转寇临海[521]。朝廷大震，遣冠军将军桓不才、辅国将军孙无终、宁朔将军高雅之拒之。

秦征西大将军陇西公硕德[522]将兵五万[17]伐西秦，入自南安峡[523]。

将军会突然向他发起攻击，可以通过一次战斗将索嗣活捉。”李暠听从了他们的意见。李暠于是先派宋繇去晋见索嗣，用甜言蜜语哄骗他。宋繇从索嗣那里返回后对李暠说：“索嗣志骄意满，兵力又弱，很容易攻取。”李暠于是派遣张邈、宋繇和自己的两个儿子李歆、李让率军对索嗣迎头痛击，索嗣战败逃走，返回北凉的都城张掖。李暠与索嗣的关系一向很好，所以对索嗣的行为尤其痛恨，于是上表给北凉王段业，请求诛杀索嗣。担任辅国将军的沮渠男成也很厌恶索嗣，也劝说段业除掉索嗣。段业遂杀死了索嗣，又派使者向李暠道歉，并晋升李暠为都督凉兴以西诸军事、镇西将军。

吐谷浑国王慕容视罴去世，世子慕容树洛干年方九岁，于是由慕容视罴的弟弟慕容乌纥堤即位为吐谷浑王。慕容乌纥堤娶慕容树洛干的母亲念氏为妻，念氏为慕容乌纥堤生了两个儿子，一个名叫慕容慕璝，一个名叫慕容慕延。身为吐谷浑国王的慕容乌纥堤性情懦弱，生活荒淫，没有能力治理国家，国家事务都由念氏主持，念氏有胆量、有见识，吐谷浑国内的人既惧怕她，又很敬服她。

后燕担任前将军的段玑，是皇太后段氏的侄子，他受段登叛乱一案所牵连，于是在五月初三日壬子逃奔到辽西。

五月十七日丙寅，东晋卫将军东亭献侯王珣去世。

五月二十日己巳，北魏主拓跋珪东到涿鹿，西到马邑，考察灅水的源头。

五月二十九日戊寅，后燕前将军段玑从辽西返回龙城向后燕庶人天王慕容盛请罪。慕容盛赦免了他，赐给他的爵号是思悔侯，并让他娶了公主为妻，到皇宫之中担任宿卫。

东晋会稽郡太守谢琰完全是靠着自己的高贵门第和资历名望才做了会稽郡太守，但他却不具备当太守的才能，在会稽郡任上，既不能安抚、感化百姓，又不整顿武备。属下的诸将全都劝谏他说：“盗贼孙恩就在靠近东海的海岛上，随时在窥探我们的虚实，应该给他开辟出一条改过自新的道路。”谢琰没有听从诸将的建议，他说：“秦王苻坚拥有百万雄师，尚且在淮南送了性命；孙恩不过一个小毛贼，败亡后逃入海岛，怎么可能再返回大陆？如果他真的走出海岛，那就是上天要灭亡他了。”不久，孙恩便离开海岛，率众攻击浃口，进而攻入余姚、占领上虞，并推进到邢浦，谢琰派遣担任参军的刘宣之率军击败孙恩，孙恩退走。没过多久，孙恩又来攻击邢浦，官军作战失败，孙恩乘胜追击。五月三十日己卯，孙恩率领部众抵达会稽。当时谢琰还没有吃饭，于是宣布说：“应当先消灭孙恩，然后再吃饭。”于是跨上战马出城与孙恩作战，结果兵败，被自己的部将、担任帐下都督的张猛杀死。担任吴兴太守的庾桓害怕郡中的民众再起兵响应孙恩，遂杀死了数千名男女。孙恩转而进攻临海。东晋朝廷非常恐惧，立即派担任冠军将军的桓不才、担任辅国将军的孙无终、担任宁朔将军的高雅之率军抗击孙恩。

后秦担任征西大将军的陇西公姚硕德率领五万名士卒讨伐西秦，从南安峡进入

西秦王乾归帅诸将拒之，军于陇西[524]。

杨轨[525]、田玄明[526]谋杀武威王利鹿孤，利鹿孤杀之。

六月庚辰朔[527]，日有食之。

以琅邪王师[528]何澄为尚书左仆射。澄，准[529]之子也。

甲子[530]，燕大赦。

凉王纂将袭北凉，姜纪谏曰："盛夏农事方殷[531]，且宜息兵。今远出岭西[532]，秃发氏乘虚袭京师，将若之何？"不从。进围张掖，西掠建康[533]。秃发傉檀闻之，将万骑袭姑臧，纂弟陇西公纬凭北城[534]以自固。傉檀置酒朱明门[535]上，鸣钟鼓，飨将士，曜兵[536]于青阳门[537]，掠八千余户而去。纂闻之，引兵还。

秋，七月壬子[538]，太皇太后李氏[539]崩。

丁卯[540]，大赦。

西秦王乾归使武卫将军慕兀等屯守[541]，秦军樵采路绝[542]，秦王兴潜引兵救之。乾归闻之，使慕兀帅中军[543]二万屯柏杨[544]，镇军将军罗敦帅外军四万屯侯辰谷[545]，乾归自将轻骑数千前候[546]秦兵。会大风昏雾，与中军相失，为追骑所逼，入于外军。旦，与秦战，大败，走归苑川[547]，其部众三万六千皆降于秦。兴进军枹罕[548]。

乾归奔金城[549]，谓诸豪帅曰："吾不才，叨窃名号[550]，已逾一纪[551]，今败散如此，无以待敌[552]，欲西保允吾[553]。若举国而去，必不得免[554]。卿等留此，各以其众降秦，以全宗族，勿吾随也。"皆曰："死生愿从陛下。"乾归曰："吾今将寄食于人[555]，若天未亡我，庶几[556]异日克复旧业，复与卿等相见。今相随而死，无益也。"乃大哭而别。乾归独引数百骑奔允吾，乞降于武威王利鹿孤。利鹿孤遣广武公傉檀迎之，置

西秦境内。西秦王乞伏乾归率领诸将抵抗后秦军的入侵，将军队驻扎在陇西郡。

南凉西平公杨轨和西平内史田玄明阴谋杀害南凉武威王秃发利鹿孤，被秃发利鹿孤杀死。

六月初一日庚辰，发生日食。

东晋任命担任琅邪王老师的何澄为尚书左仆射。何澄是何准的儿子。

甲子日，后燕实行大赦。

后凉天王吕纂准备率军袭击北凉，担任尚书的姜纪劝阻说："盛夏时节，正是农活最繁忙的季节，应该停止军事行动。如果大军远度大岭西行，南凉秃发氏趁机攻击我们兵力空虚的京师姑臧，我们将用什么办法来对付他呢?"吕纂没有采纳姜纪的意见，依然按自己的原定计划率军出征。他率军包围了北凉的都城张掖，进而继续西进攻掠建康。南凉担任车骑大将军的秃发傉檀得知消息，立即率领一万名骑兵袭击后凉的都城姑臧，后凉天王吕纂的弟弟陇西公吕纬登上北城指挥防守。秃发傉檀在姑臧城南面的朱明门城楼上摆宴饮酒，他令人鸣钟击鼓，犒赏南凉将士，又在姑臧城东面的青阳门炫耀武力，最后劫掠了八千多户居民才率军离去。后凉天王吕纂得到消息，立即率军赶回。

秋季，七月初四日壬子，东晋太皇太后李氏驾崩。

十九日丁卯，东晋实行大赦。

西秦王乞伏乾归派担任武卫将军的慕兀等率军屯守陇西，侵入西秦境内的后秦军打柴、采集野菜野果的通道已经被西秦军截断，陷入困境，后秦天王姚兴秘密率军前往救援。西秦王乞伏乾归得知消息，立即派慕兀率领两万名中军屯守柏杨城，派担任镇军将军的罗敦率领四万名外军屯驻在侯辰谷，乞伏乾归亲自率领数千名轻骑兵侦察后秦军队的虚实。这时突然刮起大风，只刮得天昏地暗，遂与中军失去联系，又遭到后秦骑兵的追击，于是进入罗敦所率领的外军的营地。第二天天刚亮，便与后秦军开战，结果西秦军被后秦军打得大败，西秦王乞伏乾归逃回了都城苑川，他属下的三万六千名部众全部投降了后秦。后秦天王姚兴乘胜进军枹罕。

西秦王乞伏乾归投奔金城，他对属下的各部落首领说："我知道自己没有什么才能，却占据了国王的宝座，到现在已经超过十二年，如今与后秦作战，竟然惨败到如此地步，已经没有力量再与敌人对抗，我准备到西边去据守允吾。如果全国的人马都集中到允吾去，恐怕大家都无法逃脱。你们就都留在此地，各自率领自己的部众投降后秦，以保全自己的宗族，不要再跟随我了。"众人都说："不管是死是活，我们都愿意跟随陛下。"乞伏乾归说："我自己都将寄人篱下才能有口饭吃，如果上天还不想灭亡我，将来还有收复失地、光复旧业的希望，到那时再与诸位相见。现在跟随我一同去死，没有任何好处。"于是大哭着与众人分别。乞伏乾归独自率领着数百名骑兵投奔允吾，向南凉武威王秃发利鹿孤请求投降。秃发利鹿孤派担任车骑大将

于晋兴⑤⑤⑦，待以上宾之礼。镇北将军秃发俱延言于利鹿孤曰："乾归本吾之属国⑤⑤⑧，因乱自尊⑤⑤⑨，今势穷归命⑤⑥⓪，非其诚款，若逃归姚氏⑤⑥①，必为国患。不如徙置乙弗⑤⑥②之间，使不得去。"利鹿孤曰："彼穷来归我，而逆疑⑤⑥③其心，何以劝来者⑤⑥④？"俱延，利鹿孤之弟也。

秦兵既退，南羌⑤⑥⑤梁戈等密招乾归，乾归将应之。其臣屋引阿洛⑤⑥⑥以告晋兴太守阴畅，畅驰白利鹿孤，利鹿孤遣其弟吐雷帅骑三千屯扪天岭⑤⑥⑦。乾归惧为利鹿孤所杀，谓其太子炽磐曰："吾父子居此，必不为利鹿孤所容。今姚氏方强，吾将归之，若尽室⑤⑥⑧俱行，必为追骑所及，吾以汝兄弟及汝母为质，彼必不疑。吾在长安，彼终不敢害汝也。"乃送炽磐等于西平⑤⑥⑨。八月，乾归南奔枹罕⑤⑦⓪，遂降于秦。

丁亥⑤⑦①，尚书右仆射王雅⑤⑦②卒。

九月癸丑⑤⑦③，地震。

凉吕方⑤⑦④降于秦，广武民三千余户奔武威王利鹿孤。

冬，十一月，高雅之与孙恩战于余姚，雅之败，走山阴⑤⑦⑤，死者什七八。诏以刘牢之都督会稽等五郡，帅众击恩，恩走入海。牢之东屯上虞，使刘裕戍句章⑤⑦⑥。吴国内史袁崧[18]筑沪渎垒⑤⑦⑦以备恩。崧，乔⑤⑦⑧之孙也。

会稽世子元显求领徐州⑤⑦⑨，诏以元显为开府仪同三司，都督扬、豫、徐、兖、青、幽、冀、并、荆、江、司、雍、梁、益、交、广十六州诸军事，领徐州刺史，封其子彦璋[19]为东海⑤⑧⓪王。

乞伏乾归至长安，秦王兴以为都督河南⑤⑧①诸军事、河州⑤⑧②刺史、归义侯。

久之，乞伏炽磐欲逃诣乾归，武威王利鹿孤追获之。利鹿孤将杀

军的广武公秃发傉檀前往允吾迎接乞伏乾归，将乞伏乾归安置在晋兴郡，用接待上等宾客的礼节接待了乞伏乾归。南凉担任镇北将军的秃发俱延对南凉武威王秃发利鹿孤说："乞伏乾归原本是我们的属国，借着战乱的机会，尊称自己为王，如今在走投无路的情况下前来归附，并非诚心诚意，如果他逃归后秦姚氏，必将成为我国的祸患。不如把他安置到乙弗人中间去，使他想逃也逃不了。"武威王秃发利鹿孤说："乞伏乾归在无路可走的情况下来投奔我，我们却预先就疑心他居心叵测，将如何鼓励以后想来归附的人?"秃发俱延是武威王秃发利鹿孤的弟弟。

后秦军已经从西秦境内撤退，南羌部落首领梁戈等秘密召请乞伏乾归返回西秦，乞伏乾归准备答应他们。而乞伏乾归的部下屋引阿洛竟然将这件事报告了南凉担任晋兴太守的阴畅，阴畅立即派快马飞报武威王秃发利鹿孤，秃发利鹿孤派遣自己的弟弟秃发吐雷率领三千名骑兵屯驻在扪天岭，防止乞伏乾归逃走。乞伏乾归惧怕遭到秃发利鹿孤的诛杀，于是对自己的太子乞伏炽磐说："我们父子居住在这里，南凉武威王秃发利鹿孤一定容不下我们。如今后秦姚氏力量强大，我想要归附于他，如果我们全家一起行动，必定被南凉的骑兵追上，我把你们兄弟和你的母亲留作人质，他们一定不会怀疑。有我在后秦的都城长安，秃发利鹿孤就不敢迫害你们。"于是将太子乞伏炽磐等送到南凉的都城西平充当人质。八月，乞伏乾归向南逃奔枹罕，遂投降了后秦。

八月初九日丁亥，东晋担任尚书右仆射的王雅去世。

九月初六日癸丑，发生地震。

后凉镇守广武的征东将军吕方投降了后秦，广武的三千多户居民投降了南凉武威王秃发利鹿孤。

冬季，十一月，东晋担任宁朔将军的高雅之与乱民首领孙恩在余姚展开激战，高雅之所率领的官军被孙恩打得大败，高雅之逃往山阴，军队死亡了十分之七八。晋安帝司马德宗下诏，令刘牢之都督会稽等五郡，率军攻击孙恩，将孙恩打败，孙恩再次逃入海岛。刘牢之率军东进，屯扎在上虞，他令担任参军的刘裕率军戍守句章。担任吴国内史的袁崧在沪渎修筑堡垒以防备孙恩的进攻。袁崧是袁乔的孙子。

会稽王司马道子的世子司马元显向朝廷请求兼任徐州刺史，晋安帝司马德宗下诏，任命司马元显为开府仪同三司，都督扬、豫、徐、兖、青、幽、冀、并、荆、江、司、雍、梁、益、交、广十六州诸军事，兼任徐州刺史，并封司马元显的儿子司马彦璋为东海王。

西秦王乞伏乾归来到后秦的都城长安，后秦王姚兴任命乞伏乾归为都督河南诸军事、河州刺史、归义侯。

过了很久之后，乞伏炽磐想要逃离南凉，投奔自己的父亲乞伏乾归，在逃亡的过程中被南凉武威王秃发利鹿孤追捕擒获。秃发利鹿孤想要杀死乞伏炽磐，车骑大

炽磐，广武公傉檀曰："子而归父，无足深责，宜宥[583]之以示大度。"利鹿孤从之。

秦王兴遣晋将刘嵩等[584]二百余人来归。

北凉晋昌[585]太守唐瑶叛，移檄六郡[586]，推李暠为冠军大将军、沙州[587]刺史、凉公，领敦煌太守。暠赦其境内，改元庚子[588]。以瑶为征东将军，郭谦为军谘祭酒[589]，索仙为左长史，张邈为右长史，尹建兴为左司马，张体顺为右司马。遣从事中郎[590]宋繇东伐凉兴[591]，并击玉门[592]已西诸城，皆下之。

酒泉太守王德亦叛北凉，自称河州刺史。北凉王业使沮渠蒙逊讨之。德焚城，将部曲奔唐瑶，蒙逊追至沙头[593]，大破之，虏其妻子、部落而还。

十二月戊寅[594]，有星孛于天津[595]。会稽世子元显以星变解录尚书事[596]，复加尚书令。吏部尚书车胤以元显骄恣，白会稽王道子，请禁抑[597]之。元显闻而未察[598]，以问道子曰："车武子屏人言及何事[599]？"道子弗答。固问之，道子怒曰："尔欲幽我[600]，不令我与朝士语邪？"元显出，谓其徒曰："车胤间我父子。"密遣人责之。胤惧，自杀。

壬辰[601]，燕王盛立燕台[602]，统诸部杂夷。

魏太史[603]屡奏天文乖乱[604]。魏主珪自览占书[605]，多云改王易政[606]，乃下诏风励群下[607]，以帝王继统，皆有天命，不可妄干[608]。又数变易官名[609]，欲以厌塞灾异[610]。

仪曹郎董谧献《服饵仙经》[611]，珪置仙人博士，立仙坊，煮炼百药，封西山以供薪蒸[612]。药成，令死罪者试服之，多死，不验。而珪犹信之，访求不已。

珪常以燕主垂诸子分据势要，使权柄下移，遂至[20]败亡，深非

将军、广武公秃发傉檀说："儿子投奔父亲，不值得过分责备，应该宽恕他，以表示我们的宽宏大度。"秃发利鹿孤采纳了秃发傉檀的意见，将乞伏炽磐释放。

后秦王姚兴把攻陷洛阳时俘虏的东晋将领刘嵩等二百多人遣回东晋。

北凉担任晋昌太守的唐瑶背叛了北凉王段业，他向敦煌、酒泉、晋昌、凉兴、建康、祁连六个郡发出通告，推戴李暠为冠军大将军、沙州刺史、凉公，兼任敦煌太守。李暠在自己的辖区之内实行大赦，改年号为庚子。西凉公李暠任命唐瑶为征东将军，任命郭谦为军谘祭酒，任命索仙为左长史，张邈为右长史，任命尹建兴为左司马，张体顺为右司马。然后派遣担任从事中郎的宋繇率军向东攻击凉兴郡，以及玉门以西各城，宋繇出色地完成了任务，将所有城池全部攻克。

北凉担任酒泉太守的王德也背叛了北凉王段业，他自称河州刺史。北凉王段业派镇西将军沮渠蒙逊率军讨伐酒泉太守王德。王德烧毁了酒泉城，率领着自己的私人部队准备投奔西凉征东将军唐瑶，沮渠蒙逊率领北凉军随后追击，追到沙头，大败王德军，并俘虏了王德的妻子儿女和部落，得胜而回。

十二月初二日戊寅，有流星从天津星座旁边划过。会稽王司马道子的世子司马元显因为星空中的灾变现象而被免除了录尚书事的职务，却又加授他为尚书令。因为司马元显日益骄傲、放纵，担任吏部尚书的车胤于是向会稽王司马道子禀报，请求他对司马元显加以管教和约束。司马元显虽然听说了车胤会见司马道子的事情，却不知具体说了些什么，于是便向自己的父亲司马道子询问说："车武子把人支使开，都背着人跟您说了些什么事情?"司马道子没有回答他的问话。司马元显却坚持要父亲说出来，司马道子于是愤怒地说："你想要把我软禁起来，不让我与朝中的大臣说话吗?"司马元显从司马道子那里出来后，就对自己的徒众说："车胤在离间我们的父子关系。"于是秘密地派人去责问车胤。车胤非常害怕，就自杀了。

十二月十六日壬辰，后燕庶人天王慕容盛设立单于台，用来管理各地区、各部落的少数民族。

北魏主管天文、历法的太史令屡次给北魏主拓跋珪上疏奏报星空中出现的不正常现象。拓跋珪于是亲自翻阅有关占卜一类的书籍，书上大多都说是要更换国君、改变朝政，拓跋珪于是下诏劝说、鼓励群臣，认为帝王继承大统，都是出于上天的旨意，不能随便妄想获得。又多次改变职官的名称，想借此来压住灾变的发生。

北魏担任仪曹郎的董谧向北魏主拓跋珪进献了一本《服饵仙经》，拓跋珪于是设置仙人博士，建造仙人牌坊，煮炼各种草药，并把平城西部的山封给董谧，以供应炼丹的烧柴之用。丹药炼成之后，就先让死囚犯吃下尝试，然而多数人在服下丹药之后都死掉了，证明丹药没有灵验。而拓跋珪却仍然坚信不疑，不停地征集、访求长生不老药。

北魏主拓跋珪认为后燕主慕容垂令自己的几个儿子分别据守形势险要之地，致之。博士公孙表希旨[613]上《韩非书》[614]，劝珪以法制御下[615]。左将军李栗[21]性简慢[616]，常对珪舒放不肃，咳唾任情[617]，珪积其宿过[618]，遂诛之，群下震栗[23]。

丁酉[619]，燕王盛尊献庄后丁氏为皇太后[620]，立辽西公定[621]为皇太子。大赦。

是岁，南燕王德即皇帝位于广固[622]，大赦，改元建平。更名“备德”，欲使吏民易避[623]。追谥燕主暐[624]曰“幽皇帝[625]”。以北地王钟为司徒，慕舆拔为司空，封孚为左仆射，慕舆护为右仆射。立妃段氏为皇后。

【段旨】

以上为第三段，写隆安四年（公元四〇〇年）一年间的大事。其中主要写了桓玄占据荆、襄后，朝廷不得不任以为都督八州及扬豫八郡诸军事，桓玄又以其兄桓伟为雍州刺史，以从子桓振为淮南太守，于是整个东晋遂再也无人敢惹。写了晋将谢琰守会稽而不修武备，孙恩先攻余姚、上虞，未几又寇邢浦、会稽，谢琰轻敌兵败，被部下所杀，孙恩转寇临海，朝廷派高雅之等拒之，高雅之又被孙恩所败，死者十七八，朝廷又改派刘牢之都督会稽五郡兵讨孙恩。写了后秦的将领姚硕德率兵伐西秦，被乞伏乾归截断退路，姚兴出兵救之，大破乞伏乾归，致使乾归不得不解散部众，留质子于秃发利鹿孤，而独自归降于后秦。写了后凉的吕弘又反其兄吕纂，被吕纂破杀之。写了吕纂伐利鹿孤，被利鹿孤之弟秃发傉檀击败。写了敦煌地区的效谷县令李暠，被宋繇、郭谦、索仙等拥立为敦煌太守，其后晋昌太守唐瑶又叛段业，移檄六郡推李暠为沙州刺史，李暠东征西讨，势力渐强，西凉政权又初具规模。此外还写了魏主拓跋珪在其雄才大略一面外，又有迷信星象灾异之说，追求长生不死之术，以及施行严刑峻法，致使群下震栗等。

【注释】

[427]正月壬子朔：正月初一是壬子日。[428]庶人天王：以庶人（平民）的身份代理天王之事。[429]材官将军：晋以来主管土木建筑，与汉代之材官将军不同。[430]卢溥：原是魏将，于上年叛魏降燕，受封为幽州刺史。[431]辽西：燕郡名，郡治在今河北秦皇岛西

使朝廷的权柄下移，导致国家败亡，所以对慕容垂的做法非常反对。担任博士的公孙表便迎合拓跋珪的想法，向他进献了一部韩非所写的《韩非子》，劝说拓跋珪用严刑峻法来驾驭群臣。担任左将军的李栗生性随便，不拘礼法，经常在魏主拓跋珪面前表现得很随意、不庄重，想怎么着就怎么着，拓跋珪就把他以前的过错加在一起算了一笔总账，于是将李栗杀死，群臣无不感到惊恐、战栗。

十二月二十一日丁酉，后燕庶人天王慕容盛尊奉自己的母亲献庄皇后丁氏为皇太后，册立辽西公慕容定为皇太子。实行大赦。

这一年，南燕王慕容德在广固即位为皇帝，实行大赦，改年号为建平。并将自己的名字改为“慕容备德”，为的是使官员和民众容易避讳。追尊前燕皇帝慕容暐为“幽皇帝”。任命北地王慕容钟为司徒，任命慕舆拔为司空，任命封孚为左仆射，慕舆护为右仆射。立王妃段氏为皇后。

南。㊷戊午：正月初七。㊸辽西守宰：辽西郡的太守与县令。宰，县令。㊹乙亥：正月二十四。㊺大赦：这句话的主语是晋安帝。㊻苑川：城名，在今甘肃兰州东北。㊼改元建和：在此以前是秃发乌孤的年号太初（公元三九七至三九九年）。㊽高句丽王安：高句丽国的国王名安。高句丽是古代小国名，当时活动在今辽宁东南部及朝鲜北部一带地区，都城丸都，即今吉林集安。㊾二月丙申：二月十五。㊿新城、南苏：二城名，新城在今辽宁抚顺北，南苏在今辽宁新宾西。441雄果：英雄、果敢。442世祖：指慕容垂，慕容熙之父，庙号世祖。443但弘略不如：只是在雄才大略方面略差一点。但，只。444刘头眷:《魏书》作“刘眷”，鲜卑部落头领刘库仁之弟，刘库仁先曾交好于拓跋氏，后归苻坚。苻坚败后，刘库仁被慕容氏所杀。事见《魏书》卷二十三。445生子嗣：所生的儿子名拓跋嗣，即后来的明元帝。446克中山：攻下慕容宝的京城。事见本书卷一百九安帝隆安元年。447其国故事：拓跋部族一贯的老章程。448铸金人以卜之：李延寿《北史·后妃传》载“魏故事：将立皇后，必令手铸金人，以成者为吉，不则不得立也”。449三月戊午：三月初八。450领：兼任。451桓脩：此前朝廷讨伐桓玄、殷仲堪时，曾任桓脩为荆州刺史，朝廷失败妥协后，桓脩只得改任中护军。事见本书卷一百一十安帝隆安二年。452扬豫八郡：胡三省曰，“玄既督八州及扬豫八郡，则西极岷嶓，东尽历阳、芜湖，皆其统内矣”。453辄：便，就。454淮南：郡名，郡治寿春，即今安徽寿县。455妻子：妻与女儿。456仍臻：连续而至。仍，频繁、连续。臻，至、来到。457山陵甫讫：吕光的丧事刚刚办完。山陵，隐指帝王的陵墓。甫，刚刚。458称兵：举兵。459昆弟接刃：兄弟之间动起刀枪。460无常棣之恩：不讲兄弟之间的亲密关系。《诗经·常棣》曰“常棣之华，鄂不韡韡，凡今之人，莫如兄弟”，又曰“兄弟阋于墙，外御其务”云云，这是一首

歌颂兄弟友好的诗。㊶省己责躬：反省自己，责备自己。㊷使无赖小人辱为婢妾：给那些无赖小人去做婢妾。辱为婢妾，把她们当作婢妾侮辱。㊸厚抚之：好好地安慰、抚养她们。㊹吕方：吕纂之叔，当时驻守广武，今甘肃永登东南。㊺凉都尹：首都姑臧（今甘肃武威）所在郡的行政长官。㊻辛卯：四月十一。㊼襄平令：襄平县令。襄平县的县治即今辽宁辽阳。㊽上下用命：上下一心，愿为其主效死。㊾三堆：地名，在今青海大通河南。大通河当时叫浩亹水，流经今青海门源，至民和汇入湟水。㊿陇西李暠：陇西郡人李暠。陇西郡的郡治在今甘肃陇西县东南。李暠，字玄盛，后来西凉政权的创建者。传见《晋书》卷八十七。471文学：指文章、学术。472令名：美名。473郭黁：原是吕光的属下，善看天象，因叛乱被打败，逃奔乞伏乾归。事见本书卷一百一十安帝隆安二年。474同母弟：同母异父的弟弟。475有国家：指称帝称王。476有騬马生白额驹二句：当有一匹母马生出一匹额上长白毛的小马驹时，那就是你们采取行动的时候了。騬马，母马。477孟敏：原为吕光的敦煌太守，后投归段业，任沙州（州治在今甘肃敦煌西）刺史。事见本书卷一百一十安帝隆安二年。478效谷：县名，县治在今甘肃敦煌东北。479中散常侍：即中散大夫，因其经常侍奉于帝王之侧，故称“中散常侍”。480冯翊郭谦：冯翊人，姓郭名谦。冯翊是郡名，郡治在今陕西大荔，当时属姚兴。481治中：刺史手下的大吏，相当于今之助理，握有实权。482难之：畏难，不想干。483自张掖告归：从当时的段业北凉政权请假而回。张掖当时是段业政权的都城所在地。484未至二十里：指尚在离目的地的二十里之外。485移暠迎己：通知李暠前来迎接。移，移书，犹今之所谓“通知”“通报”。486据一国成资：现守着一个国家的现成基业，指割据敦煌可以建立国家。487不意将军猝能拒之：他想不到你会突然起兵收拾他。不意，不会想到。猝，突然。488啖以甘言：用甜言蜜语加以哄骗。啖，以食物喂人，此指诱骗。489二子歆、让：李歆、李让。李歆字士业，后为西凉王。传见《晋书》卷八十七。490逆击：迎头攻击。491表业：上书请求段业。492沮渠男成：沮渠蒙逊的堂兄。493凉兴：郡名，郡治在今甘肃敦煌东。494视罴：吐谷浑部落首领，与后燕慕容氏同出一祖，活动在今青海北部地区。传见《晋书》卷九十七。495段玑：慕容盛的表兄弟。496段登：前为襄平县令，因谋反被杀。497五月壬子：五月初三。498丙寅：五月十七。499东亭献侯王珣：王导之孙，东亭侯是他的封号，献字是谥。500己巳：五月二十。501涿鹿：县名，县治在今河北涿鹿东南。502马邑：县名，县治即今山西朔州市朔城区。503㶟源：㶟水的源头。㶟水即今之桑干河，发源于今山西朔州市朔城区南的累头山，东北流经大同南入河北，下游即今永定河。504戊寅：五月二十九。505归罪：回来认罪。506尚公主：娶公主为妻。尚，上配。507入直殿内：进宫给皇帝值班守夜。直，通“值”，值班。508资望：资历名望。谢琰是东晋名臣谢安之子。509绥怀：安抚、感化。510伺人形便：谓窥测人心与地形的有利条件，欲卷土重来。511开其自新之路：允许其改悔投降，奖励其立功赎罪。512送死淮南：指苻坚六十万人在淝水被谢玄等打败事，见本书卷一百五孝武帝太元八年。谢琰当时亦参加此战，故今轻视孙恩。⑬ 浃口：杭州湾南侧的渡口名，在今浙江定海境内。⑭ 余姚：即今浙江余姚。⑮ 上虞：即今浙江绍兴市上虞区。⑯ 邢浦：在今浙江绍兴北。⑰ 径进：一直前进，犹如今之所谓“长驱直入”。⑱ 己卯：五月三十。⑲ 先灭此贼而后食：《左传》成公二年齐顷公有所谓“余姑翦灭此而朝食”，今此谢琰效其语，表现了极其轻敌之状。⑳ 吴兴：郡名，郡治乌程，在今浙江湖州南。㉑ 临海：郡名，郡治章安，在今浙江临海市东南。㉒ 陇西公硕德：即姚硕德，姚苌之弟，姚兴之叔。㉓ 南安峡：在今甘肃秦安东北。㉔ 陇西：郡名，郡治在今甘肃陇西县东南。㉕ 杨轨：原是吕光的部将，后与郭黁一起反吕光，失败后，杨轨投奔秃发乌孤。事见本书卷一百一十隆安二年。㉖ 田玄明：秃发乌孤所立的西平太守。㉗ 六月庚辰朔：六月初一是庚辰日。㉘ 琅邪王师：琅邪王司马德文（安帝之弟）的老师。㉙ 准：即何准，字幼道，晋穆帝的岳父，一生不仕。传见《晋书》卷九十三。㉚ 甲子：六月初一是“庚辰”，本月中没有“甲子”日，疑字有误。㉛ 方殷：正忙。殷，繁重、厉害。㉜ 岭西：此处的“岭”指今甘肃武威与张掖之间的大山。㉝ 建康：郡名，郡治在今甘肃酒泉东南。㉞ 北城：姑臧城北的小城。㉟ 朱明门：姑臧城的南门。㊱ 曜兵：炫耀武力。㊲ 青阳门：姑臧城的东门。㊳ 壬子：七月初四。㊴ 太皇太后李氏：孝武帝之母，安帝之祖母。㊵ 丁卯：七月十九。㊶ 屯守：指屯守陇西。㊷ 樵采路绝：砍柴与采集野菜野果的道路已被堵住，以言其入于绝境。当时秦军在南安峡西，今甘肃秦安附近。㊸ 中军：帝王身边的军队。㊹ 柏杨：城名，在今甘肃清水县西北。㊺ 侯辰谷：详细方位不清楚。㊻ 候：哨探；侦察。㊼ 苑川：乞伏乾归的都城，在今甘肃兰州东北。㊽ 枹罕：当时兴晋郡的郡治所在地，在今甘肃临夏东北。㊾ 金城：在今兰州西。㊿ 叨窃名号：谦指自己称帝。叨窃，窃取、不当得而得。(551) 已逾一纪：已经超过了十二年。一纪，十二年。乞伏乾归从孝武帝太元十三年嗣位为西秦王，至今已十三年。(552) 无以待敌：没有办法与敌兵相抗。待，应对。(553) 允吾：县名，县治在今青海民和南，当时属秃发利鹿孤。(554) 不得免：无法逃脱。(555) 寄食于人：寄人篱下找饭吃。(556) 庶几：希望；或许能够。(557) 晋兴：郡名，郡治在今青海海东市乐都区东南。(558) 本吾之属国：前隆安三年杨统说“乞伏氏本吾之部落”，胡三省注云：“乞伏与秃发氏皆鲜卑也。”(559) 自尊：指称帝。(560) 归命：归顺而听命，即“归服”。(561) 姚氏：指姚兴的后秦政权。(562) 乙弗：少数民族部落名，当时活动在今青海湖附近。(563) 逆疑：事先就怀疑。逆，预先。(564) 劝来者：鼓励以后想来归降的人。劝，鼓励。(565) 南羌：当时活动在今青海南部的羌族。(566) 屋引阿洛：姓屋引，名阿洛，乞伏乾归的部下。(567) 扪天岭：在今青海民和东南。(568) 尽室：全家。(569) 西平：今青海西宁，当时秃发乌孤的国都。(570) 奔枹罕：当时姚兴驻军于此。(571) 丁亥：八月初九。(572) 王雅：字茂达，能早识王恭之为人。传见《晋书》卷八十九。(573) 九月癸丑：九月初六。(574) 吕方：吕纂之叔，当时驻守广武，今甘肃永登东南。(575) 山阴：县名，县治即今浙江绍兴，也是会稽郡的郡治所在地。(576) 句章：县名，在今浙江宁波西。(577) 沪渎垒：堡垒名，在今上海市青浦东北。(578) 乔：即袁乔，字彦叔，有文武才，曾佐助桓温平定西蜀。传见《晋书》卷八十三。⑰⑨徐州：州治即今江苏徐州。⑤⑧⓪东海：当时的侨置郡名，郡治在今江苏镇江市。⑤⑧①河南：此指青海、甘肃境内的黄河以南。⑤⑧②河州：州治即前文所说的枹罕。⑤⑧③宥：宽饶。⑤⑧④晋将刘嵩等：指前隆安三年姚兴攻拔洛阳时被迫投降姚兴的晋朝将士。⑤⑧⑤晋昌：郡名，郡治在今甘肃瓜州东南，当时属段业北凉政权。⑤⑧⑥移檄六郡：发通告给附近的六个郡。檄，文告。六郡指敦煌、酒泉、晋昌、凉兴、建康、祁连，即今甘肃西部地区。⑤⑧⑦沙州：州治在今甘肃敦煌西。⑤⑧⑧改元庚子：在此以前这一带都属北凉，用段业的年号天玺。而从此这一带又创立一个李氏的西凉政权。⑤⑧⑨军谘祭酒：犹今之总参谋长。郭谦以下索仙、张邈、尹建兴、张体顺五人都是李暠“冠军大将军”军府的高级僚属。⑤⑨⓪从事中郎：州刺史的高级僚属，主管文书与监察诸事。⑤⑨①凉兴：郡名，郡治在今甘肃瓜州南。⑤⑨②玉门：即玉门关，在今甘肃敦煌西北。⑤⑨③沙头：县名，县治在今甘肃瓜州东南，离晋昌不远。⑤⑨④戊寅：十二月初二。⑤⑨⑤有星孛于天津：有流星出现在天津星座附近。孛，光芒四射的样子，这里即指流星。天津，星座名，有星九颗，在天河中。⑤⑨⑥以星变解录尚书事：因流星出现于天津星座而免去了司马元显的录尚书事。星变，星空里的灾变现象，流星是其一种。古人认为星变预示人世将有灾祸发生，汉代常因此追究责任于丞相，甚至将丞相处死。但司马道子则不然，他是免了“录尚书事”，又加了“尚书令”，反而更高了。⑤⑨⑦禁抑：管教、约束。⑤⑨⑧闻而未察：光听说车胤去说话了，不清楚说了什么。⑤⑨⑨车武子屏人言及何事：车胤把人支开，都和您说了什么。车胤字武子，当时的直臣，幼以囊萤读书闻名。传见《晋书》卷八十三。屏人，支开众人。⑥⓪⓪尔欲幽我：你想把我隔离起来。幽，禁闭、隔离。⑥⓪①壬辰：十二月十六。⑥⓪②燕台：官署名，与刘聪、石勒所立的“单于台”同，用以管理除他们本部落以外的其他各少数民族。⑥⓪③魏太史：魏国的太史令，主管天文、历法诸事。⑥⓪④天文乖乱：指上述“有星孛于天津”等不正常现象。⑥⓪⑤占书：占卜一类的迷信书籍。⑥⓪⑥改王易政：更换国王、改变国政。⑥⓪⑦风励群下：吹风示意，并加以鼓励群臣。⑥⓪⑧不可妄干：不能随便妄想获得。以上三句是说自己的为王是上应“天命”，现在绝不按“占书”所说，实行“改王”。⑥⓪⑨数变易官名：屡屡改变职官的名称。数，屡、一再。⑥①⓪厌塞灾异：压住灾变现象的发生。压塞，压制住、化解掉。⑥①①《服饵仙经》：一本鼓吹吃药成仙的骗术书。⑥①②封西山以供薪蒸：把西山封给骗子董谧，以供应炼丹的烧柴之用。实际是把整个西山给了董谧做领地，让他享受其租税收入。西山，指平城（今山西大同）西面的山。薪蒸，指烧柴，粗的叫薪，细的叫蒸。⑥①③希旨：顺着拓跋珪的心思，迎合拓跋珪的意旨。⑥①④韩非书：即《韩非子》，其中有许多篇章都是鼓吹专制独裁，认为所有人都不可信，主张实行严刑峻法等。⑥①⑤御下：驾御群臣。御，驾驭、控制。⑥①⑥简慢：随便，指不拘泥礼法。⑥①⑦咳唾任情：想怎么着就怎么着。⑥①⑧宿过：以往的过失。⑥①⑨丁酉：十二月二十一。⑥②⓪尊献庄后丁氏为皇太后：此句疑有误，丁氏是慕容盛之伯父慕容全之妻，慕容盛的伯母，并非慕容盛之母，怎能被尊为皇太后？《晋书·慕容盛传》的原文有所谓“追尊伯考献庄太子全为献庄皇帝，尊宝后段氏为皇太后；全妃丁氏为献庄皇后”云云，疑此句应作“尊宝后段氏为皇太后”，段氏即慕容盛之生母。㉑辽西公定：慕容定，慕容盛之子。㉒广固：即今山东青州。㉓易避：容易避讳。慕容德单名一个“德”字，此字很常用，臣民们说话写文章避讳起来很麻烦，如今改成“备德”两个字，而又规定只用其中一个字时不用避，那么给臣民们带来的麻烦就少多了。㉔燕主暐：慕容暐，慕容儁之子，前燕的第二代皇帝，公元三六〇至三七〇年在位。传见《晋书》卷一百一十一。㉕幽皇帝：凡谥幽者，多非善死，而致死之由各有不同。《谥法解》，“壅遏不通曰幽”，“蚤孤铺位曰幽”，“动祭乱常曰幽”，此取其第一义。

【校记】

［11］和跋：严衍《通鉴补》改作“和突”。［12］燕王：据章钰校，孔天胤本作“燕主”。［13］郡：据章钰校，十二行本、乙十一行本皆作“部”。［14］騍：胡三省注云：“騍马，牝马也。《晋书》作‘騧’。”据章钰校，十二行本作“騧”。［15］遂：据章钰校，十二行本、乙十一行本、孔天胤本皆无此字。［16］嗣：据章钰校，十二行本、乙十一行本、孔天胤本皆作“之”。［17］万：原作“千”。严衍《通鉴补》改作“万”，当是，今据以校正。〖按〗姚硕德后秦名将，位尊权重，使之征讨一国，兵仅数千，不合常理；又，察后文战况，亦非偏师所能为之。［18］袁崧：胡三省注云：“‘袁崧’当作‘袁山松’。”严衍《通鉴补》亦改作“袁山松”。［19］彦璋：原作“彦玮”。严衍《通鉴补》改作“彦璋”，今从改。〖按〗《晋书·简文三子传》载：“封其子彦璋为东海王”。［20］至：张敦仁《通鉴刊本识误》改作“致”。［21］李粟：胡三省注云：“‘粟’或作‘栗’。”严衍《通鉴补》改作“李栗”。据章钰校，孔天胤本作“李栗”，张敦仁《通鉴刊本识误》同。［22］粟：据章钰校，孔天胤本作“栗”。

【研析】

本卷写晋安帝隆安三年（公元三九九年）、隆安四年共两年间的各国大事，其中比较重要、值得注意的事情有以下几方面：

第一，殷仲堪与杨佺期被桓玄所杀事。晋孝武帝司马曜共在位二十四年，其上台不久，权臣桓温病死，多年以来存在于上流藩镇与朝廷之间的尖锐对立暂告一段落，初步出现了举国统一的局面，淝水之战的胜利就是在这种局面下取得的。这时的朝廷上、州郡里都有一批贤能之士在为国家干一些事情，国家的疆土也有所收复、扩展。《晋书·帝纪第九》曾说这个时代“于时西逾剑岫而跨灵山，北振长河而临清洛；荆吴战旅，啸咤成云；名贤间出，旧德斯在：谢安可以镇雅俗，彪之足以正纲纪，桓冲之夙夜王家，谢玄之善断军事。于时上天乃眷，强氐自泯。五尺童子，振裾临江，思所以挂旆天山，封泥函谷”。但好景不长，自从谢安等人死后，国家大权就落到了司马道子之手。《晋书》说这个时候是“条纲弗垂，威恩罕树。道子荒乎朝政，国宝汇以小人，拜授之荣，初非天旨，鬻刑之货，自走权门，毒赋年滋，愁民岁广”，这段话里明确点出司马道子、王国宝是乱政的坏人。但是读《通鉴》的这一卷，是非就没有那么明确了，人们不知道对殷仲堪、王恭、杨佺期究竟应该怎么看，好像是他们在讨伐朝廷，犯上作乱，而他们的兵败身死倒像是咎由自取似的。事实上，我们读《晋书》的王恭传、殷仲堪传、杨佺期传，都写了他们在政治上、道德上、人格上的许多优点，其缺点则主要表现在作为一群南方贵族的迂腐、高傲与无能上，而对于他们的举兵犯阙则批评不多。清代王夫之《读通鉴论》对此评论说：“若夫司马道子、王国宝，荒淫贪秽，灼然为晋之蝥贼，孝武虽与同昏，既而疑忌之、疏远之矣；乃在廷之士，持禄取容，无或以片言摘发而正名其为‘奸邪’者。于是而外臣测国之无人以激其不平之气，王恭、殷仲堪建鼓以鸣，而不轨之桓玄藉之以逞。公论操于下，而朝廷为养奸之渊薮，天下靡然效顺于逆臣，谁使之然邪?”这是公然认为当时的朝廷是该讨伐的。桓玄的问题我们后面再专门谈，这里我们只说殷、王、杨。而在因讨伐权奸被杀的这三个人中，杨佺期又特别受到人的同情，明代袁俊德说：“桓玄志存不轨，所惮惟殷、杨二人，当时执政者转欲构使乖离，是何肺腑?佺期受代之后，势已不支；复为仲堪所绐，愤激致败，良堪悯恻。若仲堪畏首畏尾，优柔偾事，其死不足惜也。”《晋书》说：“仲堪侥幸，佺期无状，雅志多隙，佳兵不和。”意思是思想不纯正，行为有毛病，彼此闹矛盾，但本身不是坏人，他们想给国家“靖乱”，可惜有其心而无其才，这点殷仲堪表现得最为突出。

第二，孙恩利用迷信左道，煽动百姓闹事，进而演变成农民大起义的事情。这里头应吸取的教训有三点。一是凡迷信左道之所以能大肆流行，总是与社会上流有人喜爱与提倡有关，否则便成不了气候。本书上卷交代孙恩等人的来路说：“初，琅邪人孙泰学妖术于钱唐杜子恭，士民多奉之。王珣恶之，流泰于广州。王雅荐泰于孝武帝，云知养性之方。召还，累官至新安太守。泰知晋祚将终，因王恭之乱，以讨恭为名，收合兵众，聚货巨亿，三吴之人多从之。识者皆忧其为乱，以中领军元显与之善，无敢言者。会稽内史谢𬨎发其谋。己酉，会稽王道子使元显诱而斩之，并其六子。兄子恩逃入海，愚民犹以泰蝉蜕不死，就海中资给恩。恩乃聚合亡命，得百余人，以谋复仇。”左道迷信，原本是欺骗愚夫愚妇的小把戏，稍有文化知识的人都不难识破，《史记·封禅书》里不是解剖过不少了吗?但可怕的是有人在上头给他们做后台，有许多朝廷大员、封疆大吏、统兵将领本身就属于乱党这一派，或者组织上是同伙，或是思想上是同盟，结果孙恩的势力遂多年无法平定。吃了败仗，就往海上一逃；积蓄力量，看好时机就卷土重来再闹上一场。袁俊德《历史纲鉴补》说：“奸民左道惑众，在政治清明之时，不过为射利之媒，其技易穷，亦易败露；若乱世，则直用号召倡乱矣。”王夫之《读通鉴论》曰：“王凝之奉天师道，请鬼兵御贼而死于孙恩；殷仲堪奉天师道，不吝财贿以请祷而死于桓玄；段业信卜筮巫觋，而死于沮渠蒙逊。鬼者，死之徒也，与鬼为徒，而早近于死，况以封疆人民倚于恍惚无实之妖邪，而贻国以亡，陷民于死，若是者见绝于天，未有不丧其身首者也。段业，窃也；仲堪，叛也；天夺其魄，以迷于鬼，而死也固宜；王凝之清族雅士，分符治郡，以此戕身而误国，不亦愚乎？凝之之奉妖也，曰'其世奉也'，则王羲之不能辞其咎矣。"

令人感到惊奇的是这时候冒出了一位奇女子："甲寅，恩陷会稽，凝之出走，恩执而杀之，并其诸子。凝之妻谢道蕴，奕之女也，闻寇至，举措自若，命婢肩舆，抽刀出门，手杀数人，乃被执。"谢道蕴是谢安的侄女，年少时谢安问他们如何形容下雪，有人说"撒盐空中差可拟"，谢道蕴说："未若柳絮因风起。"过去只是惊叹这位少女的观察事物之细与她回答谢安的用语之巧，现在才知道这位少女长大后还有如此勇武激昂的表现。一位贵族女子在与强人拼命时还要保持自己的高贵身份，她是坐在婢女抬着的软轿上与敌人格斗而"手杀数人"的。如果她要是抛开礼教束缚，身轻如燕地与敌人步战，那将是一位何等动人的英雄侠女！可惜千多年来的说书唱戏竟没有人搬演过，真叫人遗憾。

第三，孙恩煽动百姓作乱之所以连年累月不能平息，并不是孙恩的势力有多么厉害，乃是由于晋朝的军队太腐败，兵匪一家，兵匪根本没有区别。《通鉴》写当刘牢之、刘敬宣受命讨孙恩，向孙恩发起进攻时，"恩闻之，曰：'孤不羞走。'遂驱男女二十余万口东走，多弃宝物、子女于道，官军竞取之，恩由是得脱，复逃入海岛"。又说："东土遭乱，企望官军之至，既而牢之等纵军士暴掠，士民失望，郡县城中无复人迹，月余乃稍有还者。"袁俊德《历史纲鉴补》曰："官军竞取宝物、子女，致蛾贼乘间远飏，敬宣驭下无纪，固无可辞。"

第四，关于刘裕的出身亮相。刘裕是东晋末期的名将，是立有丰功伟绩的奇才，从本卷开始，在以后的九卷里每卷都要写到他。在这里我们只说说他这个惊人的亮相。刘裕是刘牢之部下的一个小参谋，其惊天动地的大事业就从跟着刘牢之讨伐孙恩开始："彭城刘裕……勇健有大志，仅识文字，以卖履为业，好樗蒱，为乡闾所贱。刘牢之击孙恩，引裕参军事，使将数十人觇贼。遇贼数千人，即迎击之，从者皆死，裕坠岸下。贼临岸欲下，裕奋长刀仰斫杀数人，乃得登岸，仍大呼逐之，贼皆走，裕所杀伤甚众。刘敬宣怪裕久不返，引兵寻之，见裕独驱数千人，咸共叹息。因进击贼，大破之，斩获千余人。"袁俊德《历史纲鉴补》对此提出疑问说："裕濒危奋勇，只身追贼，多所杀伤……然所云'一人驱数千人'，亦失之夸矣。"他不相信这一个人能追着数千人跑的事实。淝水之战时，八公山上原本一个人没有，单凭风声鹤唳，不也曾吓得苻坚的军队四散奔逃吗？

卷第一百一十二　晋纪三十四

起重光赤奋若（辛丑，公元四〇一年），尽玄黓摄提格（壬寅，公元四〇二年），凡二年。

【题解】

本卷写晋安帝隆安五年（公元四〇一年）、元兴元年（公元四〇二年）共两年间的东晋与各国的大事。主要写了东晋之流寇孙恩又多次出海登陆，抢掠沿海城市，甚者攻丹徒、广陵，京师震动，均被刘牢之、刘裕等击破之。孙恩又寇临海，被官军打败，孙恩投海而死，孙恩妹夫卢循被推为首领，桓玄为收买卢循任以为永嘉太守，循虽受命，仍寇掠不已，桓玄命刘裕击败之。写了晋之桓玄据有晋地三分之二，写信向司马元显示威，东晋朝廷任司马元显为统帅，以刘牢之为前锋都督讨伐桓玄，桓玄闻讯率兵东下，司马元显张皇无主，刘牢之军于溧洲；桓玄派人对刘牢之策反，刘牢之遂派其子敬宣诣桓玄请降；桓玄入建康，朝廷军皆溃，皇帝慰问桓玄，桓玄遂总揽朝政；桓玄捕杀司马元显，流放司马道子，并于路上鸩杀之；接着桓玄罢了刘牢之的兵权，刘牢之又欲起兵讨桓玄，但部下无人跟从；刘牢之在众叛亲离率部北走的途中自杀，其子、婿等人分别逃入南燕与

【原文】

安皇帝丁

隆安五年（辛丑，公元四〇一年）

春，正月，武威王利鹿孤欲称帝，群臣皆劝①之。安国将军鍮勿仑②曰："吾国自上世以来，被发左衽③，无冠带之饰，逐水草④迁徙，无城郭室庐，故能雄视沙漠⑤，抗衡中夏⑥。今举大号⑦，诚顺民心。然建都立邑⑧，难以避患⑨；储蓄仓库，启敌人心⑩。不如处晋民于城郭⑪，劝课农桑⑫以供资储⑬，帅国人⑭以习战射。邻国弱则乘⑮之，强则避之，此久长之良策也。且虚名无实⑯，徒足为世之质的⑰，将安用之？"

姚氏之后秦；桓玄执政后，众心开始欣然，后因奢豪纵逸，政令无常，众心失望，东晋地区困乏之极。写了秦将姚硕德渡西河攻凉，破凉将吕超、吕邈，围吕隆于姑臧，西凉之李暠、南凉之秃发利鹿孤、北凉之沮渠蒙逊等皆向秦奉表称臣，而姚硕德军令严整，秋毫无犯，西土悦之。写了魏国与秦国的关系恶化，秦主姚兴与魏主拓跋珪大战于汾水，姚兴大败，时因柔然侵魏，魏军始撤。写了柔然民族的社仑部落强大于北方，社仑自号豆代可汗。写了凉王吕纂被其部下所杀，吕隆自立为天王；北凉主段业被其部将沮渠蒙逊所杀，蒙逊自立为凉州牧、张掖公；南凉的秃发利鹿孤死，秃发傉檀继其位，迁于乐都，自称凉王。写了南凉的秃发傉檀与北凉的沮渠蒙逊不断进攻姑臧的吕氏政权，以及燕主慕容盛务峻威刑，多所猜忌，被部将段玑所杀，慕容盛之叔慕容熙乘机为帝等。

【语译】

安皇帝丁

隆安五年（辛丑，公元四〇一年）

春季，正月，南凉武威王秃发利鹿孤想要称帝，文武百官全都一致赞成。担任安国将军的鍮勿仑说：“我们国家自从上个世纪以来，一直披散着头发，穿着左边开襟的衣服，头上从来没有戴过帽子、腰间没有系过腰带等饰物，随着水草的有无而四处迁移，没有城郭、没有房舍，所以才能在沙漠中称雄，不把其他民族放在眼里，与中原地区的政权相抗衡。现在如果要称皇帝，确实是顺应民心。然而称帝之后就要建立都城以及大小城镇，改变我们原来的游牧生活而定居，一旦遇到其他民族的攻击就很难躲避逃走；而且府库中的物资储备，很容易引发敌人攻夺的野心。不如把汉人安置在城郭之中，鼓励、督促他们好好地从事种田养蚕，按照标准缴纳赋税，为我们提供各种所需的物资，而我们本部落、本民族的人则练习骑马射箭。一旦邻国势力衰弱，我们就趁机吞并他，如果邻国强大起来，我们就躲开他，迁徙到遥远的地方去，这才是使国家长治久安的好办法。而且称帝只是一个虚名，并没有实际的利益，只会成为其他部族切肉的案板和射箭的靶子，有什么用呢？”

利鹿孤曰："安国[18]之言是也。"乃更称河西王[19]，以广武公傉檀为都督中外诸军事、凉州牧、录尚书事。

二月丙子[20]，孙恩出浃口[21]，攻句章[22]，不能拔。刘牢之击之，恩复走入海。

秦王兴使乞伏乾归还镇苑川[23]，尽以其故部众[24]配之。

凉王纂嗜酒好猎，太常[25]杨颖谏曰："陛下应天受命[26]，当以道守之。今疆宇日蹙[27]，崎岖二岭之间[28]，陛下不兢兢夕惕[29]以恢弘先业，而沈湎游畋[30]，不以国家为事，臣窃危之。"纂逊辞谢之，然犹不悛[31]。

番禾太守吕超[32]擅击鲜卑思盘[33]，思盘遣其弟乞珍诉于纂，纂命超及思盘皆入朝。超惧，至姑臧，深自结于殿中监[34]杜尚。纂见超，责之曰："卿恃兄弟桓桓[35]，乃敢欺吾。要当斩卿，天下乃定！"超顿首谢。纂本以恐愒[36]超，实无意杀之。因引超、思盘及群臣同宴于内殿。超兄中领军隆[37]数劝纂酒，纂醉，乘步挽车[38]，将超等游禁中。至琨华堂东阁[39]，车不得过，纂亲将[40]窦川、骆腾倚剑于壁，推车过阁。超取剑击纂，纂下车禽超，超刺纂洞胸。川、腾与超格战，超杀之。纂后杨氏[41]命禁兵讨超，杜尚止之[42]，皆舍仗不战。将军魏益多入，取纂首，杨氏曰："人已死，如土石，无所复知，何忍复残其形骸乎？"益多骂之，遂取纂首以徇[43]，曰："纂违先帝之命，杀太子[44]而自立，荒淫暴虐。番禾太守超顺人心而除之，以安宗庙。凡我士庶，同兹休庆[45]！"

纂叔父巴西公佗[46]、弟陇西公纬[47]皆在北城。或说纬曰："超为逆乱，公以介弟[48]之亲，仗大义而讨之。姜纪、焦辨在南城，杨桓、田诚在东苑，皆吾党也，何患不济？"纬严兵[49]欲与佗共击超。佗妻梁氏止之曰："纬、超俱兄弟之子，何为舍超助纬，自为祸首[50]乎？"

武威王秃发利鹿孤说：“安国将军说的话是对的。”于是改称河西王，任命广武公秃发傉檀为都督中外诸军事、凉州牧、录尚书事。

二月初一日丙子，东晋乱民首领孙恩从浃口出发，进攻句章，攻打不下。刘牢之率军攻击孙恩，孙恩兵败后又逃回海岛。

后秦王姚兴派乞伏乾归返回自己的故都苑川镇守，并把乞伏乾归的部下全部配备给他。

后凉王吕纂嗜好饮酒和打猎，担任太常的杨颖劝谏他说：“陛下顺天承命，坐上国王的宝座，就应该遵循正道来守卫国家。如今国家的疆土日益缩小，艰难地据守着洪池岭和山丹岭之间的狭小地带，陛下不兢兢业业、勤奋不息地发愤图强，以恢复祖先的大业，反而沉湎于嬉戏和游猎，不考虑国家大事，我很为陛下感到危险。”吕纂向他谦恭地道歉，然而却始终不改。

后凉担任番禾太守的吕超擅自率军袭击鲜卑部落首领思盘，思盘派自己的弟弟乞珍向后凉天王吕纂控告吕超，吕纂令吕超和思盘全都返回姑臧。吕超心中害怕，于是到了姑臧之后，便极力巴结、拉拢担任殿中监的杜尚。吕纂看见吕超之后，就责备吕超说：“你仗着你们兄弟都是威风凛凛的名将，竟敢欺负到我的头上。我只有杀死你，天下才会安定！”吕超趴在地上不停地磕头认罪。吕纂本来是想吓唬吓唬吕超，其实并没有要杀他的意思。因此，便拉着吕超、思盘以及群臣到内殿共同饮宴。吕超的哥哥、担任中领军的吕隆屡次劝吕纂饮酒，吕纂遂喝得大醉，随后便坐上人力车辇，带着吕超等在皇宫中游览。他们来到琨华堂的东门，因为吕纂的车辇不能通过，吕纂的亲兵头领窦川和骆腾便将身上的佩剑倚靠在墙壁上，在后面帮助推车，穿过东阁。吕超趁机取剑在手，径直向吕纂刺去，吕纂跳下车来擒拿吕超，吕超用剑刺穿了吕纂的胸部。窦川、骆腾与吕超格斗，都被吕超杀死。吕纂的王后杨氏命令宫中的禁卫军攻击吕超，被殿中监杜尚阻止，于是，禁卫军全都放下手中的兵器，拒绝参战。将军魏益多从外面进来，他砍下吕纂的人头，杨后说：“人已经死了，就如同土石一样，什么也不知道，你怎么还忍心残毁他的形骸呢？”魏益多把杨后诟骂了一通，便提着吕纂的首级到宫外巡行示众说：“吕纂违背先帝的遗命，杀死太子吕绍，自立为天王，而且荒淫残暴，虐害生灵。番禾太守吕超顺应民心将吕纂除掉，为的是安定皇家的宗庙社稷。我国不论朝中大臣还是民间百姓都应该共同享受这种幸福，共同欢呼这种吉庆！”

后凉天王吕纂的叔父巴西公吕佗、弟弟陇西公吕纬都在姑臧北城。有人劝说陇西公吕纬说：“吕超叛逆谋乱，你乃是天王的大弟弟，应该高举义旗讨伐吕超。尚书姜纪、焦辨在南城，杨桓、田诚在东苑，他们都是我们的同党，何必担心不会成功？”吕纬于是调集军队进入战备状态，准备与叔父吕佗一同攻击吕超。吕佗的妻子梁氏阻止吕佗说：“吕纬、吕超都是你的侄子，何必要舍弃吕超而帮助吕纬，使自己

佗乃谓纬曰："超举事已成，据武库，拥精兵，图之甚难。且吾老矣，无能为也。"超弟邈有宠于纬，说纬曰："纂贼杀[51]兄弟，隆、超顺人心而讨之，正欲尊立明公[52]耳。方今明公先帝之长子[53]，当主社稷，人无异望，夫复何疑？"纬信之，乃与隆、超结盟，单马入城。超执而杀之。让位与隆，隆有难色[54]。超曰："今如乘龙上天，岂可中下[55]？"隆遂即天王位，大赦，改元神鼎[56]。尊母卫氏为太后；妻杨氏为后；以超为都督中外诸军事、辅国大将军、录尚书事，封安定公；谥纂曰灵帝[57]。

纂后杨氏将出宫，超恐其挟珍宝，命索之。杨氏曰："尔兄弟不义，手刃相屠。我旦夕死人[58]，安用宝为[59]？"超又问玉玺所在，杨氏曰："已毁之矣。"后有美色，超将纳之[60]，谓其父右仆射桓曰："后若自杀，祸及卿宗！"桓以告杨氏。杨氏曰："大人卖女与氐[61]以图富贵，一之谓甚，其可再乎[62]？"遂自杀，谥曰穆后。桓奔河西王利鹿孤，利鹿孤以为左司马。

三月，孙恩北趣海盐[63]，刘裕随而拒之，筑城于海盐故治[64]。恩日来攻城，裕屡击破之，斩其将姚盛。城中兵少不敌，裕夜偃旗匿众，明晨开门，使羸疾[65]数人登城。贼遥问刘裕所在，曰："夜已走矣。"贼信之，争入城。裕奋击，大破之。恩知城不可拔，乃进向沪渎[66]，裕复弃城追之。

海盐令鲍陋遣子嗣之帅吴兵[67]一千，请为前驱[68]。裕曰："贼兵甚精，吴人不习战，若前驱失利，必败我军[69]，可在后为声势。"嗣之不从。裕乃多伏旗鼓。前驱既交[70]，诸伏皆出。裕举旗鸣鼓，贼以为四面有军，乃退。嗣之追之，战没。裕且战且退，所领死伤且尽，至向战处[71]，令左右脱取死人衣以示闲暇。贼疑之，不敢逼。裕大呼更战，贼

成为罪魁祸首呢?”吕佗于是拒绝吕纬说:“吕超起事已经成功，他现在占据着武器库，手下拥有精兵，想除掉他很困难。再说我已经老了，干不了什么大事了。”吕超的弟弟吕邈很受吕纬的宠爱，吕邈遂劝说吕纬:“吕纂杀害了自己的亲兄弟吕绍和吕弘，吕隆和吕超是为了顺应民心才讨伐吕纂，他们正准备拥戴您来继承王位。如今您就是先帝的长子，应该让您来主持社稷，人家没有别的想法，您何必怀疑呢?”吕纬听信了吕邈的话，便与吕隆、吕超结盟，然后单枪匹马进入姑臧城。吕超抓住了吕纬，将吕纬杀死。吕超把王位让给哥哥吕隆，吕隆害怕舆论的指责，所以不太想当这个天王。吕超说:“如今就等于骑龙上天，半路途中岂能下来?”吕隆于是即位为天王，实行大赦，改年号为神鼎。尊奉自己的母亲卫氏为王太后；册封妻子杨氏为王后；任命吕超为都督中外诸军事、辅国大将军、录尚书事，封为安定公；给吕纂的谥号是“灵帝”。

已故后凉天王吕纂的王后杨氏准备离开王宫，吕超恐怕杨氏携带着珍宝出宫，便命人搜查杨氏。杨氏说:“你们兄弟很不讲义气，亲手拿着刀子互相残杀。我是一个早晚就要死的人了，要珍宝有什么用?”吕超又向杨氏询问皇帝玉玺在什么地方，杨氏回答说:“已经毁掉了。”杨氏长得很美，吕超想收她为姬妾，便去对杨氏的父亲、担任右仆射的杨桓说:“杨后如果自杀，一定会连累你们全家!”杨桓将吕超的话告诉了杨氏。杨氏说:“父亲当初把女儿卖给氐族人吕纂，以求得自己的荣华富贵，卖一次就已经过分，难道还可以再卖第二次吗?”说完便自杀了，给她的谥号是穆后。杨桓逃奔河西王秃发利鹿孤，秃发利鹿孤任命杨桓为左司马。

三月，东晋乱民首领孙恩率领部众向北进攻海盐县，担任参军的刘裕尾随其后进行攻击，并在海盐县的旧县城加固城墙。孙恩每天都率众前来攻城，却每次都被刘裕击败，刘裕还斩杀了孙恩的部将姚盛。海盐城中兵力很少，与孙恩的部众相差悬殊，刘裕便在夜间把城上的旗帜收起来，令精锐部队埋伏好，第二天黎明时分打开城门，让几名老弱病残登上城楼。乱民站在距离城楼很远的地方向守城的老弱残兵打听刘裕在什么地方，这些老弱病残回答说:“已经在夜间逃走了。”乱民真的相信了他们的话，于是争相涌入城内。刘裕出动伏兵奋起攻击，将乱民打得大败。孙恩知道海盐城很难攻克，于是转向沪渎，刘裕丢下海盐城继续追击孙恩。

东晋担任海盐县令的鲍陋派自己的儿子鲍嗣之率领着一千名吴地的士兵，请求为刘裕充当先锋。刘裕说:“贼寇的军队十分精锐，吴地人不习惯作战，如果前锋失败，必然导致我军的全线失利，你可以在后面为我军制造声势。”鲍嗣之不听从命令。刘裕只好多埋伏下军旗和战鼓。前面的鲍嗣之已经和孙恩的军队接战，孙恩的埋伏全部冲杀过来。刘裕举起军旗，战鼓齐鸣，贼寇以为四面八方都有官军，于是退走。鲍嗣之还紧追不舍，遂战死。刘裕一面与孙恩作战一面退却，他所率领的军队连死带伤，几乎拼光了，他们撤退到刚才打伏击的地方，刘裕下令让身边的人剥取死人身上的衣服，让贼军以为官军从容不迫。贼寇怀疑刘裕又有什么阴谋诡计，所以不敢向前逼近。刘裕突然大声呐喊，再次向贼寇发起攻击，贼寇被刘裕的声势

惧而退，裕乃引归。

河西王利鹿孤伐凉，与凉王隆战，大破之，徙二千余户而归。

夏，四月辛卯[72]，魏人罢邺行台[73]，以所统六郡[74]置相州[75]，以庾岳为刺史。

乞伏乾归至苑川，以边芮为长史，王松寿为司马，公卿、将帅皆降为僚佐、偏裨[76]。

北凉王业惮沮渠蒙逊勇略，欲远之。蒙逊亦深自晦匿[77]。业以门下侍郎马权代蒙逊为张掖太守。权素豪隽[78]，为业所亲重，常轻侮蒙逊。蒙逊谮[79]之于业曰："天下不足虑，惟当忧马权耳。"业遂杀权。

蒙逊谓沮渠男成曰："段公无鉴断[80]之才，非拨乱之主。向所惮者[81]惟索嗣、马权，今皆已死[82]。蒙逊欲除之以奉兄[83]，何如?"男成曰："业本孤客，为吾家所立，恃吾兄弟，犹鱼之有水。夫[84]人亲信我而图之，不祥。"蒙逊乃求为西安[85]太守。业喜其出外，许之。

蒙逊与男成约同祭兰门山[86]，而阴使司马许咸告业曰："男成欲以取假[87]日为乱。若求祭兰门山，臣言验矣。"至期，果然。业收男成，赐死。男成曰："蒙逊先与臣谋反，臣以兄弟之故，隐而不言。今以臣在，恐部众不从，故约臣祭山，而反诬臣，其意欲王之杀臣也。乞诈言臣死，暴臣罪恶[88]，蒙逊必反。臣然后奉王命而讨之，无不克矣。"业不听，杀之。蒙逊泣告众曰："男成忠于段王，而段王无故枉杀[89]之，诸君能为报仇乎?且始者共立段王，欲以安众耳。今州土纷乱，非段王所能济[90]也。"男成素得众心，众皆愤泣争奋，比至氐池[91]，众逾一万。

吓倒，于是退去，刘裕这才率军而回。

南凉河西王秃发利鹿孤率军讨伐后凉，与后凉王吕隆交战，南凉军大败后凉军，强行迁移了二千多户居民而后返回。

夏季，四月十七日辛卯，北魏撤销了设在邺城的行台，把邺城所辖的魏郡、阳平、广平、汲郡、顿丘、清河六个郡设置为相州，任命庾岳为相州刺史。

乞伏乾归返回自己的故都苑川，他任命边芮为长史，任命王松寿为司马，原来西秦时期的公卿、将帅全都按照“河州刺史”的规模降级为刺史的僚佐和低级将领。

北凉王段业忌惮担任张掖太守的沮渠蒙逊的勇猛善战和足智多谋，就想把他打发到遥远的地方去。而沮渠蒙逊深知自己的处境，也极力隐藏自己，韬光养晦，不显示自己的才能和实力。段业于是任命担任门下侍郎的马权代替沮渠蒙逊担任张掖太守。马权出身于豪门大族，也很有才能，所以深得段业的信任和敬重，他常常轻慢和侮辱沮渠蒙逊。沮渠蒙逊于是在段业面前说马权的坏话，沮渠蒙逊说：“天下所有的事情都不值得忧虑，只是应当小心马权。”段业遂杀死了马权。

沮渠蒙逊对自己的哥哥、担任辅国将军的沮渠男成说：“段业没有敏锐的眼光，遇事又缺乏决断，不是一个能够拨乱反正的君主之才，以前我们所惧怕的只有索嗣和马权，如今这两个人都死了。我想除掉段业，拥戴哥哥为君主，你觉得如何？”沮渠男成说：“段业原本是一个孤独客居的外乡人，是我们沮渠家拥戴他坐上国王的宝座，他依靠我们兄弟，就如同鱼依靠水一样。他这样地亲近我们、信任我们，而我们却准备把他除掉，这是不吉祥的。”沮渠蒙逊于是请求担任西安郡太守。北凉王段业简直是喜出望外，立即批准。

北凉西安太守沮渠蒙逊与自己的哥哥沮渠男成约好一同前往兰门山祭祀，却暗中派担任司马的许咸告诉北凉王段业说：“辅国将军沮渠男成准备在假日里发动政变。如果他向陛下请求去祭祀兰门山，我的话就应验了。”到了该休假的日子，沮渠男成果然向段业请求去祭祀兰门山。段业于是将沮渠男成逮捕起来，令他自杀。沮渠男成说：“沮渠蒙逊先前曾经和我商议一同谋反，我因为沮渠蒙逊是我的弟弟，所以我把事情隐瞒下来没有举报。现在他因为有我的存在，担心部众不会听从他，所以约我一同去祭祀兰门山，他却反过来诬陷我要谋反，他的用意就是让大王杀死我。请大王诈称已经将我杀死，把我的罪行公布于众，沮渠蒙逊必定谋反。到那时我再尊奉大王的命令去讨伐他，没有不成功的道理。”段业没有相信沮渠男成，将沮渠男成杀死。沮渠蒙逊在西安一边哭泣一边向众人诉说：“我哥哥沮渠男成效忠于段王，却被段王无缘无故地屈杀，诸位能不能为我的哥哥报仇？再说开始共同拥立段业为王，本来是为了安定民心。如今凉州境内遍地烽火，证明段王没有能力治理好凉州。”沮渠男成一向深受众人的爱戴，众人对段王杀死沮渠男成都非常愤恨，为沮渠男成的死感到悲痛，于是争相向都城张掖进发，等到达氐池的时候已经聚集起了一万多人。

镇军将军臧莫孩率所部降之，羌、胡多起兵应蒙逊者。蒙逊进逼[1]侯坞[92]。

业先疑右将军田昂，囚之。至是召昂，谢而赦之，使与武卫将军梁中庸共讨蒙逊。别将[93]王丰孙言于业曰："西平诸田[94]，世有反者。昂貌恭而心险，不可信也。"业曰："吾疑之久矣，但非昂无可以讨蒙逊者。"昂至侯坞，率骑五百降于蒙逊，业军遂溃，中庸亦诣蒙逊降。

五月，蒙逊至张掖，田昂兄子承爱斩关内之[95]，业左右皆散。蒙逊至，业谓蒙逊曰："孤孑然一己[96]，为君家所推，愿丐[97]余命，使得东还[98]与妻子相见。"蒙逊斩之[99]。

业，儒素长者[100]，无他权略[101]，威禁不行[102]，群下擅命[103]。尤信卜筮巫觋[104]，故至于败。

沮渠男成之弟富占、将军俱傫帅户五百降于河西王利鹿孤。傫，石子[105]之子也。

孙恩陷沪渎，杀吴国内史袁崧[106]，死者四千人。

凉王隆多杀豪望[107]以立威名，内外嚣然，人不自保。魏安[108]人焦朗遣使说秦陇西公硕德曰："吕氏自武皇[109]弃世，兄弟相攻，政纲不立，竞为威虐，百姓饥馑，死者过半。今乘其篡夺之际，取之易于返掌[110]，不可失也。"硕德言于秦王兴，帅步骑六万伐凉，乞伏乾归帅骑七千从之。

六月甲戌[111]，孙恩浮海奄至丹徒[112]，战士十余万，楼船千余艘，建康震骇。乙亥[113]，内外戒严，百官入居省内[114]。冠军将军高素等守石头[115]，辅国将军刘袭栅断淮口[116]，丹阳尹司马恢之[117]戍南岸[118]，冠军将军桓谦[119]等备白石[120]，左卫将军王嘏[121]等屯中堂[122]，征豫州刺史谯王尚

担任镇军将军的臧莫孩率领自己的部众投降了西安太守沮渠蒙逊，那些羌族人、匈奴人也有很多人起来响应沮渠蒙逊。沮渠蒙逊率领众人逼近了张掖城东的侯坞。

北凉王段业早先怀疑担任右将军的田昂对自己不忠，便把田昂囚禁起来。到这时候，他召见田昂，向田昂道歉，把田昂从监狱中释放出来，然后令田昂与担任武卫将军的梁中庸共同率军讨伐沮渠蒙逊。另一支部队的将领王丰孙提醒凉王段业说："西平郡那些姓田的人，历来都有人谋反。田昂虽然外表很恭敬谨慎，然而却心地阴险，不能相信他。"段业说："我怀疑他已经很久了，但除去田昂以外，再也没有可以讨伐沮渠蒙逊的人了。"田昂率军抵达侯坞之后，便率领五百名骑兵投降了沮渠蒙逊，段业的朝廷军于是溃散，武卫将军梁中庸也到沮渠蒙逊的军前投降。

五月，北凉西安太守沮渠蒙逊率领手下部众抵达都城张掖，田昂的侄子田承爱砍开城门上的锁，放沮渠蒙逊等入城，凉王段业的左右侍卫全都逃散。沮渠蒙逊来到段业的面前，段业对沮渠蒙逊说："我孑然一身，被你们沮渠家推戴当了凉国国王，我请求你能赦免我，让我在有生之年回到东方的长安老家，与我的妻子儿女见上一面。"沮渠蒙逊没有放过段业，而是把他杀死了。

已故北凉王段业，原本是研习儒学的一个忠厚长者，不懂得什么权术谋略，没有权威，命令也没有人服从，属下群臣全都自作主张，谁想怎么干就怎么干。段业还特别迷信占卜、巫术，所以最终导致败亡。

已故北凉辅国将军沮渠男成的弟弟沮渠富占、将军沮渠俱傫率领五百户居民投降了南凉河西王秃发利鹿孤。沮渠俱傫是沮渠俱石子的儿子。

东晋乱民首领孙恩率领部众攻陷了沪渎，杀死了吴国内史袁崧，沪渎被杀死的有四千人。

后凉王吕隆杀死了许多有权势、有声望的人，想以此来树立自己的权威，于是朝廷内外议论纷纷，人人自危。魏安县人焦朗派使者前往后秦游说陇西公姚硕德说："后凉吕氏自从懿武皇帝吕光去世之后，兄弟之间互相攻杀，政令不行，法纪不立，一个比一个威风，一个比一个暴虐，百姓遭遇饥馑，饿死了一大半。如今趁着吕隆篡位之机攻取后凉，简直是易如反掌，这个机会可不应该错过。"陇西公姚硕德向后秦王姚兴禀报之后，便率领六万名步兵、骑兵讨伐后凉，乞伏乾归也率领七千名骑兵跟随姚硕德一同出征。

六月初一日甲戌，东晋乱民首领孙恩乘船渡海进入长江，突然袭击了丹徒，此时的孙恩，已经拥有十多万名战士，一千多艘战船，东晋京师建康为此感到十分惊恐。初二日乙亥，京城内外全部进入紧急状态，文武百官全都入住官署。担任冠军将军的高素等负责守卫石头城，担任辅国将军的刘袭在秦淮河入江口处拦河立栅，禁止船只往来，以阻挡孙恩船只攻入，担任丹阳尹的司马恢之戍守在秦淮河南岸，冠军将军桓谦等备战白石垒，担任左卫将军的王嘏等率军驻扎在中堂，朝廷又征召

之⑫³入卫京师。

刘牢之自山阴⑫⁴引兵邀击⑫⁵恩，未至而恩已过，乃使刘裕自海盐入援。裕兵不满千人，倍道兼行，与恩俱至丹徒。裕众既少，加以涉远疲劳，而丹徒守军莫有斗志。恩帅众鼓噪，登蒜山⑫⁶，居民皆荷担而立⑫⁷。裕帅所领奔击，大破之，投崖赴水死[2]者甚众，恩狼狈仅得还船。然恩犹恃其众，寻复整兵径向京师。后将军元显帅兵拒战，频不利。会稽王道子无他谋略，唯日祷蒋侯庙⑫⁸。恩来渐近，百姓恟惧。谯王尚之帅精锐驰至，径屯积弩堂⑫⁹。恩楼船高大，溯风⑬⁰不得疾行，数日乃至白石。恩本以诸军分散，欲掩⑬¹不备；既而知尚之在建康，复闻刘牢之已还至新洲⑬²，不敢进而去，浮海北走郁洲⑬³。恩别将攻陷广陵⑬⁴，杀三千人。宁朔将军高雅之⑬⁵击恩于郁洲，为恩所执。

桓玄厉兵⑬⁶训卒，常伺朝廷之隙。闻孙恩逼京师，建牙⑬⁷聚众，上疏请讨之⑬⁸。元显大惧。会恩退，元显以诏书止之，玄乃解严⑬⁹。

梁中庸等共推沮渠蒙逊为大都督、大将军、凉州牧、张掖公，赦其境内，改元永安⑭⁰。蒙逊署从兄伏奴为张掖太守、和平侯，弟挐为建忠将军、都谷侯，田昂为西郡⑭¹太守，臧莫孩为辅国将军，房晷、梁中庸为左、右长史，张骘、谢正礼为左、右司马。擢任贤才，文武咸悦。

河西王利鹿孤命群臣极言得失。西曹从事⑭²史暠曰："陛下命将出征，往无不捷。然不以绥宁⑭³为先，唯以徙民⑭⁴为务。民安土重迁⑭⁵，故多离叛，此所以斩将拔城而地不加广也。"利鹿孤善之。

担任豫州刺史的谯王司马尚之率军返回京师协同防守。

刘牢之从山阴率军出发，准备截击孙恩，等到刘牢之的军队赶到的时候，孙恩的军队已经过去，于是刘牢之便派参军刘裕从海盐率军入援京师。刘裕的军队还不到一千人，他们倍道兼程，几乎与孙恩的军队同时抵达丹徒。刘裕的军队人数本来就少，再加上长途的奔波跋涉，军队已经疲惫不堪，而住在丹徒的守军又没有一点斗志。孙恩率领部众击鼓呐喊，登上了蒜山，当地的居民全都挑着担子站在一边。刘裕率领自己的一千人马杀向孙恩的军队，将孙恩军打得大败，投身悬崖、跳入水中赴死的人很多，孙恩狼狈不堪地逃回自己的战船。然而，孙恩仰仗自己人多势众，不久之后，又整顿兵马径直进攻京师。担任后将军的司马元显率军抵抗孙恩的进攻，却屡次作战失利。会稽王司马道子想不出一点其他对付孙恩的办法，只会每天到蒋侯庙烧香祈祷。孙恩的军队越来越逼近京师，京城的百姓惶恐不安。担任豫州刺史的谯王司马尚之率领精锐部队飞快抵达，径直进驻积弩堂。孙恩的楼式战船因为过于高大，在逆风的情况下不能很快行驶，所以在几天之后才抵达白石垒。孙恩本来以为朝廷的军队分散在各地，不能很快集中，所以准备采取突然袭击；到了白石垒之后，得知豫州刺史司马尚之已经率军进驻京师，又接到报告说刘牢之率军返回，已经到了新洲，因此不敢继续前进，他率军东走，由海路北上，进攻郁洲。孙恩的另一将领率军攻陷了广陵，杀死了三千人。担任宁朔将军的高雅之在郁洲攻击孙恩，兵败后被孙恩俘虏。

桓玄磨砺兵器，训练士卒，密切关注朝廷的变化，寻找有利时机。他听说乱民首领孙恩已经率大军逼近京师，于是便集合军队，竖起牙旗，上疏给朝廷，请求出兵讨伐孙恩。司马元显非常恐惧。恰好此时孙恩已经退去，司马元显便以皇帝的名义下了一道诏书阻止，桓玄才解除战备状态。

北凉担任武卫将军的梁中庸等共同推举沮渠蒙逊为大都督、大将军、凉州牧、张掖公，沮渠蒙逊在凉州境内实行大赦，改年号为永安。沮渠蒙逊签署命令，任命自己的堂兄沮渠伏奴为张掖太守、和平侯，任命自己的弟弟沮渠挐为建忠将军、都谷侯，任命田昂为西郡太守，任命臧莫孩为辅国将军，任命房晷为左长史、梁中庸为右长史，任命张骘为左司马、谢正礼为右司马。沮渠蒙逊选拔任用贤能，文武官员全都欢欣鼓舞。

南凉河西王秃发利鹿孤下令群臣指摘朝政的得失，务必做到知无不言，言无不尽。担任西曹从事的史暠说："陛下每次派将领率军出征，从来都是无往而不胜。然而却没有把安抚民心、使之安居乐业放在首要位置，而只是一味地强迫百姓搬迁。百姓都希望在故乡过安居的生活，他们把迁徙看作是非常艰难的事情，所以很多人或逃离，或叛变，这就是虽然能够取得斩将拔城的胜利，而国土并没有因此扩大的原因。"秃发利鹿孤认为史暠说得很对。

【段旨】

以上为第一段，写晋安帝隆安五年（公元四〇一年）上半年的大事。主要写了凉王吕纂好酒游畋，被其部下吕超、吕隆所杀，吕隆自为天王；南凉之秃发利鹿孤称河西王，攻凉王吕隆，大破之。写了东晋之流寇孙恩出浃口，攻句章，刘牢之击破之，孙恩复入海；孙恩复北攻海盐，又攻沪渎，杀吴国内史袁山松；又浮海攻丹徒、广陵，京师震动，被刘裕、刘牢之等大破之。写了北凉主段业以儒素长者，无他权略，被其部将沮渠蒙逊所杀，蒙逊自立为凉州牧、张掖公等。

【注释】

①劝：鼓励；赞成。②鍮勿仑：人名。③被发左衽：披散着头发，不梳头，不戴帽子，上衣的大襟向左开。当时用以指少数民族的习惯与服饰。④逐水草：随着水草的有无而不断迁徙。逐，随着。⑤雄视沙漠：在沙漠上无人能比。雄视，傲视、藐视。看不起其他别的民族。⑥抗衡中夏：与中原地区的政权不相上下。抗衡，是势均力敌的意思。⑦举大号：即指称帝。⑧建都立邑：建立都城并建立一系列的大小城镇，改变逐水草而居的帐篷生活，而定居某地。⑨难以避患：难以躲避其他民族的攻击。⑩启敌人心：容易招引敌人打我们的主意。启，引发。⑪处晋民于城郭：让汉族人住在城郭里。晋民，这里即指汉族人。⑫劝课农桑：督促他们好好地种地养蚕。劝课，鼓励并规定标准。⑬以供资储：以供应国家的各种需要。资储，积蓄，供应各种需要的物资。⑭国人：指秃发氏本民族、本部落的人。⑮乘：侵陵；攻击。⑯虚名无实：指称帝这种虚名，没有实际的好处。⑰为世之质的：成为其他部族攻击的对象。质，砧板，切肉切菜的板子。的，箭靶。⑱安国："安国将军"的简称，以官号称人，表示尊敬。⑲河西王：前称"武威王"，其志在称王一郡；今称"河西王"，则其志已在欲称王于今黄河以西的甘肃、青海的辽阔地域。⑳二月丙子：二月初一。㉑浃口：甬江的入海之口，在今浙江宁波东。㉒句章：县名，县治在今浙江宁波西。㉓苑川：城名，在今甘肃兰州东北。㉔故部众：原来的部下。姚兴将乞伏乾归的旧部下发回给他管辖，史文书此为其日后的复起张本。㉕太常：官名，九卿之一，主管朝廷的祭祀、礼乐等事。㉖应天受命：指即位称帝。㉗疆宇日蹙：国土一天比一天小。蹙，紧缩。㉘崎岖二岭之间：艰难地据守在两道山梁之间。崎岖，艰难地行走，这里即指据此地防守。二岭，指凉都姑臧（今甘肃武威）南面的洪池岭和西面的山丹岭。㉙兢兢夕惕：小心谨慎地发愤图强。《易经·乾卦》："君子终日乾乾，夕惕若厉。"意思是整天勤奋不息，直到天黑时还心怀忧惧，好像有什么灾难就要发生一样。㉚沈湎游畋：沉醉于嬉游与狩猎。㉛不悛：不改。悛，悔改。㉜番禾太守吕超：番禾是郡名，郡治在今甘肃永昌东南。吕超是吕纂的堂兄弟，吕宝之子。㉝擅击鲜卑思盘：私自攻击鲜卑族的一个部落首领，当时也属吕纂。㉞殿中

监：职同汉代的少府，负责宫廷内的总务与服务性工作。㉟兄弟桓桓：指吕超与其兄吕隆都是威风凛凛的名将。桓桓，威武的样子。㊱本以恐愒：本来是想用此话吓唬他一下。恐愒，同“恐吓”。㊲中领军隆：即吕隆。中领军是宫廷禁卫军的统帅。㊳步挽车：人拉的车子。㊴琨华堂东阁：琨华堂的东门。阁，宫中的门。㊵亲将：亲兵头领。㊶纂后杨氏：汉族人。事见《晋书·列女传》。㊷杜尚止之：胡三省曰，“超之结尚也，盖有密约”。㊸徇：巡行示众。㊹太子：指吕光的嫡子吕绍，吕纂之弟。㊺同兹休庆：犹言共同享受这种幸福，共同欢呼这种吉庆。休庆，幸福、吉庆。㊻巴西公佗：即吕佗，吕光之弟，吕纂之叔。㊼陇西公纬：即吕纬，吕纂之弟。㊽介弟：大弟弟。㊾严兵：调集军队，使军队进入战备状态。㊿祸首：第一个挑起变乱的人。51贼杀：残杀，指先后杀死亲兄弟吕绍、吕弘。52明公：对受话人的尊称，此指吕纬。53长子：在吕光现存的诸子中年岁最长。54有难色：意思是不想当这个国王，害怕舆论谴责。吕隆，字永基，吕宝之子，吕纂的堂兄弟。55中下：半路上下来。56改元神鼎：在此以前是吕纂的年号威宁（公元三九九至四〇〇年）。57灵帝：《谥法解》，“不勤成名曰灵”，“好祭鬼神曰灵”，“乱而不损曰灵”。58旦夕死人：犹言活不了几天的人。59安用宝为：还要珍宝做什么。60将纳之：想收之为姬妾。61卖女与氐：指当初令已嫁于吕纂。杨氏是汉族人，吕氏是氐族人。62一之谓甚二句：意思是嫁一回就已经够呛了，难道还要嫁第二回吗。原话出自《左传》僖公五年，是宫之奇提醒虞君要警惕晋国侵略的话。63北趣海盐：向北转攻海盐县。海盐县的县治在今浙江海盐东南。64海盐故治：海盐县的旧县城。65羸疾：瘦弱与患病的人。66沪渎：在今上海市青浦东北，到宋代已沦于江中。67吴兵：泛指今江苏东南部、浙江东北部及上海市一带的地方军队。68前驱：先锋；先头部队。69我军：刘裕的部队。刘裕上属刘牢之，刘牢之的军队被称为“北府兵”，是曾转战南北的劲旅。70交：与敌人接战。71向战处：刚才打伏击的地方。72四月辛卯：四月十七。73罢邺行台：撤销了在邺城设立的行台。魏在邺城建立行台是在隆安二年（公元三九八年），见本书卷一百一十。74所统六郡：邺城行台所管理的六个郡，指魏郡、阳平、广平、汲郡、顿丘、清河，即今河北、河南、山东三省交界的一片地区。75相州：州治在邺城，今河北临漳西南。76皆降为僚佐偏裨：由以前西秦朝廷的建制下降为今“河州刺史”的规模。如边芮前为尚书左仆射，王松寿为民部尚书，今则分别降为长史、司马。77晦匿：韬晦隐忍，不显示才能、实力。78豪隽：指出身于豪门大族，心高气傲。79谮：在尊长面前说人坏话。80鉴断：如今之所谓“英明果断”。鉴，眼光锐敏。断，果断。81向所惮者：以前我们所惧怕的。胡三省曰：“以余观之，索嗣、马权皆庸夫耳，恃依世资而使气，无能为也。”82今皆已死：索嗣被段业所杀，见本书上卷隆安四年。83奉兄：拥戴大哥你。奉，推举、拥戴。这里指尊之为王。84夫：发语词。“夫”也有“彼”的意思，彼人，犹今所谓“人家”。85西安：郡名，郡治在今甘肃张掖东南。86兰门山：在今甘肃山丹西南。87取假：休假。88暴臣罪恶：把我的罪行公布于众。暴，披露，这里即“宣布”。⑱ 枉杀：屈杀。⑲ 济：平定；治理好。⑳ 氐池：县名，县治在今甘肃民乐西北。㉑ 侯坞：具体方位不详。㉒ 别将：另一支部队的统领。㉓ 西平诸田：西平郡的田氏诸人，田昂即西平郡人。西平郡的郡治即今青海西宁。㉔ 斩关内之：砍开城门的锁，放蒙逊军进入。关，门闩及锁。㉕ 孑然一己：孤身一人。孑然，孤立的样子。㉖ 丐：乞求赐予；乞求放过。㉗ 东还：回东方的长安老家。段业是京兆（今陕西西安）人，故乞请“东还”。㉘ 蒙逊斩之：段业在位共四年（公元三九七至四〇一年）。⑩ 儒素长者：是一个念儒书的厚道人。⑩ 无他权略：没有别的权谋大略。⑩ 威禁不行：没有权威，说话没有人听。威禁，法令、命令。不行，行不通、没人服从。⑩ 群下擅命：手下的人谁想怎么干就怎么干。擅，专、不听指挥。⑩ 尤信卜筮巫觋：特别迷信算卦、跳神。巫觋，犹今之所谓“巫婆”“神汉”，以装神弄鬼为职业的女人叫巫，男人叫觋。⑩ 石子：俱石子，前秦苻坚、苻丕的将领，在与前燕慕容永作战中，兵败被杀。事见《晋书》卷一百一十五。⑩ 袁崧：应作“袁山松”。⑩ 豪望：有权势、有声望的人。⑩ 魏安：县名，县治在今甘肃武威东南。⑩ 武皇：指吕光。吕光死后谥曰“懿武皇帝”。⑩ 易于返掌：比喻事情容易做到。“返”，当作“反”。⑪ 六月甲戌：六月初一。⑪ 奄至丹徒：突然袭击丹徒县。奄，突然袭击。丹徒，县名，县治在今江苏镇江市东南。⑪ 乙亥：六月初二。⑪ 入居省内：都入住到各自的办公官署。省，指中书省、尚书省、御史台等中央机构。⑪ 石头：石头城，是当时建康城的重要屏障，旧址在今南京的清凉山麓。⑪ 栅断淮口：在秦淮河的入长江之口拦河立栅，阻断行船，以防孙恩之兵船进入。淮口，秦淮河的入长江之口，在今江苏南京的西北角。⑪ 丹阳尹司马恢之：丹阳尹是当时东晋国都建康所在郡的地方长官，其级别相当于郡太守，其治所也在建康城内。司马恢之是东晋宗室，司马懿之弟司马进的后代，曾多次辅佐朝廷与地方军阀作战。事见《晋书》卷三十七。⑪ 戍南岸：戍守在秦淮河的南岸。秦淮河自东南流来，经南京西侧北折，再经石

【原文】

秋，七月，魏兖州刺史长孙肥[146]将步骑二万南徇许昌[147]，东至彭城[148]，将军刘该降之。

秦陇西公硕德自金城济河[149]，直趣广武[150]，河西王利鹿孤摄[151]广武守军以避之。秦军至姑臧，凉王隆遣辅国大将军超、龙骧将军邈等逆战，硕德大破之，生禽邈，俘斩万计。隆婴城固守，巴西公佗[152]帅东

头城下汇入长江。⑲ 桓谦：东晋名臣桓彝的后代，为人昏庸软弱。传见《晋书》卷七十四。⑳ 白石：即白石垒，故址在今江苏南京金川门外。㉑ 王嘏：人名，时任左卫将军之职。左卫将军是宫廷禁兵的统帅，时高左右二人。㉒ 屯中堂：驻守在宰相办公的地方。㉓ 谯王尚之：即司马尚之，司马恢之之兄，继祖辈封爵为谯王，现驻兵历阳（今安徽和县）。传见《晋书》卷三十七。㉔ 山阴：县名，县治即今浙江绍兴。㉕ 邀击：拦击；从侧翼进行袭击。㉖ 蒜山：在今江苏镇江市西。㉗ 荷担而立：挑着担子站着，言其随时准备逃跑。㉘ 蒋侯庙：在今江苏南京东面的紫金山上。供奉的是东汉末年因讨“贼”而战死的秣陵尉蒋子文。因山有此庙，故亦称此紫金山为蒋山。㉙ 积弩堂：在当时的石头城内。㉚ 溯风：迎风；顶风。㉛ 掩：突然袭击。㉜ 新洲：江心洲名，在今江苏镇江市西的长江中，大概就是今天的珠金沙。㉝ 郁洲：在今江苏连云港市东，当时尚是一块与大陆不连的陆地。㉞ 广陵：郡名，郡治即今江苏扬州。㉟ 高雅之：刘牢之的女婿。㊱ 厉兵：磨刀。㊲ 建牙：竖起大旗。将军帐前的大旗名唤牙旗，行军时为前导。㊳ 请讨之：名曰请讨孙恩，实际上是想袭取国都建康。㊴ 解严：解除紧急状态。㊵ 改元永安：在此以前北凉是用段业的年号神玺（公元三九九至四〇〇年）。㊶ 西郡：郡治在今甘肃永昌西北。㊷ 西曹从事：从事，原是州刺史的属官，统指治中、别驾等高级僚属。㊸ 绥宁：安抚百姓，使之安居乐业。㊹ 徙民：强迫百姓搬迁，实即掠夺人口。㊺ 安土重迁：希望在故乡居住，不愿意搬家。

【校记】

［1］逼：据章钰校，甲十一行本、乙十一行本、孔天胤本皆作“壁”，张敦仁《通鉴刊本识误》同。［2］死：原无此字。据章钰校，甲十一行本、乙十一行本、孔天胤本皆有此字，张敦仁《通鉴刊本识误》同，今据补。

【语译】

秋季，七月，北魏担任兖州刺史的长孙肥率领二万名步、骑兵攻取地盘，向南到达东晋的许昌一带，向东挺进到彭城，东晋将军刘该投降了长孙肥。

后秦担任征西大将军的陇西公姚硕德率军讨伐后凉，他从金城渡过黄河，径直杀向广武，南凉河西王秃发利鹿孤赶紧令广武的守军撤离，以避开后秦的攻击。后秦军遂很快抵达后凉的都城姑臧，后凉王吕隆派担任都督中外诸军事、辅国大将军、录尚书事的安定公吕超和担任龙骧将军的吕邈等率军迎战后秦军，后秦陇西公姚硕德将吕超、吕邈所率领的后凉军打得大败，活捉了龙骧将军吕邈，俘虏、斩杀了数以万计的后凉军。后凉天王吕隆赶紧在姑臧城四周设防坚守，巴西公吕佗率领东苑

苑⑬之众二万五千降于秦。西凉公暠⑭、河西王利鹿孤、沮渠蒙逊各遣使奉表入贡于秦。

初，凉将姜纪⑮降于河西王利鹿孤，广武公傉檀与论兵略，甚爱重之，坐则连席⑯，出则同车，每谈论，以夜继昼。利鹿孤谓傉檀曰："姜纪信有美才⑰，然视候非常⑱，必不久留于此，不如杀之。纪若入秦，必为人患⑲。"傉檀曰："臣以布衣之交待纪⑳，纪必不相负也。"八月，纪将数十骑奔秦军㉑，说硕德曰："吕隆孤城无援，明公以大军临之，其势必请降；然彼徒文降而已㉒，未肯遂服也。请给纪步骑[3]三千，与王松怱㉓因焦朗、华纯㉔之众，伺其衅隙，隆不足取也。不然，今秃发在南，兵强国富，若兼姑臧而据之，威势益盛，沮渠蒙逊、李暠不能抗也，必将归之。如此，则为国家㉕之大敌矣。"硕德乃表纪为武威太守，配兵二千，屯据晏然㉖。

秦王兴闻杨桓㉗之贤而征㉘之，利鹿孤不敢留。

诏以刘裕为下邳㉙太守，讨孙恩于郁洲㉚，累战，大破之。恩由是衰弱，复缘海南走，裕亦随而邀击㉛之。

燕王盛惩㉜其父宝以懦弱失国，务峻威刑㉝，又自矜聪察㉞，多所猜忌，群臣有纤介之嫌㉟，皆先事诛之㊱。由是宗亲、勋旧，人不自保。丁亥㊲，左将军慕容国与殿上[4]将军㊳秦舆、段赞谋帅禁兵袭盛，事发，死者五百余人。壬辰㊴夜，前将军段玑与秦舆之子兴、段赞之子泰潜于禁中鼓噪大呼。盛闻变，帅左右出战，贼众逃溃。玑被创，匿厢屋间。俄㊵有一贼从阁中击盛，盛被伤，辇㊶升前殿，申约禁卫㊷，事定而卒㊸。

的二万五千名部众投降了后秦。西凉公李暠、南凉河西王秃发利鹿孤、张掖公沮渠蒙逊分别派使者带着表章前往后秦的都城长安，向后秦进献贡品。

当初，后凉担任尚书的姜纪投降了南凉西河王秃发利鹿孤，南凉广武公秃发傉檀与姜纪一起研讨兵家谋略，对姜纪非常喜爱和敬重，坐着的时候两人的座席挨在一起，出行的时候则同乘一辆车子，每次谈论起来，总是夜以继日，互相都有说不完的话。河西王秃发利鹿孤对秃发傉檀说："姜纪确实很有才华，但他看东西、观察事物的眼神与一般人不同，肯定不会长久地留在我们这个小地方，不如把他杀掉。姜纪要是进入秦国，肯定会给我们制造祸患。"秃发傉檀说："我以平民百姓之间的交情与他真心实意地交往，姜纪肯定不会辜负我们。"八月，姜纪带着数十名骑兵投奔了后秦军，姜纪游说后秦征西大将军、陇西公姚硕德说："后凉天王吕隆只剩一座孤立的姑臧城，外无援军，明公只要率大军逼近姑臧，向吕隆施加压力，吕隆肯定会向秦国请求投降；然而吕隆只是表面上投降，心里却很不服气。请拨给我三千名步、骑兵，让我与秦国将军王松忽一起利用后凉焦朗、华纯的部众，严密监视，寻找进攻的机会，活捉吕隆并不是什么难事。不然的话，如今秃发氏所建的南凉位居南方，他们兵强国富，如果姑臧被他们所占有，兵力将会更加强盛，沮渠氏的北凉、李暠的西凉无力与南凉抗衡，必将归附于南凉。那样一来，南凉将成为秦国最强大的对手。"姚硕德遂上表给后秦王姚兴，举荐姜纪担任了武威太守，拨给他两千名士卒，令他屯驻在晏然。

后秦王姚兴听说杨桓很贤德、有才干，便征召他到后秦的都城长安来，南凉河西王秃发利鹿孤不敢挽留，只得放杨桓前往长安。

东晋安皇帝司马德宗下诏任命担任参军的刘裕为下邳太守，命令他率军前往郁洲讨伐乱民首领孙恩，经过多次交战，终于大败孙恩。孙恩的势力从此逐渐衰弱，又沿着海岸向南逃走，刘裕也率军随后追击。

后燕庶人天王慕容盛总结了自己的父亲慕容宝因为过于懦弱而导致国破身亡的教训，因此一个劲地动用严刑峻法，以树立自己的绝对权威，又认为自己智商很高，明察秋毫，因此对很多人都心怀猜忌，群臣当中哪怕只有些微的可疑之处，就立即在没有犯罪事实之前把他们杀掉。于是无论皇室宗亲，还是有功勋的旧臣，人人自危。八月十五日丁亥，担任左将军的慕容国与担任殿上将军的秦舆、段赞密谋率领禁卫军袭击慕容盛，事情败露，被杀死了五百多人。二十日壬辰，担任前将军的段玑与秦舆的儿子秦兴、段赞的儿子段泰潜藏在皇宫之中，擂鼓呐喊、制造声势。慕容盛听到政变的消息，立即率领自己的亲信侍卫出战，制造混乱的人众四处逃散。段玑身受重伤，躲进厢房隐藏。不一会儿，有一个刺客从黑暗中突然杀出，袭击了慕容盛，慕容盛被刺受伤，他躺在辇上让人抬上前殿，申明约束，布置好警戒，等到事件平息之后，慕容盛才断了气。

中垒将军慕容拔、冗从仆射郭仲白太后丁氏[184]，以为国家多难，宜立长君。时众望在盛弟司徒、尚书令、平原公元[185]，而河间公熙[186]素得幸于丁氏。丁氏乃废太子定[187]，密迎熙入宫。明旦，群臣入朝，始知有变，因上表劝进于熙。熙以让元，元不敢当。癸巳[188]，熙即天王位，捕获段玑等，皆夷三族。甲午[189]，大赦。丙申[190]，平原公元以嫌[191]赐死。闰月辛酉[192]，葬盛于兴平陵，谥曰昭武皇帝，庙号中宗。丁氏送葬未还，中领军慕容提、步军校尉张佛等谋立故太子定，事觉，伏诛，定亦赐死。丙寅[193]，大赦，改元光始。

秦陇西公硕德围姑臧累月，东方之人[194]在城中者多谋外叛，魏益多[195]复诱扇之，欲杀凉王隆及安定公超，事发，坐死者三百余家。硕德抚纳夷、夏[196]，分置守宰[197]，节食聚粟，为持久之计。

凉之群臣请与秦连和[198]，隆不许。安定公超曰："今资储内竭，上下嗷嗷[199]，虽使张、陈[200]复生，亦无以为策。陛下当思权变屈伸[201]，何爱尺书、单使[202]为卑辞以退敌[203]？敌去之后，修德政以息民，若卜世未穷[204]，何忧旧业之不复？若天命去矣[205]，亦可以保全宗族[206]。不然，坐守困穷，终将何如?"隆乃从之。九月，遣使请降于秦。硕德表隆为镇西大将军、凉州刺史、建康公[207]。隆遣子弟及文武旧臣慕容筑[208]、杨颖[209]等五十余家入质于长安。硕德军令严整，秋毫不犯，祭先贤，礼名士，西土悦之。

沮渠蒙逊所部酒泉、凉宁[210]二郡叛降于西凉，又闻吕隆降秦，大惧，遣其弟建忠将军挐、牧府[211]长史张潜见硕德于姑臧[212]，请帅其众东

后燕担任中垒将军的慕容拔、担任冗从仆射的郭仲向皇太后丁氏禀报，他们认为，国家正是多灾多难之时，应该立年纪大些的人为君主。当时，众望所归全在慕容盛的弟弟、担任司徒和尚书令的平原公慕容元身上，而河间公慕容熙一向受到皇太后丁氏的宠爱。太后丁氏便废黜了慕容盛的太子慕容定，秘密地把慕容熙接进宫中。第二天，文武百官入朝的时候，才知道事情发生了变化，因此只得顺水推舟，上表给慕容熙，请他即位。慕容熙将皇位让给慕容元，慕容元不敢接受。八月二十一日癸巳，慕容熙即位为天王，下令搜捕段玑等，将段玑等全部夷灭三族。二十二日甲午，实行大赦。二十四日丙申，担任司徒、尚书令的平原公慕容元因为有谋反嫌疑，天王慕容熙下诏令他自杀。闰八月十九日辛酉，将庶人天王慕容盛安葬在兴平陵，谥号为昭武皇帝，庙号中宗。皇太后丁氏为慕容盛送葬还没有返回龙城皇宫，担任中领军的慕容提、担任步军校尉的张佛等密谋拥立故太子慕容定，事情发觉后，全部被杀，慕容定也被勒令自杀。二十四日丙寅，实行大赦，改年号为光始。

后秦担任征西大将军的陇西公姚硕德率军围攻后凉的都城姑臧，已经围攻了两个月，被围困在姑臧城中的很多中原人都想叛变外逃，将军魏益多又从中进行煽动，阴谋诛杀后凉天王吕隆以及安定公吕超，事情被发觉，光是受牵连而被杀死的就有三百多家。姚硕德安抚、招纳新占领区内的各少数民族和汉人，为新占领区的郡县分别派遣了郡守和县令，然后节省饮食，聚集粮食，准备长久包围姑臧城。

后凉群臣请求凉王吕隆向后秦投降，后凉王吕隆不同意。安定公吕超说：“现在姑臧城内的粮食储备已经全部枯竭，朝廷上下，人们饿得嗷嗷直叫，就是张良、陈平那样有智谋的人再活过来，也想不出什么好办法。陛下应当考虑一个临时制宜的办法，该屈则屈，该伸则伸，不能为了面子、为了气节而一味地硬扛，怎么就不能写一封书信，派一个使者，说一些服软的、好听的话，以换取敌人的退兵？敌人退走之后陛下再努力推行德政，令民众得到休息，如果我们国家的气数未尽，还不到灭亡的时候，何必发愁不能恢复往日的辉煌？如果上天不再保佑我们这个国家，国家只有灭亡一条路可走，也还可以保全宗族，不至于被人家杀个精光。否则的话，面对如此艰难困窘却又束手无策，结果将会怎么样呢？”天王吕隆这才同意群臣的意见。九月，吕隆派使者前往后秦军请求投降。后秦陇西公姚硕德上表给后秦王姚兴，奏请任命吕隆为镇西大将军、凉州刺史、建康公。吕隆派自己的子侄以及文武旧臣慕容筑、杨颖等五十多家到秦国的都城长安充当人质。后秦陇西公姚硕德的军队军纪严明，对百姓秋毫无犯，他祭祀后凉的先贤，礼遇当代的知名人士，西部的民众都很拥护他。

沮渠蒙逊辖区内的酒泉、凉宁二郡全都背叛了北凉，投降了西凉，张掖公沮渠蒙逊又听说后凉王吕隆已经投降了后秦，不由得心中恐惧，于是派遣自己的弟弟、担任建忠将军的沮渠挐和担任牧府长史的张潜前往后凉的都城姑臧城外去见后秦的

迁[213]。硕德喜，拜潜张掖太守、挐建康太守。潜劝蒙逊东迁。挐私谓蒙逊曰："姑臧未拔，吕氏犹存，硕德粮尽将还，不能久也。何为自弃土宇[214]，受制于人乎？"臧莫孩亦以为然。

蒙逊遣子奚念为质[215]于河西王利鹿孤，利鹿孤不受，曰："奚念年少，可遣挐也。"冬，十月，蒙逊复遣使上疏于利鹿孤曰："臣前遣奚念具披诚款[216]，而圣旨未昭[217]，复征弟挐。臣窃以为苟有诚信，则子不为轻；若其不信，则弟不为重。今寇难未夷[218]，不获奉诏[219]，愿陛下亮[220]之。"利鹿孤怒，遣张松侯俱延[221]、兴城侯文支[222]将骑一万袭蒙逊，至万岁临松[223]，执蒙逊从弟鄯善苟子[224]，虏其民六千余户。蒙逊从叔孔遮入朝于利鹿孤，许以挐为质。利鹿孤乃归其所掠，召俱延等还。文支，利鹿孤之弟也。

南燕主备德[225]宴群臣于延贤堂，酒酣，谓群臣曰："朕可方[226]自古何等主？"青州刺史鞠仲曰："陛下中兴圣主，少康、光武之俦[227]。"备德顾左右赐仲帛千匹，仲以所赐多，辞之。备德曰："卿知调朕[228]，朕不知调卿邪？卿所对非实[229]，故朕亦以虚言赏卿[230]耳。"韩范进曰："天子无戏言。今日之论，君臣俱失。"备德大悦，赐范绢五十匹。

备德母及兄纳皆在长安，备德遣平原人杜弘往访[231]之。弘曰："臣至长安，若不奉太后动止[232]，当西如张掖[233]，以死为効[234]。臣父雄年逾六十，乞本县之禄[235]以申乌鸟之情[236]。"中书令张华曰："杜弘未行而求禄，要君[237]之罪大矣。"备德曰："弘为君迎母，为父求禄，忠孝备矣，何罪之有？"以雄为平原令。弘至张掖，为盗所杀。

陇西公姚硕德，请求允许率领自己的部众向东迁移，归降后秦。姚硕德非常高兴，立即任命张潜为张掖太守，任命沮渠挐为建康太守。张潜返回北凉张掖后，劝说沮渠蒙逊东迁。沮渠挐私下里对自己的哥哥沮渠蒙逊说："后凉的都城姑臧还没有被后秦军攻克，吕氏政权依然存在，姚硕德军中的粮食已经吃完，距离撤军的时间不会很久了。我们何必要主动放弃自己的疆土，去接受别人的统治呢？"担任辅国将军的臧莫孩也赞成沮渠挐的意见。

北凉张掖公沮渠蒙逊把自己的儿子沮渠奚念送到南凉河西王秃发利鹿孤那里去充当人质，秃发利鹿孤不肯接受，他说："沮渠奚念年龄太小，可以派遣你的弟弟建忠将军沮渠挐来。"冬季，十月，张掖公沮渠蒙逊又派使者到南凉的都城西平上疏给河西王秃发利鹿孤说："我前次派自己的儿子沮渠奚念到陛下那里去做人质，已经坦诚地一一表白了我的内心，却未得到陛下的认可，所以又征召微臣的弟弟沮渠挐。我以为，如果能够做到诚实守信，则儿子的分量并不轻；如果不遵守诚信，则弟弟也可以看得不重要。如今敌寇的进攻还没有被打退，所以我还不能接受陛下的诏命，派沮渠挐到陛下那里去做人质，希望得到陛下的谅解。"秃发利鹿孤看了沮渠蒙逊的奏章，不禁勃然大怒，立即派遣张松侯俱延、兴城侯秃发文支率领一万名骑兵袭击沮渠蒙逊，他们到达临松郡万岁县的时候抓获了沮渠蒙逊的堂弟沮渠鄯善苟子，俘虏了那里的六千多户居民。沮渠蒙逊的堂叔沮渠孔遮到南凉的都城西平朝见河西王秃发利鹿孤，答应将沮渠挐送到南凉做人质，利鹿孤才把俘虏的人全部放还，召回俱延。秃发文支，是秃发利鹿孤的弟弟。

南燕主慕容备德在延贤堂设宴款待群臣，在众人酒兴正浓的时候，慕容备德对群臣说："我可以和古代的哪一等君主相比？"担任青州刺史的鞠仲说："陛下乃是中兴国家的圣明君主，是夏王少康、东汉光武帝刘秀一流的君主。"慕容备德示意左右侍从赏赐给鞠仲一千匹帛，鞠仲因为赏赐得太多，所以赶紧辞让。慕容备德说："你知道和我开玩笑，我难道就不知道与你开个玩笑吗？你回答我的话不符合实际，所以你夸我夸过了头，我赏赐你也赏过了头。"韩范进前说："天子是不能开玩笑的。今天的事情，君臣都有过失。"慕容备德听了非常高兴，立即赏赐给韩范五十匹绢。

南燕主慕容备德的母亲和哥哥慕容纳还都留在后秦的都城长安，慕容备德派平原人杜弘前去寻找他们。杜弘说："我到长安，如果找不到太后他们，我就向西到张掖去寻找，我就是豁出性命也要为陛下完成此事。只是我的老父杜雄已经年过六十，请陛下赐给他一份本县的俸禄，以报答他对我的养育之恩。"担任中书令的张华说："杜弘人还没走，就为自己的父亲请求俸禄，他要挟君主，简直是罪大恶极。"慕容备德说："杜弘为自己的国君迎请母亲，为自己的父亲向君主请求俸禄，既是忠臣，又是孝子，忠孝两全，有何罪过呢？"于是任命杜弘的父亲杜雄为平原县令。杜弘到达张掖，就被盗贼杀害。

十一月，刘裕追孙恩至沪渎、海盐，又破之，俘斩以万数，恩遂自浃口远窜入海。

十二月辛亥㉓⑧，魏主珪遣常山王遵、定陵公和跋帅众五万袭没弈干㉓⑨于高平㉔⓪。

乙卯㉔①，魏虎威将军宿沓干伐燕，攻令支㉔②。乙丑㉔③，燕中领军宇文拔救之。壬午㉔④，宿沓干拔令支而戍之。

吕超攻姜纪，不克，遂攻焦朗㉔⑤。朗遣其弟子嵩为质于河西王利鹿孤以请迎㉔⑥，利鹿孤遣车骑将军傉檀赴之。比至㉔⑦，超已退，朗闭门拒之。傉檀怒，将攻之，镇北将军俱延谏曰："安土重迁㉔⑧，人之常情。朗孤城无食，今年不降，后年自服，何必多杀㉔⑨士卒以攻之？若其不捷，彼必去从佗国。弃州境士民㉕⓪以资邻敌㉕①，非计也，不如以善言谕之。"傉檀乃与朗连和，遂曜兵姑臧㉕②，壁于胡坑㉕③。

傉檀知吕超必来斫营㉕④，畜火以待之。超夜遣中垒将军王集帅精兵二千斫傉檀营，傉檀徐严不起㉕⑤。集入垒中，内外皆举火，光照如昼，纵兵击之，斩集及甲首㉕⑥三百余级。吕隆惧，伪与傉檀通好，请于苑内㉕⑦结盟。傉檀遣俱延入盟，俱延疑其有伏，毁苑墙而入。超伏兵击之，俱延失马步走，凌江将军郭祖力战拒之，俱延乃得免。傉檀怒，攻其昌松㉕⑧太守孟祎于显美㉕⑨。隆遣广武将军荀安国[5]、宁远将军石可帅骑五百救之。安国等惮傉檀之强，遁还。

桓玄表其兄伟为江州刺史，镇夏口；司马刁畅㉖⓪为辅国将军、督八郡军事，镇襄阳；遣其将皇甫敷、冯该戍湓口㉖①。移沮、漳蛮㉖②二千户于江南，立武宁郡㉖③。更招集流民，立绥安郡㉖④。诏征广州刺史刁

十一月，东晋担任下邳太守的刘裕率军追击乱民首领孙恩，一直追到沪渎、海盐，再次将孙恩击败，俘虏、斩杀了孙恩数以万计的部众，孙恩从浃口逃向远处的海岛。

十二月十一日辛亥，北魏主拓跋珪派常山王拓跋遵、定陵公和跋率领五万人马袭击后秦据守高平的车骑将军没弈干。

十二月十五日乙卯，北魏担任虎威将军的宿沓干率军讨伐后燕，进攻辽西郡治所所在地令支。二十五日乙丑，后燕担任中领军的宇文拔率军南下增援令支。第二年的正月十三日壬午，北魏虎威将军宿沓干攻下令支，便在令支驻军防守。

后凉安定公吕超率军攻击姜纪所据守的晏然，没有攻克，遂转而进攻后秦焦朗所据守的魏安。焦朗派自己的侄子焦嵩到南凉河西王秃发利鹿孤那里去做人质，准备投降南凉，请求南凉派兵来迎，南凉河西王秃发利鹿孤派车骑将军秃发傉檀率军赶往魏安。当秃发傉檀抵达魏安时，后凉吕超已经率军退走，焦朗关闭魏安城门拒绝秃发傉檀进城。秃发傉檀盛怒之下就要攻打魏安城，担任镇北将军的俱延劝阻说："愿意居住在故乡的土地上，惧怕迁移，这是人之常情。焦朗据守一座孤城，又没有粮食，即使今年他不向我们投降，后年也一定会主动投降，何必多牺牲士卒来攻击他呢？如果再攻打不下来，焦朗必定会去投靠别的国家。抛弃本州的疆土、士民去帮助邻国的敌人，这可不是好办法，不如用好言抚慰他。"秃发傉檀于是与焦朗联合，又向着姑臧城炫耀了一通武力，然后在姑臧城西的胡坑安营扎寨。

南凉车骑将军秃发傉檀知道后凉安定公吕超肯定会率军前来劫营，于是准备好火把等待后凉军的到来。当天夜间，后凉安定公吕超果然派担任中垒将军的王集率领两千名精兵向秃发傉檀的大营发起进攻，秃发傉檀暗中戒备，并不急于率军反击。等到王集已经率军进入自己的营垒之中，这才营内营外一起举起火把，火光把黑夜照耀得如同白昼，然后指挥军队向王集发起反击，砍下了王集和他手下身穿铠甲的三百多名军士的首级。后凉天王吕隆非常恐惧，遂假装与秃发傉檀讲和，邀请秃发傉檀到姑臧城东的东苑小城内举行歃血结盟仪式。秃发傉檀派遣镇北将军俱延作代表进入姑臧城内的东苑小城参与结盟，俱延怀疑姑臧城中设有伏兵，便毁坏了东苑小城的城墙，然后进入。后凉安定公吕超果然出动伏兵向俱延发起攻击，俱延失去了战马，只得徒步逃走，幸亏担任凌江将军的郭祖奋力抵抗，俱延才幸免于难。秃发傉檀非常愤怒，便率军前往攻击后凉昌松郡太守孟祎所据守的显美。后凉吕隆派遣担任广武将军的荀安国、担任宁远将军的石可率领五百名骑兵救援显美。荀安国等惧怕南凉秃发傉檀的强大，走到半路便逃了回去。

桓玄上表给晋安帝司马德宗，举荐自己的哥哥桓伟为江州刺史，镇守夏口；举荐担任司马的刁畅为辅国将军、都督八郡军事，镇守襄阳；又派遣部将皇甫敷、冯该戍守溢口。他把沮水、漳水流域的两千户蛮族强行迁徙到江南，设立武宁郡。又召集那些流亡的难民，设立绥安郡。晋安帝司马德宗下诏征调担任广州刺史的刁

逵[265]、豫章太守郭昶之[266]，玄皆留不遣。

玄自谓有晋国三分之二，数[267]使人上己符瑞[268]，欲以惑众，又致笺[269]于会稽王道子曰："贼造近郊[270]，以风不得进，以雨不致火[271]，食尽故去耳，非力屈[272]也。昔国宝死[273]后，王恭不乘此威入统朝政，足见其心非侮于明公[274]也，而谓之不忠。今之贵要腹心[275]，有时流清望[276]者谁乎？岂可云无佳胜[277]？直[278]是不能信之耳！尔来[279]一朝一夕[280]，遂成今日之祸。在朝君子皆畏祸不言，玄忝任在远[281]，是以披写事实[282]。"元显见之，大惧。

张法顺[283]谓元显曰："桓玄承藉世资[284]，素有豪气，既并殷、杨[285]，专有荆楚，第下[286]之所控引止三吴耳。孙恩为乱，东土涂地[287]，公私困竭，玄必乘此纵其奸凶，窃用[288]忧之。"元显曰："为之奈何？"法顺曰："玄始得荆州，人情未附，方务绥抚[289]，未暇他图。若乘此际使刘牢之为前锋，而第下以大军继进，玄可取也。"元显以为然。会武昌太守庾楷[290]以玄与朝廷构怨，恐事不成，祸及于己，密使人自结于元显，云："玄大失人情，众不为用，若朝廷遣军，己当为内应。"元显大喜，遣张法顺至京口，谋于刘牢之。牢之以为难。法顺还，谓元显曰："观牢之言色，必贰[291]于我，不如召入杀之，不尔，败人大事。"元显不从。于是大治水军，征兵装舰[292]，以谋讨玄。

【段旨】

以上为第二段，写晋安帝隆安五年（公元四〇一年）下半年的大事。主要写了秦将姚硕德渡西河攻凉，破凉将吕超、吕邈，围吕隆于姑臧，西凉之李暠、南凉之秃发利鹿孤、北凉之沮渠蒙逊等皆向秦奉表称臣，而姚硕德军令严整，秋毫无犯，西土悦之。写了晋以刘裕为下邳太守，讨孙恩于郁洲，孙恩缘海滨南走，刘裕又破之于沪渎、海盐，孙恩远窜入海。写了晋之桓玄有晋地三分之二，写信向司马元显示威，张法顺给司马元显设谋，招刘牢之以讨桓玄，刘牢之不从，张

逵、担任豫章太守的郭昶之回京师建康，桓玄都留住不放。

东晋南郡公、荆州刺史桓玄认为自己已经占有了东晋三分之二的国土，于是便多次令人把有关自己应该称帝的吉祥征兆上奏朝廷，想以此迷惑众人，又写信给会稽王司马道子说："盗贼孙恩已经逼近了京师的近郊，因为受到大风的阻挠而不能前进，因为天降大雨而不能生火做饭，军中粮尽才不得不退走，而不是因为被朝廷军打败，或是他们的力量不够而撤退。从前王国宝死后，当时王恭并没有凭借这种威势进入朝廷独揽朝政，足以看出他并没有要推翻阁下的意思，却被指控不忠而被杀。如今皇帝周围那些尊贵显要而又忠于皇室的人，在当今的上流社会中享有声望的是谁呢？岂能说没有这样的人？只是你不肯信任这样的人罢了！这样一来，日积月累，终于酿成今天的灾祸。朝廷中的那些正人君子全都惧怕惹祸上身，所以没有人敢站出来说话，我桓玄身任远离朝廷的地方官，所以我把真实的想法向你披露倾吐。"尚书令兼徐州刺史的司马元显看到桓玄的信后，非常恐惧。

司马元显的智囊、会稽人张法顺对司马元显说："桓玄凭借着门第的高贵、世代相传下来的贵族地位，又一向具有豪迈之气，已经吞并了殷仲堪、杨佺期，独霸荆楚，而阁下所能控制的只有三吴地区。孙恩谋乱，东部国土已经残破不堪，不论是官府还是私人，全都陷于贫乏困窘之中，桓玄必定趁此机会，暴露出他奸邪凶恶的嘴脸，我因此感到十分的担忧。"司马元显说："那该怎么办呢？"张法顺说："桓玄刚刚得到荆州，人心还没有完全归附于他，桓玄正在集中精力进行安抚，还没有时间考虑其他。如果趁此机会派镇北将军刘牢之为前锋，阁下亲率大军紧随其后，完全可以战胜桓玄。"司马元显赞同张法顺的意见。巧合的是，担任武昌太守的庾楷因为桓玄与朝廷结怨，恐怕桓玄失败，灾祸会牵连到自己，遂秘密派人投靠司马元显，庾楷说："桓玄严重地丧失了民心，属下的部众已经不愿意为他效力，如果朝廷派军队讨伐桓玄，自己愿意为朝廷军做内应。"司马元显非常高兴，于是派张法顺前往京口与刘牢之谋划此事。刘牢之认为很难成功。张法顺从京口返回，对司马元显说："我观察刘牢之的言谈、神色，肯定会背叛我们，不如把他召回京师，杀掉他，不然的话，会坏了我们的大事。"司马元显没有采纳张法顺的这个意见。于是开始大规模地操练水军，招募士兵，制造战船，准备讨伐桓玄。

法顺见刘牢之不可靠，又劝司马元显除掉刘牢之，司马元显亦不从，只招兵造船，谋讨桓玄。写了燕主慕容盛务峻威刑，多所猜忌，人不自保，被部将段玑所杀，慕容盛之叔慕容熙乘机为帝，慕容盛之弟慕容元与太子慕容定等都相继被杀。此外还写了魏将长孙肥攻晋之许昌、彭城，晋将刘该降魏等。

【注释】

⑭⑥ 长孙肥：姓长孙，名肥，魏国的名将。传见《魏书》卷二十六。⑭⑦ 南徇许昌：向南开拓地盘到许昌一带。徇，略地、开拓地盘。许昌，县名，县治在今河南许昌东。也是颍川郡的郡治所在地，当时属东晋。⑭⑧ 彭城：即今徐州，当时属东晋。⑭⑨ 济河：渡过黄河。济，渡水。⑮⓪ 直趣广武：直趣，直趋；一直杀向。广武，郡名，郡治在今甘肃永登南，当时属秃发氏的南凉。后秦的姚硕德自兰州渡黄河西袭吕氏的姑臧，必须经由广武一带。⑮① 摄：告谕，令其收缩、避开。⑮② 巴西公佗：即吕佗，吕隆之叔。⑮③ 东苑：姑臧城东面的小城。⑮④ 西凉公暠：即李暠，西凉政权的创立者，建都敦煌。传见《晋书》卷十四。⑮⑤ 姜纪：原是吕纂的将领，吕隆等杀吕纂自立后，姜纪逃归秃发氏。⑮⑥ 连席：两片坐垫紧挨着。⑮⑦ 信有美才：确实有很好的才华。信，确实。⑮⑧ 视候非常：看东西、观察事物的样子与一般人不同。⑮⑨ 必为人患：一定会给我们造成麻烦。⑯⓪ 以布衣之交待纪：以平民百姓之间的交情对待姜纪，指平等、真诚，没有任何权势利欲的成分。⑯① 纪将数十骑奔秦军：胡三省曰，“秃发兄弟皆推傉檀之明略，余究观傉檀始末，未敢许也。又究观姜纪自凉入秦始末，则纪盖反覆诡谲之士，而傉檀爱重之，则傉檀盖以才辨为诸兄所重，而智略不能济，此其所以亡国也”。⑯② 徒文降而已：只不过是口头上、字面上的“投降”而已。⑯③ 王松忽：姚兴的将领。⑯④ 焦朗、华纯：都是吕隆境内起来反对吕隆政权的将领。⑯⑤ 国家：指姚兴的后秦政权。⑯⑥ 晏然：县名，县治在今甘肃武威西北。⑯⑦ 杨桓：吕纂皇后杨氏的父亲。吕纂、杨氏被杀后，杨桓逃归利鹿孤，为之任左司马。⑯⑧ 征：召；讨要。诸凉畏秦之强，故秦可对之发号施令。⑯⑨ 下邳：郡名，郡治在今江苏邳州西南。这里所指乃南迁的侨郡，约在今江苏镇江市一带。⑰⓪ 郁洲：也称田横岛，在今江苏海州东的云台山一带，古时在海中，现已与大陆相连。⑰① 邀击：寻机会予以攻击。⑰② 惩：接受……的教训。⑰③ 务峻威刑：一个劲地动用严刑峻法。峻，严厉，这里用如动词。⑰④ 自矜聪察：卖弄自己的小聪明。聪察，看问题尖锐深刻。⑰⑤ 纤介之嫌：小小的嫌疑；些微的可疑。纤、介，都是细小的意思。⑰⑥ 先事诛之：在没有犯罪之前就把他们杀了。⑰⑦ 丁亥：八月十五。⑰⑧ 殿上将军：与晋朝的“殿中将军”同职，负责宫殿的警卫。《晋书》直作“殿中将军”。⑰⑨ 壬辰：八月二十。⑱⓪ 俄：不一会儿；转眼间。⑱① 辇：人拉的车子，这里用如动词，即用辇拉着。⑱② 申约禁卫：申明约束，布置好警卫。⑱③ 事定而卒：等事件平定后这才死去。〖按〗慕容盛时年二十九，在位共三年（公元三九八至四〇一年）。⑱④ 白太后丁氏：向丁太后禀告说。白，禀告。丁氏即慕容宝之妻，慕容盛之生母。⑱⑤ 平原公元：即慕容元，慕容宝之子，慕容盛之弟，被封为平原郡公。⑱⑥ 河间公熙：即慕容熙，字道文，慕容宝之小弟，慕容盛之叔。⑱⑦ 太子定：即慕容定，慕容盛之子。⑱⑧ 癸巳：八月二十一。⑱⑨ 甲午：八月二十二。⑲⓪ 丙申：八月二十四。⑲① 以嫌：因为有谋反的嫌疑。⑲② 闰月辛酉：闰八月十九。⑲③ 丙寅：闰八月二十四。⑲④ 东方之人：主

要指今陕西境内及甘肃东南部一带当时属后秦的人。⑲⑤魏益多：原是吕纂的部将，前已佐助吕超杀了吕纂，今又图谋叛乱。⑲⑥抚纳夷、夏：安抚、招纳新占领区内的各少数民族与汉族人。⑲⑦分置守宰：给新占领的郡县分别派遣了太守与县令。⑲⑧连和：这里实际是指请求投降。⑲⑨嗷嗷：指啼饥号寒的声音。⑳⓪张、陈：张良、陈平，都是刘邦的谋士，曾多次帮助刘邦在与项羽的征战中转危为安。传见《史记·留侯世家》《史记·陈丞相世家》。㉑①权变屈伸：权变指采取一种临时制宜的办法。屈伸指根据客观形势该屈则屈，该伸则伸，而不是为了"面子"、为了"气节"一味硬扛。㉑②何爱尺书、单使：怎么就不能写一封信，派出一个使者。爱，吝惜、舍不得。尺书，意即"短信"。单使，规格很低、很不隆重的使臣。㉑③为卑辞以退敌：说一些服软的、好听的话，以换取敌人的退兵。㉑④若卜世未穷：如果我们的国家气数未尽，还不到灭亡的时候。"卜世"是前人的成语，《左传》宣公三年，王孙满有所谓"成王定鼎于郏鄏，卜世三十，卜年七百"。卜年，即王朝应该存活的年数。㉑⑤天命去矣：老天爷不再保佑我们的国家社稷，意即只有死路一条了。㉑⑥保全宗族：指不致被人家杀个精光。㉑⑦建康公：建康郡公，建康郡在今甘肃酒泉东南。㉑⑧慕容筑：原是前慕容晧的将领，被前秦打败后遂降前秦。后被流配边地，遂归吕氏。㉑⑨杨颖：后凉吕氏的老将，曾历仕吕光、吕纂、吕隆三朝。事见《晋书》卷一百一十二。㉑⓪凉宁：郡名，郡治在玉门县（今甘肃玉门西北）境内。㉑①牧府：当时沮渠蒙逊自称凉州牧，故称其官署为"牧府"，与其他的州刺史府署相同。㉑②见硕德于姑臧：此应指姑臧城外，因当时姑臧尚未被姚硕德攻下。㉑③东迁：指归降于后秦。㉑④土宇：这里即指领土、地盘。㉑⑤遣子奚念为质：沮渠蒙逊既不想东迁，于是便转而求援于秃发氏。为质，到……处做人质。㉑⑥具披诚款：一一地表白了我的内心。披，袒露、坦陈。㉑⑦圣旨未昭：圣心未明，您还没有明白我的意思。昭，明白，在这里指允许。㉑⑧寇难未夷：敌兵的进攻尚未打退，指姚硕德的秦势力。夷，平、消除。㉑⑨不获奉诏：即指不能派沮渠挐前来为人质。不获，不能。㉒⓪亮：同"谅"，谅解、理解。㉒①张松侯俱延：姓俱名延，被封为张松侯。张松是县名，指封为俱延的领地。㉒②兴城侯文支：秃发文支，利鹿孤之弟，被封为兴城侯。㉒③万岁临松：临松郡的万岁县。〖按〗旧注称"临松"为郡名，称"万岁"为县名，如此则应说"临松万岁"，而原文却作"万岁临松"，此不可解。今姑依旧注为说，临松郡的郡治在今甘肃祁连北，万岁县的县治在今甘肃山丹东南。㉒④鄯善苟子：有说是四字人名，有说姓鄯善，名苟子。但鄯善苟子既是沮渠蒙逊的"从弟"（堂兄弟），那么他自然应与沮渠蒙逊同姓。恐尚有他解。㉒⑤备德：即慕容德，为使臣民易于避讳而改称"备德"。事见本书上卷隆安四年。㉒⑥可方：可与……相比。㉒⑦少康、光武之俦：是夏少康、汉光武一流的人物。少康是夏朝的帝王。其父帝相无道，被后羿所灭；后羿荒淫游猎，又被寒浞所杀。几十年后，逃到其他部落的少康，又发展起来，灭掉了寒浞，恢复了夏王朝，史称"少康中兴"。事见《史记·夏本纪》注。光武即刘秀。西汉末年汉政权被王莽篡夺，王莽残虐，激起农民起义，刘秀趁机而起，扫平群雄，建立了东汉政权，史称“光武中兴”。事见《后汉书·光武纪》。[228]卿知调朕：你会戏耍我。调，戏耍、开玩笑。[229]所对非实：回答我的话不合实际。[230]以虚言赏卿：你夸我夸过了头，我赏你也赏得过头。[231]访：寻找。[232]不奉太后动止：意思是如果在长安没能找到太后。奉，承接，这里指见到。动止，犹言踪迹。[233]西如张掖：意即再到张掖去找。慕容德早年在苻坚部下任职时，曾被封为张掖太守。后随慕容垂叛苻坚东下，另立后燕，故杜弘估计慕容德之母等亦可能在张掖。[234]以死为効：豁出命去完成此事。[235]乞本县之禄：意指请任其父为平原县令。[236]申乌鸟之情：以表现自己对父母的一点心意。旧说乌鸦能反哺（喂）其母，故人们常常以此典故比喻子女报答父母之情。晋李密《陈情表》中有所谓“乌鸟私情，愿乞终养”。[237]要君：要挟君主，与君主讨价还价。[238]十二月辛亥：十二月十一。[239]没弈干：鲜卑族的部落头领名，《晋书》作“没弈于”。先是归服于前秦苻氏，后又归服于后秦姚氏，被封为高平公。[240]高平：郡名，郡治即今宁夏固原。[241]乙卯：十二月十五。[242]令支：县名，县治在今河北迁安西。[243]乙丑：十二月二十五。[244]壬午：第二年的正月十三。[245]遂攻焦朗：当时姜纪据守晏然，焦朗据守魏安。[246]请迎：他要投降，请求派兵来接。[247]比至：等救军到达时。比，及、等。[248]安土重迁：愿住在老地方，不愿意搬家。重，难、不愿意。[249]杀：牺牲。[250]弃州境士民：抛弃我们邻近地区的百姓。[251]以资邻敌：让他们去给邻近的敌人增强力量。资，助、加强。[252]曜兵姑臧：向着姑臧城里炫耀武力。[253]胡坑：在今甘肃武威西。[254]斫营：劫营。[255]徐严不起：暗中戒备，不立即起来迎战。严，戒备。[256]甲首：穿铠甲士兵的首级。[257]苑内：姑臧城东的东苑小城内。[258]昌松：郡名，郡治在今甘肃武威东南，古浪西北。[259]显美：县名，县治在今甘肃武威西北。[260]刁畅：字仲远，桓玄的死党，为人贪婪。事见《晋书》卷六十九。[261]湓口：即今江西九江市，以其地当湓水入长江之口而得名。[262]沮、漳蛮：沮、漳二水流域的蛮族。二水都发源于今湖北保康南，流经远安、当阳一带汇合，南入长江。[263]武宁郡：郡治乐乡，在今湖北宜城南。[264]绥安郡：郡治长宁，在今湖北荆门西北。[265]刁逵：字伯道，刁畅之兄，桓玄的党羽。传见《晋书》

【原文】

元兴元年（壬寅，公元四〇二年）

春，正月庚午朔[293]，下诏罪状桓玄[294]，以尚书令元显为骠骑大将军、征讨大都督，都督十八州[295]诸军事，加黄钺[296]；又以镇北将军刘牢之为

卷六十九。㉖郭昶之：桓玄的党羽。事见《晋书》卷六十九。㉗数：屡次。㉘上己符瑞：把有关桓玄应该称帝的征兆上报皇帝。符瑞是汉代以来阴阳五行家们编造的一种骗人勾当，他们把“麒麟出”“凤凰降”以及彩云、甘霖等说成是上天显示的“符瑞”，或叫“祥瑞”，或叫“瑞应”，以预示某人或某地该有大福降临。㉙笺：古代的一种文体名，指写给王公大臣的书信。㉚贼造近郊：孙恩的贼兵已经到达建康的近郊。造，至、到达。㉛不致火：指不能生火做饭，无以为食。㉜非力屈：不是被朝廷的军队打败，或是他们的力量不够。㉝国宝死：王国宝在朝中揽权，王恭等在外起兵讨之，司马道子被迫杀了王国宝，王恭亦收兵回镇。见本书卷一百九隆安元年。㉞非侮于明公：并非要打倒你司马道子。明公，对受话人的敬称。㉟贵要腹心：指皇帝周围那些尊贵显要而又忠于司马氏的人。㊱有时流清望：在当时的上流社会中有名望。清，指清高廉平。㊲佳胜：指品行、门第好的人，当时也称作“名胜”。桓玄在这里是用以指自己。㊳直：只、只不过。㊴尔来：这样一来。㊵一朝一夕：犹言日积月累。㊶忝任在远：意谓我身任远离朝廷的地方官。忝，谦辞。意思是身任此职于心有愧。㊷披写事实：把我真实的想法向你披露倾吐。写，意思同“泻”。㊸张法顺：先为庐州太守，后成为司马元显的谋士。事见《晋书》卷六十四。㊹承藉世资：依仗着他门第的高贵。世资，世代相传下来的贵族地位。㊺殷、杨：殷仲堪、杨佺期。二人皆被桓玄所灭。事见本书卷一百一十一隆安三年。㊻第下：犹言“殿下”“阁下”，尊称司马元显。㊼涂地：这里是残破的意思。㊽用：因；因此。㊾方务绥抚：现正忙于安抚他的管辖区内。绥抚，安抚。㊿庾楷：原为豫州刺史，因配合王恭反朝廷被打败而投奔了桓玄，被桓玄任为其部下的武昌太守。(291)贰：两属，这里即指叛变。(292)装舰：制造兵舰。

【校记】

［3］骑：据章钰校，孔天胤本作“军”。［4］上：严衍《通鉴补》改作“中”。〖按〗《晋书》作“殿中将军”。［5］荀安国：严衍《通鉴补》改作“苟安国”。

【语译】

元兴元年（壬寅，公元四〇二年）

春季，正月初一日庚午，东晋安帝司马德宗下诏公布了桓玄的罪状，同时任命尚书令司马元显为骠骑大将军、征讨大都督，都督十八州诸军事，授予黄钺；又任命担

前锋都督，前将军谯王尚之为后部㉗。因大赦，改元㉘，内外戒严。加会稽王道子太傅㉙。

元显欲尽诛诸桓。中护军桓脩㉚，骠骑长史王诞㉛之甥也，诞有宠于元显，因[6]陈㉜脩等与玄志趣不同，元显乃止。诞，导之曾孙也。

张法顺言于元显曰："桓谦兄弟㉝每为上流耳目㉞，宜斩之以杜奸谋㉟。且事之济不㊱，系在前军，而牢之反覆㊲，万一有变，则祸败立至。可令牢之杀谦兄弟以示无贰心，若不受命，当逆为之[7]所㊳。"元显曰："今非牢之，无以敌玄。且始事而诛大将，人情不安。"再三不可㊴。又以桓氏世为荆土所附，桓冲特有遗惠㊵，而谦，冲之子也，乃自骠骑司马除㊶都督荆益宁梁四州诸军事、荆州刺史，欲以结西人之心㊷。

丁丑㊸，燕慕容拔攻魏令支戍㊹，克之，宿沓干走，执魏辽西太守那颉㊺。燕以拔为幽州刺史，镇令支；以中坚将军辽西阳豪㊻为本郡太守。丁亥㊼，以章武公渊㊽为尚书令，博陵公虔㊾为尚书左仆射，尚书王腾为右仆射。

戊子㊿，魏材官将军和突(321)攻黜弗、素古延(322)等诸部，破之。初，魏主珪遣北部大人贺狄干献马千匹求婚于秦，秦王兴闻珪已立慕容后(323)，止狄干(324)而绝其婚。没弈干、黜弗、素古延，皆秦之属国也，而魏攻之，由是秦、魏有隙。庚寅(325)，珪大阅士马，命并州(326)诸郡积谷于平阳之乾壁(327)，以备秦。

柔然社仑(328)方睦于秦，遣将救黜弗、素古延。辛卯(329)，和突逆击，大破之，社仑帅其部落远遁漠北，夺高车(330)之地而居之。斛律部(331)帅倍侯利(332)击社仑，大为所败，倍侯利奔魏。社仑于是西北击匈奴遗种日拔也鸡[8]，大破之，遂吞并诸部，士马繁盛，雄于北方。其地西至

任镇北将军的刘牢之为前锋都督，任命担任前将军的谯王司马尚之为后军都督。并因此实行大赦，改年号为元兴，京城内外实行戒严。加授会稽王司马道子为太傅。

司马元显准备把桓氏家族的人全部除掉。担任中护军的桓脩，是担任骠骑长史的王诞的外甥，王诞很受司马元显的宠信，因此得以向司马元显分说桓脩等人与桓玄志趣不同，不应该一律对待，司马元显才没有对诸桓氏采取行动。王诞是王导的曾孙。

司马元显的智囊人物张法顺对司马元显说："担任骠骑司马的桓谦兄弟是地处建康上游的荆州刺史桓玄安插在朝廷之中的耳目，应该把他们杀掉，以断绝他们与桓玄之间互相通风报信、里应外合。而且讨伐桓玄的事情能不能成功，关键取决于前锋部队，而现在担任前锋的刘牢之为人反复无常，万一发生什么意外变故，失败和灾祸就会立马到来。可以令刘牢之去杀死桓谦兄弟，如果他执行命令，除掉了桓谦、桓脩，就表明他与我们没有二心，如果他拒不执行命令，就应当事先给他安排一个合适的去处。"司马元显说："现在如果没有刘牢之，就没有人能够敌得过桓玄。再说，行动刚开始就诛杀大将，会引起人心不稳。"张法顺再三劝说，司马元显坚决不同意。又因为桓氏几代人都担任荆州官员，很受荆州人民的拥护，其中桓冲更是给荆州人留下了难以忘怀的恩德，而桓谦就是桓冲的儿子，于是便把桓谦从骠骑司马的职位提升为都督荆、益、宁、梁四州诸军事，荆州刺史，想以此来笼络荆州地区的官民，使他们心向朝廷。

正月初八日丁丑，后燕担任中垒将军的慕容拔率军攻克了北魏在令支城设立的防守据点，戍守令支的北魏虎威将军宿沓干逃走，慕容拔活捉了北魏所任命的辽西太守那颉。后燕任命中垒将军慕容拔为幽州刺史，镇守令支；任命担任中坚将军的辽西人阳豪为辽西郡太守。十八日丁亥，任命章武公慕容渊为尚书令，任命博陵公慕容虔为尚书左仆射，任命担任尚书的王腾为右仆射。

正月十九日戊子，北魏担任材官将军的和突率军进攻黜弗、素古延等部落，将各部落击败。当初，北魏主拓跋珪派遣北部大人贺狄干向后秦进献了一千匹好马，并向后秦天王姚兴求亲，后秦王姚兴听说北魏主拓跋珪已经册封慕容氏为皇后，便将魏国派来求亲的使者贺狄干扣留，拒绝了北魏的求婚。没弈干、黜弗部落、素古延部落，都是后秦的属国，所以北魏出兵攻打黜弗、素古延，从此以后，后秦与北魏之间的关系出现裂痕。二十一日庚寅，北魏主拓跋珪举行盛大的阅兵仪式，命令并州属下的各郡把储备的粮食全部转移到平阳的乾壁以防范后秦的进攻。

此时柔然国可汗郁久闾社仑与后秦的关系正处在最友好的时期，因此派将领率军救援黜弗和素古延部落。正月二十二日辛卯，北魏材官将军和突率领北魏军迎战柔然军，将柔然军打得大败，柔然可汗郁久闾社仑率领自己的国民逃到了遥远的大漠以北，夺取了高车族所占的地盘居住下来。斛律部落首领倍侯利率领自己的部众攻击郁久闾社仑，结果被郁久闾社仑打败，倍侯利逃奔了北魏。柔然可汗郁久闾社仑遂乘胜向西北攻击匈奴族的残部日拔也鸡，将日拔也鸡打得大败，进而吞并了周

焉者[333]，东接朝鲜，南临大漠，旁侧小国皆羁属[334]焉。自号豆代可汗，始立约束[335]：以千人为军，军有将；百人为幢，幢有帅；攻战先登者赐以虏获[336]，畏懦者以石击其首而杀之。

秃发傉檀克显美[337]，执孟祎而责之，以其不早降。祎曰："祎受吕氏厚恩，分符[338]守土，若明公大军甫至[339]，望旗归附，恐获罪于执事[340]矣。"傉檀释而礼之，徙二千余户而归，以祎为左司马。祎辞曰："吕氏将亡，圣朝必取河右[341]，人无愚智皆知之。但祎为人守城不能全，复忝显任[342]，于心窃所未安。若蒙明公之惠，使得就戮姑臧[343]，死且不朽[344]。"傉檀义而归之。

东土遭孙恩之乱，因以饥馑[345]，漕运不继[346]。桓玄禁断江路，商旅俱绝[9]，公私匮乏，以麸橡给士卒[347]。玄谓[348]朝廷方多忧虞，必未暇讨己，可以蓄力观衅[349]。及大军将发，从兄太傅长史石生[350]密以书报之。玄大惊，欲完聚江陵[351]。长史卞范之[352]曰："明公英威振于远近，元显口尚乳臭，刘牢之大失物情[353]。若兵临近畿，示以祸福[354]，土崩之势可翘足而待，何有延敌入境[355]，自取穷蹙[356]者乎？"玄从之，留桓伟守江陵，抗表传檄[357]，罪状元显，举兵东下。檄至，元显大惧。二月丙午[358]，帝饯元显于西池[359]，元显下船而不发。

癸丑[360]，魏常山王遵等至高平，没弈干弃其部众，帅数千骑与刘勃勃[361]奔秦州[362]。魏军追至瓦亭[363]，不及而还，尽获其府库蓄积，

围的各部落，势力逐渐壮大，兵强马壮，遂称雄于北方地区。他的疆土向西到达焉耆，向东与朝鲜接壤，向南紧靠大漠，邻近的一些小国全都处在柔然的控制之下。郁久闾社仑遂自称豆代可汗，开始建立各种规章制度：一千人为一军，军的长官称作将；一百人为一幢，幢的长官称作帅；每次攻战时，奋勇争先的，就把他所缴获的战利品全部奖赏给他；畏敌不前的，就用石头敲碎他的脑袋，将他处死。

南凉车骑将军秃发傉檀率军攻克了后凉昌松郡太守孟祎所据守的显美，活捉了孟祎，他责备孟祎为什么不早点投降。孟祎回答说："我孟祎深受吕氏厚恩，授予我兵权，令我守卫国土，如果你们的大军一到，我望见你们的旗帜就向你们投降，恐怕也会受到你们的鄙视。"秃发傉檀遂释放了孟祎，并对他以礼相待，然后驱赶着两千多户当地居民撤军而回。秃发傉檀任命孟祎为左司马，孟祎推辞说："后凉吕氏即将灭亡，你们一定能够占有黄河以西地区，对于这一点，无论是聪明人还是愚蠢的人都看得很清楚。但我孟祎受吕氏委任守卫城池，最终却没能守住，如果再荣任你的高官显爵，于心有所不安。如果能够蒙受你的大恩，使我能够回到我国的都城姑臧接受建康公吕隆的刑戮，即使我死了，也会永远感激不尽的。"秃发傉檀认为孟祎是一个非常忠贞节义的人，便放他返回后凉。

东晋受到孙恩叛乱的影响，接着又遭遇大灾荒，东方州郡靠水路给朝廷运送的各种物资很少，根本不够开销。担任荆州刺史的南郡公桓玄下令封锁长江，于是长江之上商旅船只全部断绝，无论是官府还是民间，物资都极度匮乏，只能把谷糠、橡果当作粮食发给士卒充饥。桓玄以为朝廷正面临着许多忧患，根本就抽不出时间来讨伐自己，自己正可以利用这个大好时机积蓄力量，观测朝廷的空子，伺机而动。等到司马元显率领朝廷大军即将出发讨伐桓玄的时候，桓玄的堂兄、担任太傅长史的桓石生才秘密派人给他送来一封书信，把朝廷出兵讨伐他的消息告诉他。桓玄得知后，不禁大吃一惊，就想收缩兵力，积蓄粮草，固守江陵。担任长史的卞范之说："明公的英明威武震慑了远近，司马元显只不过是一个乳臭未干的黄口小儿，刘牢之早已大失民心。如果我们率领大军逼近京师近郊，明确地为他们指出祸福利害，告诉他们应该何去何从，朝廷军的土崩瓦解之势只需一抬脚的工夫就可以看到，怎么能坐等敌人打上门来，而使自己陷入受困的境地呢?"桓玄听从了卞范之的意见，于是留下桓伟镇守江陵，一面给朝廷上表，控告司马元显，一面向各州郡发出檄文，揭露司马元显的罪状，号召起兵讨伐司马元显，然后率领大军顺江东下。桓玄讨伐司马元显的檄文传到京师，司马元显不禁惊恐万状。二月初七日丙午，晋安帝司马德宗在西池设宴，为即将出征的司马元显饯行，司马元显登上舰船却不敢出发。

二月十四日癸丑，北魏常山王拓跋遵等到达高平，没弈干丢下自己的部众，只率领数千名骑兵与刘卫辰的儿子刘勃勃一起逃往后秦所属的秦州。魏军一直追到瓦亭，没有追上，只好返回，缴获了大量的战利品，其中包括高平府库中的全部积蓄、

马四万余匹，杂畜九万余口，徙其民于代都[364]，余种分迸[365]。平阳太守贰尘[366]复侵秦河东[367]，长安大震，关中诸城昼闭，秦人简兵训卒以谋伐魏。

秦王兴立子泓为太子，大赦。泓孝友宽和，喜文学[368]，善谈咏[369]，而懦弱多病。兴欲以为嗣，而狐疑不决，久乃立之。

姑臧大饥，米斗直钱五千，人相食，饿死者十余万口。城门昼闭，樵采路绝，民请出城为胡虏[370]奴婢者，日有数百。吕隆恶其沮动[371]众心，尽坑之，积尸盈路。

沮渠蒙逊引兵攻姑臧，隆遣使求救于河西王利鹿孤，利鹿孤遣广武公傉檀帅骑一万救之。未至，隆击破蒙逊军。蒙逊请与隆盟，留谷万余斛遗之[372]而还。傉檀至昌松[373]，闻蒙逊已退，乃徙凉泽段冢[374]民五百余户而还。

中散骑常侍张融言于利鹿孤曰：“焦朗兄弟据魏安，潜通姚氏，数为反覆，今不取，后必为朝廷忧。”利鹿孤遣傉檀讨之。朗面缚[375]出降，傉檀送于西平[376]，徙其民于乐都[377]。

桓玄发江陵，虑事不捷，常为西还之计。及过寻阳，不见官军，意甚喜，将士之气亦振。庾楷谋泄[378]，玄囚之。丁巳[379]，诏遣齐王柔之[380]以驺虞幡[381]宣告荆、江二州[382]，使罢兵，玄前锋杀之。柔之，宗之子也。

丁卯[383]，玄至姑孰[384]，使其将冯该等攻历阳[385]，襄城[386]太守司马休之婴城固守[387]。玄军断洞浦[388]，焚豫州舟舰。豫州刺史谯王尚之帅步卒九千阵于浦上[389]，遣武都太守杨秋屯横江[390]，秋降于玄军。尚之众溃，逃于涂中[391]，玄捕获之。司马休之出战而败，弃城走。

四万多匹马、其他各类牲畜九万多头，拓跋遵等把没弈干的部众全部迁徙到代国的都城，其他民族的人则分崩离析，四散逃走。北魏平阳太守贰尘又率军侵入后秦的河东郡，后秦的都城长安非常震恐，函谷关以西的各城大白天也不敢打开城门，后秦赶紧挑选士卒，训练军队，准备反击北魏。

后秦王姚兴立自己的儿子姚泓为太子，并为此实行大赦。姚泓孝敬父母，友爱兄弟，为人宽厚温和，喜欢钻研学问，善于谈吐、吟诵诗文，但性格懦弱，体弱多病。姚兴想立他为继承人，却又一直犹豫不决，拖了很久才决定立他为太子。

后凉的都城姑臧严重缺粮，一斗米已经卖到了五千钱，出现了人吃人的惨剧，被饿死的有十多万口。姑臧城即使白天也城门紧闭，打柴、挖野菜的道路全被封锁，民众请求出城为围困姑臧的后秦人充当奴婢的，每天都有数百人。后凉建康公吕隆痛恨这些人涣散、动摇了民心，就把他们全部活埋，道路之上到处都有堆积的尸体。

北凉张掖公沮渠蒙逊率领北凉兵攻打后凉的都城姑臧，后凉建康公吕隆派使者向南凉河西王秃发利鹿孤请求出兵相救，秃发利鹿孤遂派遣广武公秃发傉檀率领一万名骑兵救援后凉。秃发傉檀还没有抵达后凉的都城姑臧，而吕隆已经独自将沮渠蒙逊击败。沮渠蒙逊请求与吕隆结盟，并将一万多斛粮食留赠给吕隆，而后撤军。秃发傉檀抵达昌松，听到了沮渠蒙逊已经撤军的消息，遂把凉泽地区段冢村的五百户居民全部强制迁移到本国境内而回去。

南凉担任中散常侍的张融对河西王秃发利鹿孤说:“焦朗兄弟占据着魏安，暗中与后秦姚氏相勾结，多次反反复复，现在如果不把他消灭，以后必将成为朝廷的祸患。”河西王秃发利鹿孤遂派担任凉州牧的广武公秃发傉檀率军前往魏安讨伐焦朗。焦朗自己反绑双手出城向秃发傉檀投降，秃发傉檀把焦朗押送到都城西平，把魏安的居民迁徙到故都乐都。

东晋担任荆州刺史的南安郡公桓玄率军从江陵出发，他生怕此次行动失败，所以常常产生回军的念头。等到过了寻阳，却看不见朝廷军的影子，心中非常高兴，属下将士的士气也逐渐振奋起来。庾楷暗通司马元显、合谋攻击桓玄的阴谋泄露，桓玄遂把庾楷囚禁起来。二月十八日丁巳，东晋安帝司马德宗下诏，派遣齐王司马柔之携带着驺虞幡前往阻止顺流东下的荆州刺史桓玄、江州刺史桓伟及其所属将士，令他们罢兵，桓玄的前锋官把司马柔之杀死。司马柔之是南顿王司马宗的儿子。

二月二十八日丁卯，桓玄率领大军抵达姑孰，他派部将冯该等率军攻打豫州刺史的治所所在地历阳，担任襄城太守的司马休之遂在历阳城四周布置设防，加强防守。桓玄的军队截断了洞浦与外界的联系，焚毁了豫州的所有舟船。担任豫州刺史的谯王司马尚之率领九千名步兵在水边平地列好阵势，他派遣担任武都太守的杨秋率军屯驻在横江，而杨秋却投降了桓玄的军队。司马尚之的军队于是不战自溃，司马尚之逃往涂中，被桓玄追捕抓获。司马休之一出战，就被桓玄打得大败，于是丢弃了历阳逃走。

刘牢之素恶骠骑大将军元显，恐桓玄既灭，元显益骄恣，又恐己功名愈盛，不为元显所容，且自恃材武[392]，拥强兵，欲假玄[393]以除执政[394]，复伺玄之隙而自取之，故不肯讨玄。元显日夜昏酣，以牢之为前锋。牢之骤诣门[395]，不得见，及帝出饯元显，遇之公坐[396]而已。

牢之军溧洲[397]，参军刘裕请击玄，牢之不许。玄使牢之族舅何穆说牢之曰："自古戴[398]震主之威，挟不赏之功而能自全者，谁邪？越之文种[399]、秦之白起[400]、汉之韩信[401]，皆事明主[402]，为之尽力，功成之日，犹不免诛夷，况为凶愚[403]者之用乎？君如今日战胜则倾宗[404]，战败则覆族，欲以此安归[405]乎？不若翻然改图，则可以长保富贵矣。古人射钩[406]、斩袪[407]，犹不害为辅佐[408]，况玄与君无宿昔之怨[409]乎？"时谯王尚之已败，人情愈恐，牢之颇纳穆言，与玄交通[410]。东海中尉[411]东海何无忌[412]，牢之之甥也，与刘裕极谏，不听。其子骠骑从事中郎[413]敬宣谏曰："今国家衰危，天下之重在大人与玄。玄藉父、叔[414]之资，据有全楚，割晋国三分之二,一朝纵之使陵朝廷[415]，玄威望既成，恐难图也，董卓[416]之变，将在今矣。"牢之怒曰："吾岂不知！今日取玄如反覆手耳，但平玄之后，令我奈骠骑何？"三月乙巳朔[417]，牢之遣敬宣诣玄请降。玄阴欲诛牢之，乃与敬宣宴饮，陈名书画共观之，以安悦其意，敬宣不之觉。玄佐吏莫不相视而笑。玄版[418]敬宣为谘议参军。

元显将发[419]，闻玄已至新亭[420]，弃船，退屯国子学。辛未[421]，陈于宣阳门外[422]。军中相惊，言玄已至南桁[423]，元显引兵欲还宫。玄遣人拔

东晋镇北将军刘牢之一向厌恶担任骠骑大将军的司马元显，他生怕桓玄被朝廷军消灭之后，司马元显会更加骄横，为所欲为，又担心自己的功名越来越大，司马元显会容不下自己，而且他自恃仪表和武勇，手握重兵，想假借桓玄之手除掉执掌朝权的司马道子和司马元显，再等待时机，钻桓玄的空子，将桓玄除掉，由自己取而代之，所以不肯出兵讨伐桓玄。而骠骑大将军司马元显此时却不分白天黑夜，只知道饮酒而不过问军事，他任用刘牢之为前锋。刘牢之多次登门拜访，都见不到司马元显一面，等到晋安帝出来为司马元显出征饯行，刘牢之才在大庭广众的席位上与他见了一面。

刘牢之将军队驻扎在溧洲，担任参军的刘裕请求进击桓玄，刘牢之没有同意。桓玄派刘牢之的堂舅何穆游说刘牢之说："自古以来，挟有使君主感到震恐的权威，又建立了无法再奖赏的功劳而仍能保全性命的，有人吗？越国的文种、秦国的白起、汉代的韩信，所侍奉的都是极为开明的君主，并且全都竭尽全力为他们的君主效忠，然而在大功告成之日，还是免不了被诛灭，何况是为那些凶顽、愚蠢的人效力呢？你今天即使是打了胜仗，家族会灭亡，你如果打了败仗，你的宗族同样会灭亡，一个具有如此战功与名望、地位的人还能去投奔谁呢？不如改弦易辙，另做打算，才可以长久地保有荣华富贵。古代管仲为了公子纠而射中了齐桓公的带钩；寺人披奉了晋献公之命讨伐公子重耳，斩断了重耳的衣袖，尚且不影响他们成为丞相，何况我和你之间往日并没有仇怨呢？"当时，担任豫州刺史的谯王司马尚之已经被桓玄打败，人心更加惊恐不安，刘牢之遂接受了何穆的劝说，暗中与桓玄互相往来。担任东海中尉的东海人何无忌，是刘牢之的外甥，何无忌与刘裕极力劝阻刘牢之不要与桓玄站在一起，刘牢之就是不肯听从。刘牢之的儿子、担任骠骑从事中郎的刘敬宣也劝谏刘牢之说："如今国家权力衰弱，面临危急，朝廷的安危全部掌控在大人与桓玄的手中。桓玄依靠自己的父亲桓温、叔叔桓冲的资望，占据了整个古楚国的地盘，割去了晋国的三分之二,一旦使他凌驾于朝廷之上，他的威势、声望将会更高，到那时再想控制他恐怕就难了，像汉末董卓那样的灾变，将会在今天重演。"刘牢之大怒说："你说的这些难道我就不知道！现在战胜桓玄易如反掌，但是平定了桓玄之后，你让我如何对付骠骑大将军司马元显？"三月乙巳朔，刘牢之派自己的儿子刘敬宣到桓玄那里请求投降。桓玄阴谋除掉刘牢之，于是设宴招待刘敬宣一同饮酒，又把收藏的名家书画陈列出来，请刘敬宣共同观赏，以此来稳住、取悦刘敬宣，而刘敬宣对桓玄的用意竟然一点也没有察觉。桓玄左右的僚属无不相互示意，心中暗自发笑。桓玄当即签署了委任状，任命刘敬宣为谘议参军。

司马元显即将乘船出发西讨桓玄，忽然听到桓玄已经率军抵达新亭的消息，他立即丢下战船，返回京城，率军屯驻在国子学。三月初三日辛未，又在建康城南的宣阳门外布开阵势。军队当中人心惶恐，到处传言桓玄的军队已经到达朱雀桥，司

刀随后大呼曰："放仗[424]！"军人皆崩溃，元显乘马走入东府[425]，唯张法顺一骑随之。元显问计于道子，道子但对之涕泣。玄遣太傅从事中郎[426]毛泰收元显送新亭，缚于舫前而数之。元显曰："为王诞、张法顺所误耳。"

壬申[427]，复隆安年号[428]，帝遣侍中[429]劳玄[430]于安乐渚。玄入京师，称诏解严[431]，以玄总百揆[432]，都督中外诸军事、丞相、录尚书事、扬州牧，领徐荆江三州刺史，加授黄钺。玄以桓伟为荆州刺史，桓谦为尚书左仆射，桓脩为徐、兖二州刺史，桓石生为江州刺史，卞范之为丹杨尹。

初，玄之举兵，侍中王谧奉诏诣玄，玄亲礼[433]之。及玄辅政，以谧为中书令[434]。谧，导之孙也。新安[435]太守殷仲文[436]，觊之弟也，玄姊为仲文妻。仲文闻玄克京师，弃郡投玄，玄以为谘议参军。刘迈[437]往见玄，玄曰："汝不畏死，而敢来邪？"迈曰："射钩斩袪，并迈为三[438]。"玄悦，以为参军。

癸酉[439]，有司奏[440]会稽王道子酣纵不孝，当弃市，诏徙安成郡[441]，斩元显及东海王彦璋、谯王尚之、庾楷、张法顺、毛泰[442]等于建康市。桓脩为王诞固请，得[10]流岭南[443]。

玄以刘牢之为会稽内史。牢之曰："始尔[444]，便夺我兵，祸其至矣！"刘敬宣请归谕牢之，使受命，玄遣之。敬宣劝牢之袭玄，牢之犹豫不决，移屯班渎[445]，私告刘裕曰："今当北就高雅之[446]于广陵，举兵以匡社稷，卿能从我去乎？"裕曰："将军以劲卒数万，望风降服，彼新得志，威震天下，朝野人情皆已去[447]矣，广陵岂可得至邪？裕当反服[448]还京口[449]耳。"何无忌谓裕曰："我将何之？"裕曰："吾观镇北[450]必不免，卿可随我还京口。桓玄若守臣节，当与卿事之；

马元显于是准备率军返回皇宫。桓玄派军队紧随其后，并挥刀大喊："放下手中的武器！"司马元显所率领的军队立即全部溃散，司马元显骑马逃入老父会稽王司马道子的丞相府，只有张法顺一个人骑马跟随着他。司马元显向会稽王司马道子请教对付桓玄的办法，司马道子只是对着他哭泣。桓玄派遣担任太傅从事中郎的毛泰逮捕了司马元显，并把他押送到新亭，绑在一艘小船上，桓玄列数他的罪状。司马元显说："我是受了王诞、张法顺他们的迷惑才导致如此。"

三月初四日壬申，东晋恢复使用隆安年号。晋安帝司马德宗派侍中到安乐渚去慰劳桓玄。桓玄率军进入京师建康，宣称奉皇帝诏命，解除朝廷军队的戒备状态。晋安帝司马德宗令桓玄总领文武百官，都督中外诸军事、丞相、录尚书事、扬州牧，兼任徐、荆、江三州刺史，假黄钺。桓玄任命自己的哥哥桓伟为荆州刺史，任命桓谦为尚书左仆射，任命桓脩为徐、兖二州刺史，任命桓石生为江州刺史，任命卞范之为丹杨尹。

当初，桓玄起兵的时候，担任侍中的王谧奉晋安帝司马德宗的诏令前往江陵桓玄的治所，桓玄亲自以礼接待。等到桓玄到朝廷辅佐朝政的时候，便任命王谧为中书令。王谧是王导的孙子。担任新安太守的殷仲文，是殷觊的弟弟，桓玄的姐姐是殷仲文的妻子。殷仲文听说桓玄已经占据京师，他立即丢下新安郡前去投奔桓玄，桓玄遂任命殷仲文为谘议参军。刘迈前去晋见桓玄，桓玄说："你就不怕死，竟然还敢来见我？"刘迈说："射中齐桓公带钩的管仲、斩断晋文公衣袖的寺人披，再加上我刘迈，正好是三个人。"桓玄听了很高兴，于是任命刘迈为参军。

三月初五日癸酉，有关部门给晋安帝司马德宗上疏，指控会稽王司马道子酗酒、放纵、不孝，应当拉到闹市斩首示众，晋安帝下诏，把司马道子放逐到安成郡，在建康的闹市将司马元显斩首，同时被斩首的还有东海王司马彦璋、谯王司马尚之、庾楷、张法顺、毛泰等。担任徐、兖二州刺史的桓脩极力为王诞求情，桓玄遂把王诞流放到五岭以南。

桓玄任命刘牢之为会稽内史。刘牢之说："桓玄才刚刚开始就剥夺我手中的兵权，大祸就要临头了！"刘敬宣请求返回京口规劝自己的父亲刘牢之，让他接受桓玄的任命，桓玄批准了他的请求。刘敬宣回到京口，劝说刘牢之出兵袭击桓玄，刘牢之却犹豫不决，他将军队移屯到班渎，私下里对参军刘裕说："我现在准备率军北上到广陵与担任广陵相的高雅之会合，然后起兵拯救国家，你能跟随我前往广陵吗？"刘裕说："将军率领数万精锐之众，却望风归降了桓玄，如今桓玄刚刚夺取政权，声威已经震慑了天下，不论是朝廷还是民间，人心早已离开朝廷归附了桓玄，你岂能到得了广陵？我是准备脱下这身官服，依旧回到京口去当我的老百姓。"刘牢之的外甥何无忌问刘裕说："我将怎么办呢？"刘裕说："我看镇北将军刘牢之肯定难逃杀身灭族之祸，你可以跟随我回到京口。桓玄如果还能恪守臣节，我就和你一起去侍奉他；

不然，当与卿图之。”

于是牢之大集僚佐，议据江北以讨玄。参军刘袭曰：“事之不可者莫大于反[451]。将军往年反王兖州[452]，近日反司马郎君[453]，今复反桓公，一人三反，何以自立？”语毕，趋出[454]，佐吏多散走。牢之惧，使敬宣之京口迎家，失期不至。牢之以为事已泄，为玄所杀，乃帅部曲北走，至新洲[455]，缢而死。敬宣至，不暇哭，即渡江奔广陵。将吏共殡敛牢之，以其丧归丹徒[456]。玄令斫棺斩首，暴尸于市。

大赦[457]，改元大亨[458]。

桓玄让丞相、荆江徐三州[459]，改授太尉、都督中外诸军事、扬州牧、领豫州刺史，总百揆；以琅邪王德文[460]为太宰[461]。

司马休之、刘敬宣、高雅之俱奔洛阳[462]，各以子弟为质于秦以求救。秦王兴与之符信[463]，使于关东[464][11]募兵，得数千人，复还屯彭城间[465]。

孙恩寇临海[466]，临海太守辛景击破之。恩所虏三吴男女，死亡殆尽[467]。恩恐为官军所获，乃赴海死。其党及妓妾从死者以百数，谓之“水仙[468]”。余众数千人复推恩妹夫卢循[469]为主。循，谌之曾孙也，神采清秀，雅[470]有材艺。少时，沙门惠远[471]尝谓之曰：“君虽体涉风素[472]，而志存不轨，如何[473]？”太尉玄欲抚安东土，乃以循为永嘉[474]太守。循虽受命，而寇暴不已。

甲戌[475]，燕大赦。

河西王秃发利鹿孤寝疾[476]，遗令以国事授弟傉檀。初，秃发思复鞬[477]爱重傉檀，谓诸子曰：“傉檀器识，非汝曹所及也。”故诸兄不以传子而传于弟。利鹿孤在位，垂拱[478]而已，军国大事皆委于傉檀。

否则的话，我就与你一同诛灭他。”

于是刘牢之将所有的僚属全部召集起来，商议占据江北讨伐桓玄之事。担任参军的刘袭说：“世间绝对不能干的事情，没有比倒戈再大的了。将军往年对兖州刺史王恭反戈一击，近来又从司马元显阵营里倒戈投靠了桓玄，现在又要反对桓玄，一个人连续三次反复，还凭什么立足于天地之间？”说完便小步快速地走了出去，其他僚属也有很多离座而去。刘牢之见此情形非常恐惧，就派刘敬宣返回京口去迎接自己的家眷，但刘敬宣没有在规定的时间之内返回班渎，刘牢之认为事情已经败露，刘敬宣和自己全家已经被桓玄杀害，于是便率领自己的私人部队向北逃走，当他逃到新洲的时候，便上吊自杀而死。刘敬宣随后赶来，看到自己的父亲已死，他也来不及哭吊，就向北渡过长江逃往广陵。刘牢之的部将共同收殓了刘牢之，带着他的灵柩返回丹徒。桓玄令人砍开棺材，把刘牢之的首级砍下来，将他的尸体扔到闹市中。

东晋实行大赦，改年号为大亨。

东晋桓玄辞让了丞相和荆州、江州、徐州三州的刺史职务，晋安帝司马德宗又改任桓玄为太尉、都督中外诸军事、扬州牧，兼任豫州刺史，统领文武百官；任命琅邪王司马德文为太宰。

东晋襄城太守司马休之、刘牢之的儿子刘敬宣、高雅之全都投奔了洛阳，他们都把自己的子侄送到后秦做人质，请求后秦出兵相救。后秦王姚兴发给他们兵符印信，令他们到关东地区亲自招募兵马，他们招募到了数千人之后，就又返回彭城一带驻扎。

东晋乱民首领孙恩率军队劫掠临海，担任临海郡太守的辛景将孙恩击败，孙恩从三吴地区俘虏的男女死的死，逃的逃，几乎所剩无几。孙恩担心被官军俘虏，于是跳海而死。他的党羽、妓妾跟随他一同投海自杀的有上百人，人们都说他们是随水成仙而去。残存的数千人又推举孙恩的妹夫卢循为首领。卢循是卢谌的曾孙，长得神采清秀，平素又很有才艺。在他小的时候，佛门和尚惠远曾经对卢循说：“你虽然生得相貌堂堂，一表人才，而心里却一直想做违法乱纪的事情，你这一生将如何度过？”担任了太尉的桓玄想用安抚的手段使晋国东部地区的民心稳定，便任命卢循为永嘉太守。卢循虽然接受了朝廷的任命，却仍然无休止地劫夺、侵暴人民。

三月初六日甲戌，后燕实行大赦。

南凉河西王秃发利鹿孤卧床不起，他留下遗诏，把国家权力授予自己的弟弟广武公秃发傉檀。当初，秃发利鹿孤的父亲秃发思复鞬偏爱秃发傉檀，他对自己的儿子们说：“秃发傉檀的度量和见识，你们这些人跟他相比差远了。”所以，秃发傉檀的大哥秃发乌孤、二哥秃发利鹿孤都没有把权力传给自己的儿子，而是传给了兄弟。其实即使是秃发利鹿孤在位的时候，也只是垂衣拱手而坐，一切军国大事全部委托

利鹿孤卒，傉檀袭位，更称凉王[479]，改元弘昌[480]，迁于乐都[481]，谥利鹿孤曰“康王”。

夏，四月，太尉玄出屯姑孰，辞录尚书事，诏许之，而大政皆就谘[482]焉，小事则决于尚书令桓谦[483]及卞范之。

自隆安以来[484]，中外之人厌于祸乱[485]。及玄初至，黜奸佞，擢儁贤，京师欣然，冀得少安[486]。既而玄奢豪纵逸，政令无常，朋党互起，陵侮朝廷，裁损乘舆供奉之具[487]，帝几不免饥寒，由是众心失望。三吴大饥，户口减半，会稽[488]减什三四[489]，临海、永嘉殆尽[490]，富室皆衣罗纨，怀金玉，闭门相守[491]饿死。

乞伏炽磐[492]自西平逃归苑川[493]，南凉王傉檀归其妻子。乞伏乾归使炽磐入朝于秦，秦王兴以炽磐为兴晋[494]太守。

五月，卢循自临海入东阳[495]，太尉玄遣抚军中兵参军[496]刘裕将兵击之，循败，走永嘉。

高句丽[497]攻宿军[498]，燕平州刺史慕容归弃城走。

秦王兴大发诸军，遣义阳公平[499]、尚书右仆射狄伯支等将步骑四万伐魏，兴自将大军继之，以尚书令姚晃辅太子泓守长安，没弈干权镇上邽[500]，广陵公钦[501]权镇洛阳。平攻魏乾壁[502]六十余日，拔之。

秋，七月，魏主珪遣毗陵王顺[503]及豫州刺史长孙肥将六万骑为前锋，自将大军继发以击之。

八月，太尉玄讽朝廷以玄平元显功封豫章公[504]，平殷、杨[505]功封桂阳公[506]，并本封南郡[507]如故。玄以豫章封其子升，桂阳封其兄子俊。

魏主珪至永安[508]，秦义阳公平遣骁将[509]帅精骑二百觇魏军[510]，长孙

给秃发傉檀。河西王秃发利鹿孤去世，广武公秃发傉檀即位，改称凉王，改年号为弘昌，把都城从西平迁回了乐都，给河西王秃发利鹿孤上谥号为“康王”。

夏季，四月，东晋担任太尉的桓玄离开建康，率军进驻姑孰，他辞去了录尚书事，晋安帝司马德宗下诏批准了他的辞职请求，然而军国大事都要到姑孰去征求桓玄的意见才能做出决定，一些日常的小事则由担任尚书令的桓谦和担任丹杨尹的卞范之裁决。

自从晋安帝司马德宗即位以来，朝廷内外的人全都饱尝祸乱之苦。等到桓玄进入京师，掌握了东晋的军国大权之后，他罢黜奸邪谗佞的小人，提拔任用有真才实学的贤士，京师呈现出一派欢腾的景象，都希望时局能够从此逐渐安定下来。然而不久之后，桓玄生活上讲究奢侈豪华，纵情逸乐，在施政方面朝令夕改、政令无常，互结朋党，凌辱朝廷，不断地减少给皇帝的日常生活供应，晋安帝几乎免不了挨饿受冻，民心因此对桓玄大失所望。三吴地区发生了严重的灾荒，百姓或是饿死或是外出逃荒，人口减少了一半，其中会稽郡减少了十分之三四，临海、永嘉两个郡里几乎就没有人了，连那些豪富之家，竟都穿着绫罗绸缎，怀中抱着金玉珠宝，紧闭宅门，一家人相互守在一起被活活饿死。

乞伏炽磐从西平逃回了自己的故都苑川，南凉王秃发傉檀把乞伏炽磐的妻子儿女送还给他。乞伏乾归让乞伏炽磐前往后秦的都城长安朝见后秦王姚兴，姚兴任命乞伏炽磐为兴晋太守。

五月，卢循率军从临海进入东阳，太尉桓玄派遣担任抚军中兵参军的刘裕率军攻击卢循，卢循被刘裕击败，逃回了永嘉，继续做他的永嘉太守。

高句丽派军队攻击后燕平州治所所在地宿军城，后燕担任平州刺史的慕容归弃城逃走。

后秦王姚兴大规模调遣军队，派遣义阳公姚平、担任尚书右仆射的狄伯支等率领四万名步兵、骑兵攻击北魏，姚兴亲自率领大军随后进发，他令担任尚书令的姚晃留在长安辅佐皇太子姚泓，令车骑将军没弈干临时镇守上邽，令广陵公姚钦暂时镇守洛阳。后秦义阳公姚平率军攻打北魏的乾壁城，连续攻打了六十多天才将乾壁城攻克。

秋季，七月，北魏主拓跋珪派遣毗陵王拓跋顺和担任豫州刺史的长孙肥率领六万名骑兵为前锋，自己亲率大军随后进发抗击后秦军的入侵。

八月，东晋太尉桓玄暗示朝廷，朝廷迫于桓玄的压力，遂把灭掉司马元显作为桓玄的功劳，封桓玄为豫章公；根据平定殷仲堪、杨佺期的功劳，遂又封桓玄为桂阳公；桓玄原有的南郡公依然保留。桓玄转而把豫章封给了自己的儿子桓升，把桂阳封给了自己的侄子桓俊。

北魏主拓跋珪率领大军抵达永安，后秦义阳公姚平派遣了一位勇将率领二百名

肥逆击，尽擒之。平退走，珪追之，乙巳[511]，及于柴壁[512]。平婴城固守，魏军围之。秦王兴将兵四万七千救之，将据天渡[513]运粮以馈平。魏博士[514]李先曰："兵法：高者为敌所栖，深者为敌所囚[515]。今秦皆犯之，宜及兴未至，遣奇兵先据天渡，柴壁可不战而取也。"珪命增筑重围，内以防平之出，外以拒兴之入。广武将军安同曰："汾东有蒙坑[516]，东西三百余里，蹊径不通。兴来，必从汾西直临柴壁。如此，虏声势相接，重围虽固，不能制也。不如为浮梁[517]，渡汾西[518]，筑围以拒之。虏至，无所施其智力矣。"珪从之。兴至蒲阪[519]，惮魏之强，久乃进兵。甲子[520]，珪帅步骑三万逆击兴于蒙坑之南，斩首千余级，兴退走四十余里，平亦不敢出。珪乃分兵四据险要，使秦兵不得近柴壁。兴屯汾西，凭壑[521]为垒，束柏材[522]从汾上流纵之，欲以毁浮梁，魏人皆钩取以为薪蒸[523]。

冬，十月，平粮竭矢尽，夜，悉众突西南围求出。兴列兵汾西，举烽鼓噪为应。兴欲平力战突免，平望兴攻围引接[524]，但叫呼相和，莫敢逼围。平不得出，计穷，乃帅麾下赴水死，诸将多从平赴水。珪使善游者钩捕之，无得免者。执狄伯支及越骑校尉唐小方等四十余人，余众二万余人皆敛手就禽。兴坐视其穷，力不能救。举军恸哭，声震山谷。数遣使求和于魏，珪不许，乘胜进攻蒲阪，秦晋公绪[525]固守不战。会柔然谋伐魏，珪闻之，戊申[526]，引兵还。

精骑兵去侦查北魏军的虚实，北魏担任豫州刺史的长孙肥率军迎头痛击，把二百多名精骑兵全部俘虏。姚平退走，拓跋珪率军随后追击，八月初九日乙巳，追到位于汾水东岸的柴壁城。姚平率军进驻柴壁进行坚守，北魏军则把柴壁城团团包围。后秦主姚兴亲自率领四万七千人马赶赴柴壁救援姚平，他打算先占据天渡渡口，便于为柴壁城中的姚平供应粮食。北魏担任博士的李先说："兵法上说：居于高处，就会被敌人所围困；居于低处，就会被敌人囚禁。如今后秦犯了这两条兵家大忌，应该趁着后秦主姚兴还没有赶到，派遣奇兵抢先占据天渡，这样一来，可以不用出兵攻打，就能占有柴壁城。"拓跋珪遂下令加强对柴壁城的围困，构筑起双重的包围圈，内层包围圈的主要任务是防止姚平率军从柴壁城往外突围，外层包围圈是用来对付后秦主姚兴率军从外面杀入。担任广武将军的安同向北魏主拓跋珪建议说："汾水东岸有一个地方叫作蒙坑，东西长三百多里，没有道路可以从中通过。姚兴率军前来，必定从汾水西岸径直靠近柴壁。如此一来，敌人就会形成可以互相声援、互相接应的局面，我们的双重包围即使再坚固，也不能制服他们。不如在汾水上架设一座浮桥，使我军渡过汾水，在西岸筑起一道围墙以抗拒敌人，姚兴就是率军逼近，他的智谋也无处施展了。"拓跋珪采纳了安同的意见。姚兴率军抵达蒲阪，因为惧怕北魏军的强大，拖延了很长时间才向前推进。二十八日甲子，北魏主拓跋珪率领三万名步兵、骑兵在蒙坑以南迎击姚兴所率领的后秦军，将后秦军击败，斩杀了一千多人，姚兴率军后退了四十多里，被困在柴壁城中的姚平也没敢向外突围。拓跋珪遂把军队分成四处，各据险要，使后秦姚兴的军队不能靠近柴壁城。后秦主姚兴将军队驻扎在汾水西岸，在靠近山谷的地方安营扎寨，他令军士将砍伐下来的柏树捆成捆，从上游放入汾水，令其顺流而下，想用这个办法来撞毁北魏军在汾水上架起的浮桥，然而却都被北魏的军队钩取出来当作了煮饭用的木柴。

冬季，十月，姚平已经将城内的粮食吃光，箭矢用光，只得利用黑夜做掩护，率领所有军队向西南方向突围。后秦主姚兴在汾水西岸列好阵势，令军士手举烽火，击鼓呐喊声援姚平。姚兴希望姚平能够奋力突围以求生，而姚平却希望姚兴能够攻击北魏围城的军队来接应自己突围，所以双方只是互相高声呐喊呼应，却谁也不敢逼近北魏军的包围圈。姚平无法突破包围，已经计穷力竭，于是便率领自己的部下投入汾水而死，诸将当中绝大部分都跟随姚平跳入水中。北魏拓跋珪派水性好的人下水搜捕，跳入水中的后秦军没有一个人逃脱。北魏军俘虏了狄伯支以及担任越骑校尉的唐小方等四十多人，其余的两万多人全都束手就擒。后秦主姚兴眼睁睁地看着他们陷入走投无路的困境，却无力相救。全军将士不禁失声痛哭，哭声震动了山谷。姚兴多次派使者向北魏请求讲和，北魏主拓跋珪就是不允许，并乘胜率军进攻驻扎在蒲阪的后秦军，后秦晋公姚绪坚守蒲阪不与北魏军交战。恰好此时柔然国准备出兵攻伐北魏，北魏主拓跋珪得知消息，才于十三日戊申率军返回。

或告[527]太史令晁崇及弟黄门侍郎懿潜召秦兵，珪至晋阳[528]，赐崇、懿死[529]。

秦徙河西豪右[530]万余户于长安。

太尉玄杀吴兴[531]太守高素、将军竺谦之及谦之从兄朗之、刘袭并袭弟季武，皆刘牢之北府[532]旧将也。袭兄冀州[533]刺史轨邀司马休之、刘敬宣、高雅之等共据山阳[534]，欲起兵攻玄，不克而走。将军袁虔之[535]、刘寿[536]、高长庆[537]、郭恭[538]等皆往从之。将奔魏，至陈留[539]南，分为二辈[540]：轨、休之、敬宣奔南燕[541]；虔之、寿、长庆、恭奔秦。

魏主珪初闻休之等当来，大喜。后怪其不至，令兖州[542]求访，获其从者，问其故，皆曰："魏朝威声远被[543]，是以休之等咸欲归附。既而闻崔逞[544]被杀，故奔二国。"珪深悔之。自是士人有过，颇见优容[545]。

南凉王傉檀攻吕隆于姑臧。

燕王熙[546]纳故中山尹[547]苻谟二女，长曰娀娥，为贵人[548]；幼曰训英，为贵嫔。贵嫔尤有宠。丁太后[549]怨恚[550]，与兄子尚书信[551]谋废熙立章武公渊[552]。事觉，熙逼丁太后令自杀，葬以后礼，谥曰"献幽皇后"。十一月戊辰[553]，杀渊及信。

辛未[554]，熙畋于北原[555]。石城令[556]高和与尚方兵[557]于后作乱，杀司隶校尉[558]张显，入掠宫殿，取库兵[559]，胁营署[560]，闭门乘城[561]。熙驰还，城上人皆投仗[562]开门，尽诛反者，唯和走免。甲戌[563]，大赦。

魏以庾岳[564]为司空。

十二月辛亥[565]，魏主珪还云中[566]。

柔然可汗社仑闻珪伐秦，自参合陂[567]侵魏，至豺山[568]及善无北

有人向北魏主拓跋珪告发担任太史令的晁崇和他的弟弟、担任黄门侍郎的晁懿暗中与后秦军勾结，拓跋珪抵达晋阳时，下诏令晁崇、晁懿兄弟二人自杀。

后秦将河西地区的豪门大族一万多户迁徙到都城长安。

东晋担任太尉的桓玄杀死了担任吴兴太守的高素、将军竺谦之、竺谦之的堂兄竺朗之、担任参军的刘袭、刘袭的弟弟刘季武，这些人都是刘牢之北府的旧将。刘袭的哥哥、担任冀州刺史的刘轨邀请襄阳太守司马休之、刘牢之的儿子刘敬宣、广陵相高雅之等共同据守山阳，准备招兵买马攻击桓玄，没有获得成功，只得逃走。辅国将军袁虔之、宁朔将军刘寿、冠军将军高长庆、龙骧将军郭恭等也都去投奔他们。他们准备一同投奔北魏，到达陈留以南的时候分成了两派：刘轨、司马休之、刘敬宣前往广固投奔了南燕慕容备德；袁虔之、刘寿、高长庆、郭恭等人前往长安投奔了后秦姚兴。

北魏主拓跋珪刚开始听说司马休之等要来投奔，非常高兴。后来对他们迟迟没有到来感到很奇怪，便令担任兖州刺史的长孙肥四处打听他们的下落，结果只抓获了他们的随从，于是便向这些随从询问缘故，这些随从都说："魏国的声威已经传播到很远的地方，所以司马休之等都想前来归附。后来听说投降魏国的崔逞已经被杀死，所以就分别投奔了南燕和后秦。"拓跋珪对自己杀死崔逞之事非常后悔。从此以后，那些士大夫、知识分子犯了什么过失，拓跋珪大多都能给以宽容和优待。

南凉王秃发傉檀率军攻击后凉建康公吕隆所据守的都城姑臧。

后燕天王慕容熙将已故中山尹苻谟的两个女儿收入宫中：长女名叫娀娥，被封为贵人；二女儿名叫训英，被封为贵嫔。被封为贵嫔的训英尤其受到慕容熙的宠爱。丁太后因此吃醋而产生怨恨，就与自己的侄子、担任尚书的丁信谋划废掉慕容熙，另立章武公慕容渊。阴谋泄露，慕容熙遂逼迫丁太后，令她自杀，慕容熙以皇后的礼节安葬了她，给她的谥号是"献幽皇后"。十一月初三日戊辰，后燕天王慕容熙杀死了章武公慕容渊和"献幽皇后"的弟弟丁信。

十一月初六日辛未，后燕天王慕容熙到龙城附近的北原打猎。担任石城县令的高和因为参加丁太后的葬礼来到龙城，他利用慕容熙外出打猎的机会，发动尚方署的警卫军在后方的京师搞政变，他们杀死了担任司隶校尉的张显，冲入宫廷大肆劫掠，夺取了武库中的兵器，胁迫京城内的各个军营、官署，紧闭龙城大门，登上城墙防守。天王慕容熙接到禀报飞马赶回，站在龙城之上的兵士看见慕容熙，立即放下手中的兵器打开了城门，把谋反的人全部杀死，只有高和一个人逃走。初九日甲戌，实行大赦。

北魏主拓跋珪任命担任相州刺史的庾岳为司空。

十二月十七日辛亥，北魏主拓跋珪返回云中。

柔然豆代可汗郁久闾社仑得知北魏主拓跋珪率军征讨后秦的消息，便从参合陂

泽[569]。魏常山王遵以万骑追之，不及而还。

太尉玄使御史杜林防卫[570]会稽文孝王道子[571]至安成，林承玄旨，鸩[572]道子，杀之。

沮渠蒙逊所署西郡[573]太守梁中庸叛，奔西凉。蒙逊闻之，笑曰："吾待中庸恩如骨肉，而中庸不我信，但自负[574]耳，孤岂在此一人邪？"乃尽归其孥[575]。

西凉公暠问中庸曰："我何如索嗣[576]？"中庸曰："未可量也。"暠曰："嗣才度若敌我[577]者，我何能于千里之外以长绳绞其颈邪？"中庸曰："智有短长，命有成败。殿下之与索嗣，得失之理，臣实未之能详。若以身死为负，计行[578]为胜，则公孙瓒[579]岂贤于刘虞[580]邪？"暠默然。

袁虔之等至长安，秦王兴问曰："桓玄才略何如其父[581]？卒能成功乎？"虔之曰："玄乘晋室衰乱，盗据宰衡[582]，猜忌安忍[583]，刑赏不公。以臣观之，不如其父远矣。玄今已执大柄[584]，其势必将篡逆，正可为他人驱除[585]耳。"兴善之，以虔之为广州刺史[586]。

是岁，秦王兴立昭仪张氏为皇后，封子懿、弼、洸、宣、谌、愔、璞、质、逵、裕、国儿皆为公。遣使拜秃发傉檀为车骑将军、广武公[587]，沮渠蒙逊为镇西将军、沙州刺史、西海侯，李暠为安西将军、高昌侯。

秦镇远将军赵曜帅众二万西屯金城[588]，建节将军王松忽帅骑助吕隆守姑臧[589]。松忽至魏安[590]，傉檀弟文真击而虏之。傉檀大怒，送松忽还长安，深自陈谢。

出兵入侵北魏，大军一直抵达豺山以及善无县城北面的草泽地带。北魏常山王拓跋遵率领一万名骑兵闻讯赶来追击，没有追上，遂率军撤回。

东晋太尉桓玄派担任御史的杜林防卫会稽文孝王司马道子，前往安成郡，到达安成郡之后，杜林秉承桓玄的旨意，便在酒中下毒，毒死了会稽王司马道子。

北凉张掖公沮渠蒙逊所任命的西郡太守梁中庸叛变，投奔了西凉。沮渠蒙逊听到消息，便笑着说："我对待梁中庸，就如同自己的骨肉，而梁中庸却不肯相信我，其实吃亏的只能是他自己，我难道会在乎他这样的一个人吗？"于是把梁中庸的妻子儿女全部送还给他。

西凉公李暠问梁中庸说："我比索嗣怎么样？"梁中庸回答说："不能相比。"李暠说："如果索嗣的才能和气度与我不相上下，我怎么能在这遥远的千里之外，用长长的绳索勒住他的脖子呢？"梁中庸说："人的智慧在有些地方擅长，在有些地方就可能欠缺，人的命运有时会成功，有时也难免会遭遇失败。殿下与索嗣相比，一个成功，一个失败，其中的原因我确实知道得不是很详细。但如果以身死作为失败、把计谋得逞作为胜利的评判标准，那么公孙瓒难道比刘虞更贤能吗？"李暠沉默无语。

东晋辅国将军袁虔之等到了后秦的都城长安，后秦王姚兴问他们说："桓玄的才能和谋略比他的父亲桓温怎么样？他最终会成功地篡夺皇位吗？"袁虔之回答说："桓玄趁着朝廷的衰微和混乱，盗窃了国家的权柄，他为人猜忌，性情残忍，赏罚不公。以我看来，比他的父亲差远了。桓玄目前已经掌握了军政大权，从发展趋势来看，他肯定会篡夺皇位，不过那只是在为别人扫清前进路上的障碍罢了。"姚兴认为袁虔之分析得很对，于是任命袁虔之为广州刺史。

这一年，后秦王姚兴立昭仪张氏为皇后，封自己的儿子姚懿、姚弼、姚洸、姚宣、姚谌、姚愔、姚璞、姚质、姚逵、姚裕、姚国儿都为公爵。又派遣使者前往南凉的都城乐都封南凉王秃发傉檀为车骑将军、广武公，封北凉张掖公沮渠蒙逊为镇西将军、沙州刺史、西海侯，封西凉公李暠为安西将军、高昌侯。

后秦担任镇远将军的赵曜率领二万人驻扎在金城，担任建节将军的王松忽率领骑兵协助后凉建康公吕隆守卫姑臧。王松忽率军到达魏安的时候，遭到南凉王秃发傉檀的弟弟秃发文真的袭击，王松忽战败被俘。秃发傉檀非常生气，他亲自将王松忽护送回后秦的都城长安，并诚挚地向后秦主姚兴道歉。

【段旨】

以上为第三段，写晋安帝元兴元年（公元四〇二年）一年间的大事。主要写了东晋朝廷以司马元显为统帅，以刘牢之为前锋都督讨伐桓玄，张法顺建议除掉在朝的桓氏亲属，并对刘牢之采取应有措施，元显不听；桓玄举兵东下，司马元显彷徨无主，不知所为；刘牢之军于溧洲，刘裕请战，不许；桓玄派人对刘牢之策反，刘牢之派其子刘敬宣诣桓玄请降；桓玄入建康，朝廷军皆溃，皇帝慰问桓玄，桓玄遂总揽朝政；桓玄捕杀司马元显，流放司马道子，并于路上鸩杀之；桓玄罢掉刘牢之的兵权，刘牢之又欲起兵讨桓玄，但部下无人跟从，刘牢之遂在率部北走的途中自杀，其子其婿等人分别逃入南燕与姚氏之后秦；而桓玄执政后，开始众心欣然，后因奢豪纵逸，政令无常，众心失望，东晋地区困乏之极。写了孙恩又寇临海，被官军打败，孙恩投海而死；孙恩妹夫卢循被推为首领，桓玄为收买他任其为永嘉太守，卢循虽受命，又寇临海，桓玄命刘裕击败之。写了魏国与秦国的关系恶化，对攻于幽、并与陕、甘交界地区；秦主姚兴与魏主拓跋珪大战于汾水，姚兴大败，时因柔然侵魏，魏军始撤。写了柔然民族的社仑部落强大于北方，自号豆代可汗。写了南凉的秃发利鹿孤死，秃发傉檀继其位，迁于乐都，自称凉王；南凉的秃发傉檀与北凉的沮渠蒙逊不断进攻姑臧的吕氏政权，以及后燕慕容熙部下发生叛乱，被慕容熙削平等。

【注释】

㉓正月庚午朔：正月初一是庚午日。㉔罪状桓玄：公布桓玄的罪恶，以斥责、声讨之。罪状，这里用作动词，即“斥责”“声讨”的意思。㉕都督十八州：统率全国军队。十八州指当时东晋所辖的全境，即：扬、徐、南徐、兖、南兖、豫、南豫、青、冀、司、荆、江、雍、梁、益、宁、交、广。㉖加黄钺：授予黄色大斧。意即赋予其统率全军的最高权威，有生杀之大权。㉗后部：即后军都督。㉘改元：从此改用元兴年号。古代在国家遇有重大变故，如帝王之死、出兵平叛等事时，往往颁行大赦，以稳定人心；同时进行改元，以表示“重新开始”之意。㉙太傅：此官虽无实权，但显要崇高，故用为加官。㉚中护军桓脩：桓脩是桓冲之子，桓玄的堂兄弟。传见《晋书》卷七十四。中护军，与“中领军”同为权力最大的朝廷武官名。㉛王诞：王导的曾孙，任司马道子的长史。长史为诸史之长，权力甚大。㉜陈：为之分说。㉝桓谦兄弟：指桓谦与其兄桓脩。桓谦是桓玄的干将之一，当时给司马道子任司马。传见《晋书》卷七十四。㉞为上流耳目：言其虽在朝为官，实则是桓玄安在朝廷的耳目。上流，指当时任荆州刺史的桓玄。荆州地处晋都建康的上流。㉟以杜奸谋：以断绝他们之间的通风报信、里应外合。杜，堵塞、断绝。㊱事之济不：讨桓玄的事情能成与不能成。不，同“否”。㊲牢之反覆：刘牢之

的为人反复无常。㉘逆为之所：事先给他找个合适的地方，意即杀了他。㉙再三不可：指张法顺言之再三，而司马元显终以为不可。⑩桓冲特有遗惠：桓冲是晋朝名臣桓彝之子，初从其兄桓温征伐，后又命将北伐，多有战功，先后曾任江州刺史、荆州刺史等官，对晋王朝忠心无二。传见《晋书》卷七十四。遗惠，为官去任后，能使百姓因得好处而怀恋之。⑪除：任命。⑫以结西人之心：为使荆州地区的官民心向朝廷。⑬丁丑：正月初八。⑭魏令支戍：魏军在令支城设立的防守据点。⑮那颉：姓那名颉，时为辽西太守。辽西郡的郡治令支，在今河北迁安南。⑯辽西阳豪：辽西郡人姓阳名豪。⑰丁亥：正月十八。⑱章武公渊：即慕容渊，慕容盛之弟，慕容熙之侄。⑲博陵公虔：即慕容虔，慕容渊之弟。⑳戊子：正月十九。㉑材官将军和突：主管建筑的将军。姓和名突。㉒黜弗、素古延：少数民族部落名，与匈奴的关系较近，当时活动在今宁夏一带。㉓慕容后：慕容宝的幼女，被立为后事，见本书上卷隆安四年。㉔止狄干：扣留了魏国来的求婚者贺狄干。止，扣留。㉕庚寅：正月二十一。㉖并州：州治晋阳，在今山西太原西南。㉗平阳之乾壁：平阳郡的乾壁县。平阳郡的郡治在今山西临汾西南。乾壁，即干城县，古代也叫北屈，在今山西吉县北。㉘社仑：柔然部落的头领名。柔然《魏书》作“蠕蠕”，当时活动在今内蒙古及蒙古国南部一带。社仑先曾被拓跋珪所俘，后逃出，又在北方发展起来。传见《魏书》卷一百三。㉙辛卯：正月二十二。㉚高车：少数民族名，当时活动在今蒙古国的北部地区，以其风俗喜乘高轮车而得名。㉛斛律部：少数民族部落名。㉜倍侯利：人名，斛律部的头领。㉝焉耆：当时的西域国名，国都焉耆，即今新疆焉耆回族自治县。㉞羁属：松散地从属。羁，羁縻，像管理牲畜一样地用绳子笼着。㉟约束：指各种规章制度。㊱赐以虏获：把他在战场上缴获的东西全都赏给他。㊲克显美：秃发傉檀自去年攻显美，至此始克。㊳分符：这里意即受命，接受任务。符是一种作为凭证的器物，朝廷与外官各执一半，朝廷有命令下达时，派使者持存朝的一半前往合符以示信。㊴甫至：刚到。甫，始、刚刚。㊵获罪于执事：被你所鄙视。执事，犹言“阁下”“麾下”，对受话人的敬称。㊶圣朝必取河右：你们一定可以占领黄河以西地区。圣朝，敬指南凉政权。河右，犹言“河西”，指黄河以西的青海北部及甘肃中西部地区。㊷复忝显任：又荣任你的高官。忝，谦指受任。显任，高官。“司马”是大将军的高级僚属，故孟祎说它是“显任”。㊸就戮姑臧：回到姑臧吕隆那里去领受罪责，这里意即请求放回。㊹死且不朽：即使我死了，也是永远感激不忘的。㊺因以饥馑：紧接着又闹灾荒。因，接连。㊻漕运不继：指东方州郡给朝廷运送的物资减少，不够开销。㊼以麸橡给士卒：让士兵们吃糠麸、橡籽。谷物的皮。橡，栎树的果实，可以吃。㊽谓：以为。㊾蓄力观衅：积蓄自己的力量，观测朝廷的空子，以待伺机而动。㊿太傅长史石生：即桓石生，桓玄的堂兄，当时在司马道子手下任“长史”。(351)完聚江陵：指收缩兵力、积蓄粮草以固守江陵。(352)卞范之：桓玄的心腹骨干。传见《晋书》卷九十九。(353)大失物情：大失人心。物情，人心。(354)示以祸福：告诉他应何去何从，意即对之进行策反。㉟延敌入境：等着敌人打上门来。延，引，这里意即“坐等”。㊱穷蹙：指受困。㊲抗表传檄：给朝廷上表，控告司马元显；给各州郡发出檄文，号召讨伐司马元显。檄，檄文、号召讨伐某人的文告。㊳二月丙午：二月初七。㊴西池：又名太子湖，在建康城北六里。㊵癸丑：二月十四。㊶刘勃勃：即历史上的赫连勃勃，字子才，日后夏政权的建立者，匈奴刘渊的同族，刘卫辰之子。刘卫辰被拓跋氏所杀，刘勃勃归服没弈干，与之一同为姚兴镇守高平。传见《晋书》卷一百三十。㊷秦州：州治上邽（今甘肃天水市），当时属后秦。㊸瓦亭：村镇名，在今宁夏固原西南。㊹代都：代国的都城，即平城，在今山西大同东北。㊺分迸：分散逃走。㊻平阳太守贰尘：平阳郡的太守名叫贰尘。平阳郡的郡治即今山西临汾。㊼河东：郡名，郡治安邑，在今山西夏县西北。㊽文学：义同今之“学术”“学问”。㊾谈咏：谈，指谈吐。咏，指吟诵诗文。㊿胡虏：此指围困姑臧的秦国人，秦国人属羌族。㊀沮动：涣散、动摇。㊁留谷万余斛遗之：给吕隆政权留下了万余斛粮食。斛，容量单位，一斛约当一石，即十斗。㊂昌松：郡名，郡治在今甘肃武威东南。㊃凉泽段冢：凉泽地区的段冢村。凉泽，也叫猪野泽、休屠泽，在今甘肃武威东。段冢是村镇名。㊄面缚：指双手缚于后，前方只见其面。㊅西平：即今青海西宁，当时秃发氏的南凉国都。㊆乐都：即今青海海都市乐都区。㊇庾楷谋泄：指暗通司马元显，合谋以攻桓玄事。㊈丁巳：二月十八。㊉齐王柔之：即司马柔之，晋朝的宗室，司马懿的重孙，此时被封为齐王。其父司马宗，被封为南顿王。㉛驺虞幡：朝廷勒令下属立即罢兵的一种旗号，上绘驺虞。驺虞据说是一种仁兽，不吃任何有生命的东西，故用以表示休战止杀。㉜荆、江二州：指荆州刺史桓玄、江州刺史桓伟及其所属将士。㉝丁卯：二月二十八。㉞姑孰：县名，县治即今安徽当涂。㉟历阳：郡名，郡治即今安徽和县，当时是豫州刺史的侨居驻地。㊱襄城：郡名，郡治即今河南襄城，上属于豫州。但其太守司马休之实际上在历阳。司马休之是司马尚之的弟弟。传见《晋书》卷三十七。㊲婴城固守：此指固守历阳。婴城，环城。㊳洞浦：也叫洞口，在历阳城东的长江边上。㊴浦上：水边的平地。㊵横江：即今安徽马鞍山前的采石矶。㊶涂中：胡三省注，“涂”通“滁”。地区名，在今安徽全椒以东、江苏南京市六合区以西的滁河一线。㊷材武：身材仪表与军事谋略。㊸假玄：借着桓玄。㊹以除执政：以除掉朝廷的执政者司马道子与司马元显。㊺骤诣门：多次到司马元显的门上。骤，数、屡次。㊻遇之公坐：在大庭广众的席位上见了个面。㊼溧洲：也叫洌洲，在今江苏南京西南的长江中。㊽戴：顶着，这里即指“拥有”。㊾文种：越王勾践的功臣，越国复兴灭吴后，文种被拘践所杀。事见《史记·越王勾践世家》。㊿白起：秦国大将，曾大破楚国，又坑赵卒四十万于长平，后被秦昭王所杀。事见《史记·白起王翦列传》。㊀韩信：刘邦的开国功臣，项羽被摧垮后，韩信被刘邦所杀。事见《史记·淮阴侯列传》。㊁明主：越王勾践、秦昭王、汉高祖，都是历史上极有作为的开明君主。㊂凶愚：指晋安帝司马德宗。司马德宗是个白痴，生活上都不能自理。㊃倾宗：与下“覆族”对文同义，即合族被灭。㊵欲以此安归：一个具有如此战功与名望、地位的人还能去投奔谁呢。㊶射钩：齐桓公即位前与其兄公子纠相争，管仲为公子纠伏射齐桓公，射在了齐桓公的衣带钩上，故而未死。齐桓公即位后听鲍叔牙推荐，用管仲为相。事见《史记·齐太公世家》。㊷斩袪：春秋晋国骊姬煽动晋献公杀了太子申生，又派寺人披去杀公子重耳，重耳跳墙逃跑，被寺人披斩断了一只袖子（袪）。后来重耳即位（即晋文公），寺人披来见，重耳宽免了他。事见《左传》僖公二十四年。㊸不害为辅佐：不影响他们为丞相之职。㊹宿昔之怨：旧日的仇恨。宿昔，犹言往日。㊺交通：互相往来、勾结。㊻东海中尉：司马元显的儿子东海王司马彦璋的中尉。东海国原在山东的郯城，后在今江苏镇江市侨立南东海郡。中尉，诸侯国的军事长官。㊼何无忌：晋末名将，东海郡人。传见《晋书》卷八十五。㊽骠骑从事中郎：骠骑大将军（司马元显）的僚属。从事中郎主管文书，察举不法。㊾父、叔：父，指桓温。叔，指桓冲。㊿凌朝廷：欺凌朝廷；凌驾于朝廷之上。416董卓：东汉末年的地方军阀，何进谋诛宦官失败后，朝廷大乱，董卓趁机进京，控制朝政，废少帝立献帝，遂致四海分崩。事见本书卷五十九中平六年、初平元年。417三月乙巳朔：疑为“己巳”之误。三月初一是己巳日。418版：任命。当时大臣委任官属，以木札书之，有别于朝廷的诏令。419将发：将乘船出发西讨桓玄。420新亭：当时的游览区，在今江苏南京西南的长江边上。421辛未：三月初三。422陈于宣阳门外：列阵于宣阳门外。宣阳门是当时建康城的南门。423南桁：即朱雀桥，当时建康城南秦淮河上的浮桥名。因其正对城的南门，故亦称“南桁”。424放仗：犹今之所谓“放下武器”。425东府：司马道子的宰相府，在当时的台城之东，四面有城墙。426太傅从事中郎：司马道子身边的官属，当时司马道子加官为太傅。427壬申：三月初四。428复隆安年号：司马元显为讨桓玄而改该年隆安六年为元兴元年，今则仍称隆安六年。429侍中：官名，帝王身边的侍从大臣，以协助参谋决策。430劳玄：慰问桓玄，如此则承认了桓玄起兵的合理性、正义性。431称诏解严：以皇帝的名义宣告解除了朝廷一切军队的戒备状态。432总百揆：统领百官，为百官之长。总，统领、总管。433亲礼：亲近，并以礼相待。434中书令：位同宰相。435新安：郡名，郡治始兴，在今浙江淳安西北。436殷仲文：殷仲堪的堂弟，桓玄的姐夫。传见《晋书》卷九十九。437刘迈：原是殷仲堪的中兵参军，当桓玄失势在殷仲堪面前无礼逞武时，刘迈曾说他：“马矟有余，精理不足。”事见本书卷一百八太元十七年。438并迈为三：意谓自己也和当初的管仲、寺人披一样，当时是各为其主，如今也当得到宽宥。439癸酉：三月初五。440有司奏：有关方面的官员向皇帝启奏。显然这是桓玄所指使。441徙安成郡：流放到安成郡。郡治即今江西安福。442毛泰：司马道子的从事中郎，先与司马父子极其亲昵，后产生矛盾。桓玄叛乱时，欲讨好桓玄，但终被杀。事见《晋书》卷八十一。443岭南：五岭以南，今广东一带。444始尔：犹言事情才刚刚开始。445班渎：地名，在当时建康城东北的长江边。446高雅之：刘牢之的女婿，当时任广陵相。广陵在今江苏扬州西北。447朝野人情皆已去：都不再向着我们。人情，人心向背。㊽反服：反初服，即回家为民。㊾京口：古城名，即今江苏镇江市。㊿镇北：即刘牢之，当时为镇北将军。451反：反戈；倒戈。452王兖州：指王恭，生前曾任兖州刺史。刘牢之反王恭事见本书卷一百一十隆安二年。453司马郎君：指司马元显。当时奴仆称主人家的年轻人叫“郎”或“郎君”。郎君，犹后世之所谓“少爷”“公子”。454趋出：小步疾行而出。趋，小步疾行，这是臣子在君父面前守礼的一种走路姿势。455新洲：长江中的洲渚名，在当时的建康城东北。456丹徒：县名，县治在今江苏镇江市东南。457大赦：主语是晋安帝，实为桓玄。458改元大亨：前桓玄已让晋安帝废除元兴，复用隆安年号，今又令其改称大亨，意即一切大吉大利。459让丞相荆江徐三州：当时桓玄已让其兄桓伟为荆州刺史，弟桓石生为江州刺史，堂兄弟桓脩为徐、兖二州刺史；自己又占据京城，把持朝政，故不妨让了数职，且又没有给别家。460琅邪王德文：即司马德文，晋安弟司马德宗之弟。461太宰：晋朝的“太宰”实即太师，为避司马师之讳而改。在当时是一种荣誉性的加官。462洛阳：即今河南洛阳，当时属姚兴之后秦。463符信：帝王授予大臣的兵符信印。464关东：函谷关以东。465彭城间：彭城（即今江苏徐州）一带，当时处于东晋的北部边境。466临海：郡名，郡治章安，在今浙江临海市东。467死亡殆尽：死的死，逃的逃，已经所剩无几。殆，几乎。468“水仙”：随水成仙而去。469卢循：卢谌的曾孙。卢谌于东晋初年跟随刘琨，刘琨死后，又曾跟随过段匹磾与石勒。470雅：平素。471沙门惠远：一个名叫惠远的和尚。惠远，通常写作“慧远”，是庐山东林寺的高僧，兼通儒家经典，为当时僧俗所称重。472体涉风素：犹后世之所谓“相貌堂堂”。473如何：意即你这一生该如何度过。474永嘉：郡名，郡治即今浙江温州。475甲戌：三月初六。476寝疾：犹言“卧病”，卧床不起。477秃发思复鞬：秃发傉檀之父。其长子名乌孤，次子名利鹿孤，三子即傉檀。478垂拱：垂衣拱手而坐，以言其清闲自得、诸事不问，一切都听秃发傉檀的。479更称凉王：即历史上的南凉政权。480改元弘昌：在此以前是秃发利鹿孤的年号建和（公元四〇〇至四〇一年）。481乐都：即今青海海东市乐都区。482皆就谘：都要到他家里去请示。483桓谦：桓玄的堂兄弟。484隆安以来：晋安帝即位以来。隆安是晋安帝的年号（公元三九七至四〇一年）。485祸乱：指王恭、殷仲文的两次起兵，以及孙恩起义等连续不断。486冀得少安：希望能够稍微安定一点。487乘舆供奉之具：指给晋安帝的日常生活供应。乘舆，帝王乘坐的车驾，这里借指皇帝。488会稽：郡名，郡治山阴，即今浙江绍兴。489减什三四：减少了十分之三四。490临海、永嘉殆尽：临海、永嘉两个郡里都几乎没有人了。491相守：全家老少在一起，相互不离。492乞伏炽磐：乞伏乾归之子。乞伏乾归与后秦姚兴作战失败，西逃投降了秃发氏。后怕被秃发氏所杀，乞伏乾归将其子炽磐送到西平给秃发氏做人质，自己又只身东下投降了姚兴。事见本书卷一百一十一隆安四年。493苑川：郡名，郡治在今甘肃兰州东，当时姚兴又派乞伏乾归来此旧地镇守。494兴晋：郡名，郡治在今甘肃临夏东北。495东阳：郡名，郡治即今浙江金华。496抚军中兵参军：抚军大将军的中兵参军，桓玄的堂兄弟桓脩当时任此职。

刘裕离开刘牢之后，与何无忌等一起投奔了当时镇守丹徒的桓脩。桓脩是桓冲之子。㊾⑦高句丽：朝鲜族建立的古国名，当时活动在今辽东及今朝鲜北部一带地区。㊾⑧宿军：当时的平州州治所在地，在当时的龙城（今辽宁朝阳）东北。㊾⑨义阳公平：即姚平，姚兴的部将，被封为义阳公。⑤⓪⓪权镇上邽：临时镇守上邽。上邽即今甘肃天水市。权，暂时、临时。⑤⓪①广陵公钦：即姚钦，姚兴的部将。⑤⓪②乾壁：地名，在今山西襄汾北，临汾南。⑤⓪③毗陵王顺：即拓跋顺，拓跋珪之侄。⑤⓪④豫章公：封邑为豫章郡，郡治即今江西南昌。⑤⓪⑤殷、杨：指殷仲堪、杨佺期。二人于隆安三年被桓玄所灭。⑤⓪⑥桂阳公：封邑为桂阳郡，郡治即今湖南郴州。⑤⓪⑦本封南郡：原有的封地南郡，郡治即今湖北江陵。南郡是桓玄之父桓温当年的封地，理应由桓玄继承。⑤⓪⑧永安：县名，县治即今山西霍县。⑤⓪⑨骁将：勇将。⑤①⓪觇魏军：哨探魏军的虚实。觇，探测。⑤①①乙巳：八月初九。⑤①②柴壁：在今山西襄汾南。⑤①③天渡：汾水上的渡口名。汾水由北向南流经柴壁城西，天渡应在柴壁之西的汾河上。⑤①④博士：帝王身边的参谋顾问人员。⑤①⑤高者为敌所栖二句：高者，指柴壁。深者，指天渡。栖、囚，都是围困的意思。⑤①⑥蒙坑：谷地名，在今山西襄汾东南，翼城西北。⑤①⑦浮梁：浮桥。⑤①⑧渡汾西：渡河到汾水西岸。⑤①⑨蒲阪：即今山西永济，在永济西的黄河边上。⑤②⓪甲子：八月二十八。⑤②①壑：山沟；山谷。⑤②②柏材：柏树的树干。⑤②③薪蒸：都指烧柴。粗的叫薪，细的叫蒸。⑤②④引接：接应。⑤②⑤晋公绪：即姚绪，姚兴之叔。⑤②⑥戊申：十月十三。⑤②⑦或告：有人告发。⑤②⑧晋阳：古城名，在今山西太原西南，当时为并州的州治所在地。⑤②⑨赐崇、懿死：上文曰“或告”，盖传闻之事，而据此即赐人死，以见拓跋珪之多疑好杀。⑤③⓪河西豪右：指今陕西、山西间的黄河两岸的豪门大族。⑤③①吴兴：郡名，郡治即今浙江湖州。⑤③②北府：当时东晋在京口（今江苏镇江市）设立的军府，因其在首都建康的东北，故称“北府”。当年谢玄为将时驻节于此，所招募、训练的军队称“北府兵”。后来刘牢之为将，亦驻节于此。⑤③③冀州：州治原在今河北衡水市冀州区，东晋时河北沦于北朝，此处所谓的“冀州”州治在历城（今山东济南）。⑤③④山阳：郡名，郡治在今江苏靖江市东。⑤③⑤袁虔之：当时任辅国将军。⑤③⑥刘寿：当时任宁朔将军。⑤③⑦高长庆：当时任冠军将军。⑤③⑧郭恭：当时任龙骧将军。⑤③⑨陈留：郡名，郡治在今河南开封东南。⑤④⓪分为二辈：分作两批。辈，群、伙。⑤④①奔南燕：投奔慕容德政权，当时建都于广固，今山东青州。⑤④②兖州：指魏将兖州刺史长孙肥。当时长孙肥率军经营南方，实际尚未据有兖州。⑤④③远被：犹言“远播”“远扬”。⑤④④崔逞：汉族人，有文才。初从前燕，前燕灭后属苻坚；苻坚败后又属慕容垂；慕容宝败乱，又归降拓跋珪。开始颇受信任，后遭猜忌，被拓跋珪所杀。事见本书卷一百一十一隆安三年。⑤④⑤优容：优待、宽容。⑤④⑥燕王熙：即慕容熙，慕容宝之弟。当时建都龙城，即今辽宁朝阳。⑤④⑦中山尹：中山城及其郊区的行政长官，位同郡太守。慕容宝早年建都中山（今河北定州），故其地设中山尹。⑤④⑧贵人：与下文“贵嫔”都是当时帝王嫔妃的爵号，贵人的位次仅低于皇后。⑤④⑨丁太后：上代燕主慕容盛的母亲，慕容熙的嫂子，也是慕容熙的情妇。⑤⑤⓪怨恚：

恼怒，因为吃醋。[551]尚书信：即丁信，丁太后之侄。[552]章武公渊：即慕容渊，慕容盛的弟弟。[553]戊辰：十一月初三。[554]辛未：十一月初六。[555]北原：龙城北面的草原。[556]石城令：石城县令，县治在今辽宁喀喇沁左县西南。[557]尚方兵：尚方署的警卫士兵。尚方署是负责给帝王制造兵器及其他器物的部门。[558]司隶校尉：首都地区的行政长官，同时兼管对在朝官员的举报、弹劾。[559]库兵：国家武库里的兵器。[560]营署：指京城内的各兵营、各官署。[561]乘城：登城而守。[562]投仗：扔下兵器。[563]甲戌：十一月初九。[564]庚岳：拓跋珪的名将，治军治政皆有称于当时。传见《魏书》卷二十八。[565]辛亥：十二月十七。[566]云中：郡名，郡治盛乐，今内蒙古和林格尔城北，这里原是魏国的旧都。[567]参合陂：在今内蒙古凉城东，岱海的南岸，前拓跋珪曾大破慕容宝于此。[568]豺山：在今山西右玉南。[569]善无北泽：善无县城北的水泽。善无县在今山西右玉南，左云西。[570]防卫：实即看管。[571]会稽文孝王道子：即司马道子。会稽王是他的封爵，文孝是谥。[572]酖：拿毒酒让人喝。[573]西郡：郡治在甘肃永昌西北。[574]但自负：吃亏的只是他自己。但，只。自负，自己亏了自己。[575]孥：家小。[576]索嗣：北凉段业的部将，曾警告段业要提防李暠，李暠遂挑动段业将其杀死。事见本书卷一百一十一隆安四年。[577]若敌我：倘与我不相上下。敌，相当。[578]计行：阴谋得逞；诡计得以实现。[579]公孙瓒：字伯珪，东汉末年的地方军阀，当时驻守蓟城，今北京市。[580]刘虞：东汉末年为幽州牧，亦驻兵于蓟城。二人相邻闹矛盾，刘虞偷袭公孙瓒，被公孙瓒打败俘获，诬以欲称帝之名将其杀害。事见本书卷六十初平四年。当时一般舆论认为刘虞比较仁厚，而公孙瓒则昏妄残虐异常。[581]其父：即桓温，东晋后期名将，曾灭掉了割据四川的军阀势力，又率兵北伐，收复洛阳，攻入关中，声威烜赫一时。但晚年图谋篡位，遂被列入“叛逆”一流。传见《晋书》卷九十八。[582]宰衡：意同丞相。古代有时称丞相之职为“太宰”，也称“阿衡”。[583]安忍：残忍。[584]执大柄：操纵国家大权。[585]驱除：给人做“前驱”，以扫除前进道路上的障碍。[586]广州刺史：当时姚兴管辖不到广州，这里只是一个封号。[587]拜秃发傉檀句：拜，封任。当时秃发氏尚称臣于后秦姚兴，故姚兴得以封拜之。以下沮渠蒙逊、李暠亦同。[588]金城：在今甘肃兰州西北侧，通常即指今之兰州。[589]助吕隆守姑臧：以防被沮渠蒙逊或秃发傉檀之所攻。[590]魏安：郡名，郡治在今甘肃武威东南。

【校记】

[6]因：张敦仁《通鉴刊本识误》改作“固”。[7]之：据章钰校，甲十一行本、乙十一行本皆作“其”。[8]鸡：严衍《通鉴补》改作“稽”。〖按〗《北史·蠕蠕列传》载“部帅日拔也稽举兵击社仑”。[9]商旅俱绝：原无此四字。据章钰校，甲十一行本、乙十一行本、孔天胤本皆有此四字，张敦仁《通鉴刊本识误》、张瑛《通鉴校勘记》同，今据补。[10]得：原作“长”。据章钰校，甲十一行本、乙十一行本、孔天胤本皆作“得”，张瑛《通鉴校勘记》同，今从改。[11]关东：原作“关中”。据章钰校，甲十一行本、乙

十一行本、孔天胤本皆作“关东”，张敦仁《通鉴刊本识误》同，今据改。

【研析】

本卷写了晋安帝隆安五年（公元四〇一年）、元兴元年（公元四〇二年）共两年间的各国大事，其中用笔墨最多的是写桓玄打败晋王朝的若干抵抗后，控制了朝廷大权，杀掉了司马道子与司马元显，为其进一步篡位做皇帝铺平了道路的过程。在这里起了重要作用的是大军阀刘牢之。

刘牢之有很光荣的历史，最初是名将谢玄的部下，是有名的“北府兵”中的一员虎将，在淝水之战的前哨战中，他勇猛直前，破杀苻坚的部将梁成于洛涧，进而截断秦军的退路，为淝水大捷奠定了基础，从此名震天下。后来在王恭部下，帮着王恭第一次与朝廷作对，讨杀了王国宝。由于王恭为人骄傲，对刘牢之缺少谦敬，于是在王恭第二次举兵讨伐司马元显时，司马元显就对刘牢之进行策反，从而造成了王恭的兵败被俘，被朝廷问斩于市头。接着桓玄在荆州举兵谋反，朝廷任命司马元显为征讨都督，命刘牢之为前锋都督，结果刘牢之又被桓玄所策反，于是造成了朝廷军队的惨败，司马元显、司马道子被杀，整个朝廷落在了桓玄的控制之下。桓玄感到刘牢之不可靠，于是一掌权就立即罢去了刘牢之的军职，任以为会稽内史的地方官。

刘牢之不满意，又找人商量反桓玄。他问部将刘裕：“今当北就高雅之（刘牢之的女婿）于广陵，举兵以匡社稷，卿能从我去乎?”裕曰：“将军以劲卒数万，望风降服，彼新得志，威震天下，朝野人情皆已去矣，广陵岂可得至邪?”接着，“牢之大集僚佐，议据江北以讨玄。参军刘袭曰：‘事之不可者莫大于反。将军往年反王兖州，近日反司马郎君，今复反桓公，一人三反，何以自立?’语毕，趋出，佐吏多散走”。于是落了个众叛亲离。王夫之《读通鉴论》说：“温峤之阳亲王敦而阴背之，非无功于晋矣，然非其早卒，君子不能保其终为晋社稷之臣也。何也？向背无恒，而忠孝必薄也。前有吕布，后有刘牢之，勇足以戡乱，而还为乱人。呜呼，岂有数月之间，俄而为元显用，而即叛元显；俄而为桓玄用，而即图桓玄。能不祸于国、凶于家、戮及其身也乎？刘袭曰：‘一人三反，何以自立?’使牢之幸仇其诈，而桓玄受戮，论者将许之以能权；乃牢之杀玄而牢之之祸晋益深，君子岂受其欺哉?”刘牢之的死非常不值、非常不像样子。“牢之惧，使敬宣（刘牢之的儿子）之京口迎家，失期不至。牢之以为事已泄，为玄所杀，乃帅部曲北走，至新洲，缢而死。敬宣至，不暇哭，即渡江奔广陵。将吏共殡敛牢之，以其丧归丹徒。玄令斫棺斩首，暴尸于市。”这样的结局，哪像是一位曾经叱咤风云、立过卓越功勋的名将呢?

本卷写了刘裕、刘牢之等先后攻剿孙恩的过程，其中说：“孙恩寇临海，临海太守辛景击破之。恩所虏三吴男女，死亡殆尽。恩恐为官军所获，乃赴海死。其党及妓妾从死者以百数，谓之‘水仙’。余众数千人复推恩妹夫卢循为主。循，谌之曾孙也，神采清秀，雅有材艺。少时，沙门惠远尝谓之曰：‘君虽体涉风素，而志存不轨，如何？’”孙恩分明是兵败投海而死，而党徒称之曰“水仙”，意即随水成仙而去，正与黄帝之“乘龙上天”、王子乔之“驾鹤而去”等相同。袁黄对此说：“孙泰、孙恩死海滨，人犹传为仙；安禄山、安庆绪、史思明死，河朔人皆称为圣。庄周云：‘跖蹻暴戾，其徒诵义无穷。’斯民之直道安在？王敦反，疾已危，明帝敕中外有呼王敦名而不称‘王大将军’者斩。《世说新语》刘宋人作，每称王敦必曰‘王大将军’，何恶人而威灵震于隔代如此？”大凡一个人之能成为一群人的领袖，则此人必有某些品质能为这一群人所钦慕、所崇拜，故生则为之效命，死则为之祭祀、为之传颂不已。此外还有一些政权、一些集团、一些帮派，尽管它们未必有多么诱人的崇高精神，但它们可以给徒众、给百姓以某种现实的利益，这就如同司马迁在《史记·游侠列传》中所引的：“何知仁义？已飨其利者为有德。”孙恩等以迷信会道术诱骗人，只是一种说法，真正投奔到他门下，想跟着一道成仙的能有几个？大多数都是一些受官府压榨、受乱兵掠夺，再加天灾流行、无以为生的百姓。他们投靠了孙恩，孙恩能带着他们一起打家劫舍，能有口饭吃，或者能带他们到荒无人烟的海岛上捕鱼捉蟹，或是垦地开荒，只要能保全性命，他们也就够知足、够给孙恩烧高香的了。

再说卢循，这可是个有来历的人，别说本身具有“神采清秀，雅有材艺”的特点，即使光说他是卢谌的曾孙这一条，也就够让人刮目相看的了。卢谌是西晋末、东晋初年的名将刘琨的部下，跟随刘琨在山西、河北的中北部地区进行了长达数年的艰苦斗争。卢循是孙恩的妹夫，他继承孙恩的衣钵，带领这支农民起义队伍，辗转南北，做出了比孙恩更大千倍万倍的震惊历史的活动（见后三卷）。至于和尚惠远曾说他“君虽体涉风素，而志存不轨，如何”云云，这当然是日后捏造的预言，《世说新语》里搜集了不少这一类的东西，巴结权贵、抚拍豪强，表现出一种十足的媚俗气息。

卷第一百一十三　晋纪三十五

起昭阳单阏（癸卯，公元四〇三年），尽阏逢执徐（甲辰，公元四〇四年），凡二年。

【题解】

本卷写晋安帝元兴二年（公元四〇三年）、元兴三年共两年间的东晋与各国的大事。主要写了桓玄控制朝权后广立桓氏诸人与其亲党，他们分别担任了朝廷的各要害部门、各大州刺史。写了桓玄先为楚王，加九锡，又逼安帝下诏禅让，终于篡得帝位。写了刘裕、何无忌、刘毅等人合谋讨桓玄；刘裕、何无忌斩桓修起事于京口；刘毅、刘道规、孟昶杀桓弘起兵于江北；众人拥立刘裕为盟主，刘裕巧妙地虚张声势，以瓦解敌人、壮大自己的声威。写了桓玄称帝后内心不安，疑神疑鬼，又好矜伐，挑剔群臣毛病，自作《起居注》，为自己文过饰非。写了桓玄的怯懦无能，时刻准备逃跑的狼狈相；对比之下写了刘裕的勇于进击，大破桓玄部将吴甫之于江乘，破杀皇甫敷于罗落桥，又破桓谦、何澹之于覆舟山，把刘裕写得有声有色。写了刘裕进入建康城后的一系列措施，他"立留台百官"，"造晋新主，纳于太庙"，又"遣尚书王嘏帅百官奉迎乘舆"；他"使臧熹入宫，收图书、器物，封闭府库"，又"命武陵王遵承制总百官行事"云云，表现出一

【原文】

安皇帝戊

元兴二年（癸卯，公元四〇三年）

春，正月，卢循使司马徐道覆寇东阳①。二月辛丑②，建武将军刘裕击破之。道覆，循之姊夫也。

乙卯③，以太尉玄为大将军④。

丁巳⑤，玄杀冀州刺史孙无终⑥。

玄上表请帅诸军扫平关、洛⑦，既而讽朝廷⑧下诏不许，乃云"奉诏故止"。玄初欲饬装⑨，先命作轻舸⑩，载服玩⑪、书画。或问其故，

派为晋室除贼、大公无私的凛然气象。写了桓玄挟持晋安帝逃到江陵，留部将庾稚祖、何澹之等守湓口，被何无忌、刘道规大破之；桓玄又带兵东下，被刘毅、何无忌、刘道规等大破于峥嵘洲；桓玄挟持晋安帝想北逃汉中，中途遇益州刺史毛璩的部下毛祐之、冯迁等，冯迁击杀桓玄、桓石康，活捉桓玄的太子桓升，桓升被斩于江陵，桓玄被枭首于建康朱雀桥；由于刘毅等人的军队西进迟缓，桓玄的余党桓振、桓谦等重又集结兵力，夺回了江陵；刘毅、何无忌、刘道规复自寻阳西上，破桓玄部将冯该、桓仙客等于夏口，又进克巴陵；桓振派出的军队在西线被益州军队打败于西陵，桓振等据江陵而守。此外还写了后凉主吕隆因无法抵抗南凉秃发傉檀、北凉沮渠蒙逊的交替进攻，而请迎投降于姚兴之后秦；后燕主慕容熙残暴奢侈，不惜民力，大修龙腾苑，造逍遥宫、曲光海，士卒死者大半。写了孙恩的余党卢循被刘裕打败后浮海南下攻克广州，自称平南将军，摄广州刺史等。

【语译】

安皇帝戊

元兴二年（癸卯，公元四〇三年）

春季，正月，卢循派自己手下担任司马的徐道覆骚扰东阳郡。二月初八日辛丑，东晋担任建武将军的刘裕率军将徐道覆击败。徐道覆是卢循的姐夫。

二月二十二日乙卯，东晋任命担任太尉的桓玄为大将军。

二十四日丁巳，桓玄杀死冀州刺史孙无终。

桓玄上表请求允许他率领大军北伐，去扫平关中与洛阳一带，但随后又暗示朝廷下诏不予批准，桓玄于是宣扬说“奉皇帝诏命，所以不得不停止北伐行动”。桓玄最初还想整顿行装，他预先令人打造了一艘轻便快捷的大船，船上装满了各式各样供人佩戴赏玩的奇宝珍玩、名人字画。有人问他为什么这样做，桓玄回答说：“出兵

玄曰："兵凶战危，脱[12]有意外，当使轻而易运[13]。"众皆笑之。

夏，四月癸巳朔[14]，日有食之。

南燕主备德故吏赵融自长安来，始得母兄凶问[15]，备德号恸吐血，因而寝疾。

司隶校尉[16]慕容达谋反，遣牙门[17]皇璆攻端门，殿中帅[18]侯赤眉开门应之，中黄门[19]孙进扶备德逾城匿于进舍。段宏[20]等闻宫中有变，勒兵屯四门[21]。备德入宫，诛赤眉等，达出奔魏。

备德优[22]迁徙之民[23]，使之长复[24]不役，民缘此[25]迭相荫冒[26]，或百室合户，或千丁共籍[27]，以避课役[28]。尚书韩𧦬请加隐核[29]，备德从之，使𧦬巡行[30]郡县，得荫户[31]五万八千。

泰山[32]贼王始聚众数万，自称"太平皇帝"，署置公卿。南燕桂林王镇[33]讨禽之。临刑，或问其父及兄弟安在，始曰："太上皇蒙尘于外[34]，征东、征西[35]为乱兵所害。"其妻怒之曰："君正坐此口[36]，奈何尚尔[37]？"始曰："皇后不知，自古岂有不亡之国？朕则崩矣，终不改号！"

五月，燕王熙作龙腾苑，方十余里，役徒[38]二万人。筑景云山于苑内，基广[39]五百步，峰高十七丈。

秋，七月戊子[40]，魏主珪北巡，作离宫于豺山[41]。

平原[42]太守和跋[43]奢豪喜名，珪恶而杀之，使其弟毗等就与诀[44]。跋曰："㶟北[45]土瘠，可迁水南，勉为生计[46]。"且使之背己[47]，曰："汝何忍视吾之死[48]也？"毗等谕其意，诈称使者，逃入秦。珪怒，灭其家。中垒将军邓渊[49]从弟尚书晖[50]与跋善，或谮诸珪曰："毗之出亡，

打仗是一件非常凶险的事情，如果突然发生意外，轻便快捷的船只应当更容易脱离险境。”众人都忍不住笑了起来。

夏季，四月初一日癸巳，发生了日食。

南燕主慕容备德的旧吏赵融从后秦的都城长安来到南燕的都城广固，慕容备德才得知自己的母亲与哥哥已经死去的消息，慕容备德悲痛地放声大哭，竟至口吐鲜血，病倒在床。

南燕担任司隶校尉的慕容达谋反，他派担任牙门的皇璆进攻皇宫的端门，担任殿中帅的侯赤眉打开端门响应慕容达，担任中黄门的孙进搀扶着慕容备德翻越宫墙躲到了孙进的家中。慕容备德的部将段宏等人听到宫中发生政变的消息，立即率军把守住广固城的四面城门。南燕主慕容备德率军返回皇宫，杀死了参与叛乱的侯赤眉等人，叛乱的元凶慕容达逃出广固投奔北魏去了。

南燕主慕容备德推出了一项优待从其他地区迁移到南燕境内的居民的政策，就是永久性地免除他们的赋税和劳役，却因此而引发了许多本该服役、纳税的人都把户口转到了免除劳役和赋税的人员名下，以求得“荫庇”，有的是一百个家庭合成了一户，有的是上千个成年人共享一个户口本，以此来逃避纳税和劳役。担任尚书的韩諲向慕容备德请求对人口、户籍进行核实，慕容备德批准了他的建议，便派韩諲前往各郡县进行巡视，查出逃避到他人名下的户口总计有五万八千之多。

南燕泰山的反贼王始聚集了数万名部众，于是便自称“太平皇帝”，设置公爵、卿相、文武百官。南燕桂林王慕容镇率军讨伐，将王始擒获。在临刑的时候，有人向王始询问他的父亲以及兄弟都在哪里，王始回答说：“我的父亲太上皇在外流浪受难，我的哥哥征东将军和弟弟征西将军都被乱军杀害。”他的妻子愤怒地说：“你倒霉就倒霉在这张嘴上，怎么到了现在还是这个样子？”王始对自己的妻子说：“皇后有所不知，自古以来哪里有不灭亡的国家？朕宁可驾崩，也绝不改变皇帝的称号！”

五月，后燕天王慕容熙开始建造龙腾苑，这个龙腾苑方圆十多里，动用民夫二万人。又在龙腾苑内修筑景云山，这座人工堆积起来的小山，山脚的周围东西长五百步，山峰高十七丈。

秋季，七月二十七日戊子，北魏主拓跋珪到北方巡视，在豺山为自己修建了一座行宫。

北魏担任平原太守的和跋生活奢侈豪华，喜好虚名，北魏主拓跋珪因此讨厌他，就杀死了他，还让他的弟弟和毗等到和跋跟前与他诀别。和跋对和毗说：“灅水以北地区的土地贫瘠，可以迁移到灅水以南，在那里要努力把自己的生活搞得好一点。”并且让他不要和自己一样，和跋说：“你怎么忍心眼看着我被杀死呢？”和毗等领会了和跋的用意，于是便诈称是朝廷的使者，投奔了后秦。拓跋珪非常恼怒，就诛灭了和跋的全家。中垒将军邓渊的堂弟、担任尚书的邓晖与和跋关系友善，于是便有人

晖实送之。”珪疑渊知其谋，赐渊死。

南凉王[1]傉檀及沮渠蒙逊互出兵攻吕隆，隆患之。秦之谋臣言于秦王兴曰：“隆藉先世之资，专制河外㉛，今虽饥窘，尚能自支，若将来丰赡㉜，终不为吾有。凉州险绝㉝，土田饶沃，不如因其危而取之。”兴乃遣使征吕超入侍㉞。隆念姑臧终无以自存，乃因超㉟请迎于秦㊱。兴遣尚书左仆射齐难、镇西将军姚诘、左贤王乞伏乾归、镇远将军赵曜帅步骑四万迎隆于河西。南凉王傉檀摄昌松、魏安二戍㊲以避之㊳。八月，齐难等至姑臧，隆素车白马㊴迎于道旁。隆劝难击沮渠蒙逊，蒙逊使臧莫孩㊵拒之，败其前军。难乃与蒙逊结盟，蒙逊遣弟挐㊶入贡于秦㊷。难以司马王尚行凉州刺史㊸，配兵三千镇姑臧；以将军阎松为仓松㊹太守，郭将为番禾㊺太守，分戍二城。徙隆宗族、僚属及民万户于长安㊻，兴以隆为散骑常侍，超为安定㊼太守，自余文武随才擢叙㊽。

初，郭黁㊾常言“代吕者王”㊿，故其起兵，先推王详(71)，后推王乞基(72)。及隆东迁，王尚卒代之。黁从乞伏乾归降秦，以为“灭秦者晋也”(73)，遂来奔(74)，秦人追得，杀之。

沮渠蒙逊伯父中田护军亲信(75)、临松(76)太守孔笃(77)，皆骄恣为民患。蒙逊曰：“乱吾法者，二伯父也。”皆逼之使自杀。

秦遣使者梁构至张掖，蒙逊问曰：“秃发傉檀为公(78)而身为侯(79)，何也？”构曰：“傉檀凶狡，款诚未著(80)，故朝廷以重爵虚名羁縻(81)之。将军忠贯白日，当入赞帝室(82)，岂可以不信相待(83)也？圣朝爵必称功(84)，如尹纬、姚晃(85)，佐命之臣(86)，齐难、徐洛，一时猛将，爵皆不过

在拓跋珪面前诋毁邓晖说："和毗逃亡的时候，邓晖确实秘密地为他送行。"拓跋珪猜疑中垒将军邓渊知道他们的阴谋，遂下诏令邓渊自杀而死。

南凉王秃发傉檀与北凉张掖公沮渠蒙逊轮番出兵进攻后凉建康公吕隆，吕隆对此感到非常忧虑。后秦的谋臣于是去对后秦王姚兴说："建康公吕隆依靠祖先创下的基业，控制了黄河以西地区，现在虽然遭到一时饥馑的困扰，依靠他们自己的力量还是能够支持下去的，如果将来遇到丰收年景，国力富强，最终肯定不会归附于我们。凉州地势险要，又与关中相距遥远，援接不上，土地肥沃，物产富饶，不如趁着他们处境危急的时候灭掉他们。"姚兴于是派使者征召吕超到后秦的都城长安来任职。吕隆考虑到自己的都城姑臧将来肯定难以保全，于是便通过吕超向后秦提出，请求出兵迎接自己入秦。后秦主姚兴遂派尚书左仆射齐难、镇西将军姚诘、左贤王乞伏乾归、镇远将军赵曜率领四万名步兵、骑兵前往河西迎接吕隆。南凉王秃发傉檀告诫昌松、魏安两地的守军，要避开秦军，不要与秦军发生冲突。八月，齐难等到达后凉的都城姑臧，后凉王吕隆带着素车白马，像办丧事一样，站在道旁迎候后秦军。吕隆劝说齐难趁机攻击北凉张掖公沮渠蒙逊，沮渠蒙逊派担任辅国将军的臧莫孩率军抗击后秦军，臧莫孩将后秦的前军打败。齐难这才与沮渠蒙逊缔结了友好盟约，沮渠蒙逊派自己的弟弟沮渠挐前往后秦的都城长安进贡。齐难任命担任司马的王尚为代理凉州刺史，给他配备了三千名士兵，令他镇守姑臧；任命将军阎松为仓松郡太守，任命郭将为番禾太守，分别率军戍守仓松与番禾。把吕隆的宗族、僚属以及姑臧的一万户居民迁往后秦的都城长安，姚兴任命吕隆为散骑常侍，任命吕超为安定太守，其余的文武官员全部量才录用。

当初，后凉担任太常的郭黁常常说"取代吕氏的是王姓"，所以他在聚众起兵时，首先推举的是王详，后来推举的是王乞基。等到后凉灭亡，后凉王室吕氏全部被后秦迁往东部的长安，王尚终于以凉州刺史的身份替代了吕氏。郭黁随同乞伏乾归归降了后秦，他认为"能够灭掉后秦的一定是东晋"，于是便南行，准备逃往建康归降东晋，结果被后秦人追捕，杀死。

北凉张掖公沮渠蒙逊的两个伯父——担任中田护军的沮渠亲信和担任临松太守的沮渠孔笃，全都是那种骄横无比、胡作非为的人，因而成为人民的祸害。沮渠蒙逊说："扰乱了我的法度的就是我的两位伯父。"于是便逼迫他们自杀了。

后秦派梁构为使者来到北凉的都城张掖，张掖公沮渠蒙逊询问使者说："后秦封南凉秃发傉檀为广武公，是公爵；却封我为西海侯，是侯爵，这是为什么呢？"梁构回答说："秃发傉檀凶狠狡诈，他对秦国的忠诚还表现得不够明显，所以朝廷用徒有虚名的尊贵爵位来笼络他。而将军的忠心明贯天日，应当进入朝廷辅佐皇室，怎么能以虚情假意来对待将军呢？圣明的朝廷所赐予的爵位必须与其所建立的功劳相称，像尹纬、姚晃，都是辅佐天命所归的帝王开创基业的功臣，像齐难、徐洛，都是一

侯伯[87]，将军何以先之[88]乎？昔窦融殷勤固让[89]，不欲居旧臣之右，不意将军忽有此问。”蒙逊曰：“朝廷何不即封张掖[90]而更远封西海邪？”构曰：“张掖，将军已自有之，所以远授西海者，欲广大将军之国耳。”蒙逊悦，乃受命[91]。

荆州刺史桓伟[92]卒，大将军玄以桓脩[93]代之。从事中郎曹靖之说玄曰：“谦、脩兄弟专据内外[94]，权势太[2]重。”玄乃以南郡相桓石康[95]为荆州刺史。石康，豁之子也。

刘裕破卢循于永嘉[96]，追至晋安[97]，屡破之，循浮海南走。

何无忌[98]潜诣裕[99]，劝裕于山阴[100]起兵讨桓玄。裕谋于土豪孔靖[101]，靖曰：“山阴去都道远，举事难成；且玄未篡位，不如待其已篡，于京口[102]图之。”裕从之，靖，愉之孙也。

九月，魏主珪如南平城[103]，规度灅南[104]，将建新都。

侍中殷仲文[105]、散骑常侍卞范之劝大将军玄早受禅[106]，阴撰九锡文及册命[107]。以桓谦为侍中、开府、录尚书事，王谧[108]为中书监、领司徒，桓胤[109]为中书令，加桓脩抚军大将军。胤，冲之孙也。丙子[110]，册命玄为相国，总百揆，封十郡，为楚王，加九锡，楚国[111]置丞相以下官。

桓谦私问彭城内史[112]刘裕曰：“楚王勋德隆重，朝廷之情[113]，咸谓宜有揖让[114]，卿以为何如？”裕曰：“楚王，宣武[115]之子，勋德盖世。晋室微弱，民望[116]久移，乘运禅代[117]，有何不可[118]？”谦喜曰：“卿谓之可即可耳。”

新野人庾仄[119]，殷仲堪之党也，闻桓伟死，石康未至，乃起兵袭雍州刺史冯该[120]于襄阳，走之。仄有众七千，设坛，祭七庙[121]，云欲讨桓玄，江陵震动。石康至州，发兵攻襄阳，仄败，奔秦。

代猛将，而他们的爵位也不过就是侯爵、伯爵，将军凭什么超过他们呢？过去窦融情辞恳切地坚决推辞谦让，不愿意让自己的爵位居于旧臣之上，没料到将军会提出这样的问题。”沮渠蒙逊说：“朝廷为何不就近封我为张掖侯，反而把我封到遥远的西海呢？”梁构解释说：“张掖，原本是将军自己固有的地方，而把远处的西海授予将军，是为了扩大将军封国的地盘啊。”沮渠蒙逊一听很高兴，这才接受了后秦的任命。

东晋担任荆州刺史的桓伟去世，担任太尉、大将军的桓玄令自己的堂兄弟桓脩接替桓伟担任荆州刺史。担任从事中郎的曹靖之对桓玄说：“桓谦和桓脩兄弟二人一个在地方，一个在朝廷，他们手中掌握的权力太大。”桓玄于是任命担任南郡相的桓石康为荆州刺史。桓石康是桓豁的儿子。

东晋建武将军刘裕率军在永嘉打败了卢循，一直将卢循追到晋安，一路之上又多次打败卢循，卢循遂渡海向南逃走。

东晋刘牢之的外甥何无忌秘密来见建武将军刘裕，劝说刘裕在山阴起兵讨伐桓玄。刘裕与当地豪绅孔靖商议此事，孔靖说：“山阴距离都城路途遥远，在此起事很难成功；再说，桓玄目前并没有篡夺皇位，不如等到他篡夺了皇位，我们在京口起兵讨伐他为好。”刘裕听从了孔靖的意见。孔靖是孔愉的孙子。

九月，北魏主拓跋珪前往南平城，在灅水以南进行测量规划，准备在此建立一座新都城。

东晋担任侍中的殷仲文、担任散骑常侍的卞范之劝说大将军桓玄早日接受晋安帝司马德宗的禅让，并暗中以皇帝的口气写好了给桓玄加授九锡和策命桓玄为皇帝的文件。朝廷下诏任命桓谦为侍中、开府、录尚书事，任命王谧为中书监，兼任司徒，任命桓胤为中书令，加授桓脩为抚军大将军。桓胤是桓冲的孙子。九月十六日丙子，晋安帝司马德宗册封大将军桓玄为相国，统领文武百官，封为楚王，封地十个郡，加授九锡，楚国可以像朝廷那样设置丞相以下的文武官员。

桓谦私下里向担任彭城内史的刘裕询问说：“楚王桓玄功高望重，朝中官员的心中以及舆论倾向都认为皇帝应该把皇位禅让给楚王，你怎么看待这个问题？”刘裕回答说：“楚王桓玄，是南郡宣武公桓温的儿子，他的功勋和德望超过当今世上所有的人。晋朝皇室的势力已经极其微弱，民心早已不在皇室一方，楚王桓玄趁着时运所归，接受司马氏的禅让有什么不可以？”桓谦听后高兴地说：“你认为可以，那就一定是可以的了。”

东晋新野县人庾仄，是殷仲堪的党羽，他听到担任荆州刺史的桓伟已经去世，而桓石康还没有到任，于是便趁机聚众起兵，袭击雍州刺史冯该所据守的襄阳，将冯该赶走。庾仄此时手下拥有七千部众，他在襄阳设立祭坛，祭祀晋朝司马氏的七代祖先，他宣布说要起兵讨伐桓玄，在荆州治所所在地江陵引起极大的震动。担任荆州刺史的桓石康到达荆州之后，立即发兵攻打被庾仄所占据的襄阳，将庾仄打败，庾仄逃往后秦。

高雅之[122]表[123]南燕主备德请伐桓玄曰:“纵未能廓清吴、会[124],亦可收江北之地。”中书侍郎韩范亦上疏曰:“今晋室衰乱,江、淮南北户口无几,戎马单弱。重以桓玄悖逆[125],上下离心。以陛下神武,发步骑一万临之,彼必土崩瓦解,兵不留行[126]矣。得而有之[127],秦、魏不足敌[128]也。拓地定功,正在今日。失时不取,彼之豪杰诛灭桓玄,更修德政,岂惟建康不可得,江北亦无望矣。”备德曰:“朕以旧邦覆没[129],欲先定中原,乃[130]平荡荆、扬[131],故未南征耳。其令公卿议之。”因讲武城西[132],步卒三十七万人,骑五万三千匹,车万七千乘[133]。公卿皆以为玄新得志,未可图,乃止。

冬,十月,楚王玄上表请归藩[134],使帝作手诏固留之。又诈言钱塘临平湖开[135],江州[136]甘露降,使百僚集贺,用为己受命之符[137]。又以前世皆有隐士,耻于己时独无,求得西朝[138]隐士安定皇甫谧[139]六世孙希之,给其资用,使隐居山林,征为著作郎,使希之固辞不就,然后下诏旌礼[140],号曰“高士”。时人谓之“充隐[141]”。又欲废钱用谷、帛[142]及复肉刑[143],制作纷纭,志无一定[144],变更回复,卒无所施行。性复贪鄙,人士有法书[145]、好画及佳园宅,必假蒲博[146]而取之。尤爱珠玉,未尝离手。

乙卯[147],魏主珪立其子嗣[148]为齐王,加位相国;绍为清河王,加征南大将军;熙为阳平王;曜为河南王。

丁巳[149],魏将军伊谓帅骑二万袭高车余种袁纥、乌频[150],十一月庚午[151],大破之。

从东晋逃往南燕的高雅之给南燕主慕容备德上疏，请求出兵讨伐东晋的楚王桓玄，高雅之说："出兵讨伐桓玄，即使不能全部扫平江东的东晋王朝，也可以收取长江以北地区。"担任中书侍郎的韩范也上疏给南燕主慕容备德说："如今东晋皇室势力衰微，政局混乱，长江以及淮河南北，户口已经所剩无几，军事力量也很薄弱。再加上桓玄所作所为实属犯上作乱，因此朝廷上下已经离心离德。凭借陛下的神威勇武，只要出动一万名步兵骑兵南下征讨，他们立即就会土崩瓦解，我军即可以长驱直入，无人敢挡。如果将东晋的国土全部占而有之，那么后秦、北魏就都不值得一打。拓展疆土，建立功业，就在今天。失掉这个大好机会不去夺取，等到晋国国内的英雄豪杰诛灭了桓玄，然后重新推行德政，岂止是得不到东晋的都城建康，就是长江以北也没有希望得到。"慕容备德说："我因为故国沦陷于北魏，所以想首先平定中原，然后再去平定荆州、扬州，所以一直没有南征。你们既然提出应该出兵南征晋国，那就让朝中群臣商议此事。"于是在南燕都城广固城的城西操练军队，参加操练的有三十七万名步兵，五万三千名骑兵，战车一万七千辆。然而朝中大臣都认为，东晋桓玄的阴谋刚刚得逞，势力正盛，不可战胜，于是高雅之趁机讨伐桓玄的建议遂被否定。

冬季，十月，东晋楚王桓玄上表给晋安帝司马德宗，他一面请求皇帝允许自己回到封国去，一面又让皇帝亲手书写诏书坚决挽留，还编造谣言，说钱塘的临平湖突然变得水色清明，江州境内降下甘露，然后令文武百官集体向桓玄道贺，以此作为自己秉承了天命应该登基称帝的吉祥预兆。又因为前代都有隐士，桓玄认为自己当政时唯独没有隐士是一种耻辱，于是便把西晋时的隐士、安定人皇甫谧的第六代孙子皇甫希之找来，为他提供各种生活物资，让他隐居山林，然后一面征召他出山担任著作郎，一面又示意他坚决推辞不去赴任，最后再下诏予以表彰，称他是"高士"。当时的人全都称皇甫希之为"充数的隐士"。桓玄又准备废除货币，改用谷米、丝绸作为交换本位，以及恢复诸如割鼻子、在脸上刺字、砍脚、宫刑等各种使人肢体伤残的刑罚，由此引发了各种议论，由于意见不能统一，法令条文也是制定了又改，改了又还原回去，终于什么也没有得到执行。桓玄又生性贪婪、人格卑鄙，别人有了名家书法真迹，或者是拥有好的家宅园囿，他就用与对方赌博为手段而据为己有。桓玄尤其喜爱珠玉，手里从来不能缺少这些东西。

十月二十五日乙卯，北魏主拓跋珪立自己的儿子拓跋嗣为齐王，并加授拓跋嗣为相国；封拓跋绍为清河王，加封征南大将军；封拓跋熙为阳平王；封拓跋曜为河南王。

十月二十七日丁巳，北魏将军伊谓率领二万名骑兵袭击高车族残存的袁纥、乌频部落，十一月十一日庚午，将袁纥、乌频部落打得大败。

诏楚王玄行[152]天子礼乐，妃为王后，世子[153]为太子。丁丑[154]，卞范之为禅诏[155]，使临川王宝[156]逼帝书之。宝，晞之曾孙也。庚辰[157]，帝临轩，遣兼太保、领司徒王谧奉玺绶，禅位于楚。壬午[158]，帝出居永安宫。癸未[159]，迁太庙神主于琅邪国[160]，穆章何皇后[161]及琅邪王德文皆徙居司徒府[162]。百官诣姑孰劝进[163]。十二月庚寅朔[164]，玄筑坛于九井山[165]北，壬辰[166]，即皇帝位。册文[167]多非薄晋室[168]。或谏之，玄曰："揖让之文[169]，正可陈之于下民[170]耳，岂可欺上帝[171]乎？"大赦，改元永始。以南康之平固县[172]封帝为平固王，降何后为零陵县君[173]，琅邪王德文为石阳县公[174]，武陵王遵[175]为彭泽县侯[176]。追尊父温为宣武皇帝，庙号太祖；南康公主[177]为宣皇后；封子升为豫章王[178]。以会稽内史王愉[179]为尚书仆射，愉子相国左长史绥[180]为中书令。绥，桓氏之甥也。戊戌[181]，玄入建康宫，登御坐，而床忽陷，群下失色。殷仲文曰："将由[182]圣德深厚，地不能载。"玄大悦。梁王珍之国臣孔朴[183]奉珍之奔寿阳[184]。珍之，晞之曾孙也。

戊申[185]，燕王熙尊燕主垂之贵嫔段氏为皇太后。段氏，熙之慈母[186]也。己酉[187]，立苻贵嫔为皇后，大赦。

辛亥[188]，桓玄迁帝于寻阳[189]。

燕以卫尉悦真为青州刺史，镇新城[190]；光禄大夫卫驹为并州刺史，镇凡城[191]。

癸丑[192]，纳桓温神主于太庙。桓玄临听讼观[193]阅囚徒[194]，罪无轻重，多得原放。有干舆乞者[195]，时或恤之[196]。其好行小惠如此。

是岁，魏主珪始命有司制冠服，以品秩为差[197]。然法度草创，多不稽古[198]。

东晋安皇帝司马德宗下诏给楚王桓玄，令桓玄使用天子的礼仪和乐队，王妃改称王后，世子改称太子。十一月十八日丁丑，担任散骑常侍的卞范之代替晋安帝司马德宗写好了禅让的诏书，派临川王司马宝逼迫晋安帝司马德宗依照卞范之所代写的诏书抄录一遍。司马宝是武陵王司马晞的曾孙。二十一日庚辰，晋安帝司马德宗来到金銮殿的前面平台，派遣兼任太保、司徒的王谧手捧皇帝玺印呈献给楚王桓玄，将皇位让与楚王。二十三日壬午，晋安帝司马德宗离开皇宫，暂时住进皇宫外面的永安宫。二十四日癸未，把太庙中东晋司马氏列祖列宗的牌位都搬回琅邪王的封国去，把晋穆帝司马聃的皇后何氏以及琅邪王司马德文全部安排到司徒府居住。满朝的文武百官全部到姑孰的楚王衙门劝说楚王桓玄进位称皇。十二月初一日庚寅，桓玄在九井山的北面修筑了一座高坛，初三日壬辰，登上了皇帝的宝座。他在祭祀天神、宣布即位的文告中多处贬损晋室。有人对此进行劝阻，桓玄说："旧皇帝让位，新皇帝表示客气、推让的文字，只可表演给下层的百姓们看，在祭天的文告里怎能再说那些言不由衷的话来欺瞒上苍呢?"实行大赦，改年号为永始。把晋安帝司马德宗安置在南康郡的平固县，封晋安帝为平固王，把何皇后降为零陵县君，封琅邪王司马德文为石阳县公，武陵王司马遵为彭泽县侯。桓玄追尊自己的父亲桓温为宣武皇帝，庙号太祖；母亲南康公主为宣皇后；封自己的儿子桓升为豫章王。任命担任会稽内史的王愉为尚书仆射，任命王愉的儿子、担任相国左长史的王绥为中书令。王绥是桓氏的外甥。初九日戊戌，桓玄入住建康的皇宫，当他登上皇帝宝座的时候，御座却突然塌陷，群臣无不大惊失色。殷仲文说："这大概是因为陛下的圣德太深太重，大地难以承载。"桓玄于是大喜。梁王司马珍之的属臣孔朴护卫着司马珍之逃奔寿阳。司马珍之是司马晞的曾孙。

十二月十九日戊甲，后燕天王慕容熙尊奉后燕主慕容垂的贵嫔段氏为皇太后。段氏是慕容熙的母亲。二十日己酉，慕容熙册封苻贵嫔为皇后，同时实行大赦。

十二月二十二日辛亥，桓玄把晋安帝司马德宗迁往寻阳安置。

后燕任命担任卫尉的悦真为青州刺史，镇守新城；任命担任光禄大夫的卫驹为并州刺史，镇守凡城。

十二月二十四日癸丑，桓玄把自己父亲桓温的牌位送入太庙。桓玄亲自到听讼观听取法官审案、复查在押的犯人，无论这些囚犯所犯罪行是轻还是重，大多都得到从轻发落，或是被释放。在桓玄出行的时候，遇到乞丐拦住他的车驾向他乞讨，他有时就施舍给他们一些东西。他就以这样的小恩小惠来笼络人心。

这一年，北魏主拓跋珪开始令有关部门制定官员的官帽、服装，按照品级的不同分别做出各种不同的样子。然而因为法度是在草创阶段，很多地方都不符合古代的制度。

【段旨】

以上为第一段，写晋安帝元兴二年（公元四〇三年）一年间的大事。主要写了桓玄控制朝权后广立桓氏诸人与其亲党分别控制各要害部门、任各大州刺史。写了桓玄的种种恶劣表现，如贪婪、虚伪、怯懦、好行小惠等。写了桓玄先为楚王，加九锡，又逼安帝下诏禅让，终于篡得帝位，迁安帝于寻阳。写了后凉主吕隆因无法抵抗南凉秃发傉檀、北凉沮渠蒙逊的交替进攻，而请迎投降于姚兴之后秦。此外还写了后燕主慕容熙的残暴奢侈，大修龙腾苑，以及南燕主慕容德治下的叛变被削平，高雅之表请南燕主讨伐桓玄等。

【注释】

①东阳：郡名，郡治即今浙江金华。②二月辛丑：二月初八。③乙卯：二月二十二。④大将军：此职位高权重，在丞相之上，历来居此职者皆独揽朝政。⑤丁巳：二月二十四。⑥孙无终：刘牢之的旧部，疑其心不附己而杀之。冀州刺史的州治侨设在广陵（今江苏扬州）。⑦关、洛：指关中（今陕西渭河流域）和洛阳一带地区。⑧讽朝廷：暗示给朝廷。讽，吹风示意。⑨饬装：整顿行装。饬，整顿。⑩轻舸：快艇，以便于逃跑。⑪服玩：此指供佩戴赏玩的珍奇异物。⑫脱：倘或；突然。⑬易运：易于运载，指便于携带逃跑。⑭四月癸巳朔：四月初一是癸巳日。⑮凶问：犹言“凶闻”，被杀的消息。慕容德之母公孙氏和其兄慕容纳被杀事详见本书卷一百一十四义熙元年。⑯司隶校尉：国家首都与其郊区的行政长官，位同汉代的京兆尹，兼有弹劾朝廷百官之权。⑰牙门：此指守卫军门的卫兵头领。⑱殿中帅：宫廷内的禁军头领。⑲中黄门：皇帝身边的太监。⑳段宏：慕容德的部将。㉑勒兵屯四门：带领军队把守住南燕都城广固（今山东青州）的四门。㉒优：优待。㉓迁徙之民：从其他统治区迁居到南燕地区来的人。㉔长复：永久性地免除劳役和赋税。㉕缘此：因此。㉖迭相荫冒：该服役、该纳税的人都把户口转到了免除劳役和赋税的人氏名下，以求得“荫蔽”，逃避劳役赋税。㉗千丁共籍：上千的成年人在一个户口本上。丁，丁壮、成年人。㉘避课役：逃避赋税劳役。课，征收。㉙隐核：犹今之所谓“清查”。㉚巡行：周游视察。㉛荫户：逃避在他人名下的户口。㉜泰山：五岳之一，在今山东泰安北。㉝桂林王镇：即慕容镇，慕容氏的老将，曾仕于慕容垂、慕容宝，今仕于慕容德。㉞太上皇蒙尘于外：太上皇是王始自称其父。蒙尘于外，指帝王流浪受难于外。㉟征东、征西：王始曾封其兄为征东将军，其弟为征西将军。㊱正坐此口：犹今之所谓“你倒霉就倒在这张嘴上”。坐，因。㊲奈何尚尔：为什么到今天还这个样子。尔，如此。㊳役徒：参加劳动的囚徒奴隶。“役”字用作动词。㊴基广：山脚的周围。㊵七月戊子：七月二十七。㊶豺山：在今山西右玉南。㊷平原：郡名，郡治在今山东平原县南。㊸和跋：拓跋珪的得力将领。传见《魏书》卷二十

八。㊹就与诀：到平原去和其兄作别。㊺漯北：漯水以北，即当时魏都平城（今山西大同）一带。漯水即今永定河。㊻勉为生计：要努力把自己的生活搞得好一点。㊼使之背己：让他不要和自己一样。㊽何忍视吾之死：暗示他别寻出路，不要像自己一样在魏国等死。㊾邓渊：拓跋珪的得力文臣，曾与崔犍等共同制定魏国的典章制度。传见《魏书》卷二十四。㊿尚书晖：即邓晖，邓渊的堂弟。51河外：即指河西，此与姚兴所处的长安相对而言。52丰赡：指衣食充足。53险绝：形势险要，又与关中相距遥远，援接不上。54征吕超入侍：调吕隆之弟吕超到长安侍奉皇帝，实际是让他来做人质。55因超：通过吕超。56请迎于秦：请求姚兴派兵前来把吕隆也接了去。57摄昌松、魏安二戍：告诫昌松、魏安两个驻兵据点上的将士。摄，约束。昌松、魏安是二郡名，昌松郡的郡治在今甘肃武威东南，魏安郡的郡治在当时的昌松东北。58避之：避开秦军，不与秦军发生冲突。〖按〗当时的昌松、魏安二戍属于秃发氏，这一带地区正处在关中通往姑臧的道路上，而当时秃发氏正称臣于后秦，所以他让这个地区的兵力加以收缩退避。59素车白马：像办丧事一样，以表示自己服罪、请罪。自秦子婴向刘邦如此投降以来，历代向人投降的帝王都用这种形式。60臧莫孩：沮渠蒙逊的部将，当时为辅国将军。61弟挐：即沮渠挐。62入贡于秦：去长安向姚兴进贡。这里实际也包括派沮渠挐前去长安做人质。63行凉州刺史：代理凉州刺史。行，代理、权任。64仓松：即昌松，即上述的昌松郡。65番禾：郡名，郡治即今甘肃永昌。66徙隆宗族句：后凉自公元三八六年吕光建国至此年灭亡，共历十七年。67安定：郡名，郡治在今甘肃泾川县北。68随才擢叙：按照各个人的才干分别选拔任用。69郭黁：善天文、数术，原在吕光手下任职，后于隆安元年（公元三九七年）与王详等谋反，因事泄，王详被杀，郭黁兵败后投降乞伏乾归。事见本书卷一百九隆安元年。70代吕者王：吕氏政权将由王氏取代。71王详：当时在吕光政权中任仆射。72王乞基：匈奴部落的一个头领，当时臣属于吕光，后来归于东晋。73灭秦者晋也：不知从哪里找来“灭秦者晋”的谶语。74来奔：指南行投奔东晋。75亲信：姓沮渠，名亲信，当时任中田护军，驻守临松。76临松：郡名，郡治在今甘肃张掖南、祁连北。77孔笃：沮渠孔笃。78秃发傉檀为公：当时秃发傉檀被后秦封为广武公。79身为侯：身，犹言“我”，称自己。当时沮渠蒙逊被后秦封为西海侯。事见本书卷一百一十二元兴元年。80款诚未著：他对秦国的忠诚还表现得不明显。款诚，真心实意。未著，不明显。81羁縻：犹今之所谓“笼络”。82入赞帝室：入朝辅佐帝王。赞，佐助。83以不信相待：即上文之“以重爵虚名羁縻”。84爵必称功：所赐的爵位必须与其所建立的功勋相称。称，相称、相应。85尹纬、姚晃：都是姚苌的开国元勋，后又协助姚兴灭了苻登。事见《晋书》卷一百一十八。86佐命之臣：辅佐天命所归的帝王开基创业。87不过侯伯：尹纬功劳最大，被封为清河侯。侯伯，侯爵、伯爵。88何以先之：凭什么超过他们呢。89窦融殷勤固让：窦融是东汉光武帝的开国元勋，曾统领整个河西地区归降刘秀，又帮助刘秀平定了当时盘踞于今兰州、西宁一带的隗嚣。因功被封为安平侯，位在刘秀身边的旧臣之上。窦融心感不安，一再辞让。事见《后汉书》卷二十三。⑨⓪即封张掖：就近封我为张掖侯。⑨① 蒙逊悦二句：以上梁构对答沮渠蒙逊的说辞，与当年晋朝侍御史俞归回答前凉张重华的亲信沈猛的说辞大致相同。见本书《晋纪十九》晋穆帝司马聃永和三年。⑨② 桓伟：桓玄之兄。⑨③ 桓脩：桓玄的堂兄弟，桓冲之子。⑨④ 专据内外：意谓掌握着朝里朝外的专断一面之权。当时桓脩为荆州刺史，专断西方；其兄桓谦为尚书令，总持朝政。〖按〗桓谦、桓脩都是桓玄的堂兄弟，与桓玄远着一层，故曹靖之以为言。⑨⑤ 桓石康：桓玄之侄。其父桓豁，是桓温之子，桓玄之兄。较"谦、脩兄弟"血缘关系近一层。⑨⑥ 永嘉：郡名，郡治即今浙江温州。⑨⑦ 晋安：郡名，郡治即今福建福州。⑨⑧ 何无忌：与刘裕原来都是刘牢之的部将，后预见刘牢之必败，二人遂改投了驻兵京口（今江苏镇江市）的桓脩。⑨⑨ 潜诣裕：暗中访问刘裕。诣，到、访。⑩⓪ 山阴：即今浙江绍兴，当时为会稽郡的郡治所在地。⑩① 土豪孔靖：绍兴当地的豪绅孔靖。孔靖是东晋初期的名臣孔愉之孙，孔愉为官正直，传见《晋书》卷七十八。⑩② 京口：即今江苏镇江市。⑩③ 南平城：在今山西应县西南，地处桑干河的南面。⑩④ 规度灅南：在灅水以南规划、测量。灅水即今桑干河。⑩⑤ 殷仲文：殷仲堪的堂兄弟，桓玄的姐夫，协助桓玄篡乱的骨干分子之一。传见《晋书》卷九十九。⑩⑥ 受禅：接受禅让，实际是篡夺帝位。⑩⑦ 阴撰九锡文及册命：暗中以皇帝的口气写好了给桓玄"加九锡"的诏令，和册命桓玄为皇帝的文件。"九锡"是皇帝赐给大臣的九种器物：一车马、二衣服、三乐则、四朱户、五纳陛、六虎贲、七弓矢、八鈇钺、九秬鬯。"册命"也写作"策命"，是帝王宣告自己退位，任命别人为皇帝的命令。自东汉王莽以来，凡是行将篡位的权臣，总是要经过先让皇帝给他加九锡，而后再正式册命他为皇帝这样一套手续，而美其名曰"禅让"。⑩⑧ 王谧：王导之孙，王劭之子，颇受桓玄赏用。传见《晋书》卷六十五。⑩⑨ 桓胤：桓玄的堂侄。⑪⓪ 丙子：九月十六。⑪① 楚国：桓玄的封国。⑪② 彭城内史：彭城封国的行政长官，职位如同郡太守。刘裕当时任此职。⑪③ 情：指人心与舆论倾向。⑪④ 宜有揖让：应当实行"禅让"，实即取东晋帝位而代之。⑪⑤ 宣武：桓玄之父桓温的谥号。⑪⑥ 民望：犹言人心。⑪⑦ 禅代：接受禅让，取而代之。⑪⑧ 有何不可：此刘裕谎言以顺适其意，以等待起兵讨桓玄时机。⑪⑨ 新野人庾仄：新野县人姓庾名仄。新野即今河南新野。⑫⓪ 冯该：桓玄的部将，桓玄把握朝政后，任冯该为雍州刺史，驻兵襄阳。⑫① 七庙：帝王的祖庙，其中供奉七代神主。这里指晋王朝的七代祖先。⑫② 高雅之：刘牢之的女婿，刘牢之被杀后，高雅之等投奔了南燕主慕容备德。⑫③ 表：上表请求。⑫④ 廓清吴、会：扫平江东的晋王朝。吴、会，吴郡、会稽郡，这里泛指东晋治下的江东地区。⑫⑤ 悖逆：犯上作乱，指其准备篡位而言。⑫⑥ 兵不留行：长驱直入，无人敢挡。⑫⑦ 得而有之：占领东晋的全部地盘之后。⑫⑧ 秦、魏不足敌：秦国、魏国便都不值得一打。⑫⑨ 旧邦覆没：指昔日建都中山（今河北定州）的慕容宝政权被拓跋珪摧垮，冀、并二州被魏所占。⑬⓪ 乃：这里是"然后再"的意思。⑬① 荆、扬：荆州和扬州，这里泛指长江流域和长江以南的晋国地盘。⑬② 讲武城西：在南燕都城广固（今山东青州）的城西操练军队。⑬³万七千乘：一万七千辆。古称一车四马叫“一乘”。⑬⁴归藩：指辞去在朝的职务，回到自己的封地上去。这里是桓玄故意玩弄手段，以退为进。⑬⁵钱塘临平湖开：临平湖忽然变得水色清明。钱塘县的县治在今浙江杭州西南，今之杭州即在钱塘县境内。临平湖，即今之杭州西湖。其水面常年被杂树乱草所充塞，一旦杂草死去，水色清明，则被人说成是天下太平的征兆，与通常所说的“河清海晏”意思相同。这里当然又是桓玄弄神弄鬼。下句“甘露降”意同。⑬⁶江州：州治即今江西九江。⑬⁷受命之符：已经秉承了天命应该登基为帝的征兆。符，征兆。⑬⁸西朝：指西晋，因其建都洛阳，在建康的西北，故称“西朝”。⑬⁹皇甫谧：字士安，魏晋之交的著名隐士，终身以读书著述为务，撰有《帝王世纪》《高士传》等。朝廷多次征聘，一直未出。传见《晋书》卷五十一。⑭⁰旌礼：进行表彰，表示尊崇。旌指题赠匾额，予以表彰。⑭¹充隐：充数的隐士。⑭²废钱用谷、帛：废除货币，改用粮食与丝绸作为交换本位。⑭³复肉刑：恢复使用刺字（黥）、断腿（刖）、去势（宫）等使人体肢体伤残的刑罚。汉文帝时曾下令废除肉刑。⑭⁴志无一定：想法一会儿一变。志，想法。⑭⁵法书：名家的书法真迹。⑭⁶假蒲博：用与之赌博为手段。假，使用。蒲博，樗蒲与博弈，都是当时的赌博工具。⑭⁷乙卯：十月二十五。⑭⁸其子嗣：其子拓跋嗣。⑭⁹丁巳：十月二十七。⑮⁰袁纥、乌频：高车（敕勒）族的部落头领名。⑮¹十一月庚午：十一月十一。⑮²行：施行；使用。⑮³世子：诸侯王的嫡长子，未来的接班人。⑮⁴丁丑：十一月十八。⑮⁵为禅诏：代替皇帝写好了让位的诏书。⑮⁶临川王宝：即司马宝，司马晞的曾孙。司马晞是晋元帝司马睿之子，被封为武陵王。桓温欲谋篡逆，视司马晞为眼中钉，故将其免官发配，死于新安郡。传见《晋书》卷六十四。⑮⁷庚辰：十一月二十一。⑮⁸壬午：十一月二十三。⑮⁹癸未：十一月二十四。⑯⁰迁太庙神主于琅邪国：把东晋王朝列祖列宗的牌位都搬回琅邪王的封地上去。因为晋元帝司马睿在开国称帝之前是琅邪王，现在他的后辈交出了国家政权，而晋安帝的弟弟司马德文还在当琅邪王，故而把这些破烂儿交给他去看管。琅邪国本来在山东，在南燕慕容德的管辖下。晋朝的“琅邪国”，侨寄在今江苏句容北。⑯¹穆章何皇后：穆帝司马聃之妃，简文帝司马昱之母，孝武帝司马曜的祖母，晋安帝司马德宗的曾祖母。⑯²徙居司徒府：当时桓玄的亲信王谧任司徒，把退位皇帝的这几个重要亲戚安排在王谧的衙门里住，是为了便于看管。⑯³诣姑孰劝进：到姑孰的楚王衙门劝说桓玄进位为皇帝。姑孰，即今安徽当涂，当时桓玄住在这里。劝进，劝……登基为帝。⑯⁴十二月庚寅朔：十二月的初一是庚寅日。⑯⁵九井山：在今安徽当涂城南。⑯⁶壬辰：十二月初三。⑯⁷册文：祭祀天神、宣布即位的文告。⑯⁸非薄晋室：说晋王朝的坏话。非薄，贬低、丑诋。⑯⁹揖让之文：旧皇帝让位，新皇帝表示客气、推让的文字。自王莽、曹丕表演这套形式以来，历代的篡位程序都是旧皇帝要一连三次宣布让位，接受者要推辞两次，第三次才勉强接受。⑰⁰正可陈之于下民：那些是表演给百姓们看的。正可，只可。陈，摆列、搬演。⑰¹岂可欺上帝：在祭天的文告里就不能再说言不由衷的话了。⑰南康之平固县：南康是郡名，郡治即今江西赣州。当时的平固县在今江西兴国南。⑰零陵县君：封号为零陵君，领地为零陵县，县治在今湖南兴安北。⑰石阳县公：封地石阳县，县治在今江西吉水县北。⑰武陵王遵：即司马遵，司马晞的后代，晋孝武帝的堂兄弟，晋安帝的堂叔。⑰彭泽县侯：县级侯爵，封地彭泽县，县治在今江西湖口县东南。⑰南康公主：晋元帝的女儿，桓温之妻，桓玄之母。⑰豫章王：郡级王爵，豫章是郡名，郡治即今江西南昌。⑰王愉：王坦之之子，王国宝之兄。传见《晋书》卷七十五。⑱相国左长史绥：王绥，桓玄的高级僚属，当时桓玄任相国。长史是相国属下的诸史之长，位贵权大。⑱戊戌：十二月初九。⑱将由：大概是由于。将，大概、或许。⑱梁王珍之国臣孔朴：梁王司马珍之部下的臣子姓孔名朴。司马珍之是武陵王司马遵的侄孙。国臣，梁国封地上的臣子。⑱奉珍之奔寿阳：保护着司马珍之向北逃到了今安徽寿县。⑱戊申：十二月十九。⑱慈母：父之妾，己之生母。⑱己酉：十二月二十。⑱辛亥：十二月二

【原文】

三年（甲辰，公元四〇四年）

春，正月，桓玄立其妻刘氏为皇后。刘氏，乔[199]之曾孙也。玄以其祖彝以上名位不显，不复追尊立庙[200]。散骑常侍徐广[201]曰："敬其父则子悦[202]，请依故事[203]立七庙[204]。"玄曰："礼，太祖东向，左昭右穆[205]。晋立七庙，宣帝不得正东向之位[206]，何足法也？"秘书监卞承之谓广曰："若宗庙之祭果不及祖[207]，有以知楚德[208]之不长矣。"广，邈[209]之弟也。

玄自即位，心常不自安。二月己丑朔[210]，夜，涛水入石头，流杀人甚多，欢哗震天。玄闻之，惧，曰："奴辈作[211]矣！"

玄性苛细，好自矜伐。主者奏事，或一字不体[212]，或片辞之谬，必加纠擿[213]，以示聪明。尚书答诏误书"春蒐[214]"为"春菟[215]"，自左丞王纳之以下，凡所关署[216]，皆被降黜。或手注直官[217]，或自用令史[218]，诏令纷纭，有司奉答不暇，而纪纲[219]不治，奏案[220]停积，不能知也。又

十二。⑱⑨寻阳：当时为江州的州治所在地，即今江西九江。⑲⓪新城：县名，县治在今辽宁新宾西。⑲①凡城：在今河北平泉附近。⑲②癸丑：十二月二十四。⑲③听讼观：听法官审案的场所。三国时洛阳华林园里有听讼观，每审大案，魏明帝常去旁听，西晋遂沿袭下来。东晋迁都建康后，也建有此观。⑲④阅囚徒：复查在押的犯人。⑲⑤有干舆乞者：有时遇到乞丐拦着他的车驾乞讨。干，拦。舆，车子。⑲⑥时或恤之：有时就施舍给他们一些东西。恤，可怜、救济。⑲⑦以品秩为差：按着品级的不同分别做出各种不同的样子。差，区别。⑲⑧多不稽古：很多地方不合于古制。稽古，考古、合于古制。

【校记】

［1］王：据章钰校，甲十一行本、乙十一行本皆无此字，张敦仁《通鉴刊本识误》同。［2］太：据章钰校，甲十一行本作“大”。

【语译】

三年（甲辰，公元四〇四年）

春季，正月，桓玄册封自己的妻子刘氏为皇后。刘氏是刘乔的曾孙女。桓玄因为自己的祖先从桓彝以上，名望、地位都不显赫，所以便不再为他们追加尊贵的谥号，也不再为他们建立祭庙。担任散骑常侍的徐广说：“尊敬他的父亲，儿子一定很高兴。请依照以往的旧例，在宗庙里供奉七代神主。”桓玄说：“按照礼法规定，开创基业的太祖神主居于正位，朝向东方，在太祖左边南向的三个称为昭，在太祖右边北向的三个称为穆，晋朝设立七庙，而晋宣帝司马懿的祭庙却不能朝向东方，哪里值得效法呢?”担任秘书监的卞承之对散骑常侍徐广说：“如果桓玄的宗庙里不祭祀三代以上的祖先，据此就可以预知楚国的国运不会长久。”徐广是徐邈的弟弟。

桓玄自从登上皇帝宝座，心中常常忐忑不安。二月初一日己丑，这天夜间，长江波浪滔天，江水涌入石头城，洪流淹死了很多居民，呼救声、波涛声震天动地。桓玄听到之后心中恐惧，他说：“那些奴才们要造反了!”

桓玄性情苛刻、心思细密，喜好自我夸耀。主管官员所上的奏章，如果有一个字用得不得体，或是写得不规范，他一定要指出来加以纠正，以显示自己的聪明。尚书在回答诏书时，误把“春蒐”写成了“春菟”，于是，从左丞王纳之以下，凡是经过手、签过字的官员全都被降级或免职。桓玄有时还要亲手注明哪天由哪位官员入宫值日，有时又直接指使尚书省的小官吏去做某事，致使诏书、命令纷乱混杂，有关部门光是回答桓玄提出的各种问题就已经忙得不可开交，而关系国家安危的军国大政得不到治理，文武官员奏请批复的文书案卷滞留、堆积在案头，对于这些，

性好游畋，或一日数出。迁居东宫，更缮宫室，土木并兴，督迫严促。朝野骚然，思乱者众。

玄遣使加益州[221]刺史毛璩[222]散骑常侍、左将军。璩执留玄使，不受其命。璩，宝之孙也。玄以桓希为梁州[223]刺史，分命诸将戍三巴[224]以备之。璩传檄远近，列玄罪状，遣巴东太守柳约之、建平[225]太守罗述、征虏司马[226]甄季之击破希等，仍[227]帅众进屯白帝[228]。

刘裕从徐、兖二州刺史、安成王桓脩入朝。玄谓王谧曰："裕风骨不常，盖人杰也。"每游集[229]，必引接殷勤[230]，赠赐甚厚。玄后刘氏有智鉴[231]，谓玄曰："刘裕龙行虎步，视瞻不凡，恐终不为人下，不如早除之。"玄曰："我方平荡中原，非裕莫可用者。俟关、河[232]平定，然后别议之耳。"

玄以桓弘[233]为青州刺史，镇广陵；刁逵[234]为豫州刺史，镇历阳[235]。弘，脩之弟；逵，彝之子也。

刘裕与何无忌同舟还京口，密谋兴复晋室。刘迈弟毅[236]家于京口，亦与无忌谋讨玄。无忌曰："桓氏强盛，其可图乎？"毅曰："天下自有强弱[237]，苟为失道，虽强易弱，正患事主难得[238]耳。"无忌曰："天下草泽之中非无英雄也。"毅曰："所见唯有刘下邳[239]。"无忌笑而不答，还以告裕，遂与毅定谋。

初，太原王元德[240]及弟仲德为苻氏[241]起兵攻燕主垂[242]，不克，来奔，朝廷以元德为弘农[243]太守。仲德见桓玄称帝，谓人曰："自古革命[244]诚非一族，然今之起者恐不足以成大事。"

平昌[245]孟昶为青州主簿[246]，桓弘使昶至建康。玄见而悦之，谓刘迈曰："素士[247]中得一尚书郎[248]，卿与其州里[249]，宁相识否[250]？"迈素与昶

桓玄却浑然不觉。桓玄还喜好游玩打猎，有时一天之内就出去好几次。他为了重新修整皇宫，便临时搬到太子宫暂住，于是大兴土木，并限定期限，严加督促。朝廷与民间全都骚动不安，人心思乱，希望改朝换代的人很多。

桓玄派遣使者前往成都加授担任益州刺史的毛璩为散骑常侍、左将军。毛璩将桓玄派来的使者扣留起来，不接受桓玄的任命。毛璩是毛宝的孙子。桓玄任命桓希为梁州刺史，分别命令诸将严密守卫巴郡、巴东和巴西，防范毛璩采取行动。益州刺史毛璩向远近各郡发布讨伐桓玄的文告，他列举了桓玄的各种罪状，派担任巴东太守的柳约之、担任建平太守的罗述、担任征虏司马的甄季之率军击败了桓希等，然后率大军进驻白帝城。

担任下邳太守的刘裕随从担任徐、兖二州刺史的安成王桓脩到京师建康朝见桓玄。桓玄对担任中书监并兼任司徒的王谧说："刘裕的风度和骨气与平常人大不相同，他是人中的豪杰。"每次出游或集会，桓玄都对刘裕热情相待，赏赐也很优厚。桓玄的皇后刘氏，不仅有智谋，而且有眼光，她对桓玄说："刘裕行走的步态如龙似虎，眼神也非同一般，恐怕终究不会甘居人下，不如早点把他除掉。"桓玄说："我正要扫平中原，除去刘裕就没有可用之人。等我平定了关中、河北之后，再对此事另作商议。"

桓玄任命桓弘为青州刺史，镇守广陵；任命刁逵为豫州刺史，镇守历阳。桓弘是桓脩的弟弟；刁逵是刁彝的儿子。

担任下邳太守的刘裕与刘牢之的外甥何无忌乘坐同一艘船返回京口，他们一起密谋复兴东晋政权。担任谘议参军的刘迈的弟弟刘毅家在京口，也与何无忌密谋起兵讨伐桓玄。何无忌说："桓氏家族势力强大，能够把他推翻吗？"刘毅说："天下谁强谁弱，不能光看表面、光看眼前，而是另有决定的因素存在，如果势力强大的一方违背了正义，就会陷于孤立，虽然强大也会变得弱小，现在发愁的是找不到一个难得的人才出来领头罢了。"何无忌说："天下草莽之间并非没有英雄。"刘毅说："我所见到的只有担任下邳太守的刘裕。"何无忌笑了笑没有回答。回来之后，何无忌把刘毅的话告诉了刘裕，刘裕于是与刘毅同心合谋，准备讨伐桓玄。

当初，太原人王元德和他的弟弟王仲德响应前秦苻氏的号召，聚众起兵攻击后燕主慕容垂，没有得胜，于是前来投奔东晋。东晋朝廷任命王元德为弘农太守。王仲德看见桓玄篡夺了东晋政权，自己登上了皇帝宝座，便对人说："自古以来改朝换代确实不止一个家族，然而今天的这位承受天命、推翻旧王朝的革命者恐怕成就不了什么大事。"

东晋平昌县人孟昶在青州刺史桓弘属下担任主簿，青州刺史桓弘让孟昶前往建康晋见桓玄。桓玄见了孟昶，对孟昶非常赏识，于是便对谘议参军刘迈说："我从出身平民的士大夫中发现了一位可以担当尚书郎的人才，就是青州主簿孟昶，你与他

不善，对曰："臣在京口，不闻昶有异能，唯闻父子纷纷更相赠诗耳。"玄笑而止。昶闻而恨之。既还京口，裕谓昶曰："草间当有英雄起，卿颇闻乎？"昶曰："今日英雄有谁，正当是卿耳！"

于是裕、毅、无忌、元德、仲德、昶及裕弟道规、任城魏咏之[251]、高平檀凭之[252]、琅邪诸葛长民[253]、河内[254]太守陇西辛扈兴、振威将军东莞[255]童厚之，相与合谋起兵。道规为桓弘中兵参军，裕使毅就道规及昶于江北，共杀弘，据广陵；长民为刁逵参军，使长民杀逵，据历阳；元德、扈兴、厚之在建康，使之聚众攻玄为内应，刻期[256]齐发。

孟昶妻周氏富于财，昶谓之曰："刘迈毁我于桓公，使我一生沦陷[257]，我决当作贼[258]。卿幸早离绝[259]，脱得富贵[260]，相迎不晚也。"周氏曰："君父母在堂，欲建非常之谋，岂妇人所能谏！事之不成，当于奚官[261]中奉养大家[262]，义无归志[263]也。"昶怅然[264]久之而起。周氏追昶坐，曰："观君举措，非谋及妇人者，不过欲得财物耳。"因指怀中儿示之曰："此而可卖[265]，亦当不惜。"遂倾赀[266]以给之。昶弟顗妻，周氏之从妹[267]也，周氏绐[268]之曰："昨夜梦殊不祥，门内绛色物[269]宜悉取以为厌胜[270]。"妹信而与之，遂尽缝以为军士袍。

何无忌夜于屏风里草檄文，其母，刘牢之姊也，登橙密窥之，泣曰："吾不及东海吕母[271]明矣。汝能如此，吾复何恨？"问所与同谋者，曰："刘裕。"母尤喜，因为言玄必败，举事必成之理以劝之。

乙卯[272]，裕托以游猎，与无忌收合徒众，得百余人。丙辰诘旦[273]，京口城开，无忌着传诏服[274]，称敕使[275]，居前，徒众随之齐入，即斩

是同乡，难道不认识他吗？”刘迈素来与孟昶关系不好，于是回答说：“我在京口的时候，没有听说孟昶有什么特别的才能，只听说他们父子之间互相写诗赠答。”桓玄笑了笑，遂打消了任用孟昶的念头。孟昶得知消息，对刘迈恨入骨髓。孟昶从建康返回京口，刘裕对孟昶说：“草莽之间将有英雄崛起，你多少听到一点消息没有？”孟昶说：“今天的英雄还能有谁，就是你呀！”

于是刘裕、刘毅、何无忌、王元德、王仲德、孟昶以及刘裕的弟弟刘道规、任城县的魏咏之、高平郡的檀凭之、琅邪郡的诸葛长民、担任河内太守的陇西人辛扈兴、担任振威将军的东莞人童厚之，互相合谋，准备起兵。刘道规当时在桓弘手下担任中兵参军，刘裕派刘毅到长江北岸会合刘道规和孟昶，共同杀死担任刺史的桓弘，夺取广陵；诸葛长民在豫州刺史刁逵手下担任参军，刘裕便令诸葛长民击杀刁逵，夺取历阳；担任弘农太守的王元德、担任河内太守的辛扈兴、振威将军童厚之当时都在京师建康，刘裕令他们聚众起兵，攻击桓玄，为其他大军做内应，约定好日期，到时各地同时采取行动。

担任青州主簿的孟昶，他的妻子周氏富有家财，孟昶对周氏说：“谘议参军刘迈在桓玄面前诋毁我，使我一生不能得志，我决定做一回逆贼。希望你早点和我断绝关系，以免受到牵累，等我将来得到荣华富贵，再迎接你回来也不算晚。”周氏说：“你的父母都还健在，你却想要建立非同一般的功业，这不是我一个女人所能劝阻得了的！倘若事情不能成功，全家都将被抄没，就让我在关押奴婢的场所中奉养婆婆，我绝对没有为了躲避灾祸而返回娘家的道理。”孟昶无可奈何，坐了好久才起身离去。周氏赶紧把他追回来，坐下之后，周氏说：“我观察你的举动，绝不是那种遇事肯同妇人商量的人，今天你跟我说这些，只不过是希望得到财物上的支持罢了。”于是便用手指着怀中的儿子对孟昶说：“如果儿子可以卖钱，我也在所不惜。”遂把自己的全部陪嫁拿出来交给孟昶。孟昶的弟弟孟颛的妻子，是周氏的堂妹，周氏便哄骗她说：“昨天我做了一个非常不吉利的梦，你把家中所有绛色的衣服、衣料等都拿出来给我，让我作为镇物以镇灾邪。”周氏的堂妹相信了堂姐的话，就把家中所有的绛色布帛拿出来交给了周氏，周氏把这些布帛全部缝制成军士的战袍。

何无忌夜间躲在屏风背后草拟讨伐桓玄的文稿，他的母亲是刘牢之的姐姐，她偷偷地站在凳子上，把何无忌的举动全都看在眼里，她哭泣着说：“我比不上新莽时期东海的吕母，这是肯定的。你能够这样做，我还有什么遗憾？”于是便问何无忌同谋的人还有谁，何无忌回答说：“刘裕。”何无忌的母亲特别高兴，并趁机为何无忌分析桓玄必定失败、起事必定能够成功的道理，来激励自己的儿子。

二月二十七日乙卯，下邳太守刘裕假托出游打猎，便与何无忌一起召集自己的亲信，一共有一百多人。二十八日丙辰天刚一亮，京口的城门已经打开，何无忌身穿皇家信使的衣服，自称是皇帝派来的使者，在前面引导，刘裕的一百多名亲信跟

桓脩以徇[276]。脩司马刁弘帅文武佐吏来赴[277]，裕登城[278]谓之曰：“郭江州[279]已奉乘舆[280]返正[281]于寻阳，我等并被[282]密诏，诛除逆党，今日贼玄之首已当枭于大航[283]矣。诸君非大晋之臣乎？今来欲何为？”弘等信之，收众而退。

裕问无忌曰：“今急须一府主簿[284]，何由得之？”无忌曰：“无过刘道民。”道民者，东莞刘穆之[285]也。裕曰：“吾亦识之。”即驰信[286]召焉。时穆之闻京口欢噪声，晨起，出陌头[287]，属[288]与信会。穆之直视不言者久之，既而返室，坏布裳为袴[289]，往见裕。裕曰：“始举大义，方造[290]艰难，须一军吏甚急，卿谓谁堪其选？”穆之曰：“贵府始建，军吏实须其才，仓猝之际，略当[291]无见逾[292]者。”裕笑曰：“卿能自屈[293]，吾事济矣。”即于坐署[294]主簿。

孟昶劝桓弘其日出猎，天未明，开门出猎人。昶与刘毅、刘道规帅壮士数十人直入，弘方啖粥[295]，即斩之。因收众济江[296]。裕使毅诛刁弘。

先是，裕遣同谋周安穆入建康报刘迈，迈虽酬许[297]，意甚惶惧。安穆虑事泄，乃驰归。玄以迈为竟陵[298]太守，迈欲亟之郡[299]。是夜，玄与迈书曰：“北府[300]人情云何？卿近见刘裕何所道？”迈谓玄已知其谋，晨起，白之[301]。玄大惊，封迈为重安侯。既而嫌迈不执安穆[302]，使得逃去，乃杀之，悉诛元德、扈兴、厚之等。

众推刘裕为盟主，总督徐州[303]事。以孟昶为长史，守京口；檀凭之为司马。彭城人应募者，裕悉使郡主簿[304]刘钟[305]统之。丁巳[306]，裕帅二州[307]之众千七百人，军于竹里[308]，移檄远近，声言益州刺史毛璩已定荆楚，江州刺史郭昶之奉迎主上返正于寻阳，镇北参军王元德等并帅部曲保据石头[309]，扬武将军诸葛长民已据历阳。

随在何无忌身后一齐进入京口城中，他们立即杀死了担任徐、兖二州刺史的桓脩，砍下他的人头巡行示众。在桓脩属下担任司马的刁弘得到消息，立即率领文武属官赶来，刘裕登上京口的城楼，对他们说："江州刺史郭昶之已经拥戴皇帝司马德宗在寻阳重新登上皇位，我们是奉了皇帝密诏前来诛灭桓玄逆党，今天逆贼桓玄的首级已经悬挂在朱雀桥头示众。你们诸位难道不是大晋朝的臣子吗？现在来到这里准备做什么？"刁弘等信以为真，便率领众官员退走。

刘裕问何无忌说："现在我们急需一位能够担任主簿的人，到哪里能够找到这样的人？"何无忌说："没有比刘道民更合适的人选了。"刘道民就是东莞的刘穆之。刘裕说："我也知道这个人。"于是立即派使者去找刘穆之，征聘他前来担任主簿。当时，刘穆之已经听到了京口方向传来的喧哗声、鼓噪声，第二天早起，他来到街口，正好与刘裕派来的使者相遇。刘穆之听了使者的话之后，两眼直视前方，考虑了好长时间没有说话，回到家中之后，他把自己的布裤子改成一条军裤，然后去见刘裕。刘裕说："我们刚刚举起义旗，正在经历最初的艰难时刻，急需一名军中官吏，你认为谁最适合担当此任？"刘穆之说："大人的军府刚刚开始建立，确实需要一个堪当此任的军吏，在如此仓促的时间之内，大概还没有比我更合适的人。"刘裕笑着说："如果能够屈尊先生前来充任此职，我的事情肯定能够获得成功了。"当即便任命刘穆之为主簿。

担任青州主簿的孟昶在广陵劝说青州刺史桓弘在约定好的日期出城打猎，那天天还没亮，便打开广陵城门开始放打猎的人出城。孟昶和刘毅、刘道规率领数十名勇士径直冲入广陵州府，青州刺史桓弘刚刚端起粥碗要吃粥，就被孟昶等斩杀了。于是集结起部众渡过长江南下。刘裕派刘毅诛杀了在桓脩属下担任司马的刁弘。

先前，刘裕派遣自己的同谋周安穆到建康将起兵的消息秘密告诉刘迈，刘迈虽然表面上答应下来，而心中却惶惧不安。周安穆担心事情泄露，于是飞马返回。桓玄任命刘迈为竟陵太守，刘迈就想尽快离开建康前往竟陵。这天夜里，桓玄送来一封信给刘迈说："北府京口的情形怎么样？你最近看见刘裕都说了些什么？"刘迈以为桓玄知道了自己参与刘裕起兵的阴谋，于是在第二天早晨起床之后，就赶紧把刘裕派周安穆来找他的事情向桓玄做了汇报。桓玄一听，不禁大惊失色，遂认为刘迈奏报有功而封刘迈为重安侯。过后又怨恨刘迈当时没有立即把周安穆抓起来，而让周安穆跑掉，因此杀死了刘迈，并把留在建康的王元德、辛扈兴、童厚之等人全部杀死。

众人全都拥戴刘裕为盟主，担任徐州刺史。刘裕任命孟昶为长史，负责戍守京口；任命檀凭之为司马。凡是彭城人前来应募的，刘裕全都让担任彭城郡主簿的刘钟负责统领。二月二十九日丁巳，刘裕率领徐州、兖州二州的部众总计一千七百人，驻扎在竹里，他向远近各郡县发布公告，声称益州刺史毛璩已经平定了荆楚，江州刺史郭昶之已经在寻阳拥戴晋安帝司马德宗重新登上皇帝宝座，镇北参军王元德等全都率领自己的私人部队攻入石头城据守，扬武将军诸葛长民已经占据了历阳。

玄移还上宫[310]，召侍官皆入止省中[311]，加扬州刺史新野王桓谦征讨都督，以殷仲文代桓脩为徐、兖二州刺史。谦等请亟遣兵击裕，玄曰："彼兵锐甚，计出万死[312]，若有蹉跌，则彼气成而吾事去矣，不如屯大众于覆舟山[313]以待之。彼空行二百里[314]，无所得，锐气已挫，忽见大军，必惊愕。我按兵坚阵，勿与交锋，彼求战不得，自然散走，此策之上也。"谦等固请击之，乃遣顿丘[315]太守吴甫之、右卫将军皇甫敷相继北上[316]。玄忧惧特甚。或曰："裕等乌合[317]微弱，势必无成，陛下何虑之深？"玄曰："刘裕足为一世之雄，刘毅家无檐石之储[318]，樗蒲[319]一掷百万[320]，何无忌酷似其舅[321]：共举大事，何谓无成？"

南凉王傉檀畏秦之强，乃去年号[322]，罢尚书丞郎官[323]，遣参军关尚使于秦。秦王兴曰："车骑[324]献款称藩[325]，而擅兴兵造大城，岂为臣之道乎？"尚曰："王公设险以守其国[326]，先王之制也。车骑僻在遐藩[327]，密迩勍寇[328]，盖为国家[329]重门之防[330]，不图[331]陛下忽以为嫌[332]。"兴善之。傉檀求领凉州[333]，兴不许。

初，袁真杀朱宪[334]，宪弟绰逃奔桓温。温克寿阳[335]，绰辄[336]发真棺，戮其尸[337]。温怒，将杀之，桓冲请而免之。绰事冲如父，冲薨，绰呕血而卒。刘裕克京口，以绰子龄石[338]为建武参军[339]。三月戊午朔[340]，裕军与吴甫之遇于江乘[341]。将战，龄石言于裕曰："龄石世受桓氏厚恩，不欲以兵刃相向，乞在军后。"裕义而许之。甫之，玄骁将也，其兵甚锐。裕手执长刀，大呼以冲之，众皆披靡，即斩甫之，进至罗落桥[342]。

桓玄从太子宫迁回皇宫，他召集自侍中以下一直到黄门、散骑等官员都进入并住宿在宫中，又加授担任扬州刺史的新野王桓谦为征讨都督，令殷仲文接替桓脩担任徐、兖二州刺史。桓谦等请求赶紧出兵攻击刘裕，桓玄说："刘裕的兵马非常精锐，都是一些不顾万死一生的亡命之徒，肯定会拼死力战，如果我们出兵，万一遭到失败，必定导致对方成了气候，而我方的优势将不复存在，不如把大军屯驻在建康城北的覆舟山，严阵以待。他们从京口到建康白跑了二百里路，却一无所得，锐气已经受挫，此时突然看见我方的大军挡在前方，必然大为惊骇。我们依然按兵不动，不与他们交战，他们求战不得，自然四散逃走，这才是上策。"桓谦等坚决请求出兵攻击刘裕，桓玄才派遣担任顿丘郡太守的吴甫之、右卫将军皇甫敷相继率军从建康北上，向京口进发。桓玄非常忧愁恐惧。有人问桓玄说："刘裕等所率领的军队乃是一群乌合之众，势力微弱，势必一事无成，陛下何必如此过分地担忧？"桓玄回答说："刘裕完全可以称得上是一代枭雄，刘毅家中穷得连一石粮食的储蓄都没有，而在赌博时就敢一掷百万，何无忌非常像他的舅舅刘牢之，这些人聚在一起共同图谋大事，怎么能说他们将一事无成？"

南凉王秃发傉檀畏惧后秦国的强大，遂去掉自己的"弘昌"年号，改用后秦"弘始"年号，撤销了尚书丞与尚书郎等尚书省的属官，然后派遣担任参军的关尚出使后秦。后秦王姚兴对南凉的使者关尚说："车骑将军秃发傉檀派你来向秦国奉献诚心，愿意向秦国称臣，做秦国的藩属国，然而却又擅自调动军队修筑大城，这难道是臣属应该做的事情吗？"关尚回答说："王爵、公爵在自己的封国之内设置险阻以守卫自己的封国，这是先王定下的制度。车骑将军秃发傉檀身处偏僻遥远的边地，做强大秦国的一个诸侯，与势力强大的贼寇为邻，修筑大城，完全是为了保卫秦国而加强门户的建设，没想到陛下却因此而怀疑车骑将军对陛下的忠诚。"姚兴对关尚的解释表示赞许。秃发傉檀向后秦王请求兼任凉州刺史，姚兴没有同意。

当初，袁真杀死朱宪，朱宪的弟弟朱绰逃往东晋，投奔了桓温。桓温攻克寿阳之后，朱绰遂挖掘了袁真的坟墓，打开棺材，把袁真的尸体拖出来，屠戮了袁真的尸体。桓温非常愤怒，就要杀死朱绰，桓冲极力为朱绰求情，桓温才将朱绰赦免。朱绰侍奉桓冲，就像侍奉自己的父亲一样，桓冲去世之后，朱绰悲伤过度，竟然吐血而亡。刘裕攻克了京口，任命朱绰的儿子朱龄石为建武参军。三月初一日戊午，刘裕的军队在江乘县与吴甫之所率领的军队遭遇。刘裕就要出战，朱龄石向刘裕请求说："我朱龄石世代蒙受桓氏的厚恩，我不愿意把兵刃对准桓氏的军队，请把我安置在军队的后面。"刘裕赞赏朱龄石的义气，便同意了他的请求。吴甫之是桓玄属下最骁勇善战的将领，他手下的士卒也非常精锐。刘裕亲自挥舞大刀，大声呐喊着率先冲向吴甫之的军队，所向披靡，吴甫之的军队根本抵挡不住刘裕军队的进攻，刘裕斩杀了吴甫之，向前推进到江乘县西面的罗落桥。右卫将军皇甫敷率领数千人迎

皇甫敷帅数千人逆战，宁远将军檀凭之败死。裕进战弥厉[343]，敷围之数重，裕倚大树挺战[344]。敷曰："汝欲作何死[345]？"拔戟将刺之，裕瞋目叱之，敷辟易[346]。裕党俄至[347]，射敷中额而踣[348]，裕援刀[349]直进。敷曰："君有天命，以子孙为托[350]。"裕斩之，厚抚其孤。裕以檀凭之所领兵配参军檀祗。祗，凭之之从子[351]也。

玄闻二将死，大惧，召诸道术人[352]推算及为厌胜。问群臣曰："朕其败乎[353]？"吏部郎曹靖之[354]对曰："民怨神怒，臣实惧焉。"玄曰："民或可怨，神何为怒？"对曰："晋氏宗庙，飘泊江滨[355]；大楚之祭，上不及祖[356]。此其所以怒也。"玄曰："卿何不谏？"对曰："辇上君子[357]皆以为尧、舜之世[358]，臣何敢言！"玄默然。使桓谦及游击将军何澹之[359]屯东陵[360]，侍中、后将军卞范之屯覆舟山西，众合二万。

己未[361]，裕军食毕，悉弃其余粮[362]，进至覆舟山东，使羸弱登山，张旗帜为疑兵，数道并前，布满山谷。玄侦候[363]者还，云："裕军四塞，不知多少。"玄益忧恐，遣武卫将军庾赜之帅精卒副援[364]诸军。谦等士卒多北府人，素畏伏裕，莫有斗志。裕与刘毅等分为数队，进突谦陈。裕以身先之，将士皆殊死战，无不一当百，呼声动天地[365]。时东北风急，因纵火焚之，烟炎熛天[366]，鼓噪之音震动京邑，谦等诸军大溃。

玄时虽遣军拒裕，而走意已决，潜使领军将军殷仲文具舟[367]于石头。闻谦等败，帅亲信数千人，声言赴战，遂将其子升、兄子浚出南掖门[368]。遇前相国参军胡藩，执马鞚[369]谏曰："今羽林射手犹有八百，皆是义故[370]。西人受累世之恩，不驱令一战，一旦舍此，欲安之乎？"

战刘裕，被刘裕任命为司马的宁远将军檀凭之战败被杀。而刘裕的攻势却越加猛烈，皇甫敷把刘裕重重包围，刘裕依靠着一棵大树挺身独战。皇甫敷对刘裕说："你想要什么样的死法?"说完拔戟就要刺向刘裕，刘裕怒睁双目，大声斥责，皇甫敷竟被吓得连连倒退。刘裕的党羽很快赶来，用箭射中了皇甫敷的脑门，将皇甫敷射倒，刘裕挥刀向前逼近皇甫敷。皇甫敷说："你受到上天的保佑，我就把自己的子孙托付给你了。"刘裕杀死了皇甫敷，而对皇甫敷留下的子女则厚加抚恤。刘裕把宁远将军檀凭之所率领的军队调拨给参军檀祗。檀祗是檀凭之的侄子。

桓玄听到顿丘太守吴甫之和右卫将军皇甫敷全部战死的消息，非常恐惧，便将那些有法术的人召集起来，让他们为自己推算前途命运，并让他们用妖术镇住刘裕等。桓玄向群臣询问说："我是不是就要败亡了?"担任吏部郎的曹靖之回答说："民众对陛下充满怨恨，天神愤怒，臣确实感到很害怕。"桓玄说："民众可能会怨恨于我，然而天神为什么要发怒?"曹靖之回答说："晋室宗庙中的祖先牌位先被迁到琅邪，后被迁到寻阳，神主在长江之滨漂泊不定；而楚国的宗庙中，只供奉了桓温的神主，祖父以上连牌位都没有。这就是天神发怒的原因。"桓玄说："你为何不早点劝说我?"曹靖之又回答说："朝廷之上的大臣全都认为当今之世就是唐尧、虞舜统治时期的太平盛世，我哪里敢多说话！"桓玄默然无语。桓玄派担任扬州刺史的新野王桓谦和担任游击将军的何澹之率军驻扎在建康城北的东陵，令担任侍中、后将军的卞范之率军驻扎在覆舟山以西，两处军队加在一起总共有二万人。

三月初二日己未，刘裕的军队进餐之后，便把剩余的粮食全部丢弃，然后挺进到覆舟山以东，刘裕派军中的老弱残兵登上山顶，在山顶上遍插旗帜以迷惑敌人，其余的军队则兵分几路同时并进，布满了山谷。桓玄的侦察兵回来向桓玄报告说："四面八方到处都是刘裕的军队，不知道到底有多少人。"桓玄于是更加忧愁恐惧，他派遣担任武卫将军的庾赜之率领精锐士卒帮助支援各路军队。桓谦等所率领的士卒大多是北府军中的旧人，一向畏服刘裕，因此与刘裕军作战毫无斗志。刘裕与刘毅等人分成几路，向桓谦的军阵发起攻击。刘裕身先士卒，其他将士也都拼力死战，无不以一当百，呐喊声惊天动地。当时东北风刮得很猛，刘裕军遂顺风纵火，向桓谦军发起火攻，浓烟烈焰烧红了半边天，击鼓呐喊的声音震动了京师，桓谦等各路军马全都大败溃散。

桓玄当时虽然派人率军抵抗刘裕，然而心中早已下定了逃走的决心，他暗中派自己的姐夫、担任领军将军的殷仲文在石头城准备好了逃跑用的舟船。当听到桓谦等失败的消息，桓玄立即率领自己的数千名亲信，对外声称是赶赴前线与刘裕军作战，便带着自己的儿子桓升、侄子桓浚出了南掖门。途中遇到在前相国属下担任参军的胡藩，他拉住桓玄的马笼头苦苦劝谏说："如今羽林军中的射手还有八百人，都是感恩仗义的老部下。西部之人几代蒙受桓氏厚恩，陛下不驱使他们，让他们与刘裕军决一死战，一旦抛弃了京师，准备到哪里安身呢?"桓玄没有回答，只是用马鞭

玄不对，但举策指天[371]，因鞭马而走，西趋石头，与仲文等浮江南走[372]。经日不食，左右进粗饭，玄咽不能下，升抱其胸而抚之，玄悲不自胜[373]。

裕入建康，王仲德抱元德子方回出候裕，裕于马上抱方回与仲德对哭。追赠元德给事中[374]，以仲德为中兵参军[375]。裕止桓谦故营，遣刘钟据东府[376]。庚申[377]，裕屯石头城，立留台百官[378]，焚桓温神主于宣阳门[379]外，造晋新主[380]，纳于太庙。遣诸将追玄，尚书王嘏[381]帅百官奉迎乘舆[382]，诛玄宗族在建康者。裕使臧熹[383]入宫，收图书、器物，封闭府库。有金饰乐器，裕问熹："卿得无欲此乎[384]？"熹正色曰："皇上幽逼[385]，播越非所[386]，将军首建大义，劬劳[387]王家，虽复不肖[388]，实无情于乐[389]。"裕笑曰："聊以戏卿耳。"熹，焘[390]之弟也。

壬戌[391]，玄司徒王谧与众议推裕领扬州，裕固辞。乃以谧为侍中，领司徒、扬州刺史、录尚书事。谧推裕为使持节、都督扬徐兖豫青冀幽并八州诸军事、徐州刺史。刘毅为青州刺史，何无忌为琅邪内史，孟昶为丹杨尹，刘道规为义昌太守。

裕始至建康，诸大处分[392]皆委于刘穆之，仓猝立定[393]，无不允惬。裕遂托以腹心，动止谘焉[394]。穆之亦竭节尽诚[395]，无所遗隐。时晋政宽弛，纲纪不立，豪族陵纵，小民穷蹙；重以司马元显政令违舛[396]，桓玄虽欲厘整[397]，而科条繁密，众莫之从。穆之斟酌时宜，随方矫正[398]。裕以身范物[399]，先以威禁，内外百官皆肃然奉职，不盈旬日，风俗顿改。

初，诸葛长民至豫州[400]，失期[401]，不得发[402]。刁逵执长民，槛车[403]送桓玄。至当利[404]而玄败，送人[405]共破槛出长民，还趣[406]历阳。逵弃城走，为其下所执，斩于石头，子侄无少长皆死，唯赦其季弟给事中骋[407]。

子指了指天，然后鞭打战马，向着西方石头城方向逃走，他登上殷仲文早已为他准备好的船只，与殷仲文等一道渡过长江向南逃窜。整整一天，桓玄都没有吃东西，身边的人为他送上粗劣的饭菜，桓玄根本无法下咽，他的儿子桓升抱住父亲，抚摸着他的胸部安慰他，桓玄悲伤得简直无法控制。

刘裕进入京师建康，王仲德抱着王元德的儿子王方回出来迎候刘裕，刘裕从马上抱过王方回，与王仲德相对痛哭。遂追赠王元德为给事中，任命王仲德为中兵参军。刘裕率军进驻桓谦的大营，派刘钟占据东府。三月初三日庚申，刘裕率军屯驻在石头城，在此建立了一个留守的朝廷机构，设置了文武百官，把桓温的牌位从太庙中丢出来，送到宣阳门外进行焚烧，又为晋朝司马氏的祖先重新制作了一套七庙的牌位，送到太庙之中。刘裕一面派遣诸将追击桓玄，命担任尚书的王嘏率领文武百官前往迎接晋安帝司马德宗，一面诛杀桓玄宗族中留在建康的人。刘裕派臧熹进入皇宫，搜集图书、器物，封闭了府库。刘裕看到一些用黄金做装饰的乐器，便问臧熹说："你想不想要这些乐器?"臧熹神情严肃地说："皇上遭到桓玄的囚禁、逼迫，颠沛流离到他不应该去的地方，将军首先举起义旗，勤劳王室，我虽然不成材，但也实在没有心思享乐。"刘裕笑着说："我只不过和你开个玩笑罢了。"臧熹是臧焘的弟弟。

三月初五日壬戌，被桓玄任命为司徒的王谧与众人议论推举刘裕兼任扬州刺史，刘裕坚决予以推辞。刘裕任命王谧为侍中，兼任司徒、扬州刺史、录尚书事。王谧又推举刘裕为使持节，都督扬、徐、兖、豫、青、冀、幽、并八州诸军事，徐州刺史。刘裕任命刘毅为青州刺史，任命何无忌为琅邪内史，任命孟昶为丹杨尹，任命刘道规为义昌太守。

刘裕开始进入建康的时候，各种重大事务的处理安排全部委托给刘穆之，然而即使是在仓促之间，刘穆之的裁决和处理，没有一件不公允恰当。刘裕遂把刘穆之当成自己的心腹，对待他推心置腹，一切行动无不与他商量。刘穆之也对刘裕竭尽忠诚，没有一点保留和隐瞒。当时，晋朝的政令松弛，纲纪败坏，豪门大族欺凌弱小、横行霸道，小民百姓被踩在脚下，受尽屈辱；再加上司马元显当政时期政令的失误，桓玄虽然想要加以改正和调整，然而各种规章条文多如牛毛，众人简直无所适从。刘穆之针对这种情况，便根据实际需要随时加以纠正。刘裕也能以身作则，用自己的行为给下属做出榜样，先用威刑峻法整肃内外，于是文武百官全都谨慎小心地对待自己的工作，不到十天的工夫，社会风气就发生了变化。

当初，诸葛长民到达豫州时，已经错过了约定起事的日期，因此不能发动。豫州刺史刁逵逮捕了诸葛长民，并用囚车把诸葛长民押送给桓玄。囚车走到当利的时候，桓玄已经被刘裕击败，负责押送的人便打开囚车救出诸葛长民，并调转方向奔回历阳。刁逵得知桓玄已经失败，便丢下历阳逃走，结果被自己的部下抓获，杀死在石头城，他的子侄，不论年纪大小全被杀死，只有他的小弟弟、担任给事中的刁骋被赦免。

逵故吏匿其弟子雍送洛阳[408]，秦王兴以为太子中庶子[409]。裕以魏咏之为豫州刺史，镇历阳，诸葛长民为宣城内史[410]。

初，裕名微位薄，轻狡[411]无行，盛流[412]皆不与相知，惟王谧独奇贵之，谓裕曰："卿当为一代英雄。"裕尝与刁逵樗蒲，不时输直[413]，逵缚之马枊[414]。谧见之，责逵而释之，代之还直[415]。由是裕深憾逵而德谧。

萧方等[416]曰："夫蛟龙潜伏，鱼虾亵[417]之。是以汉高赦雍齿[418]，魏武免梁鹄[419]，安可以布衣之嫌[420]而成万乘之隙[421]也？今王谧为公，刁逵亡族，酬恩报怨[422]，何其狭哉！"

尚书左仆射王愉[423]及子荆州刺史绥谋袭裕，事泄，族诛。绥弟子慧龙为僧彬[424]所匿，得免。

魏以中土[425]萧条，诏县户不满百者罢之[426]。

丁卯[427]，刘裕还镇东府[428]。

桓玄至寻阳，郭昶之给其器用、兵力。辛未[429]，玄逼帝西上[430]，刘毅帅何无忌、刘道规等诸军追之。玄留龙骧将军何澹之、前将军郭铨与郭昶之守湓口[431]。玄于道自作《起居注》[432]，叙讨刘裕事，自谓经略[433]举无遗策[434]，诸军违节度[435]，以致奔败。专覃思著述[436]，不暇与群下议时事。《起居注》既成，宣示远近。

丙戌[437]，刘裕称受帝密诏，以武陵王遵[438]承制[439]总百官行事，加侍中、大将军，因大赦，惟桓玄一族不宥[440]。

刘敬宣[441]、高雅之[442]结青州大姓及鲜卑豪帅，谋杀南燕主[3]备德，

刁逵的旧部下把刁逵弟弟的儿子刁雍藏匿起来，秘密护送刁雍投奔了后秦所属的洛阳。后秦王姚兴任命刁雍为太子中庶子。刘裕任命魏咏之为豫州刺史，镇守历阳，任命诸葛长民为宣城内史。

当初，刘裕并没有什么名望，地位也很低下，为人轻薄狡诈，没有什么品行，当时有地位有名望的上流社会的人都不与他交往，只有王谧一人认为他与众不同，将来肯定能够富贵显达，王谧对刘裕说："你肯定能够成为一代英雄。"刘裕曾经和刁逵一块赌博，赌输了却没能按时把所欠的赌钱还给刁逵，刁逵就把刘裕捆在马桩子上。王谧看见之后，责令刁逵释放了刘裕，并代替刘裕偿还了拖欠刁逵的赌债。从此以后，刘裕深深地怨恨刁逵而感激王谧。

> 萧方等说："蛟龙在水下潜伏的时候，就连鱼虾也敢来欺侮它。所以汉高祖赦免了曾经反复无常的部将雍齿，魏武帝曹操赦免了曾经压制过自己的梁鹄，平民时期结下的仇怨，怎么能等到成了万乘之君后还来打击报复呢？如今王谧位列三公，而刁逵被夷灭全族，酬谢王谧的恩德，报复对刁逵的仇怨，刘裕的度量是何等的狭小啊！"

东晋担任尚书左仆射的王愉和他的儿子、担任荆州刺史的王绥密谋袭击刘裕，事情败露，被诛灭全族。王绥弟弟的儿子王慧龙被和尚彬隐藏起来，才免于一同被杀。

因为中原地区人户稀少，一片萧条，北魏主拓跋珪遂下诏：凡是户口不满一百的县一律撤销。

三月初十日丁卯，刘裕将其军政指挥部迁回东府。

桓玄逃到寻阳，担任江州刺史的郭昶之为他提供了各种物资、兵器，并补充了兵员。三月十四日辛未，桓玄逼迫着晋安帝司马德宗与他们一起西上，被刘裕任命为青州刺史的刘毅率领琅邪内史何无忌、义昌太守刘道规等诸路大军奋力追击。桓玄留下龙骧将军何澹之、前将军郭铨与江州刺史郭昶之把守湓口。桓玄在逃亡途中亲自动手写作《起居注》，记载了讨伐刘裕的全部过程，桓玄认为自己的所有部署全部准确无误，只是因为诸将不听从指挥调度，才导致失败，使自己四处逃亡。他一门心思都用在著书立说上，没有时间与属下群臣讨论如何应对面前的局势。《起居注》完成之后，便向远近各地公开发布。

三月二十九日丙戌，刘裕宣称自己接受了晋安帝的秘密诏书，令武陵王司马遵以皇帝的名义，总领文武百官，加授司马遵为侍中、大将军，实行大赦，只有桓玄一个家族不在赦免的范围之内。

刘敬宣以及高雅之秘密勾结青州的豪门大姓以及鲜卑的部落首领，企图谋杀南燕王慕容备德，然后推戴在东晋担任襄城太守的司马休之为君主。南燕主慕容备德推司马休之[443]为主。备德以刘轨[444]为司空，甚宠信之。雅之欲邀轨同谋，敬宣曰："刘公衰老，有安齐之志[445]，不可告也。"雅之卒告之，轨不从。谋颇泄，敬宣等南走，南燕人收轨，杀之，追及雅之，又杀之。敬宣、休之至淮、泗间[446]，闻桓玄败，遂来归。刘裕以敬宣为晋陵[447]太守。

南燕主备德闻桓玄败，命北地王钟[448]等将兵欲取江南，会备德有疾而止。

【段旨】

以上为第二段，写晋安帝元兴三年（公元四〇四年）前三个月间的大事。主要写了刘裕、何无忌、刘毅等人合谋讨桓玄，其中又突出了孟昶之妻与何无忌之母的远见卓识。写了刘裕、何无忌斩桓脩起事于京口；刘毅、刘道规、孟昶杀桓弘起兵于江北；众人拥立刘裕为盟主，刘裕巧妙地虚张声势，以瓦解敌人、壮大自己的声威。写了桓玄称帝后内心不安，疑神疑鬼；又好矜伐，挑剔群臣毛病；自作《起居注》，谓自己"经略举无遗策，诸军违节度，以致奔败"，甚至为此"专覃思著述，不暇与群下议时事"，及"《起居注》成，宣示远近"云云，好虚荣如此。写了桓玄的怯懦无能，该战不战而只想逃跑的狼狈之相，对比之下写了刘裕的勇于进击，大破桓玄部将吴甫之于江乘，破杀皇甫敷于罗落桥，又破桓谦、何澹之于覆舟山，把刘裕写得有声有色。写了刘裕进入建康城后的一系列措施：他"立留台百官"，"造晋新主，纳于太庙"，他"遣尚书王嘏帅百官奉迎乘舆"，他"使臧熹入宫，收图书、器物，封闭府库"，又"命武陵王遵承制总百官行事"云云，表现出一派为晋室除贼、大公无私的凛然气象。此外还写了刘敬宣、司马休之在南燕发起政变不成而逃回东晋等。

【注释】

⑲乔：即刘乔，汉代宗室之后，是西晋初的名臣，曾参与平定杨骏、贾谧等叛乱。传见《晋书》卷六十一。⑳不复追尊立庙：谓只从其父桓温开始供奉。[201]徐广：字野民，当时的著名学者，撰有《晋纪》《史记音义》等。传见《晋书》卷八十二。[202]敬其父则子悦：语见《孝经》。[203]故事：以往的旧例。[204]七庙：指天子的宗庙里供奉的七代神主，此为历代定制。[205]太祖东向二句：这是天子宗庙七位神主的摆法。开国的帝

任命刘轨为司空，对刘轨非常宠爱和信任。高雅之想邀请刘轨参与自己的阴谋，刘敬宣说：“刘轨年纪已经衰老，有在齐地安养天年的志向，不能把咱们的事情告诉他。”但高雅之最终还是把自己的计划告诉了刘轨，刘轨不肯与他们同谋。而刘敬宣等人的阴谋已经逐渐泄露出去，刘敬宣等只好向南逃走，南燕人逮捕了刘轨，把刘轨杀死，又追捕高雅之，高雅之也被杀死。刘敬宣、司马休之逃亡到淮河、泗水之间，听到东晋桓玄已经失败的消息，于是又回到东晋。徐州刺史刘裕任命刘敬宣为晋陵太守。

南燕主慕容备德闻听到东晋桓玄失败的消息，立即命令北地王慕容钟等率军准备攻取江南，不巧的是慕容备德此时生了一场大病，这次的军事行动才被取消。

王，其神主居正位，面向东（古代以朝东为最贵）。此外，左面三个叫“昭”，右面三个叫“穆”。供的是当今皇帝的父亲及其以上六代的神主，也是定制。以后凡再死一任皇帝，则把他的神主放在这六个的最后，而把原来六个的开头一个拿掉。开国太祖的神主永远不变。㉖宣帝不得正东向之位：宣帝指司马懿，曹操的部下，司马氏发家掌权，从司马懿开始。而司马炎正式即位建立宗庙时，太祖东向之位空着。三昭三穆是司马懿的高祖司马钧、曾祖司马量、祖父司马儁、父亲司马防，以及司马懿、司马懿的儿子司马师、司马昭。六代人七个牌位。㉗不及祖：指桓玄只祭其父，不祭三代以上的祖先。㉘楚德：指桓玄政权的命运。㉙邈：即徐邈，徐广之兄，当时著名学者，颇受孝武帝宠待，著有《五经音训》。传见《晋书》卷九十一。㉚二月己丑朔：二月初一是己丑日。㉛作：起事；造反。㉜一字不体：一个字用得不得体，或写得不规范。㉝纠擿：纠正、挑剔。㉞春蒐：帝王的春季打猎。㉟春菟：一种草本植物，也叫菟丝子。㊱关署：经手、签字。㊲手注直官：亲手注明值日的官员。注，标记。直，通“值”。㊳自用令史：直接指使尚书省的小官吏。令史，是尚书令、尚书仆射的僚属。㊴纪纲：指国家的大政方针、根本性问题。㊵奏案：百官群臣奏请批复的文书案卷。㊶益州：州治即今四川成都。㊷毛璩：字叔琏，毛宝之孙，最早起兵讨桓玄的地方官。传见《晋书》卷八十一。毛宝是晋朝的名将，在讨伐苏峻之乱中有大功。㊸梁州：州治即今陕西汉中。㊹三巴：指巴郡（郡治今重庆市）、巴东（郡治白帝，在今重庆奉节东）、巴西（郡治在今四川绵阳东）。㊺建平：郡名，郡治即今重庆巫山县。㊻征虏司马：毛璩的高级僚属，当时毛璩原任征虏将军。㊼仍：通“乃”。㊽白帝：白帝城，在今重庆奉节东。㊾游集：游观、集会。㊿引接殷勤：即热情接待。引接，接待、招待。(231)智鉴：才智、眼光。(232)关、河：泛指今函谷关以西以及黄河流域的今河南、河北、山东一带地区。(233)桓弘：桓玄的堂兄弟。(234)刁逵：字伯道，桓玄的忠实投靠者。传见《晋书》卷六十九。其父刁彝，曾任徐、兖二州刺史。(235)历阳：即今安徽和县。(236)刘迈弟毅：刘毅，后来消

灭桓玄的主要将领之一。其兄刘迈，字伯群，先为殷仲堪僚属，曾面折桓玄；桓玄篡权后，又投靠了桓玄，为之作参军。事见本书卷一百一十二。㉓⑦ 自有强弱：另有决定孰强孰弱的因素。意谓不能光看表面，光看暂时。㉓⑧ 正患事主难得：犯愁的是难得有个好的领导人。正患，只犯愁。事主，领导人。㉓⑨ 刘下邳：指刘裕，曾代理过下邳太守。㉔⓪ 王元德：名睿，字符德。㉔① 苻氏：指前秦的苻氏政权。㉔② 燕主垂：后燕政权的创建者慕容垂。㉔③ 弘农：郡名，郡治在今河南三门峡市西南。㉔④ 革命：改换承受天命者，即推翻旧王朝。㉔⑤ 平昌：县名，县治在今山东诸城北、安丘南。㉔⑥ 青州主簿：青州刺史桓弘的高级僚属。㉔⑦ 素士：出身于平民的士大夫。㉔⑧ 得一尚书郎：是个尚书郎的好人选。尚书郎相当于后代的尚书，汉代的九卿。㉔⑨ 与其州里：与其同州里，是老乡。当时刘迈在京口，孟昶在广陵，隔江相邻。㉕⓪ 宁相识否：与他相识吗。“宁”是魏晋时期常用的虚词，义近于“难道”“莫非”。㉕① 任城魏咏之：任城是县名，县治在今山东济宁东南。魏咏之初为殷仲堪门客，后为刘裕讨平桓玄的主要将领之一。传见《晋书》卷八十五。㉕② 高平檀凭之：高平是郡名，郡治昌邑，在今山东巨野南。檀凭之是宋代名将檀道济之父，初为桓氏僚属，后助刘裕讨桓玄。传见《晋书》卷八十五。㉕③ 琅邪诸葛长民：琅邪郡的诸葛长民。琅邪郡的辖境约当今山东之诸城、临沂一带地区。诸葛长民初为桓玄吏，后助刘裕讨平桓玄。传见《晋书》卷八十五。㉕④ 河内：郡名，郡治即今河南沁阳。㉕⑤ 东莞：郡名，郡治在今山东沂水县东北。㉕⑥ 刻期：订好日期。㉕⑦ 沦陷：指沉沦不得志。㉕⑧ 作贼：造反。㉕⑨ 幸早离绝：希望你早点与我和离，断绝关系，以免跟着受牵累。㉖⓪ 脱得富贵：假如我们一旦获得成功。脱，假如。㉖① 奚官：旧时关押奴婢的场所。㉖② 大家：当时儿媳对婆婆的称呼。㉖③ 义无归志：绝不可能让我返回娘家。归志，回娘家的想法。㉖④ 怅然：无可奈何、无法开口的样子。㉖⑤ 此而可卖：这个如果能卖钱。㉖⑥ 倾赀：拿出了全部的陪嫁。㉖⑦ 从妹：堂妹。㉖⑧ 绐：骗。㉖⑨ 绛色物：红色的衣服、衣料。㉗⓪ 厌胜：旧时迷信，想以某种东西镇住灾难，使之不致发生的一些做法。按，以上孟昶妻的故事见《晋书·列女传》。㉗① 东海吕母：西汉末期人，王莽篡位，吕母不服，聚众数千人杀死了东海县令，到大海中为“盗”去了。事见本书卷三十八天凤四年。吕母是琅邪县人，地处海边，故称“东海吕母”。㉗② 乙卯：二月二十七。㉗③ 丙辰诘旦：二月二十八的天刚亮。诘旦，清晨。㉗④ 着传诏服：身穿一套传达皇帝（此指桓玄）诏令的使者的服装。㉗⑤ 称敕使：自称是帝王派出的使者。㉗⑥ 以徇：持其人头以巡行示众。㉗⑦ 来赴：前来救援。㉗⑧ 登城：登上京口（今江苏镇江市）的城楼。㉗⑨ 郭江州：指郭昶之，桓玄的将领，当时为江州刺史。㉘⓪ 奉乘舆：拥戴着晋安帝。乘舆，原指帝王的车驾，这里即指前被桓玄所废的晋安帝。㉘① 返正：重新登上皇位。㉘② 被：接受。㉘③ 枭于大航：悬首示众于朱雀桥。大航即朱雀桥，是当时建康城正南门外秦淮河上的一座大型浮桥。㉘④ 府主簿：军府里主管文书的官员，犹今之秘书长。㉘⑤ 刘穆之：汉朝宗室的后代，世居京口，为刘裕的心腹大臣、佐命元勋。传见《宋书》卷四十二。㉘⑥ 信：使者。㉘⑦ 陌头：这里即街头。陌，道路。㉘属：刚好。㉙坏布裳为袴：用布裳改做成的一条军裤。裳是当时平民所穿的下衣；袴是当时军人的下衣。㉚方造：刚刚开始办事。㉛略当：大约。㉜无见逾：没有谁能超过我。逾，超过。㉝自屈：前来充任此职。屈，如今所谓“屈才”“屈就”，都是客气的说法。㉞署：任；任命。㉟啖粥：吃粥。㊱济江：由广陵渡江到京口。济，渡水。㊲酬许：犹言答应。酬，回答。㊳竟陵：郡名，郡治在今湖北潜江市西南。㊴亟之郡：想赶紧离开建康到竟陵上任。㊵北府：指京口（今江苏镇江市）的军政府。㊶白之：将刘裕派周安穆来找他的事情报告给桓玄。㊷不执安穆：不立即逮捕、扣留周安穆。㊸徐州：即徐州刺史，当时徐州刺史的驻地在京口。㊹郡主簿：徐州下属的彭城郡的主簿。㊺刘钟：刘裕的同乡，先为刘牢之的部将，后与刘裕一道讨桓玄，是刘裕的得力将领，功勋卓著。传见《宋书》卷四十九。㊻丁巳：二月二十九。㊼二州：指徐州、兖州。东晋以来常归一人管辖，又都驻兵京口，故刘裕首先得而统之。㊽竹里：在今南京东的长江南，仪征市的对岸。㊾保据石头：攻占并坚守在石头城（今江苏南京的清凉山一带）。㊿上宫：东晋的正式宫殿，在此以前桓玄住在东宫。311入止省中：进入并住宿在宫中，为怕众人逃散。312计出万死：都是一些万死不顾一生的亡命之徒。313覆舟山：在建康城北，因其形如覆舟，故名。314空行二百里：指由京口奔到建康。今镇江到南京约一百四十里，此约略言之。315顿丘：郡名，原来的郡治在今河南濮阳北。东晋时在今安徽滁州又设立了顿丘郡。316北上：自建康去京口，是向东北方向。317乌合：即乌合之众，一哄而起的造反者。318家无檐石之储：极言其穷，一石为十斗，一担为两石。檐，同“担”。319樗蒲：赌具，类似今天的色子。320一掷百万：极言其敢下大赌注。321其舅：即刘牢之。322去年号：秃发傉檀曾于元兴元年改元弘昌。事见本书卷一百一十二。323尚书丞郎官：尚书丞与尚书郎都是尚书省的属官，今既去王号，则下不能设尚书省，故一并去之。324车骑：以称秃发傉檀，姚兴曾封秃发傉檀为车骑将军。325献款称藩：表现诚心，向秦自称藩属。326王公设险以守其国：语出《易·坎卦·彖辞》。327僻在遐藩：身在僻远的边地为大国的一个诸侯。328密迩勍寇：挨近强大的敌人，如吕超、沮渠蒙逊等。密迩，挨近。329国家：指姚氏政权。330重门之防：加强门户的建设。重，加强。331不图：没想到。332忽以为嫌：竟然对此产生了怀疑。333领凉州：兼任凉州刺史。领，代理。此乃谦辞，意思就是请求委任。凉州，指凉州刺史。334袁真杀朱宪：袁真原是东晋的将领，镇守寿春，因桓温将与前燕作战失败原因推置于袁真，袁真遂以寿春降前燕，其手下朱宪与桓温相通，被袁真杀死。事见本书卷一百二太和五年。335寿阳：即寿春，今安徽寿县。晋人为避讳改称“寿阳”。336辄：便；就。337戮其尸：侮辱袁真的尸体。袁真在桓温攻克寿春前，已经病死。338绰子龄石：即朱龄石，原属桓脩，后成为刘裕的得力将领。传见《宋书》卷四十八。339建武参军：当时刘裕为建武将军，任朱龄石为自己的僚属。340三月戊午朔：三月初一是戊午日。341江乘：县名，县治在今南京东，镇江市西。342罗落桥：在当时的江乘县西。343弥厉：越发锐猛。344挺战：挺身独战。345欲作何死：想要个什么样的死法。㉞⑥裕瞋目叱之二句：辟易，倒退。按,《史记·项羽本纪》有所谓“项王瞋目而叱之，赤泉侯人马俱惊，辟易数里”。㉞⑦俄至：很快地来到了。㉞⑧踣：跌倒。㉞⑨援刀：抽刀；挥刀。㉟⓪以子孙为托：犹言请你代替我照顾我的儿孙。㉟①从子：侄子。㉟②诸道术人：各种有法术的人，指巫婆、神汉等。㉟③朕其败乎：我会失败吗。其，表示推测的虚词。㉟④曹靖之：桓玄的忠实部将，多次为之出谋献策。㉟⑤飘泊江滨：前桓玄下令把晋代七庙迁到琅邪国（即江乘县），后又让晋安帝携带他们一起去了寻阳。江乘和寻阳都在长江边上。㉟⑥上不及祖：谓只祭其父桓温。㉟⑦辇上君子：指桓玄左右的达官显贵，他们有时能与桓玄同乘一辆车。㉟⑧皆以为尧、舜之世：都认为桓玄的作为和古代的尧、舜一样。㉟⑨何澹之：原属王恭，后归桓玄。㊱⓪东陵：在建康城北的覆舟山东北。㊱①己未：三月初二。㊱②弃其余粮：此亦“破釜沉舟”之举，以激励士卒死战。㊱③侦候：刺探敌情。㊱④副援：即援助。副，辅助。㊱⑤呼声动天地:《史记·项羽本纪》写钜鹿之战有所谓“楚战士无不一以当十，楚兵呼声动天”，此用其句。㊱⑥熛天：照天；熏天。㊱⑦具舟：准备好了逃跑使用的船只。㊱⑧南掖门：宫城南面的侧门。㊱⑨执马鞚：拉住桓玄的马笼头。㊲⓪义故：感恩仗义的老部下。㊲①举策指天：意谓“此天亡我也”。策，马鞭。㊲②浮江南走：指乘船沿长江上行。㊲③悲不自胜：悲伤得不能自我控制。㊲④给事中：官名，在皇帝身边以备参谋顾问之用。㊲⑤中兵参军：当时刺史、将军的僚属，参赞军务。㊲⑥东府：当年司马道子任录尚书事的办公地址，后来桓玄又曾居此。㊲⑦庚申：三月初三。㊲⑧立留台百官：建立了一个留守的朝廷机构，因当时晋安帝先被弄到了寻阳，后被桓玄裹挟流浪在外，故刘裕将自己所重建的朝廷机构称作晋朝皇帝的“留台”。㊲⑨宣阳门：当时建康城的南门。㊳⓪造晋新主：重新制作了一套晋室七庙的牌位。因为旧牌位先被弄到琅邪国，后又随被废的晋安帝被弄到寻阳去了。㊳①王嘏：王导的重孙，晋孝武帝的妹夫。㊳②奉迎乘舆：去向桓玄讨要晋安帝。㊳③臧熹：刘裕的妻弟，以平桓玄功封宁朔将军。㊳④得无欲此乎：想不想要这个东西呢。得无，当时口语，意为“难道不”。㊳⑤幽逼：被囚禁、被逼迫。㊳⑥播越非所：颠沛流离到他不该去的地方。播越，颠沛流离。㊳⑦劬劳：辛劳。㊳⑧虽复不肖：我虽然不成材，没有出息。㊳⑨无情于乐：没有心思享乐。㊴⓪焘：即臧焘，刘裕的妻弟，当时有名的学者。传见《宋书》卷五十五。㊴①壬戌：三月初五。㊴②诸大处分：各项重大事务的处理安排。㊴③仓猝立定：立刻就能得到解决。仓猝，随即、及时。立定，立刻做出定夺。㊴④动止谘焉：有什么事情都和他商量。动止，干什么与不干什么，犹今之所谓“一举一动”。谘，询问、请教。㊴⑤竭节尽诚：犹言尽职尽心。节，行为、职责。㊴⑥违舛：乖谬、错乱。㊴⑦厘整：纠正、调整。㊴⑧随方矫正：遇到什么有问题，就把它随即纠正过来。随方，犹言“随事”。㊴⑨以身范物：用自己的行为给下属做榜样。物，人。㊵⓪豫州：东晋豫州的州治历阳，即今安徽和县。当时刁逵任豫州刺史。㊵①失期：迟到，错过了起义的时间。㊵②不得发：未能发动起义。㊵③槛车：把诸葛长民装入囚车。㊵④当利：长江渡口名，在和县城东。㊵⑤送人：押解诸葛长民的差役。⑩还趣：回头奔向……。趣，同“趋”，奔向。⑩季弟给事中骋：最小的弟弟当时给桓玄任给事中的刁骋。给事中，帝王的侍从官名。⑩送洛阳：送刁雍投奔后秦姚兴。⑩太子中庶子：太子手下的属官。⑩宣城内史：宣城诸侯国的行政长官，职位如同郡太守。宣城国的都城即今安徽宣城。⑪轻狡：轻佻狡黠。⑫盛流：名流；上流社会的人。⑬不时输直：不按时偿还所欠的钱。输，交纳。直，同“值”。这里指所欠的钱。⑭马柳：拴马桩。⑮代之还直：替他偿还了所欠的钱。⑯萧方等：梁元帝的嫡长子，曾撰《三十国春秋》。传见《梁书》卷四十四。⑰亵：侮辱；欺侮。⑱汉高赦雍齿：雍齿原是刘邦的部将，刘邦起义初期，雍齿为刘邦镇守丰邑，后来叛变刘邦，投降了周市。刘邦率军回攻丰邑，雍齿坚守不下，使刘邦吃了不少苦头。后来雍齿又投降了刘邦，刘邦对此记恨在心，后来在张良的劝说下，才封雍齿为什方侯。事见本书卷十一太祖高皇帝六年。⑲魏武免梁鹄：梁鹄在东汉末年为选部尚书，曹操求为洛阳令，梁鹄坚持不与，而让他当了北部尉。后来董卓之乱，梁鹄南奔刘表。曹操平定荆州后，梁鹄向曹操请罪。曹操释却前嫌，让他在秘书省做事。⑳布衣之嫌：在大家都是平民的时候结下的仇怨。㉑成万乘之隙：到称王称帝后还来报昔日平民时候的仇怨。㉒酬恩报怨：有恩必酬，有仇必报。㉓王愉：王国宝之兄，桓氏的女婿。桓玄篡位，被任为尚书仆射，其子王绥被任荆州刺史，颇受倚重。传见《晋书》卷七十五。㉔僧彬：和尚名彬。此人日后逃入后秦，又奔入拓跋魏。㉕中土：指今山西、河北一带旧归汉族统治的地区。㉖罢之：即取消这个县的建制。过百户即可保留，可见当时人烟之稀少。㉗丁卯：三月初十。㉘还镇东府：将其军政指挥部迁回东府办公。东府，昔为司马道子所居，后又曾为桓玄所居。㉙辛未：三月十四。㉚西上：向上游荆州桓玄的老巢进发。㉛湓口：即今江西九江，地当湓水入长江之口。㉜《起居注》：逐日记载帝王一切活动的账簿，也是古代历史的一种。㉝经略：权谋大略。㉞举无遗策：所有部署没有一点失误。举，全部、任何作为。㉟违节度：不服从他的指挥、调遣。㊱覃思著述：全部精神都用在著书立说上。覃思，犹言“潜心”。㊲丙戌：三月二十九。㊳武陵王遵：即司马遵，晋元帝司马睿之孙，孝武帝司马曜的堂兄弟，晋安帝之叔。传见《晋书》卷六十四。㊴承制：按照皇帝的命令，这里即以皇帝的名义。㊵不宥：不饶恕；不宽赦。㊶刘敬宣：刘牢之之子。㊷高雅之：刘牢之的女婿。刘牢之被桓玄所杀后，二人北逃青州投南燕慕容德。事见本书卷一百一十二元兴元年。㊸司马休之：东晋的宗室，孝武帝的同族兄弟，晋安帝的族叔。㊹刘轨：原与刘牢之同在谢玄部下为将，后为冀州刺史，桓玄杀刘牢之，刘轨之兄刘袭亦相继被杀，刘轨遂与刘敬宣等同奔南燕。㊺安齐之志：指安居他人篱下，不愿再走。春秋晋国骊姬谗杀太子申生，又欲杀重耳，重耳几经辗转，逃到齐国，齐桓公以女妻之，重耳贪图安逸，遂不想再走。事见《左传》僖公二十三年。㊻淮、泗间：淮河、泗水之间，指今徐州南、蚌埠北一带地区。㊼晋陵：郡名，郡治在京口（今江苏镇江市）。㊽北地王钟：即慕容钟。

【校记】

［3］主：原作“王”。据章钰校，甲十一行本、乙十一行本皆作“主”，今据改。

【原文】

夏，四月己丑[449]，武陵王遵入居东宫，内外毕敬。迁除百官[450]称制书[451]，教[452]称令书[453]。以司马休之监[454]荆益梁宁秦雍六州诸军事、领[455]荆州刺史。

庚寅[456]，桓玄挟帝至江陵，桓石康纳之[457]。玄更署置百官，以卞范之为尚书仆射。自以奔败之后，恐威令不行，乃更增峻刑罚，众益离怨。殷仲文[458]谏，玄怒曰：“今以诸将失律[459]，天文不利[460]，故还都旧楚[461]。而群小纷纷，妄兴异议[462]，方当纠之以猛，未可施之以宽也。”荆、江诸郡闻玄播越[463]，有上表奔问起居者，玄皆不受，更令所在[464]贺迁新都。

初，王谧为玄佐命元臣[465]，玄之受禅，谧手解帝玺绶[466]。及玄败，众谓谧宜诛，刘裕特保全之。刘毅尝因朝会，问谧玺绶所在[467]。谧内不自安，逃奔曲阿[468]。裕笺白[469]武陵王，迎还复位[470]。

桓玄兄子歆[471]引氐帅杨秋[472]寇历阳，魏咏之帅诸葛长民、刘敬宣、刘钟共击破之，斩杨秋于练固[473]。

玄使武卫将军庾稚祖、江夏太守桓道恭帅数千人就何澹之等共守湓口。何无忌、刘道规至桑落洲[474]，庚戌[475]，澹之等引舟师逆战。澹之

【语译】

夏季，四月初二日己丑，东晋武陵王司马遵住进建康皇宫中的太子宫，接受了朝廷内外的敬贺。司马遵以皇帝的名义任免百官的命令称为“制书”，给下属发布的指示、命令称为“令书”。任命司马休之为监督、协调荆、益、梁、宁、秦、雍六州诸军事，代理荆州刺史。

四月初三日庚寅，桓玄挟持着晋安帝司马德宗到达江陵，担任荆州刺史的桓石康接纳了他们。桓玄重新任命文武百官，任命卞范之为尚书仆射。自从逃离京师建康四处漂泊以来，桓玄担心自己的威望受到损害，政令得不到贯彻执行，于是便加重刑罚的处治力度，然而，适得其反，民众对他越加离心离德、充满怨恨。桓玄的姐夫殷仲文对他进行劝谏，桓玄竟勃然大怒说:“现在，因为诸将不听从我的指挥而导致战场上失利，天象变化也对我们很不利，所以我才离开京师建康回到楚国的故都江陵来。而那些别有用心的小人竟然议论纷纷，随便地胡说八道，此时就得对他们采用强猛的手段予以纠正，而不能采用宽和的政策、姑息养奸。”荆州、江州各郡听到桓玄经过一番颠沛流离回到了江陵，就有人赶来进献表章，探问桓玄起居是否安好，桓玄一概不接受，他下令自己所管辖的地区呈递奏章，恭贺自己迁入新都。

当初，王谧是辅佐桓玄建立新王朝、登基称帝的大臣，在桓玄逼迫晋安帝司马德宗将皇位禅让给他的时候，又是王谧亲自上前解下了晋安帝身上佩戴的玉玺转身给桓玄佩戴。等到桓玄失败逃离京师之后，众朝臣都认为应该杀掉王谧，是刘裕特别加以保护，才使王谧得以保全。担任青州刺史的刘毅曾经在一次朝会中，当面询问王谧皇帝的玉玺在什么地方。王谧内心非常恐惧不安，便逃往曲阿。徐州刺史刘裕上书给武陵王司马遵，向他说明情况，于是又把王谧从曲阿迎接回来，仍旧让王谧担任侍中，兼任司徒、扬州刺史、录尚书事。

桓玄的侄子桓歆勾引氐族部落首领杨秋进犯东晋豫州郡治所所在地历阳，镇守历阳的豫州刺史魏咏之率领宣城内史诸葛长民、晋陵太守刘敬宣以及担任彭城主簿的刘钟共同将杨秋击败，在历阳西北的练固将杨秋斩首。

桓玄派担任武卫将军的庾稚祖、担任江夏太守的桓道恭率领数千人一同前往湓口，会合何澹之等共同防守湓口。琅邪内史何无忌、义昌太守刘道规率军挺进到桑落洲。四月二十三日庚戌，何澹之等率领舟船水师迎战何无忌等。何澹之平时所乘坐的

常所乘舫[476]羽仪[477]旗帜甚盛，无忌曰："贼帅必不居此，欲诈我耳，宜亟[478]攻之。"众曰："澹之不在其中，得之[479]无益。"无忌曰："今众寡不敌[480]，战无全胜[481]。澹之既不居此舫，战士必弱，我以劲兵攻之，必得之。得之，则彼势沮[482]而我气倍，因而薄[483]之，破贼必矣。"道规曰："善！"遂往攻而得之，因传呼曰："已得何澹之矣。"澹之军中惊扰。无忌之众亦以为然，乘胜进攻澹之等，大破之。无忌等克湓口，进据寻阳，遣使奉送宗庙主祏[484]还京师。加刘裕都督江州诸军事。

桑落之战，胡藩[485]所乘舰为官军[486]所烧，藩全铠入水，潜行三十许步，乃得登岸。时江陵路已绝，乃还豫章[487]。刘裕素闻藩为人忠直，引参领军军事[488]。

桓玄收集荆州兵，曾未三旬[489]有众二万，楼船、器械甚盛。甲寅[490]，玄复帅诸军挟帝东下，以苻宏[491]领梁州刺史[492]，为前锋。又使散骑常侍徐放[493]先行，说刘裕等曰："若能旋军散甲，当与之更始[494]，各授位任，令不失分[495]。"

刘裕以诸葛长民都督淮北诸军事，镇山阳[496]；以刘敬宣为江州刺史。

柔然可汗社仑从弟悦代大那[497]谋杀社仑，不克，奔魏。

燕王熙于龙腾苑起逍遥宫，连房数百，凿曲光海，盛夏，士卒不得休息，暍死[498]者太半。

西凉世子谭[499]卒。

刘毅、何无忌、刘道规、下邳太守平昌孟怀玉帅众自寻阳西上，五月癸酉[500]，与桓玄遇于峥嵘洲[501]。毅等兵不满万人，而玄战士数万，众惮之，欲退还寻阳。道规曰："不可！彼众我寡，强弱异势，今若畏懦

那艘船，上面布置着包括用羽毛做装饰的旛幢等全套仪仗，排场盛大而豪华。何无忌说："贼帅何澹之肯定不会在这艘船上，他是在欺骗我们，引诱我们上当，应该赶紧向他们发起进攻。"众人都说："何澹之既然不在这艘船上，我们就是缴获了这艘船也没有什么好处。"何无忌说："如今敌众我寡，我们很难有战无不胜的把握。何澹之既然不在这艘船上，它的防御力量肯定不强，我们出动精锐进攻，肯定能够将它弄到手。我们得到它之后，何澹之一方的士气必然瓦解，而我方的士气必定成倍增长，然后趁势逼近他们，一定能够将他们打败。"刘道规说："有道理！"于是指挥军队向前进攻，很快便将何澹之的坐船攻取到手，于是趁机大声传呼说："何澹之已经被我们活捉了。"何澹之军中不辨真假，听到主将被捉，立时军心动摇、惊扰不安起来。何无忌的部众也真的以为捉住了何澹之，于是士气大振，乘胜向何澹之的军队发起攻击，将何澹之等打得大败。何无忌等遂占领了湓口，进而攻占了寻阳，然后派使者把装有东晋宗庙中先祖牌位的石匣子奉送到京师建康。武陵王司马遵加授刘裕为都督江州诸军事。

桑落洲战役中，桓玄的部将胡藩所乘坐的舰船被何无忌等所率领的官军烧毁，胡藩全身穿着铠甲落入水中，他在水下潜泳了三十多步，才得以爬上岸来。当时通往江陵的道路已经被官军截断，胡藩只得返回豫章。刘裕一向听说胡藩为人忠诚正直，便任命胡藩为参领军军事。

桓玄在荆州招兵买马，不到三十天的时间，就招募了二万名部众，楼船、器械很多，军容盛大。四月二十七日甲寅，桓玄又率领手下诸将挟持着晋安帝司马德宗乘船东下，桓玄任命苻宏为代理梁州刺史，充当前锋。又派遣担任散骑常侍的徐放先行出发，让他前往游说刘裕等，他说："你们如果能够将军队撤回、解散，我一定会给你们一个重新开始的机会，每个人都授予爵位、官职，绝对不会让你们丢掉应该享有的东西。"

刘裕任命担任宣城内史的诸葛长民为都督淮北诸军事，镇守山阳；任命担任晋陵太守的刘敬宣为江州刺史。

柔然国豆代可汗郁久闾社仑的堂弟郁久闾悦代大那阴谋杀害郁久闾社仑，没有成功，郁久闾悦代大那遂逃奔了北魏。

后燕天王慕容熙在新建的龙腾苑中起造逍遥宫，数百间的房屋连成一片，又开凿曲光海，即使是在酷暑盛夏也要坚持施工，士卒根本得不到休息，中暑而死的超过了一大半。

西凉公李暠的世子李谭去世。

东晋青州刺史刘毅、琅邪内史何无忌、义昌太守刘道规以及担任下邳太守的平昌人孟怀玉率领军队从寻阳出发西上，五月十七日癸酉，与桓玄在峥嵘洲相遇。刘毅等人所率领的军队不满一万人，而桓玄的部众有数万人之多，众人都对桓玄的强大心存畏惧，遂准备退回寻阳。义昌太守刘道规说："绝对不能退却！敌众我寡，敌人实力强大而我军实力弱小，敌我双方所处的形势完全不同，如果我们畏敌不前，

不进，必为所乘[502]，虽至寻阳，岂能自固？玄虽窃名雄豪，内实恇怯[503]，加之已经奔败，众无固心。决机两阵[504]，将雄者克，不在众也。”因麾众先进，毅等从之。玄常漾舸于舫侧[505]以备败走，由是众莫有斗心。毅等乘风纵火，尽锐争先，玄众大溃，烧辎重夜遁。郭铨[506]诣毅降。

玄故将刘统、冯稚等聚党四百人袭破寻阳城。毅遣建威将军刘怀肃[507]讨平之。怀肃，怀敬之弟也。

玄挟帝单舸西走，留永安何皇后[508]及王皇后[509]于巴陵[510]。殷仲文时在玄舰，求出别船收集散卒，因叛玄，奉二后奔夏口[511]，遂还建康。

己卯[512]，玄与帝入江陵。冯该劝使更下战，玄不从，欲奔汉中就桓希[513]，而人情乖沮[514]，号令不行。庚辰[515]夜中，处分欲发[516]，城内已乱，乃与亲近腹心百余人乘马出城西走。至城门，左右于暗中斫玄，不中，其徒更相杀害，前后交横[517]。玄仅得至船，左右分散，惟卞范之在侧。

辛巳[518]，荆州别驾[519]王康产奉帝入南郡府舍[520]，太守王腾之帅文武为侍卫。

玄将之汉中，屯骑校尉毛脩之[521]，璩之弟子也，诱玄入蜀，玄从之。宁州[522]刺史毛璠，璩之弟也，卒于官。璩使其兄孙祐之及参军费恬帅数百人，送璠丧归江陵，壬午[523]，遇玄于枚回洲[524]。祐之、恬迎击玄，矢下如雨，玄嬖人[525]丁仙期、万盖等以身蔽玄，皆死。益州督护[526]汉嘉冯迁[527]抽刀前欲击玄，玄拔头上玉导[528]与之，曰：“汝何人，敢杀天子！”迁曰：“我杀天子之贼耳！”遂斩之，又斩桓石康[529]、桓濬[530]、庾赜之[531][4]，执桓升[532]送江陵，斩于市。乘舆返正于江陵[533]，以

势必遭到敌人的趁机攻击，即使我们能够撤到寻阳，又岂能守得住？桓玄虽然窃取了一个英雄豪杰的名声，而其内心实际上是很怯懦的，再加上他已经失败，从京师逃亡，众人心中本无斗志。决战于两军阵前，将帅英勇的一方获胜，而不在于兵众的多少。”于是指挥自己的军队奋勇当先，青州刺史刘毅等紧随其后。桓玄常常在自己战船的旁边拴着一艘小船，打算一旦战败，就跳上小船逃走，因此他的部众全都没有斗志。刘毅等顺着风势，在上风放火，所有精锐更是人人争先，桓玄的军队于是崩溃，他们焚烧了辎重趁夜逃遁。前将军郭铨到刘毅军前投降。

桓玄的旧部刘统、冯稚等聚集起四百名党羽攻破了寻阳城。担任青州刺史的刘毅派遣建威将军刘怀肃率军将刘统等消灭。刘怀肃是刘怀敬的弟弟。

桓玄挟持着晋安帝司马德宗乘坐着一艘舰船向西逃走，而把晋穆帝司马聃的皇后何氏与晋安帝司马德宗的皇后王氏扔在了巴陵。桓玄的姐夫殷仲文当时也在桓玄的舰船上，他向桓玄请求允许自己转移到别的舰船上，好去召集那些残兵败将，殷仲文离开桓玄之后便背叛了桓玄，他护送两位皇后逃奔夏口，又从夏口辗转回到建康。

五月二十三日己卯，桓玄挟持着晋安帝司马德宗进入江陵。冯该劝说桓玄，让他重新率军东下作战，桓玄不听。桓玄想要投奔汉中依靠担任梁州刺史的桓希，然而人人心情沮丧，没有人赞成他的意见，桓玄的号令已经没有人执行。二十四日庚辰的夜间，桓玄已经做出决定，准备出发前往汉中，而江陵城内突然大乱，桓玄赶紧带着一百多名心腹骑马准备出城向西逃走。当他们来到江州城门时，桓玄身边有人利用黑暗做掩护突然刺杀桓玄，却没有刺中，桓玄的这些亲信侍卫便互相残杀起来，桓玄的前后一个挨着一个都是被砍倒的尸体。桓玄仅能逃到江边的船上，而身边的那些亲信早已四散逃走，只剩下卞范之一个人守在他的身边。

五月二十五日辛巳，担任荆州别驾的王康产护送晋安帝司马德宗住进南郡太守的衙门，南郡太守王腾之率领南郡的文武官员亲自为晋安帝司马德宗担任侍卫。

桓玄准备前往汉中投奔梁州刺史桓希，担任屯骑校尉的毛脩之是益州刺史毛璩的弟弟，他引诱桓玄前往蜀地，桓玄便听从了他。担任宁州刺史的毛璠，也是毛璩的弟弟，在任所逝世。毛璩派自己的侄孙毛祐之与担任参军的费恬率领数百人护送毛璠的灵柩回归祖籍江陵，五月二十六日壬午，在枚回洲与桓玄相遇。毛祐之、费恬迎上前去向桓玄发起猛攻，箭如雨下，桓玄的男宠丁仙期、万盖等用自己的身体来掩护桓玄，所以都被乱箭射死。担任益州督护的汉嘉郡人冯迁抽出佩刀，准备进前砍杀桓玄，桓玄急中生智，赶紧从头上拔下一支碧玉制成的玉导送给冯迁，桓玄说：“你是什么人，竟敢弑杀皇帝！”冯迁回答说：“我杀的是皇帝的逆贼！”遂杀死了桓玄，接着又杀死了担任荆州刺史的桓石康以及桓濬、武卫将军庾赜之，活捉了桓玄的太子、豫章王桓升，把桓升押送到江陵，在闹市中斩首示众。被桓玄废掉的

毛脩之为骁骑将军。甲申[534]，大赦，诸以畏逼[535]从逆者一无所问。戊寅[536]，奉神主于太庙[537]。刘毅等传送玄首[538]，枭于大桁[539]。

毅等既战胜，以为大事已定，不急追蹑[540]，又遇风，船未能进，玄死几一旬，诸军犹未至[541]。时桓谦[542]匿于沮中[543]，扬武将军桓振[544]匿于华容浦[545][5]，玄故将王稚徽戍巴陵，遣人报振云："桓歆已克京邑[546]，冯稚[547]复克寻阳，刘毅诸军并中路败退。"振大喜，聚党得二百人，袭江陵，桓谦亦聚众应之。闰月己丑[548]，复陷江陵，杀王康产、王腾之。振见帝于行宫，跃马奋戈，直至阶下，问桓升所在。闻其已死，瞋目谓帝曰："臣门户何负国家，而屠灭若是？"琅邪王德文[549]下床[550]谓曰："此岂我兄弟意邪？"振欲杀帝，谦苦禁之，乃下马，敛容[551]致拜而出。壬辰[552]，振为玄举哀，立丧庭[553]，谥曰"武悼皇帝"。

癸巳[554]，谦等帅群臣奉玺绶于帝曰："主上法尧禅舜[555]，今楚祚不终[556]，百姓之心复归于晋矣。"以琅邪王德文领徐州刺史，振为都督八郡诸军事、荆州刺史，谦复为侍中、卫将军，加江、豫二州刺史。帝侍御左右，皆振之腹心。

振少薄行，玄不以子侄齿之[557]。至是，叹曰："公昔不早用我，遂致此败。若使公在，我为前锋，天下不足定也。今独作此[558]，安归乎[559]？"遂纵意酒色，肆行诛杀。谦劝振引兵下战，己守江陵，振素轻谦，不从其言。

刘毅至巴陵，诛王稚徽。何无忌、刘道规进攻桓谦于马头[560]、桓蔚[561]于龙泉[562]，皆破之。蔚，秘之子也。

无忌欲乘胜直趣[563]江陵，道规曰："兵法屈申有时，不可苟进。诸桓世居西楚[564]，群小皆为竭力，振勇冠三军，难与争锋。且可息兵养

晋安帝司马德宗在江陵重新登上皇帝宝座，他任命毛脩之为骁骑将军。二十八日甲申，实行大赦，那些因为怕受迫害不得已而跟随了桓玄的人，一概不予追究。早在二十二日戊寅，已经将司马氏的七代祖先牌位安放回建康的太庙中。青州刺史刘毅等把桓玄的首级通过驿站传送到京师建康，悬挂在朱雀桥头示众。

东晋青州刺史刘毅等人已经在峥嵘洲取得胜利，便以为大局已定，遂没有急于追击，又遭遇大风，舰船不能前进，桓玄死后差不多过了十天的时间，各军还没有抵达江陵。当时，担任扬州刺史的桓谦正隐匿在沮水流域，扬武将军桓振隐藏在华容浦，桓玄的旧部将王稚徽戍守巴陵，他派人向桓振报告说："桓歆已经攻克了京师建康，冯稚等已经收复了寻阳，刘裕属下的刘毅等各路人马全部中途败退。"桓振非常高兴，马上聚集起二百名党羽袭击江陵，桓谦也聚集部众响应。闰五月初三日己丑，他们又攻陷了江陵，杀死了荆州别驾王康产和南郡太守王腾之。桓振闯入晋安帝司马德宗的行宫，耀武扬威，手中挥舞着长矛，径直来到台阶之下，大声询问桓升在哪里。当他听到桓升已经被杀死的消息，立刻怒目圆睁，对晋安帝说："我们桓氏家族有什么对不起国家的，竟然遭到如此的屠杀？"琅邪王司马德文离开座位对桓振说："这难道是我们兄弟二人的本意吗？"桓振想杀死晋安帝司马德宗，桓谦苦苦劝阻，桓振这才下了马，改换成一副庄重的脸色，向晋安帝拜别之后走出行宫。初六日壬辰，桓振发布了桓玄去世的消息，在庭前搭起灵棚为桓玄举哀，给桓玄上谥号为"武悼皇帝"。

闰五月初七日癸巳，桓谦等率领众臣将皇帝玉玺奉还给晋安帝司马德宗说："皇上效法尧、舜的做法，将皇位禅让给楚王桓玄，如今楚国的国运没有得到好结果，民心重又归附于晋室了。"晋安帝司马德宗任命琅邪王司马德文兼任徐州刺史，任命桓振为都督八郡诸军事、荆州刺史，任命桓谦仍旧担任侍中、卫将军，加封江州、豫州二州刺史。晋安帝左右的侍卫人员全都是桓振的心腹。

桓振从小就是一个品行不端的人，就连桓玄都不把他当成自己的子侄看待。现在，桓振感叹地说："叔父桓玄过去不能早点重用我，遂导致如此惨败。如果叔父还在，我充当先锋，平定天下将是很容易的事情。现在剩下我一个人独揽大权，作威作福，我又能走向何处呢？"于是便纵情酒色，随意杀人。桓谦劝说桓振率军东下作战，由自己守卫江陵，桓振一向看不起桓谦，所以就没有采纳桓谦的建议。

东晋青州刺史刘毅率军抵达巴陵，杀死了戍守巴陵的桓玄部将王稚徽。琅邪内史何无忌、义昌太守刘道规率军进攻桓谦所据守的马头、桓蔚所据守的龙泉，将两处全部攻克。桓蔚是桓秘的儿子。

何无忌想要乘胜挺进江陵，刘道规说："兵法上说，屈曲与伸展要因时而异，现在还不到我们出战的时机，所以不能贸然前进。桓氏家族世代统治荆州一带地区，那里的民众都竭尽全力为桓氏效力，桓振又勇冠三军，我们很难在战场上战胜他。

锐，徐以计策縻之[565]，不忧不克。”无忌不从。振逆战于灵溪[566]，冯该[567]以兵会之，无忌等大败，死者千余人。退还寻阳，与刘毅等上笺[568]请罪。刘裕以毅节度诸军[569]，免其青州刺史。桓振以桓蔚为雍州刺史，镇襄阳。

柳约之、罗述、甄季之[570]闻桓玄死，自白帝进军，至枝江[571]，闻何无忌等败于灵溪，亦引兵退，俄而述、季之皆病，约之诣桓振伪降，欲谋袭振，事泄，振杀之。约之司马时延祖、涪陵[572]太守文处茂收其余众，保涪陵。

六月，毛璩遣将攻汉中，斩桓希，璩自领梁州。

秋，七月戊申[573]，永安皇后何氏崩。

燕苻昭仪有疾，龙城人王荣自言能疗之。昭仪卒，燕王熙立荣于公车门[574]，支解而焚之。

八月癸酉[575]，葬穆章皇后[576]于永平陵[577]。

魏置六谒官[578]，准古六卿。

九月，刁骋[579]谋反，伏诛，刁氏遂亡。刁氏素富，奴客纵横，专固[580]山泽，为京口之患。刘裕散其资蓄，令民称力而取[581]之，弥日[582]不尽。时州郡饥弊，民赖之以济。

乞伏乾归及杨盛[583]战于竹岭[584]，为盛所败。

西凉公暠立子歆为世子。

魏主珪临昭阳殿改补[585]百官，引朝臣文武，亲加铨择[586]，随才授任。列爵四等：王封大郡，公封小郡，侯封大县，伯封小县。其品第一至第四，旧臣有功无爵者追封之，宗室疏远及异姓袭封[587]者降爵有差[588]。又置散官五等，其品第五至第九。文官造士[589]才能秀异、武官堪为将帅者，其品亦比[590]第五至第九，百官有阙，则取于其中以补之。其

目前只能休息士卒，养精蓄锐，慢慢用计策制服他，不用发愁不能将他攻克。”何无忌没有听从刘道规的意见。桓振在灵溪迎战何无忌，桓玄的部将、镇东将军冯该率军与桓振会合，何无忌等被桓振打得大败，损失了一千多人。于是退回寻阳，他与青州刺史刘毅等联名上书给武陵王司马遵请求治罪。因为刘毅是统领各路兵马的主帅，刘裕便免去了刘毅青州刺史的职务。桓振任命桓蔚为雍州刺史，镇守襄阳。

东晋担任巴东太守的柳约之、建平太守罗述、征虏司马甄季之听到桓玄被杀死的消息，便率军从白帝城出发进抵枝江，当听到何无忌等在灵溪被桓振击败，已经退回寻阳的消息，也只好率军退回，不久之后，罗述、甄季之相继病倒，柳约之便前往江陵假装向桓振投降，准备寻找机会袭击桓振，消息走漏，柳约之被桓振杀死。在柳约之手下担任司马的时延祖、涪陵太守文处茂召集起柳约之的残余部众，据守涪陵。

六月，益州刺史毛璩派部将率军攻打梁州刺史桓希所据守的汉中，斩杀了桓希，毛璩自己兼任了梁州刺史。

秋季，七月二十三日戊申，东晋穆帝司马聃的永安皇后何氏在建康去世。

后燕昭仪苻娀娥患了病，龙城人王荣说自己能够治好苻昭仪的病。然而昭仪苻娀娥还是死了，后燕天王慕容熙就把王荣绑在公车门外，用肢解的酷刑将王荣处死，并焚烧了他的尸体。

八月十九日癸酉，东晋将晋穆帝司马聃的皇后安葬于永平陵，谥号为穆章皇后。

北魏仿照古代的六卿制度，设立了六个谒官。

九月，东晋担任给事中的刁骋谋反，被诛杀，刁氏至此遂全部被诛灭。刁氏一向十分富有，奴仆、宾客全都骄横不法、横行霸道，霸占着山林湖泽，成为京口地区的一大祸患。刘裕灭掉刁氏之后，把刁氏的家产、牲畜等全部散发，令民众根据自己的能力能拿多少就拿多少，整整一天都没有拿完。当时各州郡正在遭受饥馑的困扰，人们靠着刁氏的家产得以渡过难关。

乞伏乾归与杨盛在竹岭开战，乞伏乾归被杨盛打败。

西凉公李暠立自己的儿子李歆为世子。

北魏皇帝拓跋珪亲自驾临昭阳殿改任、加封官员，避开朝廷中的文武臣僚，亲自进行选择，依照才能予以委任。把爵位分成四个等级：王爵封到大郡，公爵封到小郡，侯爵封到大县，伯爵封到小县。官阶分成九品：第一品至第四品，旧部老臣立过大功却没有爵位的，依照功劳大小依次追封，皇族当中血缘关系比较疏远者及非皇族姓氏中子孙承袭父祖爵位者，其爵位都有不同程度的降低。又把散官设置为五个等级，属于第五品至第九品。学业有成、才能卓异的学子，武官当中能够胜任将帅者，他们的品级相当于第五品至第九品，文武百官当中出现了空缺，就从这些人当中遴选、替补。北魏官员的名称大多都不采用汉朝、曹魏以来的旧官名，而是

官名多不用汉、魏之旧，仿上古龙官、鸟官[591]，谓诸曹之使[592]为凫鸭，取其飞之迅疾也；谓候官[593]伺察者为白鹭，取其延颈远望也，余皆类此。

卢循寇南海[594]，攻番禺。广州刺史濮阳吴隐之[595]拒守百余日。冬，十月壬戌[596]，循夜袭城而陷之，烧府舍、民室俱尽，执吴隐之。循自称平南将军，摄广州事[597]。聚烧骨为共冢，葬于洲上，得髑髅[598]三万余枚。又使徐道覆攻始兴[599]，执始兴相阮腆之。

刘裕领青州刺史[600]。

刘敬宣在寻阳，聚粮缮船，未尝无备，故何无忌等虽败退，赖以复振。桓玄兄子亮[601]自称江州刺史，寇豫章，敬宣击破之。

刘毅、何无忌、刘道规复自寻阳西上，至夏口。桓振遣镇东将军冯该守东岸，扬武将军孟山图据鲁山城[602]，辅国将军桓仙客守偃月垒[603]，众合万人，水陆相援。毅攻鲁山城，道规攻偃月垒，无忌遏中流[604]，自辰至午，二城俱溃，生禽山图、仙客，该走石城[605]。

辛巳[606]，魏大赦，改元天赐[607]，筑西宫。十一月，魏主珪如西宫，命宗室置宗师[608]，八国[609]置大师、小师，州郡亦各置师，以辨宗党[610]，举才行，如魏、晋中正[611]之职。

燕王熙与苻后游畋[612]，北登白鹿山[613]，东逾青岭[614]，南临沧海[615]而还，士卒为虎狼所杀及冻死者五千余人。

十二月，刘毅等进克巴陵。毅号令严整，所过百姓安悦。刘裕复以毅为兖州刺史。桓振以桓放之[616]为益州刺史，屯西陵[617]。文处茂击破之，放之走还江陵。

高句丽侵燕。

戊辰[618]，魏主珪如豺山宫[619]。

是岁，晋民避乱，襁负[620]之淮北者道路相属。

仿照上古时期以龙、鸟作为官名的做法，把各政府部门下面的吏役称作凫鸭，取它飞行迅速的意思；把负责侦察敌情的官吏称作白鹭，取其伸长脖子向远处眺望的意思，其余的也都以此类推。

东晋乱民首领卢循率领自己的部众从海岛出来劫掠南海郡，进而进攻番禺。担任广州刺史的濮阳人吴隐之据守了一百多天。冬季，十月初九日壬戌，卢循利用黑夜做掩护，向番禺城发起猛攻，将番禺城攻陷，他们烧毁了官府民宅，整个番禺立时变成了一片废墟，他们活捉了广州刺史吴隐之。卢循遂自称平南将军，代理广州刺史。他把被焚烧过的尸骨聚集起来，全都葬入小岛上的一个大墓中，光是人头骨就有三万多个。卢循又派徐道覆率众攻击始兴郡，活捉了担任始兴相的阮腆之。

刘裕免除了刘毅青州刺史的职务之后，自己便兼任了青州刺史的职务。

东晋担任江州刺史的刘敬宣镇守寻阳，他聚集粮草，修造舰船，没有一件事情不预做准备，所以何无忌等虽然在灵溪打了败仗退回寻阳，因为有了刘敬宣这个坚强的后盾，得以很快重振军威。桓玄哥哥的儿子桓亮自称江州刺史，率部众进犯豫章，被江州刺史刘敬宣击败。

刘毅与琅邪内史何无忌、义昌太守刘道规再次率军从寻阳西上，抵达夏口。担任荆州刺史的桓振派遣镇东将军冯该把守长江东岸，派扬武将军孟山图据守鲁山城，派辅国将军桓仙客守卫偃月垒，部众合计起来有一万人，水路、陆路互相呼应、支援。刘毅率军攻击孟山图守卫的鲁山城，刘道规率军攻打桓仙客据守的偃月垒，何无忌扼守长江中游，以防其增援与奔突，双方从早晨一直激战到中午，鲁山城和偃月垒的守军全部崩溃，刘毅活捉了孟山图，刘道规活捉了桓仙客，冯该逃往石城。

十月二十八日辛巳，北魏实行大赦，改年号为天赐，兴建西宫。十一月，北魏皇帝拓跋珪前往西宫，命令宗室设置宗师，八个封国根据大小，分别设置大宗师和小宗师，各州郡也要设置宗师，这些宗师负责考辨各大族的支派与统系，为国家推举、选拔本族有才能、有品行的人才，其职责就如同曹魏、两晋时期的中正。

后燕天王慕容熙与苻氏皇后出游、打猎，他们向北登上了白鹿山，向东翻越了青岭，向南到达了沧海岸边，而后返回，随行的士卒被虎狼咬死的以及冻饿而死的有五千多人。

十二月，东晋刘毅等率军乘胜攻克了巴陵郡。刘毅号令严明，军纪整肃，所经过的地方，百姓没有受到任何侵扰，安居如故，所以人人都很高兴。刘裕于是任命刘毅为兖州刺史。桓振任命桓放之为益州刺史，率军屯驻在西陵。被据守涪陵的涪陵太守文处茂击败，桓放之逃回了江陵。

高句丽出兵进犯后燕。

十二月十六日戊辰，北魏皇帝拓跋珪前往豺山宫。

这一年，东晋境内的人民为了躲避战乱，纷纷搀扶着老人、用背带背着小孩逃往淮河以北，道路之上逃难的人一个接着一个，络绎不绝。

【段旨】

以上为第三段，写晋安帝元兴三年（公元四〇四年）后九个月的大事。主要写了桓玄挟持晋安帝逃到江陵，桓玄之侄桓歆进攻历阳，被魏咏之等打败；桓玄部将庾稚祖、何澹之等守溢口，被何无忌、刘道规大破之；桓玄又带兵东下，被刘毅、何无忌、刘道规等大破于峥嵘洲；桓玄挟持晋安帝逃回江陵后，想北逃汉中，中途遇益州刺史毛璩的部下毛祐之、冯迁等，冯迁击杀桓玄、桓石康，活捉桓玄的太子桓升，桓升被斩于江陵，桓玄被枭首于建康朱雀桥；由于刘毅等人的军队西进迟缓，桓玄的余党桓振、桓谦等重又集结兵力，夺回了江陵；刘毅、何无忌等继续率兵西进，破桓谦、桓蔚军；何无忌乘胜攻江陵，被桓振所破；刘毅、何无忌、刘道规复自寻阳西上，破桓玄部将冯该、桓仙客等于夏口，又进克巴陵；桓振派出的军队在西线被益州军队打败于西陵，桓振等据江陵而守。此外还写了孙恩的余党卢循被刘裕打败后浮海南下攻克广州，自称平南将军，摄广州刺史，以及燕主慕容熙不惜民力，大兴土木，造逍遥宫、曲光海等，士卒死者大半等。

【注释】

㊾四月己丑：四月初二。㊿迁除百官：任命百官。迁，改换职务。除，任命、封拜。(451)称制书：即以皇帝的名义。皇帝下的命令叫“制”或“诏”等。(452)教：即今所谓“指示”，宣告某事。诸侯王及将相大臣给群下的命令叫“教”。(453)令书：也是当时的文体名。皇帝下的“令”与上述的“制”“诏”原无区别，只是使用的场合不同。(454)监：监督、协调，不同于直接统辖的所谓“都督……军事”。(455)领：代理，与实授不同。又当时的荆州尚被桓玄的党羽占领，诸军已经进讨，此乃预先委任。(456)庚寅：四月初三。(457)纳之：接纳桓玄进去。当时桓石康任荆州刺史。(458)殷仲文：桓玄的姐夫。(459)失律：不遵守纪律；不服从命令。(460)天文不利：星象的变化对我们不利。(461)旧楚：旧日的楚国都城，春秋时期的楚国都城即今湖北江陵西北的纪南城，亦即东晋时期的江陵，荆州的州治所在地。(462)妄兴异议：即有人说他打了败仗，桓玄自己不承认。(463)播越：犹言“颠沛”，即流离、奔走于道。(464)所在：到处，他所管辖的各个地方。(465)佐命元臣：辅佐他建立新王朝、登基称帝的大臣。佐命，帮着他接受天命。元臣，大臣。(466)手解帝玺绶：亲手从晋安帝身上把皇帝的印绶解下来，给桓玄佩戴上。(467)问谧玺绶所在：故意以此讥讽王谧的卖主求荣。(468)曲阿：县名，即今江苏丹阳。(469)笺白：上书禀告。笺，文体名，群臣给诸侯将相的信札叫“笺”。(470)迎还复位：迎王谧回来，仍让他当录尚书事，位同丞相。(471)桓玄兄子歆：即桓歆，据《晋书》，桓歆是桓温之子，桓玄之兄非“兄子”，今依《晋书》当削“子”字。(472)杨秋：氐族人，仇池地区杨定、杨盛等的同一族姓。先为东

晋武都太守，桓玄叛乱后，投归桓玄。事见本书上卷元兴元年。⑷⑺练固：在今安徽和县西北。⑷⑺桑落洲：在今江西九江东北的长江中。⑷⑺庚戌：四月二十三。⑷⑺常所乘舫：经常所乘坐的那条船。⑷⑺羽仪：古代高官出行所使用的仪仗，其中有些旛幢之类上有羽毛为饰，故称“羽仪”。⑷⑺亟：迅速；赶紧。⑷⑺得之：得手；获得此船。⑷⑻众寡不敌：当时何无忌的人少。⑷⑻战无全胜：指没有战胜敌人的十分把握。⑷⑻势沮：士气瓦解。⑷⑻薄：迫；攻逼。⑷⑻主祏：装神主（灵牌）的石匣，当时晋朝宗庙的神主由司马德文保管在寻阳。⑷⑻胡藩：此为桓玄参军。⑷⑻官军：朝廷的军队，指刘裕一方。⑷⑻豫章：今江西南昌。⑷⑻参领军军事：为刘裕当军事参谋。当时刘裕任领军将军。⑷⑻曾未三旬：不到一个月的时间。⑷⑼甲寅：四月二十七。⑷⑼苻宏：前秦主苻坚的儿子。苻坚兵败被姚苌杀后，苻宏逃奔东晋，成为桓玄的部将。⑷⑼领梁州刺史：原来桓玄任命桓希为梁州刺史，结果桓希被益州刺史毛璩等打败，现又让苻宏代理此职。⑷⑼徐放：原任鄱阳太守，今为桓玄的散骑常侍。⑷⑼更始：不记旧仇，从头做起。⑷⑼令不失分：不会让你们丢掉应该有的东西。⑷⑼山阳：今江苏淮安。⑷⑼悦代大那：人名。⑷⑼暍死：中暑而死。⑷⑼西凉世子谭：即李谭，西凉主李暠的世子。世子，意同“太子”，国家政权的接班人。⑸⑽五月癸酉：五月十七。⑸⑽峥嵘洲：在今湖北黄冈市黄州区西北的长江中。⑸⑽所乘：所趁势攻击。乘，陵。⑸⑽恇怯：恐慌；怯懦。⑸⑽决机两阵：在两军阵前决胜负。⑸⑽漾舸于舫侧：在大船旁边系着一艘小船，随时准备逃跑。舸，指小艇。舫，指楼船。⑸⑽郭铨：原是桓冲的部将，被任为益州刺史，后很快地投靠了桓玄。⑸⑽刘怀肃：刘裕的堂兄。传见《宋书》卷四十七。⑸⑽永安何皇后：晋穆帝司马聃的皇后。⑸⑽王皇后：晋安帝的皇后。⑸⑽巴陵：即今湖南岳阳。⑸⑾夏口：即今湖北武汉。⑸⑿己卯：五月二十三。⑸⒀桓希：桓希任梁州刺史前被益州刺史毛璩打败于巴东一带，现正驻守汉中，今陕西汉中。⑸⒁乖沮：不同意；不赞成。⑸⒂庚辰：五月二十四。⑸⒃处分欲发：做出决定想出发去汉中。处分，安排、部署。发，出发、起行。⑸⒄前后交横：死者一个挨一个。⑸⒅辛巳：五月二十五。⑸⒆别驾：刺史手下的高级僚属，总管州中诸事。⑸⒇南郡府舍：南郡太守的衙门。⑸㉑毛脩之：字敬之，先从殷仲堪，后随桓玄，最后反桓玄有功，成为刘裕的得力将领。传见《宋书》卷四十八。⑸㉒宁州：州治在今云南昆明市晋宁区东。⑸㉓壬午：五月二十六。⑸㉔枚回洲：在今湖北江陵南的长江中。⑸㉕嬖人：男宠。⑸㉖督护：将军、刺史手下负责护卫的军官。⑸㉗汉嘉冯迁：汉嘉郡人冯迁。汉嘉郡的郡治在今四川邛崃西南。⑸㉘玉导：簪子一类的东西，以玉为之。⑸㉙桓石康：桓豁之子，桓玄的堂兄弟。⑸㉚桓濬：桓伟之子，桓玄之侄。⑸㉛庾赜之：桓玄的死党。⑸㉜桓升：桓玄的“太子”。⑸㉝返正于江陵：晋安帝又在江陵恢复称帝。⑸㉞甲申：五月二十八。⑸㉟畏逼：怕受迫害。⑸㊱戊寅：五月二十二。⑸㊲奉神主于太庙：把从寻阳取回来的晋朝太庙的神主安放回太庙。⑸㊳传送玄首：通过驿车把桓玄的人头送到朝廷。⑸㊴枭于大桁：在朱雀桥头悬首示众。大桁，即朱雀桥，当时秦淮河上的大浮桥。⑸㊵追蹑：尾随追击。蹑，尾随。⑸㊶犹未至：犹未到达江陵。⑸㊷桓谦：桓冲之子，桓玄的堂兄弟。543 沮中：沮水流域，指今湖北当阳、远安等一带。544 桓振：桓豁之孙，桓玄之侄。545 华容浦：在今湖北监利北。546 京邑：指建康城，今江苏南京。547 冯稚：桓玄的部将。548 闰月己丑：闰五月初三。549 德文：即司马德文，晋安帝司马德宗之弟。550 下床：从座位上站起来。床，类似今之座椅。551 敛容：改换成一副庄重的脸色。552 壬辰：闰五月初六。553 立丧庭：在庭前搭起灵棚。554 癸巳：闰五月初七。555 法尧禅舜：指晋安帝前将帝位“让给”了桓玄。556 楚祚不终：大楚的运命没有得到好的结果。楚祚，指桓玄的国运，桓玄篡位后国号为楚。557 不以子侄齿之：不把他算入自己的子侄之列。齿，列。不齿，不列入，即瞧不起。558 今独作此：我今天一个人独掌大权，作威作福。559 安归乎：又能走向何处。560 马头：也叫马头戍，在今湖北公安北，与江津戍相对。561 桓蔚：桓秘之子，桓玄的堂兄弟。562 龙泉：也叫龙陂，在今湖北江陵东南的灵溪东岸。563 直趣：同“直趋”。564 世居西楚：世代统治荆州一带地区。古有“三楚”之说，具体地域，指说不一，据《太平寰宇记》记载，江陵一带称西楚，彭城一带称东楚，广陵一带称南楚。565 以计策縻之：用计策制服他。縻，捆绑，这里意即制服。566 灵溪：这里指灵溪戍，在江陵城南灵溪入长江的汇口处。567 冯该：桓玄的部将，桓玄篡位后被封为鱼腹侯，是桓氏的死党之一。568 上笺：上书给武陵王司马遵。569 以毅节度诸军：因为刘毅是各路兵马的总指挥。节度，节制、调度。570 柳约之、罗述、甄季之：三人皆毛璩部将，时驻军白帝城。571 枝江：县名，在今湖北枝江市南。572 涪陵：郡名，郡治汉平，在今重庆市涪陵东南。573 戊申：七月二十三。574 公车门：宫廷的前门，凡吏民上书或四方进贡都汇总于此，由公车令转呈皇帝。575 八月癸酉：八月十九。576 穆章皇后：即前文的“永安皇后何氏”。晋穆帝司马聃的皇后，死后谥曰章。577 永平陵：晋穆帝司马聃的陵墓。578 谒官：有如后代的各部尚书，与秦汉所谓的九卿同。579 刁骋：桓玄党羽刁逵之弟，前刘裕斩刁逵时，曾赦免了他。580 专固：霸占。581 称力而取：能拿多少拿多少。582 弥日：整天；从早一直到晚。583 杨盛：氐族人，当时占据着今甘肃陇南市武都区、成县一带，自称仇池公，称藩于晋。584 竹岭：在甘肃上邽（今甘肃天水市）西南。585 改补：改任与加封。586 铨择：选择。587 袭封：指子孙袭承父祖之爵者。588 降爵有差：做不同情况的降低，以区别亲自因功得封者。589 造士：学问有成而尚未进入官场的学子，这种人在当时享受一定待遇，如不服劳役等。590 比：相当；参照。591 龙官、鸟官：据说远古太皞氏时期百官师长都以龙为名，少皞氏时期百官师长都以鸟为名。说见《左传》昭公十七年。592 诸曹之使：诸曹下面的吏役。诸曹，犹今中央之所谓各部。使，受驱使的办事人员。593 候官：负责侦察敌情的官吏。594 南海：郡名，郡治番禺，即今广东广州。番禺也是当时广州的州治所在地。595 吴隐之：字处默，当时有名的清官，身为太守，而家庭的衣食都不能满足。事见《晋书·良吏传》。596 十月壬戌：十月初九。597 摄广州事：代理广州刺史，因当时卢循尚与东晋朝廷保持着联系（桓玄任他为永嘉太守），故有这种官样文章。598 髑髅：死人的头骨。599 始兴：郡名，郡治在今广东韶关市南。600 领青州刺史：

原青州刺史刘毅因打败仗被免职，故暂由刘裕领之。领，兼任。⑥⓪① 兄子亮：即桓亮，桓伟之子。⑥⓪② 鲁山城：在今湖北武汉的汉阳区。⑥⓪③ 偃月垒：亦称却月戍，旧址在今湖北武汉的汉口区。⑥⓪④ 遏中流：控制长江的江心一带，以防其增援与奔突。⑥⓪⑤ 石城：即今湖北钟祥，在武汉的西北方，当时为竟陵郡的郡治所在地。⑥⓪⑥ 辛巳：十月二十八。⑥⓪⑦ 改元天赐：在此以前拓跋珪所用的年号为天兴（公元三九八至四〇三年）。⑥⓪⑧ 宗师：官名，考辨梳理拓跋氏皇族的支派系统与举荐本族的人才，略当于秦汉时期的宗正。⑥⓪⑨ 八国：拓跋珪于天兴元年以京都平城为中心，向八方辐射，把魏国疆土分成八个区域，派八个大夫每人分掌一个，此之谓“八国”。⑥①⓪ 辨宗党：考辨各大族的支派与统系。⑥①① 中正：魏晋时期在各州郡设置的官名，负责考察本州郡人才的品德能力，把他们分为九等，以供朝廷选任官吏时参考。⑥①② 游畋：游览、打猎。⑥①③ 北登白鹿山：白鹿山，也叫白狼山，在今辽宁喀喇沁左翼蒙古族自治县东，在当时的龙城西南，从方位而言，此云“北登”似有误。⑥①④ 青岭：也叫青陉，在燕国都城龙城东南四百余里。⑥①⑤ 沧海：即今辽东海。⑥①⑥ 桓放之：桓云之孙，桓玄的堂侄。⑥①⑦ 西陵：也叫夷陵，在今湖北宜昌西北，江陵的西北方。桓放之屯此，以防上游的毛璩来攻。⑥①⑧ 戊辰：十二月十六。⑥①⑨ 豺山宫：在今山西右玉境内的豺山上。⑥②⓪ 襁负：用背带背着小孩。

【校记】

［4］庾赜之：据章钰校，甲十一行本、乙十一行本皆作“庾颐之”，张瑛《通鉴校勘记》同。〖按〗《宋书·武帝纪》载“征虏将军庾赜之”，《魏书·岛夷桓玄传》载“武卫庾赜之”。［5］浦：严衍《通鉴补》改作“涌中”。〖按〗《晋书·桓振传》载“匿于华容之涌中”。

【研析】

本卷写晋安帝元兴二年（公元四〇三年）、元兴三年共两年间的各国大事，其中最重要的莫过于桓玄篡夺了晋安帝的政权而称帝了。在封建社会，一个朝廷的臣子居然敢犯上作乱，自己篡位做皇帝，这当然是大逆不道的事，要受到全国上下的人人喊打，这是自然的。但可恨的是像东晋这样的王朝，特别是像司马德宗这种连自己的日常生活起居都不能自理的人，难道也必须像神明一样供着他，就不能由一个更好、更能领导这个国家的人来代替他吗？钱穆的《国史大纲》对此说：“晋室有天下，其历史本不光明，故使世族与功名之士皆不能忠心翊戴。世族但求自保家门，英雄功名之士意气郁激，则竟为篡逆。”钱穆称“篡逆”之人为“英雄功名之士”，难道王敦、苏峻、桓玄也能算是“功名之士”？我看不能。能够称上“英雄功名之士”的人我看东晋只有三个，一个是陶侃，一个是桓温，一个是刘裕。所谓“英雄功名”必须是先为国立功，有大作为于天下，能受到举国上下的拥戴，而后实行篡位，篡位后继续大有作为，为百姓苍生立有可观的功勋。陶侃对东晋王朝有大功，但思想包袱过于沉重，只是在睡梦中有过“非分”的想法，现实中始终是忠臣孝子一个，当然也就不用再对他抱有任何希望了。桓温的思想稍稍解放，但行动上又欠积极，老想等人家把皇帝的称号送上门来，偏偏遇上谢安、王坦之故意捣乱，结果到死也没弄成，白白地把自己的名字弄进了“贰臣传”。桓温本来是有资格的，为国家立过一些功勋，做出过使天下臣民为之舒心、振奋的事业，如果他及时地“篡”了位，也许能改变一些东晋王朝的腐朽与垂暮之气。钱穆《国史大纲》说：“桓温常卧语：‘作此寂寂，将为文、景所笑。’此魏晋以来人见解，可取而不取，真成大呆子。桓温自身亦带书生名士气，故曰：‘既不能流芳后世，亦不足复遗臭万载耶?’然其心尚存有君臣名教，故篡逆终不成。”至于桓玄，根本不够资格。他对江山社稷、黎民百姓，既无丝毫功勋，又无任何建树，纯粹一个纨绔子弟，靠着啃祖上的招牌，当上了荆州刺史。既无庙堂上的谋略，又无战场上的勇敢。可笑之极的是身边经常带着细软，左右经常系着小舟，一心想着大事不成，赶紧回身逃走。这样的货色竟然还想做皇帝，真是“癞蛤蟆想吃天鹅肉”了。

桓玄的篡位，简直是一场闹剧，而他的对手又是真正的英雄刘裕，这样桓玄的行为就完全成了为刘裕制造借口、铺平道路，为刘裕日后的篡位进行有效的烘托了。

第二，是本卷写了两个极端可恶的小丑王谧与殷仲文，这两个人先是投靠桓玄，为桓玄的篡位效尽犬马之劳，可谓不遗余力。王谧是王导的重孙，殷仲文是殷仲堪的堂兄弟。桓玄进朝当权后，殷仲文为侍中，早早地就替皇帝写好了给桓玄“加九锡”策文。到了举行“禅位”的那一天，是王谧亲手把皇帝的印玺从司马德宗的身下摘下来送到桓玄手上。当桓玄往登御座，御座忽然塌陷，群下尽皆失色时，殷仲文说：“将由圣德深厚，地不能载。”等到刘裕起兵讨桓玄，桓玄兵败被杀时，王谧靠着旧时曾对刘裕有恩，殷仲文则是找了一个送皇后回京的机会，又不失时机地投到了刘裕身边，并又得到了刘裕的重用。刘裕的部将刘毅看着生气，他在朝会时当着文武百官问王谧说：“皇帝的玉玺到哪里去了?”而殷仲文则怂恿刘裕大搞音乐建设，刘裕说：“现在顾不上，而且也不懂。”殷仲文说：“等你爱上了你就懂了。”刘裕说：“正因为它能让人爱，所以我才不搞这一套。”胡三省于此评论说：“英雄之言，政自度越常流。世之嗜音者可以自省矣。”殷仲文又郁郁不得志，嫌自己官小，与讨伐桓玄的元勋何无忌闹矛盾，结果被何无忌等所杀（以上二事见下卷）。丁南湖指述殷仲文的行为说：“自古篡弑之党未有恶于殷仲文者，余观其恶有三：盖仲文虽为桓玄姊丈，素不交密，及闻玄平京师，即弃郡投焉，一也；玄甚悦而宠之，遂为作九锡之文；及玄即位，御床陷，乃谄曰‘圣德深厚，地不能载’，二也；及玄为刘裕所败，随玄西走，因奉一后投义军以洗前愆，三也。”至于王谧，其人的确是坏，但早年对刘裕的确有恩。“初，裕名微位薄，轻狡无行，盛流皆不与相知，惟王谧独奇贵之，

谓裕曰：‘卿当为一代英雄。’裕尝与刁逵樗蒲，不时输直，逵缚之马枊。谧见之，责逵而释之，代之还直。由是裕深憾逵而德谧。”这样的恩情的确该报，但报恩不一定非表现为加官进爵。这是古人已有的前例。

第三，本卷写刘裕的文字皆极精彩。刘裕起兵讨桓玄，与桓玄将吴甫之遇于江乘，“甫之，玄骁将也，其兵甚锐。裕手执长刀，大呼以冲之，众皆披靡，即斩甫之，进至罗落桥。皇甫敷帅数千人逆战，宁远将军檀凭之败死。裕进战弥厉，敷围之数重，裕倚大树挺战。敷曰：‘汝欲作何死？’拔戟将刺之，裕瞋目叱之，敷辟易。裕党俄至，射敷中额而踣，裕援刀直进。敷曰：‘君有天命，以子孙为托。’裕斩之，厚抚其孤”。接着写覆舟山之战云：“己未，裕军食毕，悉弃其余粮，进至覆舟山东，使羸弱登山，张旗帜为疑兵，数道并前，布满山谷。玄侦候者还，云：‘裕军四塞，不知多少。’玄益忧恐，遣武卫将军庾赜之帅精卒副援诸军。谦等士卒多北府人，素畏伏裕，莫有斗志。裕与刘毅等分为数队，进突谦陈。裕以身先之，将士皆殊死战，无不一当百，呼声动天地。时东北风急，因纵火焚之，烟炎熛天，鼓噪之音震动京邑，谦等诸军大溃。”文字之精彩，不亚于《史记》。

接着文章写刘裕攻进建康城：“裕使臧熹入宫，收图书、器物，封闭府库。有金饰乐器，裕问熹：‘卿得无欲此乎？’熹正色曰：‘皇上幽逼，播越非所，将军首建大义，劬劳王家，虽复不肖，实无情于乐。’裕笑曰：‘聊以戏卿耳。’”又说：“裕始至建康，诸大处分皆委于刘穆之，仓猝立定，无不允惬。裕遂托以腹心，动止谘焉。穆之亦竭节尽诚，无所遗隐。时晋政宽弛，纲纪不立，豪族陵纵，小民穷蹙；重以司马元显政令违舛，桓玄虽欲厘整，而科条繁密，众莫之从。穆之斟酌时宜，随方矫正。裕以身范物，先以威禁，内外百官皆肃然奉职，不盈旬日，风俗顿改。”真是王者之师，一派解民倒悬的景象。胡致堂曰：“乘大乱之后，立良法，行善政，事半古人，功必倍之。刘裕不知书，武烈虽刚，则文教未优，第任一刘穆之，随方矫革，而裕以身率之，未及旬日，百官皆奉法禁，百姓耳目为之一新，况大有为者乎？观裕之初如是其易，则知当为而不为以至于大坏者得为可惜也。”说得很好。

第四，本卷写了泰山农民王始醉心于称帝称王的故事，其文云：“泰山贼王始聚众数万，自称‘太平皇帝’，署置公卿。南燕桂林王镇讨禽之。临刑，或问其父及兄弟安在，始曰：‘太上皇蒙尘于外，征东、征西为乱兵所害。’其妻怒之曰：‘君正坐此口，奈何尚尔？’始曰：‘皇后不知，自古岂有不亡之国？朕则崩矣，终不改号！’”此文精彩，可入“滑稽列传”。

卷第一百一十四　晋纪三十六

起旃蒙大荒落（乙巳，公元四〇五年），尽著雍涒滩（戊申，公元四〇八年），凡四年。

【题解】

本卷写晋安帝义熙元年（公元四〇五年）至义熙四年共四年间的东晋与各国的大事。主要写了刘毅、鲁宗之等破桓振于江陵，桓振逃到涢川，桓谦等人逃入后秦。写了桓振又东山再起重夺江陵，被刘毅所杀；桓氏余党有人作乱，被刘裕等讨平，晋安帝返回建康为帝，以司马德文、武陵王遵为傀儡，刘裕实掌朝权。写了益州刺史毛璩率军出川讨桓振，导致益州大乱，谯纵被拥立为成都王，毛璩兄弟被杀，家族被灭。写了刘裕派毛脩之、司马荣期等讨伐谯纵，结果因杨承祖叛变，司马荣期被杀，首次讨伐告败。写了刘裕派刘敬宣等二次讨伐谯纵，刘敬宣等又大败而回。写了刘穆之为刘裕设谋紧抓朝权，刘毅等人与刘裕的争权夺利开始显现。写了后秦姚硕德伐仇池，取汉中，杨盛投降于秦，秦王姚兴尊宠鸠摩罗什，致使秦国佛法大兴，信之者十室而九。写了秃发傉檀强悍于河西，因向后秦献马而获姚兴宠信，遂得任为凉州刺史，河西地区遂被秃发傉檀所统治，秦主

【原文】

安皇帝己

义熙元年（乙巳，公元四〇五年）

春，正月，南阳[①]太守扶风鲁宗之起兵袭襄阳[②]，桓蔚走江陵。己丑[③]，刘毅等诸军至马头[④]。桓振挟帝出屯江津[⑤]，遣使求割江、荆二州，奉送天子[⑥]，毅等不许。辛卯[⑦]，宗之击破振将温楷于柞溪[⑧]，进屯纪南[⑨]。振留桓谦、冯该守江陵，引兵与宗之战，大破之。刘毅等击破冯该于豫章口[⑩]，桓谦弃城走。毅等入江陵，执卞范之等，斩之。桓振还，望见火起，知城已陷，其众皆溃，振逃于涢川[⑪]。

姚兴宠信刘勃勃，勃勃因不满秦与魏结好而叛秦，自称大夏王，出兵攻掠秦之岭北地区，又进攻南凉主秃发傉檀，大破傉檀于阳武下峡，秃发氏从此衰落。写了秦主姚兴乘秃发傉檀内外交困之际，派兵讨伐秃发傉檀与刘勃勃，结果均告失败，致使秃发傉檀又自立为凉王，刘勃勃更强大于岭北。写了南燕主慕容德死，其侄慕容超继位，宠用佞幸，致使大臣之间的矛盾尖锐，相互攻杀，败亡之趋势已不可挽救。写了后燕主慕容熙欲攻契丹，又改攻高句丽，都徒劳往返，一无所获，慕容熙宠幸其后苻氏，为之起承华殿，苻氏死，部将冯跋乘慕容熙为苻氏送葬之机发动叛乱，拥立慕容宝的义子高云为天王，杀死慕容熙，建立北燕，慕容垂之后燕从此灭亡。写了魏主拓跋珪欲大兴土木于平城，以拟邺城、洛阳、长安，又建灅南宫，穷奢极丽；西凉公李暠移都于酒泉，称臣于晋，教导群臣“审慎刑赏，勿任爱憎”“勿使左右窃弄威福”等，颇有明君之度等。

【语译】

安皇帝己

义熙元年（乙巳，公元四〇五年）

春季，正月，东晋担任南阳太守的扶风人鲁宗之聚众起兵袭击襄阳，桓蔚战败，逃往江陵。初七日己丑，担任兖州刺史的刘毅等诸路人马抵达马头。荆州刺史桓振挟持着晋安帝司马德宗离开江陵城，进驻江津，并派使者与兖州刺史刘毅谈判，要求刘裕将江州、荆州二州割让给桓振，桓振便将晋安帝司马德宗送还建康，遭到刘毅等人的拒绝。初九日辛卯，南阳太守鲁宗之率军在柞溪击败了桓振的部将温楷，进驻纪南城。桓振留下桓谦和冯该据守江陵，亲自率军与鲁宗之交战，将鲁宗之打得大败。刘毅等率军在豫章口打败了据守江陵的冯该等，桓谦丢弃了江陵城逃走。刘毅等进入江陵，活捉了桓玄的心腹卞范之，将卞范之斩首。桓振率军返回江陵，远远望见江陵城中火起，知道江陵城已经被攻破，桓振手下的部众立即全部溃散，桓振逃往涢川。

乙未⑫，诏大处分⑬悉委冠军将军刘毅。

戊戌⑭，大赦，改元⑮，惟桓氏不原⑯，以桓冲⑰忠于王室，特宥其孙胤⑱。以鲁宗之为雍州刺史，毛璩为征西将军、都督益梁秦凉宁五州诸军事，璩弟瑾为梁、秦二州刺史，瑗为宁州⑲刺史。刘怀肃追斩冯该于石城⑳，桓谦、桓怡㉑、桓蔚㉒、桓谧、何澹之、温楷㉓皆奔秦。怡，弘之弟也。

燕王熙伐高句丽㉔。戊申㉕，攻辽东㉖。城且陷，熙命将士："毋得先登，俟刬平其城，朕与皇后乘辇而入。"由是城中得严备，不[1]克而还。

秦王兴以鸠摩罗什㉗为国师，奉之如神，亲帅群臣及沙门听罗什讲佛经，又命罗什翻译西域经、论㉘三百余卷，大营塔寺，沙门坐禅㉙者常以千数。公卿以下皆奉佛，由是州郡化之㉚，事佛者十室而九。

乞伏乾归击吐谷浑大孩㉛，大破之，俘万余口而还，大孩走死胡园㉜。视罴㉝世子树洛干帅其余众数千家奔莫何川㉞，自称车骑大将军、大单于、吐谷浑王。树洛干轻傜薄赋，信赏必罚㉟，吐谷浑复兴，沙、漒㊱诸戎皆附之。

西凉公暠自称大将军、大都督、领秦凉二州牧，大赦，改元建初㊲，遣舍人㊳黄始、梁兴间行㊴奉表诣建康㊵。

二月丁巳㊶，留台㊷备法驾迎帝于江陵，刘毅、刘道规留屯夏口㊸，何无忌奉帝东还。

初，毛璩闻桓振陷江陵，帅众三万顺流东下，将讨之，使其弟西夷校尉瑾、蜀郡太守瑗出外水㊹，参军巴西谯纵、侯晖出涪水㊺。蜀人不乐远征，晖至五城水口㊻，与巴西阳昧㊼谋作乱。纵为人和谨，蜀

正月十三日乙未，晋安帝司马德宗下诏，将有关征讨桓玄余党的大权全部授予冠军将军、兖州刺史刘毅。

正月十六日戊戌，东晋实行大赦，改年号为义熙，只有桓氏不能饶恕，认为桓冲始终忠于皇室，所以特别赦免桓冲的孙子桓胤。任命担任南阳太守的鲁宗之为雍州刺史，任命毛璩为征西将军，都督益、梁、秦、凉、宁五州诸军事，任命毛璩的弟弟毛瑾为梁、秦二州刺史，毛瑗为宁州刺史。建威将军刘怀肃率军追杀冯该，一直追到石城，终于将冯该斩首，桓谦、桓怡、桓蔚、桓谧、何澹之、温楷全都逃往后秦。桓怡是桓弘的弟弟。

后燕天王慕容熙率军讨伐高句丽。正月二十六日戊申，后燕的军队开始大举进攻辽东城。眼看辽东城即将陷落，后燕天王慕容熙却下令给全军将士："谁也不许抢先登城，等到把辽东城墙铲为平地，我要与皇后乘坐辇车一同进城。"因此拖延了时间，使城内得以重新组织兵力，加强了防守，因此后燕军没有能够攻克辽东，慕容熙只好撤兵。

后秦王姚兴尊奉鸠摩罗什为国师，敬奉鸠摩罗什就如同敬奉神仙一样，姚兴亲自率领满朝文武官员以及佛教僧侣听鸠摩罗什讲说佛家经典，还让鸠摩罗什把从西域传过来的佛教经典和佛教论著翻译成汉文，总计有三百多卷，又在国内大肆兴建佛塔、佛寺，佛教僧侣打坐修行的数以千计。朝廷之中，从公卿以下全都尊奉佛教，因此各州郡受此熏染，十户当中就有九户信奉佛教。

被后秦封为归义侯的乞伏乾归率领自己的部众攻击吐谷浑部落首领慕容大孩，将吐谷浑打得大败，俘虏了一万多口，凯旋。慕容大孩在逃亡途中，死在了胡园。吐谷浑慕容视罴的世子慕容树洛干率领残余的数千户部众逃往莫何川，自称车骑大将军、大单于、吐谷浑王。吐谷浑王慕容树洛干减轻百姓的徭役和赋税，该奖赏的一定奖赏，该惩罚的一定惩罚，于是，吐谷浑再度兴盛起来，沙地漒川一带的各戎族部落全都归附于吐谷浑。

西凉公李暠自称大将军、大都督，兼任秦州凉州二州牧，实行大赦，改年号为建初，他派遣担任舍人的黄始、梁兴带着表章，从荒僻小路前往东晋的京师建康，请求成为东晋的附属国。

二月初五日丁巳，东晋京师建康的留守政府备齐皇帝专用的法驾仪仗，前往江陵迎接晋安帝司马德宗，担任冠军将军的刘毅和义昌太守刘道规留守夏口，琅邪内史何无忌护送晋安帝返回东方的京师建康。

当初，毛璩听说桓振攻陷了江陵，便立即率领三万名部众顺流东下，准备讨伐桓振，他派自己的弟弟、担任西夷校尉的毛瑾和担任蜀郡太守的毛瑗沿着岷江进发，派担任参军的巴西郡人谯纵、侯晖沿着涪水进发。蜀地人不愿意出兵远征，侯晖到达五城县境内的涪江与其支流汇合的水口的时候，便与毛璩的部将、巴西郡人阳昧

人爱之，晖、昧共逼纵为主，纵不可，走投于水。引出，以兵逼纵登舆[48]，纵又投地，叩头固辞，晖缚纵于舆。还，袭毛瑾于涪城[49]，杀之，推纵为梁、秦二州刺史。璩至略城[50]，闻变，奔还成都，遣参军王琼将兵讨之，为纵弟明子所败，死者什八九。益州营户[51]李腾开城纳纵兵，杀璩及弟瑗，灭其家。纵称成都王，以从弟洪为益州刺史，以明子为巴州[52]刺史，屯白帝[53]。于是蜀大乱，汉中空虚，氐王杨盛遣其兄子平南将军抚[54]据之。

癸亥[55]，魏主珪还自豺山，罢尚书三十六曹[56]。

三月，桓振自郧城[57]袭江陵，荆州刺史司马休之战败，奔襄阳，振自称荆州刺史。建威将军刘怀肃自云杜[58]引兵驰赴，与振战于沙桥[59]。刘毅遣广武将军唐兴助之，临陈斩振，复取江陵。

甲午[60]，帝至建康。乙未[61]，百官诣阙请罪，诏令复职。

尚书殷仲文以朝廷音乐未备，言于刘裕，请治之。裕曰："今日不暇给[62]，且性所不解[63]。"仲文曰："好之自解[64]。"裕曰："正以解则好之，故不习耳。"

庚子[65]，以琅邪王德文为大司马，武陵王遵为太保，刘裕为侍中、车骑将军，都督中外诸军事，徐、青二州刺史如故，刘毅为左将军，何无忌为右将军、督豫州扬州五郡军事、豫州刺史，刘道规为辅国将军、督淮北诸军事、并州刺史，魏咏之为征虏将军、吴国内史。裕固让不受。加录尚书事，又不受，屡请归藩[66]。诏百官敦劝[67]，帝亲幸其第。裕惶惧，复诣阙陈请，乃听归藩。以魏咏之为荆州刺史，代司马休之。

初，刘毅尝为刘敬宣宁朔参军[68]，时人或以雄杰许之[69]。敬宣曰：

串通起来阴谋作乱。谯纵为人宽和、谨慎，蜀地人都很爱戴他，侯晖、阳昧遂一同逼迫谯纵，让谯纵当他们的盟主，谯纵坚决不当他们的盟主，便跑到水边纵身跳入水中。侯晖等人把他从水中拖出来，并把刀架在他的脖子上，逼迫他坐上帝王乘坐的车子。谯纵又从车中跳到地上，向侯晖、阳昧等磕头，坚决不当谋反的盟主，侯晖就把谯纵捆绑在车里。然后率军返回，袭击梁、秦二州刺史毛瑾所据守的涪城，杀死了毛瑾，然后推举谯纵为梁、秦二州刺史。征西将军毛璩率领大军抵达略城的时候，听到了侯晖等人发动叛乱并杀死了毛瑾的消息，毛璩立即率领大军返回成都，他派担任参军的王琼率军讨伐侯晖等，却被谯纵的弟弟谯明子打败，兵力损失了十分之八九。被分配到益州军营中接受管制的李腾打开成都的城门放入谯纵的叛军，叛军杀死了益州刺史毛璩以及毛璩的弟弟、担任宁州刺史的毛瑗，诛灭了毛氏全家。谯纵遂自称成都王，任命自己的堂弟谯洪为益州刺史，任命自己的弟弟谯明子为巴州刺史，屯扎在白帝城。从此巴蜀地区陷入大混乱，汉中空虚，氐王杨盛派自己的侄子、担任平南将军的杨抚占据了汉中。

二月十一日癸亥，北魏主拓跋珪从豺山宫返回都城平城，撤销了尚书三十六曹。

三月，桓振从郧城率众袭击江陵，担任荆州刺史的司马休之战败之后逃往襄阳，桓振遂自称荆州刺史。建威将军刘怀肃率军从云杜赶来救援江陵，与桓振在沙桥展开激战。冠军将军刘毅派广武将军唐兴率军前往增援，唐兴在两军阵前杀死了桓振，重新夺取了江陵。

三月十三日甲午，晋安帝司马德宗抵达京师建康。十四日乙未，文武百官前往皇宫门口请罪，晋安帝司马德宗下诏，令文武百官全部官复原职。

东晋担任尚书的殷仲文因为朝廷音乐设施不够完备，便向刘裕提出，请求重新设置。刘裕回答说:“现在还没有时间顾及这方面的事情，而且我生来就不懂这些。”殷仲文说:“你一旦喜欢上音乐，自然就能懂。”刘裕说:“正是因为懂得了音乐就会喜好上音乐，所以才不想去懂它。”

三月十九日庚子，晋安帝司马德宗任命琅邪王司马德文为大司马，任命武陵王司马遵为太保，任命刘裕为侍中，车骑将军，都督中外诸军事，徐、青二州刺史如故，任命刘毅为左将军，任命何无忌为右将军，督豫州、扬州五郡军事，豫州刺史，任命刘道规为辅国将军、督淮北诸军事、并州刺史，任命魏咏之为征虏将军、吴国内史。刘裕坚决辞让，不肯接受任命。晋安帝便加授刘裕为录尚书事，刘裕还是不肯接受，并屡次请求返回自己徐州刺史的驻地京口。晋安帝司马德宗下诏，令文武百官百般相劝，希望他留在朝廷掌管朝政，晋安帝还亲自驾临刘裕的宅第。刘裕惶恐忧惧，再次到宫门陈说恳请，晋安帝只得批准刘裕返回京口。任命魏咏之为荆州刺史，代替司马休之。

当初，刘毅曾经在宁朔将军刘敬宣属下担任参军，当时的人都称赞刘毅是英雄

"夫非常之才自有调度[70]，岂得便谓此君为人豪邪？此君之性，外宽而内忌，自伐而尚人[71]，若一旦遭遇[72]，亦当以陵上取祸[73]耳。"毅闻而恨之。及敬宣为江州，辞以无功，不宜授任[74]先于毅等，裕不许。毅使人言于裕曰："刘敬宣不豫建义[75]。猛将劳臣，方须叙报[76]，如敬宣之比[77]，宜令在后。若使君[78]不忘平生[79]，正可为员外常侍[80]耳。闻已授郡[81]，实为过优，寻复为江州，尤用骇惋[82]。"敬宣愈不自安，自表解职，乃召还为宣城内史。

夏，四月，刘裕旋镇京口，改授都督荆、司等十六州诸军事，加领兖州刺史。

卢循遣使贡献。时朝廷新定，未暇征讨。壬申[83]，以循为广州刺史，徐道覆为始兴相[84]。循遗刘裕益智粽[85]，裕报以续命汤[86]。

循以前琅邪内史王诞[87]为平南长史[88]。诞说循曰："诞本非戎旅，在此无用。素为刘镇军[89]所厚，若得北归，必蒙寄任[90]，公私际会[91]，仰答厚恩。"循甚然之。刘裕与循书，令遣吴隐之还[92]，循不从。诞复说循曰："将军今留吴公，公私非计[93]。孙伯符[94]岂不欲留华子鱼[95]邪？但以一境不容二君[96]耳。"于是循遣隐之与诞俱还。

初，南燕主备德仕秦为张掖太守[97]，其兄纳与母公孙氏居于张掖，备德之从秦王坚寇淮南[98]也，留金刀与其母别。备德与燕王垂举兵于山东[99]，张掖太守苻昌收纳及备德诸子，皆诛之。公孙氏以老获免，纳妻段氏方娠，未决[100]。狱掾呼延平，备德之故吏也，窃以公孙氏及段氏逃于羌中。段氏生子超，十岁而公孙氏病，临卒，以金刀授超曰：

豪杰。刘敬宣说："非常的人才自然会有非常的才调和气度，哪能就此说刘毅是豪杰呢？刘毅的性情，表面看起来宽宏大量而实际上却心存猜忌，喜好自我夸耀，好居人上，一旦遇上好时机，肯定会因为凌辱上级而自取祸殃。"刘毅听到了刘敬宣对他的这番评价，便对刘敬宣怀恨在心。等到晋安帝司马德宗任命刘敬宣为江州刺史的时候，刘敬宣认为自己没有立功，不应该在刘毅等人没有接受任命之前自己先接受任命，因此坚决推让，刘裕没有同意。刘毅派人对刘裕说："刘敬宣并没有参加讨伐桓氏叛逆的行动。勇猛作战的将领、勤劳皇室的功臣，还都在等待加封获报，像刘敬宣这类的人，应该让他靠后。如果使君不忘记刘牢之平生相待之情，也只可以授予刘敬宣一个候补的散骑常侍。而我听说刘敬宣刚从北方回来就被任命为晋陵太守，确实有点优待过分，然而时隔不久，又任命刘敬宣为江州刺史，尤其令人感到惊讶和惋惜。"刘敬宣心中就越发地不安，便主动上表请求辞职，刘裕便又把他从江州刺史任上召回，重新任命刘敬宣为宣城内史。

夏季，四月，东晋镇军将军刘裕返回京口，朝廷改任刘裕为都督荆、司等十六州诸军事，加授兖州刺史。

卢循派遣使者到建康向朝廷进贡。由于当时朝廷刚刚安定下来，没有时间和精力对他进行征讨。四月二十一日壬申，遂又任命卢循为广州刺史，任命徐道覆为始兴相。卢循赠给刘裕益智粽，刘裕回赠给卢循续命汤。

担任了广州刺史的卢循任命曾经担任过琅邪内史的王诞为平南长史。王诞对卢循说："我原本不是戎旅出身，留在这里对将军也没有什么用处。我一向受到镇军将军刘裕的厚爱，如果能够让我返回北方的京师建康，刘裕一定会信任我，委托我以重任，当你遇到事情需要我给你帮忙的时候，我一定报答你的厚恩。"卢循认为王诞说得很有道理。刘裕写信给卢循，令卢循将前任广州刺史吴隐之放回京师，卢循不肯。王诞又劝说卢循："将军现在扣留吴隐之，对公对私都是不合适的。难道三国时期的东吴孙策不想把华歆扣留在东吴吗？只因为一个国家只能由一个人说了算罢了。"于是，卢循就把王诞和吴隐之一同放回京师。

当初，南燕主慕容备德在前秦苻坚时期担任秦国的张掖太守，慕容备德的哥哥慕容纳和母亲公孙氏遂居住在张掖，慕容备德跟随秦王苻坚的大军一同进犯东晋淮南的时候，留给母亲一柄金刀，然后同母亲告别。后来慕容备德与后燕主慕容垂在山东聚众起兵，当时担任张掖太守的苻昌就把慕容备德的哥哥慕容纳以及慕容备德的几个儿子抓起来，全部杀死。慕容备德的母亲因为已经年老，所以被赦免，慕容纳的妻子段氏因为当时有孕在身，所以就被关押在监狱之中准备等她分娩之后再处决。负责看守段氏的狱掾名叫呼延平，是慕容备德旧日的部下，他偷偷地带着慕容备德的母亲公孙氏和嫂子段氏逃往西部的羌族聚居区。段氏生了一个儿子，取名叫慕容超，慕容超十岁的时候，公孙氏病倒在床，临终之时，她把慕容备德留下来的

“汝得东归，当以此刀还汝叔也。”呼延平又以超母子奔凉。及吕隆降秦，超随凉州民徙长安[101]。平卒，段氏为超娶其女为妇。

超恐为秦人所录[102]，乃阳狂[103]行乞。秦人贱之，惟东平公绍[104]见而异之，言于秦王兴曰：“慕容超姿干瑰伟[105]，殆非真狂，愿微加官爵以縻[106]之。”兴召见，与语，超故为谬对，或问而不答。兴谓绍曰：“谚云‘妍皮不裹痴骨[107]’，徒妄语[108]耳。”乃罢遣之[109]。

备德闻纳有遗腹子在秦，遣济阴人吴辩往视之。辩因乡人宗正谦[110]卖卜在长安，以告超。超不敢告其母妻，潜与谦变姓名逃归南燕。行至梁父[111]，镇南长史悦寿[112]以告兖州刺史[113]慕容法。法曰：“昔汉有卜者诈称卫太子[114]，今安知非此类也！”不礼之。超由是与法有隙。

备德闻超至，大喜，遣骑三百迎之。超至广固[115]，以金刀献于备德。备德恸哭，悲不自胜。封超为北海王，拜侍中、骠骑大将军、司隶校尉、开府[116]，妙选时贤，为之僚佐。备德无子，欲以超为嗣。超入则侍奉尽欢，出则倾身下士，由是内外誉望[117]翕然[118]归之。

五月，桂阳[119]太守章武王秀[120]及益州刺史司马轨之谋反，伏诛。秀妻，桓振之妹也，故自疑而反。

桓玄余党桓亮、苻宏等拥众寇乱郡县者以十数，刘毅、刘道规、檀祗[121]等分兵讨灭之，荆、湘、江、豫皆平。诏以毅为都督淮南等五郡[122]军事、豫州刺史，何无忌为都督江东五郡军事、会稽内史。

北青州[123]刺史刘该[124]反，引魏为援，清河、阳平[125]二郡太守孙全聚众应之。六月，魏豫州刺史索度真、大将斛斯兰[126]寇徐州，围彭城。

那把金刀授予自己的孙子慕容超，她对慕容超说："你如果能够回到东方，你要把这把金刀送还给你的叔父慕容备德。"公孙氏去世之后，呼延平又带着段氏、慕容超母子逃往后凉。等到后凉王吕隆投降了后秦姚兴，慕容超于是又跟随着凉州的居民一道被迁移到了后秦的都城长安。呼延平去世后，段氏为慕容超娶了呼延平的女儿为妻。

慕容超生怕自己被后秦登入名册，于是便假装疯狂，沿街乞讨。后秦人都很看不起他，只有东平公姚绍见过他之后感到很惊异，便对后秦王姚兴说："慕容超相貌堂堂，身材高大，恐怕不是真疯，希望授予他一个小小的职务来笼络他。"姚兴于是召见了慕容超，与他谈话，慕容超故意胡答乱对，有时问他又不回答。姚兴遂对姚绍说："俗话说'姣好的皮肉不会包裹在一副痴顽的躯干上'，看来只是胡说八道。"于是便不再对他进行考察就把他打发走了。

南燕主慕容备德听说自己的哥哥慕容纳还有一个遗腹子流落在后秦国，便派遣济阴人吴辩前往后秦探视慕容超。吴辩通过自己的老乡、在长安街头依靠占卜算卦谋生的宗正谦与慕容超取得了联系，将真相告诉了慕容超。慕容超没敢告诉自己的母亲段氏和自己的妻子呼延氏，便与宗正谦一道改名换姓偷偷地逃回到南燕。他们走到梁父的时候，担任镇南长史的悦寿将此事告诉了担任兖州刺史的慕容法。慕容法说："过去，汉代有一个算卦的人就曾经冒充是卫太子刘据，现在怎么知道这个慕容超不是假冒的呢!"所以并没有以礼接待慕容超。慕容超因此与慕容法结下仇恨。

南燕主慕容备德听到自己的侄子慕容超已经来到，非常高兴，立即派三百名骑兵前去迎接。慕容超到达南燕的都城广固之后，便把祖母公孙氏授予自己的金刀献给慕容备德。慕容备德忍不住失声痛哭，那种悲痛简直无法控制。慕容备德封慕容超为北海王，任命他为侍中、骠骑大将军、司隶校尉、开府，并选拔当代的贤能，作为慕容超的僚佐。慕容备德没有儿子，所以准备立慕容超为继承人。慕容超进宫则侍奉叔父慕容备德，使慕容备德尽享天伦之乐，出宫之后，则礼贤下士，虚心待人，因此朝廷内外对他一片赞誉之声。

五月，东晋担任桂阳太守的章武王司马秀以及担任益州刺史的司马轨之谋反，被诛杀。司马秀的妻子是桓振的妹妹，司马秀因为疑心会受到牵连所以谋反。

东晋桓玄的余党桓亮、苻宏等人率领部众骚扰、劫掠了十多个郡县，担任左将军的刘毅，担任辅国将军、督淮北诸军事、并州刺史的刘道规以及担任参军的檀祇等分别率军出击，将桓亮、苻宏等消灭，荆州、湘州、江州、豫州全部平定。晋安帝司马德宗下诏，任命左将军刘毅为都督淮南、庐江、历阳、晋熙、安丰五郡军事，豫州刺史，任命何无忌为都督江东五郡军事、会稽郡内史。

东晋担任北青州刺史的刘该谋反，他依靠北魏作为外援，担任清河、阳平二郡太守的孙全聚众起兵响应刘该。六月，北魏担任豫州刺史的索度真、大将斛斯兰率

刘裕遣其弟南彭城⑫⑦内史道怜、东海⑫⑧太守孟龙符将兵救之，斩该及全，魏兵败走。龙符，怀玉之弟也。

秦陇西公硕德⑫⑨伐仇池⑬⓪，屡破杨盛⑬①兵。将军敛俱⑬②攻汉中，拔成固⑬③，徙流民三千余家于关中。秋，七月，杨盛请降于秦。秦以盛为都督益宁二州诸军事、征南大将军、益州牧。

刘裕遣使求和于秦，且求南乡⑬④等诸郡，秦王兴许之。群臣咸以为不可，兴曰："天下之善一也⑬⑤。刘裕拔起⑬⑥细微，能诛讨[2]桓玄，兴复晋室，内厘⑬⑦庶政，外修封疆，吾何惜数郡，不以成其美乎！"遂割南乡、顺阳、新野、舞阴⑬⑧等十二郡归于晋。

八月，燕辽西太守邵颜有罪，亡命⑬⑨为盗。九月，中常侍郭仲讨斩之。

汝水⑭⓪竭，南燕主备德恶之，俄而寝疾。北海王超请祷之，备德曰："人主之命，短长在天，非汝水所能制也。"固请，不许。

戊午⑭①，备德引见群臣于东阳殿，议立超为太子。俄而地震，百官[3]惊恐，备德亦不自安，还宫。是夜，疾笃，瞑⑭②不能言。段后大呼曰："今召中书⑭③作诏立超，可乎？"备德开目颔⑭④之。乃立超为皇太子，大赦，备德寻卒⑭⑤。为十余棺⑭⑥，夜，分出四门，潜瘗⑭⑦山谷。

己未⑭⑧，超即皇帝位，大赦，改元太上⑭⑨。尊段后为皇太后。以北地王钟⑮⓪都督中外诸军、录尚书事，慕容法⑮①为征南大将军、都督徐兖扬南兖四州诸军事，加慕容镇开府仪同三司，以尚书令封孚⑮②为太尉，鞠仲[4]为司空，封嵩为尚书左仆射。癸亥⑮③，虚葬备德于东阳陵，谥曰"献武皇帝"，庙号"世宗"。

超引所亲公孙五楼为腹心。备德故大臣北地王钟、段宏等皆不自安，求补外职。超以钟为青州牧，宏为徐州刺史。公孙五楼为武卫将军，

众进犯东晋所属的徐州，包围了彭城。刘裕派遣自己的弟弟、担任南彭城内史的刘道怜和担任东海太守的孟龙符率军往救彭城，刘道怜和孟龙符斩杀了刘该和孙全，北魏军也兵败退走。孟龙符是孟怀玉的弟弟。

后秦陇西公姚硕德率领后秦军讨伐占据仇池的氐王杨盛，多次将杨盛军打败。后秦将军敛俱率军攻打汉中，占领了成固，然后将汉中的三千多户流民迁移到关中地区。秋季，七月，氐王杨盛向后秦请求投降。后秦王姚兴任命杨盛为都督益州、宁州二州诸军事，征南大将军，益州牧。

刘裕派遣使者到后秦的都城长安请求与后秦讲和，并要求后秦将南乡等诸郡归还给东晋，后秦王姚兴答应了刘裕的讲和条件。后秦群臣全都认为不可以这样做，姚兴说："天下人喜欢什么、爱慕什么，眼光和标准是一致的。刘裕能够从卑微的出身和底层的职位中崛起，并讨伐、诛灭了桓玄，使已经灭亡的司马氏政权重新复兴，对内治理各种政务，对外整顿疆土，我何必因为吝惜几个郡的地方，而不去成全刘裕的好事呢！"于是把南乡、顺阳、新野、舞阴等十二个郡归还给东晋。

八月，后燕担任辽西太守的邵颜因为犯罪，改名潜逃而沦为盗贼。九月，担任中常侍的郭仲率军讨伐邵颜，将邵颜杀死。

南燕境内的汝水河水干涸，南燕主慕容备德为此十分苦恼，不久便卧床不起。北海王慕容超请求举行祭天活动，祈祷上天恢复汝水的水量，慕容备德说："君主的寿命长短决定于上天，岂是汝水所能控制的。"慕容超坚决请求，而慕容备德坚决不允许。

十月初十日戊午，南燕主慕容备德在东阳殿召见群臣，商议立北海王慕容超为皇太子。突然之间发生了地震，百官都非常惊慌恐惧，慕容备德心中也很不安，于是退回后宫。当天夜间，慕容备德的病情突然加重，闭着眼睛已经不能说话。段皇后大声呼喊说："现在立即召见中书写遗嘱立慕容超为太子，可以吗？"慕容备德睁开眼睛点了点头。于是立慕容超为皇太子，同时实行大赦。不一会儿，南燕主慕容备德便去世了。当时一共打造了十多口棺材，夜间，分别从四个城门将这些棺材抬出去，秘密地埋葬在山谷之中。

十月十一日己未，南燕皇太子慕容超即位为皇帝，实行大赦，改年号为太上。尊奉段皇后为皇太后。任命北地王慕容钟为都督中外诸军、录尚书事，任命担任兖州刺史的慕容法为征南大将军，都督徐、兖、扬、南兖四州诸军事，加授慕容镇开府仪同三司，任命担任尚书令的封孚为太尉，鞠仲为司空，封嵩为尚书左仆射。十五日癸亥，为南燕皇帝慕容备德举行了隆重的葬礼，将一口空棺材埋葬在东阳陵，谥号为"献武皇帝"，庙号"世宗"。

南燕新任皇帝慕容超把自己过去的亲信公孙五楼当作心腹。世宗皇帝慕容备德的旧臣北地王慕容钟、段宏等心中都很不安，于是请求离开朝廷，到地方任职。慕容超遂任命慕容钟为青州牧，任命段宏为徐州刺史。又任命公孙五楼为武卫将军，

领屯骑校尉⑮，内参政事。封孚谏曰："臣闻亲不处外，羁⑮不处内。钟，国之宗臣⑯，社稷所赖；宏，外戚懿望⑰，百姓具瞻⑱。正应参翼百揆⑲，不宜远镇外方。今钟等出藩⑯，五楼内辅⑯，臣窃未安。"超不从。钟、宏心皆不平，相谓曰："黄犬之皮，恐终补狐裘也⑯。"五楼闻而恨之。

魏咏之卒，江陵令罗脩谋举兵袭江陵，奉王慧龙⑯为主。刘裕以并州刺史刘道规为都督荆、宁等六州诸军事，荆州刺史。脩不果发⑯，奉慧龙奔秦。

乞伏乾归伐仇池，为杨盛所败。

西凉公暠与长史张邈谋徙都酒泉⑯，以逼沮渠蒙逊⑯。以张体顺为建康⑯太守，镇乐涫；以宋繇为敦煌护军，与其子敦煌太守让⑯镇敦煌，遂迁于酒泉。

暠手令戒诸子，以为："从政者当审慎赏罚⑯，勿任爱憎，近忠正，远佞谀，勿使左右窃弄威福。毁誉之来⑰，当研核真伪⑰。听讼折狱⑰，必和颜任理⑰，慎勿逆诈亿必⑰，轻加声色⑰。务广咨询，勿自专用⑰。吾莅事⑰五年，虽未能息民，然含垢匿瑕⑰，朝为寇雠，夕委心膂⑰，粗⑱无负于新旧⑱[5]；事任公平，坦然无颣⑱，初不容怀⑱，有所损益⑱。计近则如不足⑱，经远乃为有余⑱，庶亦无愧前人⑱也。"

十二月，燕王熙袭契丹⑱。

兼任屯骑校尉，让他在朝廷之内参与朝政。担任太尉的封孚劝谏说：“我听说，不应该把宗亲驱逐到外面，不应该把外人留在内室。北地王慕容钟，是举国敬仰的出身皇族的大臣，是国家的栋梁；段宏，是外戚中最有声望的人物，百姓把他的一举一动都视为楷模。这两个人都应该列入朝廷大臣之中，而不应该令他们到远方去镇守地方。如今却是慕容钟等到地方任职，公孙五楼却留在朝廷辅佐朝政，我对此心中深感不安。”慕容超没有采纳封孚的意见。慕容钟和段宏心中愤愤不平，他们互相说：“黄狗身上的皮，恐怕最终会用来补缀狐皮大衣了。”公孙五楼听了他们的话，暗暗怀恨在心。

魏咏之去世，担任江陵县令的罗脩阴谋聚众起兵袭击江陵，他们推戴王慧龙为盟主。镇军将军刘裕任命担任并州刺史的辅国将军刘道规为都督荆、宁等六州诸军事，荆州刺史。罗脩的叛乱没有成功，便保护着王慧龙逃奔了后秦。

乞伏乾归率领自己的部众攻打仇池，结果被杨盛打得大败。

西凉公李暠与担任长史的张邈商议将都城迁往酒泉，以便对北凉沮渠蒙逊形成压力。随后任命张体顺为建康太守，镇守乐涫；任命宋繇为敦煌护军，与他的儿子、担任敦煌太守的李让一道镇守敦煌，然后将都城从敦煌迁到了酒泉。

西凉公李暠亲自写信给自己的几个儿子，告诫他们说：“做官从政的人，应当认真、慎重地对待奖赏和处罚，千万不要被自己的爱憎情绪所左右，要亲近忠诚正直的人，疏远奸佞谄媚的人，不要让自己身边的人暗中窃取权力、作威作福。对于诋毁你的言论或是赞美你的话，都应当一一进行核查，弄清真假。审理诉讼、判断案情，一定要和颜悦色，根据事实、按照情理，千万不要预先就认定对方心存狡诈，只根据自己的主观臆断就轻率地下结论，轻易变脸怒斥。务必广泛地征求意见、深入地调查研究，不要刚愎自用、独断专行。我任职管事已经五年，虽然没有能够使百姓得到充分的休养生息，然而因为我能够包容别人的缺点，不为之张扬，所以，早晨还是仇敌，到了晚上就可以委以心腹重任，因此大体来说，对于新知故交都没有什么对不起的地方；处理事务力求公平公正，无论对何人何事，内心坦荡，没有任何愧疚之处，什么都不放在心里，从不对别人的优劣功过作不适当的夸大与缩小。这样做，从眼前来看好像受了些损失，然而从长远来看，获益匪浅，与古代的英明帝王相比也差不多可以不感到惭愧了。”

十二月，后燕天王慕容熙率军袭击契丹。

【段旨】

以上为第一段，写晋安帝义熙元年（公元四〇五年）一年间的大事。主要写了刘毅、鲁宗之等破桓振于江陵，桓振逃到涢川，桓谦等人逃入后秦。写了桓振又东山再起重夺江陵，被刘毅所杀，桓氏余党还有人作乱，被刘裕等削平。写了益州刺史毛璩因率军出川讨桓振，引发益州大乱，乱党拥立谯纵为成都王，毛璩兄弟被杀，家族被灭，梁州地区被杨盛所占。写了后秦姚硕德伐仇池，取汉中，杨盛投降于秦。写了晋安帝返回建康为帝，以司马德文，武陵王遵为傀儡，以刘裕实掌朝权，刘裕推辞不就，回归京口。写了南燕主慕容德之侄慕容超自秦国回到广固，被立为太子，但慕容超与南燕老臣慕容法结下矛盾。写了慕容德死，慕容超为南燕主，宠用公孙五楼，大臣之间矛盾尖锐起来。写了西凉公李暠移都于酒泉，称臣于晋，教导群臣“审慎刑赏，勿任爱憎”“勿使左右窃弄威福”等，颇有明君之度。写了秦王姚兴尊宠鸠摩罗什，致使秦国佛法大兴，信之者十室而九等。

【注释】

①南阳：郡名，郡治即今河南南阳。②襄阳：即今湖北襄阳之襄州区。当时桓蔚被桓振任为雍州刺史，镇守襄阳。③己丑：正月初七。④马头：又名马头戍，在当时江陵城南的长江南岸，与江心岛的江津戍隔水相望。⑤江津：即江津戍。⑥求割江、荆二州二句：意谓只要刘裕答应他们继续把持江、荆二州，他们就送晋安帝回朝。⑦辛卯：正月初九。⑧柞溪：小河名，在当时江陵城东北。⑨纪南：古城名，春秋、战国时期的楚国都城，在江陵城北十里。⑩豫章口：在江陵城东二十里。⑪涢川：即涢水，流经今湖北随县、安陆，南入汉水。⑫乙未：正月十三。⑬大处分：有关征讨桓玄余党的大问题的决定。⑭戊戌：正月十六。⑮改元：指改用义熙年号，在此以前用的年号是元兴（公元四〇二至四〇四年）。⑯不原：不饶恕、不放过，必须杀光。⑰桓冲：桓彝之子，桓温之弟，桓脩之父，一生谦恭好士，忠于晋室。传见《晋书》卷七十四。⑱其孙胤：桓胤，桓脩之子，桓脩因追随桓玄，前已被刘裕、何无忌所杀。⑲宁州：州治在今云南晋宁东，昆明东南。⑳石城：即今湖北钟祥，当时为竟陵郡的郡治所在地。㉑桓怡：桓冲之子，桓弘之弟。桓弘因追随桓玄，前已被刘毅、刘道规所杀。㉒桓蔚：桓玄的部将。㉓温楷：桓玄的部将。㉔高句丽：高丽民族所建立的古国名，当时的辖境约当今之辽东半岛及朝鲜的西北部。都城丸都，在今吉林集安。㉕戊申：正月二十六。㉖辽东：郡名，郡治即今辽宁辽阳，当时被高句丽人所占。㉗鸠摩罗什：印度和尚，传习大乘教，深受西域诸国的崇拜。苻坚时期，派吕光将其从龟兹迎到中国，居住凉州多年。后吕氏投降姚兴，罗什遂入长安，著有《实相论》。传见《晋书》卷九十五。㉘经、论：

经，指佛教经典。论，指和尚们的佛教论著。㉙坐禅：指打坐修行。㉚化之：受其熏染，蔚然成风。㉛吐谷浑大孩："吐谷浑"原是鲜卑族的一个支派头领名，后成为少数民族部落名，东晋初期活动在今青海的青海湖西南的都兰一带。"大孩"是东晋末年的吐谷浑部落头领名，一名乌纥堤。传见《晋书》卷九十七。㉜胡园：地址不详，约在今青海东部。㉝视罴：吐谷浑部落的头领名，乌纥堤之兄，视罴死时，其子树洛干年幼，故传位于其弟乌纥堤。㉞莫何川：也作"莫贺川"，在今青海共和南。㉟信赏必罚：该赏的一定赏，该罚的一定罚。信，确实、确定。㊱沙、漒：指漒川沙地，即莫何川一带地区。㊲改元建初：在此以前李嵩所用的年号为庚子（公元四〇〇至四〇四年）。㊳舍人：比家奴地位略高的门客、食客之类，犹如后世之所谓"清客""幕僚"。㊴间行：化装抄小路而行。㊵奉表诣建康：意即承认东晋的统治地位，愿意成为东晋的附属国。㊶二月丁巳：二月初五。㊷留台：指刘裕建立的以武陵王司马遵为摄行政事的临时政权。㊸留屯夏口：以维持荆、江一带的地方秩序。㊹外水：即今四川岷江。㊺涪水：即今四川涪江，流经今江油、绵竹、射洪，汇入嘉陵江。㊻五城水口：五城县（今三台）境内的涪江与其支流的汇口。㊼阳昧：巴西郡（郡治在今四川阆中）人，毛璩的部将。㊽登舆：上车，这里指让他坐上帝王乘坐的车子。㊾涪城：县名，县治在今四川绵阳东南。㊿略城：在今成都东四百里。51益州营户：益州州治成都城里被关押的掳掠来的百姓。营户，百姓叛逃被捉回发配在军营效力者。52巴州：州治即今重庆市。53白帝：白帝城，在今奉节东。54平南将军抚：即杨抚，杨盛之侄。55癸亥：二月十一。56罢尚书三十六曹：魏恢复尚书三十六曹在拓跋珪天兴四年（公元四〇一年），今又罢之。57郧城：地址不详，应在今湖北随县、安陆一带，前不久，桓振逃遁于此。古代亦有郧乡县，即今湖北郧县，但距郧川太远，形势不接。58云杜：县名，即今湖北京山市。59沙桥：在江陵城北。60甲午：三月十三。61乙未：三月十四。62不暇给：顾不上；没有工夫做。63性所不解：生来不懂这些玩意。64好之自解：一旦喜好上你就懂了。65庚子：三月十九。66归藩：归徐州刺史的驻地，即京口（今江苏镇江市）去。67敦劝：敦劝刘裕在朝廷掌管朝政。68宁朔参军：宁朔将军的参军，当时刘敬宣（牢之子）为宁朔将军，刘毅为其充当僚属。69以雄杰许之：都说刘毅是英雄豪杰。许，称赞。70调度：才调、气度。71自伐而尚人：好自我夸耀，好为人上。尚人，好居人上。72一旦遭遇：一旦遇上好时机。73以陵上取祸：以陵侮上级而自取祸殃。74授任：授之以职，任之以官，意即"任用"。75不豫建义：没有参加最初合谋起兵。不豫，没有参与。76方须叙报：正等着加封获报。须，等待。叙，委任。77之比：之类；之流。78使君：敬称刘裕。刘裕当时任徐、青二州刺史，古代敬称刺史、太守为"使君"。79不忘平生：不忘旧好，指刘裕是刘牢之的老部下，而刘敬宣是刘牢之的儿子。80员外常侍：候补的常侍郎，当时的一种荣誉性加官，有地位，但没有实权。81授郡：指刘敬宣刚从北方回来，刘裕就已经任他为晋陵太守。82尤用骇惋：尤其令人因此而感到惊讶惋惜。用，因、因此。83壬申：

四月二十一。⑭始兴相：始兴国的相，位同郡太守。始兴封国的都城在今广东韶关市东南。⑮益智粽：益智子是一种中草药，卢循以其做粽子，借以嘲弄刘裕智短。⑯续命汤：刘裕以此嘲弄卢循活得不会太长。⑰王诞：前曾做过琅邪王司马道子的长史，桓玄把持朝廷后，将其流放广州。⑱平南长史：为卢循做高级僚属。前不久卢循已自称“平南将军”。⑲刘镇军：即刘裕，时为镇军将军。⑳寄任：倚托，信任。㉑公私际会：当你遇到事情（不论公私）需要我给你帮忙的时候。㉒令遣吴隐之还：让他改派吴隐之回到朝廷来。吴隐之原任广州刺史，是当时有名的清贫官吏，卢循攻克广州，吴隐之被俘。事见本书卷一百一十三元兴三年。㉓公私非计：对公对私都是不合适的。㉔孙伯符：即孙策，字伯符，三国时吴主孙权之兄。㉕华子鱼：即华歆，字子鱼。三国时有名的谋士，开始跟随孙策，孙策死后，曹操向孙权提出要华歆，孙权不同意，华歆为之分析利弊后，孙权遂遣其归曹。事见《三国志》卷十三。㉖一境不容二君：一个国家只能由一个人说了算。㉗仕秦为张掖太守：事见本书卷一百二太和五年。㉘从秦王坚寇淮南：事见本书卷一百五太元八年。㉙举兵于山东：指慕容德随同慕容垂于苻坚淮南兵败后，脱离苻坚，并拥立慕容垂为燕王事。见本书卷一百五太元八年、九年。⑩⓪未决：未立即处死。⑩①徙长安：吕隆降秦后，姚兴曾“徙隆宗族僚属及民万户于长安”。事见本书卷一百一十三元兴二年。⑩②录：登记入册。⑩③阳狂：装疯。阳，同“佯”。⑩④东平公绍：即姚绍，姚兴之弟。⑩⑤姿干瑰伟：相貌堂堂，身材高大。⑩⑥縻：笼络；约束。⑩⑦妍皮不裹痴骨：意谓本质坏的人上天绝不会给他生就一副好模样。⑩⑧徒妄语：看来都是瞎说。⑩⑨罢遣之：不再对之进行考察，放其离去。⑪⓪因乡人宗正谦：通过他的同乡姓宗正名谦。宗正，以官职为姓。⑪①梁父：城镇名，在今山东泰安东南。⑪②镇南长史悦寿：镇南将军的长史姓悦名寿。不知此时何人任镇南将军。⑪③兖州刺史：慕容德的兖州刺史当时驻兵于今山东泰安东北。⑪④诈称卫太子：卫太子即汉武帝的“戾太子”刘据。因巫蛊案杀江充，被武帝讨伐，兵败自杀。后武帝死，昭帝立，忽有一男子诣朝廷自称是“卫太子”，结果被以“诬妄”罪处死。事见本书卷二十三始元五年。⑪⑤广固：即今山东青州，当时慕容德的都城。⑪⑥开府：开设办事衙门，当时对某个高级官员的荣誉待遇。⑪⑦内外誉望：朝里朝外的一片赞美声。⑪⑧翕然：众心归顺的样子。⑪⑨桂阳：郡名，郡治即今湖南郴州。⑫⓪章武王秀：司马秀，桓振的妹夫。⑫①檀祗：刘裕的得力将领。传见《宋书》卷四十七。⑫②淮南等五郡：淮南、庐江、历阳、晋熙、安丰。⑫③北青州：与南方的侨置青州相对而言，当时北青州的州治在今江苏徐州，当时属东晋。⑫④刘该：原为东晋青州刺史，前于隆安五年（公元四〇一年）已降魏。事见本书卷一百一十二，今又云“反，引魏为援”云云，似有误。⑫⑤清河、阳平：二郡名，清河郡的郡治在今河北清河县东南，阳平郡的郡治在今河北大名东，当时都属东晋。⑫⑥斛斯兰：姓斛斯，名兰。⑫⑦南彭城：郡国名，在今江苏镇江市，当时也是南徐州的州治所在地。⑫⑧东海：郡名，郡治在今江苏东海县西北。⑫⑨陇西公硕德：即姚硕德，姚兴之叔，被封为陇西公。⑬⓪仇池：地区名，有时也是郡名，在今甘肃成县西北。⑬杨盛：氐族人，其家族世代占据仇池，即今甘肃成县一带，自称仇池公，称藩于东晋。⑬敛俱：姓敛名俱，姚兴的部将。⑬成固：县名，县治在今陕西城固东北。⑬南乡：郡名，郡治在今湖北光化西北。⑬天下之善一也：天下人喜欢什么、爱慕什么，大家的眼光、标准都是一样的。⑬拔起：平地而起。⑬厘：整顿；清理。⑬顺阳、新野、舞阴：三郡名，顺阳郡的郡治在今河南淅川县南，新野郡的郡治即今河南新野，舞阴郡的郡治在今河南泌阳北。⑬亡命：改名潜逃。⑭汝水：据胡三省考定此处应作“女水”，发源于广固西北的葂头山，向北流入巨淀。当时当地人认为此水灵异，有水预示吉祥，水竭预示凶险。⑭戊午：十月初十。⑭瞑：闭目。⑭中书：中书省，帝王的秘书处，主管起草诏令。⑭领：点头。⑭寻卒：不久就死了。慕容德这年七十岁。⑭为十余棺：埋假坟多处，以防其坟被盗。⑭瘗：埋。⑭己未：十月十一。⑭改元太上：在此以前是慕容德的年号建平（公元四〇〇至四〇四年）。⑮北地王钟：即慕容钟，慕容德的堂弟，佐命元勋。⑮慕容法：与下文的慕容镇都是慕容德的旧部。⑮封孚：字处道，慕容德的得力大臣，为人谦虚耿直。传见《晋书》卷一百二十八。⑮癸亥：十月十五。⑮屯骑校尉：掌管护卫宫廷的部队。⑮羇：同“羁”。旅客，这里指外人。《左传》昭公十二年申无宇对楚灵王说：“亲不在外，羁不在内。”⑮宗臣：举国敬仰的大臣。⑮外戚懿望：外戚中的楷模人物。外戚，段宏是慕容德妻段氏的亲属。懿望，美好的声望。懿，美好。⑮百姓具瞻：全国上下共同瞩望，把他的一举一动都视为准则。⑮参翼百揆：应当列入朝廷大臣之中。参翼，参加、列入。百揆，百官、朝廷大臣的统称。⑯出藩：出任外州刺史。藩，诸侯，魏晋时期的刺史、都督相当于古代的诸侯。⑯五楼内辅：公孙五楼为武卫将军，内参政事，有宰相之权。⑯黄犬之皮二句：意谓将使小人杂入朝廷重臣之列。《史记·齐太公世家》淳于髡对齐相邹忌说：“狐裘虽弊，不可补以黄狗之皮。”邹忌说：“谨受令，请慎择君子，毋杂小人其间。”⑯王慧龙：王愉之孙，王愉因党附桓玄、反刘裕而被族诛，王慧龙被一和尚所救事，见本书上卷元兴三年，与《魏书》卷三十八。⑯不果发：事变没有发动成。⑯徙都酒泉：李暠原来都于敦煌。⑯以逼沮渠蒙逊：沮渠蒙逊这时都于张掖。张掖与酒泉相距不远。⑯建康：郡名，郡治乐涫，在今酒泉东南。⑯敦煌太守让：即李让，李暠的次子。⑯审慎赏罚：对于什么该赏、什么该罚的问题，必须认真对待。审慎，仔细、谨慎。⑰毁誉之来：当你听到一种诋毁或是一种赞美的时候。⑰研核真伪：一定要考察清楚这些话是真的还是假的。⑰听讼折狱：听口供，定罪名。讼，口供。折狱，断案。⑰任理：根据事实；按照情理。⑰逆诈亿必：预先认定对方有诈，心想其事实必是如此。逆，预先。亿，通“意”，猜度、怀疑。⑰轻加声色：轻易变脸怒斥。⑰勿自专用：不要自己一个人说了算。⑰莅事：任职管事。⑰含垢匿瑕：指为下属官吏掩盖缺点，不为之张扬。⑰委心膂：谓委托以心腹重任。膂，脊梁骨。⑱粗：大概；差不多可以做到。⑱无负于新旧：对于新人旧人都没有什么亏待。负，亏待、对不起。⑱坦然无颣：内心坦荡，没有任何愧疚之处。纇，缺点、瑕疵。⑱初不容怀：什么都不存在心里，指不抱任何成见。⑱有所损益：从不对别人的优劣功过作不适当地夸大与缩小。⑱计近则如不足：单从眼前的事情上看，像是有所欠缺。⑱经远乃为有余：从长远的角度看，效果则是不错的。⑱庶亦无愧前人：与古代的英明帝王相比也差不多可以不感到惭愧。⑱契丹：东北地区的少数民族名，当时活动在今内蒙古通辽一带。

【原文】

义熙二年（丙午，公元四〇六年）

春，正月甲申[189]，魏主珪如豺山宫。诸州置三刺史，郡置三太守，县置三令长[190]。刺史、令长各之州县[191]，太守虽置而未临民[192]，功臣为州者[193]皆征还京师，以爵归第[194]。

益州刺史司马荣期击谯明子[195]于白帝，破之。

燕王熙至陉北[196]，畏契丹之众，欲还，苻后[197]不听。戊申[198]，遂弃辎重，轻兵袭高句丽。

南燕主超猜虐[199]日甚，政出权幸，盘于游畋[200]，封孚、韩諱屡谏不听。超尝临轩[201]问孚曰："朕可方前世何主？"对曰："桀、纣。"超惭怒，孚徐步而出，不为改容。鞠仲谓孚曰："与天子言，何得如是！宜还谢。"孚曰："行年七十，惟求死所耳！"竟不谢。超以其时望[202]，优容[203]之。

桓玄之乱，河间王昙之[204]子国璠、叔璠奔南燕。二月甲戌[205]，国璠等攻陷弋阳[206]。

【校记】

［1］不：据章钰校，甲十一行本、乙十一行本、孔天胤本此上皆有“卒”字，张敦仁《通鉴刊本识误》同。［2］诛讨：据章钰校，甲十一行本、乙十一行本、孔天胤本二字皆互乙。［3］官：据章钰校，甲十一行本、乙十一行本、孔天胤本皆作“僚”。［4］鞠仲：原作“麹仲”。胡三省注云：“‘麹’当作‘鞠’。”据章钰校，孔天胤本作“鞠仲”，张敦仁《通鉴刊本识误》同，今从改。〖按〗《晋书·慕容超载记》载，超以“鞠仲为司空”。［5］旧：严衍《通鉴补》改作“哲”。

【语译】

二年（丙午，公元四〇六年）

春季，正月初八日甲申，北魏皇帝拓跋珪从平城前往豺山宫。朝廷规定：每个州设置三名刺史，每个郡设置三名太守，每个县设置三名县令、县长。无论是刺史，还是县令、县长，都要到自己任管辖的州、县中去，郡中虽然设置了太守，太守却未到郡里上任，那些身为功臣而担任刺史的人全部召回京师，免去刺史职务，保留爵位回家赋闲。

东晋担任益州刺史的司马荣期率军攻击谯明子所据守的白帝城，司马荣期将谯明子击败。

后燕天王慕容熙率领燕军抵达陉山以北，因为惧怕契丹兵力强盛，遂准备退兵，而随军的苻皇后不听。二月初二日戊申，慕容熙下令燕军丢弃粮食辎重，轻装前进，转道去袭击高句丽。

南燕主慕容超越来越残忍、暴虐，军国大权全都掌握在慕容超所宠信的权臣手中，慕容超只沉迷于巡游打猎，不处理政事，担任太尉的封孚、担任仆射的韩諲屡次规劝，慕容超都不肯听从。慕容超曾经倚靠着金殿前面的栏杆向太尉封孚询问说：“我可以跟前代的哪一位君主相比？”封孚回答说：“可比作夏朝的桀王、商朝的纣王。”慕容超又惭愧又愤怒，封孚却缓步走出金殿，神色一点也没有改变。担任司空的鞠仲对封孚说：“与皇帝说话，怎么能够这样！你应该回去向皇帝谢罪。”封孚说：“我已经快七十岁了，只求能够死得其所！”封孚始终没有就此事向慕容超谢罪。慕容超也因为封孚在当时享有很高的声望而特别宽容了他。

在桓玄叛乱之时，河间王司马昙之的儿子司马国璠、司马叔璠逃奔了南燕。二月二十八日甲戌，司马国璠、司马叔璠率众攻占了弋阳。

燕军行三千余里，士马疲冻，死者属路[207]，攻高句丽木底城[208]，不克而还。夕阳公云[209]伤于矢，且畏燕王熙之虐，遂以疾去官。

三月庚子[210]，魏主珪还平城[211]。夏，四月庚申[212]，复如豺山宫。甲子[213][6]，还平城。

柔然社仑[214]侵魏边。

五月，燕主宝之子博陵公虔、上党公昭，皆以嫌疑赐死。

六月，秦陇西公硕德自上邽入朝，秦王兴为之大赦。及归，送之至雍[215]乃还。兴事晋公绪[216]及硕德皆如家人礼[217]，车马、服玩，先奉二叔，而自服其次。国家大政，皆咨[218]而后行。

秃发傉檀伐沮渠蒙逊，蒙逊婴城[219]固守。傉檀至赤泉[220]而还，献马三千匹、羊三万口于秦。秦王兴以为忠，以傉檀为都督河右[221]诸军事、车骑大将军、凉州刺史，镇姑臧[222]。征王尚[223]还长安。凉州人申屠英等遣主簿胡威诣长安请留尚，兴弗许。威见兴，流涕言曰："臣州奉戴王化[224]，于兹五年[225]，土宇僻远，威灵不接[226]，士民尝胆扠血[227]，共守孤城。仰恃陛下圣德，俯杖良牧[228]仁政，克自保全，以至今日。陛下奈何乃以臣等贸[229]马三千匹、羊三万口？贱人贵畜[230]，无乃不可！若军国须马，直烦尚书一符[231]，臣州三千余户，各输一马[232]，朝下夕办[233]，何难之有？昔汉武倾天下之资力，开拓河西，以断匈奴右臂[234]。今陛下无故弃五郡[235]之地忠良华族，以资暴虏[236]，岂惟臣州士民坠于涂炭，恐方为[237]圣朝旰食之忧[238]。"兴悔之，使西平人车普驰止王尚，又遣使谕傉檀。会傉檀已帅步骑三万军于五涧[239]，普先以状告之，傉檀遽逼遣王

后燕军轻装前进，走了有三千多里，军士、马匹长途跋涉疲劳不堪，再加上天气寒冷，死亡的尸体沿途随处可见，军队进攻高句丽的木底城，没有攻克，后燕天王慕容熙只好率军返回。夕阳公慕容云身负箭伤，而且惧怕燕王慕容熙的凶残暴虐，于是便称病辞职了。

三月二十五日庚子，北魏皇帝拓跋珪从豺山宫回到京师平城。夏季，四月十五日庚申，拓跋珪再次前往豺山宫。十九日甲子，从豺山宫返回平城。

柔然国豆代可汗郁久闾社仑率军入侵北魏国边境地区。

五月，后燕主慕容宝的儿子博陵公慕容虔、上党公慕容昭，都因为受到猜忌而被慕容熙下诏逼令自杀。

六月，后秦陇西公姚硕德从上邽前往都城长安朝见后秦王姚兴，后秦王姚兴为此特别颁布了大赦令，赦免全国罪犯。等到姚硕德离开长安返回上邽的时候，秦王姚兴亲自相送，一直送到雍城才返回长安。姚兴接待晋公姚绪以及陇西公姚硕德都按照平民之家的叔侄礼节，车马、衣服、珍玩等，都先把好的挑选出来奉送给这两位叔父，而次一级的则留下自己用。至于国家的大政都要征询二位叔父意见之后再去施行。

南凉秃发傉檀率众讨伐北凉张掖公沮渠蒙逊，沮渠蒙逊在张掖城四周设防，率军固守。秃发傉檀率军挺进到张掖城北的赤泉便撤军而回，然后向后秦进献三千匹马、三万头羊。后秦王姚兴认为秃发傉檀对自己很忠诚，于是任命秃发傉檀为都督河右诸军事、车骑大将军、凉州刺史，镇守姑臧。将担任凉州刺史的王尚召回长安。凉州人申屠英等派担任主簿的胡威前往后秦的京师长安，向后秦王姚兴请求留下王尚，姚兴没有答应。胡威在朝见姚兴的时候，痛哭流涕地说："我们凉州尊奉秦国的政策教令，到现在已经五年了，凉州地处偏僻，距离京师长安路途遥远，朝廷的军事威力达不到这里，这里的官吏和民众含辛茹苦、浴血奋战，共同守卫着姑臧这座孤城。上仰陛下的圣德，下靠好刺史实行仁政，才获得了自我保全，维持到今天。陛下为何要用凉州人民去换取三千匹马、三万头羊？如此不看重人的生命而贪图那些牲畜，恐怕不可以吧！如果国家的军队需要马匹，只需麻烦尚书省下一道命令就可以了，凉州一共有三千多户，每户只需向朝廷贡献一匹马，早晨下达命令，到了晚上就可以把事情办好，这有什么难以办到的？过去汉武帝刘彻耗尽了全国的人力物力，开拓了河西地区这片疆土，斩断了匈奴西方盟国的援兵，使其陷于孤立。如今陛下却无缘无故地把武威、张掖、酒泉、敦煌、金城这五个郡中的忠诚善良的华族百姓抛弃，把他们送给残暴的秃发傉檀，岂止是凉州的士民从此陷入生灵涂炭的困境，恐怕即将成为朝廷的忧患，搅扰得陛下连饭都吃不好。"姚兴也感到后悔，于是一面派西平人车普飞马去制止凉州刺史王尚，让他不要离开任所，一面派人通知秃发傉檀。而此时的秃发傉檀已经率领三万名步兵、骑兵驻扎于姑臧城南的五涧，车普把后秦王姚兴的意思告诉了秃发傉檀，秃发傉檀却立即逼迫王尚赶紧离开姑臧。

尚㉔⓪。尚出自清阳门㉔①，傉檀入自凉风门㉔②。

别驾㉔③宗敞送尚还长安，傉檀谓敞曰："吾得凉州三千余家，情之所寄㉔④，唯卿一人，奈何舍我去乎？"敞曰："今送旧君㉔⑤，所以忠于殿下也。"傉檀曰："吾新牧贵州㉔⑥，怀远安迩㉔⑦之略如何？"敞曰："凉土虽弊，形胜之地㉔⑧。殿下惠抚其民㉔⑨，收其贤俊以建功名，其何求不获？"因荐本州文武名士十余人，傉檀嘉纳之。王尚至长安，兴以为尚书㉕⓪。

傉檀燕㉕①群臣[7]于宣德堂㉕②，仰视叹曰："古人有言：'作者不居，居者不作㉕③。'信矣㉕④。"武威孟祎曰："昔张文王㉕⑤始为此堂，于今百年㉕⑥，十有二主㉕⑦矣，惟履信思顺㉕⑧者可以久处。"傉檀善之。

魏主珪规度㉕⑨平城，欲拟邺、洛、长安㉖⓪修广宫室。以济阳太守莫题㉖①有巧思，召见，与之商功㉖②。题久侍稍怠，珪怒，赐死。题，含之孙也。于是发八部㉖③五百里内男丁筑灅南宫，阙门㉖④高十余丈，穿沟池，广苑囿㉖⑤，规立外城，方二十里，分置市里㉖⑥，三十日罢㉖⑦。

秋，七月，魏太尉宜都丁公穆崇㉖⑧薨。

八月，秃发傉檀以兴城侯文支镇姑臧，自还乐都㉖⑨。虽受秦爵命，然其车服礼仪，皆如王者。

甲辰㉗⓪，魏主珪如豺山宫，遂之石漠㉗①。九月，度漠北。癸巳㉗②，南还长川㉗③。

刘裕闻谯纵反，遣龙骧将军毛脩之㉗④将兵与司马荣期、文处茂、时延祖共讨之。脩之至宕渠㉗⑤，荣期为其参军杨承祖所杀。承祖自称巴州刺史，脩之退还白帝。

秃发傉檀求好于西凉，西凉公暠许之。

王尚刚从姑臧东面的清阳门出去，秃发傉檀就从姑臧城南面的凉风门进入了姑臧城。

担任别驾的宗敞护送王尚离开凉州前往后秦京师长安的时候，秃发傉檀对宗敞说："我虽然得到了凉州的三千多户人家，然而最令我牵挂的，却只有你一个人，你为什么要抛弃我而到长安去呢？"宗敞回答说："我今天护送旧日的君长，正是为了效忠于殿下。"秃发傉檀说："我刚刚接任了凉州刺史职务，请你告诉我，我应该怎么样做才能使整个凉州地区的人民心甘情愿地服从我的管辖？"宗敞说："凉州地面虽然穷困凋敝，然而却是一个形势险要的地区。殿下只要注意安抚百姓，施行德政，招揽贤能，建立功名事业，如此一来，想要得到什么而不能得到呢？"于是向秃发傉檀举荐了十多名凉州本地的知名文武人士，秃发傉檀对宗敞的举荐非常赞许，全部予以录用。宗敞来到长安，后秦王姚兴任命宗敞为尚书。

秃发傉檀在姑臧城中的宣德堂设宴款待群臣，他抬头看了看，不禁感慨地说："古代的人说过这样的话：'建造房屋的人自己不能住在里面，而住房子的人自己不建造房屋。'确实如此啊。"武威郡人孟祎说："从过去凉文王张骏开始建造这座宣德堂到现在，将近一百年，这里已经更换了十二代主人。看来只有坚守诚信、顺应民心的人才可以在这里长久地住下去。"秃发傉檀认为孟祎说得很对。

北魏皇帝拓跋珪对京师平城重新进行规划，准备仿照邺城、洛阳、长安的样子扩建皇宫。拓跋珪认为担任济阳太守的莫题构思精巧，于是召见莫题，与莫题一起商议建筑新都的工程设计等问题。莫题在拓跋珪身边侍奉的时间一久，便稍微有些怠慢，拓跋珪于是大怒，立即下令，让莫题自杀。莫题是莫含的孙子。拓跋珪征调平城以外的东、西、南、北、东南、西北、西南、东北八个地区中距离平城五百里以内的所有成年男子修筑灅南宫。灅南宫的正南门高十余丈，挖掘水渠、池塘，扩建畜养禽兽、种植花草树木以供打猎和游览的苑囿，并规划修建外城，外城二十里见方，其中分划出市场与街道里巷，只用了三十天就修筑完毕。

秋季，七月，北魏担任太尉的宜都丁公穆崇去世。

八月，秃发傉檀令兴城侯文支镇守姑臧，自己返回故都乐都。秃发傉檀虽然接受了后秦所任命的官爵，然而他的车马服饰、各种仪仗，都与国王一样。

八月初一日甲辰，北魏皇帝拓跋珪前往豺山宫，并从豺山宫前往石漠。九月，拓跋珪经过石漠继续北行。二十日癸巳，向南返回到长川。

刘裕听说谯纵谋反、自称成都王，于是派遣龙骧将军毛脩之率军与担任益州刺史的司马荣期、担任涪陵太守的文处茂、担任巴东司马的时延祖共同率军讨伐谯纵。毛脩之率军抵达宕渠县，不料司马荣期被自己属下担任参军的杨承祖杀死。杨承祖自称巴州刺史，毛脩之只得退回白帝城。

南凉秃发傉檀向西凉公李暠请求成为友好邻邦，西凉公李暠非常赞成秃发傉檀的意见。

沮渠蒙逊袭酒泉，至安珍[276]。暠战败，城守，蒙逊引还。

南燕公孙五楼欲擅朝权，谮北地王钟于南燕主超，请诛之。南燕主备德之卒也，慕容法不奔丧，超遣使让[277]之。法惧，遂与钟及段宏谋反。超闻之，征钟[278]，钟称疾不至。超收其党侍中慕容统等，杀之。征南司马[279]卜珍告左仆射封嵩数与法往来，疑有奸，超收嵩下廷尉。太后[280]惧，泣告超曰："嵩数遣黄门令牟常说吾云：'帝非太后所生，恐依永康故事[281]。'我妇人识浅，恐帝见杀[282]，即以语法。法为谋见误[283]，知复何言。"超乃车裂嵩。西中郎将封融奔魏。

超遣慕容镇攻青州[284]，慕容昱攻徐州[285]，右仆射济阳王凝[286]及韩范攻兖州[287]。昱拔莒城，段宏奔魏。封融与群盗袭石塞城[288]，杀镇西大将军余郁，国中振恐。济阳王凝谋杀韩范，袭广固，范知之，勒兵攻凝，凝奔梁父。范并将其众，攻梁父，克之。法出奔魏，凝出奔秦。慕容镇克青州，钟杀其妻子[289]，为地道以出，与高都公始皆奔秦。秦以钟为始平[290]太守，凝为侍中。

南燕主超好变更旧制，朝野多不悦。又欲复肉刑[291]，增置烹轘[292]之法，众议不合而止。

冬，十月，封孚卒。

尚书论建义[8]功[293]，奏封刘裕豫章郡公[294]，刘毅南平郡[295]公，何无忌安成[9]郡[296]公，自余封赏有差[297]。

梁州刺史刘稚反，刘毅遣将讨禽之。

庚申[298]，魏主珪还平城。

乙亥[299]，以左将军孔安国为尚书左仆射。

北凉张掖公沮渠蒙逊率军袭击西凉的都城酒泉，大军一直推进到酒泉城东的安珍县。西凉公李暠率军出城反击，结果兵败，只好退回酒泉城内坚守，沮渠蒙逊率军退走。

南燕公孙五楼想要独揽朝政大权，于是便在慕容超面前诋毁北地王慕容钟，请求将慕容钟除掉。在南燕主慕容备德去世的时候，慕容法没有到京师广固来奔丧，慕容超于是派使者去责备慕容法。慕容法非常惧怕，于是便联络慕容锺与段宏一同谋反。慕容超听到风声，便征召北地王慕容钟返回京师，慕容钟称说自己有病，不肯应诏前往广固。慕容超便把慕容钟的党羽、担任侍中的慕容统等抓起来，杀死。担任征南司马的卜珍向南燕主慕容超告发担任左仆射的封嵩多次与慕容法往来，可能有什么阴谋，慕容超因此又把封嵩逮捕送交廷尉处治。皇太后段氏担心自己被牵扯出来，心中非常恐惧，于是她一边哭一边对慕容超说："封嵩曾经多次派遣担任黄门令的牟常来劝说我：'皇帝不是皇太后的亲生儿子，恐怕有朝一日会像后燕主慕容宝在永康元年逼杀他的母亲段氏那样将太后杀死。'我是一个妇道人家，见识短浅，害怕被皇帝杀死，所以就告诉了慕容法。慕容法图谋造反而哄骗了我，现在我知道了事实真相，还能说什么呢。"慕容超遂用车裂的酷刑处死了左仆射封嵩。担任西中郎将的封融逃往北魏。

南燕主慕容超派慕容镇率军攻打担任青州刺史的北地王慕容钟，派慕容昱率军攻打担任徐州刺史的段宏，派担任右仆射的济阳王慕容凝会同韩范一起攻击兖州。慕容昱攻克了徐州刺史府所在地莒城，担任徐州刺史的段宏逃往北魏。封融与一群盗贼一同袭击石塞城，杀死了镇西大将军余郁，震动了全国。济阳王慕容凝密谋杀死韩范，然后袭击南燕的都城广固，韩范得知消息，便组织兵力攻击慕容凝，慕容凝兵败后逃往梁父。韩范接管了济阳王慕容凝的部众，攻击梁父，将梁父占领。慕容法逃往北魏，慕容凝逃往后秦。慕容镇攻克了青州，慕容钟杀死了自己妻子和儿女，挖掘了一条地道得以逃出，他与高都公慕容始全都投奔了后秦。后秦王姚兴任命慕容钟为始平太守，任命慕容凝为侍中。

南燕主慕容超喜好变更旧有的政治制度，朝廷和民间都很不高兴。慕容超还想恢复过去残害身体的酷刑，增加将人煮死的烹刑、用车裂的办法将人处死的轘刑，朝廷大臣经过商议，都不赞成，这才没有把它们列入刑罚之中。

冬季，十月，南燕担任太尉的封孚去世。

东晋尚书省评议在平定桓玄叛乱、复兴东晋王室过程中群臣所建立的功劳，于是上奏请求晋安帝司马德宗封镇军将军刘裕为豫章郡公，封刘毅为南平郡公，封何无忌为安成郡公，对于其他有功者，按照功劳大小，都有不同等次的封赏。

东晋担任梁州刺史的刘稚起兵谋反，刘毅率军前往讨伐，将刘稚擒获。

十月十八日庚申，北魏皇帝拓跋珪从长川回到京师平城。

乙亥日，东晋任命担任左将军的孔安国为尚书左仆射。

十一月，秃发傉檀迁于姑臧。

乞伏乾归入朝于秦。

十二月，以何无忌为都督荆江豫三州八郡[300]军事、江州刺史。

是岁，桓石绥[301]与司马国璠[302]、陈袭聚众胡桃山[303]为寇，刘毅遣司马刘怀肃讨破之。石绥，石生之弟也。

【段旨】

以上为第二段，写晋安帝义熙二年（公元四〇六年）一年间的大事。主要写了秦主姚兴敬重其叔姚硕德，有人君之度。写了秃发傉檀强悍于河西，因向后秦献马而获姚兴宠信，遂任其为凉州刺史，使其镇姑臧，众人反对，但为时已晚，河西地区遂一时被置于秃发傉檀的统治之下。写了后燕主慕容熙欲攻契丹，见其人马众多而弃其辎重还，又欲改攻高句丽，结果长途跋涉，士马疲冻，死者属路，一无所获。写了南燕主慕容超残忍暴虐，乐于游畋，宠信公孙五楼，内部分裂攻杀，败亡之趋势已不可挽救。写了魏主拓跋珪欲大兴土木于平城，以拟邺城、洛阳、长安，又建灅南宫，穷奢极丽。写了刘裕派毛脩之、司马荣期等讨伐谯纵，结果因杨承祖叛变，司马荣期被杀，杨承祖自立为巴州刺史，讨伐军中途撤回。写了桓玄余党继续作乱，被刘裕的部将讨平等。

【注释】

⑱⑨正月甲申：正月初八。⑲⓪令长：县令、县长。大县的长官叫令，小县的长官叫长。⑲①各之州县：都要到各自所管辖的州、县上去。⑲②未临民：即未到郡里上任。⑲③功臣为州者：身为功臣而任刺史之职者。为州，任刺史之职。⑲④以爵归第：免去职务，带着自己的级别爵位回家赋闲。⑲⑤谯明子：谯纵的堂弟，被谯纵任为巴州刺史。巴州的州治即今重庆市。⑲⑥陉北：冷陉山以北。冷陉山在今内蒙古巴林右旗北，或说在扎鲁特旗北。⑲⑦苻后：慕容熙的宠妃，后升为皇后。⑲⑧戊申：二月初二。⑲⑨猜虐：残忍、暴虐。猜，残忍。⑳⓪盘于游畋：沉迷于打猎、游赏。盘，乐，以……为乐。⑳①临轩：凭栏。轩，这里指栏杆。⑳②时望：当时有威望的人物。⑳③优容：优待、宽容。⑳④河间王昙之：即司马昙之，司马钦之子，晋安帝的同族兄弟。⑳⑤二月甲戌：二月二十八。⑳⑥弋阳：即今河南潢川县，当时为弋阳郡的郡治所在地。⑳⑦属路：不绝于路。属，连接。⑳⑧木底城：在今沈阳东的新宾附近。⑳⑨夕阳公云：即慕容云，慕容宝之子，慕容熙之侄。㉑⓪三月庚子：三月二十五。㉑①平城：魏国的都城，在今山西大同东北。㉑②四月庚申：四月

十一月，秃发傉檀把都城从乐都迁到姑臧。

乞伏乾归从苑川前往后秦的都城长安朝见后秦王姚兴。

十二月，东晋任命何无忌为都督荆、江、豫三州八郡军事，江州刺史。

这一年，东晋的桓石绥与司马国璠、陈袭在历阳郡内的胡桃山招兵买马，占据山林成为草寇，刘毅派属下司马刘怀肃率军前往胡桃山进行讨伐，刘怀肃将桓石绥、司马国璠、陈袭等击败。桓石绥是桓石生的弟弟。

十五。㉑③甲子：四月十九。㉑④社仑：柔然民族的头领。㉑⑤雍：雍县，在今陕西宝鸡东北，在长安西往上邽（今甘肃天水市）的路上。㉑⑥晋公绪：即姚绪，与姚硕德都是姚兴之叔。㉑⑦如家人礼：按照平民之家的叔侄礼节，即只按辈分，不按君臣。家人，平民。㉑⑧咨：询问；征求意见。㉑⑨婴城：环城；绕城。这时沮渠蒙逊驻守张掖。㉒⓪赤泉：在今甘肃张掖东南。㉒①河右：此处即指黄河以西。㉒②姑臧：即今甘肃武威。㉒③王尚：原在姚兴部将齐难手下任长史，姚兴灭掉吕隆政权后，齐难任王尚为凉州刺史，镇姑臧。王尚在州颇有惠政。㉒④奉戴王化：奉行后秦的政策条令。王化，天子的教化，这里指后秦姚兴的政策规章。㉒⑤于兹五年：晋安帝隆安五年（公元四〇一年）吕隆降后秦，至此已经五年。㉒⑥威灵不接：后秦的军事威力达不到这里。不接，达不到。㉒⑦尝胆抆血：含辛茹苦，浴血奋斗。尝胆，吃苦、艰苦。抆血，浴血、擦干血迹。㉒⑧良牧：好的刺史，此指王尚。㉒⑨贸：贸易；交换。㉓⓪贱人贵畜：不看重人的生命，而贪得那几头牛羊。㉓①直烦尚书一符：只要让尚书省下一道命令就行了。直，只。符，命令。㉓②各输一马：每户交出一匹马。㉓③朝下夕办：早上下令，晚上就能办成。㉓④断匈奴右臂：指斩断匈奴西方盟国的援兵，使其陷于孤立。当时汉武帝伐大宛有这种考虑。㉓⑤五郡：武威、张掖、敦煌、酒泉、金城。㉓⑥以资暴虏：把他们送给残暴的秃发傉檀。资，送给。㉓⑦方为：将要成为。㉓⑧圣朝旰食之忧：你们朝廷今后的麻烦可就大了。圣朝，尊指姚兴政权。旰食，不能按时吃饭，以喻国家形势危急之严重。旰，晚。㉓⑨五涧：在姑臧城南。㉔⓪遽逼遣王尚：立刻逼着王尚赶紧离开姑臧。㉔①清阳门：胡三省以为应作“青阳门”。青阳门即姑臧城的东门。㉔②凉风门：姑臧城的南门。㉔③别驾：州刺史的高级僚属，总管州中诸事。以其随刺史出行时能单独乘坐一辆车而得名。㉔④情之所寄：心中最在意的。㉔⑤旧君：前任的长官。当时僚属称长官为“君”。㉔⑥新牧贵州：新任你们凉州的君长。牧，任凉州牧，担当凉州刺史。㉔⑦怀远安迩：让整个地区的人都心甘情愿地听我管辖。怀远，让远方人对我感念。安迩，让近处的人能安静地服从我。迩，近处。㉔⑧形胜之地：形势险要的地区。㉔⑨惠抚其民：以恩德对待这个地区的人。抚，驾驭、管理。㉕⓪尚书：即尚书郎，约当于今之国务院的部长。㉕①燕：这里的意思同“宴”，宴请、以酒饭招待。㉕②宣

德堂：当年张氏家族的凉州政权所建，是朝会与宴享群臣的场所。[253]作者不居二句：盖房子的不能住房子，住房子的不用盖房子。意思是感慨一切都有命定。[254]信矣：的确是这样啊。秃发傉檀在这里是感慨张氏称王的时代已经成为过去，如今只是留下一些遗迹而已。[255]张文王：即张骏，前凉政权的第三代统治者（公元三二四至三四五年在位），谥为文王。传见《晋书》卷八十六。[256]于今百年：自张骏在凉州执政（公元三二四年）到晋安帝义熙二年（公元四〇六年），共经历八十二年。[257]十有二主：前凉自张骏后，继任者有张重华、张曜灵、张祚、张玄靓、张天锡；接着于此任事者又有梁熙、吕光、吕绍、吕纂、吕隆、王尚，前后十二代。[258]履信思顺："履信"犹言守信，说话算话；"思顺"即思想合乎正道，能顺应民心。[259]规度：规划、测量。[260]欲拟邺、洛、长安：想仿照邺城、洛阳、长安的样子（建造宫殿）。邺城，在今河北临漳西南。先是曹操为魏王时的都城，东晋以来，后赵的石勒、石虎，前燕的慕容儁都曾以此为都城。[261]莫题：拓跋珪的部将，因军功被封为东宛侯，后又出任洛阳太守。传见《魏书》卷二十三。其祖父莫含先为刘琨僚属，后入东晋曾为左将军。[262]商功：商量建筑新都的工程。[263]八部：由京都平城向八方辐射将魏国领土所分成的八个地区。[264]阙门：宫殿的正南大门。[265]苑囿：园林、猎场。[266]市里：市场与街道里巷。[267]三十日罢：三十天后完成。[268]宜都丁公穆崇：穆崇是拓跋珪初起事时的元勋，因功被封为宜都公，因其参与过拓跋仪的谋逆，死后被谥为丁。据《谥法解》："述义不克曰丁。"[269]乐都：秃发傉檀的都城，即今青海海东市乐都区。[270]甲辰：八月初一。[271]石漠：在今内蒙古四子王旗北。[272]癸巳：九月二十。[273]长川：城镇名，在今河北尚义西。[274]毛脩之：字敬文，毛瑾之子，毛璩之侄，刘裕的得力部将。传见《宋书》卷四十八。[275]宕渠：县名，县治在今四川渠县东北。[276]安珍：胡三省以为应作"安弥"，安弥也叫绥弥，县名，县治在今甘肃酒泉东。[277]让：责备。[278]征

【原文】

义熙三年（丁未，公元四〇七年）

春，正月辛丑朔[304]，燕大赦，改元建始[305]。

秦王兴以乞伏乾归寖强[306]难制，留为主客尚书[307]，以其世子炽磐行[308]西夷校尉，监其部众[309]。

二月己酉[310]，刘裕诣建康，固辞新所除[311]官，欲诣廷尉[312]。诏从其所守[313]，裕乃还丹徒[314]。

钟：调慕容钟入朝。征，调、使之前来。㉗⑨ 征南司马：慕容法的僚属，当时慕容法任征南将军。㉘⓪ 太后：即慕容德之妻段氏。㉘① 永康故事：指慕容宝挟旧怨于永康元年杀害其父慕容垂的皇后事。见本书卷一百八太元二十一年。㉘② 恐帝见杀：恐被你所杀。㉘③ 法为谋见误：慕容法图谋造反而哄骗了我。㉘④ 青州：南燕青州的州治在东莱（今山东莱州市），时慕容钟为青州刺史。㉘⑤ 徐州：南燕徐州的州治在莒城（今山东莒县），时段宏为徐州刺史。㉘⑥ 济阳王凝：即慕容凝。㉘⑦ 兖州：南燕兖州的州治在梁父（今山东泰安东南），时慕容法为兖州刺史。㉘⑧ 石塞城：在今山东济南市长清区西南。㉘⑨ 杀其妻子：谓杀死了自己的妻子儿女，只身外逃。㉙⓪ 始平：郡名，郡治槐里，今陕西兴平东南。㉙① 肉刑：指宫刑、刖刑、断左右趾等。㉙② 烹轘：烹，指将人用水煮。轘，指车裂。㉙③ 建义功：指起兵讨平桓玄，奉晋安帝复辟的功勋。㉙④ 豫章郡公：以豫章郡为其领地的公爵。豫章郡治即今江西南昌。㉙⑤ 南平郡：郡治江安，在今湖北公安北。㉙⑥ 安成郡：郡治平都，即今江西安福。㉙⑦ 封赏有差：随功劳大小而有高低不同的封赏。㉙⑧ 庚申：十月十八。㉙⑨ 乙亥：十月初一是"癸卯"，本月无"乙亥"。乙亥应是十一月初三。㉚⓪ 三州八郡：指荆州的武昌、江州的寻阳、豫章、庐陵、临川、鄱阳、南康和豫州的晋熙。㉚① 桓石绥：桓豁之子，桓玄的堂兄弟。㉚② 司马国璠：晋安帝的族侄，前于桓玄之乱时，与其弟叔璠逃往南燕。㉚③ 胡桃山：在历阳（今安徽和县）附近。

【校记】

［6］甲子：原误作"甲午"。今据严衍《通鉴补》改作"甲子"。［7］臣：据章钰校，甲十一行本、乙十一行本、孔天胤本皆作"僚"。［8］义：据章钰校，孔天胤本作"议"。［9］成：据章钰校，甲十一行本、乙十一行本、孔天胤本皆作"城"。

【语译】

三年（丁未，公元四〇七年）

春季，正月辛丑朔，后燕实行大赦，改年号为建始。

后秦王姚兴认为归义侯乞伏乾归的势力逐渐强盛，已经难以控制，于是便趁乞伏乾归前来朝见的机会将他留在京师长安，让他担任主客尚书，任命乞伏乾归的世子乞伏炽磐为代理西夷校尉，负责管理乞伏乾归的部众。

二月初九日己酉，刘裕前往京师建康，坚决辞让晋安帝司马德宗最近所任命的官职，还准备前往廷尉那里请求。晋安帝司马德宗下诏批准刘裕辞职的请求，刘裕这才返回丹徒。

魏主珪立其子脩为河间王，处文为长乐王㉛，连为广平王㉜，黎为京兆王。

殷仲文㉝素有才望，自谓宜当朝政㉞，悒悒㉟不得志；出为东阳㊱太守，尤不乐。何无忌素慕其名，东阳，无忌所统㊲，仲文许便道修谒㊳，无忌喜，钦迟㊴之。而仲文失志恍惚，遂不过府㊵。无忌以为薄㊶己，大怒。会南燕入寇，无忌言于刘裕曰："桓胤㊷、殷仲文乃腹心之疾，北虏不足忧也。"闰月，刘裕府将骆冰谋作乱，事觉，裕斩之。因言冰与仲文、桓石松、曹靖之、卞承之、刘延祖潜相连结，谋立桓胤为主，皆族诛之。

燕王熙为其后苻氏起承华殿，负土于北门327，土与谷同价。宿军典军328杜静载棺诣阙极谏，熙斩之。

苻氏尝季夏329思冻鱼，仲冬330须生地黄331，熙下有司切责332不得而斩之。

夏，四月癸丑333，苻氏卒，熙哭之懑绝，久而复苏。丧之如父母，服斩衰334，食粥。命百官于宫内设位335而哭，使人按检336哭者，无泪则罪之，群臣皆含辛337以为泪。高阳王妃338张氏，熙之嫂也，美而有巧思，熙欲以为殉339，乃毁其禭靴340中得弊毡，遂赐死。右仆射韦璆等皆恐为殉，沐浴俟命。公卿以下至兵民，户率营陵341，费殚府藏342。陵周围数里，熙谓监作者曰："善为之，朕将继往343。"

丁酉344，燕太后段氏345去尊号，出居外宫。

氐王杨盛以平北将军苻宣为梁州督[10]护，将兵入汉中，秦梁州别驾吕莹等起兵应之346。刺史王敏347攻之，莹等求援于盛，盛遣军临浕口348，敏退屯武兴349。盛复通于晋350，诏[11]以盛为都督陇右诸军事、征西大将军、开府仪同三司，盛因以宣行梁州刺史。

北魏皇帝拓跋珪封自己的儿子拓跋脩为河间王，封拓跋处文为长乐王，拓跋连为广平王，拓跋黎为京兆王。

东晋担任尚书的殷仲文一向享有才名和声望，认为自己应该在朝中担任手握朝权的宰相，却一直很不得志，因此郁郁寡欢；后来被任命为东阳太守，心中尤其不快。何无忌一向仰慕殷仲文的名望，东阳郡又在何无忌的辖区之内，殷仲文曾经许诺上任路过时一定顺便前去拜访，何无忌非常高兴，于是恭敬地等待殷仲文的到访。而殷仲文因为官场的不得意，整天精神恍惚，竟然没有遵守诺言到何无忌的都督府中拜访。何无忌以为殷仲文看不起自己，心中不免大怒。恰遇南燕军队入侵东晋边境，何无忌便趁机对镇军将军刘裕说："桓胤、殷仲文乃是心腹之患，而北方的强虏却不值得过分忧虑。"闰二月，刘裕镇军将军府的部将骆冰密谋叛乱，事情败露，刘裕将骆冰杀死。于是扬言说骆冰与东阳太守殷仲文、桓石松、曹靖之、卞承之、刘延祖暗中互相勾结，阴谋拥戴桓胤为盟主，这些人全部被灭族。

后燕天王慕容熙为自己的王后苻氏起造承华殿，令人从北门外向宫里背土，土的价格竟然与谷米同价。在驻守宿军的部队中担任典军的杜静用车拉着棺材到皇宫门口极力劝阻，慕容熙不仅没有接受，反而杀死了杜静。

后燕王后苻氏曾经在炎热的夏季想吃冻鱼，在最寒冷的冬季索要生地黄，天王慕容熙于是向有关部门极力讨要，有关部门找不到这些东西进献，慕容熙就杀死了有关人员。

夏季，四月癸丑日，后燕苻王后去世，后燕天王慕容熙哭得悲痛欲绝，过了好长时间才逐渐苏醒。慕容熙就像办理亲生父母的丧礼一样，身穿最重的丧服，每天只喝一点稀粥维持生命。他令文武官员在皇宫之内为苻王后设立灵堂进行哭吊，并派人逐个进行检查，有哀哭之声而没有眼泪的就要治罪，群臣为了能流出眼泪，全都往眼睛里涂辣椒，好刺激眼睛流泪。高阳王慕容隆的王妃张氏，是后燕天王的嫂子，长得非常美丽，而且心灵手巧，慕容熙就想让张氏为苻氏王后殉葬，于是便令人拆毁了张氏给苻氏送终而缝制的靴子，发现靴子里用的是旧毛毡，便认定张氏犯了罪，下诏令张氏自杀。担任右仆射的韦璆等都担心自己被当成殉葬品，于是便预先沐浴等待慕容熙的诏令。从朝中的公卿大臣一直到最底层的士卒百姓，几乎每家每户都要出人去为苻氏修建陵墓，仅此一项，就把国库中的储备消耗一空。苻氏陵墓长达好几里，慕容熙对担任工程监督的人说："好好干，我随后也要住到里面去。"

四月二十八日丁酉，后燕太后段氏被取消了太后的尊号，逐出后宫，到宫外居住。

氐王杨盛任命担任平北将军的苻宣为梁州督护，率军进入汉中，后秦担任梁州别驾的吕莹等聚众起兵响应苻宣。担任梁州刺史的王敏率军攻击吕莹，吕莹等向氐王杨盛请求救援，杨盛遂派军逼近泜口，王敏将军队撤退到武兴。氐王杨盛又派使者向东晋称藩，晋安帝司马德宗下诏任命杨盛为都督陇右诸军事、征西大将军、开府仪同三司，杨盛任命平北将军苻宣为代理梁州刺史。

五月壬戌[351][12]，燕尚书郎苻进[352]谋反，诛。进，定之子也。

魏主珪北巡，至濡源[353]。

魏常山王遵以罪赐死。

初，魏主珪灭刘卫辰[354]，其子勃勃[355]奔秦，秦高平公没弈干以女妻之。勃勃魁岸[356]，美容[13]仪，性辩慧，秦王兴见而奇之，与论军国大事，宠遇逾于勋旧。兴弟邕谏曰："勃勃不可近也。"兴曰："勃勃有济世之才，吾方与之[357]平天下，奈何逆忌之[358]？"乃以为安远将军，使助没弈干镇高平[359]，以三城、朔方[360]杂夷及卫辰部众[361]三万配之，使伺魏间隙。邕固争以为不可，兴曰："卿何以知其为人？"邕曰："勃勃奉上慢，御众残，贪猾不仁，轻为去就[362]。宠之逾分，恐终为边患。"兴乃止。久之，竟以勃勃为安北将军、五原公[363]，配以三交五部[364]鲜卑及杂虏二万余落，镇朔方。

魏主珪归[365]所虏秦将唐小方[366]于秦。秦王兴请归贺狄干[367]，仍送良马千匹以赎狄伯支，珪许之。

勃勃闻秦复与魏通而怒，乃谋叛秦。柔然可汗社仑献马八千匹于秦，至大城[368]，勃勃掠取之，悉集其众三万余人，伪畋于高平川[369]，因袭杀没弈干而并其众。

勃勃自谓夏后氏[370]之苗裔，六月，自称大夏天王、大单于，大赦，改元龙升，置百官。以其兄右地代[371]为丞相，封代公；力俟提[372]为大将军，封魏公；叱干阿利[373]为御史大夫，封梁公；弟阿利罗引[374]为司隶校尉，若门为尚书令，叱以鞬为左仆射，乙斗为右仆射。

贺狄干久在长安，常幽闭，因习读经史，举止如儒者。及还，魏主

五月二十四日壬戌，后燕担任尚书郎的苻进阴谋造反，被诛杀。苻进是苻定的儿子。

北魏皇帝拓跋珪向北巡守，到达濡源。

北魏常山王拓跋遵因为犯罪，魏国皇帝拓跋珪下令让他自杀。

当初，北魏皇帝拓跋珪灭掉了匈奴部落首领刘卫辰，刘卫辰的儿子刘勃勃逃往后秦，后秦高平公没弈干把自己的女儿嫁给刘勃勃为妻。刘勃勃长得魁梧高大，仪表堂堂，能言善辩，机敏聪慧，后秦王姚兴见过刘勃勃之后感到非常惊异，便与他谈论起政治军事等方面的国家大事，对刘勃勃的宠爱和恩遇甚至超过了其他旧日的功臣。姚兴的弟弟姚邕劝谏说:“对刘勃勃这种人不能太亲近。”姚兴说:“刘勃勃具有拯救世人的才干，我正准备依靠他来平定天下，你怎么能预先就猜忌他?”于是准备任命刘勃勃为安远将军，让他协助高平公没弈干镇守高平，并把三城、朔方一带各少数民族以及刘勃勃的父亲刘卫辰的余部总计三万人全部分配给刘勃勃统领，令他严密监视北魏的行动，寻找有利时机。姚邕极力谏诤，认为不可以这样做。姚兴说:“你怎么知道刘勃勃的为人?”姚邕说:“刘勃勃对待君长傲慢无礼，对待属下手段残忍，既贪婪又狡诈，缺乏仁爱之心，很容易叛离旧主。宠信得如果太过分，最终恐怕会成为边境上的一大祸患。”姚兴这才打消了上述念头。过了一段时间之后，姚兴竟然任命刘勃勃为安北将军、五原公，把三交县境内的五个部落的鲜卑人以及各少数民族的二万多落调拨给刘勃勃，令刘勃勃率领着去镇守朔方郡。

北魏皇帝拓跋珪把在柴壁战役中俘虏的后秦越骑校尉唐小方放回后秦。后秦王姚兴请求允许送还被扣留在后秦的北魏使者贺狄干，同时赠送给北魏一千匹好马，以赎回狄伯支，拓跋珪答应了姚兴的要求。

后秦安北将军、五原公刘勃勃得知后秦又与北魏互相和解而大为愤怒，于是便密谋背叛后秦。恰好此时柔然豆代可汗郁久闾社仑向后秦进献八千匹马，正抵达朔方郡内的大城，刘勃勃遂把这八千匹马全部掠去，占为已有，又把自己属下的三万多名部众全部召集起来，假装到高平川打猎，趁机袭击高平郡，他杀死了没弈干，兼并了没弈干的部众。

刘勃勃说自己的匈奴族是夏王大禹的后裔，六月，刘勃勃便自称大夏天王、大单于，在自己的辖区内实行大赦，改年号为龙升，同时开始设置文武百官。大夏天王、大单于刘勃勃任命自己的哥哥刘右地代为丞相，封为代公；任命刘力俟提为大将军，封为魏公；任命刘叱于阿利为御史大夫，封为梁公；任命自己的弟弟刘阿利罗引为司隶校尉，刘若门为尚书令，刘叱以鞬为左仆射，刘乙斗为右仆射。

北魏派往后秦的使者贺狄干因为被扣留在后秦的都城长安已经很久，而且经常处在被软禁的状态，遂利用这段时间潜心研读儒家的经典和其他史书，因此其行为举止简直就像一位儒家学派的知识分子。等到返回北魏，北魏皇帝拓跋珪看见贺狄

珪见其言语衣服皆类秦人，以为慕而效之，怒，并其弟归杀之。

秦王兴以太子泓录尚书事。

秋，七月戊戌朔[375]，日有食之。

汝南王遵之[376]坐事死。遵之，亮之五世孙也。

癸亥[377]，燕王熙葬其后苻氏于徽平陵，丧车高大，毁北门而出，熙被发徒跣[378]，步从二十余里。甲子[379]，大赦。

初，中卫将军冯跋[380]及弟侍御郎[381]素弗皆得罪于熙，熙欲杀之，跋兄弟[14]亡命山泽。熙赋役繁数，民不堪命。跋、素弗与其从弟万泥[15]谋曰："吾辈还首[382]无路，不若因民之怨，共举大事，可以建公侯之业。事之不捷，死未晚也。"遂相与乘车，使妇人御[383]，潜入龙城，匿于北部司马[384]孙护之家。及熙出送葬，跋等与左卫将军张兴及苻进余党作乱。跋素与慕容云[385]善，乃推云为主。云以疾辞，跋曰："河间[386]淫虐，人神共怒，此天亡之时也。公，高氏名家，何能为人养子[387]，而弃难得之运[388]乎？"扶之而出。跋弟乳陈[389]等帅众攻弘光门，鼓噪而进，禁卫皆散走。遂入宫授甲，闭门拒守。中黄门[390]赵洛生走告于熙，熙曰："鼠盗何能为？朕当还诛之。"乃置后柩于南苑[391]，收发贯甲[392]，驰还赴难。夜，至龙城，攻北门，不克，宿于门外。乙丑[393]，云即天王位，大赦，改元正始[394]。

熙退入龙腾苑，尚方兵[395]褚头逾城从熙，称营兵[396]同心效顺[397]，唯俟军至。熙闻之，惊走而出[398]，左右莫敢迫[399]，熙从沟下潜遁。良久，

干的言谈举止、身上所穿的衣服都非常像秦国人，于是认为贺狄干是出于对秦国的羡慕而有意仿效秦国人，非常愤怒，就把贺狄干连同贺狄干的弟弟贺归一起杀死。

后秦王姚兴任命太子姚泓为录尚书事。

秋季，七月初一日戊戌，发生日食。

东晋汝南王司马遵之因为受到牵连被判有罪而被处死。司马遵之是汝南王司马亮的第五代孙。

七月二十六日癸亥，后燕天王慕容熙把自己的王后苻氏安葬在徽平陵，因为运送灵柩的丧车太高大，灵车从龙城的北门出不去，于是就拆毁了龙城的北门，使丧车得以通过。慕容熙在送丧的时候，披散着头发、光着两只脚，徒步送行二十多里。二十七日甲子，实行大赦。

当初，后燕担任中卫将军的冯跋以及冯跋的弟弟、担任侍御郎的冯素弗都得罪过后燕天王慕容熙，慕容熙在准备杀掉他们的时候，冯跋兄弟二人逃亡到了深山草泽之中。慕容熙无休止地向人民征收赋税和徭役，人民已经无法忍受。冯跋、冯素弗以及堂弟冯万泥一起谋划说：“我们这些人已经没有回头路可走，不如借着人民对朝廷的怨恨，共同聚众起兵，做一番轰轰烈烈的大事，或许能够建立封公封侯的大功业。即使事情不能成功，到那时再死也不晚。”于是便一起乘上车子，让妇女赶着车，偷偷地混入后燕的都城龙城，躲藏在担任北部司马孙护的家中。等到后燕天王慕容熙出城为苻氏王后送葬的时候，冯跋等和担任左卫将军的张兴以及苻进的余党共同发动政变。冯跋一向与慕容云关系很好，于是便推戴慕容云为盟主。慕容云以自己身体有病为借口婉言拒绝，冯跋说：“河间王慕容熙执政期间荒淫暴虐，人民和神灵都已经非常愤怒，这是上天灭亡慕容熙的时候。你原本是高句丽王室的支属，出身于名门高氏，为什么却愿意姓慕容氏、做慕容宝的养子，而放弃这难得的好机运呢？”说完，便搀扶着慕容云来到前厅。冯跋的弟弟冯乳陈等率领部众攻打弘光门，一面击鼓一面呐喊着向前冲杀，皇宫中的那些禁卫军全都四散逃走。冯跋等遂进入宫城，他打开武库，取出武库中的兵器分发给自己的部众，然后关闭宫城大门进行坚守。担任中黄门的赵洛生赶紧跑去禀报后燕天王慕容熙，慕容熙毫不介意地说：“几个像老鼠一样的小毛贼能有什么作为？看我回去怎么消灭他们。”于是便把王后苻氏的灵柩暂且安置在南苑，绾起头发，穿上铠甲，然后骑上战马率军奔赴龙城准备平定叛乱。当天夜间赶到龙城，率先攻打龙城的北门，却攻打不下，只得在城门外安营扎寨。七月二十八日乙丑，慕容云在龙城即位为天王，登上了宝座，实行大赦，改年号为正始。

慕容熙率领属下退入龙腾苑，在尚方署中服兵役的褚头翻越城墙逃出了龙城来追随慕容熙，褚头称军营中的士兵全都同心协力效忠于慕容熙，只等慕容熙率领大军到来攻城，他们愿意为大军做内应。慕容熙得到这个消息竟然非常惊恐不安，他飞快地跑出了营门，左右的将士谁也不敢去追，慕容熙跑出去之后，便顺着一条水

左右怪其不还，相与寻之，唯得衣冠，不知所适。中领军[400]慕容拔谓中常侍[401]郭仲曰："大事垂捷[402]，而帝无故自惊，深可怪也。然城内企迟[403]，至必成功，不可稽留[404]。吾当先往趣城[405]，卿留待帝，得帝，速来。若帝未还，吾得如意安抚城中[406]，徐迎未晚。"乃分将壮士二千余人登北城。将士谓熙至，皆投仗请降。既而熙久不至，拔兵无后继，众心疑惧，复下城赴苑[407]，遂皆溃去。拔为城中人所杀。丙寅[408]，熙微服匿于林中，为人所执，送于云，云数而杀之[409]，并其诸子。云复姓高氏。

幽州刺史上庸公懿[410]以令支[411]降魏，魏以懿为平州牧、昌黎王。懿，评之孙也。

魏主珪自濡源西如参合陂[412]，乃还平城。

秃发傉檀复贰于秦[413]，遣使邀[414]乞伏炽磐。炽磐斩其使，送长安。

南燕主超母妻犹在秦，超遣御史中丞封恺使于秦以请之。秦王兴曰："昔苻氏之败[415]，太乐诸伎[416]悉入于燕[417]。燕今称藩[418]，送伎[419]或送吴口[420]千人，所请乃可得[421]也。"超与群臣议之，左仆射段晖曰："陛下嗣守社稷[422]，不宜以私亲之故遂降尊号[423]。且太乐先代遗音，不可与也，不如掠吴口与之。"尚书张华曰："侵掠邻国，兵连祸结，此既能往，彼亦能来[424]，非国家之福也。陛下慈亲在人掌握，岂可靳惜虚名[425]，不为之降屈乎？中书令韩范尝与秦王俱为苻氏太子舍人[426]，若使之往，必得如志[427]。"超从之，乃使韩范聘于秦[428]，称藩奉表[429]。

慕容凝言于兴曰："燕王得其母妻，不复可[16]臣，宜先使送伎。"兴乃谓范曰："朕归燕王家属必矣，然今天时尚热，当俟秋凉。"八月，

沟偷偷地逃走了。过了很久，左右的将士看到慕容熙还不回来，都感到很奇怪，于是一同出去寻找，只找到了慕容熙身上穿的衣服和头上戴的帽子，却不知道慕容熙跑到哪里去了。担任中领军的慕容拔对担任中常侍的郭仲说："在这即将取胜的关键时刻，而皇帝却无缘无故地自己惊慌失措起来，确实让人感到特别奇怪。然而城内忠于天王的人正在踮着脚跟企盼大军的到来，只要大军一到，必定能够取得成功，所以不能在这里久留。我要率先赶回龙城，你留在这里等候皇帝，皇帝一旦回来，你就立即赶来。如果皇帝没有回来，我如果能够顺利地攻克龙城，稳定了局势，再慢慢寻找皇帝也不晚。"于是与诸将分别统领二千多名壮士攻入了龙城的北城。城内将士以为天王慕容熙已经返回，便纷纷放下兵器请求投降。后来慕容熙很长时间都没有露面，慕容拔的军队也没有后援，众人心中充满了怀疑和恐惧，于是纷纷退出北城奔回龙腾苑。回到龙腾苑之后，仍然不见天王慕容熙，于是全部溃散而去。中领军慕容拔也被龙城中的守军杀死。七月二十九日丙寅，慕容熙身穿平民的服装隐藏在树林当中，被人捉住，送到慕容云面前，慕容云列数他的罪行，而后将慕容熙杀死，一同被杀的还有他的几个儿子。慕容云恢复了自己原来的姓氏高姓。

后燕担任幽州刺史的上庸公慕容懿献出自己所镇守的令支城，投降了北魏，北魏皇帝拓跋珪任命慕容懿为平州牧，封其为昌黎王。慕容懿是慕容评的孙子。

北魏皇帝拓跋珪从濡源西行，前往参合陂，又从参合陂返回都城平城。

秃发傉檀再次背叛了后秦，他从自己的都城姑臧派使者前往苑川联络乞伏炽磐。乞伏炽磐竟然将秃发傉檀所派的使者杀死，并把使者的首级送往后秦的都城长安。

南燕主慕容超的亲生母亲段氏、妻子呼延氏还留在后秦境内，慕容超派遣担任御史中丞的封恺出使后秦，请求将自己的母亲段氏和妻子呼延氏接回南燕。后秦王姚兴说："前秦苻氏败亡的时候，前秦太乐署中的歌舞伎全都归了南燕。南燕如果能够向秦国俯首称臣，并把从前秦弄走的那些歌舞伎送回秦国，或者是把俘虏的一千名东晋人送给秦国，我就同意把慕容超的母亲和妻子交还给你们。"慕容超与群臣商议如何应对秦国，担任左仆射的段晖说："陛下已经继承先帝的大业，成为一国之主，就不应该因为个人亲情的缘故而取消尊贵的皇帝称号，去做后秦的藩属国。再说，宫廷音乐是先代的遗音，不能送给别人，不如去抢掠东晋的人口送给后秦。"担任尚书的张华说："侵略邻国，将会导致兵连祸结，我们既然能够去抢掠晋国人，晋国也一定会来抢掠我国人，这可不是国家的福分。陛下的慈母、妻子都掌握在别人的手中，岂能因为吝惜一个'皇帝'的名号，而不肯降低身份委曲求全呢？担任中书令的韩范与秦王姚兴都曾经在苻氏的秦国当过太子舍人，如果派韩范出使秦国，一定能够如愿以偿。"慕容超听从了张华的意见，于是派遣韩范出使秦国，向后秦呈递表章，自称藩臣。

慕容凝对后秦王姚兴说："南燕主慕容超得到自己的母亲和妻子之后，肯定不会再向秦国称臣，应该先让他把歌舞伎送来。"姚兴于是对南燕的使者韩范说："我肯定会把燕王的母亲、妻子送还燕国，然而现在天气还很热，应该等到秋凉。"八月，

秦使员外散骑常侍韦宗聘于燕。超与群臣议见宗之礼，张华曰："陛下前既奉表，今宜北面受诏[430]。"封逞曰："大燕七圣重光[431]，奈何一旦为竖子屈节[432]？"超曰："吾为太后屈，愿诸君勿复言！"遂北面受诏。

毛脩之与汉嘉太守冯迁合兵击杨承祖[433]，斩之。脩之欲进讨谯纵，益州刺史鲍陋不可。脩之上表言："人之所以重生[434]，实有生理可保[435]。臣之情地[436]，生涂已竭[437]，所以借命朝露[438]者，庶凭天威诛夷仇逆[439]。今屡有可乘之机，而陋每违期不赴[440]，臣虽效死寇庭，而救援理绝[441]，将何以济[442]？"刘裕乃表襄城太守刘敬宣帅众五千伐蜀，以刘道规为征蜀都督。

魏主珪如豺山宫。候官[443]告："司空庾岳服饰鲜丽，行止风采[444]，拟则[445]人君。"珪收岳，杀之。

北燕王云以冯跋为都督中外诸军事、开府仪同三司、录尚书事，冯万泥为尚书令，冯素弗为昌黎尹，冯弘为征东大将军，孙护为尚书左仆射，张兴为辅国大将军。弘，跋之弟也。

九月，谯纵称藩于秦。

秃发傉檀将五万余人伐沮渠蒙逊，蒙逊与战于均石[446]，大破之。

蒙逊进攻西郡[447]太守杨统于日勒[448]，降之。

冬，十月，秦河州[449]刺史彭奚念叛，降于秃发傉檀，秦以乞伏炽磐行河州刺史。

南燕主超使左仆射张华、给事中宗正元[450]献太乐伎一百二十人于秦，秦王兴乃还超母妻，厚其资礼[451]而遣之，超亲帅六宫迎于马耳关[452]。

夏王勃勃破鲜卑薛干[453]等三部，降其众以万数，进攻秦三城已北诸戍，斩秦将杨丕、姚石生等。诸将皆曰："陛下欲经营关中，宜先固

后秦派担任员外散骑常侍的韦宗为使者出使南燕。南燕主慕容超与文武群臣一起商议接见后秦使者韦宗应该采用什么样的礼节，张华说："陛下此前已经向后秦呈递表章，自称藩臣，现在就应该面朝北方接受秦王的诏书。"封逞说："我们大燕国已经有七代人称帝于世，为什么突然之间要向姚兴那小子俯首称臣？"慕容超解释说："我是为了我的母亲皇太后而向后秦屈服，希望诸位不要再多说什么了！"于是，南燕主慕容超面向北方接受了后秦王姚兴的诏书。

东晋龙骧将军毛脩之与汉嘉太守冯迁联合率军攻击杨承祖，将杨承祖杀死。毛脩之想要乘胜进军去讨伐自称成都王的谯纵，担任益州刺史的鲍陋认为不可以。毛脩之于是上表给朝廷说："人所以把生命看得无比重要，那是因为他们都有继续活下去的理由。而我现在的心情和处境，已经没有理由再继续活下去，我之所以还能像朝露一样苟且地活在世上，是希望凭借着朝廷的威势消灭谯纵等这些叛贼，为被害的亲人报仇雪恨。如今虽然不断有出兵讨伐逆贼的机会，然而益州刺史鲍陋却每次都违背约定的时间，不肯出兵赴战，我虽然愿意深入贼穴拼力死战以报效国家，然而没有人援助，怎么能取得成功呢？"镇军将军刘裕于是上表给晋安帝司马德宗，举荐担任襄城太守的刘敬宣率领五千名士卒讨伐占据西蜀、自称成都王的谯纵，同时任命担任荆州刺史的刘道规为征蜀都督。

北魏皇帝拓跋珪从都城平城前往豺山宫。担任侦查任务的候官向拓跋珪报告说："担任司空的庾岳，身上穿的衣服、佩戴的服饰十分鲜艳华丽，他的行为举止、风度神采，完全仿效国君。"拓跋珪立即派人逮捕了庾岳，并将庾岳杀死。

北燕天王高云任命冯跋为都督中外诸军事、开府仪同三司、录尚书事，任命冯万泥为尚书令，任命冯素弗为昌黎尹，任命冯弘为征东大将，任命孙护为尚书左仆射，任命张兴为辅国大将军。冯弘是冯跋的弟弟。

九月，西蜀成都王谯纵向后秦称臣，做了后秦的藩属国。

秃发傉檀率领五万多人马讨伐北凉张掖公沮渠蒙逊，沮渠蒙逊率军在张掖城东部的均石迎战秃发傉檀所率领的南凉军，将南凉军打得大败。

沮渠蒙逊乘胜进攻南凉西郡太守杨统所镇守的日勒，杨统被打败后向沮渠蒙逊投降。

冬季十月，后秦担任河州刺史的彭奚念起兵叛变，投降了南凉秃发傉檀，后秦遂任命乞伏炽磐为代理河州刺史。

南燕主慕容超派遣担任左仆射的张华和担任给事中的宗正元为使者，将一百二十名太乐伎献给后秦，后秦王姚兴这才把慕容超的母亲段氏和妻子呼延氏归还给慕容超，并馈赠了丰厚的礼物，按照礼节送她们上路，慕容超亲自率领六宫的嫔妃前往马耳关迎接。

大夏天王刘勃勃一连击败了鲜卑族薛干等三个部落，向大夏投降的鲜卑人数以万计，夏王刘勃勃乘胜进攻后秦三城以北的各个军事据点，斩杀了后秦将领杨丕、姚石生等。刘勃勃属下的诸将都说："陛下如果打算夺取关中地区，就应该先巩固根

根本，使人心有所凭系[454]。高平[455]山川险固，土田饶沃，可以定都。”勃勃曰：“卿知其一，未知其二。吾大业草创，士众未多，姚兴亦一时之雄，诸将用命，关中未可图也。我今专固一城，彼必并力[456]于我，众非其敌，亡可立待。不如以骁骑风驰，出其不意，救前则击后，救后则击前，使彼疲于奔命，我则游食自若[457]。不及十年，岭北、河东[458]尽为我有。待兴既死，嗣子暗弱，徐取长安，在吾计中矣。”于是侵掠岭北，岭北诸城门不昼启[459]。兴乃叹曰：“吾不用黄儿[460]之言，以至于此！”

勃勃求婚于秃发傉檀，傉檀不许。十一月，勃勃帅骑二万击傉檀，至于支阳[461]，杀伤万余人，驱掠二万七千余口、牛马羊数十万而还。傉檀帅众追之，焦朗曰：“勃勃天姿雄健，御军严整，未可轻也。不如从温围[462]北渡[463]，趣万斛堆[464]，阻水[465]结营，扼其咽喉，百战百胜之术也。”傉檀将贺连怒曰：“勃勃败亡之余[466]，乌合之众，奈何避之，示之以弱？宜急追之！”傉檀从之。勃勃于阳武下峡[467]凿凌埋车以塞路[468]，勒兵逆击傉檀，大破之，追奔八十余里，杀伤万计，名臣勇将死者什六七。傉檀与数骑奔南山[469]，几为追骑所得。勃勃积尸而封之，号曰髑髅台。勃勃又败秦将张佛生于青石原[470]，俘斩五千余人。

傉檀惧外寇之逼，徙三百里内民皆入姑臧。国人骇怨，屠各成七儿[471]因之作乱，一夕聚众至数千人。殿中都尉张猛大言于众[472]曰：“主上阳武之败，盖恃众[473]故也。责躬[474]悔过，何损于明，而诸君遽从此

据地，使人们的心中有所寄托。高平郡有高山大河，地势险要，土地肥沃，物产富饶，可以把都城建在高平。”刘勃勃说：“你们只考虑到其中的一个方面，而没有考虑到另外的一个方面。我的建国大业才刚刚开始，部众还没有多少，而后秦王姚兴也是一代英雄，他手下的将领都愿意为他拼死效力，所以关中地区我们是无法攻取的。我们现在如果只坚守一座孤城，他们必定集中力量来攻击我们，我们的这点兵众根本不是他们的对手，我们很快就会被他们消灭。所以我们不如采取游击战术，用我们的精锐骑兵风驰电掣一般，趁他们不注意，出其不意，攻其不备，他们救援前方，我们就攻击他们的后方，他们救援后方，我们就去攻击他们的前方，让他们疲于奔命，而我们则可以到处夺取食物，从容自得。用不了十年，九嵕山以北地区和黄河以东地区，就会全部归我们所有。等到后秦王姚兴一死，他的继承人姚泓愚昧、懦弱，到那时再慢慢地攻取他们的京师长安，这些早就都在我的计划之中了。”于是率军侵夺后秦九嵕山以北地区，吓得这个地区内的各个城池大白天都不敢打开城门。后秦王姚兴这才感叹地说：“我真后悔当初没有采纳姚邕的意见，所以才有今天的后患！”

夏王刘勃勃向南凉秃发傉檀求亲，秃发傉檀没有答应。十一月，刘勃勃率领二万名骑兵袭击秃发傉檀，军队一直深入到了支阳，杀死杀伤了一万多人，劫持了二万七千多人和数十万头马、牛、羊，得胜而回。秃发傉檀率领部众追击刘勃勃，焦朗劝阻说：“刘勃勃这个人，天生的姿容雄武、体格健壮，统御军队、严明整肃，不能轻敌冒进。不如从温围向北渡过黄河，径直赶赴万斛堆，依靠黄河天险安营布阵，扼住刘勃勃的咽喉要地，这才是百战百胜的战术。”秃发傉檀的部将贺连愤怒地说：“刘勃勃只不过是一个国破家亡的余孽，率领着一支临时凑集起来、没有组织、没有训练的军队，为什么要躲避他，向他示弱？应该立即率军去追击他！”秃发傉檀采纳了贺连的意见，遂率军追击。夏王刘勃勃得知南凉军在后面追击，便在阳武下峡凿开冰封的黄河，用冰凌和战车封锁了道路，然后率军迎战秃发傉檀所率领的南凉军，将南凉军打得大败，追杀了八十多里，杀死杀伤了数以万计的人，南凉的名臣勇将被杀死了十分之六七。秃发傉檀在几名骑兵的保护下逃奔支阳以南的山区，几乎被刘勃勃的骑兵俘虏。刘勃勃把被杀死的南凉将士的尸体堆积起来，用土覆盖，取名叫作髑髅台。刘勃勃又在青石原打败了后秦的将领张佛生，俘虏、斩杀了五千多名后秦军。

南凉秃发傉檀惧怕外敌的入侵，于是实行坚壁清野的政策，他把都城姑臧周围三百里之内的居民全部迁入姑臧城内。国人既惊恐又怨恨，于是匈奴屠各部落首领成七儿便趁机作乱，一个晚上的时间就聚集起数千名部众。担任殿中都尉的张猛大声地对成七儿的部众说：“主上秃发傉檀在阳武下峡打了败仗，那是因为他倚仗自己人多势众而轻视敌人的缘故。如今主上已经在深深地自责，对自己的错误决定造成

小人[475]为不义之事！殿中兵今至[476]，祸在目前矣！”众闻之，皆散。七儿奔晏然[477]，追斩之。军谘祭酒梁裒、辅国司马边宪等谋反，傉檀皆杀之。

魏主珪还平城。

十二月戊子[478]，武冈文恭侯王谧[479]薨。

是岁，西凉公暠以前表未报[480]，复遣沙门法泉间行奉表诣建康。

【段旨】

以上为第三段，写晋安帝义熙三年（公元四〇七年）一年间的大事。主要写了后燕主慕容熙宠幸其后苻氏，为之起承华殿，为之劳民生事，苻氏死，慕容熙为之服丧如孝子，部将冯跋乘慕容熙为苻氏送葬之机发动叛乱，拥立慕容宝的义子高云为天王，高云杀死慕容熙，建立北燕，慕容垂之后燕从此灭亡。写了秦主姚兴宠信刘勃勃，勃勃因不满秦与魏结好而叛秦，杀秦将没弈干而并其众，自称大夏王，出兵攻掠秦之岭北地区，又进攻南凉主秃发傉檀，大破傉檀于阳武下峡，秃发氏从此衰落，勃勃又败秦将于青石原。写了南燕主慕容超得知其母、其妻犹在秦，为求秦国放回其母，自己竟甘愿降节免去帝号，向秦国称藩。写了刘裕继续在权势方面表现退让。写了殷仲文、桓胤等被刘裕、何无忌所杀。写了毛脩之为雪国仇家恨，请求进兵讨蜀地的叛臣谯纵，刘裕派刘敬宣、刘道规援助之等。

【注释】

[304]正月辛丑朔：正月壬申朔，无辛丑日，疑记载有误。[305]改元建始：在此以前燕主慕容熙的年号是光始（公元四〇一至四〇六年）。[306]寖强：渐强；越来越强。寖，渐。[307]留为主客尚书：将其留在朝中主管外国及国内少数民族的事务。[308]行：代理。[309]监其部众：管理乞伏乾归部下的人众。当时乞伏氏的根据地在苑川（今甘肃兰州东）。监，管、管理。[310]二月己酉：二月初九。[311]除：委任。[312]欲诣廷尉：想到司法部门请求严办，以见其推辞职务之坚决。廷尉，全国最高的司法长官。汉代的九卿之一，后代的刑部尚书。[313]从其所守：答应他的要求，还让他担任原来的职务。[314]丹徒：县名，县治在今江苏镇江市东南。刘裕家自刘裕的曾祖起世居丹徒。[315]长乐王：封地为长乐郡，郡治即今

的损失后悔不已，这次失败并不损害他是一位英明的君主，而你们竟然立刻跟随成七儿这样的小人去做背叛主上的不义之事！护卫宫中的禁卫军马上就要到来，你们的大祸就在眼前！”众人听了张猛的这番话，立即全部散去。成七儿逃往晏然，被南凉军追上，杀死。担任军谘祭酒的梁裒、担任辅国司马的边宪等人起兵谋反，都被秃发傉檀杀死。

北魏皇帝拓跋珪从豺山宫返回京师平城。

十二月二十三日戊子，东晋武冈文恭侯王谧去世。

这一年，西凉公李暠因为表章没有得到答复，于是又派佛门弟子法泉和尚带着表章从偏僻小路前往建康。

河北衡水市冀州区。㉖广平王：封地为广平郡，郡治在今河北鸡泽东南。㉗殷仲文：桓玄的姐夫，原是桓玄的党羽，后见玄败，又借机送被劫持的太后与皇后回建康，而得到任用。事见本书卷一百一十三元兴三年。㉘宜当朝政：应当位居宰相。㉙悒悒：闷闷不乐的样子。⑳东阳：郡名，郡治即今浙江金华。殷仲文出为东阳太守在上一年，这里是追叙。㉑无忌所统：何无忌在义熙二年（公元四〇六年）十二月以前，任都督扬州军事，东阳郡在扬州治下。㉒许便道修谒：事先说好上任路过时顺便前往拜见。许，答应。修谒，进见、拜访。㉓钦迟：恭恭敬敬地等待。迟，等待。㉔不过府：未到何无忌的都督府去。㉕薄：冷淡；瞧不起。㉖桓胤：桓冲之孙，桓玄之堂侄。前桓氏灭族时，为表示朝廷对桓冲的怀念，特地留下了桓胤一条根。㉗负土于北门：从北门外向宫里背土。㉘宿军典军：驻扎在宿军的部队领导人。宿军，地名，是燕国营州的州治所在地。㉙季夏：夏天的第三个月，即今农历六月，最热的月份。㉚仲冬：冬天的第二个月，即今农历十一月。㉛地黄：一种草本植物，可入药。㉜切责：极力讨要。㉝四月癸丑：四月初一是“庚午”，本月无“癸丑”日，疑字有误。㉞服斩衰：身穿最重的丧服。斩衰是儿子对父母、臣下对君主所穿的丧服。㉟设位：设灵堂。㊱按检：逐个检查。㊲含辛：眼里放辣椒末。㊳高阳王妃：高阳王慕容隆的妃子。㊴以为殉：让她为自己的王后殉葬。㊵襚靴：给死者送终的靴子。是张氏所做。㊶户率营陵：几乎每一家都要出人来参加修造陵墓。率，大率、几乎。㊷费殚府藏：把国库的所有积蓄全花光了。殚，尽。㊸朕将继往：不久我也要住到里头去。㊹丁酉：四月二十八。㊺段氏：慕容垂之妃，慕容熙的养母。㊻应之：为苻宣作内应，当时的梁州（州治即今陕西汉中）属后秦。㊼刺史王敏：后秦的梁州刺史。㊽浕口：浕口城，地当浕水与沔水的汇口，在今陕西勉县西南。㊾武兴：郡名，郡治沔阳，在今陕西勉县东南。㊿复通于晋：晋安帝隆安三年（公元三九九年）杨盛遣使称藩于晋。义熙元年姚兴伐杨盛，杨盛

降秦，送其子入秦为人质，今又向晋称藩。㊿351 五月壬戌：五月二十四。352 苻进：苻定的儿子。苻定是苻坚之子，苻坚淮南失败后，苻定投降慕容垂。353 濡源：地名，因濡水的源头而得名，在今河北丰宁西北。濡水，即今滦河。354 灭刘卫辰：事见本书卷一百太元十六年。355 勃勃：即历史上的赫连勃勃，其父被杀后，逃归姚兴。356 魁岸：身材高大。357 与之：和他一道，意即“靠着他”“仰仗他”。358 奈何逆忌之：怎么能预先无根据地妒忌他。逆，预先。359 高平：即今宁夏固原。360 三城、朔方：二地名，三城即今陕西延安，朔方是古郡名，郡治在今内蒙古杭锦后旗北。361 卫辰部众：当年逃归后秦的刘卫辰的余部。362 轻为去就：指容易叛变，容易叛离旧主。363 五原公：封地为五原郡，郡治九原，在今内蒙古包头西北。364 三交五部：三交县里的五个部落。三交县的县治在今陕西榆林一带。365 归：放回。366 唐小方：后秦的将领，与狄伯支于元兴元年被魏所擒，见本书卷一百一十二。367 请归贺狄干：请求给魏国送回魏将贺狄干。贺狄干于元兴元年出使后秦被扣留。368 大城：县名，县治在今内蒙古杭锦后旗东南。369 高平川：即今之清水河，发源于今宁夏固原西南，北流汇入黄河。370 夏后氏：即夏禹。371 右地代：人名，勃勃之兄。372 力俟提：人名，勃勃的次兄。373 叱于阿利：人名，勃勃之三兄。374 阿利罗引：与下文之“若门”“叱以鞬”“乙斗”都是勃勃之弟。375 七月戊戌朔：七月初一为戊戌日。376 汝南王遵之：即司马遵之，司马懿的儿子司马亮的后代，晋孝武帝的远房兄弟，晋安帝的族叔。377 癸亥：七月二十六。378 被发徒跣：披散着头发，光着脚走路，古代儿子为父母所行的丧礼如此。379 甲子：七月二十七。380 冯跋：慕容宝的部将，后事慕容熙。传见《晋书》卷一百二十五。381 侍御郎：帝王的侍奉人员。382 还首：回头；回去自首。383 御：赶车。384 北部司马：北部大人的司马官。司马在主官属下主管军事。385 慕容云：慕容宝的养子，本姓高，名叫高云。论辈分是慕容盛的兄弟。386 河间：指慕容熙，慕容熙称帝前曾为河间王。387 为人养子：慕容云原是高句丽人，被慕容宝收为义子事，见本书卷一百九隆安元年。388 难得之运：难得的机会。389 跋弟乳陈：据本书卷十五乳陈称万泥为“叔父”，及《晋书·冯跋传》所记，此处应作“跋侄乳陈”。390 中黄门：帝王的贴身太监。391 南苑：猎场名。392 收发贯甲：绾起头发，穿上铠甲。贯，穿。393 乙丑：七月二十八。394 改元正始：在此之前是慕容熙的年号建始。395 尚方兵：在尚方署服役的士兵。尚方署是负责为帝王制造器物的机构。396 营兵：指尚方署的士兵。397 效顺：为顺理的一方效力，指忠于慕容熙。398 惊走而出：慕容熙没听清楚褚头说的是什么意思，以为是尚方署的士兵都在盼着冯跋、高云的军队前来，故而惊恐逃出。399 莫敢迫：没有人敢逼近。400 中领军：即领军将军，帝王的禁兵头领。401 中常侍：帝王的侍从人员，以备参谋顾问。402 垂捷：眼看就要成功。403 企迟：企望，踮着脚地盼望。指“同心效顺”之营兵盼慕容熙回龙城。404 稽留：停留。405 先往趣城：先赶回宫城。406 得如意安抚城中：能如愿地稳定了城里的秩序。407 赴苑：指前往龙腾苑找慕容熙。408 丙寅：七月二十九。409 数而杀之：指数其罪行，将其杀死。慕容熙死年二十三岁。后燕自慕容垂建国至此灭亡，共历二十四年。⑩ 上庸公懿：即慕容懿。⑪ 令支：城名，在今河北迁安西，当时为燕之幽州刺史的驻地。⑫ 参合陂：在今内蒙古凉城东的岱海东南岸。⑬ 贰于秦：背叛秦国。贰，两属，比公开背叛略轻一点。⑭ 邀：请，招之一同反秦。⑮ 苻氏之败：指苻坚被晋人大败于淝水。⑯ 太乐诸伎：秦国太乐署的歌舞伎。⑰ 悉入于燕：苻坚败后，慕容冲攻入长安，掠去苻氏王朝的乐伎。至慕容垂灭掉慕容永，又将这些乐伎掠去中山。慕容德建南燕，又将乐伎带到了广固（今山东青州）。⑱ 燕今称藩：燕国如能向秦国称臣。今，将、如能。称藩，给人家做藩臣，即向人称臣。⑲ 送伎：把从秦国弄去的乐伎给秦国送回来。⑳ 吴口：指俘虏的东晋人。㉑ 所请乃可得：我才能把慕容超的母亲、妻子交给你们。㉒ 嗣守社稷：继续充当一国之主。嗣，接替、继承。㉓ 降尊号：自己取消“皇帝”之号。㉔ 此既能往二句：我们能去劫掠晋国人，晋国也可以来劫掠我们燕国人。㉕ 靳惜虚名：吝惜一个帝王的称号。靳，吝惜。㉖ 太子舍人：太子宫中的散职人员。韩范与姚兴都为苻坚当过太子舍人，当时的太子是苻宏。㉗ 必得如志：一定能达到我们的目的。㉘ 聘于秦：出使秦国。聘，访问盟国。㉙ 称藩奉表：即奉表称藩给人上书自己称臣。给皇帝的上书称作表。㉚ 北面受诏：面向北接受秦国的诏书，这是臣子接受帝王诏书的礼节。㉛ 七圣重光：七代人称帝于世。七圣指慕容廆、慕容皝、慕容儁、慕容暐、慕容垂、慕容德以及慕容超。重光，连续地光照天下。㉜ 为竖子屈节：向姚兴那小子低头。竖子，小子、奴才。鄙视语，此指姚兴。㉝ 杨承祖：东晋的叛将，时自称巴州刺史。㉞ 重生：爱惜生命，还想活下去。㉟ 有生理可保：还有活着的理由。㊱ 情地：心情、处境。㊲ 生涂已竭：没有再活的理由。此指其父毛瑾、其叔毛璩满门皆被谯纵所灭，此仇不共戴天。㊳ 借命朝露：犹言暂且苟活。㊴ 诛夷仇逆：消灭谯纵等这些逆党、这些仇人。㊵ 不赴：不向敌人发动进攻。㊶ 救援理绝：无人援助。㊷ 将何以济：怎么能获得成功。济，成、成功。㊸ 候官：专管窥探、伺察的官员。㊹ 行止风采：一举一动的行为表现。㊺ 拟则：仿效。㊻ 均石：在今甘肃张掖东。㊼ 西郡：郡治在今甘肃永昌西北。㊽ 日勒：县名，县治在今甘肃山丹东南。㊾ 河州：州治枹罕，在今甘肃临夏东北。㊿ 给事中宗正元：给事中是官名，帝王身边的文秘人员，权力甚大。宗正元，姓宗正，名元。“宗正”是以官名为姓。451 资礼：盘缠与礼数。452 马耳关：在今山东济南东北三十里。453 薛干:《晋书》作“薛干”，鲜卑族的部落名。454 凭系：犹言归属、寄托。455 高平：即今宁夏固原。456 并力：指集中力量攻击。457 游食自若：游击取食，从容自得。458 岭北、河东：指今陕西北部及宁夏一带地区。岭北，九嵕岭以北，九嵕岭在今陕西礼泉县东北。河东，黄河以东的今陕西西北部与内蒙古河套一带地区。459 门不昼启：白天也不开城门，极言其形势紧张之状。460 黄儿：姚兴之弟姚邕的小名。461 支阳：县名，县治在今甘肃兰州西北。462 温围：县名，即今甘肃皋兰。463 北渡：指北渡黄河。464 万斛堆：地名，在今甘肃兰州东北。465 阻水：依托河水。466 败亡之余：指其父刘卫辰被拓跋氏所杀，其部族一度被灭。467 阳武下峡：在今甘肃靖远的黄河西岸。468 塞路：堵塞自己军队的逃跑之路，谓置兵于死地，使人自为战。㊾南山：指支阳（今兰州西北）以南的山区。470青石原：在今甘肃泾川县一带。471屠各成七儿：屠各族的头领名叫成七儿。屠各是当时匈奴族的一个分支。472大言于众：虚张声势地对众人说。473恃众：指由于自恃人多而粗心大意。474责躬：责备自己。475遽从此小人：立刻就跟着成七儿这个小人。遽，立刻。476殿中兵今至：护卫宫殿的部队马上就到。今至，马上就到。今，将。477晏然：县名，县治在今甘肃武威西北。478十二月戊子：十二月二十三。479武冈文恭侯王谧：武冈侯是王谧的爵号，文恭是他的谥。武冈是县名，王谧的封地。480前表未报：上次给朝廷上表，朝廷未作回答。李暠于义熙元年自称大将军、领秦凉二州牧，曾上表朝廷。见本卷前文。

【原文】

四年（戊申，公元四〇八年）

春，正月甲辰[481]，以琅邪王德文领司徒[482]。

刘毅等不欲刘裕入辅政[483]，议以中领军谢混[484]为扬州刺史[485]，或欲令裕于丹徒领扬州，以内事[486]付孟昶。遣尚书右丞皮沈以二议咨裕[487]。沈先见裕记室、录事参军[488]刘穆之，具道朝议。穆之伪起如厕，密疏白裕[489]曰："皮沈之言不可从。"裕既见沈，且令出外，呼穆之问之。穆之曰："晋朝失政[490]日久，天命已移。公兴复皇祚[491]，勋高位重，今日形势，岂得居谦[492]，遂为守藩之将[493]耶？刘、孟[494]诸公，与公俱起布衣，共立大义以取富贵，事有先后，故一时相推[495]，非为委体心服[496]，宿定[497]臣主之分也。力敌势均，终相吞噬。扬州根本所系[498]，不可假人[499]。前者以授王谧，事出权道[500]。今若复以他授，便应受制于人。一失权柄，无由可得，将来之危，难可熟念[501]。今朝议如此，宜相酬答，必云在我[502]，措辞又难，唯应云：'神州治本[503]，宰辅崇要[504]，此事既大，非可悬论[505]，便暂入朝[506]，共尽同异[507]。'公至京邑，

【校记】

［10］督：据章钰校，孔天胤本作“都”。［11］诏：原作“晋”。胡三省注云：“《通鉴》以晋纪年，则以盛为都督之上不必书晋，‘晋’字当作‘诏’字。”严衍《通鉴补》改作“诏”，今据以校正。［12］壬戌：原作“丙戌”。据章钰校，甲十一行本、乙十一行本、孔天胤本皆作“壬戌”，熊罗宿《胡刻资治通鉴校字记》同，今据改。［13］容：据章钰校，甲十一行本、乙十一行本、孔天胤本皆作“风”。［14］兄弟：原无此二字。据章钰校，甲十一行本、乙十一行本、孔天胤本皆有此二字，张敦仁《通鉴刊本识误》同，今据补。［15］万泥：张敦仁《通鉴刊本识误》改作“万泥”。［16］复可：原作“可复”。据章钰校，甲十一行本、乙十一行本、孔天胤本二字皆互乙，张瑛《通鉴校勘记》同，今从改。

【语译】

四年（戊申，公元四〇八年）

春季，正月初九日甲辰，东晋安帝司马德宗任命琅邪王司马德文为代理司徒。

刘毅等人不想让镇军将军刘裕入朝辅佐皇帝管理政务，遂提议让担任中领军的谢混担任扬州刺史，或者让镇军将军刘裕在丹徒遥领扬州刺史，而朝廷的各项事务交由孟昶实际负责。刘毅派担任尚书右丞的皮沈把上述两种方案送往丹徒征求镇军将军刘裕的意见。尚书右丞皮沈来到丹徒，先会见了刘裕的记室、录事参军刘穆之，把朝廷的议案详细地向刘穆之做了介绍。刘穆之假装去洗手间，秘密给刘裕写了一封密信说：“皮沈说的话，千万不能同意。”刘裕会见完皮沈之后，便令皮沈暂且出外等候，然后将刘穆之叫进来询问。刘穆之说：“晋朝丢失政权已经很久，上天对它已经不再眷顾。您使已经亡国的晋安帝重新登上皇位，功勋太高、权位太重，从现在的形势来看，您岂能再谦恭退让，而甘于做一个镇守一方的将领呢？刘毅、孟昶这些人与您一样，都是出身于平民，共同高举义旗，拥戴晋室，讨平桓玄的叛乱，才有了今天的荣华富贵，当时起事有先有后，所以暂且推举您做了盟主，而不是真正出自内心地拥戴、佩服，甘愿为您献身效力，早已确定了与您的君臣名分。现在既然与您势均力敌，到最后肯定要互相吞噬。扬州是关系到朝廷安危的所在，不能交给别人掌管。此前把扬州授予王谧，任命王谧为扬州刺史，不过是出于策略上的考虑。现在如果再将扬州授予别人，就要受制于人。一旦失去权柄，就没有再夺回来的可能，将来所面对的危险，恐怕很难预料。如今朝廷的议案如此，您应该给以答复，如果说只有我最合适，又难于措辞，所以只能这样说：‘国家政治的根本所系，宰辅的职位太高太重要，此事事关重大，不是空泛的几句话就能议论清楚，所以我准备立即入朝，与诸位朝臣一道充分地讨论讨论。’您到达朝廷之后，

彼必不敢越公更授余人明矣。”裕从之。朝廷乃征裕为侍中、车骑将军、开府仪同三司、扬州刺史、录尚书事，徐、兖二州刺史如故。裕表解兖州[508]，以诸葛长民为青州刺史，镇丹徒；刘道怜为并州刺史，戍石头。

庚申[509]，武陵忠敬王遵[510]薨。

魏主珪如豺山宫，遂至宁川[511]。

南燕主超尊其母段氏为皇太后，妻呼延氏为皇后。超祀南郊[512]，有兽如鼠而赤，大如马，来至坛侧。须臾，大风昼晦[513]，羽仪帷幄[514]皆毁裂。超惧，以问太史令成公绥[515]，对曰："陛下信用奸佞、诛戮贤良、赋敛繁多、事役殷重[516]之所致也。"超乃大赦，黜公孙五楼等。俄而复用之。

北燕王云立妻李氏为皇后，子彭城为太子。

三月庚申[517]，葬燕王熙及苻后于徽平陵，谥熙曰"昭文皇帝"。

高句丽遣使聘北燕，且叙宗族[518]，北燕王云遣侍御史李拔报[519]之。

夏，四月，尚书左仆射孔安国卒。甲午[520]，以吏部尚书孟昶代之。

北燕大赦。

五月，北燕以尚书令冯万泥[17]为幽、冀二州牧，镇肥如[521]；中军将军冯乳陈为并州牧，镇白狼[522]；抚军大将军冯素弗为司隶校尉；司隶校尉务银提为尚书令。

谯纵遣使称藩于秦，又与卢循潜通。纵上表请桓谦[523]于秦，欲与之共击刘裕。秦王兴以问谦，谦曰："臣之累世，著恩荆、楚，若得因巴、蜀之资[524]，顺流东下，士民必翕然[525]响应。"兴曰："小水不容巨鱼，若纵之才力自足办事[526]，亦不假君以为鳞翼[527]。宜自求多福[528]。"遂遣之。谦至成都，虚怀引士[529]。纵疑之，置于龙格[530]，使人守[531]之。谦泣谓诸弟曰："姚主之言神矣！"

他们这些人绝对不敢不征得您的同意就擅自将扬州刺史的职位授予别人。”刘裕遂按照刘穆之的建议予以答复。朝廷于是征召刘裕回到京师建康，任命为侍中、车骑将军、开府仪同三司、扬州刺史、录尚书事，仍然兼任徐、兖二州刺史。刘裕上表请求解除自己兖州刺史的职务，任命诸葛长民为青州刺史，镇守丹徒；任命刘道怜为并州刺史，戍守石头城。

正月二十五日庚申，东晋武陵忠敬王司马遵去世。

北魏皇帝拓跋珪从首都平城前往豺山宫，又从豺山宫抵达宁川。

南燕主慕容超尊奉自己的母亲段氏为皇太后，封妻子呼延氏为皇后。慕容超到南郊祭天，突然有一只野兽跑到祭坛旁边，其形状很像老鼠，却长着一身的红毛，身体庞大，像一匹马。不一会儿狂风大作，大白天黑得如同夜晚，祭神用的各种仪仗、帐幔，全都被大风刮坏、撕裂。慕容超非常恐惧，赶紧去询问担任太史令的成公绥，成公绥说："陛下听信、重用那些奸邪谗佞的小人而杀戮忠臣良将，向百姓横征暴敛，赋税越来越重，徭役繁多，所以导致上天震怒，才刮起大风，以警告陛下。"慕容超于是发布大赦令，罢黜了公孙五楼等奸佞。然而没过多久，就又起用了公孙五楼等人。

北燕天王高云封自己的妻子李氏为皇后，立儿子高彭城为太子。

三月二十六日庚申，北燕把后燕王慕容熙和他的皇后苻氏埋葬在徽平陵，给慕容熙的谥号为"昭文皇帝"。

高句丽派使者访问北燕，并按照族谱排出长幼次序，北燕天王高云派担任侍御史的李拔回访高句丽。

夏季，四月，东晋担任尚书左仆射的孔安国去世。五月初一日甲午，任命担任吏部尚书的孟昶接替孔安国担任尚书左仆射。

北燕天王高云实行大赦。

五月，北燕任命担任尚书令的冯万泥为幽、冀二州牧，镇所设在肥如；任命担任中军将军的冯乳陈为并州牧，镇所设在白狼；任命担任抚军大将军的冯素弗为司隶校尉；原任司隶校尉的务银提改任尚书令。

西蜀成都王谯纵派遣使者前往后秦，向后秦俯首称臣，却又与卢循暗中勾结。谯纵上表给后秦王姚兴，请求允许桓谦前往西蜀，要与桓谦共同攻击刘裕。后秦王姚兴征求桓谦的意见，桓谦说："我们桓氏家族，几代人都有恩于荆、楚的人民，如果能够借助巴、蜀的力量，沿着长江顺流东下，荆、楚的民众必然纷纷起兵响应。"姚兴说："小水塘里容不下大鱼，如果谯纵的人力物力足以能够战胜东晋，也不会借助于你来做他的鳞甲和羽翼。你要好自为之。"于是派桓谦南下。桓谦到了成都之后，虚怀若谷、礼贤下士。谯纵对桓谦开始猜忌起来，他把桓谦软禁在龙格，并派人看守。桓谦完全失去了行动自由，他哭着对自己的几个兄弟说："后秦王姚兴对我说的一番话，真是料事如神！"

秦王[18]兴以秃发傉檀外内多难㉜，欲因而取之，使尚书郎韦宗往觇㉝之。傉檀与宗论当世大略，纵横无穷。宗退，叹曰："奇才英器，不必华夏㉞；明智敏识，不必读书㉟。吾乃今知九州之外㊱，五经之表㊲，复自有人也。"归，言于兴曰："凉州虽弊，傉檀权谲㊳过人，未可图也。"兴曰："刘勃勃以乌合之众犹能破之，况我举天下之兵以加之乎？"宗曰："不然。形移势变，返覆万端㊴，陵人㊵者易败，戒惧㊶者难攻。傉檀之所以败于勃勃者，轻之也。今我以大军临之，彼必惧而求全㊷。臣窃观群臣才略，无傉檀之比者，虽以天威临之㊸，亦未敢保其必胜也。"兴不听，使其子中军将军广平公弼㊹、后军将军敛成、镇远将军乞伏乾归帅步骑三万袭傉檀，左仆射齐难帅骑二万讨勃勃。吏部尚书尹昭谏曰："傉檀恃其险远，故敢违慢。不若诏沮渠蒙逊及李暠讨之，使自相困毙，不必烦中国㊺之兵也。"亦不听。

兴遗傉檀书曰："今遣齐难讨勃勃，恐其西逸㊻，故令弼等于河西邀之㊼。"傉檀以为然，遂不设备。弼济自金城㊽，姜纪言于弼曰："今王师声言讨勃勃，傉檀犹豫，守备未严。愿给轻骑五千，掩其城门㊾，则山泽之民㊿皆为吾有，孤城无援，可坐克(551)也。"弼不从。进至漠口(552)，昌松太守苏霸闭城拒之，弼遣人谕之使降，霸曰："汝弃信誓而伐与国(553)，吾有死而已，何降之有！"弼进攻，斩之，长驱至姑臧。傉檀婴城固守，出奇兵击弼，破之，弼退据西苑(554)。城中(555)人王钟等谋为内应，事泄，傉檀欲诛首谋者而赦其余，前军将军伊力延侯曰："今强寇在外，而奸人窃发于内，危孰甚焉！不悉坑之，何以惩后？"

后秦王姚兴认为南凉秃发傉檀正陷于内忧外患之中，就想趁机把南凉灭掉，于是派担任尚书郎的韦宗前往南凉的都城西平察看虚实。秃发傉檀与韦宗谈论起当时的天下大势、经营谋略，纵横捭阖，滔滔不绝。韦宗告辞后叹息着说：“具有非凡才能、英雄气度的人不一定都出在中原地区；聪明智慧、思维敏捷而又有远见卓识，不一定都是从读书中得来。我从今天起才知道，除去九州、儒家五经以外，仍然大有人物。”韦宗返回秦国之后，对后秦王姚兴说：“凉州虽然是一个凋敝、贫穷的地方，然而秃发傉檀的权谋诡诈远远超过一般人，还是不要谋取他的好。”姚兴说：“夏王刘勃勃率领着一群乌合之众，尚且能够打败秃发傉檀，何况是我们秦国出动全国的兵力攻打他呢?”韦宗说：“陛下说得不对。现在的形势已经发生了变化，而且是变化万端。欺凌别人的人总是最容易失败，惧怕被人欺凌而谨慎小心的人，就很难将他击败。秃发傉檀所以会被刘勃勃打败，那是因为秃发傉檀轻敌。如果我们的大军压境，秃发傉檀肯定会因为惧怕而加强戒备，以求得保全。我暗中观察群臣的才能和谋略，没有人是秃发傉檀的对手，即使是陛下御驾亲征，也未必能够保证一定取胜。”姚兴没有听韦宗的意见，他派自己的儿子、担任中军将军的广平公姚弼，担任后军将军的敛成，担任镇远将军的乞伏乾归率领三万名步兵、骑兵袭击南凉的秃发傉檀，派担任左仆射的齐难率领二万名骑兵讨伐夏王刘勃勃。担任吏部尚书的尹昭劝谏说：“南凉秃发傉檀仗恃姑臧距离长安道路遥远、地势险要，所以才敢怠慢朝廷、违抗命令。不如下诏令北凉张掖公沮渠蒙逊、西凉公李暠出兵讨伐南凉秃发傉檀，使他们之间互相攻伐，相互消耗，最后陷入困境，走向灭亡，而不一定非要自己出兵。”姚兴也没有听从。

后秦王姚兴写信给南凉秃发傉檀说：“现在我已经派遣左仆射齐难率军讨伐刘勃勃，担心刘勃勃向西方逃跑，所以令中军将军姚弼等人在黄河以西截击刘勃勃。”秃发傉檀以为姚兴说的话是真的，遂不加防备。姚弼从金城渡过黄河，姜纪对姚弼说：“现在朝廷军对外声称去讨伐刘勃勃，南凉秃发傉檀正在犹豫不决，守备一定不会太严密。希望拨给我五千名轻骑兵，让我去袭击金城的城门，如此一来，金城城外的居民就都将归我们所有，只剩姑臧一座孤城，又没有援军，我们不用费力就能将姑臧攻克。”姚弼没有听从姜纪的建议。姚弼等率军抵达昌松郡的漠口，担任昌松郡太守的苏霸关闭城门抵抗后秦军，姚弼派人劝说苏霸投降，苏霸回复说：“你们抛弃信义，率军攻击自己的同盟国，我只有一死而已，哪里会向你们投降呢!”姚弼指挥秦军向漠口城发起猛攻，很快攻克了漠口，杀死了昌松太守苏霸，然后长驱直入，逼近姑臧城下。秃发傉檀赶紧派兵四面设防，牢牢地坚守姑臧城，并派出奇兵偷袭姚弼军，将姚弼军击败，姚弼率领败军退到姑臧城西面的西苑小城据守。姑臧城内的王钟等人密谋，准备为后秦军做内应，阴谋泄露，秃发傉檀想杀掉谋乱的首恶而赦免他的余党，担任前军将军的伊力延侯说：“如今姑臧城外有强大的敌寇，而城内又有阴谋小人暗中发动叛乱，还有比这更危险的事情吗！不把他们全部活埋，用什么

傉檀从之，杀五千余人。命郡县悉散牛羊于野，敛成纵兵钞掠。傉檀遣镇北大将军俱延、镇军将军敬归等击之，秦兵大败，斩首七千余级[556]。姚弼固垒[557]不出，傉檀攻之，未克。

秋，七月，兴遣卫大将军常山公显[558]帅骑二万，为诸军后继，至高平[559]，闻弼败，倍道赴之。显遣善射者孟钦等五人挑战于凉风门[560]，弦未及发，傉檀材官将军[561]宋益等迎击，斩之。显乃委罪敛成[562]，遣使谢傉檀，慰抚河外[563]，引兵还。傉檀遣使者徐宿诣秦谢罪[564]。

夏王勃勃闻秦兵且至，退保河曲[565]。齐难以勃勃既远，纵兵野掠。勃勃潜师袭之，俘斩七千余人。难引兵退走，勃勃追至木城[566]，禽之，虏其将士万三千人。于是岭北夷、夏附于勃勃者以万数，勃勃皆置守宰[567]以抚之。

司马叔璠[568]自蕃城[569]寇邹山[570]，鲁郡[571]太守徐邕弃城走，车骑长史刘钟[572]击却之。

北燕王云封慕容归为辽东公，使主燕祀[573]。

刘敬宣既入峡[574]，遣巴东[575]太守温祚以二千人出外水[576]，自帅益州刺史鲍陋、辅国将军文处茂、龙骧将军时延祖由垫江[577]转战而前。谯纵求救于秦，秦王兴遣平西将军姚赏、南梁州刺史王敏将兵二万赴之。敬宣军至黄虎[578]，去成都五百里。纵辅国将军谯道福悉众拒崄，相持六十余日，敬宣不得进。食尽，军中疾疫，死者太半[579]，乃引军还。敬宣坐免官，削封[580]三分之一；荆州刺史刘道规以督统降号建威将军[581]。九月，刘裕以敬宣失利，请逊位[582]，诏降为中军将军，开府如故。刘毅欲以重法绳敬宣，裕保护之。何无忌谓毅曰："奈何以私憾伤至公[583]！"毅乃止。

办法来惩治以后的叛乱者?”秃发傉檀听从了伊力延侯的意见，于是杀死了五千多人。秃发傉檀命令各郡县把所有的牛羊全部放逐到野外，秦国后军将军敛成果然放纵士卒纵情抄掠。秃发傉檀派镇北大将军俱延、镇军将军敬归等率军出击，将后秦军打得大败，斩杀了七千多人。后秦中军将军姚弼坚守西苑不敢出战，秃发傉檀率军攻打，没有攻克。

秋季，七月，后秦王姚兴派遣担任卫大将军的常山公姚显率领二万名骑兵作为各路大军的后续部队向南凉挺进，当姚显率军到达高平的时候，听到了中军将军姚弼战败的消息，于是倍道兼程向前急行。姚显派遣神箭手孟钦等五个人到姑臧城南面的凉风门向南凉军挑战，弓上弦之后还没有来得及射出去，就被前来迎战的秃发傉檀属下担任材官将军的宋益等杀死。姚显遂把违抗旨意挑起与南凉战争的责任全部推卸到后军将军敛成的身上，派使者向秃发傉檀道歉，随后又安抚了一番河西一带的百姓，便率军返回后秦。秃发傉檀也派徐宿为使者前往后秦的都城长安请求恕罪。

夏王刘勃勃听到后秦讨伐的大军即将到来的消息，立即退往朔方东北部的河曲进行坚守。后秦左仆射齐难以为刘勃勃已经跑得很远，遂放纵士兵在郊野大肆劫掠。夏王刘勃勃率领军队偷偷返回袭击后秦军，俘虏、斩杀了七千多人。后秦齐难率领败军退走，刘勃勃率军追击，一直追到木城，终于将后秦左仆射齐难活捉，俘虏了后秦一万三千名将士。于是，九嵕山以北数以万计的少数民族和汉人归附了刘勃勃，刘勃勃都委派了郡守和县令管理这些地区。

司马叔璠从蕃城进攻东晋所属的邹山，东晋担任鲁郡太守的徐邕弃城逃走，担任车骑长史的刘钟将司马叔璠击败，司马叔璠退走。

北燕天王高云封慕容归为辽东公，让他主持燕国历代旧主的祭祀。

刘敬宣率军进入三峡之后，便派遣担任巴东太守的温祚率领两千人从外水出发，自己则率领益州刺史鲍陋、辅国将军文处茂、龙骧将军时延祖由垫江出发，一路转战向前。谯纵赶紧派人向后秦求救，后秦王姚兴派遣担任平西将军的姚赏、担任南梁州刺史的王敏率领二万名将士赶赴西蜀。刘敬宣率军抵达黄虎，这里距离谯纵的都城成都还有五百里。谯纵属下担任辅国将军的谯道福率领属下的全部兵力依靠险阻进行抵抗，双方相持了六十多天，刘敬宣无法前进。而此时晋军的粮食已经吃光，再加上军中瘟疫流行，军士死了有一大半，迫不得已，刘敬宣只好率军撤回。刘敬宣于是遭到指控，被免去了官职，封地也被削去了三分之一；而荆州刺史刘道规则由督统降为建威将军。九月，豫章郡公刘裕因为举荐刘敬宣伐蜀，而刘敬宣却在战场上失利，于是请求辞去自己所担任的各项职务，晋安帝司马德宗下诏，将刘裕降为中军将军，开府等职务依旧保留。左将军、南平郡公刘毅想用重法处置刘敬宣，刘裕则对刘敬宣倍加保护。担任会稽郡内史的何无忌对刘毅说：“你怎能因为个人的私怨而有损于公道!”刘毅这才不再坚持重处刘敬宣。

乞伏炽磐以秦政浸衰[584]，且畏秦之攻袭，冬，十月，招结诸部二万余人筑城于嵻崀山[585]而据之。

十一月，秃发傉檀复称凉王[586]，大赦，改元嘉平，置百官。立夫人折掘氏为王后，世子武台[587]为太子，录尚书事。左长史赵晁、右长史郭倖为尚书左、右仆射，昌松侯俱延为太尉。

南燕汝水[588]竭。河冻[589]皆合，而渑水[590]不冰。南燕主超恶之，问于李宣，对曰："渑水无冰，良由逼带京城，近日月[591]也。"超大悦，赐朝服一具。

十二月，乞伏炽磐攻彭奚念[592]于枹罕[593]，为奚念所败而还。

是岁，魏主珪杀高邑公莫题[594]。初，拓跋窟咄[595]之伐珪也，题以珪年少，潜以箭遗窟咄曰："三岁犊岂能胜重载[596]邪？"珪心衔之。至是，或告题居处倨傲、拟则[597]人主者，珪使人以箭示题而谓之曰："三岁犊果何如[19]？"题父子对泣。诘朝[598]，收斩之。

【段旨】

以上为第四段，写晋安帝义熙四年（公元四〇八年）一年间的大事。主要写了秦主姚兴乘秃发傉檀内外交困之际，派姚弼、姚显、齐难出兵伐秃发傉檀与刘勃勃，韦宗谏之不听，结果三将皆大败而回，致使秃发傉檀又自立为凉王，刘勃勃更强大于岭北。写了刘毅等人与刘裕的争权夺利开始显现，刘穆之为刘裕设谋抓紧朝权。写了刘裕派刘敬宣等入蜀伐谯纵，刘敬宣等大败而回。写了魏主拓跋珪的无人君之度，挟私好杀，以及南燕主慕容超的腐朽昏庸等。

【注释】

[481] 正月甲辰：正月初九。[482] 领司徒：兼任丞相之职。领，兼任。司徒，古官名，晋代常以此职为加官授予某人，使之为当朝首辅。但此时的司马德文自然是傀儡而已，因为一切大权都在刘裕手中。[483] 入辅政：入朝辅佐皇帝管理政务，即任丞相。〖按〗"刘毅等不欲刘裕入辅政"，透露出刘毅已开始与刘裕争权。[484] 谢混：字叔原，谢安之孙，当时著名的文学家。[485] 扬州刺史：东晋首都建康所在州的最高行政长官，照例在朝廷握

因为后秦政治越来越衰败，乞伏炽磐又惧怕遭到后秦军的袭击，于是，在冬季的十月，从各部落召集了二万多人在嵻崀山筑城据守。

十一月，秃发傉檀再次自称凉王，实行大赦，改年号为嘉平，设置文武百官。立自己的夫人折掘氏为王后，立世子秃发武台为王太子，录尚书事。任命担任左长史的赵晁为尚书左仆射，担任右长史的郭倖为尚书右仆射，任命昌松侯俱延为太尉。

南燕境内的汝水干涸。黄河全部封冻，而唯独渑水没有结冰。南燕主慕容超心里很厌恶，于是去问李宣，李宣回答说："渑水不结冰，是因为它像一条带子一样流经都城广固，靠近君主和王后。"慕容超听了李宣的解释非常高兴，立即赏赐给李宣一套朝服。

十二月，乞伏炽磐率军攻打背叛后秦的彭奚念所据守的枹罕，被彭奚念打败，率军退回苑川。

这一年，北魏皇帝拓跋珪杀死了高邑公莫题。当初，拓跋窟咄率众攻击拓跋珪的时候，莫题认为拓跋珪年纪太小，于是便暗中赠送一支箭给拓跋窟咄说："一个三岁大的小牛犊岂能拉得动重车?"拓跋珪一直对此怀恨在心。现在有人指控莫题平时傲慢自大、待人不恭，把自己比作国君，拓跋珪便派人把当初莫题送给拓跋窟咄的那一支箭拿给莫题看，并对莫题说："三岁大的小牛犊结果如何?"莫题父子相对哭泣。第二天早晨，莫题就被逮捕、处死。

有大权。胡三省曰："王谧薨，扬州刺史缺官，故议用其人。"㊽内事：朝廷的各项事务。㊾以二议咨裕：把这两种考虑向刘裕请示。㊿记室、录事参军：刘裕属下的二官名，刘穆之当时任此二职。记室，将军的属官，如今之秘书。录事参军，犹今之秘书长、办公厅主任，权力甚大。(489)密疏白裕：写密信向刘裕报告。(490)失政：权力转移。(491)兴复皇祚：使晋安帝重新为帝。皇祚，皇家的福分。(492)居谦：自己谦恭退让，不揽朝权。(493)守藩之将：镇守一方的将领。晋时称刺史为藩，相当于古时的诸侯。此时刘裕名义上是徐、青二州刺史。(494)刘、孟：刘毅、孟昶。(495)一时相推：指推刘裕为盟主、为首领。(496)委体心服：真正出自内心地拥护佩服。(497)宿定：早已确定。(498)根本所系：是关系到朝廷安危的所在。(499)不可假人：不能交给别人管。假，交给。(500)事出权道：是出于策略上的考虑。事见上卷元兴三年。权道，临时制宜；特殊情况的需要。(501)难可熟念：犹言"难以预料"。(502)必云在我：如果说"只有我最合适"。(503)神州治本：国家政治的根本所系。(504)宰辅崇要：宰相的职位太高太重要。(505)非可悬论：不能空泛的议谈。(506)便暂入朝：我很快就要到朝廷来。暂，不久、须臾。(507)共尽同异：和大家一道充分地讨论讨论。(508)表解兖州：上表请求解除兖州刺史的职务。(509)庚申：正月二十五。(510)武陵忠敬

王遵：即司马遵，司马睿之孙，司马晞之子，袭其父祖之爵为武陵王。忠敬是谥。⑸宁川：即宁县，今河北万全。⑸祀南郊：到京城的南郊祭天。⑸昼晦：白天黑得如同夜晚。⑸羽仪帷幄：羽仪指迎供神用的各种仪仗，如幡伞旌旗之类，上以羽毛为饰。帷幄指迎神用的各种帐幔。⑸成公绥：姓成公，名绥，此与西晋文学家成公绥（公元二三一至二七三年）同名而非一人。⑸事役殷重：徭役繁多。⑸三月庚申：三月二十六。⑸叙宗族：犹今之所谓叙家谱。高云原是高句丽人。⑸报：回访。⑸甲午：五月初一。⑸肥如：县名，县治在今河北卢龙北。⑸白狼：县名，县治在今辽宁建昌西北。⑸桓谦：桓冲之子，桓玄的堂兄弟，叛乱失败后逃归姚兴。⑸因巴、蜀之资：实指借助于谯纵的力量。⑸翕然：顺从归心的样子。⑸自足办事：自己可以完成任务。⑸鳞翼：借喻为"帮手""外援"。⑸自求多福：如今之所谓"好自为之"，一切都靠你自己啦。⑸虚怀引士：指谦虚待人，礼贤下士。⑸龙格：地名，即成都西南的广都（今四川成都市双流区）境内的龙爪滩。⑸守：监督；看管。⑸外内多难：外被赫连勃勃大败于阳武，内部又有边宪、梁裒等人的造反。⑸觇：探看。⑸不必华夏：不一定非出于中土。当时后秦政权以"中土""华夏"自居。⑸不必读书：不一定非读多少书。⑸九州之外：指外邦外土，因为古代称中国国内有"九州"。⑸五经之表：儒家的经典以外，指不读孔孟之书的人。⑸权谲：权谋诡计。⑸返覆万端：极言变化之多、变化之快。返覆，同"反覆"。⑸陵人：欺侮人。⑸戒惧：谨慎小心。⑸求全：只求守得住。⑸虽以天威临之：即使您亲自出征。天威，喻指姚兴。⑸广平公弼：即姚弼。⑸中国：后秦人指称自己。⑸西逸：向西方逃窜。⑸于河西邀之：在黄河以西拦截他。河西，指今甘肃、宁夏的黄河以西地区。邀，拦截。⑸济自金城：在今兰州一带向西渡过黄河。金城，古郡名，郡治在今甘肃兰州之西北侧。⑸掩其城门：攻其城门，使其城中之军不得外出。掩，突然袭击。⑸山泽之民：指金城城外的百姓。⑸坐克：坐等而克，言不必费力攻击。⑸漠口：县名，县治在今甘肃武威东南，当时属于昌松郡。⑸与国：同盟国。⑸西苑：姑臧城西面的小城。⑸城中：此指姑臧城中。⑸斩首七千余级：傉檀破姚弼之战，很像当年的李牧大破匈奴。见《史记·廉颇蔺相如列传》。⑸固垒：固守西苑。⑸常山公显：即姚显，姚兴之弟。⑸高平：即今宁夏固原。⑸凉风门：姑臧城的南门。⑸材官将军：统领力大善射的特种兵。材官，力大善射的兵士。⑸委罪敛成：说是敛成违旨挑起与南凉的战争。⑸河外：犹言"河西"，指秃发傉檀所占据的地区。⑸诣秦谢罪：言其不该打败姚弼等。⑸河曲：此指内蒙古东胜以东的黄河转弯处。⑸木城：吴熙载《通鉴地理今释》，"疑陕西庆阳府环县"，即今甘肃环县。⑸守宰：郡太守与县令。⑸司马叔璠：晋朝的宗室，桓玄篡位时，与其兄国璠投归南燕。⑸蕃城：县名，县治即今山东滕州，当时属南燕。⑸邹山：在今山东邹城东南。⑸鲁郡：郡治即今山东曲阜，当时属于东晋。⑸车骑长史刘钟：晋将名，官为车骑将军刘裕的长史。⑸主燕祀：主管对燕国历代旧主的祭祀。⑸峡：即三峡。⑸巴东：郡名，郡治即今重庆市奉节。⑸外水：即今之岷

江。⑰垫江：即今之重庆市。⑱黄虎：地名，在今四川三台西北。⑲太半：一大半，即三分之二。⑳削封：削减封地。㉑降号建威将军：由督统降为建威将军，因刘道规当时为征蜀都督，应对刘敬宣的失败负责。建威将军为杂号将军名，级别较低。㉒逊位：让出职位。㉓以私憾伤至公：由于私人仇恨而有损公道。刘毅少时为刘敬宣当参军，刘敬宣曾说他“其性外宽而内忌，自伐而尚人，若一旦遭逢，亦当以陵上取祸”。故刘毅记恨之。㉔浸衰：越来越衰败。浸，渐渐。㉕嵻峎山：胡三省以为在苑川（今甘肃兰州东）西南。㉖复称凉王：秃发傉檀曾于元兴元年自称凉王，后向姚兴称臣，而自去其号，今又复称凉王。㉗武台：本名“虎台”，唐人因避讳在《晋书》中改称“武台”。㉘汝水：胡三省以为“汝水”当作“女水”。女水，水名，流经当时的临淄（今山东淄博之临淄区）东南。㉙河冻：黄河结冰。㉚渑水：当时的渑水流经今山东淄博市临淄区东，西北入时水。㉛近日月：以比喻挨近帝王及其王后。㉜彭奚念：羌人头领，先后在乞伏乾归、姚兴间叛服不定。㉝枹罕：县名，县治在今甘肃临夏东北。㉞莫题：拓跋珪的将领。传见《魏书》卷十六。㉟拓跋窟咄：拓跋珪之叔。窟咄串通莫题欲进攻推翻拓跋珪事，见本书卷一百六太元十一年。㊱三岁犊岂能胜重载：以比喻拓跋珪年幼，不能胜任一国之主。当时拓跋珪十八岁。㊲拟则：仿效。㊳诘朝：第二天早晨。

【校记】

［17］冯万泥：张敦仁《通鉴刊本识误》改作“冯万泥”。［18］秦王：张敦仁《通鉴刊本识误》改作“秦主”。［19］何如：原作“如何”。据章钰校，甲十一行本、乙十一行本、孔天胤本二字皆互乙，今从改。

【研析】

本卷写晋安帝义熙元年（公元四〇五年）至义熙四年共四年间的各国大事，其中值得议论的主要有以下几点。

第一是由桓玄之乱引发谯纵之乱，遂使谯纵些许小寇竟至盘踞巴蜀长达九年，使人难以想象。桓玄之乱自元兴二年（公元四〇三年）十二月桓玄称帝始，至元兴三年五月桓玄被杀止，前后不到五六个月，兴灭的过程很短。这一来是有刘裕等人的讨伐，反对的势力更强大；二来也是由于桓玄太过于腐朽，简直就像是儿戏，实在不堪一击。但桓玄被杀之后，其子桓振起而继之，麻烦就来了，他倚仗着荆州地区有桓氏家族的深远影响，此起彼伏地坚持了很长时间；而桓振本人的勇敢善战，也给人留下了很深的印象。桓振不仅比桓玄坚持的时间久，更严重的是引发了巴蜀的谯纵之乱。其过程是：“初，毛璩闻桓振陷江陵，率众三万顺流东下，将讨之，使其弟西夷校尉瑾、蜀郡太守瑗出外水，参军巴西谯纵、侯晖出涪水。蜀人不乐远征，晖至五城水口，与巴西阳昧谋作乱。纵为人和谨，蜀人爱之，晖、昧共逼纵为主，纵不可，走投于水。引出，以兵逼纵登舆，纵又投地，叩头固辞，晖缚纵于舆。还，袭毛瑾于涪城，杀之，推纵为梁、秦二州刺史。璩至略城，闻变，奔还成都，遣参军王琼将兵讨之，为纵弟明子所败，死者什八九。益州营户李腾开城纳纵兵，杀璩及弟瑗，灭其家。纵称成都王，以从弟洪为益州刺史，以明子为巴州刺史屯白帝。”毛璩是东晋名将毛宝之子，世代忠贞勇敢，无私地效力于晋王朝。如今毛璩兄弟被害于成都，家族被灭后，刘裕派毛脩之、司马荣期等讨伐谯纵，结果又因杨承祖叛变，司马荣期被杀，刘裕的首次讨伐告败；接着刘裕又派刘敬宣等二次讨伐，结果刘敬宣等又大败而回。为什么谯纵集团竟有如此强大的力量呢？不是谯纵的力量太大，是朝廷的力量太小了。当时晋王朝被桓玄折腾得一息奄奄且不说，单说当时卢循、徐道覆的农民起义军就已经把晋王朝的薄弱兵力消耗殆尽了。当时的东晋群龙无首，只有刘裕等少数人顶着为朝廷出力的名目，实际是想趁机篡取晋政权。他们凭着手中的一些兵力，既要和桓氏势力作战，又要和卢循的势力作战，还要抽出时间进攻齐、鲁地区的慕容氏南燕，与关中地区的后秦，以博取美名，积累篡晋的资本。你说哪里还能腾出手来去平定远在长江上游的谯纵呢？所以这件事只有暂且放着，留到九年以后再说了。反正谯纵怎么说也不可能领兵出川来灭掉建康城，所以留着他不妨事。这就是谯纵尽管软弱无能，却可以延续九年的原因。

第二是南燕主慕容超贬位以求母的故事。慕容超是南燕主慕容德之侄。前秦灭前燕时，慕容德与其母、兄都被秦人虏入长安城，后来其母、兄又随慕容德西至张掖。前秦失败后，慕容德逃出秦国，追随建立后燕的慕容垂。慕容垂死，后燕失败后，慕容德建立南燕，都于广固，即今山东青州。这时流落在张掖的慕容德之兄生子慕容超，超父死，超闻其叔在广固称帝，别其母妻东归慕容德。慕容德死后，传位于慕容超。慕容超即位后，在政治上不是一个好君主，但思念其母，颇有孝子之心。他遣使西行，致意于当时建都长安的后秦君主姚兴，请求将其母放回。秦主兴提出苛刻的条件：慕容超必须向秦国称臣，而且要把当年燕国从前秦手中所夺的旧时北方民族从西晋手中夺去的朝廷太乐送给秦国。慕容超与群臣商议，群臣都说：“陛下嗣守社稷，不宜以私亲之故遂降尊号。且太乐先代遗音，不可与也。”慕容超没有听他们的这些形式主义的言论，断然地派大臣出使于秦，“奉表称藩”。接着秦国派使臣来燕宣布命令时，又说：“陛下前既奉表，今宜北面受诏。”群臣坚决反对说：“大燕七圣重光，奈何一旦为竖子屈节？”而慕容超却一一答应，说：“吾为太后屈，愿诸君勿复言！”就这样卑躬屈节地把其母连同其妻都迎回来了。王夫之《读通鉴论》说：“慕容超，鲜卑也，而无道以取死亡，不足道矣。苟有当于人心天理之宜者，君子必表出之，以为彝伦之准则。超母段氏在秦，姚兴挟之以求太乐诸伎，段晖言‘不宜以私亲之故降尊自屈，先代遗音不可与人’；封逞言‘大燕七圣重光，奈何为竖子屈’。呜呼，此岂有人之心者所忍言乎？超不听，而尽奉伎乐北面受诏，而兴礼其母而遣之。超于是乎合人心之安以顺天理之得矣。”慕容超的这种做法可谓自古少有，而王夫之这种破格的大力肯定，也为一般道德习俗所难容。但其道理却深合当今之人道主义精神，与讲求实效而不重虚名的原则，故标而出之。

第三是西凉主李暠训教诸子的故事。其言曰：“暠手令戒诸子，以为：‘从政者当审慎赏罚，勿任爱憎，近忠正，远佞谀，勿使左右窃弄威福。毁誉之来，当研核真伪；听讼折狱，必和颜任理，慎勿逆诈亿必，轻加声色。务广咨询，勿自专用。吾莅事五年，虽未能息民，然含垢匿瑕，朝为寇仇，夕委心膂，粗无负于新旧；事任公平，坦然无颣，初不容怀，有所损益。计近则如不足，经远乃为有余，庶亦无愧前人也。’”王夫之《读通鉴论》说：“暠之戒诸子曰：‘从政者审慎赏罚，勿任爱憎，折狱必和颜任理，用人无间于新旧，计近不足，经远有余。’是说也，岂徒其规模之宏远哉？内求之好恶之萌以治其心，与天相顺，循物以信。三代以下不多得之于君子者，而暠以偏方割据之雄能自求以求福。推此心也，可以创业垂统，贻百世之休矣。求治理而本诸心，昧者以为迂也。《诗》《书》所言，岂欺我哉?”西凉一个蕞尔小国，竟然有这么仁义、这么通情达理的一位主子，真是可喜可贺。

第四是后燕主慕容熙与其宠后苻氏的特殊关系。自古以来为宠爱女人而不惜挥霍杀人，直到破家亡国的帝王多的是，但为了爱一个女人而不惜牺牲个人一切的帝王极其少有，后燕主慕容熙就是这极其少有中的一个。本书《晋纪》三十四说：“燕王熙纳故中山尹苻谟二女，长曰娀娥，为贵人；幼曰训英，为贵嫔。贵嫔尤有宠。”本书《晋纪》三十五说：“燕王熙与苻后游畋，北登白鹿山，东逾青岭，南临沧海而还，士卒为虎狼所杀及冻死者五千余人。”本卷前文说：“燕王熙伐高句丽。戊申，攻辽东。城且陷，熙命将士：‘毋得先登，俟刬平其城，朕与皇后乘辇而入。’由是城中得严备，不克而还。”本卷前文又说：“燕王熙为其后苻氏起承华殿，负土于北门，土与谷同价。宿军典军杜静载棺诣阙极谏，熙斩之。苻氏尝季夏思冻鱼，仲冬须生地黄，熙下有司切责不得而斩之。”“苻氏卒，熙哭之懑绝，久而复苏。丧之如父母，服斩衰，食粥。命百官于宫内设位而哭，使人按检哭者，无泪则罪之，群臣皆含辛以为泪。……公卿以下至兵民，户率营陵，费殚府藏。陵周围数里，熙谓监作者曰：‘善为之，朕将继往。’”本卷前文又说：“燕王熙葬其后苻氏于徽平陵，丧车高大，毁北门而出，熙被发徒跣，步从二十余里。”《晋书》卷一百二十四还说：“苻氏死，熙悲号躄踊，若丧考妣，拥其尸而抚之曰：‘体已就冷，命遂断矣。’于是僵仆气绝，久而乃苏。大敛既讫，复启其棺，而与交接。服斩缞，食粥。”行为是有些怪异，但他对这个女人的感情之深厚，却远非唐明皇、贾宝玉等多情种子之所能比，也不是简单的一句“不爱江山爱美人”的话语所能概括。